Sekundarbereich II

Chemie heute

Schroedel

Chemie heute – Sekundarbereich II

Herausgegeben von:
Oberstudiendirektor Wolfgang Asselborn, Saarlouis
Akademischer Direktor Manfred Jäckel, Hannover
Oberstudiendirektor Dr. Karl T. Risch, Heidelberg

Bearbeitet von:
Oberstudienrat Ulrich Claus, Wolfsburg
Studiendirektor Klaus Dehnert, Soest
Diplomlehrerin Rosemarie Förster, Chemnitz
Oberstudiendirektor Günter Krug, Kenzingen
Diplomlehrer Dieter Matthé, Dresden
Studiendirektor Horst Oehr, Hamburg
Priv. Doz. Dr. Reinhard Pastille, Berlin
Studiendirektor Uwe Rehbein, Hamburg
Studiendirektor Horst Schmidt, Köln
Oberstudienrat Dr. Rolf Schulte-Coerne, Gelsenkirchen
Studiendirektor Manfred Schwahn, Hanau
Professor Dr. W. H. Eugen Schwarz, Siegen
Studiendirektor Theophil Schwenk, Backnang
Studienrat Dr. Winfried Zemann, Hannover

unter Mitarbeit der Verlagsredaktion

Mit Beiträgen von:
Oberstudienrat Robert Cerny, München
Studienrat Dr. Dietmar Franke, Hannover
Studienrat Hubert Giar, Büdingen
Prof. Dr. Lutz Hafner, Berlin

Berater:
Oberstudiendirektor Dr. Wolfgang Czieslik, Stockelsdorf
Professor Dr. Reinhard Demuth, Kiel
Oberstudienrätin Renate Brützel, Wesel
Diplomlehrerin Brigitta Rieck, Leipzig
Studiendirektor Albin Schmid, Erftstadt
Professor Dr. W. H. Eugen Schwarz, Siegen
Diplom-Chemikerin Martina Tschiedel, Jena

Eine der aktuellen Gefahrstoffverordnung entsprechende Zuordnung der Gefahrensymbole zu den im Anhang aufgeführten Stoffen und Zubereitungen erhalten Sie unter:

www.schroedel.de/gefahrstoffliste.html

Grafik: Birgitt Biermann-Schickling, Bernhard Peter, Günter Schlierf
Computergrafik: Andreas Ostrowicki, Prof. Dr. Fritz Vögtle, Dr. Karl-Heinz Weißbart, Universität Bonn; Dr. Monika Scholz-Zemann; Dr. Andreas Zywietz, Bayer AG

Fotografie: Hans Tegen, Michael Fabian

Druck A^{13} / Jahr 2014
Alle Drucke der Serie A sind im Unterricht parallel verwendbar.

Druck und Bindung: westermann druck GmbH, Braunschweig

ISBN 978-3-507-**10630**-7

Inhaltsverzeichnis

Bildquellenverzeichnis

Titelbild: Elektronen-Lokalisierungs-Funktion von Ethen S. Fässler, ChiuZ, Vol. 31 (1997), Nr. 3, S. 114
Innendeckel: Rencin, Prag; 10.2–5, 164.2, 322.1, 390.1m: Amerikanische Botschaft, Bonn; 11.6, 18.2, 338.1, 343.2: Bildarchiv Preußischer Kulturbesitz, Berlin; 11.7: Lieder, Ludwigsburg; 11.8: Nilsson, „Eine Reise in das Innere unseres Körpers“, Rasch und Röhring, Hamburg; 11.9: Bild der Wissenschaft/IBM Rüschlikon, Binnig, Stuttgart; 11.10, 298.1: Focus, Hamburg; 12.2: ESO, München; 13.3a–c: Dr. Medenbach, Witten; 14: Hamburger Theatersammlung/Archiv Rosemarie Clausen; 17.3a: Finnigan MAT GmbH, Bremen; 19.1: Cavendish Laboratory, Cambridge; 23.3: Neeb, in „Stern“, Heft 29, 1992; 24.1a: Gentner, „Atlas typischer Nebelkammerbilder“, Springer, Heidelberg; 24.2: GSI, Darmstadt; 25.1: Informationskreis Kernenergie, Bonn; 25.2, 28, 150.1, 382.1: dpa, Frankfurt; 34.3: Schreiner, „Physik II“, Diesterweg, Frankfurt; 40l: Dr. Wartchow, Hannover; 44.1: Sulzer-Kleinemeier, Gleisweiler; 49l: Wacker-Siltronic AG, Burghausen; 49m, 49r, 160.3: Siemens-Pressebild, München; 59.1: Fischer, Hannover; 66.2, 155.2, 210.1, 210.2, 237.2, 308.1, 403.1c: Sieve, Melle; 78.1b, 188: Degussa AG, Frankfurt; 82.1, 175.1, 314.2, 318.1, 321.1, 333.2, 342.2: Mauritius Bildagentur, Mittenwald; 106.3, 106.4, 106.5: GDCh, Frankfurt; 106.6: Nordisk Pressefoto, Kopenhagen; 124.1: Asselborn, Saarlouis; 128.1, 128.2: Norman de Garis Davies, „The tomb of Rekh-Mi-Re at Thebes“, Publications of the Metropolitan Museum of Art, New York; 129.1, 189.1: Mannesmann AG, Düsseldorf; 131.2: Prof. Dr. Stetter, Regensburg; 134.1, 135.2a: Agfa-Gevaert AG, Leverkusen; 144.1: GDCh, Frankfurt; 155.1: Breuste, Hannover; 156.2: BMW AG, München; 163.1: Varta, Hannover; 165.1: Forschungszentrum Karlsruhe; 165.2: Daimler-Benz AG, Stuttgart; 166: DLR, Stuttgart; 170.1, 180.2: Deutsche Solvay AG, Hannover; 172.3: Schweizerische Aluminium AG, Zürich; 180.1: Informationsdienst Deutsche Salzindustrie, Bonn; 182.2: Chemische Werke Hüls AG, Marl; 184.1, 185.1: AGG, Düsseldorf; 184.2b: Dr. Albrecht, Miltach; 185.3: BSF, Bremen; 186.1: Zinkberatung e. V., Düsseldorf; 186.2: Audi AG, Ingolstadt; 187.2: Deutsches Kupfer-Institut, Berlin; 201.1c, 326.1: Henkel KGaA, Düsseldorf; 204.3, 254, 273.1b: Dr. Zywietz, Leichlingen; 229u: Prof. Dr. Höhne, Hamburg; 232.3, 283.1, 307.3, 320.1, 346.1: BASF AG, Ludwigshafen; 233.2: Cassella AG, Frankfurt; 235.2: Deutsche Shell AG, Hamburg; 236.1: Cordes, ChiuZ, Nr. 3, 1977; 240.2: Dr. Schulte-Coerne, Gelsenkirchen; 245.1: Eckes KG, Nieder-Olm; 262.1, 403.1b, d, e, f: Reinhard Tierfoto, Heiligkreuzsteinach; 267.1: Dornier Medizintechnik GmbH, München; 268.1a, 289.1b: Tierbildarchiv Angermayer, Holzkirchen; 275.1: Blobel, Gießen; 275.2: Jung, Hilchenbach; 276.2: Disney, Frankfurt; 278.1: Bavaria Bildagentur, Gauting; 291.3: Nobelstiftelsen, Stockholm; 299.1: Bayer AG, Leverkusen; 299.2: Dr. Reinbacher, Kempten; 302.1, 320.2: Hoechst AG, Frankfurt; 303.1: Deutsches Rundfunkmuseum, Berlin; 304.1: PolyGram Manufactoring & Distribution Centres GmbH, Langenhagen; 308.2a: Kage, Lauterstein; 311o, m, u: Dr. Guhr, Grünstadt; 315.1: VW AG, Wolfsburg; 319.1: Continental AG, Hannover; 322.3: Photoanalyse Dr. Brill, Hofgeismar; 328.2: Pütz, „Das Hobbythek-Buch 10“, vgs Köln; 335.1, 336.1: Pütz, „Schminken, schönes Haar“, vgs Köln; 343.1, 349.1, 349.2, 368.1, 374.1, 378.3b: Prof. Dr. Hafner, Berlin; 348.1, 350.1: Dr. Entschel, Basel; 351.1: Bottke, Berlin; 358.1, 380.2: ZEFA, Düsseldorf; 358.2: Meyers Photocenter; 366.3: 2+3d design, Düsseldorf; 367.3l: Lehrbuch der Botanik, Strasburger, Gustav-Fischer-Verlag; 367.3r, 382.4, 403.1a: IMA, Hannover; 376.2l: Dr. Risch, Heidelberg; 379.1: Bio-Rad Laboratories GmbH, München; 382.2: RWE Energie AG, Essen; 382.5: PreussenElektra AG, Hannover; 386.1: Gesellschaft für ökologische Forschung, Greenpeace, Hamburg; 390.1l: Philip James, Steven Lee, NASA, NSSDC; 390.1r: Calvin J. Hamilton, NASA, NSSDC; 393.1: ESA, Darmstadt; 394.1: Munzig, Mindelheim; 398.1l: Dr. Bleich/Xeniel Dia, Neuhausen; 398.1r: Bricks, Erfurt; 401.1: Haitzinger, München; 20l, r, 30.1, 33.1, 19.3b, 106.1, 106.2, 138.1, 138.2, 148.1, 179.1, 192.2, 224.1, 278.2, 359.2, 382.3: Deutsches Museum, München; 154.1, 156.1, 345, 347.2, 347.3, 349.3, 350.2, 350.3, 353.2: Fonds der chemischen Industrie, Frankfurt

Es war uns nicht bei allen Abbildungen möglich, den Inhaber der Rechte ausfindig zu machen. Berechtigte Ansprüche werden selbstverständlich im Rahmen der üblichen Vereinbarungen abgegolten.

Hinweise zum sicheren Experimentieren

Den Praktikumversuchen ist in diesem Buch eine **Sicherheitsleiste** vorangestellt, die in bis zu neun Symbolfeldern Hinweise zu den Gefahren und zur Entsorgung gibt.

      B3  

Die *orangefarbenen* Felder enthalten die *Gefahrensymbole* der verwendeten Stoffe. Diese Symbole geben Hinweise auf die Gefahren beim Umgang mit den betreffenden Stoffen. Folgende Gefahrensymbole werden verwendet:

 Kennbuchstabe **T+** Sehr giftig

 Kennbuchstabe **T** Giftig

 Kennbuchstabe **Xn** Gesundheitsschädlich

 Kennbuchstabe **C** Ätzend

 Kennbuchstabe **Xi** Reizend

 Kennbuchstabe **O** Brandfördernd

 Kennbuchstabe **F+** Hochentzündlich

 Kennbuchstabe **F** Leichtentzündlich

 Kennbuchstabe **E** Explosionsgefährlich

 Kennbuchstabe **N** Umweltgefährlich

Die *violetten* Felder geben *Hinweise zur sicheren Handhabung* der jeweiligen Stoffe.

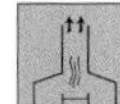 Versuch unter dem Abzug oder in einer geschlossenen Apparatur durchführen

 Schutzbrille tragen

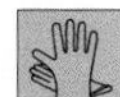 Schutzhandschuhe tragen

Die *grünen* Felder geben *Hinweise zur sicheren und umweltschonenden Entsorgung.*

Entsorgung. Das für die Praktikumversuche in diesem Buch empfohlene Entsorgungssystem basiert auf folgenden Prinzipien:

- *Gefährliche Abfälle vermeiden:* Zu den wichtigsten Regeln für einen verantwortungsvollen Umgang mit Stoffen gehört es, die Entstehung von unnötigen Abfällen oder unnötig großen Mengen an Abfällen zu vermeiden. Dazu ist eine sorgfältige Planung der experimentellen Arbeit in Hinblick auf Art und Menge der verwendeten Stoffe notwendig.

- *Gefährliche Abfälle umwandeln:* Nicht vermeidbare gefährliche Abfallstoffe sollen in weniger gefährliche Stoffe umgewandelt werden: Säuren und Laugen werden neutralisiert. Lösliche Stoffe können zu schwer löslichen Stoffen umgesetzt werden.

- *Gefährliche Abfälle sammeln:* Abfälle, die nicht an Ort und Stelle in ungefährliche Produkte umgewandelt werden können, sind zu sammeln, um sie später einer geordneten Entsorgung zuzuführen. Durch das Sammeln in getrennten Behältern wird zum einen die endgültige Beseitigung erleichtert und zum anderen eine Wiederaufbereitung ermöglicht.

Entsorgungskonzept. Gefährliche Abfälle, die nicht vermeidbar sind und nicht in ungefährliche Produkte umgewandelt werden können, werden getrennt gesammelt.
Eine gute Orientierung, was gesammelt werden sollte und was nicht, ergibt sich aus dem Umgang mit haushaltsüblichen Stoffen. So kann man kleinere Mengen an Essigsäure sicher bedenkenlos in den Ausguss geben.
Beim Sammeln von Abfallstoffen sollte man sich auf ein möglichst einfaches System beschränken. Das hier empfohlene Entsorgungssystem verwendet vier Sammelgefäße.
Bei den Behältern 2, 3 und 4 erfolgt die endgültige Entsorgung durch ein zugelassenes Entsorgungsunternehmen.

Im **Behälter 1** werden saure *und* alkalische Lösungen gesammelt. Der Inhalt dieses Behälters sollte neutralisiert werden, bevor er ganz gefüllt ist. Der neutralisierte Inhalt kann dann der Kanalisation zugeführt werden. Abfälle, die giftige Stoffe enthalten, etwa saure Chromat-Lösungen, dürfen deshalb nicht in diesen Behälter gegeben werden.

Im **Behälter 2** werden giftige anorganische Stoffe wie Schwermetallsalze oder Chromate gesammelt.

Im **Behälter 3** werden wasserlösliche und wasserunlösliche *halogenfreie* organische Verbindungen gesammelt.
Um das Volumen an brennbaren Flüssigkeiten gering zu halten, soll man im Einzelfall abwägen, ob nicht kleinere Mengen wasserlöslicher organischer Verbindungen wie Ethanol oder Aceton in den Ausguss gegeben werden können.

Im **Behälter 4** werden *halogenhaltige* organische Verbindungen gesammelt.

1 Vom Weltall zur Welt der Atome

1. Der Virgo-Galaxishaufen. Entfernung $70 \cdot 10^6$ Lichtjahre ($6{,}6 \cdot 10^{20}$ km)

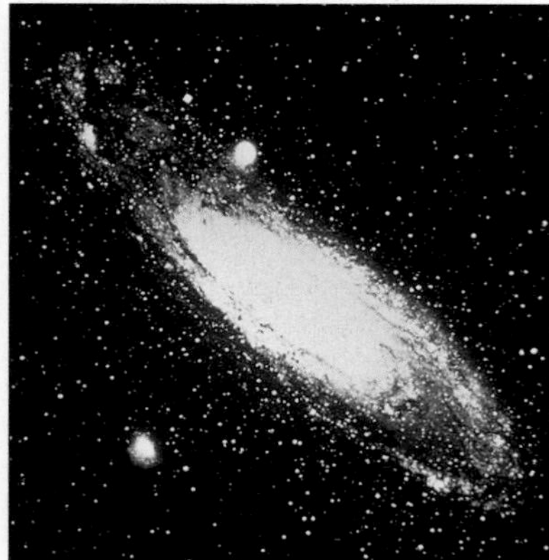

2. Die Andromeda-Galaxis. Entfernung $2{,}2 \cdot 10^6$ Lichtjahre ($2{,}1 \cdot 10^{19}$ km)

Das Universum besteht aus Atomen, deren Anzahl auf insgesamt etwa 10^{80} geschätzt wird. Ihre Existenz setzen wir als selbstverständlich voraus. Dabei hat die Wissenschaft bis heute noch keine abschließende Antwort auf die Frage gefunden, wie das Universum und damit die Atome entstanden sind. Um sich überhaupt eine Vorstellung machen zu können, sind wir auf Theorien und Modelle angewiesen.

Nach der heute gängigen Theorie begann alles vor etwa 15 Milliarden Jahren mit dem **Urknall.** Im Bruchteil einer Sekunde entstanden die Elementarteilchen: Protonen, Neutronen und Elektronen. In einer Fusionsreaktion hat sich daraus teilweise Helium gebildet. Auch heute noch sind von 1000 Atomen im Weltall 999 Wasserstoff-Atome oder Helium-Atome. In langen Zeiträumen haben sich dann erste Gaswolken gebildet, die sich schließlich unter dem Einfluss der Schwerkraft zu Sonnen verdichteten.

Blickt man in sternklaren Nächten in den Himmel, so erkennt man über sich ein dichtes Band von Sternen: die *Milchstraße*. Noch deutlicher wird dies beim Blick durch ein einfaches **Fernglas.** Wenn wir das Band der Milchstraße sehen, dann schauen wir in die Richtung der Scheibenebene einer Galaxis. Hier ist die Sternendichte am größten, allein in unserer Galaxis sollen etwa 100 Milliarden Sonnen enthalten sein. Von weitem würde die Milchstraße etwa so aussehen wie für uns der *Andromeda-Nebel*, unsere nächstgelegene Galaxis. Mit dem **Teleskop** kann man mit zunehmender Entfernung immer neue Galaxien erkennen. Ihre Zahl im All wird heute auf 100 Milliarden geschätzt.

So unvorstellbar wie die Zahl der Sonnen sind auch die Entfernungen im All. Sie werden meist in Lichtjahren angegeben. Mit seiner Geschwindigkeit von $300\,000 \text{ km} \cdot \text{s}^{-1}$ legt das Licht in einem Jahr ($\widehat{=} 31{,}6 \cdot 10^6$ s) etwa 9,5 Billionen Kilometer zurück. Um von einem Ende unserer Galaxis zum anderen zu gelangen, benötigt das Licht etwa 60000 Jahre. Unsere Galaxis hat also einen Durchmesser von 60000 Lichtjahren, das sind $5{,}7 \cdot 10^{17}$ km. Unsere Nachbar-Galaxis, der Andromeda-Nebel, ist schon 2,2 Millionen Lichtjahre entfernt ($2{,}1 \cdot 10^{19}$ km). Mit den größten Teleskopen können heute Galaxien beobachtet werden, deren Licht ausgesandt wurde, als unsere Erde gerade erst entstand. So können wir Sterne in den verschiedensten Entwicklungsstufen sehen und am Beispiel anderer Himmelskörper die Vergangenheit unserer Erde nachvollziehen.

3. Der Lagunen-Nebel. Entfernung $2{,}5 \cdot 10^3$ Lichtjahre ($2{,}4 \cdot 10^{16}$ km)

4. Der Saturn mit Monden. Entfernung $1{,}3 \cdot 10^9$ km

5. Die Erde geht über dem Mond auf. Entfernung $3{,}8 \cdot 10^5$ km

Sterne wurden in früheren Zeiten als ewig existierend angesehen. Heute wissen wir, dass sich im Weltall ständig Katastrophen kosmischen Ausmaßes ereignen: Sterne vergehen in *Supernova*-Ausbrüchen. Fast die gesamte Masse eines Sternes gelangt bei den gigantischen Explosionen als *Sternenstaub* in den interstellaren Raum und steht für die Bildung neuer Sterne zur Verfügung. Eine solche Geburtsstätte junger Sterne ist auch der *Lagunen-Nebel* in der Milchstraße.

Auch die *Erde* ist vor etwa fünf Milliarden Jahren auf diese Weise entstanden. Alle Atome auf der Erde stammen von Himmelskörpern, die sich vor etwa 15 Milliarden Jahren beim Urknall bildeten und die nach etwa zehn Milliarden Jahren als Supernova endeten.

Vor etwa vier Milliarden Jahren entwickelte sich auf der Erde das wunderbare **Phänomen des Lebens.** Seine Anfänge konnten bis heute nicht geklärt werden. Eine entscheidende Rolle spielten dabei Kohlenstoffverbindungen. MILLER konnte 1953 im Laborexperiment nachweisen, dass sich unter den Bedingungen der Uratmosphäre aus Wasserdampf, Kohlenstoffdioxid, Methan und Ammoniak größere Moleküle wie Aminosäuren gebildet haben. Nach der EIGENschen Theorie zur chemischen Evolution wurde die Entwicklung zu lebenden Systemen erst möglich, als mit den Nucleinsäuren Makromoleküle mit der Fähigkeit zur Weitergabe von Informationen zur Verfügung standen.

Betrachtet man die kleinste Struktureinheit des Lebens, die *Zelle*, mit dem **Lichtmikroskop,** so sieht man darin einen kleinen Zellkern. In ihm befinden sich die Nucleinsäure-Moleküle (DNA). Die Struktur der DNA kann man heute unter dem **Elektronenmikroskop** erkennen. Mit dem **Rastertunnelmikroskop** gelang es 1985 erstmals, sogar Atome sichtbar zu machen.

Die Forscher sind aber inzwischen noch viel tiefer in den Mikrokosmos eingedrungen. Mit großem finanziellen Aufwand werden die Elementarteilchen in riesigen **Beschleunigeranlagen** auf nahezu Lichtgeschwindigkeit gebracht. Anschließend lässt man sie aufeinanderprallen. Bei der Analyse solcher Streuexperimente mit Großcomputern fand man Hinweise auf die Existenz der *Quarks*, der Grundbausteine von Protonen und Neutronen. Dem nahezu grenzenlosen Makrokosmos entspricht also ein ähnlich geheimnisvoller Mikrokosmos.

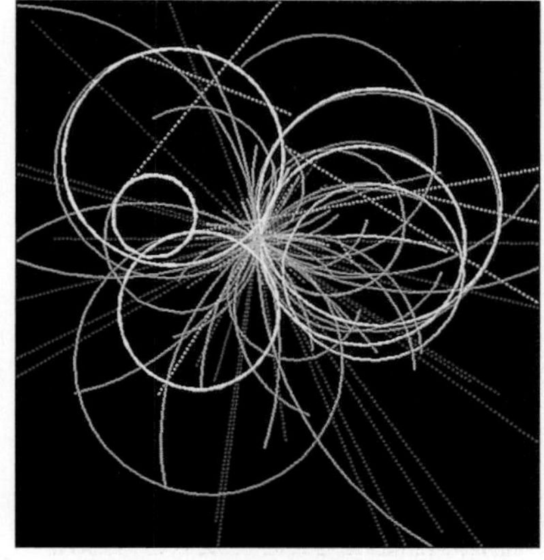

10. Kollision zweier hochenergetischer Protonen (Computeranalyse)

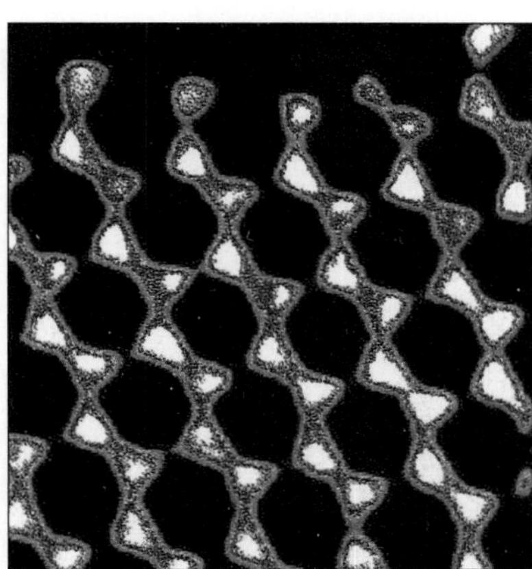

9. Graphit-Oberfläche im Rastertunnelmikroskop (10^{12}fach)

6. Das Wunder des Lebens.
Adam und Eva (DÜRER, 1504)

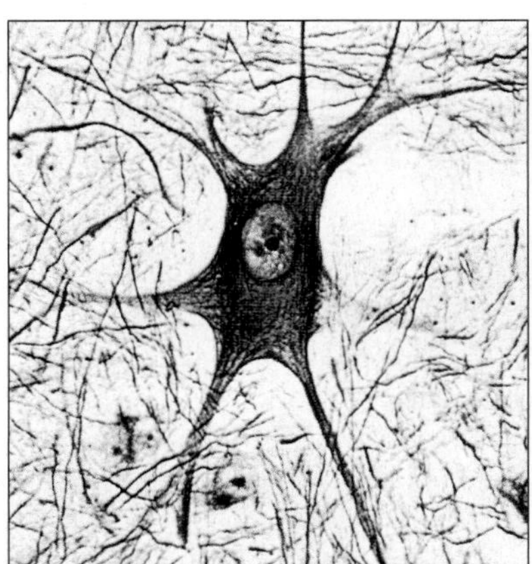

7. Nervenzelle im Lichtmikroskop (200fach)

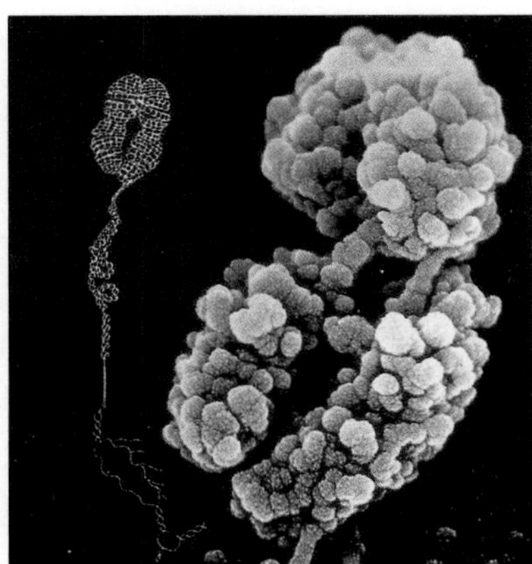

8. DNA-Eiweiß-Komplex im Elektronenmikroskop (125000fach)

1.1 Entstehung der Elemente

bei etwa 10^7 K: $$4\,{}^1_1\mathrm{H} \longrightarrow {}^4_2\mathrm{He}$$
bei etwa 10^8 K: $$3\,{}^4_2\mathrm{He} \longrightarrow {}^{12}_6\mathrm{C}$$ $${}^{12}_6\mathrm{C} + {}^4_2\mathrm{He} \longrightarrow {}^{16}_8\mathrm{O}$$
bei etwa 10^9 K: $$2\,{}^{12}_6\mathrm{C} \longrightarrow {}^{20}_{10}\mathrm{Ne} + {}^4_2\mathrm{He}$$ $$2\,{}^{12}_6\mathrm{C} \longrightarrow {}^{24}_{12}\mathrm{Mg}$$ $$2\,{}^{16}_8\mathrm{O} \longrightarrow {}^{28}_{14}\mathrm{Si} + {}^4_2\mathrm{He}$$ $$2\,{}^{16}_8\mathrm{O} \longrightarrow {}^{32}_{16}\mathrm{S}$$
bei etwa $2 \cdot 10^9$ K: $${}^{28}_{14}\mathrm{Si} + x\,{}^4_2\mathrm{He} \longrightarrow \text{Elemente bis } {}^{56}_{26}\mathrm{Fe}$$

1. Kernfusionsreaktionen in Sternen

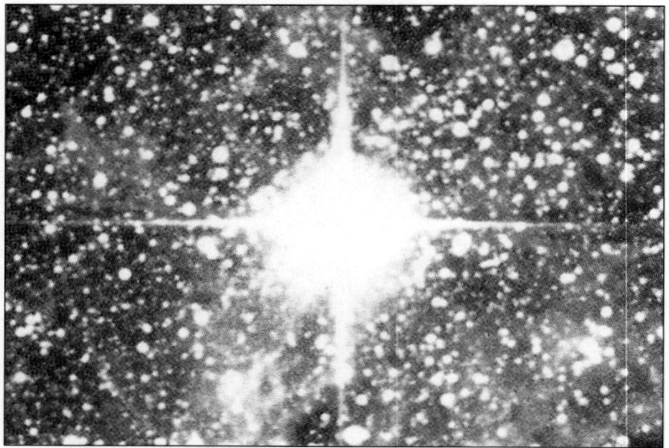

2. Supernova-Explosion in der MAGELLAN-Wolke

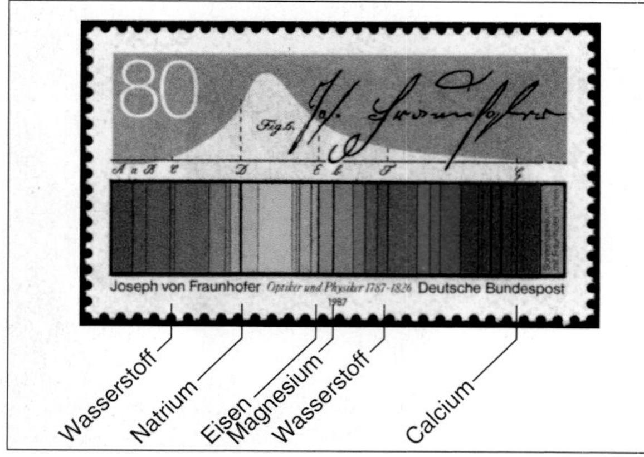

3. FRAUNHOFERsche Linien im Spektrum des Sonnenlichts

Das Element Wasserstoff war und ist der Ausgangsstoff für die Entstehung der übrigen Elemente. Sie bilden sich durch Kernfusionsreaktionen in den Sternen. So werden auf unserer Sonne pro Sekunde etwa sechs Tonnen Helium aus Wasserstoff gebildet. In der Sonne entstehen auch schwere Elemente bis hin zum Sauerstoff. Die noch schwereren Elemente bis zum Eisen können sich nur auf Sternen bilden, die wesentlich heißer sind als unsere Sonne. Die Bildung von Elementen in den Sternen kann spektroskopisch nachgewiesen werden. Im Spektrum des Sonnenlichts weisen die FRAUNHOFERschen Linien auf bestimmte Elemente hin.

Bei Kernfusionen nimmt die Masse der beteiligten Atome ab. So wird bei der Bildung von Helium aus Wasserstoff etwa 1 % der Masse in Energie umgewandelt. Pro Gramm Helium wird dabei eine Energie von $7 \cdot 10^8$ kJ frei. Um die gleiche Energiemenge auf konventionellem Weg zu erzeugen, müssen 16 Tonnen Erdöl verbrannt werden. Die zerstörerische Gewalt unkontrollierter Fusionsreaktionen wird bei der Explosion von Wasserstoffbomben deutlich.
Seit vielen Jahren versucht man, die bei der Kernfusion frei werdende Energie technisch nutzbar zu machen. Die Entwicklung steckt aber immer noch in den Anfängen. Die großen Industrienationen planen jetzt die gemeinsame Errichtung eines Fusionsreaktors, in dem die Kernverschmelzung wenigstens einige Sekunden lang kontrolliert ablaufen soll.

Elemente, deren Atommasse größer ist als die des Eisens, entstehen unter Energieaufnahme. Sie bilden sich nur bei Fusionsreaktionen, die während einer *Supernova-Explosion* ablaufen. Auch die schweren Elemente der Sonne stammen aus dem Staub explodierter Sterne. In der Milchstraße wurde die letzte derartige Explosion im Jahre 1604 von dem damaligen Prager Hofastronomen KEPLER beobachtet. Mit modernen Methoden konnten bisher vor allem Supernovae in weit entfernten Galaxien untersucht werden. Allein im Jahre 1996 wurden annähernd einhundert neue Supernovae beschrieben.

Die Atome der Elemente ab der Ordnungszahl 84 (Polonium, Atommasse 209 u) sind nicht stabil; sie unterliegen dem radioaktiven Zerfall und wandeln sich dabei in stabile Atome leichterer Elemente um. Das schwerste, heute noch in der Natur vorkommende Element ist Uran mit der Ordnungszahl 92 und der Atommasse 238 u.

Durch künstliche Kernumwandlung kann man heute kurzlebige Atome der Elemente bis zur Ordnungszahl 112 und der Atommasse 277 u herstellen. Die Herstellung der schwersten Atome gelang in den letzten Jahren der Gesellschaft für Schwerionenforschung (GSI) in Darmstadt.

1.2 Häufigkeit der Elemente auf der Erde

Die Erde ist aus Kern, Mantel und Kruste aufgebaut. Aussagen über die Zusammensetzung der Erde ergeben sich aus seismografischen Messungen, aus Untersuchungen an gesteinsbildenden Mineralien bei hohen Drucken und Temperaturen sowie aus der Analyse von Meteoriten. Zugänglich für uns ist nur die Erdkruste. Sie besitzt im kontinentalen Bereich eine Dicke von etwa 40 km, unter den Ozeanen von gut 10 km. Die bisher tiefste Bohrung führte 1994 in der Oberpfalz bis in eine Tiefe von 9 km. Der Erdmantel ist etwa 2500 km dick. Er besteht hauptsächlich aus eisenhaltigen Magnesiumsilicaten, der Kern besteht wahrscheinlich aus einer Legierung von Eisen mit Nickel.

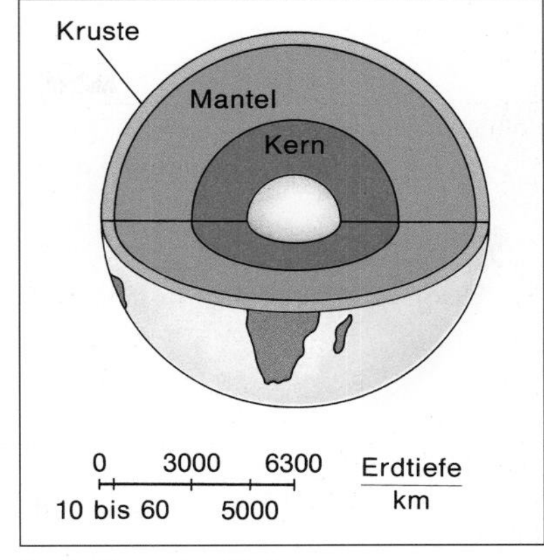

1. Aufbau der Erde

Die zehn häufigsten Elemente der Erde haben bereits einen Anteil von 99,9 % an der gesamten Masse der Erdkruste. Viele Metalle können nur deshalb gewonnen werden, weil sie sich als schwerlösliche Verbindungen in *Erzlagerstätten* angereichert haben. Das gilt auch für die kulturhistorisch wichtigen Metalle Kupfer, Zinn, Blei und Silber.

Jahrhundertelang sind Lagerstätten bedenkenlos ausgebeutet worden. Erst in jüngster Zeit werden die noch vorhandenen Vorräte systematisch erfasst. Ausgehend vom gegenwärtigen Verbrauch versucht man abzuschätzen, wie lange die Rohstoffvorräte noch reichen. Danach würden in 60 Jahren die abbauwürdigen Erzlager an Kupfer erschöpft sein, in 75 Jahren die an Blei. Diese Berechnungen berücksichtigen allerdings nur die heutigen Rohstoffpreise. Bei höheren Preisen würde sich auch der Abbau ärmerer Erzlager lohnen.
Begrenzte Reserven haben zu einer verstärkten Entwicklung von Recycling-Verfahren geführt. Mit steigender Tendenz werden bereits gegenwärtig zwischen 35 % und 50 % der Metalle Kupfer, Aluminium, Eisen, Nickel und Zink aus Metallschrott hergestellt. Noch höher liegt der Recycling-Anteil bei Blei, Silber und Zinn.

	Universum	Erde	Erdrinde	Meerwasser	Körper
H	92760	120	2880	66200	60560
He	7140	–	–	–	–
C	8	99	34	1,4	10680
N	15	0,3	3	–	2440
O	49	48800	60110	33100	25670
F	–	3,8	68	–	–
Ne	20	–	–	–	–
Na	0,1	640	2160	290	75
Mg	2,1	12500	1960	34	11
Al	0,2	1300	6300	–	–
Si	2,3	14000	20800	–	0,9
P	–	140	70	–	130
S	0,9	1400	17	17	130
Cl	–	45	8	340	33
K	–	56	1100	6	37
Ca	0,1	460	2100	6	230
Ti	–	28	250	–	–
Mn	–	56	35	–	–
Fe	1,4	18870	2100	–	0,4
Ni	–	1400	3	–	–
	99999,1	99998,1	99998	99994,4	99997,3

2. Häufigkeit der Elemente. Die Zahlen geben an, wie viele Atome von insgesamt 100000 Atomen auf das jeweilige Element entfallen.

3. Wichtige Mineralien.
Bleiglanz **(a)**, Quarz **(b)**, Pyrit **(c)**

2 Atome – Aufbau und Veranschaulichung

„Dass ich erkenne, was die Welt im Innersten zusammenhält.“ (Goethe, Faust I)

Was ist Materie? Nach welchen Gesetzen bildet sich die Vielfalt der Stoffe? Das sind alte Fragen der Menschheit.

Über zwei Jahrtausende hinweg war die Suche nach *Atomen*, den kleinsten, nicht weiter teilbaren Teilchen, eher eine philosophische Frage. Die Antworten blieben Spekulation.

Heute *kennt* die Wissenschaft viele Arten von Atomen und sie weiß auch, dass Atome nicht unteilbar sind. Bei Untersuchungen über ihren Aufbau kam ein ganzer Elementarteilchen-Zoo zum Vorschein: Elektronen, Protonen und Neutronen, aber auch Positronen, Neutrinos und Quarks.

Ein klares Gesamtbild über den Ursprung der Materie und die bestimmenden Kräfte scheint aber noch immer zu fehlen.

2.1 Elementarteilchen und ihre Entdeckung

Bis zum Ende des 19. Jahrhunderts wurde das Atom als unteilbar angesehen. Dann aber entdeckte man Teilchen, die kleiner und leichter als Atome sind. Bis heute hat man über 400 solcher **Elementarteilchen** nachweisen können. Die meisten sind allerdings nicht stabil, sobald sie freigesetzt sind. Für den Chemiker sind **Elektronen, Protonen** und **Neutronen** von besonderer Bedeutung.

Elektronen und Protonen lassen sich durch die Leuchteffekte in Gasentladungsröhren sichtbar machen. Legt man an die Elektroden eines mit verdünntem Gas gefüllten Rohres eine hohe elektrische Spannung, so emittiert die Kathode bestimmte Strahlen. Diese *Kathodenstrahlen* tragen eine negative Ladung. Sie bewegen sich auf die Anode zu und können durch elektrische und magnetische Felder abgelenkt werden. Durch die Auswertung von Ablenkungsexperimenten konnte THOMSON 1897 die *spezifische Ladung*, das Verhältnis von Ladung zu Masse, dieser als **Elektronen** bezeichneten Teilchen bestimmen.
Zahlreiche Stoffe leuchten auf, wenn sie von Elektronen getroffen werden. Auf diese Art wird auch das Fernsehbild erzeugt.

Durchbohrt man die Kathode einer Entladungsröhre, so lässt sich hinter diesem Kanal eine andere Strahlungsart nachweisen. Diese Strahlung besteht aus positiv geladenen Teilchen. Sie entstehen beim Zusammenstoß der Elektronen mit den Molekülen oder Atomen des Gases in der Röhre. Bei diesem Zusammenprall werden aus den Gasteilchen Elektronen herausgeschlagen. Die Masse der dadurch gebildeten *Kanalstrahl-Teilchen* hängt daher vom eingefüllten Gas ab. Die leichtesten Teilchen bilden sich bei Verwendung von Wasserstoff: Man erhält **Protonen.**

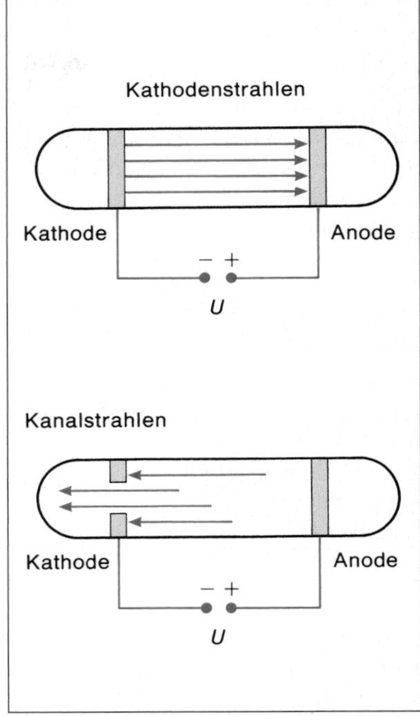

1. Kathodenstrahlrohr und Kanalstrahlrohr

Protonen besitzen eine positive, Elektronen eine negative elektrische **Elementarladung.** MILLIKAN führte 1909 erstmals eine direkte Bestimmung der Elementarladung durch. Er zeigte, dass beim Zerstäuben von Öl die entstehenden winzigen Öltröpfchen elektrisch aufgeladen sind. Sie trugen immer ein ganzzahliges Vielfaches einer bestimmten Ladungsmenge. Aus den Fallgeschwindigkeiten dieser Tröpfchen zwischen geladenen und nicht geladenen Kondensatorplatten leitete MILLIKAN dann den Wert für die elektrische Elementarladung ab: $e = 1{,}602 \cdot 10^{-19}$ C.

A1 a) Vergleichen Sie die beiden Apparaturen in Bild 1.
b) Formulieren Sie für die folgenden Gasfüllungen die Ionisationsvorgänge: He, Ar, Xe, H_2, Na-Dampf.

A2 Unter 1 Faraday versteht man die Ladung von 1 mol einfach geladener Teilchen. Berechnen Sie diesen Wert.

Um 1920 vermutete RUTHERFORD, dass der Atomkern neben Protonen auch ungeladene Teilchen enthält. Diese **Neutronen** wurden aber erst 1932 von CHADWICK nachgewiesen, der damals Beryllium mit α-Teilchen bestrahlte. Dabei werden Neutronen freigesetzt. Die freien Neutronen stellen neutrale Teilchen dar, die sich aber bald in ein Elektron und ein Proton umwandeln. Die mittlere Lebensdauer beträgt etwa 15 min.

Untersucht man den Aufbau von Neutronen und Protonen, so entdeckt man in ihnen eine Struktur, die man auf die Existenz dreier Masse- und Ladungszentren zurückführt. Der Physiker GELL-MANN gab diesen Zentren den Phantasienamen **Quarks.**

	Elektron (e^-)	Proton (p)	Neutron (n)
Masse	$0{,}91 \cdot 10^{-27}$ g 0,00055 u	$1{,}673 \cdot 10^{-24}$ g 1,007 u	$1{,}675 \cdot 10^{-24}$ g 1,008 u
Ladung	e^- $1{,}602 \cdot 10^{-19}$ C	e^+ $1{,}602 \cdot 10^{-19}$ C	– –

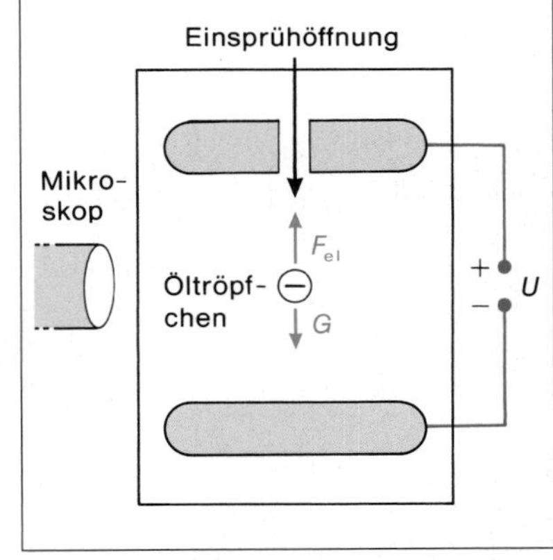

2. Öltröpfchen-Versuch von MILLIKAN

2.2 Das Atom – ein Steckbrief

A1 Natürlicher Kohlenstoff enthält die Isotope $^{12}_{6}C$ und $^{13}_{6}C$. Die mittlere Atommasse beträgt 12,011 u. Berechnen Sie den Anteil der beiden Isotope.

A2 Das Edelgas Neon enthält folgende Isotope: $^{20}_{10}Ne$ (90,9 %); $^{21}_{10}Ne$ (0,3 %); $^{22}_{10}Ne$ (8,8 %). Ihre Atommassen betragen 19,99 u, 20,99 u und 21,99 u. Berechnen Sie mit diesen Angaben die mittlere Atommasse des Elementes Neon.

A3 Das Element Quecksilber ist ein Mischelement. Es besteht aus sieben Isotopen.
a) Ermitteln Sie aus der Literatur den Anteil dieser Isotope.
b) Berechnen Sie aus der Häufigkeitsverteilung einen Näherungswert für die mittlere Atommasse des Quecksilbers.

A4 Ermitteln Sie aus der Literatur dasjenige Element, das die größte Zahl stabiler Isotope aufweist.

A5 Warum werden die Werte in den Tabellen der Atommassen immer genauer, während die Ordnungszahl eines Elementes nur einmal endgültig und richtig bestimmt werden kann?

A6 Die Atommasse von Iod (Element 53) ist kleiner als die Atommasse des Elements 52 (Tellur). Warum hat das Element Iod trotz kleinerer Atommasse eine größere Ordnungszahl als das Element Tellur?

Atome sind aus Atomkern und Atomhülle aufgebaut. Der **Atomkern** besteht aus Protonen und Neutronen, den Nukleonen (lat. *nucleus:* Kern). Die **Atomhülle** besteht aus Elektronen. Die positive Kernladung wird durch eine entsprechende negative Ladung der Hülle kompensiert. Der Durchmesser eines Atoms liegt in der Größenordnung von 10^{-10} m. Der Durchmesser eines Atomkerns beträgt etwa 10^{-15} m. Der Kern füllt demnach nur einen verschwindend kleinen Teil des Atomvolumens, denn das Volumen eines Atoms ist 10^{15}-mal so groß wie das Kernvolumen. Daraus leitet sich die hohe Dichte für die Masse des Atomkerns ab. Mehr als 99,9 % der Masse eines Atoms befindet sich in seinem Kern. Die Dichte des Atomkerns von Wasserstoff hat den unvorstellbaren Wert von $4 \cdot 10^{14}\ g \cdot cm^{-3}$. Im Vergleich dazu weisen die schwersten Elemente lediglich eine Dichte von $20\ g \cdot cm^{-3}$ auf. Dichten wie im Atomkern des Wasserstoff-Atoms treten im Weltraum in so genannten Neutronensternen und schwarzen Löchern auf. Ursachen sind die dort herrschenden extremen Gravitationskräfte.

Symbolisch wird der Aufbau eines Atoms folgendermaßen beschrieben:

$^{6+6}_{6}C$ — Protonenzahl + Neutronenzahl / Elementsymbol / Protonenzahl

$^{12}_{6}C$ — Nukleonenzahl / Elementsymbol / Kernladungszahl (Ordnungszahl)

Die **Kernladungszahl** ist charakteristisch für ein Element. Sie wird deshalb auch *Ordnungszahl* genannt. Atome des gleichen Elements, die sich in der Anzahl der Neutronen und damit in der Masse unterscheiden, heißen **Isotope.** Untersucht man die natürlich vorkommenden Elemente, stellt man fest, dass die meisten aus mehreren Isotopen bestehen. Sie sind *Mischelemente. Reinelemente* sind beispielsweise Aluminium und Iod; sie bestehen aus einer Atomart.

Atommassen werden heute als Vielfache der **atomaren Masseneinheit** mit dem Einheitenzeichen **u** angegeben. Dabei gilt: $1\ u = 1{,}660519 \cdot 10^{-27}$ kg. In der Definition bezieht man sich seit 1961 auf das häufigste Kohlenstoff-Isotop: *1 u ist $\frac{1}{12}$ der Masse eines Atoms des Isotops $^{12}_{6}C$.* Zuvor ging man von dem Sauerstoff-Isotop $^{16}_{8}O$ aus.
Die Festlegung der Atommasseneinheit u lässt sich mit der im Edelsteinhandel gebräuchlichen Einheit *Karat* vergleichen. Die durchschnittliche Masse von Johannisbrotkernen (arab. *kirat*) galt als 1 Karat. Früher entsprach 1 Karat in Amsterdam 0,2057 g, in Florenz nur 0,1872 g. Heute gilt allgemein: 1 Karat = 0,200 g.

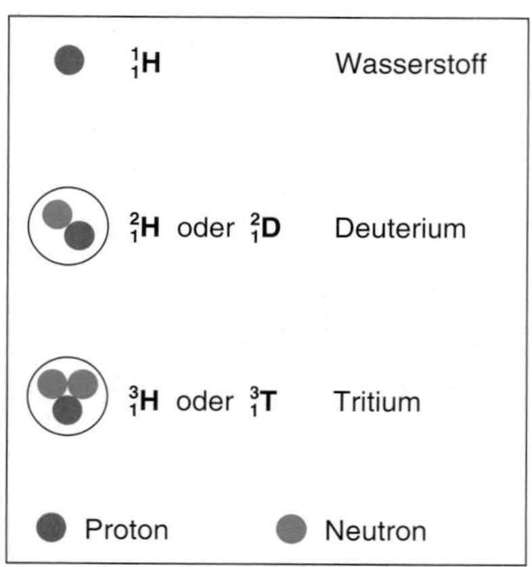

1. Die Isotope des Wasserstoffs

			C 12,011	**C9** 126,5 ms β⁺: 3,5	**C10** 19,3 s β⁺: 1,9 γ: 0,718	**C11** 20,3 min β⁺: 1,0 γ:	**C12** 98,89 %	**C13** 1,11 %	**C14** 5730 a β⁻: 0,2 γ: –	**C15** 2,46 s β⁻: 4,5; 9,8 γ: 5,299	**C16** 0,74 s β⁻
			B 10,81	**B8** 770 ms β⁺: 14,1		**B10** 20 %	**B11** 80%	**B12** 20,3 ms β⁻: 13,4 γ: 4,439	**B13** 17,35 ms β⁻: 13,4 γ: 3,684	**B14** 16,1 ms β⁻: >12 γ: ~6,0	
			Be 9,01218	**Be7** 53,3 d ε γ: 0,478	**Be8** 2α: 0,05	**Be9** 100 %	**Be10** 1,6 · 10⁶ a β⁻: 0,6 γ: –	**Be11** 13,8 s β⁻: 11,5 γ: 2,125	**Be12** 24,4 ms β⁻: 11,7		
			Li 6,941	**Li6** 7,5 %	**Li7** 92,5 %	**Li8** 842 ms β⁻: 12,5	**Li9** 178,3 ms β⁻: 11,0; 13,5		**Li11** 8,7 ms β⁻: ~18		
	He 4,00260	**He3** 0,00013 %	**He4** 99,99987 %		**He6** 808,1 ms β⁻: 3,5		**He8** 122 ms β⁻: ~10 γ: 0,981				
H 1,0079	**H1** 99,985 %	**H2** 0,015 %	**H3** 12,323 a β⁻: 0,02								

2. Die Isotope der ersten sechs Elemente. Ausschnitt aus der Nuklidkarte.

EXKURS

Das Massenspektrometer – die genaueste Waage

Die empfindlichste Waage für Atommassen ist das Massenspektrometer. Heute ist der apparative Aufbau der Geräte sehr komplex, das Prinzip dieser Methode ist aber einfach: Im **Probenzuführungsteil** wird eine Substanzprobe verdampft. Aus den Molekülen werden dann Elektronen abgespalten, sodass positiv geladene Molekül-Ionen entstehen. Diese werden durch eine elektrische Spannung beschleunigt und im **Analysator** durch magnetische und elektrische Felder nach Masse und Ladung aufgetrennt. Der Detektor zeichnet in der **Registriereinheit** die einzelnen Ionen entsprechend ihrer Masse auf.

Ein Massenspektrum erlaubt bei Reinstoffen Aussagen über die **Atom- und Molekülmassen.** So wird heute das Verteilungsverhältnis der verschiedenen Isotope eines Elements ausschließlich massenspektroskopisch ermittelt. Das Element Chlor beispielsweise besteht zu 75,77 % aus dem Isotop $^{35}_{17}Cl$ (34,97 u) und zu 24,23 % aus dem Isotop $^{37}_{17}Cl$ (36,95 u). Daraus ergibt sich für das Element Chlor die mittlere Atommasse von 35,45 u.

Bei der Untersuchung von Molekülverbindungen erhält man mit Hilfe der Massenspektroskopie (MS) nicht nur die Masse des intakten Moleküls, sondern auch die der entstandenen Bruchstücke. Art und Häufigkeit der Bruchstücke geben wertvolle Hinweise auf die *Struktur* des Moleküls.
In Kopplung mit der Gas-Chromatografie (GC/MS-Kopplung) ist diese Methode zu einem der wichtigsten Verfahren in vielen Bereichen der Chemie geworden, zum Beispiel in der Umweltanalytik.

Mit Hilfe der GC/MS-Methode lassen sich auch bei komplexen Gemischen Rückschlüsse auf ihre qualitativen und quantitativen Zusammensetzungen ziehen. Dazu werden die Gemische gas-chromatografisch getrennt, die einzelnen Komponenten werden massenspektroskopisch untersucht. Die registrierten Massenspektren werden mit Hilfe von Rechnern mit bekannten Spektren verglichen. So kann in kürzester Zeit in einem komplexen Gemisch eine vermutete Substanz nachgewiesen und quantitativ bestimmt werden. Auch Dopingkontrollen im Sport werden auf diese Weise durchgeführt.

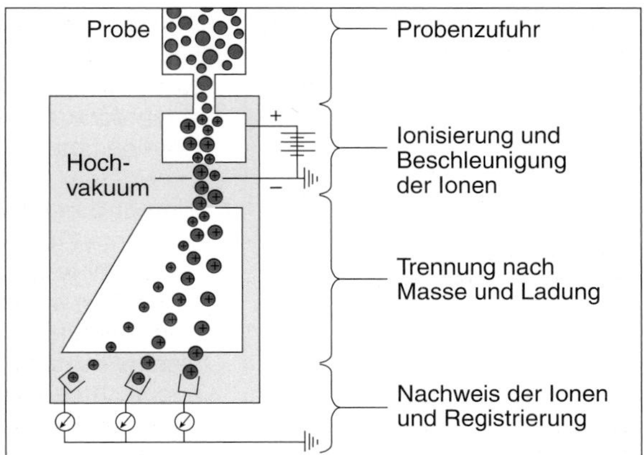

Funktionsprinzip eines Massenspektrometers. Bei gleicher Ladung werden die leichtesten Ionen am stärksten abgelenkt.

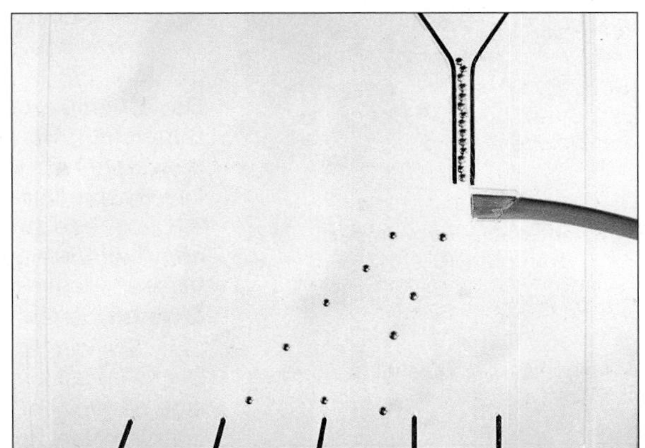

Modellversuch: Lässt man unterschiedlich schwere Stahlkugeln über eine schiefe Ebene rollen und bläst von der Seite her mit einem Föhn, so erfahren die leichten Kugeln die stärkste Ablenkung.

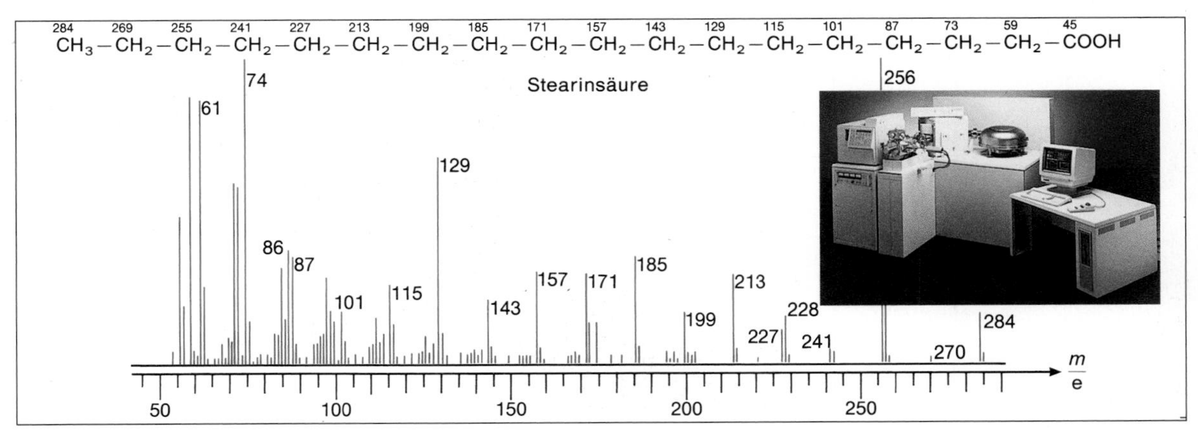

2.3 Der Atombegriff: von DEMOKRIT bis DALTON

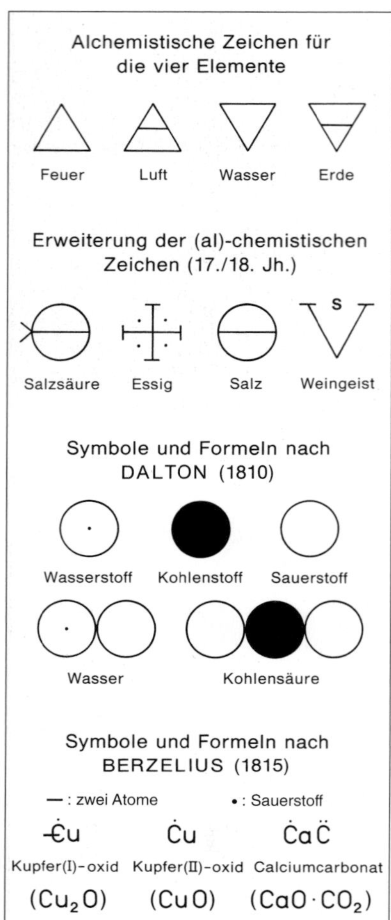

1. Zur Entwicklung der chemischen Zeichensprache

Vorläufer eines experimentell begründeten Atomkonzepts waren die Vorstellungen des griechischen Philosophen DEMOKRIT im 5. Jahrhundert v. Chr. Er meinte, dass es kleine, unteilbare, unveränderliche Teilchen gäbe – die Atome. Alle komplizierten Strukturen wie Feuer, Wasser, Luft und Erde erklärte er als Wirbel der sich im leeren Raum bewegenden Atome.

Elementbegriff. ARISTOTELES und auch PLATON waren Anhänger der Vier-Elemente-Lehre des EMPEDOKLES aus dem 5. Jahrhundert v. Chr., bei der *Feuer, Wasser, Luft* und *Erde* die Urelemente waren.
Einen Schritt hin zum modernen Atombegriff bedeutete die Definition des Begriffes **Element** durch BOYLE im Jahre 1661. Unter einem Element verstehen wir auch noch heute einen Stoff, der sich nicht mehr chemisch in andere Stoffe zerlegen lässt. Als **Verbindung** gelten heute Stoffe, die aus Elementen aufgebaut sind und einheitliche physikalische Eigenschaften aufweisen. Solche Eigenschaften sind beispielsweise die Schmelztemperatur und die Siedetemperatur.

Chemische Grundgesetze. Durch die Auswertung quantitativer Experimente stellten LOMONOSSOW und LAVOISIER im 18. Jahrhundert fest, dass bei chemischen Reaktionen nichts von den beteiligten Stoffen verloren geht. Damit war das *Gesetz von der Erhaltung der Masse* erkannt.

Der Chemiker PROUST formulierte als Ergebnis vieler Experimente mit Sauerstoff-, Schwefel- und Chlorverbindungen von Metallen das *Gesetz der konstanten Proportionen.* Er fand heraus, dass chemische Verbindungen ihre Bestandteile immer in konstanten Massenverhältnissen enthalten.
DALTON beschrieb 1805 das *Gesetz der multiplen Proportionen:* Werden mehrere Verbindungen von nur zwei Elementen gebildet, so stehen die Massen des einen Elements, die sich mit einer bestimmten Masse des anderen Elements verbinden, im Verhältnis kleiner ganzer Zahlen.

Die Gesetze der konstanten und multiplen Proportionen bilden die Grundlage der von RICHTER begründeten **Stöchiometrie.** Sie befasst sich mit der quantitativen Zusammensetzung von Verbindungen und dem quantitativen Ablauf chemischer Reaktionen. Die Stöchiometrie stellte bereits damals eine Zusammenfassung von experimentellen Erfahrungen dar, mit der sich vorzüglich arbeiten ließ. Es blieben jedoch viele Fragen offen. So konnte man nicht die Massenverhältnisse der schon damals bekannten Legierungen interpretieren. Dies führte zu einem wissenschaftlichen Streit zwischen PROUST und BERTHOLLET. Um keine Ausnahme für die Gesetze zulassen zu müssen, beschloss man, Legierungen nicht zu den chemischen Verbindungen zu zählen.

DALTONs Atomhypothese. Die stöchiometrischen Grundgesetze und die antike Atomistik regten DALTON zur Entwicklung seiner *Atomhypothese* an. Er beschrieb die Atome als unveränderlich, untereinander in einem Element gleich und in verschiedenen Elementen von unterschiedlicher Masse. Er entwickelte bereits **Symbole** zur Bezeichnung chemischer Elemente sowie Tabellen von Atom- und Molekülmassen. Die heutige Schreibweise von Formeln geht auf BERZELIUS zurück.

Die Gesetze der Stöchiometrie werden zwar durch DALTONs Arbeiten plausibel erklärt, sie lassen aber keine direkten Schlüsse auf den Aufbau der Materie aus Atomen zu. Einen ersten anschaulichen Hinweis auf die Existenz kleinster unsichtbarer Teilchen fand der Botaniker BROWN bereits im Jahre 1827 mit der nach ihm benannten BROWNschen Bewegung. Das Phänomen konnte allerdings erst 1863 physikalisch korrekt erklärt werden.

2. Apparatur zur Untersuchung der Luft (18. Jahrhundert)

2.4 Einfache Atommodelle

Die durch HELMHOLTZ und FARADAY erzielten Ergebnisse bei der Untersuchung der *Elektrolyse*, die Experimente mit den *Kathodenstrahlen* sowie das Phänomen der *Radioaktivität* regten THOMSON zur Erarbeitung eines differenzierten Atommodells an. THOMSON postulierte, dass die Atome Massenteilchen darstellen, bei denen negativ geladene Elektronen in die positiv geladene Grundmaterie eingebettet sind. Gibt ein Atom Elektronen ab, so bildet sich ein positiv geladenes Ion. Nimmt ein Atom zusätzliche Elektronen auf, so entsteht ein negativ geladenes Ion.

1. Joseph John THOMSON (1856–1940)

Das THOMSONsche Atommodell wurde aufgrund der Untersuchungen von LENARD und von RUTHERFORD verbessert. RUTHERFORD beschoss eine dünne Goldfolie mit α-Teilchen, also mit positiv geladenen Helium-Kernen. In einigen Fällen wurden die Teilchen nicht nur abgelenkt, sondern zurückgeworfen. Den Durchtritt der Teilchen durch die Folie und auch deren Ablenkung hatten RUTHERFORD und seine Mitarbeiter erwartet, nicht aber, dass sie direkt reflektiert würden. RUTHERFORD berichtete: „... es war beinahe so unglaublich, als wenn man mit einem 15-Zoll-Geschoss auf ein Stück Seidenpapier schießt und das Geschoss zurückkommt und einen selber trifft." Er schloss aus den Ergebnissen seiner Versuche, dass ein Atom aus einem positiv geladenen Massenzentrum, dem **Atomkern,** und einer negativ geladenen **Atomhülle** besteht.

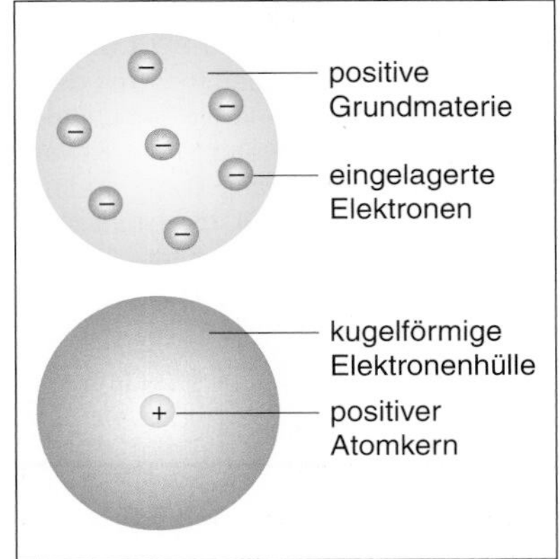

2. Atommodelle nach THOMSON und nach RUTHERFORD

Die Atommodelle von DALTON, THOMSON und RUTHERFORD sind auf verschiedenen Ebenen gute Arbeitsgrundlagen für die Interpretation chemischer und physikalischer Phänomene. Sie sind noch keine vollständigen **Theorien,** also keine Abbilder der komplexen Wirklichkeit, sondern vereinfachende, dafür aber sehr übersichtliche **Modelle.** Sie veranschaulichen bestimmte Aspekte und geben dabei nicht direkt wahrnehmbare *Zusammenhänge* schematisiert und vereinfacht wieder.

Solche Modelle ermöglichen ein *Verständnis* der Wirklichkeit: Viele Fakten lassen sich nach übergeordneten Gesichtspunkten einordnen, sodass Einsichten in die Zusammenhänge der Natur gewonnen werden.
Das Modell als eine Möglichkeit der künstlichen Systematisierung erlaubt darüber hinaus prognostische Überlegungen. Eins muss aber bewusst bleiben: Modelle sind auf den Phänomenbereich und den Zweck begrenzt, für den sie konzipiert wurden; und auch dort sind sie nur ein vereinfachtes Abbild des komplexen realen Systems.

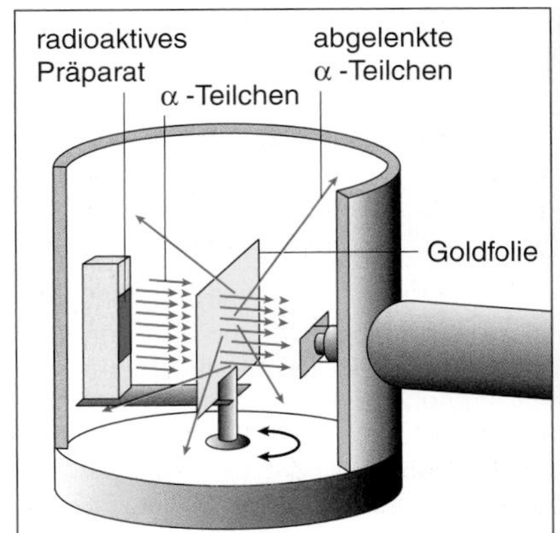

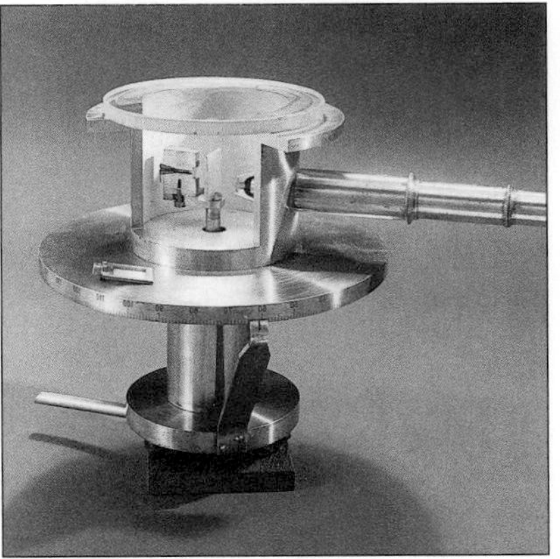

3. Apparatur zum RUTHERFORDschen Streuversuch.
Schema und Original

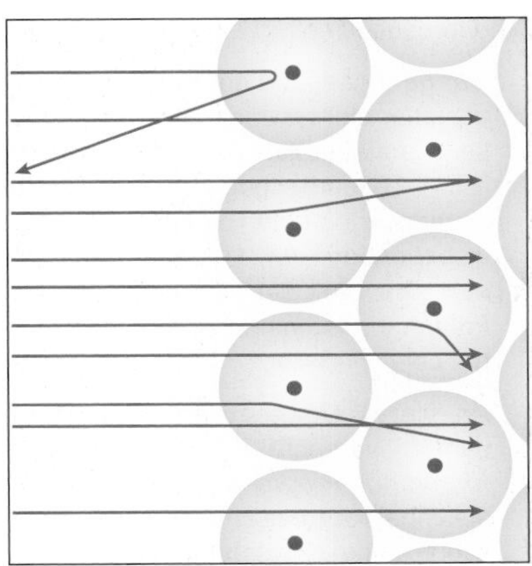

4. Streuung von α-Teilchen an Gold-Atomen

2.5 Radioaktivität und Kernreaktionen

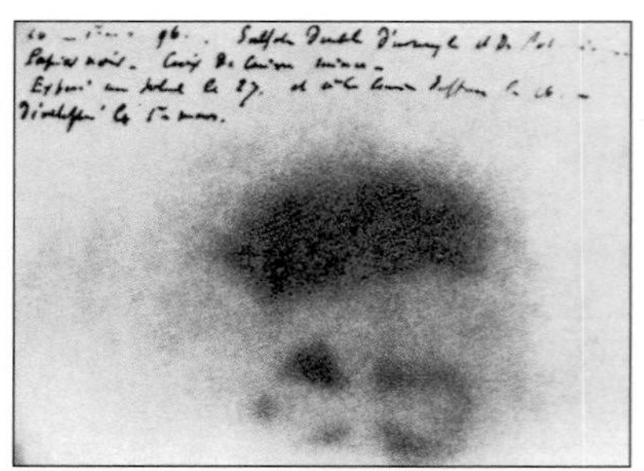

1. Die Entdeckung der Radioaktivität. Der Physiker **Henri BECQUEREL** wollte die Hypothese überprüfen, dass fluoreszierende Verbindungen gleichzeitig Röntgenstrahlen aussenden. Er untersuchte dazu eine im Sonnenlicht fluoreszierende Uranverbindung. Wie nach der Hypothese erwartet, schwärzte sie auch eine in dickes, schwarzes Papier eingewickelte Fotoplatte. Dann wurde das Wetter schlechter und BECQUEREL legte das Uransalz zusammen mit der verpackten Fotoplatte in die Schublade. „Ich entwickelte die Platte in der Erwartung, nur ganz schwache Bilder zu finden. Ganz im Gegenteil, die Umrisse erschienen in großer Intensität." BECQUERELS Entdeckung ist also einem Zufall zu verdanken.

Der französische Physiker BECQUEREL untersuchte 1896 neben anderen Substanzen auch Uranverbindungen auf einen Zusammenhang zwischen Fluoreszenz und Röntgenstrahlung. Zufällig stellte er dabei fest, dass eine lichtgeschützte Fotoplatte durch ein Uranerz geschwärzt worden war. Eine genauere Untersuchung ergab, dass Uran eine unsichtbare, energiereiche Strahlung aussendet. Moleküle der Luft werden durch die Strahlung ionisiert, eine mit Zinksulfid beschichtete Platte wird zum Leuchten angeregt. In der Folgezeit untersuchten Marie und Pierre CURIE ein stärker strahlendes Uranerz, die Uranpechblende. Im Jahre 1898 isolierten sie daraus die Elemente Polonium und Radium. Von Marie CURIE stammt auch die Bezeichnung **Radioaktivität** für energiereiche Strahlung aus Atomen (lat. *radius:* der Strahl).

Pierre CURIE konnte durch Ablenkversuche im Magnetfeld zeigen, dass die natürliche radioaktive Strahlung nicht einheitlich ist. Sie besteht aus elektrisch geladenen Teilchen, den α-Strahlen und den β-Strahlen, und aus den nicht geladenen γ-Strahlen.
Auch RUTHERFORD und seine Mitarbeiter beschäftigten sich mit dem Phänomen der Radioaktivität. Aufgrund ihrer Experimente kamen sie zu folgenden Ergebnissen: *α-Strahlen* sind positiv geladen und es bildet sich Helium aus ihnen; α-Strahlen sind daher Heliumkerne: $^{4}_{2}He^{2+}$. *β-Strahlen* sind negativ geladene Teilchen sehr kleiner Masse; es handelt sich um schnelle Elektronen. *γ-Strahlung* ist ähnlich wie Röntgenstrahlung eine elektromagnetische Strahlung mit sehr hoher Energie.

1902 stellten RUTHERFORD und SODDY die Hypothese auf, dass Radioaktivität auf den spontanen *radioaktiven Zerfall* von Atomkernen zurückzuführen ist. Eine Emission von α- oder β-Strahlen bedeutet also gleichzeitig die Bildung von Atomen eines anderen Elements.

EXKURS

Zwei Wissenschaftlerinnen

Aus den Bereichen Kernphysik und Kernchemie sind die Namen Marie CURIE und Lise MEITNER nicht wegzudenken. Sie gehören zu den wenigen Frauen, denen es gelang, sich in der wissenschaftlichen Hierarchie durchzusetzen.

Der geringen Zahl bekannter Wissenschaftler steht damals wie heute eine sehr große Anzahl von wissenschaftlich Tätigen gegenüber, deren Namen unbekannt bleiben. Dies gilt insbesondere für Wissenschaftlerinnen. Die Welt der Wissenschaft und Forschung ist immer noch eine Männerwelt.

An vielen Universitäten wird heute daher versucht, durch *Frauenförderungs-Programme* die Chancengleichheit der Geschlechter im Hochschul- und Forschungsbereich zu erreichen.

Marie CURIE (1867–1934). Sie erhielt zusammen mit ihrem Ehemann Pierre und ihrem Lehrer BECQUEREL 1903 für die Erforschung der Radioaktivität den Physik-Nobelpreis. Für die Entdeckung und Reindarstellung des Elements Radium bekam Marie CURIE im Jahre 1911 den Nobelpreis für Chemie.

Lise MEITNER (1878–1968). Sie entdeckte zusammen mit Otto HAHN das Protactinium. Sie erklärte die Uranspaltung und berechnete die dabei frei werdende Energie. Trotz ihrer hervorragenden wissenschaftlichen Arbeit und obwohl sich viele Forscher für sie einsetzten, musste sie als Jüdin 1938 emigrieren.

Der **Energieumsatz** beim radioaktiven Zerfall ist um vieles größer als bei chemischen Reaktionen. Die Energie der radioaktiven Strahlung wird häufig in *Elektronenvolt (eV)* angegeben:
1 eV ist diejenige kinetische Energie, die ein Teilchen mit der Ladung eines Elektrons (1 e) im Vakuum aufnimmt, wenn es eine Spannung von 1 Volt durchläuft.

$E_{kin} = q \cdot U = 1\ e \cdot 1\ V = 1{,}6 \cdot 10^{-19}\ C \cdot 1\ V = 1{,}6 \cdot 10^{-19}\ J$

Für *ein Mol* Teilchen entspricht das einer Energie von rund 96 kJ: $1{,}6 \cdot 10^{-19}\ J \cdot 6{,}022 \cdot 10^{23}\ mol^{-1} = 96\ kJ \cdot mol^{-1}$. Je nach Art des zerfallenen Atoms ist die frei werdende Energie unterschiedlich. Die Energie der α-, β- und γ-Strahlen beträgt 1 keV bis 10 MeV. Das sind also $10^2\ MJ \cdot mol^{-1}$ bis $10^6\ MJ \cdot mol^{-1}$. Bei der Knallgas-Reaktion werden dazu im Vergleich nur etwa $0{,}24\ MJ \cdot mol^{-1}$ frei (2,5 eV).

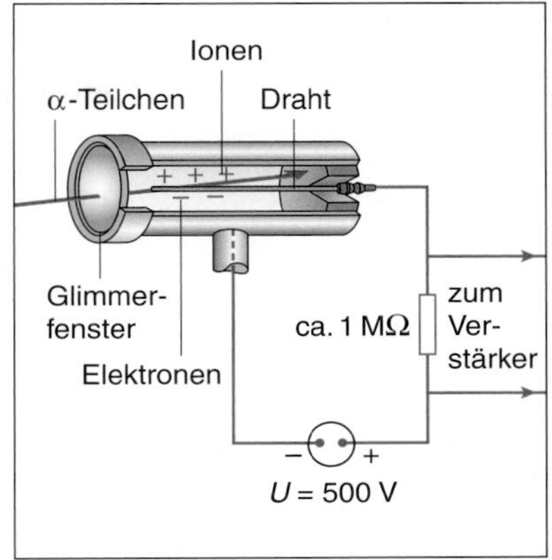

1. GEIGER-MÜLLER-Zählrohr (Schema)

Nachweis von Radioaktivität. Viele Phänomene kann man über menschliche Sinne direkt wahrnehmen. Auge und Ohr sind dafür empfindliche und schnelle „Messgeräte". Andere Phänomene wie das ultraviolette Licht (UV-Licht) oder die Radioaktivität bemerkt man erst zeitverzögert durch ihre Einwirkungen: Sonnenbrand, Strahlenkrankheit, Krebs. Den Ultraschall, den Fledermäuse zur Ortung benutzen, oder die Radiowellen kann der Mensch ohne Hilfsmittel überhaupt nicht registrieren. Technische Messgeräte dienen dazu, Phänomene über ihre Wirkung außerhalb des menschlichen Körpers erkennbar zu machen und sie schnell und zahlenmäßig reproduzierbar nachzuweisen. Geeignete Messgeräte für radioaktive Strahlen sind das GEIGER-MÜLLER-Zählrohr, die WILSONsche Nebelkammer, der Szintillationszähler und das Dosimeter.

Ein **GEIGER-MÜLLER-Zählrohr** ist ein mit Argon gefülltes Metallrohr. In der Achse der Metallröhre ist ein dünner, positiv geladener Draht eingespannt. Durch ein Fenster aus Glimmer treten radioaktive Strahlen in das Zählrohr ein. Besonders die α- und β-Strahlen ionisieren durch Stoß die Argon-Atome. Dadurch werden Elektronen freigesetzt und zum Draht hin beschleunigt. Auf ihrem Wege erzeugen sie durch Stoßionisation weitere Elektronen. Wenn die Elektronenwolke den Draht erreicht hat, fließt kurzzeitig ein elektrischer Strom. Dieser Strompuls wird elektronisch verstärkt und mit einem Zählgerät registriert oder durch ein akustisches Signal angezeigt.

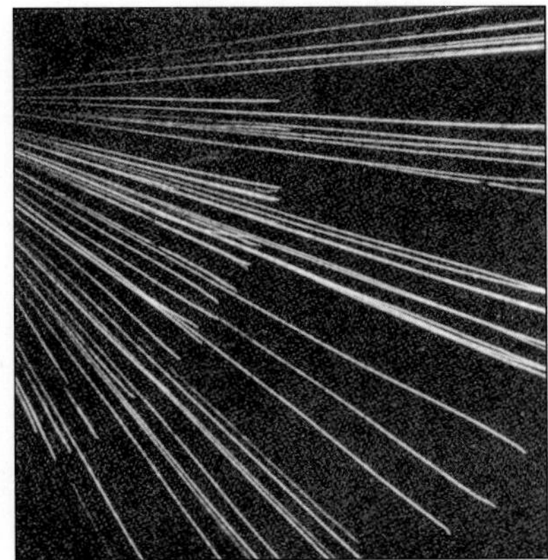

2. Nebelspuren von α-Teilchen in einer WILSONschen Nebelkammer

Die **WILSONsche Nebelkammer** ist ein Gerät, in dem sich übersättigter Wasserdampf befindet. Die von α- und β-Strahlen durch Stoß gebildeten Ionen wirken als Kondensationskerne: Es lagern sich Wasser-Moleküle an und bilden kleine Nebeltröpfchen. Der Weg der α- und β-Teilchen ist daher als Kondensstreifen erkennbar. Er ähnelt den Kondensstreifen hoch fliegender Düsenflugzeuge.

γ-Strahlen werden besser mit dem **Szintillationszähler** nachgewiesen. Dabei regt die γ-Strahlung in einem durch Thallium-Ionen aktivierten Natriumchlorid-Kristall zunächst Elektronen an. Sie fallen in den Grundzustand zurück und strahlen dabei Licht ab, dessen Intensität gemessen wird.

3. Dosimeter-Plakette

Zum Nachweis von Strahlungsbelastungen über eine längere Zeit benutzt man **Dosimeter,** die die Schwärzung fotografischer Filme durch radioaktive Strahlung ausnutzen. Damit lassen sich Art und Dosis der Strahlung aufzeichnen, der eine Person am Arbeitsplatz ausgesetzt ist. Der Dosimeter-Film muss in regelmäßigen, gesetzlich vorgeschriebenen Zeitabständen ausgewertet werden.

2.6 Zerfallsreihen und Zerfallsgesetz

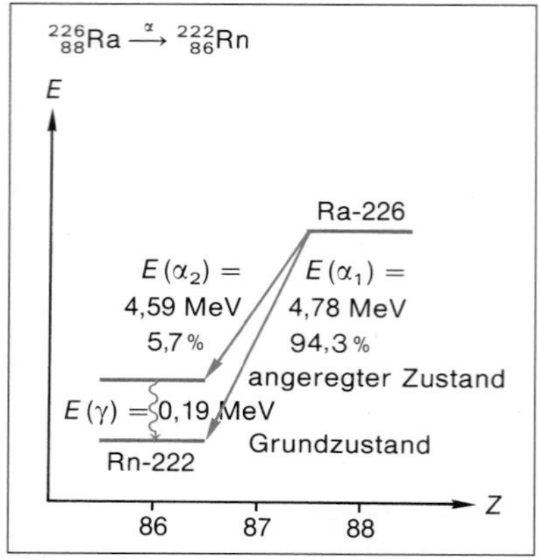

1. **Energiediagramm eines α-Zerfalls**

Bei einem **α-Zerfall** wird ein $^4_2$He-Kern aus dem Atomkern des zerfallenden Atoms emittiert. Der zurückbleibende Kern hat also zwei Protonen und zwei Neutronen weniger. Aus dem Radium-Isotop $^{226}_{88}$Ra wird so ein Isotop des Edelgases Radon: $^{222}_{86}$Rn. Die überzähligen Elektronen werden auf andere Atome übertragen. Eine α-Emission führt oft zu einem angeregten Atomkern. Beim Übergang in den Grundzustand wird dann elektromagnetische γ-Strahlung frei. Einen γ-Zerfall selbst gibt es nicht.

Beim **β-Zerfall** entstehen aus einem Neutron ein Proton und ein Elektron. Die bei dieser Kernumwandlung entstandenen Elektronen werden als β-Strahlung emittiert. Der gebildete Atomkern hat die gleiche Massenzahl, aber ein Proton mehr. So entsteht aus dem Caesium-Isotop $^{137}_{55}$Cs ein Isotop des Bariums: $^{137}_{56}$Ba. Auch bei einem β-Zerfall können angeregte Kerne entstehen, die γ-Strahlen emittieren. Im Gegensatz zu den α-Strahlen, die bei einer bestimmten Zerfallsreaktion immer die gleiche Energie aufweisen, besitzen die abgestrahlten Elektronen unterschiedliche Energien. Aufgrund des Energieerhaltungssatzes vermutete PAULI bereits 1931, dass neben den Elektronen noch neutrale Teilchen mit sehr geringer Masse auftreten. Wegen ihrer äußerst geringen Wechselwirkung mit Materie konnten solche *Neutrinos* erst 1956 direkt nachgewiesen werden.

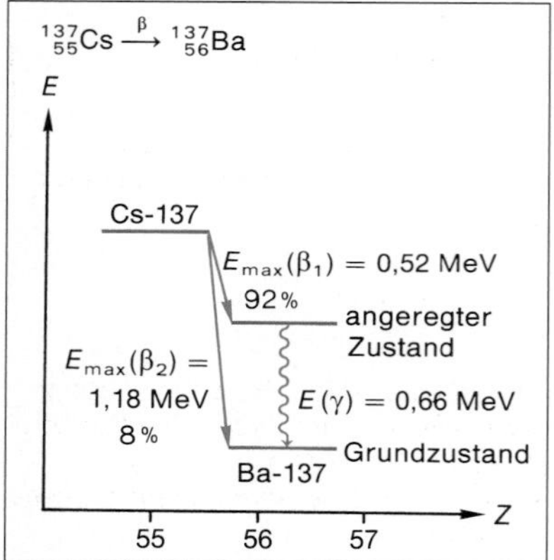

2. **Energiediagramm eines β-Zerfalls**

Zerfallsreihen. Der bei einem radioaktiven Zerfall entstandene Atomkern ist meist selbst radioaktiv. Der Zerfall geht dann so lange weiter, bis ein stabiler Kern entsteht; man spricht von einer *Zerfallsreihe*. Da sich die Massenzahlen der radioaktiven Atome nur beim α-Zerfall verändern, und zwar gerade um vier Einheiten, gibt es vier verschiedene Zerfallsreihen. Sie werden nach typischen Isotopen benannt:
Die *Thorium-Reihe* führt von dem in Mineralien vorkommenden $^{232}_{90}$Th zum stabilen Blei-Isotop $^{208}_{82}$Pb. Die Massenzahlen sind hier also jeweils durch 4 teilbar. In der *Neptunium-Reihe* mit Massenzahlen 4n + 1 wird aus $^{237}_{93}$Np schließlich $^{209}_{83}$Bi. In der *Uran-Radium-Reihe* mit Massenzahlen 4n + 2 bildet sich aus dem häufigsten Uran-Isotop $^{238}_{92}$U über $^{226}_{88}$Ra das $^{206}_{82}$Pb, während die *Uran-Actinium-Reihe* mit Massenzahlen 4n + 3 vom $^{235}_{92}$U über $^{227}_{89}$Ac zum $^{207}_{82}$Pb führt.

Charakteristisch für alle radioaktiven Elemente ist ihre **Halbwertszeit τ.** Dies ist der Zeitraum, in dem die Hälfte der ursprünglich vorhandenen Atome zerfallen ist. Die Halbwertszeit der verschiedenen Radioisotope liegt zwischen Bruchteilen von Sekunden und Millionen von Jahren.

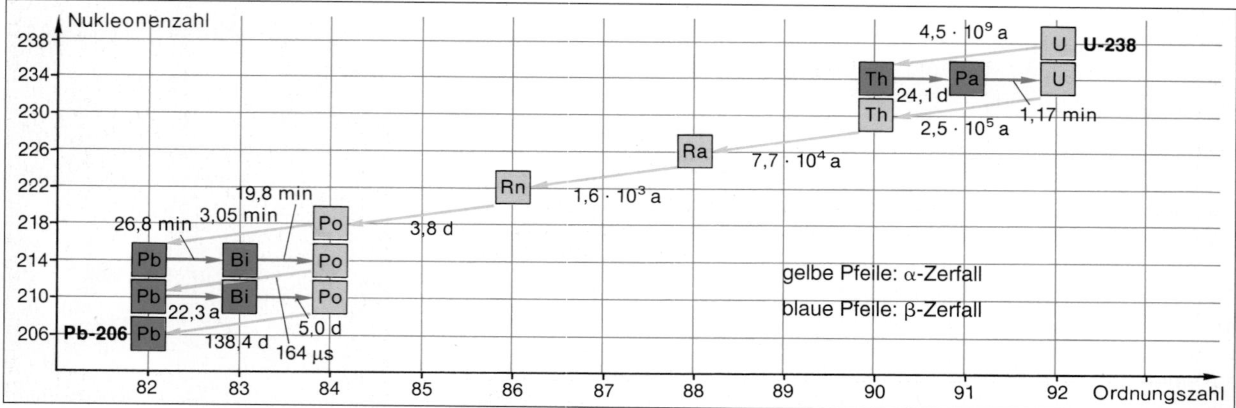

3. **Uran-Radium-Zerfallsreihe und Halbwertszeit**

Zerfallsgesetz. Eine wichtige charakteristische Größe eines radioaktiven Präparats ist seine *Aktivität*, die Anzahl der Zerfälle pro Sekunde. Die Aktivität A ist proportional der vorhandenen Teilchenzahl. Den Proportionalitätsfaktor k bezeichnet man als *Zerfallskonstante*. Der Faktor ist also ein Maß für die Häufigkeit der Zerfälle pro Sekunde. Er muss für jedes radioaktive Isotop experimentell bestimmt werden. Wann ein einzelnes Atom zerfällt, ist nicht vorhersagbar. Mit Hilfe der Zerfallskonstanten k lässt sich jeweils eine *Halbwertszeit* τ berechnen. Zerfallskonstante und Halbwertszeit sind unabhängig vom Alter der Kerne. Sie können von außen weder durch Druck noch Temperatur noch die Art der chemischen Bindung beeinflusst werden.

Altersbestimmung. Die Aktivität einer radioaktiven Probe erlaubt häufig Rückschlüsse auf ihr Alter. Eine oft benutzte Methode zur Altersbestimmung ist die *C-14-Methode*. Sie beruht auf folgenden Grundlagen: Durch kosmische Strahlung wird in der Atmosphäre aus dem Stickstoff-Isotop $^{14}_{7}N$ laufend das radioaktive Kohlenstoff-Isotop $^{14}_{6}C$ gebildet. Es ist ein β-Strahler mit einer Halbwertszeit von 5730 Jahren. Als radioaktives Kohlenstoffdioxid gelangt $^{14}_{6}C$ über die Photosynthese in die Pflanzen und über die Nahrungskette in Tiere und Menschen. Das Zahlenverhältnis von C-14-Kernen zu stabilen C-12-Kernen beträgt in der Atmosphäre etwa $1 : 10^{12}$. Aus diesem Verhältnis und der Halbwertszeit von C-14 ergibt sich bei einem lebenden Organismus pro Gramm Kohlenstoff eine Aktivität A von 15,3 Zerfällen pro Minute. Wenn das Lebewesen gestorben ist, sinkt der C-14-Anteil durch radioaktiven Zerfall. Über die restliche C-14-Aktivität lässt sich dann das Alter bestimmen.

Beispiel: Nach den Untersuchungen eines Isotopenlabors zeigt ein Zedernholzbalken aus einem Pharaonengrab pro Gramm Kohlenstoff eine Aktivität A von acht Zerfällen pro Minute. Beim Schlagen des Holzes waren es N_0 Zerfälle, heute sind es nur noch $N(t)$ Zerfälle: $A = N(t) = \frac{8}{15,3} \cdot N_0$.

Mit Hilfe des Zerfallsgesetzes ergibt sich damit ein Alter von über 5000 Jahren:

$$\ln N(t) = \ln N_0 - k \cdot t = \ln N_0 - \frac{\ln 2}{\tau} \cdot t$$

$$t = \frac{\ln N_0 - \ln N(t)}{\ln 2} \cdot \tau = \frac{\ln \frac{N_0}{N(t)}}{\ln 2} \cdot \tau = \frac{\ln \frac{15,3}{8}}{\ln 2} \cdot 5730\text{ a} = 5360\text{ a}$$

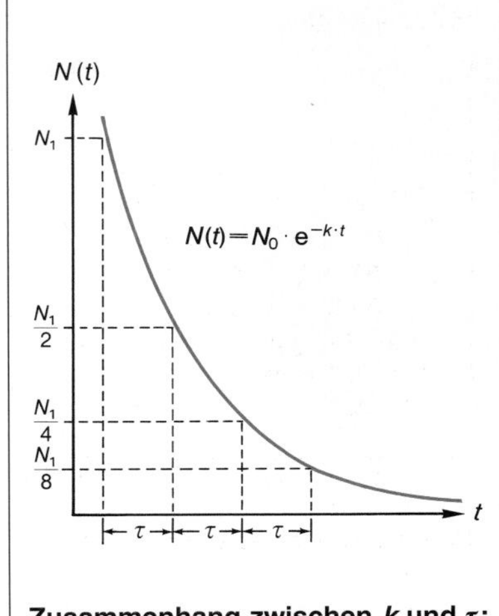

1. Zeitlicher Verlauf des radioaktiven Zerfalls

A1 Bei einem alten Holzstück beträgt der Kohlenstoffanteil 25 g. Die Gesamtaktivität hat den Wert $A = 5{,}2\ s^{-1}$.
a) Wie viele C-14-Atome enthält dieses Holzstück?
b) Wie alt ist es?

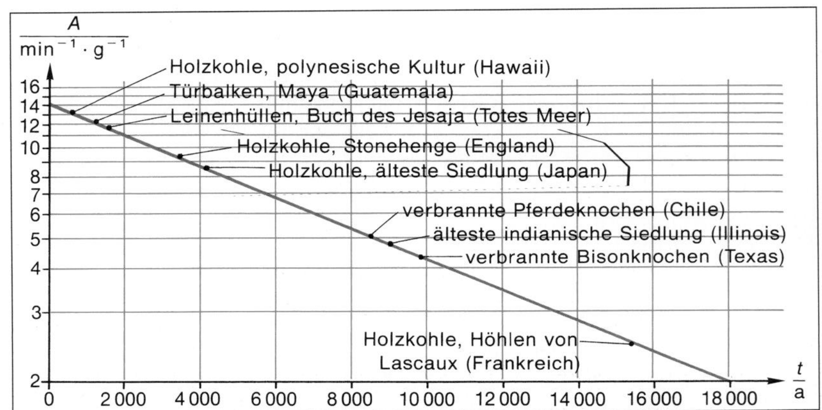

2. Altersbestimmungen nach der C-14-Methode

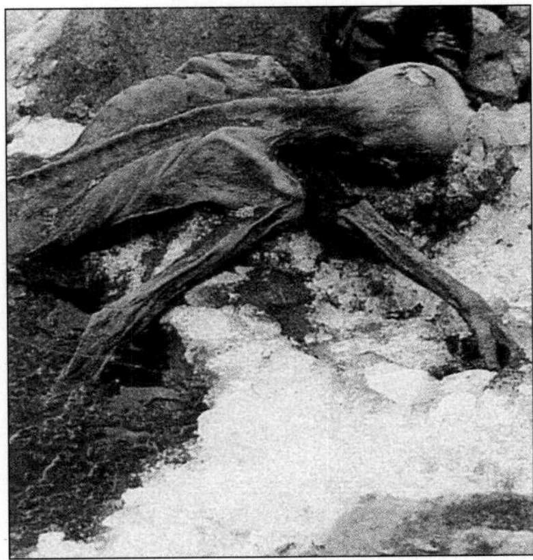

3. Gletschermumie, etwa 5300 Jahre alt.

2.7 Kernreaktionen

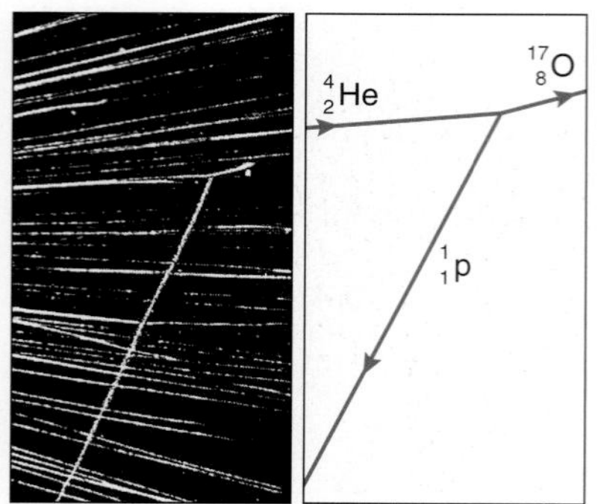

1. Die erste künstliche Kernreaktion

Im Jahre 1919 machte RUTHERFORD eine überraschende Entdeckung. In einer Nebelkammer bestrahlte er Stickstoff-14 mit α-Strahlen. Auf Nebelkammeraufnahmen konnte man erkennen, dass sich die α-Spur gelegentlich in eine dünne lange Spur und in eine dicke kurze Spur gabelte. RUTHERFORD hatte die erste künstliche Kernumwandlung entdeckt. Heute benutzt man alle bekannten Teilchen als Geschosse, um damit Kernreaktionen auszulösen.

Reaktionen mit α-Teilchen. Bei Nebelkammeraufnahmen kann man aus den Nebelspuren auf die kinetische Energie des nachgewiesenen Teilchens schließen. Durch Auswertung seiner Aufnahmen und mit Hilfe der Erhaltungssätze für Masse und Impuls gelang es RUTHERFORD, die von ihm entdeckte Kernumwandlung zu erklären. Bei der langen Spur handelt es sich um ein Proton, bei der kurzen um ein Sauerstoff-Atom. Die Reaktion lässt sich durch eine Reaktionsgleichung beschreiben. Häufig benutzt man für Kernreaktionen auch eine verkürzte Schreibweise:

$^{14}_{7}N + ^{4}_{2}\alpha \longrightarrow ^{1}_{1}p + ^{17}_{8}O$; $^{14}_{7}N\ (\alpha, p)\ ^{17}_{8}O$

Die von RUTHERFORD entdeckte Reaktion ist ein Beispiel einer *(α, p)-Reaktion:* Als Geschossteilchen dienen α-Strahlen; bei der Kernreaktion werden Protonen frei.

Eine *(α, n)-Reaktion* wurde 1932 von CHADWICK gefunden: $^{9}_{4}Be\ (\alpha, n)\ ^{12}_{6}C$. Noch heute benutzt man diese Reaktion als *Neutronenquelle*, indem man Beryllium mit einem Radiumsalz als α-Strahler mischt.

2. Die Entdeckung des Elements 112 durch Mitarbeiter der GSI in Darmstadt

Reaktionen mit Neutronen. Als neutrale Teilchen können Neutronen relativ leicht Kernreaktionen auslösen. Sie werden weder von der Hülle noch vom Kern abgestoßen und dringen daher leicht in Atomkerne ein. Eine bekannte *(n, p)-Reaktion* ist die Bildung von C-14 in der Atmosphäre:

$^{14}_{7}N\ (n, p)\ ^{14}_{6}C$

Durch Neutroneneinfang können **Transurane,** Elemente mit einer Ordnungszahl größer als 92, hergestellt werden. Bei solchen *(n, γ)-Reaktionen* bilden sich oft durch anschließenden β-Zerfall noch höhere Transurane. Ein Beispiel ist die Bildung von Plutonium-239.

$^{238}_{92}U\ (n, \gamma)\ ^{239}_{92}U \xrightarrow{\beta} ^{239}_{93}Np \xrightarrow{\beta} ^{239}_{94}Pu$

Ein weiteres technisch bedeutsames Beispiel für eine (n, γ)-Reaktion ist die Bildung von U-233, das ebenso wie Plutonium-239 in Kernreaktoren verwendet wird.

$^{232}_{90}Th\ (n, \gamma)\ ^{233}_{90}Th \xrightarrow{\beta} ^{233}_{91}Pa \xrightarrow{\beta} ^{233}_{92}U$

A1 Beschießt man das Aluminium-Isotop $^{27}_{13}Al$ mit Protonen, so kann man α-Teilchen feststellen. Formulieren Sie die Reaktionsgleichung.

A2 Beim α-Beschuss des Isotops $^{10}_{5}B$ werden Protonen abgespalten. Welches Isotop entsteht dabei?

A3 Das Silicium-Isotop $^{30}_{14}Si$ geht eine (n, β)-Reaktion ein. Welches Isotop entsteht?

Reaktionen mit schweren Ionen. Durch Beschuss von Metallfolien mit beschleunigten Ionen ist man heute auf der Jagd nach immer schwereren Transuranen. Das bisher schwerste Element entstand bei der Reaktion von Zink-Ionen mit Blei-Atomen:

$^{70}_{30}Zn + ^{208}_{82}Pb \longrightarrow ^{277}_{112}X + ^{1}_{0}n$

Diese Kernreaktion gelang 1996 bei der **G**esellschaft für **S**chwer**i**onenforschung (GSI) in Darmstadt mit Hilfe eines Linearbeschleunigers. Die angewendete Technik bezeichnet man aufgrund der relativ geringen Geschwindigkeit der Ionen als *sanfte Fusion*. Das bei der Kernreaktion gebildete Nuklid des Elements 112 ist allerdings äußerst instabil. Die Ordnungszahl und die Masse lassen sich jedoch über die nachfolgenden α-Zerfälle ermitteln.

Kernspaltung. HAHN und STRASSMANN versuchten 1938 Transurane zu erzeugen, indem sie natürliches Uran mit Neutronen beschossen. Sie erwarteten eine (n, γ)-Reaktion. Statt eines Transurans fanden sie aber Barium-144. MEITNER und FRISCH erkannten als Erste die Bedeutung dieses Ergebnisses: Es hatte eine Kernspaltung stattgefunden.

$^{235}_{92}U + ^{1}_{0}n \longrightarrow ^{89}_{36}Kr + ^{144}_{56}Ba + 3\ ^{1}_{0}n + \gamma$

Diesen Vorgang kann man sich an einem Modell veranschaulichen: Wenn Uran-Kerne ein langsames Neutron einfangen, werden sie stark deformiert und geraten in Schwingungen. An den Einschnürungsstellen sind die Kernbindungskräfte nicht mehr groß genug, um gegen die Abstoßung der positiven Teile anzukommen. Der Kern zerbricht. Die Abstoßungskräfte treiben die Kernbruchstücke auseinander. Kernenergie wird dabei in Bewegungsenergie umgesetzt.

1. Arbeitstisch von Otto HAHN

Bei der Kernspaltung werden beträchtliche Energiemengen freigesetzt: Bei der Spaltung eines U-235-Kerns sind es rund 200 MeV, also 20 Milliarden kJ · mol^{-1}. Ursache ist eine Umwandlung von Masse in Energie. Dieser *Massendefekt* beträgt weniger als 0,1 %. Die entsprechende Energie lässt sich mit der EINSTEINschen Gleichung berechnen:

$E = \Delta m \cdot c^2 = 0{,}357 \cdot 10^{-27}\ kg \cdot 9 \cdot 10^{16}\ m^2 \cdot s^{-2} = 3{,}2 \cdot 10^{-11}\ J \mathrel{\widehat{=}} 200\ MeV$

Bei der Kernspaltung treten schnelle Neutronen auf. Ihre kinetische Energie liegt bei 2 MeV. Werden diese Neutronen auf eine Energie von etwa 0,025 eV abgebremst, so können sie weitere Spaltungen von U-235-Kernen auslösen. Es kommt zu einer **Kettenreaktion**, die sich in kürzester Zeit ins Unermessliche steigern kann. Sehr große Energiemengen werden schlagartig freigesetzt. Auf diesem Prinzip beruht die *Atombombe* (Kernspaltungsbombe).

2. Atombombenexplosion

Spaltbares Material wie Uran-235 oder Plutonium-239 wird erst nach Überschreiten einer **kritischen Masse** explosiv. Bei reinem Uran-235 sind 15 kg erforderlich, bei reinem Plutonium-239 etwa 4 kg. Ist die Masse geringer, so verlassen die Neutronen das Material, bevor sie durch Stöße so weit abgebremst worden sind, dass sie als langsame Neutronen weitere Spaltungen bewirken können.
Um eine Atombombe zu zünden, werden zwei unterkritische Massen des spaltbaren Materials zusammen mit einer Neutronenquelle aufeinander geschossen.

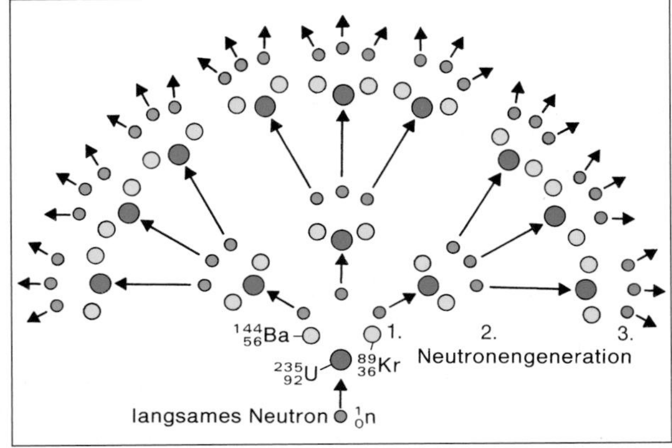

3. Kettenreaktion

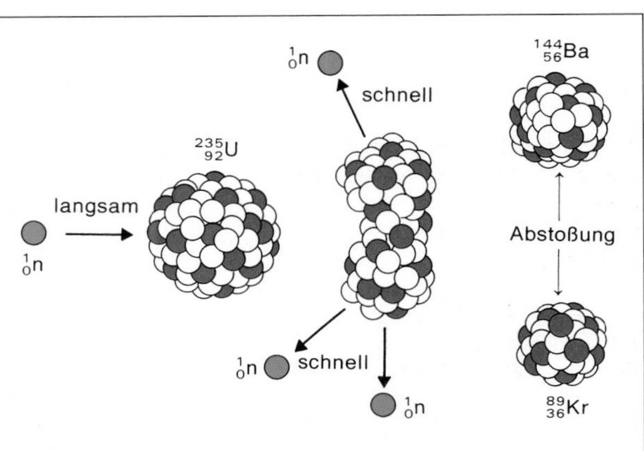

4. Kernspaltung

2.8 Atomkraftwerke und der Brennstoffkreislauf

Zur friedlichen Nutzung der Kernenergie in Atomkraftwerken führt man eine *kontrollierte Kettenreaktion* durch. Der Dampfkessel der konventionellen Kraftwerke wird durch den nuklearen Teil, den Kernreaktor, ersetzt. Als Spaltstoff dient Uran-235, bei dessen Spaltung energiereiche („schnelle") Neutronen frei werden.

Wasser-moderierte Reaktoren. In **Siedewasser-** und **Druckwasser-Reaktoren** werden die schnellen Neutronen von Wasser als *Moderator* abgebremst. Sie übertragen dabei den allergrößten Teil ihrer kinetischen Energie durch Stöße auf Wasser-Moleküle. Als *langsame* Neutronen können sie dann durch den Stoß mit einem Uran-235-Kern eine erneute Kernspaltung auslösen.
Es dürfen aber nicht mehr langsame Neutronen zur Verfügung stehen, als durch Spaltung verbraucht werden. Die Kettenreaktion gerät sonst außer Kontrolle: Der Reaktor ist dann in einem *kritischen Zustand*. Kontrolliert wird der Reaktorzustand mit Hilfe von Regelstäben. Sie enthalten Stoffe, die Neutronen besonders gut einfangen, meist Borcarbid oder Cadmium. Wenn zu viele thermische Neutronen vorhanden sind, der Reaktor also überkritisch ist, werden die Regelstäbe teilweise in den Reaktorkern eingefahren. Bei unterkritischem Zustand werden sie weiter herausgezogen. Ein einziger voll eingefahrener Regelstab reicht aus, um einen Reaktor sofort abzuschalten *(Notstopp)*.

Aus Sicherheitsgründen wurden in den letzten 20 Jahren in Deutschland Druckwasser-Reaktoren bevorzugt. Im Gegensatz zu Siedewasser-Reaktoren haben sie zwei Wasserkreisläufe. Im Primärkreislauf dient Wasser als Moderator und Kühlmittel. Es steht unter so hohem Druck, dass es nicht verdampfen kann. Der Dampf für die Turbinen entsteht über einen Wärmeaustauscher im zweiten Kreislauf. Dieser Sekundärkreislauf hat keinen Stoffaustausch mit dem Reaktor: Er ist daher gegen Radioaktivität geschützt.

Weitere Reaktortypen. Weltweit hat man eine Reihe weiterer Reaktortypen entwickelt und erprobt. Einige werden auch in größerem Umfang technisch genutzt.
In Deutschland wurde in den 1970er und 1980er Jahren bei Hamm einen **Hochtemperatur-Reaktor** im Versuchsbetrieb erprobt. Er benötigt hoch angereichertes Uran-235 als Spaltstoff. Der Kernbrennstoff ist in Graphitkugeln gasdicht eingeschlossen. Graphit wirkt gleichzeitig als Moderator. Als Kühlmittel dient Helium, das dabei bis zu 900 °C erreichen kann. Man dachte daran, die Wärmeenergie als Prozesswärme für endotherme chemische Reaktionen zu nutzen. Trotz der Ölkrisen blieben die Preise für fossile Brennstoffe relativ niedrig, sodass sich dieser Einsatz nicht lohnte. Wiederholte technische Probleme führten 1988 zur Stilllegung des Hochtemperatur-Reaktors.

Ein bei Kalkar in langer Bauzeit errichteter Reaktor vom Typ **Schneller Brüter** wurde erst gar nicht in Betrieb genommen. Das Projekt wurde 1992 eingestellt. Mitentscheidend war dabei die Diskussion über besondere Risiken der Brütertechnologie, die das hochgiftige Plutonium einsetzt.
In einem Brutreaktor wird die Kettenreaktion durch schnelle Neutronen aufrechterhalten. Das häufigste Isotop des Urans, das Uran-238, wird in einer (n, γ)-Reaktion zu Uran-239 und durch nachfolgende β-Zerfälle zu Plutonium-239, das als Spaltstoff dient. Es wird aber mehr Plutonium-239 „erbrütet", als verbraucht wird. Als Kühlmittel wird in einem Schnellen Brüter flüssiges Natrium verwendet, sowohl im Primärkreislauf als im Sekundärkreislauf. Erst in einem Dampferzeuger wird die Energie vom Sekundärkreislauf auf Wasser übertragen. Es verdampft und treibt dann die Turbine an.

Ein größerer Brutreaktor arbeitet in Japan. In Frankreich wurde 1997 nach einem Regierungswechsel die Stilllegung eines langjährig betriebenen Schnellen Brüters angekündigt.

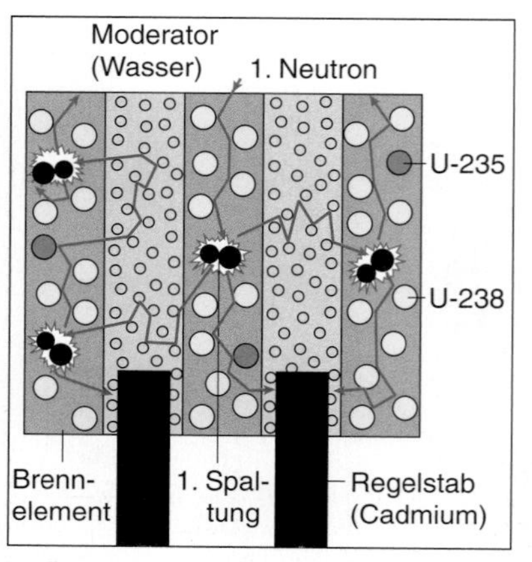

1. Regelung der Kettenreaktion

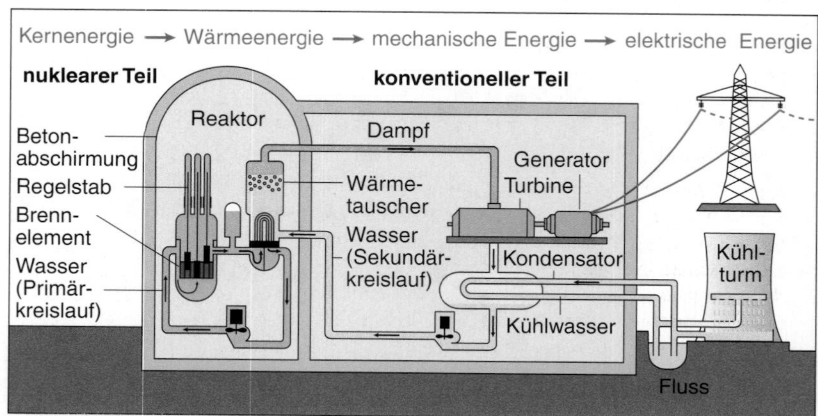

2. Druckwasser-Reaktor (Schema)

Brennstoffversorgung. Uran kommt in der Erdkruste mit einem Anteil von etwa zwei Gramm pro Tonne vor. Bergmännisch abgebaut werden Lagerstätten mit mindestens 0,03 % Uranoxid (U_3O_8). Durch Auslaugen werden die Uranerze zunächst in Ammoniumdiuranat ($(NH_4)_2U_2O_7$, „Yellow cake") überführt. Die Anreicherung des Uran-235 von 0,72 % im Natururan auf den technisch notwendigen Anteil von knapp 3 % erfolgt über Uranhexafluorid (UF_6), das bereits bei 56 °C gasförmig wird. In den Brennelementen liegt das Uran als Urandioxid (UO_2) vor.

Brennstoffentsorgung. Nach etwa vier Jahren Einsatz im Reaktor sind die Brennelemente verbraucht. Bei einem Kernkraftwerk mit einer Leistung von 1000 MW fallen dadurch im Jahr etwa 30 Tonnen abgebrannte Brennelemente an. Davon sind etwa 28,7 Tonnen Uran mit einem Restgehalt an U-235 von 0,9 %, der Rest sind gasförmige und feste Spaltprodukte. Diese Spaltprodukte sind zum Teil stark radioaktiv. Eine Wiederaufarbeitung ist daher erst nach einer Zwischenlagerung in Wasserbecken möglich.

Die Aufbereitung selbst erfolgt unter besonderen Sicherheitsvorkehrungen durch Fernbedienung. Die Brennelemente werden zersägt und in Salpetersäure aufgelöst. Uran und Plutonium trennt man mit Hilfe des **PUREX-Verfahrens** ab. Dabei dient eine 30 %ige Lösung von Tributylphosphat ($(C_4H_9)_3PO_4$) in Dodecan ($C_{12}H_{26}$) als Extraktionsmittel. Uran(VI)- und Plutonium(IV)-Verbindungen gehen als Tributylphosphat-Komplexe in die organische Phase über. Plutonium(III) bildet keine stabilen Komplexe. Das Plutonium wird daher durch Reduktion vom Uran getrennt. Die in der wässerigen Phase verbliebenen hochaktiven Spaltprodukte werden konzentriert und *verglast*, also in eine Glasmasse eingeschmolzen. Nach einer Zwischenlagerung sollen sie später wahrscheinlich in Salzstöcke eingelagert werden.

Kernenergie in der Diskussion. Während die Versorgung der Kernreaktoren mit spaltbarem Material in der öffentlichen Diskussion wenig umstritten ist, gehen die Meinungen über die Entsorgung weit auseinander: Die für einen Brennstoffkreislauf erforderliche Wiederaufarbeitung von Brennelementen wird häufig als umweltgefährdend angesehen. Gestritten wird auch über Zwischenlager und Endlager und über Risiken beim Transport von abgebrannten Brennelementen in die Wiederaufbereitungsanlagen von La Hague und Sellafield.

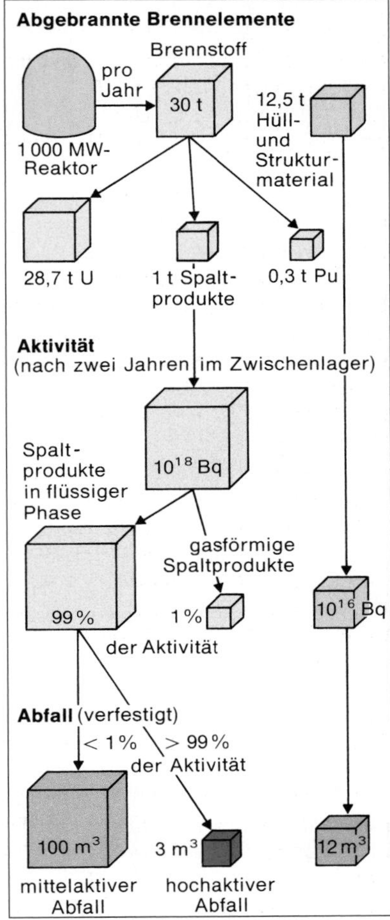

1. Radioaktiver Abfall eines Kernkraftwerks

EXKURS

Der Super-GAU von Tschernobyl

Ein GAU ist der **g**rößte **a**ngenommene **U**nfall. Noch schwerere Unfälle, die mit dem reaktoreigenen Sicherheitssystem nicht mehr beherrscht werden können, bezeichnet man als Super-GAU. Ein Beispiel ist das Durchschmelzen des Reaktorkerns.

Am 26. April 1986 führten in einem graphit-moderierten Kernreaktor in Tschernobyl (Ukraine) unvorschriftsmäßige Experimente zu einem nicht mehr kontrollierbaren Leistungsanstieg im Reaktorkern. Bei der Reaktion zwischen dem Kühlwasser und dem Zirconium in den Hüllrohren der Brennelemente entstand Wasserstoff. Durch eine Knallgasexplosion wurde ein Teil des Reaktors zerstört. Dabei wurden große Mengen an Radioaktivität freigesetzt.

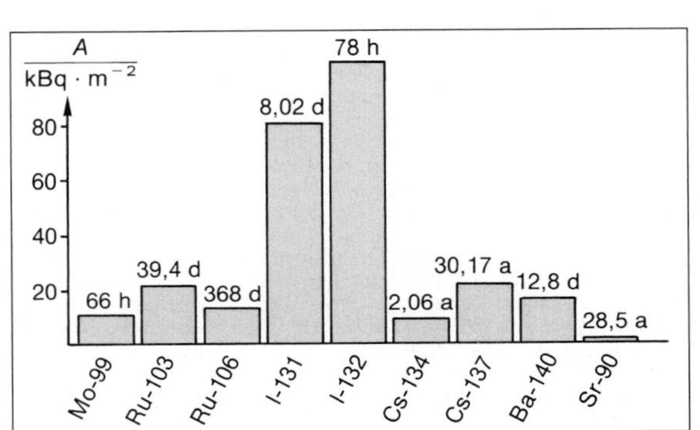

Fallout von Tschernobyl (Ende April 1986, München)

EXKURS

Die Verantwortung der Wissenschaftler

An der Entwicklung der Atombombe lässt sich eindrucksvoll aufzeigen, wie Naturwissenschaftler in ein ethisches Dilemma geraten können. SZILARD und EINSTEIN überzeugten 1939 Präsident ROOSEVELT von der Notwendigkeit, gegen Nazideutschland die Atombombe zu entwickeln. Sie setzten damit das Manhattan-Projekt in Gang, ein gigantisches, streng geheimes Forschungsprojekt zur Herstellung der Atombombe. Über 100 000 Menschen waren beteiligt und etwa zwei Milliarden Dollar wurden investiert. Die beiden Physiker wollten aber nicht, dass die Atombombe wirklich eingesetzt würde. Sie rechtfertigten den Bau der Bombe mit der Furcht, dass die Nationalsozialisten sie als Erste entwickeln könnten. Außerdem würde der eventuelle Einsatz sich gegen ein Regime richten, das offen Rassenvernichtungsprogramme und die Unterwerfung besiegter Völker als Staatspolitik vertrat. Die am Projekt beteiligten Naturwissenschaftler wollten damit den Krieg verkürzen. Bereits Anfang 1945 warnten SZILARD und EINSTEIN vor der Gefahr eines Kernwaffenwettrüstens. EINSTEIN sagte nach dem Krieg, dass er für diese Bombe nie ein Finger gerührt hätte, hätte er gewusst, dass die Deutschen die Bombe nicht bauen konnten.

Am 16. Juli 1945 wurde in der Wüste von New Mexico die erste Atombombe gezündet. Die zweite der drei gebauten Atombomben zerstörte am 6. August 1945 die japanische Stadt Hiroshima, während am 9. August 1945 Nagasaki vernichtet wurde. Bei diesen beiden Explosionen kamen 114 000 Menschen ums Leben.

War es von den Naturwissenschaftlern moralisch zu vertreten, eine solche Bombe zu entwickeln? War es moralisch zu rechtfertigen, sie gegen Japan, das nie eine solche Bombe besitzen konnte, einzusetzen?
Die Frage nach der Verantwortung des Naturwissenschaftlers für die Folgen seiner Tätigkeit ist seit dieser Zeit besonders dringend geworden. Heute stellt sich die Frage nicht nur wegen der Möglichkeit eines nuklearen Weltbrands, sondern auch wegen der möglichen Fehlanwendung moderner Technologien.

... Im Lauf der letzten vier Monate wurde die Möglichkeit geschaffen, in einer großen Uranmasse atomare Kettenreaktionen zu erzeugen, wodurch gewaltige Energiemengen ausgelöst würden. Es scheint jetzt fast sicher, dass dies in der allernächsten Zeit gelingen wird.
Das neue Phänomen würde auch zum Bau von Bomben führen, und es ist denkbar – obwohl wenig sicher –, dass auf diesem Wege neuartige Bomben von höchster Detonationsgewalt hergestellt werden können ...
... Im Hinblick auf diese Situation mögen Sie es für wünschenswert erachten, dass ein ständiger Kontakt zwischen der Regierung und der Gruppe von Physikern in Amerika hergestellt wird, die an dem Zustandekommen der Kettenreaktion arbeiten ...
... Beschleunigung der experimentellen Arbeiten, die gegenwärtig mit den beschränkten Mitteln der Universitätslaboratorien finanziert werden; ...
... Es wurde mir mitgeteilt, dass Deutschland den Verkauf von Uran aus den von ihm übernommenen tschechoslowakischen Bergwerken eingestellt hat. ...

Aus dem Brief von EINSTEIN an den US-Präsidenten ROOSEVELT vom August 1939

... Wir haben jedoch in den letzten fünf Jahren unter dem Zwang der Ereignisse eine ernste Gefahr für die Sicherheit unseres Landes und für die Zukunft aller anderen Nationen erkannt, eine Gefahr, von der die übrige Menschheit noch nichts ahnt. ...
... Jetzt aber sind wir gezwungen, einen aktiven Standpunkt einzunehmen, weil die Erfolge, die wir auf dem Gebiet der Kernenergie errungen haben, mit unendlich viel größeren Gefahren verbunden sind als bei den Erfindungen der Vergangenheit ...
... Wir glauben, dass diese Überlegungen nicht dafür sprechen, nukleare Bomben in einem baldigen, unvorhergesehenen Angriff gegen Japan einzusetzen. Wenn die Vereinigten Staaten das erste Land wären, welches diese neuen Mittel zur rücksichtslosen Zerstörung der Menschheit anwendete, würden sie auf die Unterstützung aller Welt verzichten, den Aufrüstungswettlauf beschleunigen und die Chancen für ein künftiges internationales Abkommen zur Kontrolle derartiger Waffen zunichte machen ...

Aus dem FRANCK-Report an den amerikanischen Kriegsminister vom Juni 1945: Amerikanische Atomphysiker warnen vor dem Einsatz der Atombombe

... Die Pläne einer atomaren Bewaffnung der Bundeswehr erfüllen die unterzeichnenden Atomforscher mit tiefer Sorge ...
... Wir fühlen keine Kompetenz, konkrete Vorschläge für die Politik der Großmächte zu machen. Für ein kleines Land wie die Bundesrepublik glauben wir, dass es sich heute noch am besten schützt und den Weltfrieden am ehesten fördert, wenn es ausdrücklich und freiwillig auf den Besitz von Atomwaffen jeder Art verzichtet. Jedenfalls wäre keiner der Unterzeichnenden bereit, sich an der Herstellung, der Erprobung oder dem Einsatz von Atomwaffen in irgendeiner Weise zu beteiligen ...
Unterzeichnet von ... Prof. Dr. Max Born, Nobelpreisträger (Physik); Prof. Dr. Walter Gerlach (Vorsitzender des Verbandes Deutscher Physikalischer Gesellschaften, Vizepräsident der Deutschen Forschungsgemeinschaft); Prof. Dr. Otto Hahn, Nobelpreisträger (Chemie); Prof. Dr. Werner Heisenberg, Nobelpreisträger (Physik); Prof. Dr. Max von Laue, Nobelpreisträger (Physik); Prof. Dr. Heinz Meier-Leibnitz, Prof. Dr. Carl Friedrich v. Weizsäcker ...

Aus der Göttinger Erklärung deutscher Physiker gegen die atomare Bewaffnung der Bundeswehr (April 1957)

Hiroshima nach der Explosion der Atombombe am 6. 8. 1945

2.9 Atome und Ionen

Nach außen sind Atome elektrisch neutral, weil die Anzahl der Protonen im Kern mit der Anzahl der Elektronen in der Hülle übereinstimmt. Nach dem RUTHERFORD-Modell stellt man sich vor, dass die Elektronen durch die elektrische Anziehungskraft auf Kreisbahnen gezwungen werden. Eine Kreisbewegung mit konstanter Geschwindigkeit ist aber eine beschleunigte Bewegung um den Atomkern. Dabei würden die Elektronen Licht abstrahlen, immer langsamer werden und innerhalb kürzester Zeit in den Atomkern stürzen.
Die Stabilität der Atome steht also im *Widerspruch* zur klassischen Physik. Trotzdem lassen sich einige Experimente mit diesem Modell deuten: die Flammenfärbung durch die Atome verschiedener Elemente, aber auch die unterschiedlichen Werte der Ionisierungsenergien.

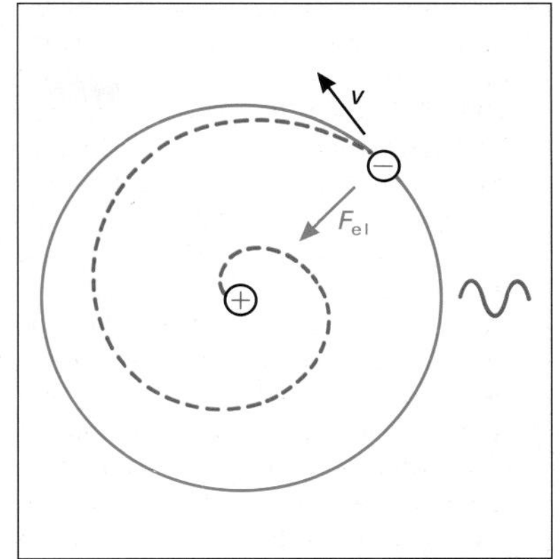

1. Das Atom – ein Widerspruch zur klassischen Physik

Nach dem klassischen Bahnmodell legt die Energie beziehungsweise die Geschwindigkeit eines Elektrons seinen mittleren Abstand vom Kern fest. Führt man einem Atom Energie zu, so können die Elektronen Energie aufnehmen und ihren Abstand vom Kern vergrößern. Mit physikalischen Methoden kann man messen, wie viel Arbeit benötigt wird, um Elektronen völlig abzutrennen. Dem Atom fehlen dann Elektronen. Es wird zum **positiven Ion.** Die erforderliche Energie bezeichnet man als **Ionisierungsenergie.** Spektroskopische Daten liefern Informationen über die Größe der Ionisierungsenergien.

Für jede Atomsorte ergibt sich entsprechend der Entfernung der einzelnen Elektronen vom Kern eine Stufung der Ionisierungsenergien. Einige dieser *Energieniveaus* liegen jeweils nahe beieinander, sodass man sie zu Gruppen zusammenfassen kann. Bei den schwersten Atomsorten lassen sich bis zu sieben Gruppen solcher Energieniveaus nachweisen. Bildhaft kann man ihnen Elektronenschalen zuordnen. Sie werden von innen nach außen mit den Buchstaben K, L, M usw. bezeichnet. Jede Schale kann nur eine ganz bestimmte Anzahl von Elektronen aufnehmen. Die innerste Schale ist bereits mit zwei Elektronen vollständig besetzt. Die L-Schale fasst *acht* Elektronen, während die M-Schale bis zu *achtzehn* Elektronen aufnehmen kann.

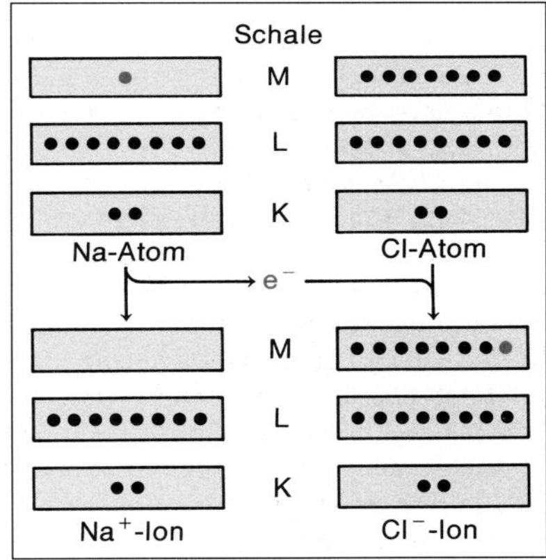

2. Schema zur Bildung von Ionen aus Atomen

Die Wahrscheinlichkeit, ein Elektron an bestimmten Stellen innerhalb der Hülle anzutreffen, ist verschieden groß. Elektronen mit höherer Energie halten sich in größeren Entfernungen vom Kern auf; Elektronen mit geringerer Energie sind in Kernnähe zu finden.

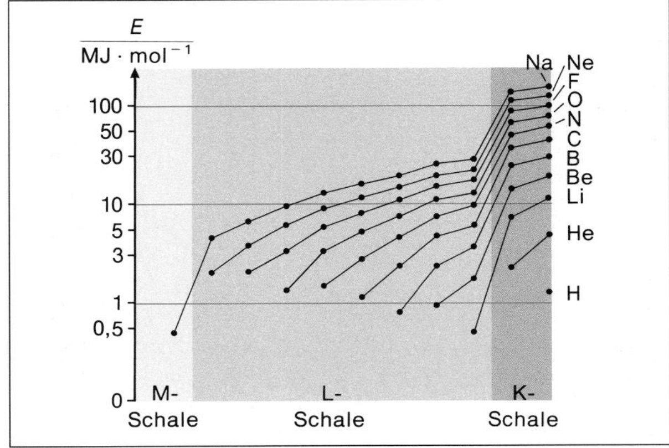

3. Ionisierungsenergien der ersten elf Elemente

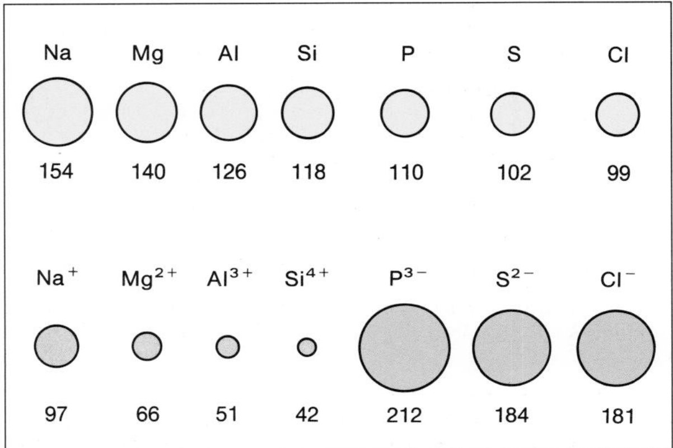

4. Atomradien und Ionenradien in pm. 1 pm = 10^{-12} m

2.10 Die Spektroskopie bringt Licht in den Aufbau der Atomhülle

1. Niels BOHR (1885–1962). BOHR gelang es, die spektroskopischen Daten mit den Ergebnissen der Arbeiten von PLANCK zur Quantelung der Energie zu interpretieren. Er schuf in seiner Arbeit "On the Constitution of Atoms and Molecules" ein neues *dynamisches Atommodell.*

Das BOHRsche Atommodell beruht auf drei **Postulaten:**

1. Die Elektronen können sich nur auf ganz bestimmten, einzelnen Bahnen um den Kern bewegen. Dieser Bewegung entspricht ein ganz bestimmtes Energieniveau.
2. Der Umlauf auf diesen Bahnen erfolgt strahlungslos mit konstanter Energie.
3. Das Elektron absorbiert oder emittiert Energie nur beim sprunghaften Übergang zwischen zwei Energieniveaus.

Diese Postulate können nicht bewiesen werden, ja sie verstoßen sogar gegen Prinzipien der klassischen Physik. Dadurch löste dieses Modell eine Fülle von Untersuchungen aus, die zu lebhaften wissenschaftlichen Auseinandersetzungen führten.

Zerlegt man das weiße Sonnenlicht durch ein Prisma, so erhält man ein **kontinuierliches Spektrum:** In einem Spektroskop zeigen sich solche Spektren als Farbbänder, bei denen die Farben kontinuierlich nacheinander in der Reihenfolge ihrer Wellenlängen λ erscheinen. Jeder Farbe kann ein bestimmter Energiebereich zugeordnet werden. Das kurzwellige ultraviolette Licht ist besonders energiereich, rotes Licht ist energieärmer als blaues Licht.

Im Gegensatz zur Sonne oder zu glühenden Festkörpern erzeugt Wasserstoff-Gas in einer Leuchtröhre kein kontinuierliches Spektrum, sondern es strahlt nur Licht ganz bestimmter Wellenlängen ab. Man spricht von einem **Linienspektrum.** Wasserstoff-Atome stoßen in der Leuchtröhre mit Elektronen zusammen und nehmen dabei Energie auf. Diese Energie strahlen sie in Form von Licht der entsprechenden Wellenlänge wieder ab.

Die charakteristischen Wellenlängen der Linienspektren sind ein weiterer Hinweis auf die verschiedenen Energiezustände der Atome. Diese Linienspektren und die Stufung der Ionisierungsenergien führten zu einer Beschreibung der Atomhülle durch ein **Energieniveaumodell.**

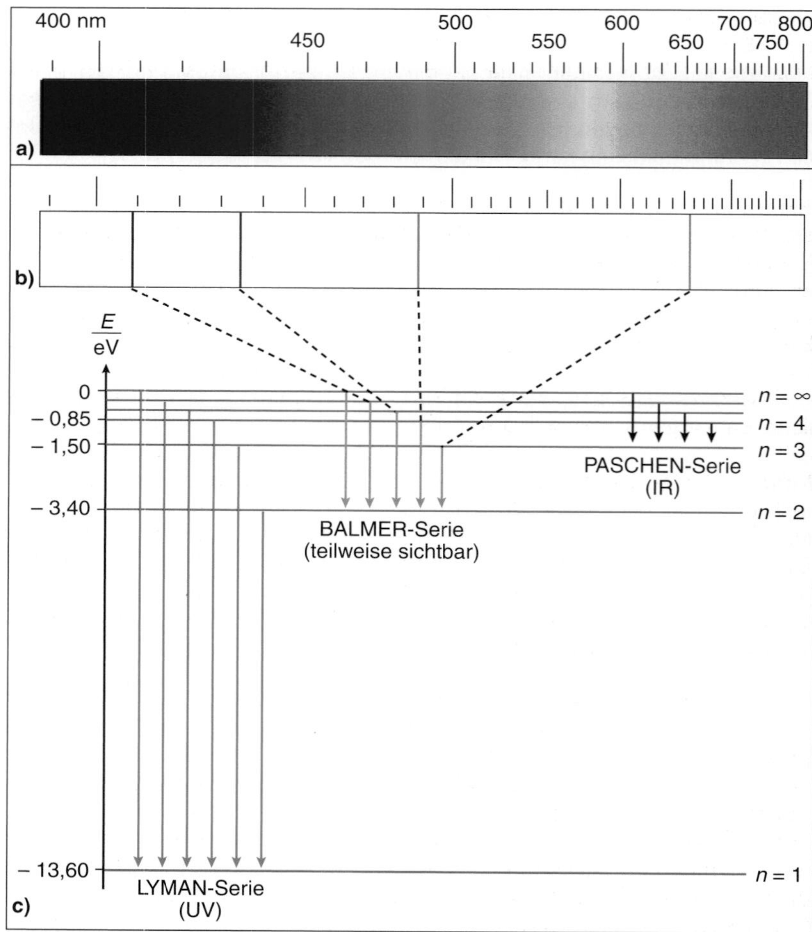

2. Kontinuierliches Spektrum des weißen Lichts (a), Linienspektrum des Wasserstoffs (b), Elektronenübergänge im Wasserstoff-Atom (c)

A1 **a)** Beschreiben Sie den Zusammenhang zwischen den BOHRschen Postulaten und den dargestellten Energieniveaus.
b) Begründen Sie das Auftreten verschiedener Farben bei der Zerlegung von weißem Sonnenlicht.

A2 Erläutern Sie mit Hilfe des Energieniveaudiagramms die „Unregelmäßigkeiten" im Periodensystem.

BOHRsches Atommodell. BOHR konnte 1913 das Linienspektrum des Wasserstoff-Atoms erstmals und einfach erklären. Er postulierte: Elektronen dürfen nur auf ganz bestimmten Bahnen den Kern umkreisen. Durch Energiezufuhr kann ein Elektron auf eine vom Kern entferntere Bahn angehoben werden. Nach kurzer Zeit fällt das Elektron auf eine kernnähere Bahn zurück. Dabei wird Licht einer bestimmten Wellenlänge ausgesandt. Die Energie des emittierten Lichts entspricht genau der Energiedifferenz zwischen den beiden Bahnen. Daraus folgt: Atome können Energie nur in Form ganz bestimmter Energiepakete oder **Energiequanten** aufnehmen oder abgeben.

n	ℓ	m	s	N	
1	0	0	$+\frac{1}{2}, -\frac{1}{2}$	$1 \cdot 2$	2
2	0	0	$+\frac{1}{2}, -\frac{1}{2}$	$1 \cdot 2$	8
	1	−1, 0, 1	$+\frac{1}{2}, -\frac{1}{2}$	$3 \cdot 2$	
3	0	0	$+\frac{1}{2}, -\frac{1}{2}$	$1 \cdot 2$	
	1	−1, 0, 1	$+\frac{1}{2}, -\frac{1}{2}$	$3 \cdot 2$	18
	2	−2, −1, 0, 1, 2	$+\frac{1}{2}, -\frac{1}{2}$	$5 \cdot 2$	

1. Quantenzahlen und maximale Elektronenzahl *N*

Quantenzahlen. Die verschiedenen Energiezustände der Elektronen in der Atomhülle werden mittels der so genannten Quantenzahlen durchnummeriert. Den Gruppen der Energieniveaus (Schalen) werden die **Hauptquantenzahlen *n*** mit den Werten $n = 1, 2, 3$ ... zugeordnet. Man findet, dass in jede Schale maximal $2 \cdot n^2$ Elektronen passen, also 2 Elektronen in die K-Schale ($n = 1$), 8 Elektronen in die L-Schale ($n = 2$), 18 Elektronen in die M-Schale ($n = 3$) usw.

Bei Atomen mit mehreren Elektronen werden die Linienspektren komplizierter. Zu ihrer Interpretation unterscheidet man die benachbarten Energieniveaus *einer* Schale mittels der Buchstaben **s, p, d** und **f.** Nach SOMMERFELD kommen neben den Kreisbahnen mit maximalem Drehimpuls auch mehr oder weniger schlanke Ellipsenbahnen vor. Der Drehimpuls der Drehbewegung wird nach seiner Größe mittels der **Drehimpulsquantenzahl (Nebenquantenzahl) ℓ** durchnummeriert. Man findet ℓ-Werte von 0 bis $n - 1$: s steht für $\ell = 0$, p für $\ell = 1$, d für $\ell = 2$, f für $\ell = 3$.

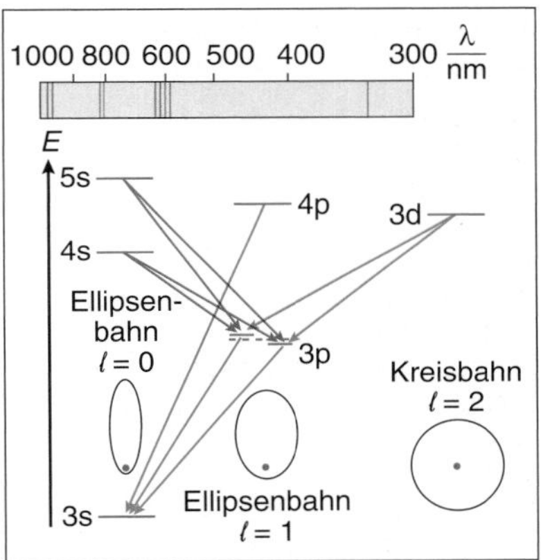

2. Spektrallinien und Elektronenübergänge beim Natrium-Atom

Ein auf einer Kreisbahn umlaufendes Elektron verhält sich wie der Kreisstrom in einer elektromagnetischen Spule. Bringt man das Atom in ein Magnetfeld, verändern sich die Energieniveaus der p-, d- und f-Bahnen und sie spalten auf, je nachdem wie die Ebene der Elektronenbahn zur Richtung des Magnetfelds liegt. Dabei kommen nur ganz bestimmte Lagen vor. Bei einer Bahn mit der Drehimpulsquantenzahl ℓ findet man gerade $2 \cdot \ell + 1$ verschiedene Lagen, die man mit der **magnetischen Quantenzahl *m*** von $+\ell$ über 0 bis $-\ell$ durchnummeriert. Für eine p-Bahn ($\ell = 1$) gibt es drei mögliche Bahnlagen mit $m = 1$, 0 und −1.

Betrachtet man die gelbe Linie des Natrium-Lichts genauer, so stellt man fest, dass es eine Doppellinie ist. Ursache ist der so genannte *Spin.* Man kann sich das Elektron als eine kleine Kugel vorstellen, die mit festgelegter Geschwindigkeit um eine Achse rotiert. Den beiden Rotationsmöglichkeiten um eine ausgewählte Achse – rechts herum oder links herum – ordnet man die **Spinquantenzahlen *s*** mit den Werten $s = +\frac{1}{2}$ oder $-\frac{1}{2}$ beziehungsweise die Symbole ↑ oder ↓ zu.

Die vier Quantenzahlen legen den Bewegungszustand eines Elektrons im Atom eindeutig fest. PAULI fand 1925, dass es in einem Atom keine zwei Elektronen mit gleichem Bewegungszustand gibt. Nach dem **PAULI-Prinzip** unterscheiden sich also alle Elektronen in mindestens einer Quantenzahl. Elektronen gleicher Hauptquantenzahl *n* bilden eine Schale (K, L, M, ...). Die Elektronen einer Nebenquantenzahl ℓ bilden dann eine Unterschale (s, p, d oder f). Die einzelnen Bahnen oder *Orbits* einer Unterschale werden oft durch Kästchen □ symbolisiert, zu denen eine bestimmte magnetische Quantenzahl *m* gehört. *Beispiel:* $\ell = 1$ (p-Bahn): $m = 1, 0, -1 \mathrel{\hat{=}} p_x, p_y, p_z$. Pfeile weisen auf die unterschiedlichen Spinrichtungen der Elektronen hin: [↑↓]

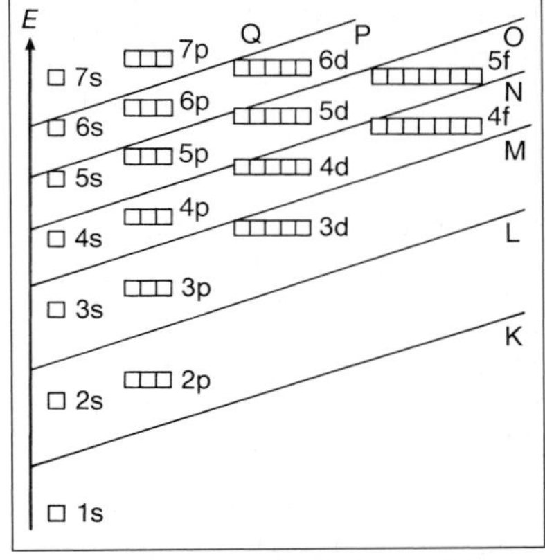

3. Abstufung der Orbitalenergien

2.11 Die Ordnung der Elemente

Element	Elektronen-konfiguration	Kästchen-schema
H	$1s^1$	[↑]
He	$1s^2$	[↑↓]
Li	$1s^2\,2s^1$	[↑↓] [↑] [ ][ ][ ]
Be	$1s^2\,2s^2$	[↑↓] [↑↓] [ ][ ][ ]
B	$1s^2\,2s^2\,2p^1$	[↑↓] [↑↓] [↑][ ][ ]
C	$1s^2\,2s^2\,2p^2$	[↑↓] [↑↓] [↑][↑][ ]
N	$1s^2\,2s^2\,2p^3$	[↑↓] [↑↓] [↑][↑][↑]
O	$1s^2\,2s^2\,2p^4$	[↑↓] [↑↓] [↑↓][↑][↑]
F	$1s^2\,2s^2\,2p^5$	[↑↓] [↑↓] [↑↓][↑↓][↑]
Ne	$1s^2\,2s^2\,2p^6$	[↑↓] [↑↓] [↑↓][↑↓][↑↓]

1. Aufbauprinzip im Kästchenschema

Bis etwa 1865 war durch die Arbeiten vieler Wissenschaftler eine Klassifizierung und Systematisierung der anorganischen und organischen *Verbindungen* gelungen. Für die damals rund 60 bekannten *Elemente* fehlte aber ein umfassendes Ordnungssystem.

Ein erster Versuch war DÖBEREINERs *Triadenlehre* aus dem Jahre 1829. Er hatte jeweils drei chemisch ähnliche Elemente zusammengefasst. Dabei sollte die Atommasse des mittleren Elements das arithmetische Mittel der Atommassen des ersten und des dritten Elements sein. Beispiele für derartige Triaden sind Lithium, Natrium, Kalium oder Schwefel, Selen, Tellur. NEWLANDS formulierte 1865 ein *Oktavensystem.* Er hatte die Elemente nach steigenden Atommassen geordnet. Nach jeweils sieben Elementen erschien ein Element, das dem ersten ähnelte.

MEYER entwickelte bereits 1864 die Urform des *Periodensystems*, in dem chemisch ähnliche Elemente untereinander stehen. Dabei ließ er einige Lücken: Er erkannte, dass an diese Stellen Elemente gehören, die damals noch völlig unbekannt waren. Im Falle Tellur/Iod musste er aufgrund der chemischen Eigenschaften von der Reihenfolge steigender Atommassen abweichen. Unabhängig davon erstellte MENDELEJEFF 1869 ein Periodensystem mit ähnlichen Elementen nebeneinander. Er wagte es, viele Eigenschaften der noch unbekannten Elemente vorauszusagen. Seine Prognosen wurden mit der Entdeckung der Elemente Germanium, Gallium und Scandium überzeugend bestätigt.

Aufbauprinzip. Die Stellung eines Elements im Periodensystem ist nach heutiger Kenntnis auf seine *Elektronenkonfiguration* zurückzuführen. Sie lässt sich unter Beachtung dreier Prinzipien herleiten, die einen unmittelbaren Zusammenhang mit den Quantenzahlen herstellen:

1. **Energieprinzip:** Energieärmere Zustände werden zuerst mit Elektronen besetzt.
   Beispiel: Beim Calcium-Atom ist das 4s-Niveau mit zwei Elektronen besetzt; die energetisch höher liegenden 3d-Bahnen bleiben unbesetzt.
2. **HUNDsche Regel:** Energiegleiche Bahnen mit gleicher Nebenquantenzahl werden zunächst einfach besetzt.
   Beispiel: Beim Kohlenstoff-Atom mit zwei Elektronen auf dem 2p-Niveau sind zwei der drei 2p-Bahnen einfach besetzt.
3. **PAULI-Prinzip:** Jede Bahn kann maximal mit zwei Elektronen unterschiedlicher Spinquantenzahl besetzt werden.

A1 MENDELEJEFF sagte für einige noch nicht entdeckte Elemente die Atommassen („Atomgewichte") voraus.
a) Vergleichen Sie die heutigen Werte der Atommassen mit den Vorhersagen.
b) Finden Sie mit Hilfe eines Lexikons heraus, wann diese Elemente entdeckt wurden und wer die jeweiligen Entdecker waren.

A2 Wie ändern sich die Schmelztemperatur, die Dichte und die Reaktionsfähigkeit der Elemente innerhalb einer Gruppe des Periodensystems?

A3 Geben Sie für die folgenden Elemente die Elektronenkonfiguration an und zeichnen Sie das Kästchenschema: Aluminium, Eisen, Kalium, Mangan, Phosphor, Zink.

Die modernen Theorien der Chemie

von

Lothar Meyer

Breslau, 1864

4 werthig	3 werthig	2 werthig	1 werthig	1 werthig	2 werthig
–	–	–	–	Li = 7,03	(Be = 9,3?)
C = 12,0	N = 14,04	O = 16,00	Fl = 19,0	Na = 23,05	Mg = 24,0
Si = 28,5	P = 31,0	S = 32,07	Cl = 35,46	K = 39,13	Ca = 40,0
–	As = 75,0	Se = 78,8	Br = 79,97	Rb = 85,4	Sr = 87,6
Sn = 117,6	Sb = 120,6	Te = 128,3	J = 126,8	Cs = 133,0	Ba = 137,1
Pb = 207,0	Bi = 208,0	–	–	(Tl = 204?)	–

2. Periodensystem der Elemente nach MEYER

Ueber die Beziehungen der Eigenschaften zu den Atomgewichten der Elemente

von

D. Mendelejeff.

Zeitschrift für Chemie 12. Jhrg. (Neue Folge, V.Bd.) (1869), S. 405 u. 406.

H = 1			Cu = 63,4	Ag = 108	Hg = 200
	Be = 9,4	Mg = 24	Zn = 65,2	Cd = 112	
	B = 11	Al = 27,4	? = 68	Ur = 116	Au = 197?
	C = 12	Si = 28	? = 70	Sn = 118	
	N = 14	P = 31	As = 75	Sb = 122	Bi = 210
	O = 16	S = 32	Se = 79,4	Te = 128?	
	F = 19	Cl = 35,5	Br = 80	J = 127	
Li = 7	Na = 23	K = 39	Rb = 85,4	Cs = 133	Tl = 204
		Ca = 40	Sr = 87,6	Ba = 137	Pb = 207

3. Periodensystem der Elemente nach MENDELEJEFF

2.12 Die Atomhülle – ein unfassbares System?

In manchen Experimenten verhalten sich Elektronen wie Teilchen. So lassen sich Masse und Ladung des Elektrons bestimmen und Elektronen können aus Metallen weitere Elektronen herausschlagen. Andererseits verhalten sich Elektronenstrahlen wie Lichtwellen. So zeigen sie beim Durchgang durch einen Spalt oder durch ein Gitter Beugungserscheinungen. Elektronenstrahlen weisen also auch Welleneigenschaften auf.

Was Elektronen sind, lässt sich mit Begriffen für makroskopische Körper nur andeuten. Man benötigt sowohl das *Teilchenmodell* als auch das *Wellenmodell*, um die Eigenschaften von Elektronen vollständig deuten zu können. Man spricht daher vom **Welle-Teilchen-Dualismus.**

Unschärferelation. Eine genaue Beschreibung der Bahnkurve eines Elektrons setzt voraus, dass man Ort und Impuls *($p = m \cdot v$) gleichzeitig* messen kann. Jede Ortsbestimmung eines solch kleinen Teilchens bewirkt aber eine Impulsänderung. Wäre die Beobachtung eines Elektrons durch ein Mikroskop möglich, so führte bereits die Einstrahlung von Licht zu einer Änderung der Geschwindigkeit des Elektrons. Für Elektronen lassen sich also Aufenthaltsort und Impuls auch bei genauesten Messungen *prinzipiell* nur mit einer gewissen Unschärfe angeben.

HEISENBERG stellte 1927 die *Unschärferelation* auf: $\Delta p \cdot \Delta x \geqq \frac{h}{4\pi}$. Das Produkt aus Impulsunschärfe Δp und Ortsunschärfe Δx multipliziert mit 4π ist danach mindestens so groß wie die Naturkonstante h, das PLANCKsche Wirkungsquantum ($h = 6{,}6 \cdot 10^{-34}$ J · s).

Die wichtigste Konsequenz aus dieser HEISENBERGschen Unschärferelation ist: *Atommodelle müssen ohne die Vorstellung von Elektronenbahnen auskommen.* Die Elektronen werden mathematisch nicht durch Bahnkurven (Orbits), sondern durch so genannte *Orbital*-Funktionen im dreidimensionalen Raum beschrieben. Diese Orbitale legen die Aufenthaltsbereiche fest, in denen ein Elektron mit zum Beispiel 90 %iger Wahrscheinlichkeit anzutreffen ist.

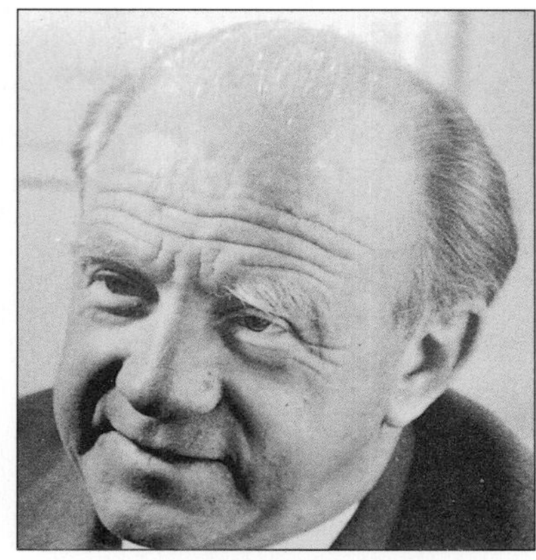

1. Werner HEISENBERG (1901–1976). Er wurde 1932 mit dem Nobelpreis für Physik ausgezeichnet.

Mit einer Ortsunschärfe, die dem Atomradius (10^{-10} m) entspricht, ergibt sich aus der Unschärferelation die Impulsunschärfe:
$\Delta p \approx 5{,}3 \cdot 10^{-25}$ J · s · m^{-1}
Mit $\Delta p = m \cdot \Delta v$ folgt für die Geschwindigkeitsunschärfe:
$\Delta v \approx 6 \cdot 10^{5}$ m · s^{-1}
($m(e^-) = 9{,}1 \cdot 10^{-31}$ kg).
Wenn man also ein Elektron genauer im Atom lokalisiert, wird seine Geschwindigkeit extrem unscharf und so groß, dass es das Atom verlässt.

EXKURS

Der Doppelspalt-Versuch

Richtet man einen Elektronenstrahl auf zwei parallel angeordnete Spalte, so erhält man auf einem Schirm hinter dem Doppelspalt ein *Beugungsbild,* bei dem sich Maxima und Minima der Intensitäten abwechseln. Dieses Ergebnis spricht für die *Wellen*eigenschaften von Elektronen: Von jedem Spalt gehen kreisförmige Wellen aus, die sich überlagern. Durch diese *Interferenz* ergeben sich die Intensitätsmaxima und Intensitätsminima des Beugungsmusters wie bei den elektromagnetischen Wellen des Lichts.

Vermindert man die Intensität des Elektronenstrahls, so löst sich das Bild in einzelne *Punkte* auf. Dies lässt sich nur interpretieren, wenn man das Elektron als *Teilchen* betrachtet. Jeder Punkt auf dem Schirm entspricht dem Auftreffen eines Elektrons.

Wann ein bestimmtes Elektron an einer bestimmten Stelle auftritt, lässt sich nicht exakt vorhersagen. Man kann jedoch **Wahrscheinlichkeitsaussagen** machen. Sie entsprechen der Intensitätsverteilung des Beugungsmusters.

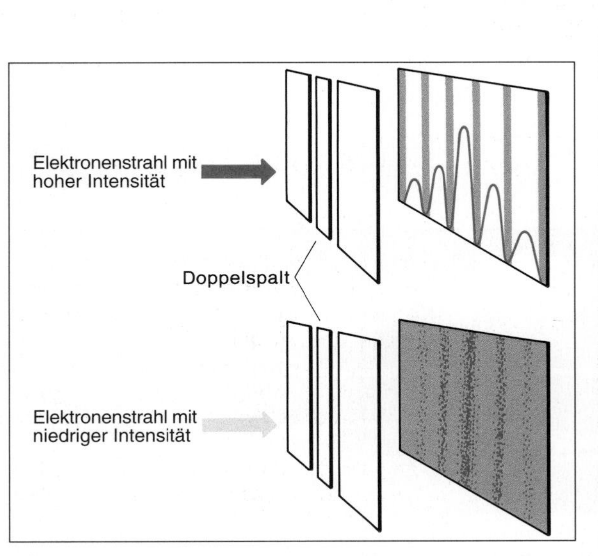

2.13 Das Wasserstoff-Atom im Orbital-Modell

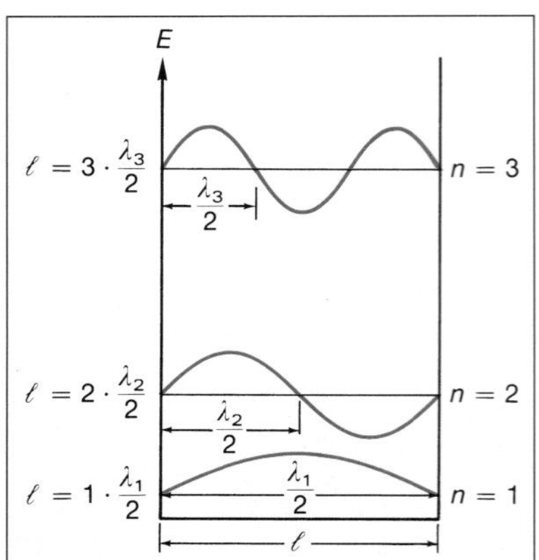

1. Grundschwingung und Oberschwingungen einer Saite

Da die Vorstellung von definierten Elektronenbahnen nicht mehr zu halten war, entwarf man ein Atommodell, das von den Welleneigenschaften des Elektrons ausgeht. Dieses *wellenmechanische Atommodell* bezeichnet man auch als **Orbital-Modell.** Es entstand in Anlehnung an die Beschreibung stehender Wellen in der klassischen Physik.

Betrachten wir zunächst ein lineares System: Versetzt man ein Seil mit einem freien Seilende in Schwingungen, so bewegen sich Wellenberge und Wellentäler fort. Bei einer eingespannten Gitarrensaite ist dies nicht möglich. Es bilden sich *stehende Wellen*, weil sie sich nicht ausbreiten können. Man beobachtet nun Wellenbäuche und Knoten, wo die Saite in Ruhe und damit ihre Auslenkung (Amplitude) null ist. Eine stehende Welle kann nicht jede beliebige Wellenlänge aufweisen, da die fixierten Enden jeweils einen Knoten bilden müssen. Bezeichnet man die Länge der Saite mit ℓ, so gilt für die verschiedenen erlaubten Wellenlängen λ:

$$\ell = n \cdot \frac{\lambda}{2} \quad (n = 1, 2, 3 \ldots)$$

($n = 1$: Grundschwingung; $n > 1$: Oberschwingungen)

Auch auf begrenzten Flächen, wie auf Membranen oder schwingenden Platten, bilden sich stehende Wellen: Eine dünne Metallplatte lässt sich durch einen darunter montierten Lautsprecher in Schwingungen versetzen. Streut man feinen Sand auf diese Platte, so sammelt er sich an den ruhenden Stellen. Man erkennt Knotenlinien, die die Wellenbäuche umgrenzen. Solche *Klangfiguren* zeigen, dass sich nur bei ganz bestimmten Frequenzen stehende Wellen ausbilden. Eine schwingende Seifenhaut zeigt stehende Wellen im Raum, deren Ausbildung wiederum von bestimmten Anregungsfrequenzen abhängt.

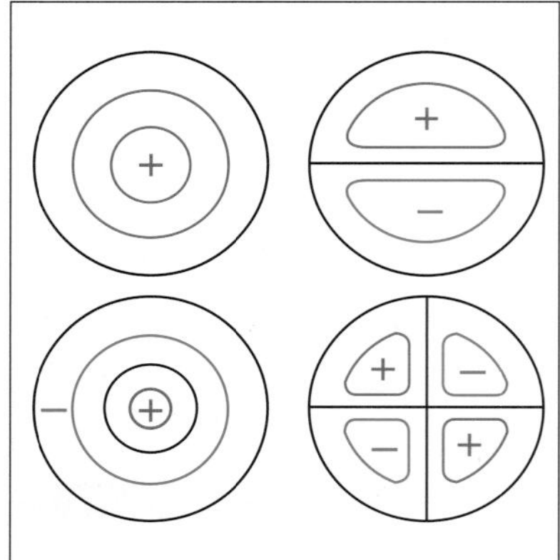

2. Klangfiguren auf einer schwingenden Platte

Elektronen in der dreidimensionalen Atomhülle können als *dreidimensionale* stehende Wellen beschrieben werden. Aus den Knoten und den Knotenlinien werden dabei Knotenflächen, an denen die Amplituden null sind. Da auch bei diesen dreidimensionalen stehenden Wellen nur ganz spezifische Wellenlängen und damit bestimmte Frequenzen möglich sind, kann man die verschiedenen Energiestufen des Elektrons im H-Atom veranschaulichen: Die Energiestufen des Elektrons entsprechen somit stehenden Wellen unterschiedlicher Frequenzen. Formal werden diese ganz bestimmten Energie- und Schwingungszustände durch die verschiedenen Quantenzahlen *n*, ℓ, *m* und *s* beschrieben.

1926 beschrieb SCHRÖDINGER die energetisch unterschiedlichen Zustände des Wasserstoff-Atoms mit Hilfe solcher Materiewellen: Die *Wellenfunktionen* ψ, heute auch *Orbitale* oder *Zustandsfunktionen* genannt, geben eine *mathematische* Beschreibung für das Elektron in Abhängigkeit von seinem Energiezustand.

Von BORN stammt eine *anschauliche* Interpretation: Das Quadrat der Wellenfunktion (ψ^2) ist ein Maß für die *Wahrscheinlichkeit*, ein Elektron an einer bestimmten Stelle in der Elektronenhülle anzutreffen. Und zwar ist der Funktionswert von ψ^2 an einer Stelle *(x, y, z)* ein Maß für die so genannte *Wahrscheinlichkeitsdichte* an dieser Stelle. Kurz gesagt: ψ^2 beschreibt die Verteilung der Elektronen in der Atomhülle, die *Ladungsdichte*.

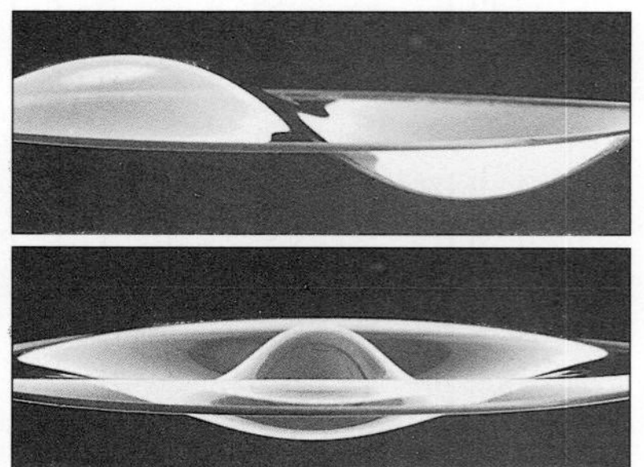

3. Schwingungen im Raum: eine schwingende Seifenhaut

Für den Grundzustand des H-Atoms ($n = 1$, $\ell = 0$), beschrieben durch ein 1s-Atomorbital, ergibt sich eine *kugelsymmetrische* Verteilung der Elektronendichte. Zu anderen Energiezuständen gehören andere Orbitale, man erhält daher auch andere räumliche Verteilungen der Elektronendichte.

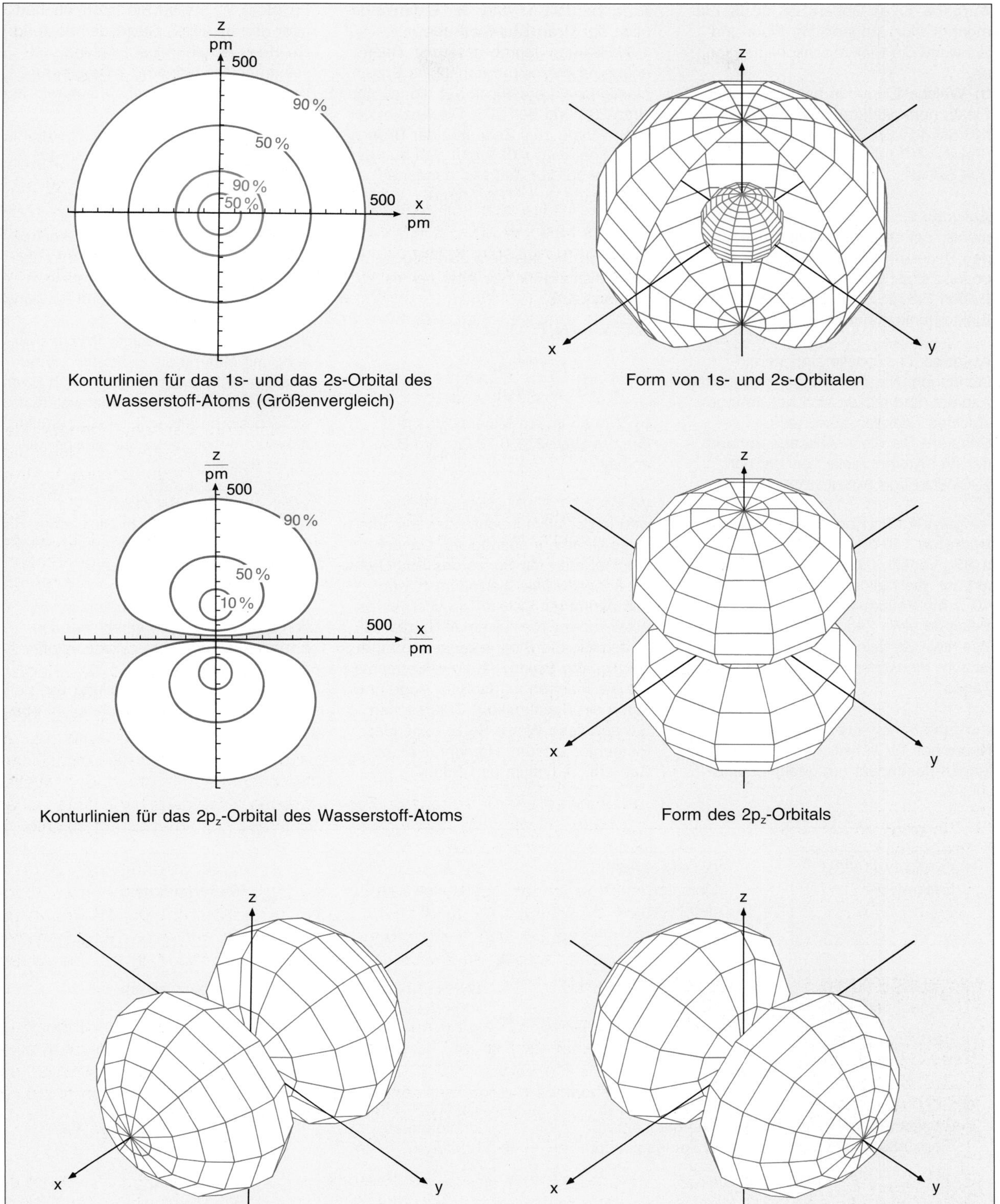

Konturlinien für das 1s- und das 2s-Orbital des Wasserstoff-Atoms (Größenvergleich)

Form von 1s- und 2s-Orbitalen

Konturlinien für das $2p_z$-Orbital des Wasserstoff-Atoms

Form des $2p_z$-Orbitals

Form des $2p_x$-Orbitals

Form des $2p_y$-Orbitals

2.14 Aufgaben · Versuche · Probleme

Aufgabe 1: **a)** Geben Sie für die Elemente Chlor, Magnesium, Fluor und Schwefel die Elektronenkonfiguration an.
b) Welche Elemente haben folgende Elektronenkonfigurationen?
[Kr] $5s^2\ 4d^{10}\ 5p^5$, [Ar] $4s^2\ 3d^8$,
[Xe] $6s^2\ 4f^{14}\ 5d^{10}\ 6p^2$, [Ar] $4s^2\ 3d^{10}\ 4p^3$,
[Xe] $6s^2\ 4f^2$

Aufgabe 2: Nennen Sie einige Elemente, bei denen Orbitale entgegen den Besetzungsregeln halb bzw. voll besetzt sind.
Geben Sie für zwei dieser Elemente die Elektronenkonfiguration an.

Aufgabe 3: Modelle sind Vereinfachungen. Sie betonen ganz bestimmte Aspekte und lassen sich nur in abgesteckten Grenzen anwenden.
Erläutern Sie diese Aussage anhand der drei Atommodelle von DALTON, THOMSON und RUTHERFORD.

Aufgabe 4: Im Körper eines Menschen sind etwa 140 g K^+-Ionen relativ gleichmäßig verteilt. 0,0117 % davon entfallen auf das radioaktive Isotop Kalium-40. 1 mg Kalium-40 sendet in einer Sekunde etwa 245 β-Teilchen aus.
Wie viele Zerfälle dieser Art ereignen sich im Menschen innerhalb eines Tages?

Aufgabe 5: Erläutern Sie, weshalb Neutronen für künstliche Kernumwandlungen besonders gut geeignet sind.

Aufgabe 6: Das Alter der Erde wurde nach der **Uran/Blei-Methode** mit 4,6 Milliarden Jahren bestimmt. Dazu analysiert man ein uranhaltiges Erz massenspektrometrisch auf die Isotope Uran-238 und Blei-206. Die Anzahl der Uran-Atome zum Zeitpunkt der Bildung des Minerals ($t = 0$) ergibt sich aus der Summe der zur Zeit t vorhandenen ^{238}U-Atome und ^{206}Pb-Atome.

$$N_0\,(^{238}U) = N_t\,(^{238}U) + N_t\,(^{206}Pb)$$

a) Leiten Sie aus dem Zerfallsgesetz die Gleichung für das Alter t eines Uranerzes ab:

$$N_t\,(^{238}U) = N_0\,(^{238}U) \cdot e^{-k \cdot t}$$

$$t = \frac{1}{k} \cdot \ln\left(\frac{N_t\,(^{206}Pb)}{N_t\,(^{238}U)} + 1\right)$$

b) Wie alt ist ein Mineral, das je Gramm Uran-238 0,75 Gramm Blei-206 enthält?

Versuch 1: Ein Magnesiastäbchen wird in der nicht leuchtenden Flamme eines Brenners ausgeglüht. Danach feuchtet man die Spitze des Stäbchens mit konzentrierter Salzsäure (C) an und nimmt mit ihr ein Körnchen eines Alkali- oder Erdalkalimetall-Salzes auf. Halten Sie die Stoffprobe in den unteren Teil der Brennerflamme. Betrachten Sie die Flamme mit bloßem Auge und durch ein Spektroskop. Untersuchen Sie auf diese Weise Salze folgender Elemente: Lithium, Natrium, Kalium, Calcium, Strontium und Barium.

Problem 1: Stellen Sie Informationen über den aktuellen Stand der Nutzung der Kernenergie in Deutschland und seinen Nachbarländern zusammen.
Welche Probleme ergeben sich mit den radioaktiven Abfallstoffen?
Wie sind Zwischenlagerung, Wiederaufbereitung und Endlagerung geregelt?

Problem 2: Erklären Sie folgende experimentelle Ergebnisse:
α-Strahlen zeigen eine starke Wechselwirkung mit Materie. Sie haben in der Luft nur eine Reichweite von einigen Zentimetern und durchdringen Kleidung kaum.
β-Strahlen zeigen weniger Wechselwirkung mit Materie als *α-Strahlen*. Ihre Reichweite in Luft beträgt je nach Energie bis etwa 20 cm. Von Metallplatten werden sie bereits vollständig zurückgehalten, wenn diese nur wenige Millimeter dick sind.
γ-Strahlen zeigen nur eine geringe Wechselwirkung mit Materie. Zur Absorption benötigt man Bleiplatten, die je nach Energie der γ-Strahlung einige Dezimeter dick sein müssen.

Problem 3: Welche Kenntnisse wurden benötigt, um die verschiedenen Energiezustände eines Wasserstoff-Atoms zu verstehen?
Gehen Sie in Ihrer Darstellung von der unten wiedergegebenen Übersicht aus.

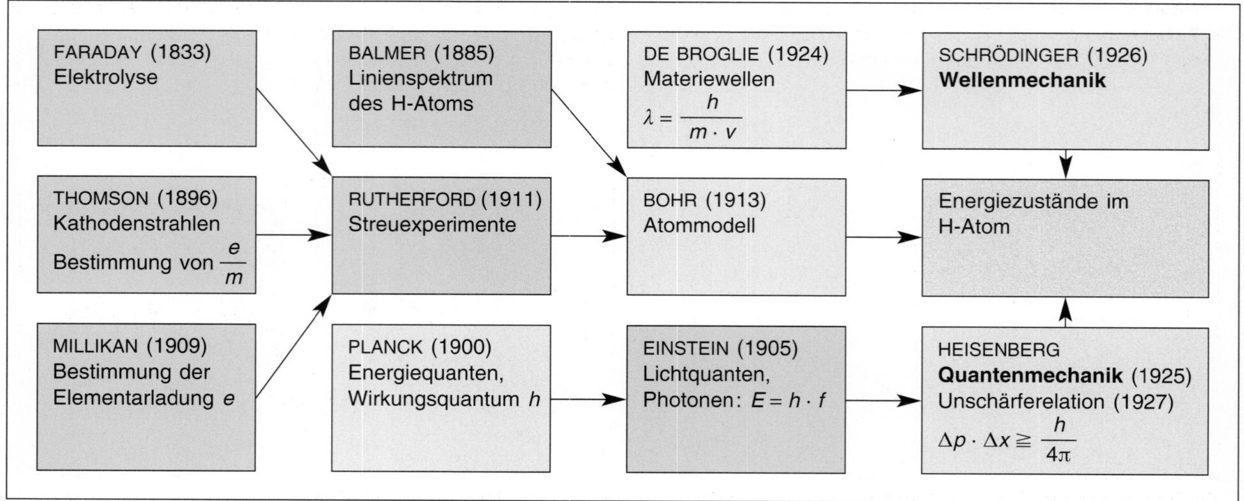

1. Die Wurzeln des quantenmechanischen Atommodells

Atombau

1. Einfache Atommodelle

Die Vorstellung von Atomen als kleinsten, unteilbaren Bausteinen der Materie geht auf DEMOKRIT (um 400 v. Chr.) zurück. Wichtige Schritte zur heutigen Vorstellung vom Aufbau der Atome waren die folgenden Modelle:

- Jedem Element entspricht eine Art von Atomen. Chemische Reaktionen sind Umgruppierungen von Atomen (DALTON, 1808).
- Atome bestehen aus einer positiv geladenen Grundmaterie, deren Ladung durch Elektronen ausgeglichen wird (THOMSON, 1904).
- Die Masse eines Atoms ist auf einen kleinen positiv geladenen Kern konzentriert, der von Elektronen umkreist wird (RUTHERFORD, 1911).
- Elektronen bewegen sich entsprechend ihrer Energie auf bestimmten Bahnen um den Kern. Die Stellung eines Elements im Periodensystem ergibt sich aus der Besetzung der Energieniveaus mit Elektronen (BOHR, 1913/1922).

2. Atombau und Periodensystem

Dem Periodensystem sind alle wichtigen Informationen zum Atombau eines Elements zu entnehmen:

Periodennummer:	Zahl der „Elektronenschalen"
Gruppennummer:	Zahl der Außenelektronen (Valenzelektronen)
Ordnungszahl:	Zahl der Protonen = Zahl der Elektronen
Atommasse:	durchschnittliche*) Nukleonenzahl (= Zahl der Protonen + Zahl der Neutronen)

*) Bei den meisten Elementen gibt es verschiedene Isotope, also Atome, die sich nur in der Neutronenzahl unterscheiden.

Beispiel: $^{22,94}_{11}\mathrm{Na}$ Natrium (1. Hauptgruppe, 3. Periode)

Atommasse (22,94) und Ordnungszahl (11) zeigen an, dass der Atomkern 11 Protonen und 12 Neutronen enthält. Die 11 Elektronen sind auf K-Schale (2), L-Schale (8) und M-Schale (1) verteilt.

3. Das Atom im Orbitalmodell

Die Energiezustände der Elektronen eines Atoms werden durch dreidimensionale Wellenfunktionen ψ beschrieben. $\psi^2(x, y, z)$ entspricht der Aufenthaltswahrscheinlichkeit eines Elektrons an der Stelle $P(x, y, z)$.

Formal lassen sich die verschiedenen Zustände durch vier **Quantenzahlen** charakterisieren:
Die *Hauptquantenzahl n* bezeichnet dabei eine Gruppe eng benachbarter Energieniveaus. *Nebenquantenzahl ℓ und Magnetquantenzahl m* legen die Orbitalform bzw. die Lage im Raum fest. Die *Spinquantenzahl s* gibt die Eigenrotation des Elektrons wieder.

Der Aufbau eines Atoms erfolgt vornehmlich nach folgenden drei Regeln:

- **Energieprinzip:** Energieärmere Zustände werden vor energiereicheren besetzt.
- **HUNDsche Regel:** Energiegleiche Orbitale gleicher Nebenquantenzahl werden zunächst einfach besetzt.
- **PAULI-Prinzip:** Ein Orbital kann maximal zwei Elektronen (unterschiedlichen Spins) aufnehmen.

4. Kernreaktionen

Der *radioaktive Zerfall* instabiler Kerne, die *Kernfusion* und die *Kernspaltung* führen zur Bildung anderer Atomkerne. Solche Kernreaktionen sind mit einem extrem großen Energieumsatz verbunden.

Radioaktiver Zerfall. α-Strahler emittieren Heliumkerne ($^4_2$He, α-Teilchen), β-Strahler dagegen Elektronen, die bei der Umwandlung eines Neutrons in ein Proton im Kern gebildet werden. Gleichzeitig tritt jeweils auch elektromagnetische Strahlung auf (γ-Strahlen). Die **Halbwertszeit** gibt an, nach welcher Zeit die Hälfte eines instabilen Isotops zerfallen ist.

Kernfusion. Die Bildung von Helium-Kernen aus Protonen ist die Energiequelle der Sonne und anderer Sterne. Atome der Transurane erhält man durch Beschuss schwerer Atome mit beschleunigten Ionen.

Kernspaltung. Bei der Spaltung schwerer Atomkerne wird Energie frei. Der wichtigste Prozess in Kernkraftwerken ist die Spaltung von Uran-235 durch langsame Neutronen in einer kontrollierten Kettenreaktion.

E
3s: □
2p: ↑ ↑ ↑
2s: ↑↓
1s: ↑↓
N

Orbitalbesetzung (Schema)

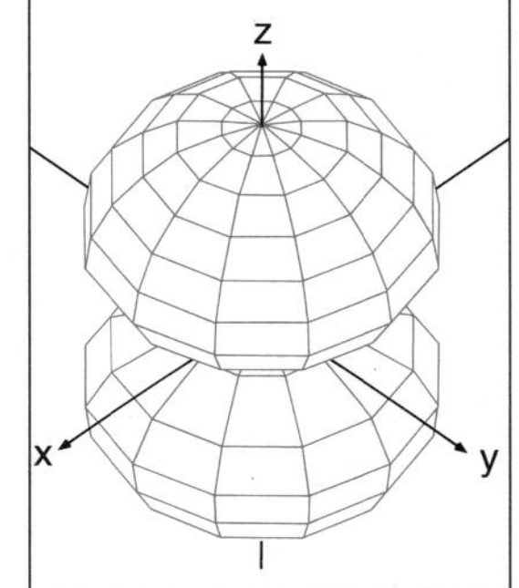

Form eines 2p-Orbitals

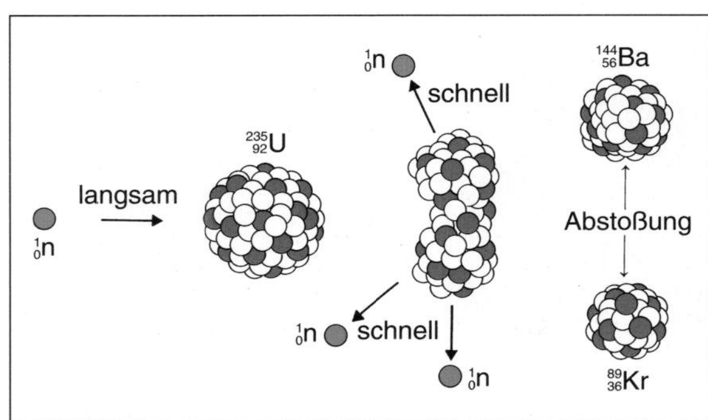

Spaltung eines Uran-235-Kerns

3 Ionen und Moleküle – Bausteine der Materie

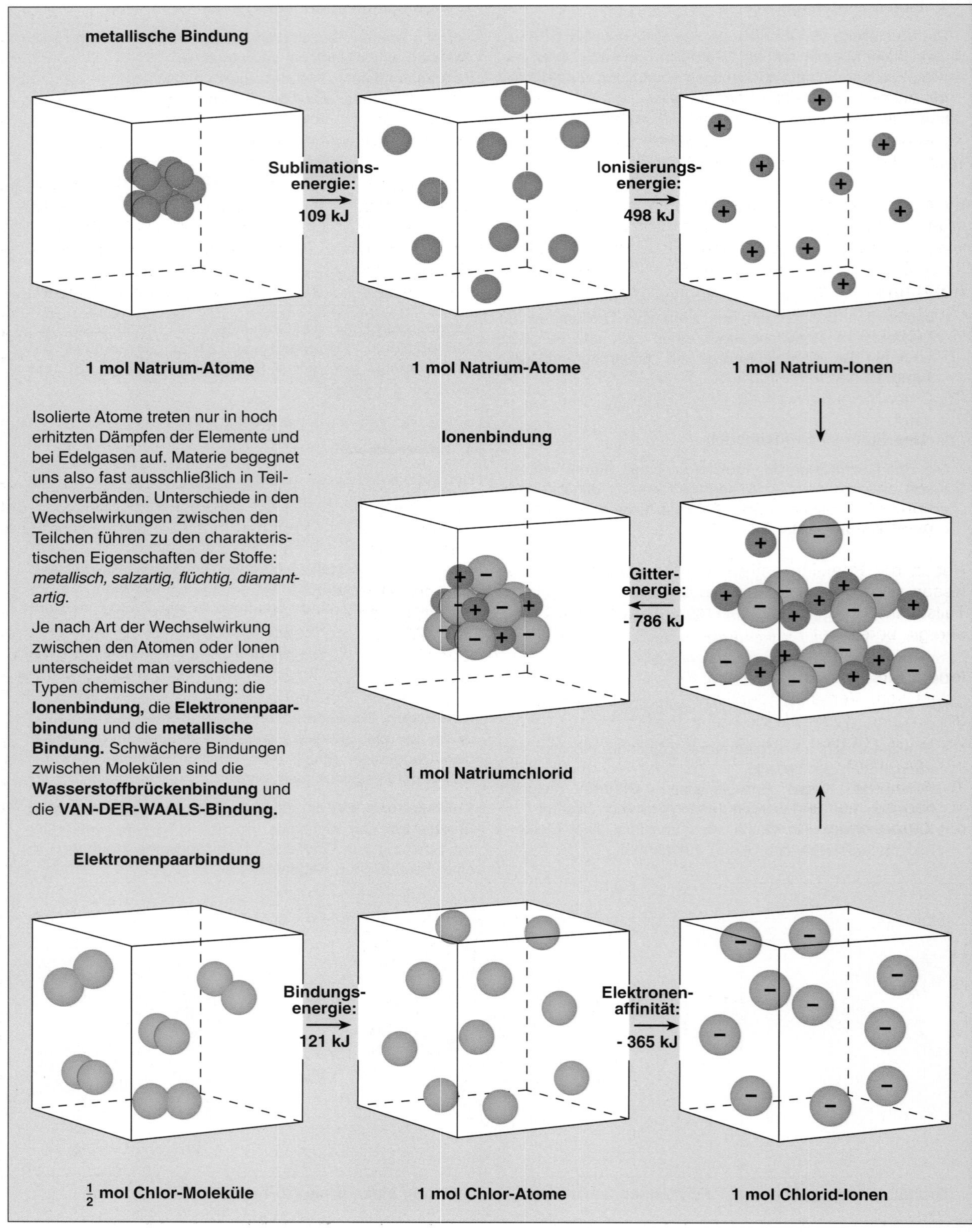

Isolierte Atome treten nur in hoch erhitzten Dämpfen der Elemente und bei Edelgasen auf. Materie begegnet uns also fast ausschließlich in Teilchenverbänden. Unterschiede in den Wechselwirkungen zwischen den Teilchen führen zu den charakteristischen Eigenschaften der Stoffe: *metallisch, salzartig, flüchtig, diamantartig.*

Je nach Art der Wechselwirkung zwischen den Atomen oder Ionen unterscheidet man verschiedene Typen chemischer Bindung: die **Ionenbindung,** die **Elektronenpaarbindung** und die **metallische Bindung.** Schwächere Bindungen zwischen Molekülen sind die **Wasserstoffbrückenbindung** und die **VAN-DER-WAALS-Bindung.**

3.1 Ionenbindung

Bei vielen Reaktionen bilden sich Ionen: Atome eines Elements geben Elektronen ab, die dann von Atomen eines anderen Elements aufgenommen werden. Der wichtigste Fall ist die Bildung von Salzen aus Metallen und Nichtmetallen. Aufgrund der räumlich nicht gerichteten elektrostatischen Anziehungskräfte zwischen Kationen und Anionen bildet sich ein *Ionengitter.* Man spricht daher kurz vom Typ der **Ionenbindung.**

Ein Maß für die Stärke der Bindung zwischen den Ionen in einem Ionengitter ist die *Gitterenergie.* Sie gibt an, wie viel Energie frei wird, wenn sich aus gasförmigen Ionen Salzkristalle bilden. Diese Energie kann über den **BORN-HABER-Kreisprozess** ermittelt werden. Die Bildung von Natriumchlorid aus den Elementen zerlegt man dazu in fünf Teilschritte:

(1) Das Natrium-Metall wird sublimiert, sodass unabhängige Natrium-Atome als Dampf vorliegen.
(2) Chlor-Moleküle werden in Atome gespalten (dissoziiert).
(3) Natrium-Atome geben je ein Elektron ab.
(4) Chlor-Atome nehmen je ein Elektron auf.
(5) Die jetzt in der Gasphase vorliegenden Natrium- und Chlorid-Ionen lagern sich dann zu einem Ionengitter zusammen.

Neben der Reaktionsenthalpie für die Gesamtreaktion lassen sich auch die Energiebeträge für die ersten vier Teilschritte experimentell bestimmen, sodass die Gitterenergie berechnet werden kann.

Ionengitter. Bei Salzen hängt die Struktur des Ionengitters vom Verhältnis der Ionenradien ab. Meist sind die Anionen größer als die Kationen. Bei einem Radienverhältnis r(Kation) : r(Anion) $< 0{,}73$ bilden die Anionen eine *dichteste Kugelpackung.* Die Kationen liegen dann in den Lücken dieser Packung. Je nach ihrer Größe werden die kleineren *Tetraederlücken* oder die größeren *Oktaederlücken* besetzt.

ZnS-Typ. Bei einem Radienverhältnis r(Kation) : r(Anion) $< 0{,}41$ werden die kleinen Tetraederlücken mit Kationen besetzt. Die Kationen sind *tetraedrisch* von vier Anionen umgeben. Die Anionen werden ihrerseits von vier Kationen umlagert: Die *Koordinationszahl* beträgt jeweils 4. Dieser Gittertyp wird nach dem entsprechenden Zinksulfid-Mineral als *Zinkblende-Typ* bezeichnet.

NaCl-Typ. Bei Kationen mittlerer Größe ergibt sich ein Kristallaufbau wie beim Natriumchlorid. Das Radienverhältnis r(Kation) : r(Anion) liegt dabei zwischen 0,41 und 0,73. Die Kationen besetzen hier die größeren Oktaederlücken der dichtesten Kugelpackung.
Jedes Kation hat sechs Anionen als unmittelbare Nachbarn. Umgekehrt ist auch jedes Anion *oktaedrisch* von sechs Kationen umgeben. Für jede Ionensorte beträgt demnach die Koordinationszahl 6. Mehr als 200 verschiedene Salze kristallisieren in diesem *Steinsalz-Typ.*

CsCl-Typ. Sind Kationen und Anionen nahezu gleich groß (r(Kation) : r(Anion) $> 0{,}73$), so passen die Kationen nicht mehr in die Lücken der dichtesten Kugelpackung. Es entsteht eine neue Anordnung, das Gitter des *Caesiumchlorid-Typs.* Hier ist jedes Ion von acht entgegengesetzt geladenen Ionen würfelartig umgeben. Die Koordinationszahl beträgt also 8.

Die charakteristischen Winkel im Ionengitter findet man häufig in den Kristallformen der Salze wieder. Die rechten Winkel im Ionengitter von Natriumchlorid entsprechen der Würfelform der Natriumchlorid-Kristalle. Zerkleinert man diese Kristalle, so erhält man wieder würfelförmige Bruchstücke.

Wie für den Verbindungstyp **AB** kennt man auch für salzartige Verbindungen des Typs $\mathbf{AB_2}$ einige charakteristische Gittertypen. Ein Beispiel ist die *Fluorit*-Struktur mit den Koordinationszahlen 8 und 4 wie im Flussspat (CaF_2).

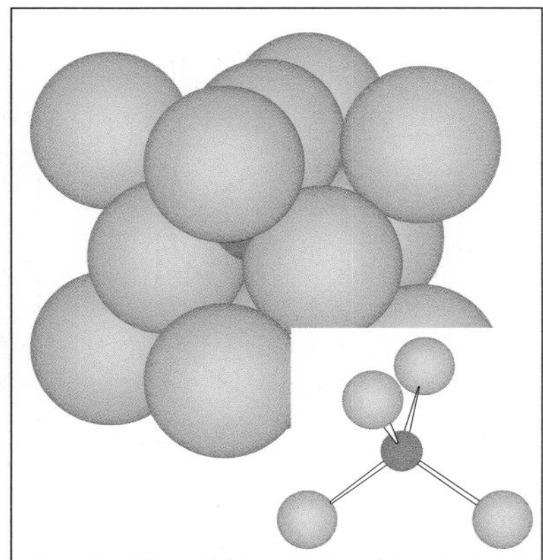

1. ZnS-Typ

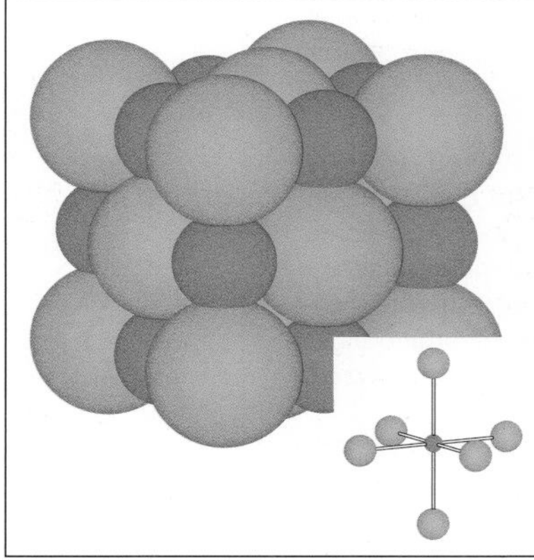

2. NaCl-Typ

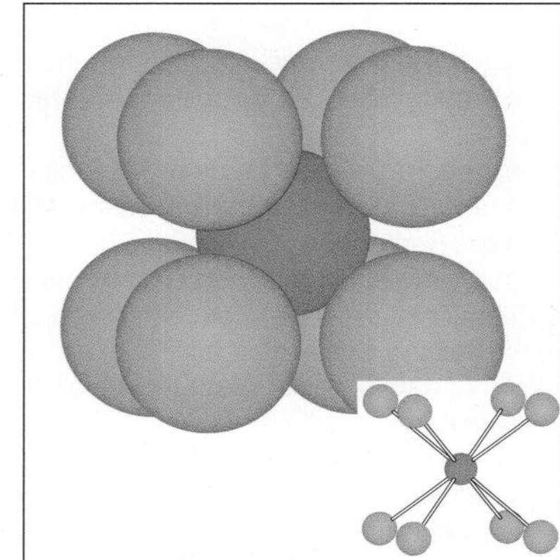

3. CsCl-Typ

Röntgenstrukturanalyse

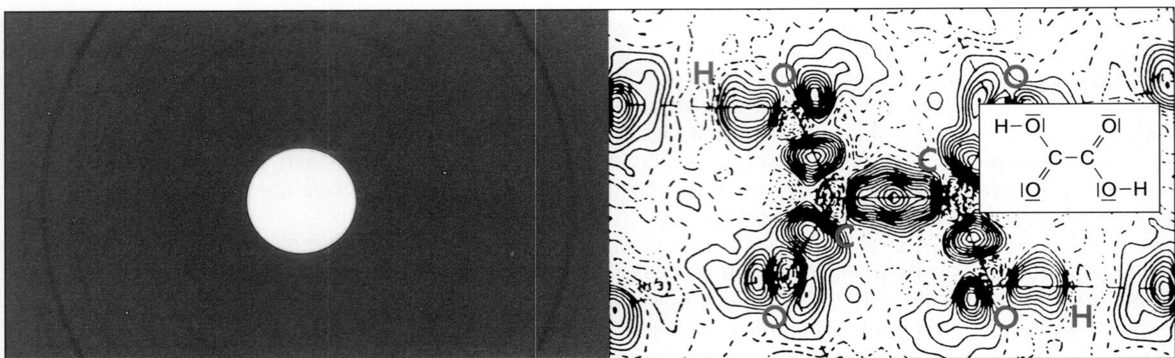

Oxalsäure-Dihydrat – vom Kristall zur Struktur. Pulver-Diagramm und Diagramm der Differenzelektronendichte (Unterschied der Elektronendichte zwischen ungebundenen, kugelsymmetrischen Atomen und den Molekülen im Kristall)

Im Jahre 1912 entdeckte LAUE, dass Röntgenstrahlen an Kristallen gebeugt werden. Seitdem lässt sich die Struktur kristalliner fester Stoffe genauer untersuchen. Zunächst ging es dabei um die Aufklärung von einfachen Kristallstrukturen. In den letzten Jahrzehnten sind dann immer leistungsfähigere Methoden der **Röntgenstrukturanalyse** entwickelt worden. Inzwischen kann auch der Aufbau von Stoffen ermittelt werden, die aus sehr kompliziert gebauten Molekülen bestehen. Ein großer Durchbruch gelang im Jahre 1955 mit der Aufklärung der Molekülstruktur des Vitamins B_{12} ($C_{63}H_{88}CoN_{14}O_{14}P$). Besondere Bedeutung hat die Röntgenstrukturanalyse inzwischen auch in folgenden Bereichen: Entwicklung neuer Werkstoffe, Materialuntersuchungen in Technik und Kriminalistik sowie in der biochemischen Forschung, insbesondere bei der Aufklärung der Struktur von Enzymen und Nucleinsäuren.

Das Prinzip der Röntgenstrukturanalyse beruht darauf, dass Röntgenstrahlen beim Durchtritt durch einen Kristall gebeugt werden. Diese Beugungseffekte treten auf, weil die Abstände der Atome in einem Kristallgitter in der gleichen Größenordnung liegen wie die Wellenlängen der Röntgenstrahlen. Die an den Elektronen der Atome gestreuten Röntgenstrahlen überlagern sich. Dabei wird wie bei der Interferenz von Wasserwellen die Intensität in bestimmten Richtungen verstärkt und in den anderen Richtungen geschwächt. Die gebeugten Strahlen fallen auf einen Film. Nach dem Entwickeln erkennt man ein für den Kristall charakteristisches **Beugungsmuster.**

Aus dem Beugungsmuster lässt sich der Aufbau des Kristalls erschließen. In den meisten Fällen sind dazu aufwendige Berechnungen notwendig, die sich aber inzwischen durch die elektronischen Rechner einfach ausführen lassen. Zunächst ergeben sich Informationen über die räumliche Verteilung der Atome im Kristall. Für Molekülverbindungen sind damit auch Bindungslängen und Bindungswinkel ableitbar.
Mit neuen hochauflösenden Verfahren erhält man genaue **Elektronendichtediagramme;** sie ermöglichen experimentell begründete Aussagen über die Bindungsverhältnisse.

Pulver-Verfahren. Beim *LAUE-Verfahren* und bei den für genauere Untersuchungen besonders wichtigen *Drehkristall-Verfahren* benötigt man gut ausgebildete kleine Einkristalle. Für orientierende Untersuchungen bevorzugt man dagegen das von DEBYE und SCHERRER entwickelte *Pulver-Verfahren.* Die von monochromatischem Röntgenlicht durchstrahlte Probe besteht hier aus einem Kristallpulver, in dem die einzelnen Kriställchen regellos verteilt sind. Auf diese Weise werden *gleichzeitig* Kristalle in den verschiedensten Richtungen durchstrahlt. Auf dem Film ergeben sich Ausschnitte von Beugungsringen. Aus dem Beugungsmuster lassen sich Rückschlüsse auf die Gittersymmetrie der untersuchten Substanz ziehen.

DEBYE-SCHERRER-Diagramme sind charakteristisch für einen kristallinen Stoff; sie lassen sich ähnlich wie Fingerabdrücke leicht miteinander vergleichen. Das Verfahren spielt daher eine besonders große Rolle, wenn lediglich festgestellt werden soll, ob zwei Proben aus dem gleichen Material bestehen.

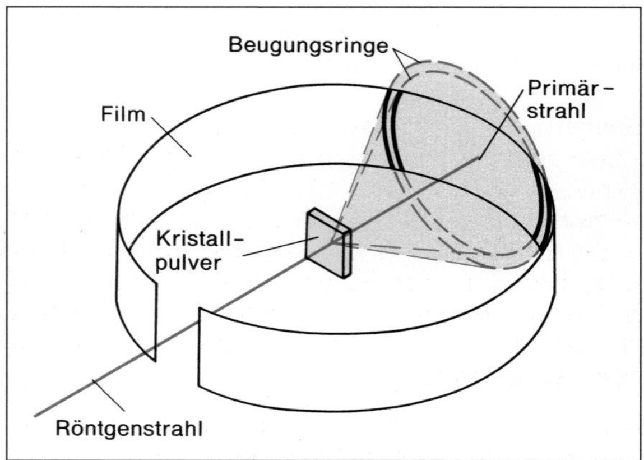

Aufnahme von Pulverdiagrammen (Schema)

3.2 Elektronenpaare verknüpfen Atome zu Molekülen

Viele Stoffe bestehen aus *Molekülen*, also aus elektrisch neutralen Teilchen, die aus mehreren Atomen aufgebaut sind. Um die chemische Bindung in Molekülen zu beschreiben, verwendet man verschiedene Modelle.

LEWIS-Konzept. Ein elementares Bindungsmodell entwickelte der amerikanische Chemiker LEWIS im Jahre 1916. Er postulierte, dass die Bindung zwischen den Atomen eines Moleküls auf gemeinsamen Elektronenpaaren beruht. Solche *bindenden Elektronenpaare* werden jeweils aus ungepaarten Valenzelektronen der Atome gebildet. Man nennt diese Bindungsart daher **Elektronenpaarbindung,** gelegentlich auch *kovalente Bindung* oder *Atombindung*. Valenzelektronen, die nicht an der Bindung beteiligt sind, werden ebenfalls zu Paaren zusammengefasst. Man spricht hier von *nichtbindenden* oder *freien Elektronenpaaren*.
In LEWIS-Formeln stellt man ein Elektronenpaar durch einen Strich dar: ein freies Elektronenpaar durch einen Strich am Atomsymbol und ein bindendes Elektronenpaar durch einen Strich zwischen den Atomsymbolen. Ein manchmal verbleibendes ungepaartes Elektron wird durch einen Punkt symbolisiert. *Beispiele:* H−$\overline{\underline{\text{Cl}}}$|, |Ṅ=O⟩.

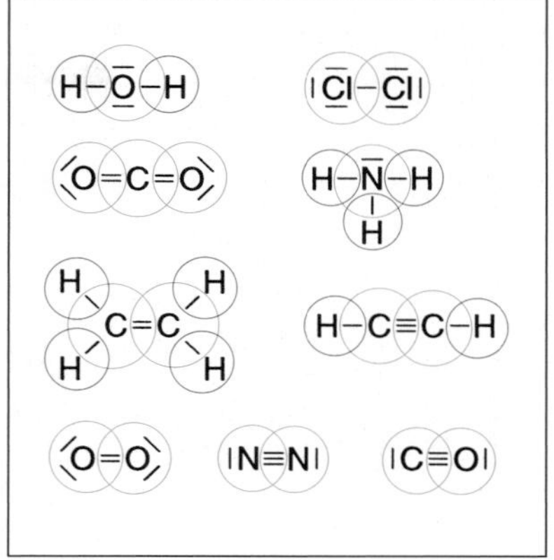

1. LEWIS-Formeln und Oktettregel. Bindungselektronen werden jeweils beiden Atomen zugerechnet.

Oktettregel. Die *Anzahl der Bindungen*, die von einem Atom ausgehen, ergibt sich in vielen Fällen mit Hilfe der *Oktettregel: Jedem Atom sollen vier Elektronenpaare zugeordnet sein.* Das entspricht dem Elektronenoktett in der Außenschale eines Edelgas-Atoms. Dem H-Atom darf man allerdings entsprechend der Elektronenhülle des Helium-Atoms nur ein Elektronenpaar zuordnen. Die Oktettregel ist in vielen Fällen nur dann erfüllt, wenn man zwei oder drei Bindungselektronenpaare zwischen zwei Atomen annimmt. Beispiele sind die *Zweifachbindungen* in den Molekülen O_2 und CO_2: ⟨O=O⟩, ⟨O=C=O⟩ sowie die *Dreifachbindungen* in den Molekülen N_2 und CO: |N≡N|, |C≡O|.
LEWIS-Formeln geben Unterschiede in der *Stärke* der Bindungen richtig wieder. So ist die Dreifachbindung im CO-Molekül ähnlich fest wie im N_2-Molekül; sie ist fester als eine der C=O-Bindungen im CO_2-Molekül.

Grenzen der Oktettregel. Für Verbindungen wie BF_3 oder $AlBr_3$ ergeben sich LEWIS-Formeln, bei denen das zentrale Atom eine *Oktettlücke* aufweist: es fehlt ein Elektronenpaar. Meist bilden sich dann Doppelmoleküle wie Al_2Br_6.
Bei Molekülen wie NO, NO_2 oder ClO_2 ist die Gesamtzahl der Valenzelektronen ungerade. Die Oktettregel kann daher grundsätzlich nicht für alle Atome erfüllt werden. Auch auf die Verbindungen der Übergangsmetalle lässt sich die Oktettregel nicht anwenden.

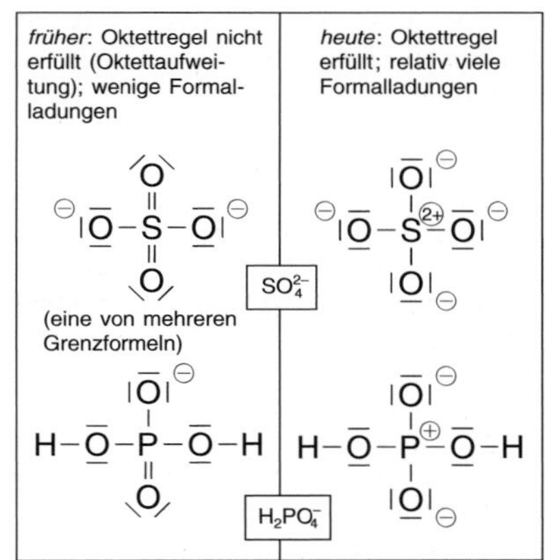

2. Formalladung und Oktettregel. Nach heutiger Auffassung spielt die Oktettaufweitung kaum eine Rolle. Auf die Angabe der Formalladungen kann verzichtet werden, wenn die Gesamtladung des Ions hinzugefügt wird.

Mesomerie. Vielfach lassen sich für ein Teilchen verschiedene LEWIS-Formeln aufstellen. So ergeben sich für das Molekül des Lachgases (N_2O) folgende Möglichkeiten: |N≡N−$\overline{\underline{\text{O}}}$|, ⟨N=N=O⟩. Keine dieser so genannten **Grenzformeln** stellt die Bindungsverhältnisse angemessen dar. Tatsächlich liegt die Elektronenverteilung gerade zwischen den beiden Möglichkeiten. Man spricht in solchen Fällen von einem **mesomeren System** oder kurz von *Mesomerie*. Ein Mesomeriepfeil (↔) zwischen den beiden Formeln weist darauf hin, dass jede einzelne Formel nur einen *hypothetischen* Zustand beschreibt: |N≡N$^{\oplus}$−$\overline{\underline{\text{O}}}$|$^{\ominus}$ ⟷ ⟨N$^{\ominus}$=N$^{\oplus}$=O⟩.
Die zur Unterscheidung von Ionenladungen in einen Kreis gestellten Ladungsangaben kennzeichnen **Formalladungen.** Man erhält die Formalladung eines Atoms, indem man von der Anzahl der Valenzelektronen des freien Atoms die freien Elektronen und die Hälfte der Bindungselektronen des Atoms im Molekül subtrahiert.

A1 Zeichnen Sie LEWIS-Formeln unter Beachtung der Oktettregel für folgende Teilchen; geben Sie auch Formalladungen an: HCl, $CHCl_3$, H_2CO, NH_4^+, SO_3^{2-}, CN^-, Al_2Br_6, H_3BNH_3, H_2SO_4, $HClO_4$

A2 In den Ionen NO_2^- (Nitrit), NO_3^- (Nitrat) und CO_3^{2-} (Carbonat) sind die O-Atome jeweils gleichartig gebunden. Geben Sie diese Tatsache mit Hilfe von Grenzformeln wieder.

3.3 Das Elektronenpaarabstoßungs-Modell

Molekültyp	Elektronenpaare am Zentralatom	Struktur (Beispiele)
AB_2	2	linear ($BeCl_2$, $HgCl_2$)
AB_3	3	planar-trigonal (BF_3, BCl_3)
AB_4	4	tetraedrisch (CH_4, CCl_4)
AB_5	5	trigonal-bipyramidal (PF_5, PCl_5)
AB_6	6	oktaedrisch (SF_6, UF_6)

1. Struktur von AB_n-Molekülen nach dem Elektronenpaarabstoßungs-Modell

LEWIS-Formel	Elektronenpaare am Zentralatom bindend	frei	Struktur
H–N̄–H mit H	3	1	∢ H–N–H = 107°
H–Ō–H	2	2	∢ H–O–H = 104,5°
H–C̄l|	1	3	

2. Einfluss der freien Elektronenpaare auf die Struktur

LEWIS-Formeln lassen sich zwar nach einfachen Regeln aufstellen, doch bleiben sie formaler Natur. Sie erlauben beispielsweise keine Aussagen über den räumlichen Bau der Teilchen. Man hat daher das LEWIS-Modell weiterentwickelt um auch die räumliche Struktur zu erfassen. Besonders einfach ist das von GILLESPIE vorgeschlagene **Elektronenpaarabstoßungs-Modell.**

Bei der Anwendung dieses Modells geht man von der LEWIS-Formel des Teilchens aus. Der räumliche Bau ergibt sich aus dem Wechselspiel zweier Faktoren: der Anziehung zwischen den Elektronenpaaren und dem Atomkern und der Abstoßung der Elektronenpaare untereinander. Die voll besetzten inneren Schalen bleiben unberücksichtigt; es wird also nur der Einfluss der bindenden und der freien Elektronenpaare der äußeren Schale diskutiert.

Die Grundgedanken des Modells werden deutlicher, wenn man es auf das einfache Beispiel des *Methans* (CH_4) anwendet: Die LEWIS-Formel zeigt das C-Atom als Zentralatom; es ist über vier Bindungselektronenpaare mit den H-Atomen verknüpft.
Die Gestalt des Moleküls wird durch die *vier* Elektronenpaare bestimmt: Da sie sich gegenseitig abstoßen, ordnen sie sich so an, dass sie einen möglichst großen Abstand voneinander haben. Insgesamt ergibt sich ein Tetraeder. Das steht im Einklang mit den experimentellen Ergebnissen: Das C-Atom liegt im Zentrum, die vier H-Atome bilden die Ecken. Der Winkel zwischen je zwei Bindungen ist der *Tetraederwinkel*: 109,5°.

Das Gas *Bortrifluorid* (BF_3) ist ein Beispiel, bei dem die Molekülgestalt durch die gegenseitige Abstoßung von *drei* Bindungselektronenpaaren bestimmt wird. Das Molekül bildet dementsprechend ein gleichseitiges Dreieck; die Bindungswinkel betragen 120°.
Gehen nur *zwei* Bindungselektronenpaare vom Zentralatom aus, so bildet sich ein lineares Molekül. Quecksilberchlorid ($HgCl_2$) liefert ein Beispiel dafür.
Schwefelhexafluorid (SF_6) besteht dagegen aus oktaedrisch gebauten Molekülen. Das entspricht völlig den Voraussagen des Modells für ein Molekül mit *sechs* Bindungselektronenpaaren.

Freie Elektronenpaare am Zentralatom haben prinzipiell den gleichen Einfluss auf den Bau des Moleküls wie Bindungselektronenpaare. Das Elektronenpaarabstoßungs-Modell ergibt daher für Ammoniak (NH_3) und Wasser (H_2O) ebenso ein *tetraedrisch* gebautes Molekül wie für Methan. Allerdings sind die experimentell gefundenen Bindungswinkel etwas kleiner als der Tetraederwinkel: Beim Ammoniak beträgt er 107° und beim Wasser 104,5°.
Man macht daher die folgende Zusatzannahme: *Freie Elektronenpaare beanspruchen einen etwas größeren Raum als Bindungselektronenpaare.*

Umgekehrt nimmt der Raumbedarf eines bindenden Elektronenpaares mit steigender Elektronegativität eines Substituenten ab. So beträgt der H–C–H-Bindungswinkel im Monochlormethan-Molekül 110,3°. Er ist also größer als der Tetraederwinkel (109,5°). Aufgrund seiner hohen Elektronegativität zieht das Chlor-Atom die Bindungselektronen stärker zu sich herüber. Die übrigen Bindungselektronenpaare können dann etwas größere Raumbereiche einnehmen; die H–C–H-Bindungswinkel vergrößern sich und der Cl–C–H-Bindungswinkel wird kleiner.

Mehrfachbindungen. Das Elektronenpaarabstoßungs-Modell lässt sich auch auf Moleküle mit Zweifach- oder Dreifachbindungen anwenden. Im Falle des Ethens könnte man aufgrund der vier Elektronenpaare an jedem C-Atom einen H–C–H-Bindungswinkel von 109,5° erwarten. Zwei Elektronenpaare sind aber jeweils gemeinsame Elektronenpaare mit dem zweiten Kohlenstoff-Atom. Diese Bindungselektronen müssen sich also in gekrümmten Raumbereichen aufhalten. Man spricht daher bildhaft von **Bananenbindungen.**

Der Winkel zwischen solchen zusammengebogenen Bindungen sollte aufgrund der Spannung kleiner sein als der Tetraederwinkel. Gleichzeitig könnte sich so der Winkel zwischen den beiden C–H-Bindungen vergrößern. Diese Voraussage mit Hilfe des Modells wird durch das Experiment bestätigt: Der H–C–H-Bindungswinkel im Ethen-Molekül beträgt 116°. Dabei liegen alle Atome in einer Ebene.

Es gibt aber auch eine andere Möglichkeit, Mehrfachbindungen im Rahmen des Elektronenpaarabstoßungs-Modells zu beschreiben. Man behandelt dabei die Elektronen einer Mehrfachbindung schematisch als eine Einheit, die etwas mehr Raum beansprucht als eine Einfachbindung. Im Falle des Ethens sind danach bei jedem C-Atom nur drei Aufenthaltsbereiche für Elektronen zu berücksichtigen. Für den H–C–H-Bindungswinkel ergibt sich so ein Wert knapp unterhalb von 120°.

Grenzen des Modells. Das Elektronenpaarabstoßungs-Modell hat sich weltweit in der Chemie sehr rasch durchgesetzt, da es vielseitig und sehr einfach anwendbar ist. Von seiner Konzeption her ermöglicht es aber nur qualitative Aussagen. So sind Abschätzungen von Bindungsenergien im Rahmen dieses Modells nicht möglich. Bisher konnte das Modell auch nicht zur Beschreibung der Bindungsverhältnisse in Benzol und anderen aromatischen Verbindungen erweitert werden.

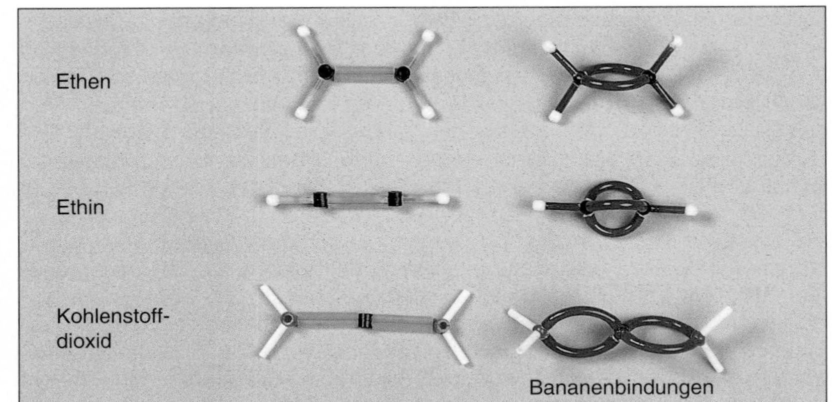

2. Mehrfachbindungen im Elektronenpaarabstoßungs-Modell

1. Anhand der aufgestellten LEWIS-Formel zählt man ab, wie viele Elektronenpaare das Zentralatom umgeben.
   Besonders häufig liegt entsprechend der *Oktettregel* eine Umgebung mit vier Elektronenpaaren vor. Gelegentlich ist die Zahl der Elektronenpaare auch kleiner (*Oktettlücke*, z. B. Bor oder Aluminium) oder größer (*Oktettaufweitung* nach der älteren Vorstellung, z. B. Phosphor oder Schwefel in hohen Oxidationsstufen).
2. Die Anzahl der Elektronenpaare bestimmt den räumlichen Bau des Moleküls: Die Elektronenpaare sind so anzuordnen, dass sie möglichst weit voneinander entfernt sind.
3. Freie Elektronenpaare beanspruchen einen größeren Raum als bindende Elektronenpaare. In Molekülen mit freien Elektronenpaaren am Zentralatom sind daher die Winkel zwischen bindenden Elektronenpaaren kleiner als im regulären Tetraeder.
4. Der Raumbedarf eines bindenden Elektronenpaars sinkt mit steigender Elektronegativität des Substituenten.
5. Der Raumbedarf von Mehrfachbindungen ist etwas größer als der von Einfachbindungen.

1. Regeln für die Anwendung des Elektronenpaarabstoßungs-Modells

A1 Erklären Sie anschaulich, warum nichtbindende Elektronenpaare einen größeren Raumbereich beanspruchen als Bindungselektronenpaare.

A2 Erklären Sie, warum Schwefeldioxid-Moleküle gewinkelt sind (Bindungswinkel 119°).

A3 Welche Molekülgeometrien sind nach dem Elektronenpaarabstoßungs-Modell bei BF_3, PF_3, NO_2, H_2S bzw. XeF_4 zu erwarten?

A4 Bestimmen Sie die Formalladungen an den Atomen der folgenden Molekül-Ionen: SO_3^{2-}, PCl_6^-, ICl_4^-. Geben Sie auch den räumlichen Bau der Ionen an.

3.4 Valenz-Modelle: Chemische Bindungen durch Molekül-Orbitale

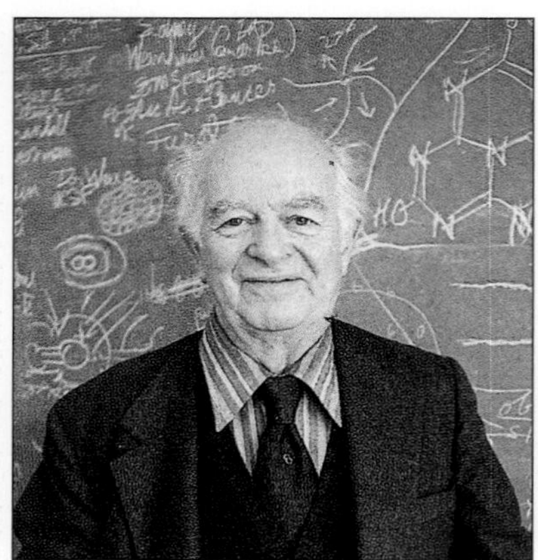

1. Linus PAULING (1901–1994). Ein Wegbereiter der modernen Chemie:

1931 Ausbau des Valenzbindungs-(VB-)modells, Konzept der Hybridisierung
1932 Definition der polaren Atombindung: Elektronegativität
1954 Nobelpreis für Chemie: Struktur der α-Helix in Proteinen
1962 Friedens-Nobelpreis: Einsatz für Atomwaffenteststopp

Die bisher erwähnten Modelle sind sehr bequem und anschaulich, leider aber nur qualitativ und begrenzt anwendbar. Daneben steht die Quanten-Theorie, mit deren Hilfe man prinzipiell alle Atome, Moleküle oder Kristalle beliebig genau berechnen kann. Allerdings benötigt man dazu viel Mathematik und größere Rechenanlagen. Für vereinfachte Rechenverfahren reicht heute auch schon ein PC.

Quantenmechanische Bindungsmodelle wurden seit 1927 von PAULING, SLATER, MULLIKEN, HÜCKEL und anderen entwickelt. Am besten bewährt hat sich das **Molekülorbital**-Verfahren: Aus zwei oder auch mehreren überlappenden Atomorbitalen benachbarter Atome konstruiert man Molekülorbitale (MOs) und besetzt sie mit Elektronen entgegengesetzten Spins.

Die Grundgedanken dieses Modells werden im Folgenden für verschiedene Bindungssituationen des Kohlenstoff-Atoms näher erläutert. In der Regel gehen vom Kohlenstoff-Atom vier Elektronenpaarbindungen aus. Kohlenstoff ist also meist *vierbindig*.

CH_2 – ein Molekül mit zweibindigem Kohlenstoff. Als besonders einfacher Fall soll jedoch zunächst ein ungewöhnliches Molekül beschrieben werden: das Carben (CH_2). Schon die LEWIS-Formel H–$\overline{C}$–H weist darauf hin, dass diese Moleküle sehr reaktionsfähig sind: Das C-Atom hat lediglich ein Elektronensextett. Dass sich aber Carben-Moleküle bilden können, erscheint naheliegend, wenn man den Grundzustand des Kohlenstoff-Atoms betrachtet. Er hat eine Elektronenkonfiguration mit zwei einfach besetzten 2p-Orbitalen: $1s^2$, $2s^2$, $2p_x^1$, $2p_y^1$.

Durch Überlappung eines dieser p-Orbitale mit dem kugelsymmetrischen 1s-Orbital eines H-Atoms ergibt sich jeweils ein energetisch günstiges Molekülorbital. Man erhält zwei Elektronenpaarbindungen, indem man diese Orbitale mit je einem 2p-Elektron und einem 1s-Elektron umgekehrten Spins besetzt. Die beiden C–H-Bindungen sollten nach diesem Modell einen Winkel von 90° einschließen. Nach dem Elektronenpaarabstoßungs-Modell wäre ein Bindungswinkel von 120° zu erwarten. Experiment und genaue quantenmechanische Rechnungen ergeben für Carben einen Bindungswinkel von 102°.

Die Elektronenkonfiguration des vierwertigen Kohlenstoffs. Um die Bildung von Methan (CH_4), Ethen ($H_2C=CH_2$) und anderen Verbindungen mit vierbindigem Kohlenstoff bindungstheoretisch einfach beschreiben zu können, zerlegt man den Vorgang formal in mehrere Schritte: Man erzeugt zunächst eine geeignete Elektronenkonfiguration, konstruiert passende Molekülorbitale und besetzt sie mit Elektronen der zu verknüpfenden Atome.

Damit ein Kohlenstoff-Atom vier Elektronenpaarbindungen ausbilden kann, sollte die Elektronenkonfiguration vier ungepaarte Elektronen aufweisen: $1s^2$, $2s^1$, $2p_x^1$, $2p_y^1$, $2p_z^1$. Verglichen mit dem Grundzustand ist ein Elektron aus dem 2s-Niveau auf das 2p-Niveau angehoben worden. Man spricht von der **Promotion** eines Elektrons (lat. *promovere*: vorwärtsbewegen). Von diesem energetisch höher liegenden, *angeregten* Zustand aus kann das C-Atom zwei Elektronenpaarbindungen mehr bilden als im Grundzustand. Dabei wird mehr Energie frei als für die Promotion des Elektrons benötigt wird.

Die gesamte Vier-Elektronen-Wolke des angeregten Zustands ist kugelförmig, d. h. in alle Raumrichtungen gleich ausgedehnt. Da Elektronen aber grundsätzlich nicht unterscheidbar sind, lässt sich die Vier-Elektronen-Wolke auf unterschiedliche Weise in Bereiche aufteilen, die gerade ein Elektron enthalten. Mathematisch entspricht das jeweils einer bestimmten Kombination oder *Mischung* des 2s-Orbitals mit 2p-Orbitalen. Man spricht in diesem Zusammenhang von **Hybridisierung** und von *Hybrid-Orbitalen* (lat. *hybrida*: Mischling).

E
[↑|↑|] 2p [↑|↑|↑] 2p
[↑↓] 2s [↑] 2s
Grundzustand (zwei Bindungen möglich) angeregter Zustand (vier Bindungen möglich) a)

E
[↑] 2p [↑|↑] 2p
[↑|↑|↑|↑] $2sp^3$
[↑|↑|↑] $2sp^2$
[↑|↑] 2sp
unterschiedliche Aufteilung der Valenzelektronen im angeregten Zustand b)

2. C-Atom: Energiezustände (a) und unterschiedliche Hybridisierung (b)

Methan: sp^3-Hybridisierung. Das Methan-Molekül (CH_4) ist tetraedrisch gebaut. Um diese Bindungssituation anschaulich zu beschreiben, geht man folgendermaßen vor: Man teilt die kugelsymmetrische Vier-Elektronen-Wolke des angeregten C-Atoms in vier Teilbereiche auf, die vom Zentrum aus in die Ecken eines Tetraeders weisen. Die zugehörigen Orbitale bezeichnet man als sp^3-Hybride. Alle vier sp^3-Hybridorbitale zusammen ergeben wieder die gleiche Elektronenverteilung wie die vier ursprünglichen Atomorbitale ($2s^1$, $2p_x^1$, $2p_y^1$, $2p_z^1$).
Durch Überlappung eines einfach besetzten sp^3-Hybrids des C-Atoms mit dem einfach besetzten 1s-Orbital eines H-Atoms erhält man jeweils ein energetisch günstiges doppelt besetztes Molekülorbital, also eine Elektronenpaarbindung. Insgesamt ergibt sich ein tetraedrisches Molekül mit vier C–H-Einfachbindungen. Die Elektronenwolke jeder Hybridbindung ist rotationssymmetrisch zur C–H-Achse. Bindungen dieser Art bezeichnet man als **σ-Bindungen** (σ: sigma).

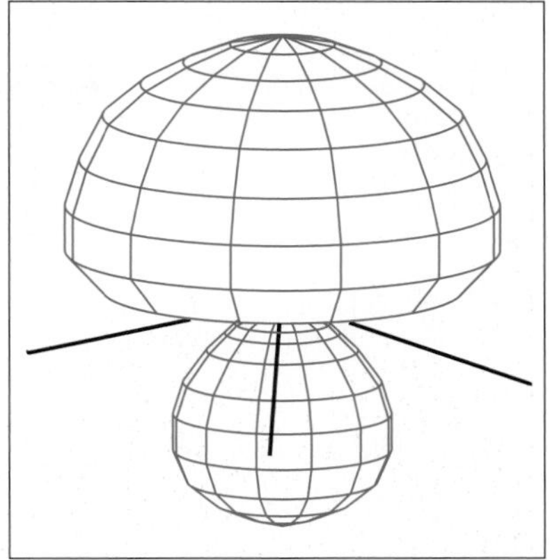

1. Eine der sp^3-Bindungen im Methan

Im **Ethan**-Molekül (H_3C-CH_3) liegt eine C–C-Einfachbindung vor. Es ist eine σ-Bindung, die nach diesem Modell durch die Überlappung von zwei sp^3-Hybridorbitalen gebildet wird. Die freie Drehbarkeit um die C–C-Bindung lässt sich auf die rotationssymmetrische Elektronendichteverteilung in dieser Bindung zurückführen: Die Festigkeit der Bindung wird durch eine Drehung nicht beeinflusst, da das Ausmaß der Überlappung unverändert bleibt.
Das Modell der sp^3-Hybridisierung kann als grobe Näherung auch auf Moleküle mit freien Elektronenpaaren angewendet werden. Beispiele sind das H_2O-Molekül und das NH_3-Molekül.

Ethen: sp^2-Hybridisierung. Das Ethen-Molekül ($H_2C=CH_2$) ist eben gebaut; die Bindungswinkel betragen etwa 120°. Die C=C-Zweifachbindung ist mit 134 pm deutlich kürzer als eine C–C-Einfachbindung mit 154 pm. Um die Bindungsverhältnisse zu beschreiben, wählt man folgende Aufteilung der Vier-Elektronen-Wolke des angeregten C-Atoms: Das $2p_z$-Orbital bleibt unverändert. Die übrigen drei Orbitale werden zu drei sp^2-Orbitalen hybridisiert. Die sp^2-Hybride liegen in einer Ebene und die Winkel zwischen ihnen betragen 120°. Durch Überlappung zweier einfach besetzter sp^2-Hybride ergibt sich eine C–C-Einfachbindung; es ist eine σ-Bindung. Mit den übrigen Hybridorbitalen werden die σ-Bindungen zu den H-Atomen geknüpft.
Die zweite Bindung zwischen den C-Atomen beruht auf der Überlappung der beiden einfach besetzten $2p_z$-Orbitale oberhalb und unterhalb der Molekülebene. Eine Bindung dieser Art bezeichnet man als **π-Bindung** (π: pi). Die starre, ebene Struktur des Moleküls lässt sich mit diesem Modell gut erklären: Verdreht man die beiden CH_2-Gruppen gegeneinander, so überlappen die beiden p_z-Orbitale weniger gut, die π-Bindung wird geschwächt. Infolge der zusätzlichen π-Bindung sind Doppelbindungen fester als Einfachbindungen und die Bindungslänge ist kürzer.

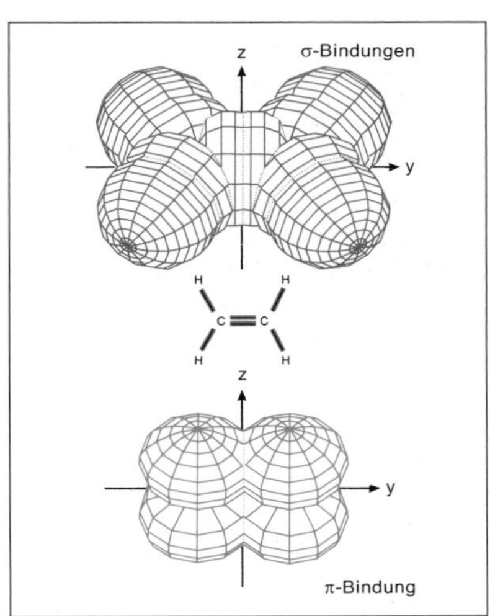

2. Die Bindungen im Ethen-Molekül

Eine akzeptable Beschreibung der Bindungsverhältnisse im Ethen-Molekül erhält man auch durch das Modell der **Bananenbindungen:** Man geht von tetraedrischen sp^3-Hybriden aus und bildet durch Überlappung zwei gleichartige, gekrümmte Einfachbindungen zwischen den C-Atomen.

Ethin: sp-Hybridisierung. Im linearen Ethin-Molekül ($H-C\equiv C-H$) beträgt die C/C-Bindungslänge nur 120 pm. Um diese Bindungssituation darzustellen, wählt man folgende Aufteilung der Elektronendichte des angeregten Kohlenstoff-Atoms: Man bildet zwei in Richtung der Molekül-Achse liegende sp-Hybride, die die σ-Bindungen des Moleküls liefern. Die bei der Hybridisierung nicht genutzten p_y- und p_z-Orbitale bilden zwei π-Bindungen zwischen den C-Atomen.

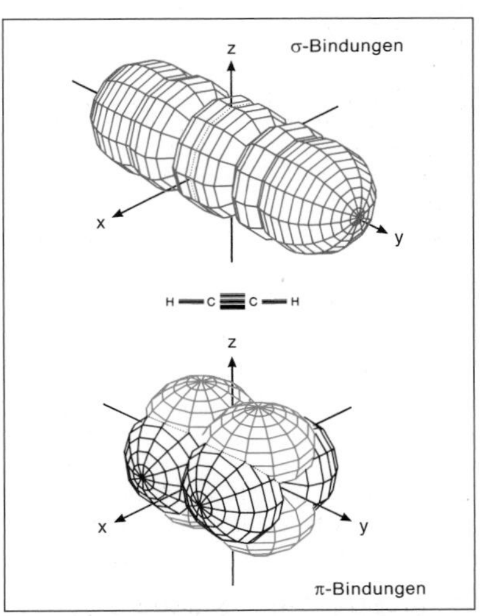

3. Die Bindungen im Ethin-Molekül

3.5 Elektronenverschiebungen bewirken Bindungen zwischen Molekülen

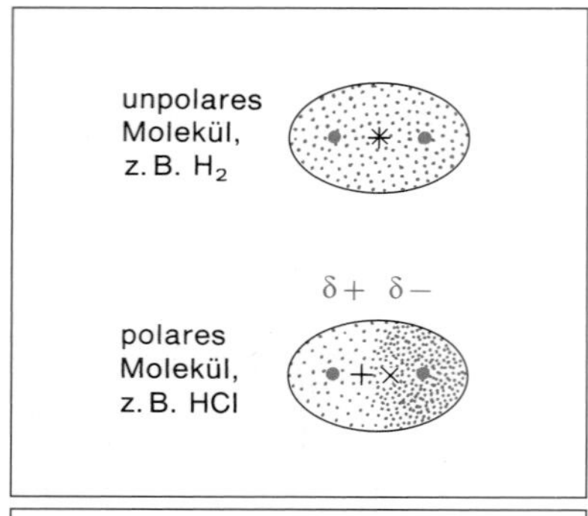

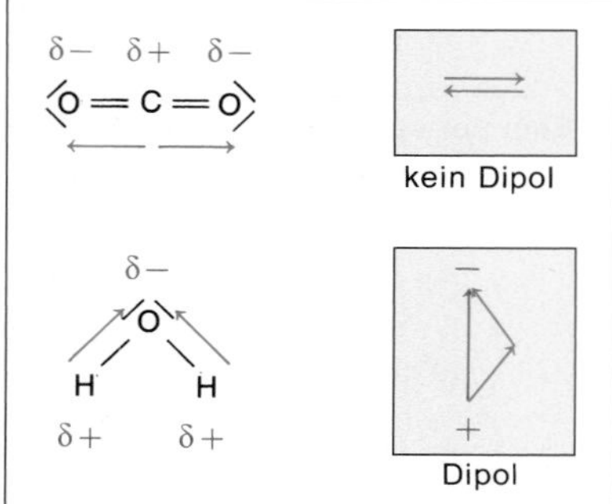

1. Bildung von Dipolmolekülen durch Elektronenverschiebungen

Viele Stoffe, die aus Molekülen bestehen, begegnen uns als Gase: Sauerstoff, Stickstoff, Stickstoffmonooxid, Schwefelwasserstoff, Methan. Kühlt man diese Gase jedoch genügend ab, so kondensieren sie zu Flüssigkeiten und kristallisieren schließlich als feste Stoffe. Das weist darauf hin, dass zwischen allen Molekülen Anziehungskräfte wirksam werden, wenn die Wärmebewegung der Teilchen nicht mehr zu stark ist. Ursache für diese Anziehungskräfte zwischen den Molekülen sind Elektronenverschiebungen innerhalb der Moleküle. Man unterscheidet dabei *VAN-DER-WAALS-Bindungen* und *Wasserstoffbrückenbindungen.*

Polare Bindungen und Dipolmoleküle. Besteht ein Molekül aus zwei *gleichartigen* Atomen, so ist die Ladung des bindenden Elektronenpaares räumlich symmetrisch verteilt. Liegen dagegen *verschiedene* Atome vor, so fällt der Ladungsschwerpunkt der beiden positiven Atomkerne nicht mit dem Ladungsschwerpunkt der negativen Ladung zusammen. Das eine Atom zieht die Bindungselektronen stärker zu sich heran. Dadurch entstehen im Molekül ein Pol mit einer positiven *Partialladung* (δ+) und ein Pol mit einer negativen Partialladung (δ−).

Moleküle mit solchen **polaren Elektronenpaarbindungen** sind im Allgemeinen *Dipolmoleküle.* Der permanente Dipol dieser Moleküle lässt sich durch das *Dipolmoment* μ charakterisieren; man versteht darunter das Produkt aus Ladungsunterschied q und Abstand d der Ladungsschwerpunkte: $\mu = q \cdot d$.

Liegen in einem Molekül mehrere polare Bindungen vor, so ergibt sich das Dipolmoment durch vektorielle Addition der einzelnen Bindungsmomente. Bei symmetrisch gebauten Molekülen können sich daher die Bindungsmomente gegenseitig aufheben. Das Molekül ist dann trotz polarer Bindungen kein Dipol. Ein Beispiel dafür ist das CO_2-Molekül.

Elektronegativität. Um die Polarität einer Bindung vorhersagen zu können, hat PAULING 1932 den Begriff der *Elektronegativität* (EN) eingeführt. Es handelt sich dabei um ein Maß für die Fähigkeit eines Atoms, Bindungselektronen anzuziehen. Besonders hohe Elektronegativität findet man daher bei kleinen Atomen mit hoher Rumpfladung. So ist Fluor das Element mit der höchsten Elektronegativität; ihm wurde willkürlich der EN-Wert 4 zugeordnet. Das Alkalimetall Caesium hat mit 0,7 den niedrigsten EN-Wert. Die Differenz zwischen den EN-Werten zweier Elemente ist ein Maß für die Polarität einer Bindung: Ist die Differenz gering, so sind die Partialladungen (δ+, δ−) entsprechend klein; die Moleküle sind nur wenig polar. Unterscheiden sich die EN-Werte jedoch stark, so bilden sich keine einzelnen Moleküle mehr, sondern Ionengitter.

VAN-DER-WAALS-Bindung. Die Anziehung zwischen Dipolmolekülen und die Wechselwirkung zwischen unpolaren Molekülen werden unter dem Oberbegriff *VAN-DER-WAALS-Bindung* zusammengefasst.

Ein *permanentes* Dipolmoment führt allgemein zu stärkeren Anziehungskräften. So hat das polare Stickstoffmonooxid (NO) mit −152 °C eine höhere Siedetemperatur als der unpolare Stickstoff (−196 °C) oder der unpolare Sauerstoff (−183 °C).

Nach der Theorie der Quantenmechanik existiert auch eine Anziehung zwischen allen unpolaren Molekülen. Diese *Dispersionskräfte* sind proportional zu den Polarisierbarkeiten der Moleküle.

Da große Moleküle leichter polarisierbar sind als kleine, nimmt die Festigkeit der VAN-DER-WAALS-Bindung mit der Molekülmasse zu: Im Unterschied zu Fluor oder Chlor ist Brom bei Raumtemperatur flüssig und Iod sogar fest.

δ+ δ− Anziehung δ+ δ−
permanenter Dipol / permanenter Dipol

δ+ δ−
permanenter Dipol / unpolares Molekül
δ+ δ− Anziehung δ+ δ−
permanenter Dipol / induzierter Dipol

2. VAN-DER-WAALS-Bindung durch Dipol-Dipol-Wechselwirkung

Wasserstoffbrückenbindungen. Bei den Wasserstoffverbindungen der Elemente aus der vierten Hauptgruppe steigt die Siedetemperatur entsprechend der stärker werdenden VAN-DER-WAALS-Bindung mit der Molekülmasse an. Bei den folgenden Hauptgruppen zeigt aber gerade die Wasserstoffverbindung des ersten Elements eine besonders hohe Siedetemperatur. Wären die Eigenschaften regelmäßig abgestuft, so müsste Wasser bei Raumtemperatur ein Gas sein, das erst bei −60 °C flüssig wird und bei −80 °C gefriert. Auch bei vielen weiteren Verbindungen, in denen Wasserstoff-Atome an Sauerstoff-, Stickstoff- oder Fluor-Atome gebunden sind, treten stärkere Wechselwirkungen auf als zwischen anderen Dipolmolekülen.

Ursache für diese Eigenschaften sind jeweils *Wasserstoffbrückenbindungen:* Atome mit besonders hoher Elektronegativität (F, O, N) ziehen die Bindungselektronen so weit zu sich heran, dass am Wasserstoff-Atom eine hohe positive Partialladung entsteht. Das stark positivierte Wasserstoff-Atom tritt dann mit einem benachbarten Molekül in Wechselwirkung, indem es sich an ein freies Elektronenpaar anlagert.

Besonders deutlich erkennt man die Ausbildung von Wasserstoffbrücken an der Struktur von Eis: Jedes Sauerstoff-Atom ist hier tetraedrisch von vier Wasserstoff-Atomen umgeben. Zwei davon haben einen deutlich größeren Abstand. Wasserstoffbrückenbindungen sind also genau wie Elektronenpaarbindungen gerichtet; entsprechend der größeren Bindungslänge ist ihre Festigkeit aber geringer als bei einer Elektronenpaarbindung. Um 1 mol Wasserstoffbrückenbindungen im Wasser zu spalten, sind etwa 25 kJ erforderlich, das entspricht 5 % der zur Spaltung von O–H-Bindungen erforderlichen Energie. VAN-DER-WAALS-Bindungen dieser Stärke treten sonst erst bei sehr viel schwereren Molekülen auf.

Bindungsverhältnisse in Proteinen. Am Beispiel der Proteine lässt sich erkennen, dass komplizierte Molekülstrukturen erst durch das Zusammenspiel der verschiedenen Bindungstypen entstehen: *Elektronenpaarbindungen* sind es, die die Atome der kettenförmigen Polypeptid-Moleküle (Primärstruktur) zusammenhalten. Die Raumstruktur der Proteine und damit ihre biologische Funktion wird wesentlich mitbestimmt durch *Disulfidbrücken*, durch *Ionenbindungen* zwischen Amino-Gruppen und Carboxylat-Gruppen sowie durch *Wasserstoffbrückenbindungen* und *VAN-DER-WAALS-Bindungen.*

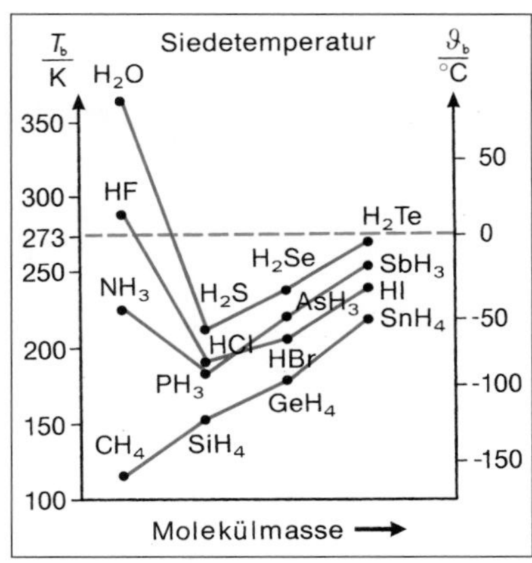

1. **Siedetemperaturen einiger Wasserstoffverbindungen**

A1 **a)** Erklären Sie die Unterschiede der Siedetemperaturen von Schwefelwasserstoff (–60,4 °C) und Wasser (100 °C).
b) Um Eis zu schmelzen, muss man Energie zuführen (molare Schmelzwärme: 5,6 kJ · mol^{-1}). Wozu wird diese Energie benötigt?
c) Warum hat Eis eine geringere Dichte (ϱ = 0,917 g · cm^{-3}) als Wasser?
d) Warum weist die Dichte von Wasser bei 4 °C ein Maximum auf *(Dichteanomalie)*?
e) Im Gegensatz zu den meisten anderen Stoffen löst sich Ammoniumfluorid (ϱ = 1,01 g · cm^{-3}) merklich in Eis. Wie lässt sich hier die Bildung einer kristallinen Lösung erklären?

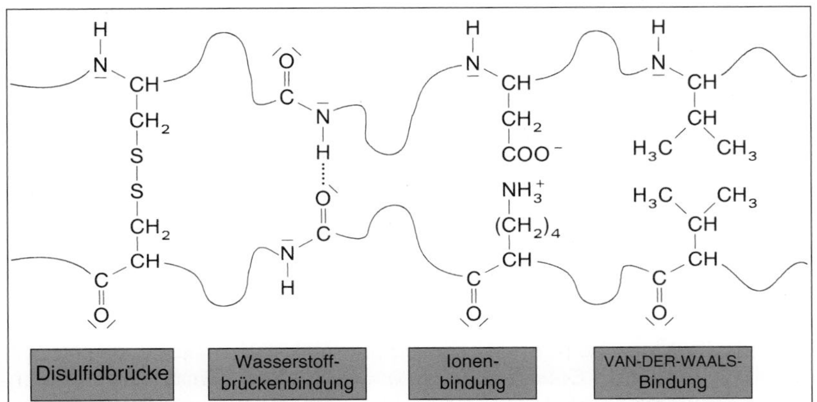

3. **Bindungstypen in Proteinen**

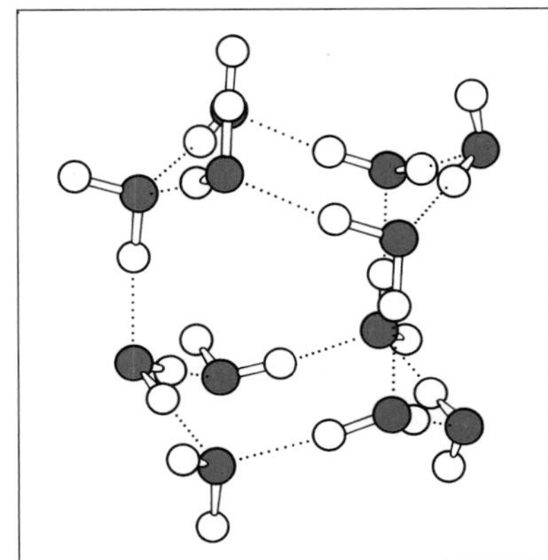

2. **Eisstruktur mit Wasserstoffbrücken**

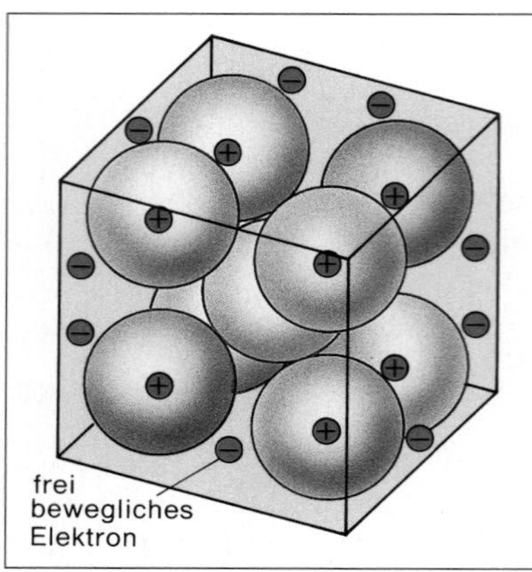

1. Elektronengas-Modell

Seit Jahrtausenden werden Metalle verwendet, um Werkzeuge, Münzen oder Schmuck herzustellen. Neben der Verformbarkeit, dem metallischen Glanz und der hohen Wärmeleitfähigkeit gehört vor allem die hohe elektrische Leitfähigkeit zu den typischen Eigenschaften der Metalle.

Elektronengas-Modell. Die typischen Metalleigenschaften lassen sich auf die Bindungsverhältnisse zwischen Metall-Atomen zurückführen. Eine einfache Beschreibung liefert das *Elektronengas-Modell*: Als Gitterbausteine liegen danach in einem Metallkristall positiv geladene Atomrümpfe vor. Die Valenzelektronen können sich wie Gasmoleküle frei zwischen den Atomrümpfen bewegen.

Die hohe *elektrische Leitfähigkeit* lässt sich in diesem Modell folgendermaßen erklären: Legt man eine Spannung an, so wird der regellosen Bewegung der Elektronen eine gerichtete Bewegung zum positiven Pol überlagert: Es fließt ein Strom. Bei höherer Temperatur stören die stärker werdenden Schwingungen der Atomrümpfe die Bewegung der Elektronen: Der elektrische Widerstand des Metalls nimmt zu.

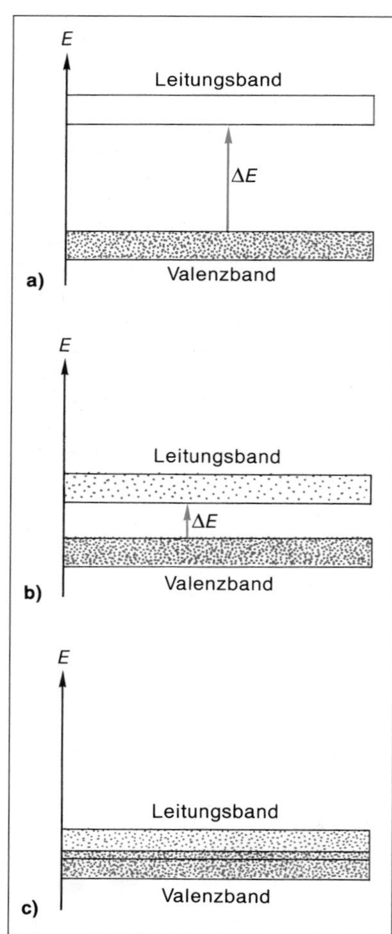

2. Energiebänder-Modell: Nichtleiter (a), Halbleiter (b) und Leiter (c)

Energiebänder-Modell. Einige Elemente wie Germanium oder Silicium erweisen sich als *Halbleiter*: Ihre elektrische Leitfähigkeit ist zwar relativ gering; sie nimmt aber – anders als bei Metallen – mit steigender Temperatur zu.

Zur Erklärung dieser Eigenschaft eignet sich das leistungsfähigere *Energiebänder-Modell.* Die Atomorbitale aller Atome eines Kristalls überlagern sich; es ergibt sich dadurch eine außerordentlich große Zahl von Molekülorbitalen. Die diesen Molekülorbitalen entsprechenden Energieniveaus liegen so dicht beieinander, dass bestimmte Energiebereiche praktisch kontinuierlich mit Elektronen besetzt werden können; man spricht von *Energiebändern.* Das energetisch tiefere *Valenzband* ist in der Regel mit Elektronen voll besetzt; es bewirkt die chemische Bindung im Kristall. Das so genannte *Leitungsband* liegt bei Nichtleitern energetisch viel höher und enthält keine Elektronen.
Bei Halbleitern besteht dagegen nur eine kleine Energielücke zwischen dem voll besetzten Valenzband und dem unbesetzten Leitungsband. Schon bei Raumtemperatur reicht die thermische Bewegung aus, um einige Elektronen aus dem Valenzband in das Leitungsband anzuregen. Im Valenzband entstehen dabei Elektronenlöcher. Eine elektrische Spannung vermag die Elektronen im Leitungsband zu verschieben. Das Gleiche ist wegen der Elektronenlöcher nun auch im Valenzband möglich: Es fließt ein geringer Strom.
Bei metallischen Leitern überlappen sich Valenzband und Leitungsband, sodass stets ein *großer Anteil* der Elektronen beweglich ist.

Die Zahl der frei beweglichen Elektronen im Leitungsband und damit die elektrische Leitfähigkeit von Halbleitern wie Reinstsilicium lässt sich durch **Dotieren** gezielt vergrößern. Man baut dazu einen kleinen Anteil von Fremdatomen mit einer anderen Anzahl an Valenzelektronen ein. Arsen-Atome beispielsweise, steuern *alle* ihr zusätzliches Valenzelektron zum Leitungsband des Siliciums bei. Durch Dotieren mit Bor-Atomen erzeugt man Elektronenlöcher, die ebenfalls die Leitfähigkeit erhöhen.

Bei Reinstsilicium beträgt die spezifische elektrische Leitfähigkeit etwa $2{,}5 \cdot 10^{-6}\ \Omega^{-1} \cdot cm^{-1}$. Ersetzt man jedes 100000ste Silicium-Atom durch ein Arsen-Atom, so steigt die elektrische Leitfähigkeit auf das Tausendfache an.

EXKURS

Vom Reinstsilicium zum Chip

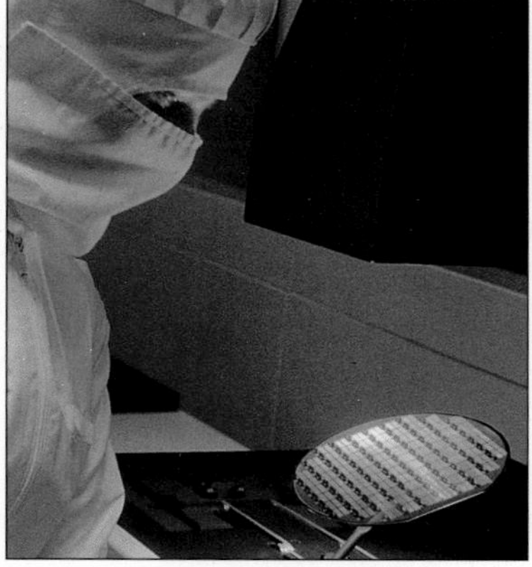
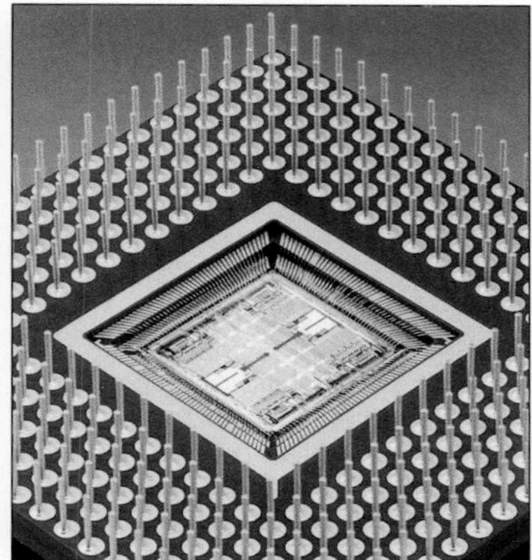

Vom Reinstsilicium zum Chip: Silicium-Einkristall, Wafer und Chip

Halbleitersilicium, der Grundstoff für die Herstellung von Chips für die Mikroelektronik, ist ein Spitzenerzeugnis der chemischen Industrie.

Man stellt große stabförmige *Einkristalle* höchster Reinheit her, in denen auf eine Milliarde Silicium-Atome höchstens ein Fremdatom kommt.
Diese Einkristalle werden zunächst mit Diamantsägen in dünne Scheiben zerlegt, die anschließend geschliffen, geätzt und poliert werden müssen. Jeder dieser *Wafer* liefert bei einem Durchmesser von etwa 10 cm mehr als 200 Chips.

Die sich daran anschließende Herstellung der Schaltelemente und Leiterbahnen umfasst dann etwa 100 Schritte, von denen sich einige mehrfach wiederholen.

Die Oberfläche des Wafers wird zunächst bei etwa 1000 °C zu glasartigem Siliciumdioxid oxidiert. Im nächsten Schritt wird ein dünner Film eines lichtempfindlichen Lacks aufgetragen (Fotolack). Anschließend legt man die Grundstruktur der Schaltkreise fest, indem man durch eine entsprechende Maske belichtet. Beim Entwickeln wird der Fotolack in den belichteten Bereichen herausgelöst, sodass an diesen Stellen die Glasschicht durch Ätzen entfernt werden kann.
Bei einer Temperatur von 1000 °C folgt die Dotierung des freigelegten Siliciums mit Phosphor oder Bor. Auf 100 Millionen Silicium-Atome werden dabei oft nicht mehr als drei Fremdatome eingebaut. Trotzdem entspricht das 10^{12} Atomen pro Kubikmillimeter.

Im Anschluss an die Dotierung werden die noch verbleibenen Deckschichten in den nicht belichteten Bereichen entfernt. Dann beginnt der Kreislauf von neuem, um die nächste Teilstruktur aufzubauen. Die dotierten Zonen haben jeweils nur eine Ausdehnung von weniger als 0,01 mm. Um die Schaltkreise miteinander zu verbinden, wird der Wafer mit Aluminium bedampft. Die Leitungsstrukturen entstehen in einem erneuten Foto-Ätz-Prozess.
Ein großer Computerbaustein enthält mehr als 100 Chips. Sie sind in einen Mehrschicht-Keramikträger eingebaut, in dem bis zu 100 m Leitungswege verlaufen. Mehrere solcher Baugruppen werden mit Hilfe von Mehrschicht-Leiterplatten zu größeren Einheiten zusammengefasst.

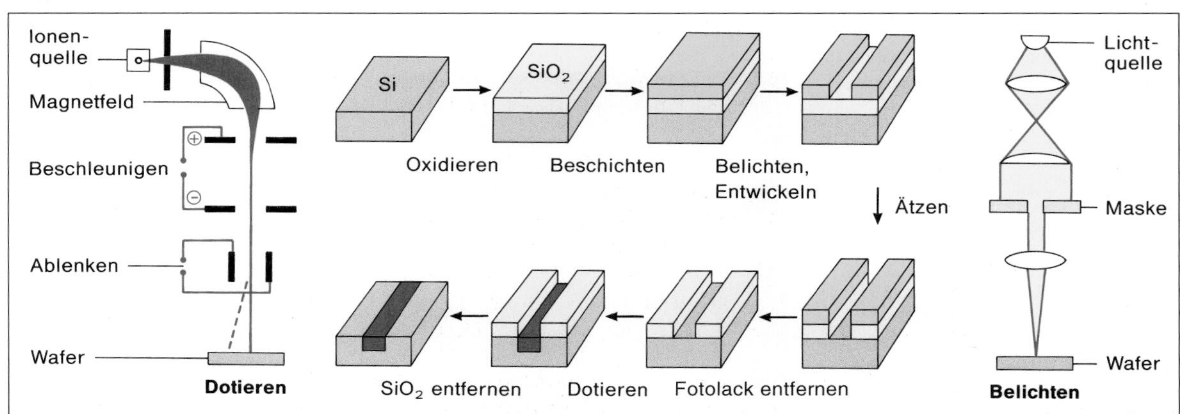

Arbeitsschritte bei der Herstellung eines Chips

3.7 Aufgaben · Versuche · Probleme

Aufgabe 1: Erläutern Sie, was man unter Elektronegativität versteht und wie das Dipolmoment eines Moleküls damit zusammenhängt.

Aufgabe 2: Ordnen Sie die folgenden Elemente nach steigender Elektronegativität. Begründen Sie ihre Zuordnung.
C, Cl, Cs, F, H, Li, Mg, O, S

Aufgabe 3: Ordnen Sie die folgenden Bindungen nach steigender Polarität:
Cl–Cl, Cl–H, F–H, N–H.

Aufgabe 4: Geben Sie die Strukturformeln der folgenden Moleküle wieder und schätzen Sie die Bindungswinkel ab: BF_3, HI, H_2S, O_3, PCl_3, HCN.
Welche Moleküle sind Dipole?

Aufgabe 5: Welche der folgenden Verbindungen sind aus Ionen aufgebaut; welche bestehen aus Molekülen?
$BaCl_2$, HI, KBr, Na_2S, PH_3, $PbCl_2$, $PbCl_4$, $SiCl_4$

Aufgabe 6: Im Nitrat-Ion (NO_3^-) und im Carbonat-Ion (CO_3^{2-}) haben alle Sauerstoff-Atome jeweils den gleichen Abstand vom zentralen Atom.
Wie könnte man diesen Sachverhalt in Strukturformeln andeuten?

Aufgabe 7: Löst man Lithiumchlorid in Wasser, so erwärmt sich die Lösung. Bei Natriumchlorid beobachtet man dagegen eine leichte und bei Kaliumchlorid eine stärkere Abkühlung. Erklären Sie diese Abstufung.

Aufgabe 8: Erläutern Sie die Grenzen des LEWIS-Konzepts an einigen Beispielen.

Aufgabe 9: In der folgenden Tabelle ist für eine Reihe von Verbindungen die Schmelztemperatur angegeben:

NaCl	801 °C	$MgCl_2$	714 °C
$AlCl_3$	193 °C[1])	$SiCl_4$	−68 °C
PCl_3	−91 °C	SCl_2	−80 °C
[1]) unter Druck		Cl_2	−101 °C

Erläutern Sie die Ursachen für die Abstufung der Schmelztemperaturen.

Aufgabe 10: Welche Wasserbewegungen treten in einem See auf, wenn die Lufttemperatur von 10 °C auf −10 °C absinkt? Erläutern Sie die biologische Bedeutung der Vorgänge.

Aufgabe 11: Im Aceton-Molekül betragen die Bindungswinkel am C-Atom der CO-Gruppe jeweils etwa 120°. Beschreiben Sie Bindung und Struktur durch das Hybridisierungs-Modell.

Aufgabe 12: Im Methan-Molekül (CH_4) sind alle vier Wasserstoff-Atome gleichartig gebunden.
a) Welche geometrischen Anordnungen sind denkbar?
b) Erläutern Sie, wie man aufgrund von Untersuchungen über die Anzahl der Isomere bei bestimmten Methan-Derivaten (CH_2X_2) auf die tatsächliche Anordnung schließen kann.

Versuch 1: Züchtung eines Alaunkristalls
60 g Alaun (Kaliumaluminiumsulfat, $KAl(SO_4)_2 \cdot 12\ H_2O$) werden unter Erwärmen in 300 ml Wasser gelöst. Ein Teil des gelösten Salzes scheidet sich beim Abkühlen wieder aus. Die über dem Bodenkörper stehende gesättigte Lösung wird in ein Becherglas überführt.
An einen *glatten* Perlonfaden hängt man nun einen kleinen Alaunkristall so in die gesättigte Lösung, dass er sich mindestens 5 cm unter der Oberfläche befindet. Die Lösung wird erschütterungsfrei an einem kühlen Ort aufgestellt. Während die Lösung über mehrere Tage eindunstet, wächst ein größerer, oktaedrischer Kristall heran.
Weitere Beispiele:
a) Mischungen mit Chromalaun ($KCr(SO_4)_2 \cdot 12\ H_2O$) ergeben violette Kristalle.
b) Kupfersulfat, $CuSO_4 \cdot 5\ H_2O$ (120 g in 300 ml Wasser; Xn, B2)
c) Rotes Blutlaugensalz, $K_3[Fe(CN)_6]$ (150 g in 300 ml Wasser)

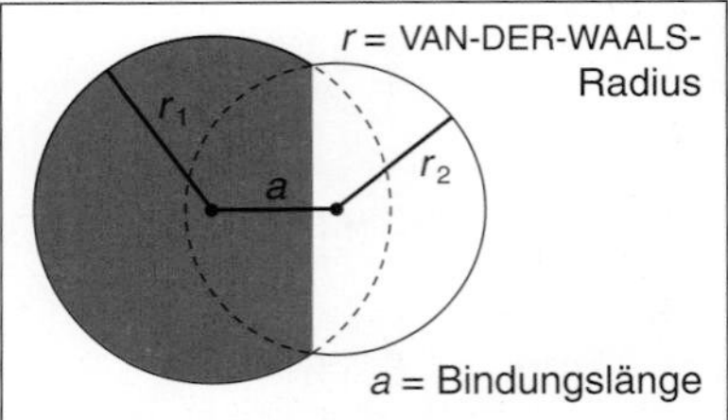

Bindungslängen
O–H: 96 pm N–H: 100 pm
VAN-DER-WAALS-Radien
O: 140 pm N: 150 pm H: 120 pm
(Durchschnittswerte)

Problem 1: Der Raumbedarf von Molekülen hängt nicht nur von den Bindungslängen ab, sondern auch vom Wirkungsbereich der Elektronenhüllen der äußeren Atome. Dieser Wirkungsbereich wird durch den VAN-DER-WAALS-Radius der Atome bestimmt. Bindende Wechselwirkungen können aber den Raumbedarf von Molekülen erheblich verringern. So ist für eine Wasserstoffbrücke –O–H···O– der Abstand zwischen den Atomkernen der O-Atome etwa 280 pm. Würden sich die VAN-DER-WAALS-Radien voll auswirken, betrüge der Abstand etwa 350 pm.
Erklären Sie auf dieser Grundlage die folgenden experimentellen Befunde:
a) Im Vergleich zu Wasser hat Ammoniak eine auffallend geringe Dichte. Bei der Siedetemperatur von −33 °C gilt: $\varrho = 0{,}68\ g \cdot cm^{-3}$.
b) Die Dichte von wässerigen Ammoniak-Lösungen nimmt mit steigender Konzentration ab: Für eine Lösung mit $w(NH_3) = 25\ \%$ gilt $\varrho = 0{,}88\ g \cdot cm^{-3}$.
c) Löst man Salze in Wasser, so beobachtet man im Allgemeinen eine Volumenkontraktion. Das Volumen der Salzlösung ist also kleiner als die Summe der Volumina von Salz und Wasser. Im Falle von Ammoniumsalzen ist das Volumen dagegen etwas größer als die Summe der Volumina.

Problem 2: Bei der Einführung des Teilchen-Modells im Anfangsunterricht stützt man sich oft auf das Phänomen der Volumenkontraktion beim Vermischen von Alkohol mit Wasser. Als Erklärung dient die Volumenverringerung beim Mischen von Erbsen mit Senfkörnern.
Welche Vorteile und welche Nachteile hat diese Erklärung?

Chemische Bindung

Die Art der chemischen Bindung bestimmt die Eigenschaften der Stoffe.

1. Ionenbindung

Salzartige Stoffe bestehen aus Ionen, die sich gegenseitig anziehen und daher eine möglichst dichte Packung bilden. Der Aufbau des Kristalls wird durch das Verhältnis der Ionenradien bestimmt.

Einatomige Ionen weisen meist eine **Edelgaskonfiguration** aus: Ihre Außenschale ist vollständig besetzt; die Anzahl der Valenzelektronen stimmt mit der des benachbarten Edelgas-Atoms überein.

Beispiele: Na^+, K^+, Ca^{2+}, Al^{3+}, Cl^-, O^{2-}, S^{2-}, N^{3-}

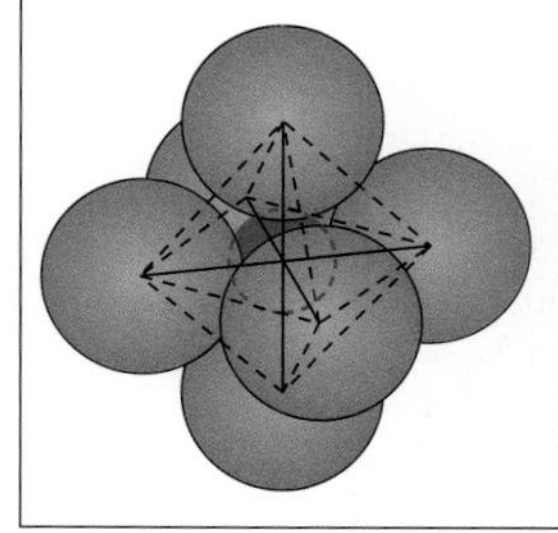

Natriumchlorid-Gitter.
$0{,}41 < \frac{r\,(\text{Kation})}{r\,(\text{Anion})} < 0{,}73$
Koordinationszahl: 6

2. Metallische Bindung

Bei typischen Metallen bilden die Atome eine dichteste Kugelpackung. Nach dem Elektronengas-Modell sind die Valenzelektronen zwischen den positiv geladenen Atomrümpfen frei beweglich.

3. Elektronenpaarbindung und VAN-DER-WAALS-Bindung

In Molekülen und mehratomigen Ionen sind die Atome durch *gemeinsame Elektronenpaare* verknüpft. Die übrigen Valenzelektronen werden zu freien Elektronenpaaren zusammengefasst. Die Anzahl der Bindungen ergibt sich oft mit Hilfe der **Oktettregel.** Jedem Atom sollten sich insgesamt acht Außenelektronen zuordnen lassen.

Zwischen Molekülen wirken im Allgemeinen nur schwache **VAN-DER-WAALS-Bindungen.** Molekülverbindungen sind daher wesentlich leichter flüchtig als Ionenverbindungen oder Metalle.

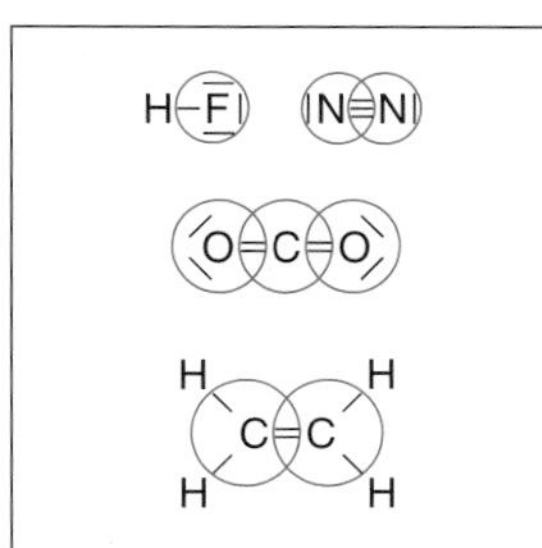

LEWIS-Formeln und Anwendung der Oktettregel

In **diamantartigen Stoffen** sind die Atome durch Elektronenpaarbindungen zu einem dreidimensionalen Netzwerk verknüpft. Solche Stoffe haben daher extem hohe Schmelztemperaturen.

Beispiele: Diamant, Quarz (SiO_2), Siliciumcarbid (SiC)

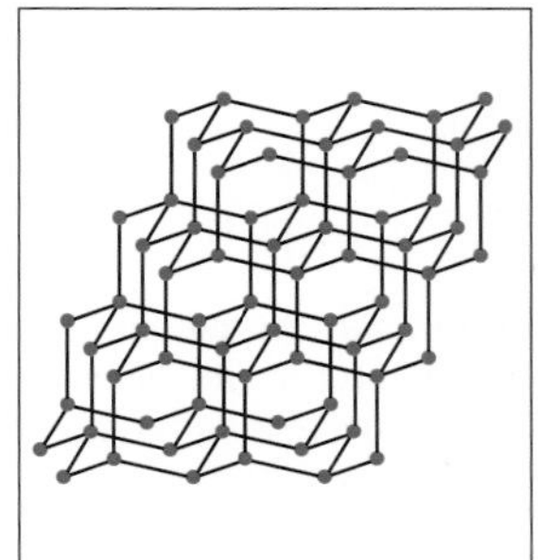

Verknüpfung der Atome in einem Diamantkristall

4. Modelle zur Beschreibung der Molekülgeometrie

Nach dem **Elektronenpaarabstoßungs-Modell** wird der räumliche Bau von Molekülen auf die Abstoßung zwischen den zu einem Atom gehörigen Elektronenpaaren zurückgeführt.

Mit vier Elektronenpaaren an einem Atom ergibt sich eine tetraedrische Anordnung, soweit keine Mehrfachbindungen vorliegen.

Freie Elektronenpaare führen zu einer Abweichung vom Tetraederwinkel, denn ihr Raumbedarf ist etwas größer als der von Bindungselektronenpaaren.

Mehrfachbindungen wirken sich ähnlich wie Einfachbindungen auf die Gestalt eines Moleküls aus: Im Falle des Ethens ($H_2C{=}CH_2$) liegen alle Bindungswinkel bei 120°, wie man es für drei Aufenthaltsbereiche (Elektronenwolken) an einem Kohlenstoff-Atom erwarten sollte.

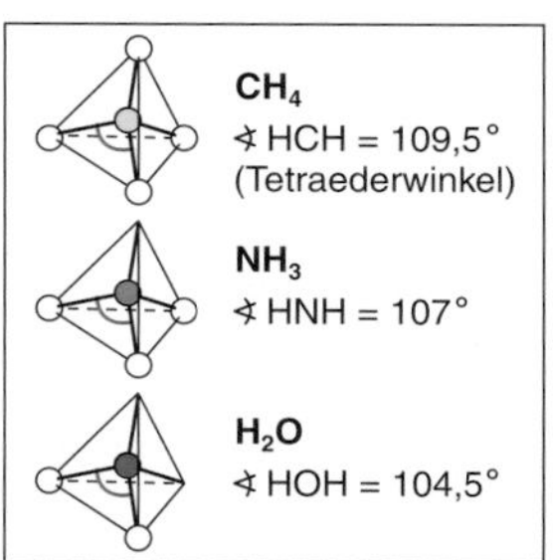

Tetraedrisch gebaute Moleküle

Das **Orbital-Modell** veranschaulicht eine Elektronenpaarbindung durch die Überlappung von einfach besetzten Atomorbitalen. Dabei geht man häufig von *Hybrid-Orbitalen* aus, um die Molekülgeometrie richtig zu beschreiben: sp^3-Hybride entsprechen einer tetraedrischen Anordnung, sp^2-Hybride ergeben eine planare Anordnung mit Bindungswinkeln von 120°.

5. Übergänge zwischen den Bindungsarten

Bei den meisten Stoffen lassen sich die Bindungsverhältnisse als Übergänge zwischen zwei Grundtypen auffassen. So liegt bei vielen *Halbleitern* die chemische Bindung zwischen Elektronenpaarbindung und metallischer Bindung.

Besonders häufig ist ein Übergangstyp zwischen Elektronenpaarbindung und Ionenbindung: die **polare Elektronenpaarbindung.** Das Atom höherer Elektronegativität (vor allem F, O, N, Cl, Br) zieht die Bindungselektronen stärker zu sich heran; es hat daher eine negative Partialladung (δ–). Moleküle mit polaren Elektronenpaarbindungen sind oft **Dipol-Moleküle.** Wichtigstes Beispiel ist das Wasser-Molekül. Die Eigenschaften des Wassers werden besonders stark durch Wasserstoffbrückenbindungen zwischen den Molekülen bestimmt.

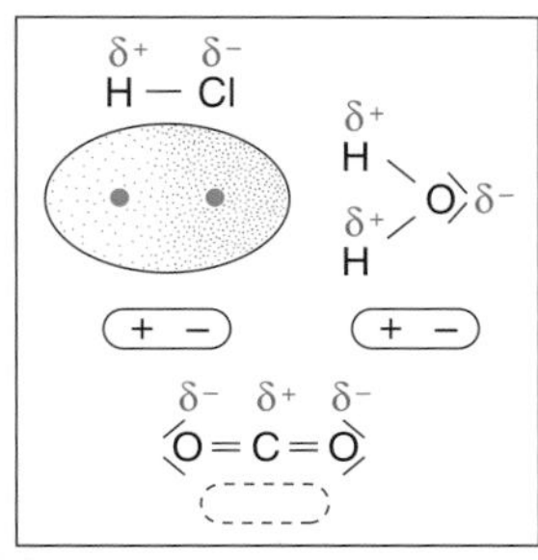

Ladungsverschiebung und Dipolbildung. Das CO_2-Molekül ist wegen seiner Symmetrie kein Dipol.

4 Chemische Reaktionen – energetisch betrachtet

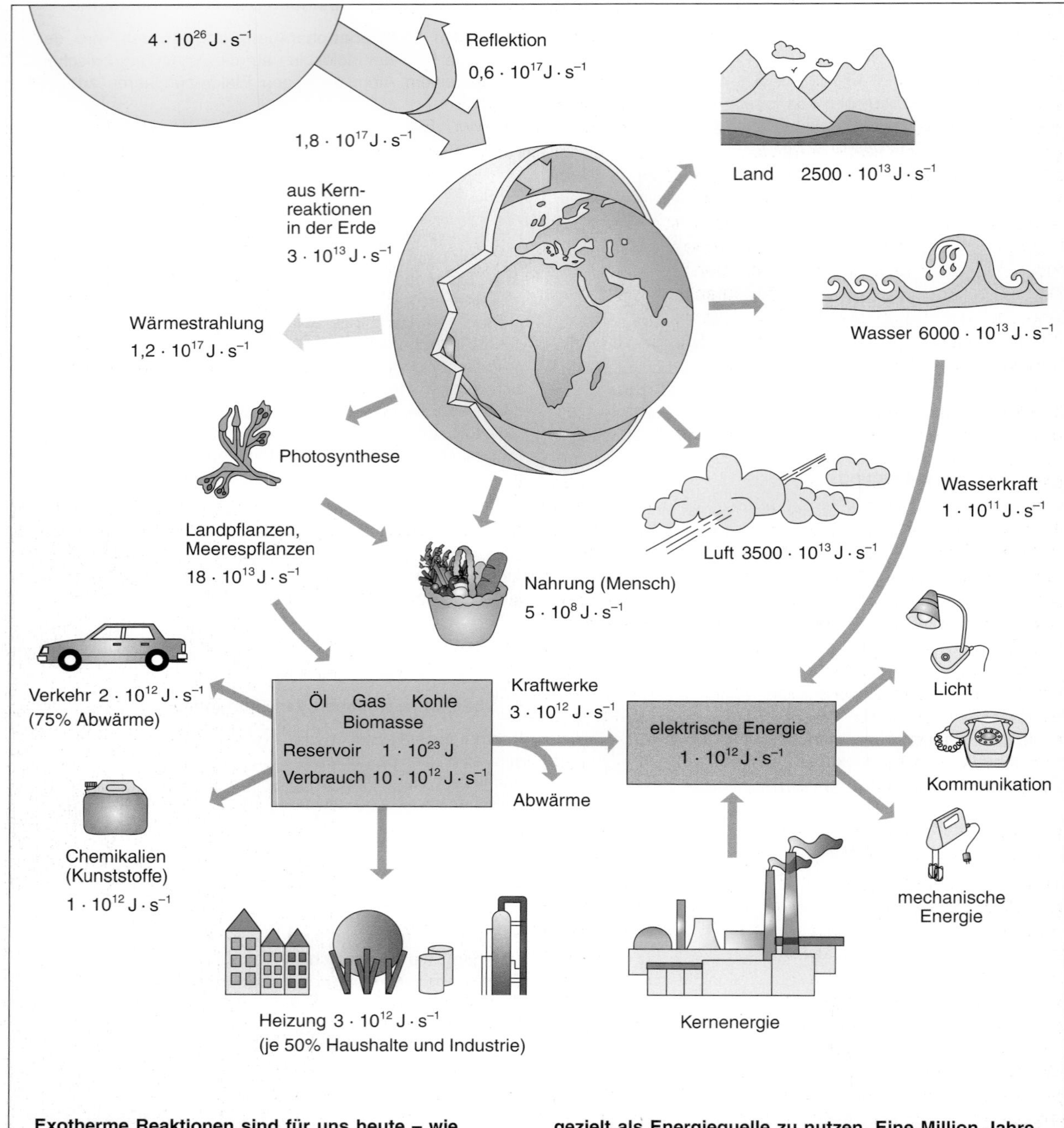

Exotherme Reaktionen sind für uns heute – wie selbstverständlich – die wichtigste Grundlage für die Gewinnung von Energie: Holz, Kohle, Erdgas oder Heizöl werden verbrannt, um Wärme oder elektrische Energie zu erzeugen. Auch unser Verkehrswesen wäre ohne die Verbrennung von Benzin und Dieselkraftstoff undenkbar.
In der Entwicklungsgeschichte der Menschheit war es jedoch ein sehr später Schritt, chemische Reaktionen gezielt als Energiequelle zu nutzen. Eine Million Jahre lang blieb für den Menschen das Feuer eine unbedeutende Energiequelle. Mit der Nahrung allerdings nutzte er wie alle tierischen Lebewesen chemische Energie: Beim Abbau der Nährstoffe wird letzten Endes Sonnenenergie verwertet, die von Pflanzen durch die Photosynthese in chemischen Verbindungen gespeichert wurde.

4.1 Energie – ein Verwandlungskünstler

Im 19. Jahrhundert wurden die grundlegenden Zusammenhänge zwischen heute scheinbar alltäglichen Begriffen wie Wärme, Arbeit und Energie geklärt.
MAYER beschrieb 1842 als Erster, dass Energie weder verbraucht noch erzeugt, sondern dass immer nur eine Energieart in eine andere verwandelt wird. Als Schiffsarzt hatte er 1840 auf einer Überfahrt nach Indonesien gelesen, dass LAVOISIER die Körperwärme auf die langsame Verbrennung der Nahrung zurückführte. Diese Idee ließ ihn nicht wieder los. Er suchte einen Zusammenhang zwischen Arbeit und Wärme.
JOULE untersuchte ab 1843 die Umwandlung von mechanischer Arbeit in Wärme und bestimmte das *mechanische Wärmeäquivalent.* In einem Thermosgefäß mit Wasser wurde durch einen Rührer Reibungsarbeit verrichtet. Der Rührer wurde dabei durch ein fallendes Gewicht angetrieben. So ergab sich ein Umrechnungsfaktor für mechanische Arbeit in Wärme. Damit war der erste Schritt getan, um auch den Energieumsatz chemischer Reaktionen wissenschaftlich untersuchen zu können.

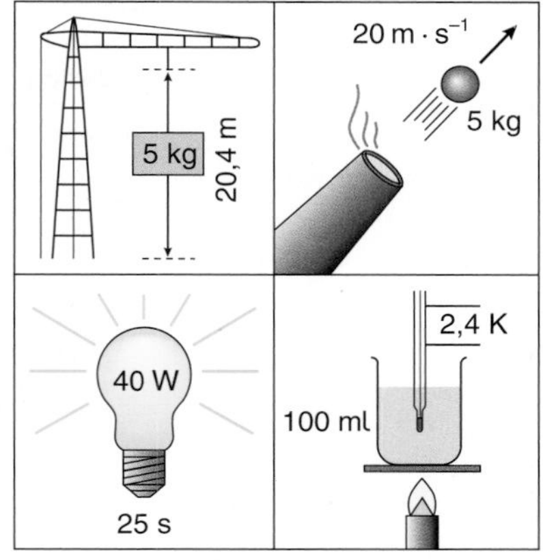

1. Was 1 kJ alles bewirken kann

Systeme. Um objektiv überprüfbare und damit vergleichbare Aussagen zu erhalten, müssen Experimente unter genau festgelegten Bedingungen ablaufen. Deshalb betrachtet man immer nur einen genau begrenzten Teil der Umwelt, der als *System* bezeichnet wird. Ein System kann ein Kühlschrank mit Inhalt sein, 100 ml Salzlösung in einem Becherglas oder 10^{-3} mol eines Gases in einem Kolbenprober. Man unterscheidet **offene Systeme,** die mit ihrer Umgebung *Materie und Energie* austauschen können, **geschlossene Systeme,** die mit der Umgebung *nur Energie* austauschen, sowie abgeschlossene oder **isolierte Systeme,** die *weder Energie noch Materie* mit der Umgebung austauschen können.
Die Energie, die ein System aufgrund einer chemischen Reaktion bei *konstantem Druck* als Wärme an die Umgebung abgibt oder von ihr aufnimmt, wird **Reaktionsenthalpie** genannt (griech. *thalpein:* erwärmen). ΔH ist das Größenzeichen für die Angabe von Enthalpiewerten. Geringfügig andere Energiebeträge erhält man, wenn sich der Druck während der Reaktion ändert. Die meisten chemischen Reaktionen verlaufen aber in einer Umgebung mit konstantem Druck.

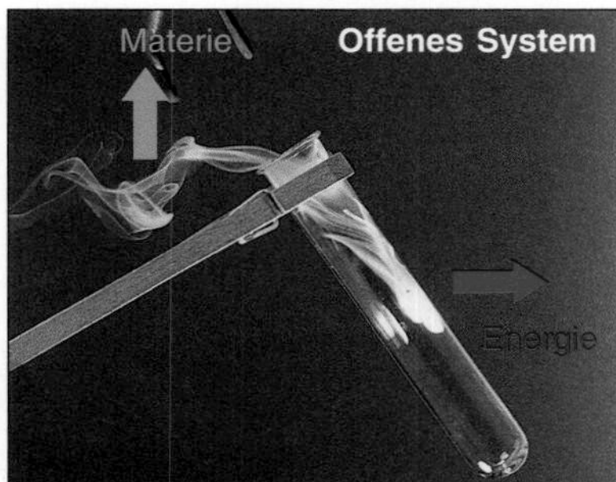

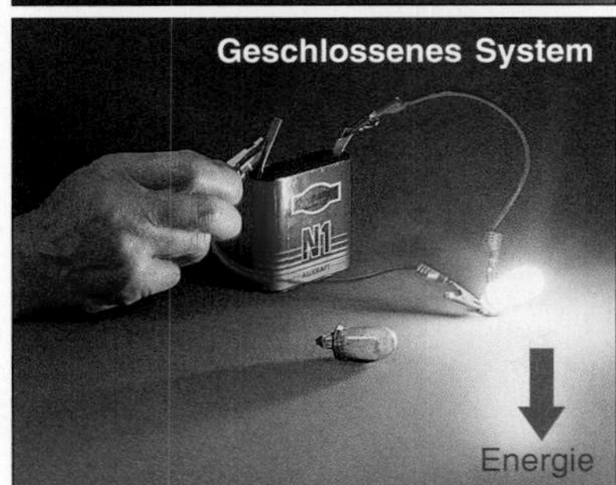

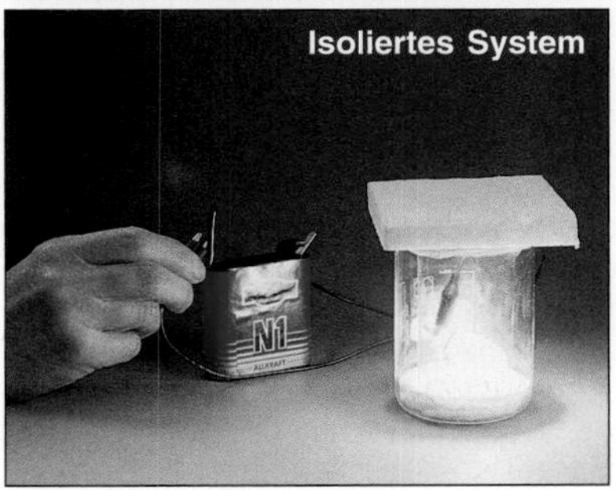

2. Verbrennung von Magnesium in verschiedenen Systemen

Chemische Energie. Bei den meisten chemischen Reaktionen ändert sich weder die kinetische Energie noch die potentielle Energie des Systems. Temperaturänderungen bei chemischen Reaktionen weisen aber darauf hin, dass die Teilchen der Reaktionsprodukte andere Bewegungsenergien aufweisen als die Teilchen der Ausgangsstoffe. Ursache dieser Temperaturänderungen sind die chemischen Vorgänge: Damit neue Stoffe entstehen können, müssen Bindungen gespalten und neue Bindungen geknüpft werden. Für die Spaltung von Bindungen muss grundsätzlich Energie aufgewendet werden, während bei der Ausbildung neuer Bindungen Energie frei wird.
Werden bei einer Reaktion schwächere Bindungen gespalten und neue, festere Bindungen gebildet, so verläuft die Reaktion **exotherm** – *Beispiel:* Verbrennung von Methan zu Wasser und Kohlenstoffdioxid. Bei einer **endothermen** Reaktion muss dagegen laufend Energie aus der Umgebung zugeführt werden – *Beispiel:* Bildung von Stickstoffmonooxid aus Stickstoff und Sauerstoff.

Bei der Bestimmung des Energieumsatzes chemischer Reaktionen muss man sich damit abfinden, dass nur Energie*änderungen* messbar sind. So weist das Symbol ΔH darauf hin, dass eine Enthalpie-*Differenz* angegeben wird. Der absolute Energiegehalt eines Systems lässt sich weder messen noch berechnen, er ist nicht definiert.

4.2 Messung von Reaktionsenthalpien

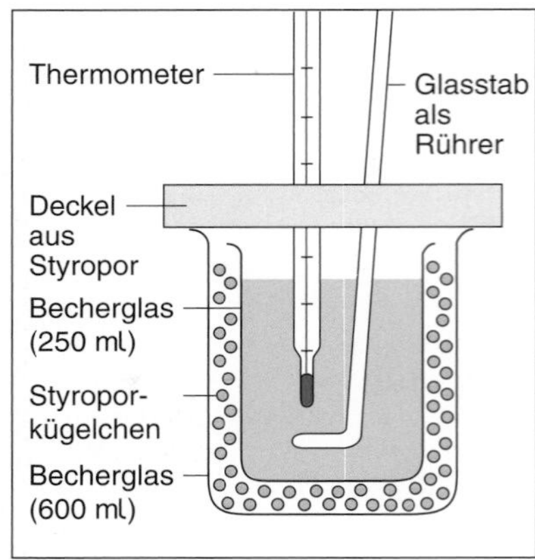

1. Einfaches Kalorimeter

Die Enthalpie, die bei einer chemischen Reaktion aufgenommen oder abgegeben wird, lässt sich mit einem Kalorimeter messen. Je nach Art der zu untersuchenden Reaktion sind Geräte zur Ermittlung von Reaktionsenthalpien ganz verschieden konstruiert.

Besonders einfach ist die Bestimmung der Reaktionsenthalpie, wenn beide Reaktionspartner flüssig sind oder in einer Lösung vorliegen. Gibt man wässerige Kupfersulfat-Lösung in ein Thermosgefäß als Kalorimeter und fügt Zinkpulver hinzu, so erhöht sich die Temperatur. Als Produkte entstehen Zink-Ionen und metallisches Kupfer.

Cu^{2+} (aq) + Zn (s) $\longrightarrow$ Cu (s) + Zn^{2+} (aq);   exotherm

Gemessen wird eine Wärmemenge Q in der SI-Einheit Joule (J). Um 1 g reines Wasser um 1 K zu erwärmen, sind 4,18 J nötig. Für die *spezifische Wärmekapazität* von Wasser gilt daher bei konstantem Druck $c_P = 4{,}18\ J \cdot g^{-1} \cdot K^{-1}$. Unter der Voraussetzung, dass c_P praktisch nicht von der Temperatur abhängt und die Wärmeaufnahme durch das Reaktionsgefäß vernachlässigt werden darf, kann Q aus der Temperaturdifferenz ΔT berechnet werden:

$$Q = c_P\ (\text{Wasser}) \cdot m\ (\text{Wasser}) \cdot \Delta T$$

Bei der Reaktion von 100 ml Kupfersulfat-Lösung ($0{,}2\ mol \cdot l^{-1}$) und etwa 2,5 g Zinkpulver ergibt sich eine Temperaturdifferenz ΔT von 10 K.

$$Q = 4{,}18\ J \cdot g^{-1} \cdot K^{-1} \cdot 100\ g \cdot 10\ K = 4180\ J$$

Vereinbarungsgemäß gilt für *exotherme* Reaktionen $\Delta H < 0$ und für *endotherme* Vorgänge $\Delta H > 0$. Da bei der Reaktion von Kupfer-Ionen mit Zink Wärme vom System abgegeben wird, erhält die Reaktionsenthalpie $\Delta_R H$ ein negatives Vorzeichen: $\Delta_R H = -4180\ J = -4{,}18\ kJ$.

Um Reaktionsenthalpien verschiedener Reaktionen vergleichen zu können, bezieht man die Reaktionsenthalpien auf den Umsatz gleicher Stoffmengen: 100 ml Kupfersulfat-Lösung ($0{,}2\ mol \cdot l^{-1}$) enthalten $\frac{1}{50}$ mol Kupfersulfat. Beim Umsatz von einem Mol Kupfersulfat mit einem Mol Zink würde daher die fünfzigfache Wärmemenge frei. Genaue Messungen ergeben: $\Delta_R H = -219\ kJ$.

1 mol Cu^{2+} (aq) + 1 mol Zn (s) $\longrightarrow$ 1 mol Cu (s) + 1 mol Zn^{2+} (aq);
$\Delta_R H = -219$ kJ

In der Fachliteratur ist eine andere Darstellung üblich:

Cu^{2+} (aq) + Zn (s) $\longrightarrow$ Cu (s) + Zn^{2+} (aq); $\Delta_R H_m = -219\ kJ \cdot mol^{-1}$

Man bezeichnet $\Delta_R H_m$ als **molare Reaktionsenthalpie.** Sie wird in der Einheit $kJ \cdot mol^{-1}$ angegeben. Diese Angabe besagt, dass bei der Reaktion von Kupfer-Ionen mit Zink 219 kJ frei werden, wenn 1 mol Cu^{2+}-Ionen mit 1 mol Zink-Atomen reagieren. Man spricht dann von einem *molaren Formelumsatz.* Zur eindeutigen Angabe der molaren Reaktionsenthalpie gehört also immer die *jeweilige* Reaktionsgleichung. *Beispiel:*

2 Ag^{+} (aq) + Cu (s) $\longrightarrow$ 2 Ag (s) + Cu^{2+} (aq); $\Delta_R H_m = -147\ kJ \cdot mol^{-1}$

Ag^{+} (aq) + $\frac{1}{2}$ Cu (s) $\longrightarrow$ Ag (s) + $\frac{1}{2}$ Cu^{2+} (aq); $\Delta_R H_m = -73{,}5\ kJ \cdot mol^{-1}$

Im ersten Fall ist der Zahlenwert für $\Delta_R H_m$ doppelt so groß wie im zweiten, denn bei einem molaren Formelumsatz entsprechend der ersten Reaktionsgleichung werden die doppelten Stoffmengen umgesetzt.

A1 Zeigen Sie am Beispiel der im Text beschriebenen Reaktion von Kupfersulfat-Lösung mit Zink, dass folgende Beziehung zwischen Reaktionsenthalpie und ausgetauschter Wärmemenge gilt:

$$\Delta_R H_m = \frac{-Q}{n}$$

A2 In 100 ml Wasser werden 2 g Natriumhydroxid gelöst. Die Temperatur steigt um 5 K.
Wie groß ist die molare Lösungsenthalpie?

A3 Wenn man 1 mol reine Schwefelsäure in viel Wasser löst, werden 73 kJ frei.
Um wie viel Grad erwärmt sich die Lösung, wenn man verdünnte Schwefelsäure ($w = 10\ \%$, $\varrho = 1{,}07\ g \cdot ml^{-1}$) herstellt?

A4 Bei der Bildung von 1 mol Aluminiumoxid (Al_2O_3) werden 1676 kJ frei. Stellen Sie mögliche Reaktionsgleichungen auf und fügen Sie jeweils den Wert für die molare Reaktionsenthalpie $\Delta_R H_m$ hinzu.

A5 Beim Verbrennen von 1 mol Methan (Erdgas) werden 890 kJ Wärme freigesetzt ($V_m = 24\ l \cdot mol^{-1}$). Wie viel Wärme liefert 1 m^3 Methan?

Reaktionsenthalpien

Versuch 1: Lösungsenthalpien einiger Salze

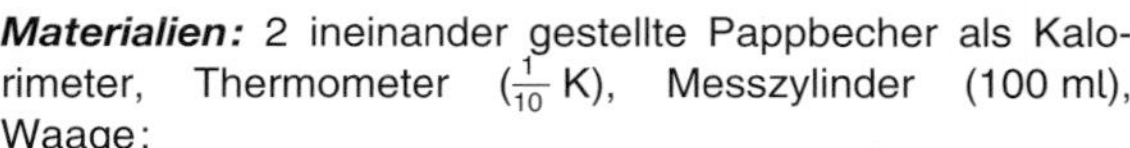

Materialien: 2 ineinander gestellte Pappbecher als Kalorimeter, Thermometer ($\frac{1}{10}$ K), Messzylinder (100 ml), Waage;
Ammoniumchlorid (Xn), Calciumchlorid ($CaCl_2 \cdot 6\,H_2O$; Xi), Kochsalz, Natriumhydroxid (C)

Durchführung:
1. Geben Sie 100 ml Wasser in ein Kalorimeter und messen Sie dessen Temperatur.
2. Fügen Sie dann 10 g eines Salzes hinzu und rühren Sie, bis sich das Salz vollständig gelöst hat. Messen Sie die Temperatur.

Aufgabe: Berechnen Sie für jedes der untersuchten Salze die molare Lösungsenthalpie.

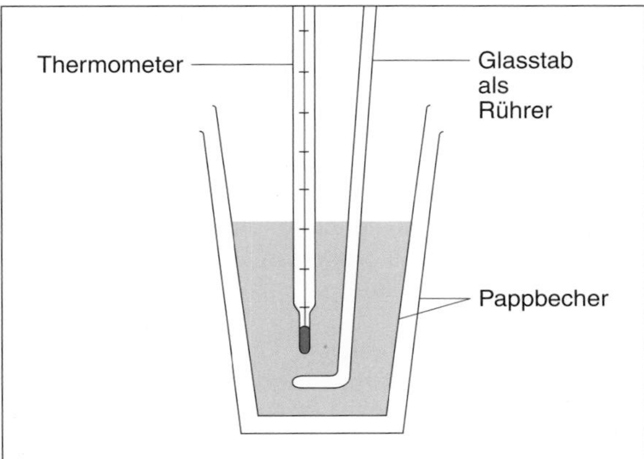

Versuch 2: Messung von Neutralisationsenthalpien

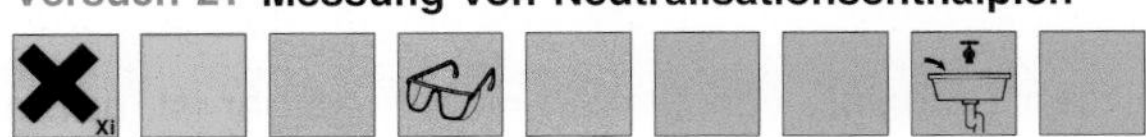

Materialien: 2 ineinander gestellte Pappbecher als Kalorimeter, Thermometer ($\frac{1}{10}$ K), Messzylinder (100 ml);
Natronlauge (0,5 mol · l^{-1}; Xi), Schwefelsäure (0,25 mol · l^{-1}), Salzsäure (0,5 mol · l^{-1}), Essigsäure (0,5 mol · l^{-1})

Hinweis: Alle Lösungen sollten schon längere Zeit vor dem Praktikum im Unterrichtsraum stehen, damit sie Raumtemperatur haben.

Durchführung:
1. Geben Sie 100 ml der jeweiligen Säure in das Kalorimeter und messen Sie die Temperatur.
2. Füllen Sie den Messzylinder mit 100 ml Natronlauge. Kontrollieren Sie die Temperatur. Wenn beide Lösungen die gleiche Temperatur haben, wird die Natronlauge zu der Säure gegeben und die Temperaturdifferenz bestimmt.

Aufgabe: Wie viel Wärme wird bei der Neutralisation von 1 mol Hydroxid-Ionen frei? Geben Sie die molare Neutralisationsenthalpie an.

Versuch 3: Reaktionsenthalpie einer Redoxreaktion

Materialien: 2 ineinander gestellte Pappbecher als Kalorimeter, Thermometer ($\frac{1}{10}$ K), Messzylinder (50 ml), Waage;
Kupferpulver, Silbernitrat-Lösung (0,1 mol · l^{-1})

Durchführung:
1. Geben Sie 50 ml Silbernitrat-Lösung in das Kalorimeter und messen Sie die Temperatur.
2. Fügen Sie dann 2 g Kupferpulver hinzu. Unter leichtem Rühren wird der Temperaturverlauf etwa fünf Minuten lang verfolgt.

Aufgaben:
a) Formulieren Sie die Reaktionsgleichung.
b) Warum muss das Kupferpulver nicht genau gewogen werden?
c) Wie viel Kupfer muss mindestens zugesetzt werden?
d) Berechnen Sie die molare Reaktionsenthalpie für diese Reaktion und vergleichen Sie Ihren Wert mit dem Literaturwert. Nennen Sie mögliche Fehlerquellen.

Versuch 4: Reaktionsenthalpie der Bildung von Eisensulfid aus den Elementen

Materialien: 2 ineinander gestellte Pappbecher als Kalorimeter, Thermometer ($\frac{1}{10}$ K), Reibschale, Waage;
Eisenpulver, Schwefelpulver, Watte, kleine Eisenkugel

Durchführung:
1. 5,6 g Eisenpulver und 3,2 g Schwefel werden in einer Reibschale gut gemischt.
2. Ein Teil des Gemisches (etwa 3 g) wird gewogen und in ein kleines Reagenzglas gefüllt. Dieses wird in ein größeres Reagenzglas gestellt, auf dessen Boden sich etwas Watte befindet, und in ein Kalorimeter mit 200 ml Wasser getaucht.
3. Messen Sie die Wassertemperatur und starten Sie die Reaktion mit Hilfe einer glühenden Eisenkugel. Die höchste zu beobachtende Temperatur wird notiert.

Aufgaben:
a) Formulieren Sie die Reaktionsgleichung.
b) Berechnen Sie die Reaktionsenthalpie für die Reaktion von 1 mol Eisen.
c) Welche Fehlerquellen spielen bei der Auswertung dieses Versuchs eine Rolle?

Aufgabe 1: In einem Pappbecher werden 50 ml Flusssäure (c(HF) = 1 mol · l^{-1}) mit 50 ml Natronlauge gleicher Konzentration vermischt. Die Temperatur steigt dabei um 8,1 K.
Berechnen Sie die molare Reaktionsenthalpie. Warum verläuft die Reaktion stärker exotherm als im Fall von Salzsäure?

4.3 Berechnung von Reaktionsenthalpien

A1 Berechnen Sie die molaren Standard-Reaktionsenthalpien für folgende Reaktionen. Warum sind die Werte gleich?
a) 4 g Natriumhydroxid-Plätzchen werden in 50 ml Wasser gelöst. Zu dieser Lösung gibt man 50 ml Salzsäure (2 mol · l⁻¹).
b) 4 g Natriumhydroxid-Plätzchen werden in 100 ml Salzsäure (1 mol · l⁻¹) gelöst.

A2 Berechnen Sie die molaren Standard-Reaktionsenthalpien $\Delta_R H_1^0$, $\Delta_R H_2^0$, und $\Delta_R H_3^0$.
Warum gilt $\Delta_R H_3^0 = \Delta_R H_2^0 + \Delta_R H_1^0$?

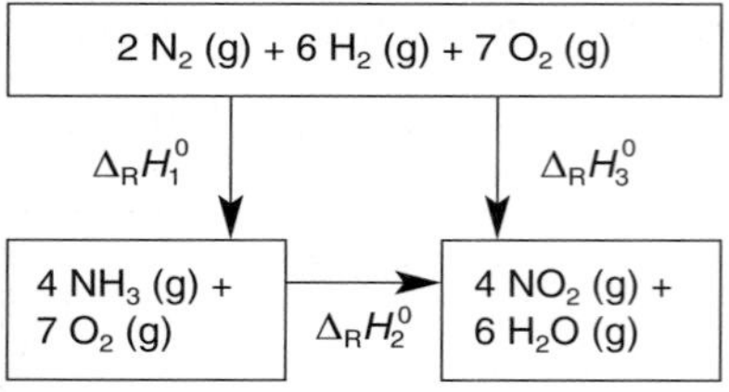

Stoff	$\frac{\Delta_f H_m^0}{kJ \cdot mol^{-1}}$
Cl (g)	121
Cl^- (g)	–244
Cl^- (aq)	–167
Cl_2 (g)	0
CO (g)	–111
CO_2 (g)	–393
Cu^{2+} (aq)	65
$CuSO_4$ (s)	–771
$CuSO_4 \cdot 5\ H_2O$ (s)	–2280
H (g)	218
H^+ (aq)	0
HCl (g)	–92
HCl (aq)	–167
H_2O (g)	–242
H_2O (l)	–285
Na (g)	109
Na^+ (g)	604
Na^+ (aq)	–240
NaCl (s)	–411
NaOH (s)	–427

1. Molare Standard-Bildungsenthalpien (weitere Daten im Anhang)

In vielen Fällen können die gleichen Produkte auf verschiedenen Wegen hergestellt werden. Der Reaktionsweg hat dabei keinen Einfluss auf den Energieumsatz, denn auch für chemische Reaktionen gilt der *Energieerhaltungssatz*. Bereits 1840 wurde der **Satz von HESS** formuliert: *Die Reaktionsenthalpie ist unabhängig vom Reaktionsweg, sie hängt nur vom Ausgangs- und vom Endzustand des Systems ab.*

Beispiel: Graphit kann direkt zu Kohlenstoffdioxid verbrannt werden (Weg A) oder indirekt über Kohlenstoffmonooxid (Weg B).

Weg A: C (Graphit) + O_2 (g) ⟶ CO_2 (g); $\Delta_R H_A = -393\ kJ \cdot mol^{-1}$

Weg B: C (Graphit) + $\frac{1}{2}\ O_2$ (g) ⟶ CO (g); $\Delta_R H_{B1} = -111\ kJ \cdot mol^{-1}$

CO (g) + $\frac{1}{2}\ O_2$ (g) ⟶ CO_2 (g); $\Delta_R H_{B2} = -282\ kJ \cdot mol^{-1}$

Entsprechend dem HESSschen Satz ist die Summe der molaren Reaktionsenthalpien für den Weg B gleich der molaren Reaktionsenthalpie für den Weg A. Auf beiden Wegen wird genau gleich viel Energie frei.

$$\Delta_R H_A = \Delta_R H_{B1} + \Delta_R H_{B2}$$
$$= -111\ kJ \cdot mol^{-1} + (-282\ kJ \cdot mol^{-1}) = -393\ kJ \cdot mol^{-1}$$

Würde die Reaktion über den Weg A mehr Energie liefern als bei der Rückreaktion über den Weg B wieder zugeführt werden muss, so könnte Energie aus dem „Nichts" erzeugt werden. Man könnte also ein *Perpetuum mobile* bauen, in dem Graphit zu Kohlenstoffdioxid verbrannt wird; gleichzeitig müsste Kohlenstoffdioxid über Kohlenstoffmonooxid wieder zu Graphit reduziert werden. Ohne Zufuhr von weiterem Brennstoff könnte eine solche Maschine dann ständig Energie liefern.

Bildungsenthalpien. Um Reaktionsenthalpien für beliebige Reaktionen berechnen zu können, wurde die **molare Standard-Bildungsenthalpie** $\Delta_f H_m^0$ eingeführt (engl. *formation:* Bildung). Sie ist die molare Reaktionsenthalpie für die Bildung eines Mols einer Verbindung aus den Elementen bei Standardbedingungen. Die hochgestellte kleine 0 weist auf den *Standarddruck* hin: 1013 hPa. Soweit keine andere Temperatur angegeben ist, gilt der Wert für 298 K (25 °C).

Da der absolute Wert der Enthalpie von Stoffen nicht messbar ist, hat man willkürlich die molare Standard-Bildungsenthalpie der Elemente gleich null gesetzt. Wenn verschiedene Modifikationen auftreten, gilt der Wert Null in der Regel für die stabilste Modifikation: Im Falle des Kohlenstoffs hat Graphit die molare Standard-Bildungsenthalpie $0\ kJ \cdot mol^{-1}$ und Diamant $+2\ kJ \cdot mol^{-1}$.

Von der Bildungsenthalpie zur Reaktionsenthalpie. Sind die molaren Standard-Bildungsenthalpien von allen an einer Reaktion beteiligten Stoffen bekannt, so lässt sich nach dem Satz von HESS die molare Reaktionsenthalpie bei Standardbedingungen berechnen. Sie ergibt sich als Differenz der Summe der Bildungsenthalpien der Produkte und der Summe der Bildungsenthalpien der Edukte (Ausgangsstoffe):

$$\Delta_R H_m^0 = \Sigma\ \Delta_f H_m^0\ (\text{Produkte}) - \Sigma\ \Delta_f H_m^0\ (\text{Edukte})$$

Beispiel: $CaCO_3$ (s) ⟶ CaO (s) + CO_2 (g)

$$\Delta_R H_m^0 = \Delta_f H_m^0\ (CaO) + \Delta_f H_m^0\ (CO_2) - \Delta_f H_m^0\ (CaCO_3)$$
$$\Delta_R H_m^0 = (-635\ kJ \cdot mol^{-1} - 393\ kJ \cdot mol^{-1}) - (-1207\ kJ \cdot mol^{-1})$$
$$= -1028\ kJ \cdot mol^{-1} + 1207\ kJ \cdot mol^{-1} = +179\ kJ \cdot mol^{-1}$$

Für viele Verbindungen lässt sich die Bildungsenthalpie nicht direkt bestimmen. So kann beispielsweise Propan nicht aus den Elementen Kohlenstoff (Graphit) und Wasserstoff hergestellt werden. Die Bildungsenthalpie kann aber auf einem Umweg *berechnet* werden. Man nimmt eine Reaktion zu Hilfe, bei der nur Stoffe mit bekannter Bildungsenthalpie entstehen:

$$C_3H_8\,(g) + 5\,O_2\,(g) \longrightarrow 3\,CO_2\,(g) + 4\,H_2O\,(l); \quad \Delta_R H_m^0 = -2215\ kJ \cdot mol^{-1}$$

Aus der experimentell ermittelten Enthalpie der Verbrennungsreaktion und den molaren Bildungsenthalpien der Produkte ergibt sich die Standard-Bildungsenthalpie nach dem Satz von HESS:

$$\begin{aligned}\Delta_f H_m^0\,(C_3H_8) &= 3 \cdot \Delta_f H_m^0\,(CO_2) + 4 \cdot \Delta_f H_m^0\,(H_2O) - \Delta_R H_m^0 \\ &= [3 \cdot (-393) + 4 \cdot (-285) - (-2215)]\ kJ \cdot mol^{-1} \\ &= (-1179 - 1140 + 2215)\ kJ \cdot mol^{-1} \\ &= -104\ kJ \cdot mol^{-1}\end{aligned}$$

BORN und **HABER** haben den HESSschen Satz angewendet, um die **Gitterenergie** für Ionenkristalle zu bestimmen. Diese Größe ist experimentell nicht direkt zugänglich, sie ist aber von großer Bedeutung für das Verständnis von Kristallbildungen und Lösungsvorgängen.

Im *BORN-HABER-Kreisprozess* wird dargestellt, welche Reaktionsschritte entscheidend für die Energiebilanz einer Reaktion sind. Ein typisches Beispiel ist die Bildung von Kochsalz aus den Elementen:

$$Na\,(s) + \tfrac{1}{2}\,Cl_2\,(g) \longrightarrow NaCl\,(s); \quad \Delta_f H_m^0 = -411\ kJ \cdot mol^{-1}$$

Diese Standard-Bildungsenthalpie setzt sich aus verschiedenen Energiebeträgen zusammen. Energie muss aufgewendet werden, um Natrium zu verdampfen und zu ionisieren sowie um Chlor-Moleküle in Atome zu spalten. Energie wird frei, wenn die Chlor-Atome Elektronen einfangen und Cl^--Ionen bilden. Den größten Energiebetrag liefert schließlich die Bildung von Salzkristallen aus gasförmigen Na^+-Ionen und Cl^--Ionen. Diese *Gitterenergie* ist ein Maß für die Festigkeit der Ionenbindung.

Ionen in wässeriger Lösung. Tabellen mit Standard-Bildungsenthalpien enthalten auch Werte für hydratisierte Ionen. Mit ihrer Hilfe lassen sich Reaktionsenthalpien von Ionen-Reaktionen in wässeriger Lösung berechnen.
Für die Standard-Bildungsenthalpie von Hydronium-Ionen wurde der Wert Null festgelegt. Die Bildungsenthalpie von Ionen unedler Metalle lässt sich daher einfach direkt bestimmen; es ist die Reaktionsenthalpie für die Reaktion des Metalls mit einer Säurelösung:

$$Zn\,(s) + 2\,H^+\,(aq) \longrightarrow Zn^{2+}\,(aq) + H_2\,(g); \quad \Delta_R H_m^0 = -154\ kJ \cdot mol^{-1}$$

$$\Rightarrow \Delta_f H_m^0\,(Zn^{2+}\,(aq)) = -154\ kJ \cdot mol^{-1}$$

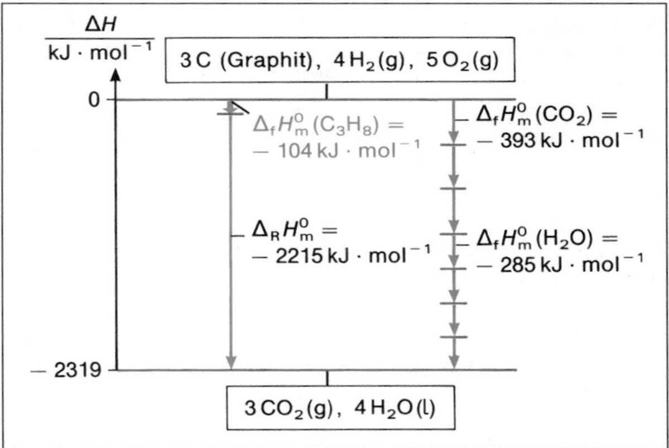

1. Enthalpiediagramm zur Bestimmung der molaren Standard-Bildungsenthalpie von Propan

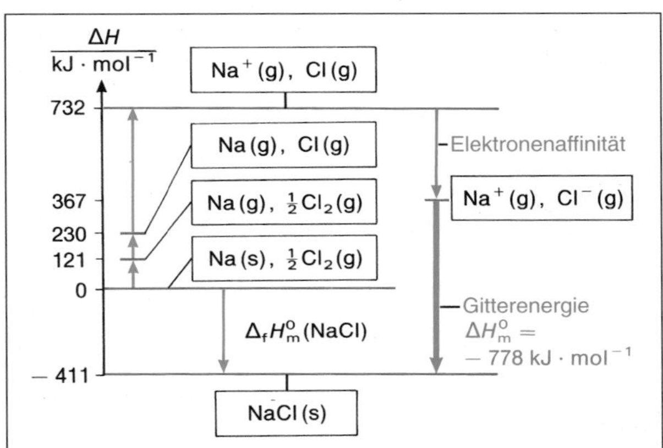

2. BORN-HABER-Kreisprozess zur Bestimmung der Gitterenergie

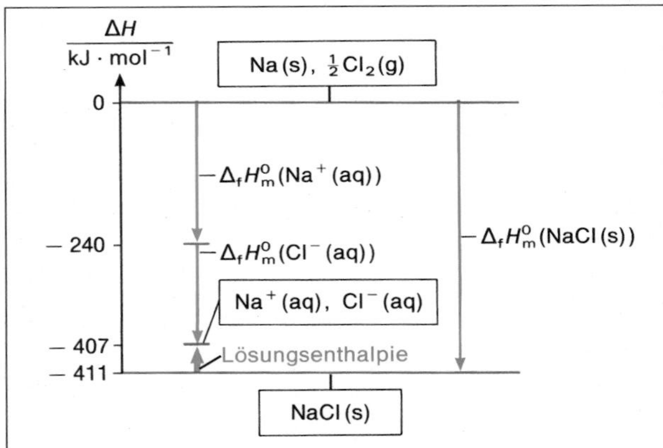

3. Enthalpiediagramm zur Bestimmung der Lösungsenthalpie von Natriumchlorid

4.4 Bindungsenthalpien

Einfachbindungen				
	C	H	O	N
C	348	413	358	305
H	413	436	463	391
O	358	463	146	201
N	305	391	201	163

H–F	567	C–F	489	F–F	159
H–Cl	431	C–Cl	339	Cl–Cl	242
H–Br	366	C–Br	285	Br–Br	193
H–I	298	C–I	218	I–I	151

Mehrfachbindungen					
C=C	614	N=N	418	O=O	498
C=O	745	N=O	607		
N≡N	945	C≡C	839	C≡N	891

1. Durchschnittliche molare Bindungsenthalpien. Werte für 25 °C in $kJ \cdot mol^{-1}$.

A1 Berechnen Sie die molare Bindungsenthalpie einer Bindung in folgenden Molekülen: H_2S, H_2Se und H_2Te. Diskutieren Sie die unterschiedlichen Werte.

A2 Berechnen Sie mit Hilfe der Bindungsenthalpien die molare Reaktionsenthalpie für die Addition von Brom an Ethen.

Aus spektroskopischen Daten lässt sich ableiten, wie viel Energie benötigt wird, um Elektronenpaarbindungen zu spalten. So benötigt man 436 kJ, um 1 mol H_2-Moleküle in Atome zu zerlegen. Die **molare Bindungsdissoziationsenthalpie** der H–H-Bindung beträgt also $436\ kJ \cdot mol^{-1}$ ($\Delta_B H_m^0\ (H_2) = 436\ kJ \cdot mol^{-1}$). Oft spricht man auch nur kurz von *Bindungsenthalpie*.

Für mehratomige Moleküle wie Methan (CH_4) lässt sich ein Durchschnittswert angeben, die *mittlere Bindungsenthalpie*. Dieser Wert kann nicht experimentell bestimmt werden, er wird daher aus messbaren Größen berechnet. Im Falle von Methan benötigt man neben der Standard-Bildungsenthalpie von Methan die Sublimationsenthalpie von Kohlenstoff und die Bindungsenthalpie von Wasserstoff:

$$C\,(s) \longrightarrow C\,(g); \quad \Delta_S H_m^0 = 717\ kJ \cdot mol^{-1}$$
$$2\,H_2\,(g) \longrightarrow 4\,H\,(g); \quad \Delta_B H_m^0 = 872\ kJ \cdot mol^{-1}$$
$$CH_4\,(g) \longrightarrow C\,(s) + 2\,H_2\,(g); \quad -\Delta_f H_m^0 = 75\ kJ \cdot mol^{-1}$$
$$CH_4\,(g) \longrightarrow 4\,H\,(g) + C\,(g); \quad \Delta_R H_m^0 = 1664\ kJ \cdot mol^{-1}$$

Auf eine C–H-Bindung entfällt ein Viertel dieser Energie, nämlich $416\ kJ \cdot mol^{-1}$. Nach diesem Verfahren lässt sich auch die mittlere Bindungsenthalpie der C–H-Bindung in anderen Molekülen berechnen. Der für die C–H-Bindung tabellierte Wert von $413\ kJ \cdot mol^{-1}$ ist ein Mittelwert für eine Vielzahl von Kohlenwasserstoffen.

Durch eine geschickte Verknüpfung von Bildungsenthalpien und Bindungsenthalpien kann man weitere Bindungsenthalpien berechnen, die nicht direkt messbar sind. *Beispiel:*

$$H_3C-CH_3\,(g) \longrightarrow 6\,H\,(g) + 2\,C\,(g); \quad \Delta_R H_m^0 = 2827\ kJ \cdot mol^{-1}$$

Unter Verwendung des Tabellenwertes für die C–H-Bindung lässt sich nun berechnen, wie viel Energie erforderlich ist, um die C–C-Bindung im Ethan-Molekül zu spalten:

$$\Delta_B H_m^0\,(C-C) = 2827\ kJ \cdot mol^{-1} - 6 \cdot 413\ kJ \cdot mol^{-1} = 349\ kJ \cdot mol^{-1}$$

EXKURS

Erdgas oder Heizöl – welches ist der günstigere Energieträger?

Bezogen auf den *Heizwert* haben Erdgas und Heizöl praktisch den gleichen Preis, denn der Erdgaspreis wird nach dem durchschnittlichen Heizölpreis festgesetzt.
Grundlage für die Berechnung des Heizwertes ist die molare Enthalpie der Verbrennungreaktion. Für reine Stoffe ergibt sie sich direkt aus den Standard-Bildungsenthalpien. Das bei der Verbrennung gebildete Wasser soll dabei als Wasserdampf vorliegen. Für Methan, den Hauptbestandteil des Erdgases, erhält man:

$$CH_4\,(g) + 2\,O_2\,(g) \longrightarrow CO_2\,(g) + 2\,H_2O\,(g); \quad \Delta_R H_m^0 = -802\ kJ \cdot mol^{-1}$$

Bei Normbedingungen entspricht $1\ m^3$ reines Methan 44,6 mol; die Verbrennung liefert 35,8 MJ Wärme. Der Heizwert des üblichen Erdgases beträgt etwa $34\ MJ \cdot m^{-3}$. Ursache für den Unterschied ist vor allem der Gehalt an Stickstoff und Kohlenstoffdioxid im Erdgas.

Heizöl ist ein komplexes Stoffgemisch, dessen Eigenschaften denen des Nonans ähnlich sind. Für seine Verbrennung gilt:

$$C_9H_{20}\,(l) + 14\,O_2\,(g) \longrightarrow 9\,CO_2\,(g) + 10\,H_2O\,(g); \quad \Delta_R H_m^0 = -5682\ kJ \cdot mol^{-1}$$

1 kg Nonan entspricht 7,8 mol; die Verbrennung liefert 44,3 MJ Wärme. Der reale Heizwert von Heizöl liegt bei $42{,}7\ MJ \cdot kg^{-1}$ oder rund $30\ MJ \cdot l^{-1}$.
Unter ökologischen Gesichtspunkten ist Erdgas aus folgenden Gründen der günstigere Energieträger im Vergleich zu Heizöl:
– Bei gleicher Heizleistung ist der Ausstoß von Kohlenstoffdioxid wesentlich geringer.
– Durch Einsatz der neuen *Brennwert*-Technik lässt sich auch die bei der Kondensation von Wasserdampf frei werdende Energie nutzen. Aufgrund des hohen Wasserstoffgehalts von Methan lohnt sich das bei Erdgas besonders.

4.5 Energiequelle Nahrung

Der Mensch braucht Energie, um zu leben. Essen, Atmen und Arbeit sind dabei über chemische Reaktionen miteinander verknüpft. Nur etwa 20 % des Energiegehaltes der Nahrung kann als körperliche Arbeit im physikalischen Sinne nutzbar gemacht werden, der andere Teil wird für den Stoffwechsel, die Muskelkontraktion und zur Aufrechterhaltung der Körpertemperatur gebraucht.

Energieumsatz. Der Mensch deckt seinen Energiebedarf durch die in der Nahrung gespeicherte Sonnenenergie. Bei leichter körperlicher Tätigkeit beträgt der Energieumsatz eines Erwachsenen etwa 10000 kJ pro Tag und steigert sich bei schwerer körperlicher Arbeit auf 17000 kJ pro Tag. Man unterscheidet zwischen dem gesamten Energieumsatz eines Menschen und seinem **Grundumsatz.** Der Grundumsatz ist der Anteil des Energieumsatzes, der zur Erhaltung der Körperfunktionen bei völliger körperlicher Ruhe nötig ist. Er kann aus dem Sauerstoffverbrauch eines Menschen ermittelt werden. Dabei zeigt sich, dass neben Alter und Geschlecht vor allem die Körperoberfläche den Grundumsatz bestimmt. Als Durchschnittswert für Erwachsene werden 6650 kJ pro Tag angegeben

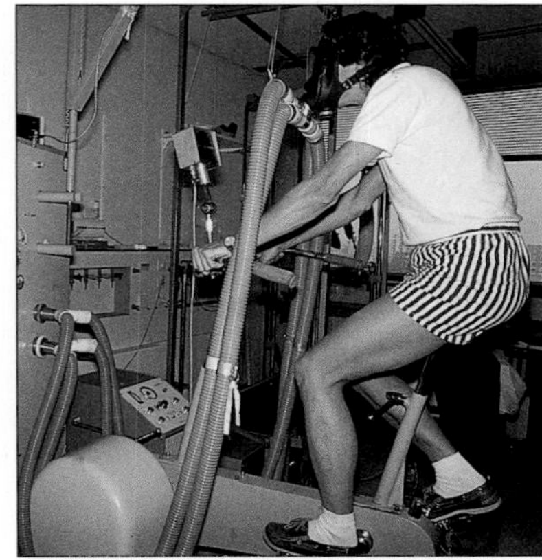

1. Bestimmung des Energieumsatzes über den Sauerstoffverbrauch

Brennwerte. Der Energiegehalt der Nährstoffe – Eiweiß, Kohlenhydrate und Fette – kann durch Verbrennung in einem Bomben-Kalorimeter bestimmt werden. Es besteht aus einem Stahlzylinder, der Sauerstoff und die Nährstoffprobe enthält. Die Probe wird elektrisch gezündet und vollständig verbrannt. Die frei werdende Energie erhöht dann die Temperatur eines Wasserbades. Der so gemessene *physikalische Brennwert* der Nährstoffe beträgt bei Kohlenhydraten im Durchschnitt 17 $kJ \cdot g^{-1}$, bei Fetten 39 $kJ \cdot g^{-1}$ und bei Eiweißstoffen 23 $kJ \cdot g^{-1}$.
Kohlenhydrate und Fette werden im Körper nahezu vollständig zu Kohlenstoffdioxid und Wasser umgesetzt; es entstehen praktisch die gleichen Endprodukte wie in dem Kalorimeter. Der physikalische und der *physiologische Brennwert* sind deshalb hier nahezu gleich. Beim Abbau von Eiweiß entsteht jedoch Harnstoff. Der Abbau ist also im Körper unvollständig; deshalb beträgt der physiologische Brennwert nur 17 $kJ \cdot g^{-1}$.

Für die Aminosäure Glycin ergibt sich aus den Bildungsenthalpien der folgende Wert:

$$2\ H_2NCH_2COOH\ (s) + 3\ O_2\ (g) \longrightarrow OC(NH_2)_2\ (s) + 3\ CO_2\ (g) + 3\ H_2O\ (l);$$
$$\Delta_R H_m^0 = -1312\ kJ \cdot mol^{-1}$$

Dies entspricht einem physiologischen Brennwert von nur 8,7 $kJ \cdot g^{-1}$. Bei anderen Aminosäuren ist der Kohlenstoff- und der Wasserstoffanteil jedoch größer und damit auch der Energiegehalt.

A1 a) Berechnen Sie die physikalischen Brennwerte der folgenden Verbindungen:
Stearinsäure ($\Delta_f H_m^0 = -949\ kJ \cdot mol^{-1}$),
Glucose ($\Delta_f H_m^0 = -1260\ kJ \cdot mol^{-1}$).
b) Vergleichen Sie die Werte mit den physiologischen Brennwerten für Fette und Kohlenhydrate.

A2 Warum brauchen Kinder und ältere Menschen eine besonders vitamin- und mineralstoffreiche Nahrung?

Bewusste Ernährung. Viele Menschen in Deutschland ernähren sich falsch, sie essen zu viel, zu fett und zu süß. Männer nehmen durchschnittlich 16000 kJ täglich zu sich und Frauen 12200 kJ. Beide Werte liegen deutlich über den von der Deutschen Gesellschaft für Ernährung (DGE) empfohlenen 10500 kJ und 8800 kJ pro Tag. Für eine gesunde Ernährung ist aber nicht nur die Energieaufnahme entscheidend, sondern auch ein ausgewogenes Verhältnis von Vitaminen, Mineralstoffen und Ballaststoffen.
Empfohlen wird heute eine kohlenhydratreiche Kost mit vielen Vollkornprodukten und möglichst ohne Zucker. Der Fleischkonsum sollte verringert werden. Der Eiweißbedarf lässt sich auch durch pflanzliche Nahrungsmittel wie Hülsenfrüchte, Getreide und Soja decken. Eine Mangelernährung ist nicht zu befürchten, wenn diese Grundnahrungsmittel durch Eier, Milchprodukte und gelegentlich Fisch ergänzt werden. Grundsätzlich sollte vor allem die Fettzufuhr stark eingeschränkt werden.

Lebensmittel (je 100 g)	Energie (in kJ)	Nährstoffanteil (in g)		
		Eiweiß	Fett	Kohlenhydrate
Fleisch	1155	18	21	–
Bauchspeck	2430	8	60	–
Rotbarsch	475	18	4	–
Ei	615	11	10	1
Milch	275	3,5	3,5	5
Hartkäse	1555	25	28	3
Butter	3240	1	83	–
Brötchen	1165	7	1	58
Kartoffeln	355	2	–	19
Schokolade	2355	9	33	55
Äpfel	210	0,3	1	12
Bier	195	0,5	–	4,5
Weinbrand	1005	–	–	0,1

2. Nährwerte einiger Lebensmittel

4.6 Warum gibt es freiwillig ablaufende endotherme Reaktionen?

A1 Werden in einem Erlenmeyerkolben gleiche Mengen Kaliumchlorid und Natriumsulfat ($Na_2SO_4 \cdot 10\ H_2O$) gemischt, so wird die Mischung flüssig und kühlt sich ab.

a) Formulieren Sie die Reaktionsgleichung.

b) Erläutern Sie, warum bei dieser Reaktion der Salze die Entropie zunimmt.

A2 Ein Kautschuk-Gummiband (nicht umsponnen) wird mit einem leichten Gewicht versehen und aufgehängt. Wird es mit einem Föhn erwärmt, zieht es sich zusammen.
Erläutern Sie die Enthalpie- und Entropieänderungen bei dem Versuch.

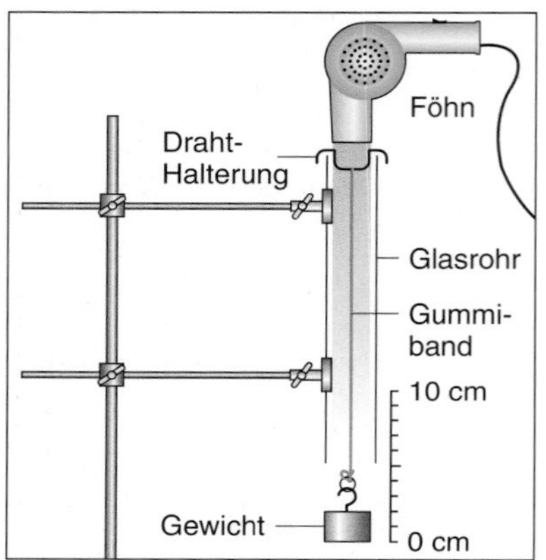

Wasserstoff verbindet sich explosionsartig mit Chlor zu Chlorwasserstoff. Magnesium verbrennt mit Sauerstoff exotherm zu Magnesiumoxid. Der menschliche Organismus gewinnt Energie durch Abbau von Kohlenhydraten zu Kohlenstoffdioxid und Wasser. Diese Beispiele entsprechen der üblichen Vorstellung, dass chemische Reaktionen dann freiwillig ablaufen, wenn dabei Energie frei wird.

Der Däne Julius THOMSEN und der Franzose Marcellin BERTHELOT formulierten 1878 diese Auffassung folgendermaßen: *„Die bei einer chemischen Reaktion frei werdende Wärmemenge und die Beständigkeit der bei diesen Reaktionen spontan sich bildenden Produkte sind ein Maß für die chemische Affinität.“* Die Reaktionsenthalpie wäre demnach die gesuchte Messgröße für die *Triebkraft* oder Affinität einer chemischen Reaktion: Nur exotherme Reaktionen sollten also freiwillig ablaufen, endotherme Reaktionen dagegen nicht.
Dieser Auffassung wurde erst 1906 von VAN'T HOFF widersprochen. Das ist umso erstaunlicher, als freiwillig ablaufende endotherme Reaktionen seit jeher bekannt waren. Ein Beispiel ist die Alltagserfahrung, dass Wäsche selbst im Winter auf der Leine trocknet. Ein anderes Beispiel: Viele Salze wie Ammoniumchlorid oder Kaliumnitrat lösen sich in Wasser unter Abkühlung. Für das Lösen von Kaliumnitrat gilt:

$$KNO_3\ (s) \longrightarrow K^+\ (aq) + NO_3^-\ (aq); \quad \Delta_R H_m^0 = 35\ kJ \cdot mol^{-1}$$

Betrachten wir endotherme Reaktionen genauer, so stellt man eine Reihe von Gemeinsamkeiten fest. Aus Eiskristallen mit regelmäßig angeordneten Molekülen wird Wasserdampf, in dem sich die Moleküle regellos bewegen. Salzkristalle zerfallen beim Auflösen in einzelne Ionen. Ein anderes Beispiel ist die Reaktion von Citronensäure-Lösung mit Natriumhydrogencarbonat. Unter Bildung von gasförmigem Kohlenstoffdioxid kühlt sich die Lösung stark ab. Bei allen diesen Vorgängen entstehen aus geordneten Systemen ungeordnete: Aus Ordnung wird Chaos.

Sowohl die Abnahme der Energie eines Systems als auch die Zunahme der Unordnung sind demnach die Faktoren, von denen es abhängt, ob eine Reaktion freiwillig abläuft. Man spricht auch vom *Prinzip des Energieminimums* und vom *Prinzip der maximalen Unordnung.* Wenn bei einer freiwillig ablaufenden Reaktion die Ordnung zunimmt, kann sie nicht gleichzeitig endotherm sein. Dementsprechend wird Wärme frei, wenn Wasser zu Eis kristallisiert.

1. Eine Brausetablette in Wasser. Dieser Film läuft rückwärts der Zeit entgegengesetzt, sagt uns unser Verstand. Wir sind es

Entropie. Zur wissenschaftlichen Beschreibung des Ordnungszustands eines Systems verwendet man den Begriff Entropie. Die Entropie ist eine Größe, die mit steigender Unordnung zunimmt.
BOLTZMANN versuchte als Erster, die Entropie statistisch zu deuten. Er verknüpfte die Entropie S eines Systems mit seiner *thermodynamischen Wahrscheinlichkeit* W; die dabei auftretende Konstante k nennt man BOLTZMANN-Konstante:

$$S = k \cdot \ln W \qquad (k = R \cdot N_A^{-1} = 1{,}38 \cdot 10^{-23}\ \text{J} \cdot \text{K}^{-1})$$

Unter der thermodynamischen Wahrscheinlichkeit W versteht man die Zahl der Realisierungsmöglichkeiten oder Mikrozustände, die es für ein System bei gleich bleibendem Gesamtzustand (Makrozustand) gibt.
Wie man prinzipiell Werte von W ermitteln kann, lässt sich an dem folgenden einfachen Beispiel erkennen: Für vier Münzen gibt es als Makrozustand fünf unterschiedliche Verteilungsmuster von Kopf (K) und Zahl (Z): KKKK, KKKZ, KKZZ, KZZZ, ZZZZ.
Während es für den ersten und den letzten Fall jeweils nur eine Realisierungsmöglichkeit gibt ($W = 1$), lässt sich der Fall KKZZ mit den vier Münzen auf sechs verschiedene Weisen erreichen: $W = 6$. Dementsprechend tritt dieser Fall sechsmal häufiger auf, wenn man die vier Münzen wiederholt in einer Schachtel schüttelt.

Mit statistischen Methoden lassen sich Werte für W auch bei chemischen Systemen mit ihren außerordentlich vielen Teilchen berechnen. Außer der Art der Teilchen ist dabei auch ihre Lage im Raum und ihre Energie zu berücksichtigen. Ein extrem einfaches Beispiel ist ein *idealer Kristall* am absoluten Nullpunkt. Hier gibt es nur eine Realisierungsmöglichkeit; es ist $W = 1$, die Entropie hat also den Wert Null.

Um Entropieänderungen ΔS für beliebige chemische Reaktionen berechnen zu können, hat man die Werte der **molaren Standard-Entropie** (für 1013 hPa und 25 °C) für viele Stoffe tabelliert. Angegeben sind die Werte in der Einheit J · mol^{-1} · K^{-1}. Die molare Standard-Reaktionsentropie ergibt sich daraus auf folgende Weise:

$$\Delta_R S_m^0 = \Sigma\, S_m^0\ (\text{Produkte}) - \Sigma\, S_m^0\ (\text{Edukte})\ .$$

Ist der Wert für ΔS positiv, so nimmt die Entropie beim Ablauf der Reaktion zu. Ist ΔS negativ, so nimmt die Entropie ab; es entsteht also ein System mit höherem Ordnungsgrad.

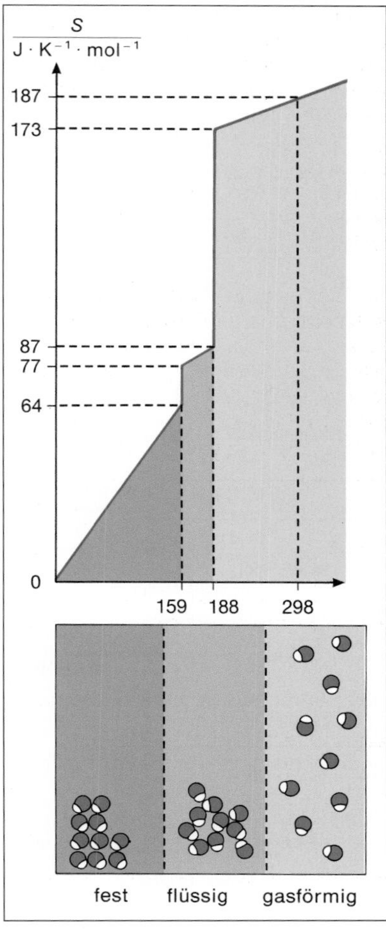

1. Temperaturabhängigkeit der Entropie von Chlorwasserstoff

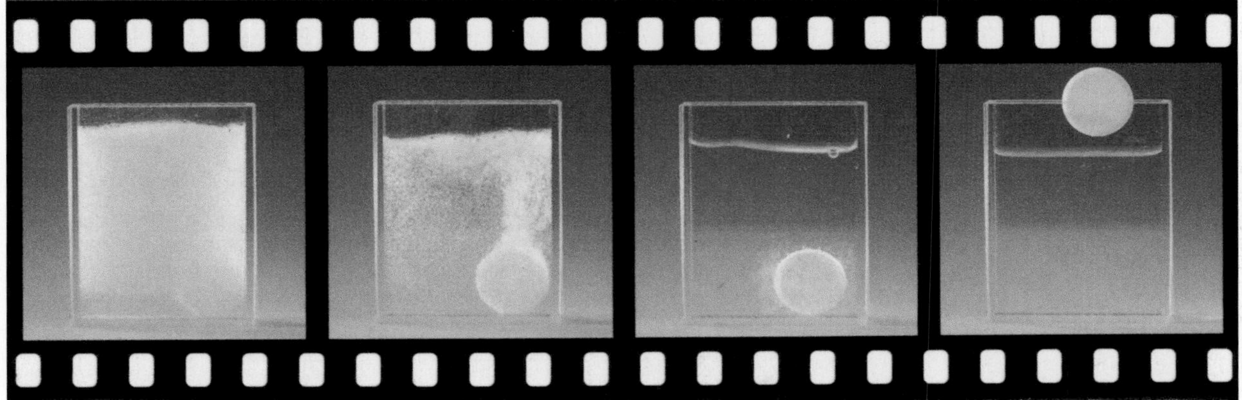

gewöhnt, dass alle spontanen Vorgänge in unserer Umwelt von geordneten zu ungeordneten Zuständen ablaufen.

4.7 Enthalpie und Entropie im Wechselspiel

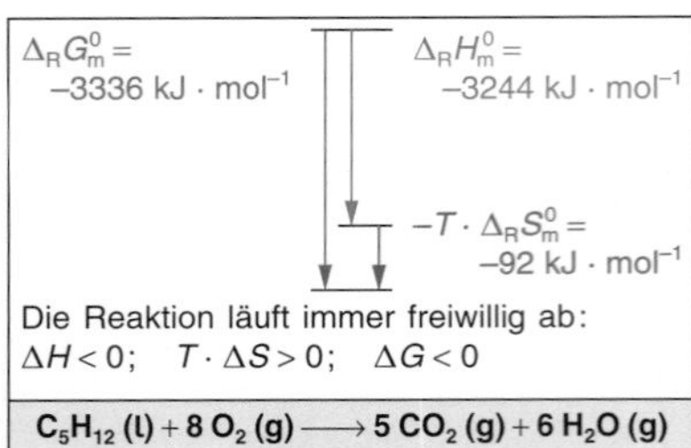

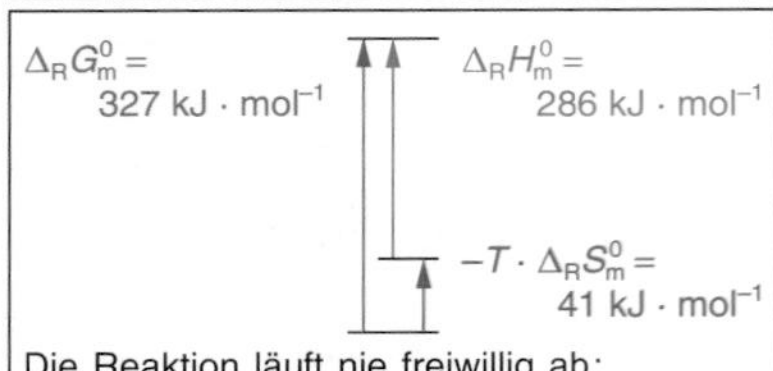

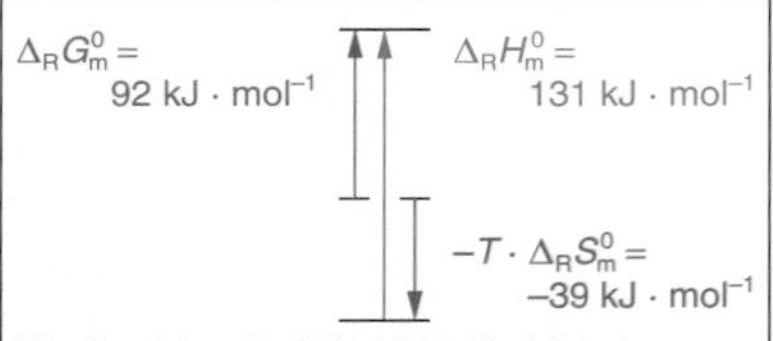

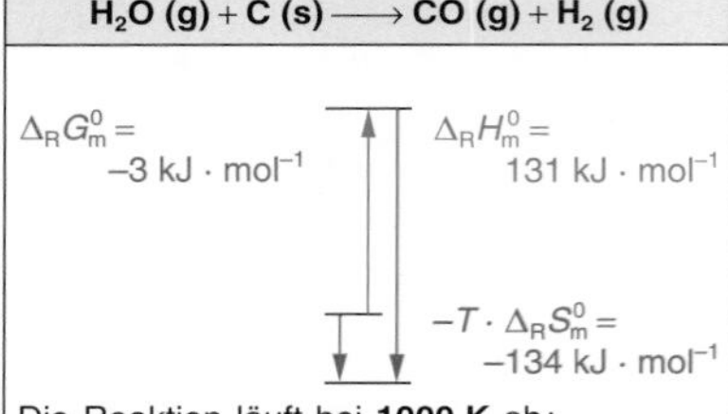

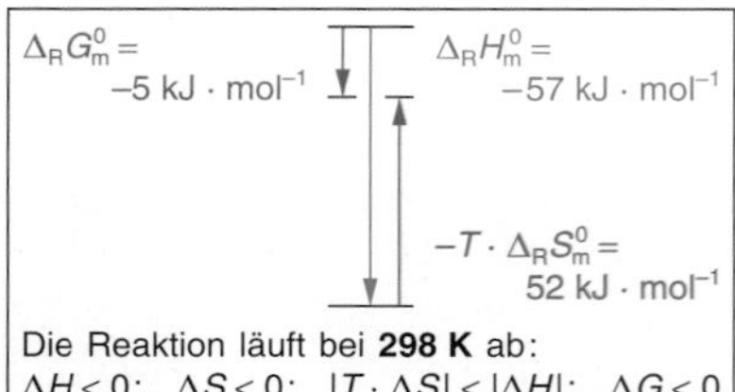

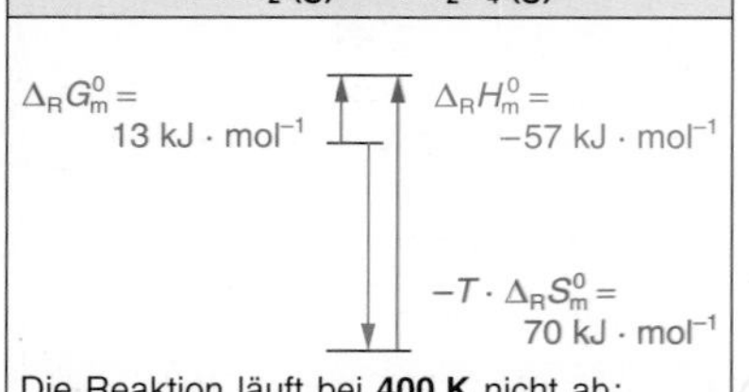

1. Typen verschiedener Reaktionen

Enthalpie und Entropie, Energie und Ordnung sind die zwei Faktoren, die den Ablauf von Reaktionen ermöglichen oder verhindern. GIBBS verknüpfte daher 1873 Enthalpie und Entropie zu einer neuen Funktion **G,** der **freien Enthalpie** oder *GIBBSschen Energie*. Für die Änderung dieser Funktion gilt die **GIBBS-HELMHOLTZ-Gleichung:**

$$\Delta G = \Delta H - T \cdot \Delta S$$

Unter bestimmten Voraussetzungen gibt das Vorzeichen von ΔG an, wie das Wechselspiel zwischen Enthalpie und Entropie entschieden wird. Man betrachtet dazu ein Ausgangssystem, in dem sowohl Edukte als auch Produkte im *Standardzustand* vorliegen: Alle Gase haben den Partialdruck 1013 hPa und die Konzentration aller gelösten Stoffe ist $1\ mol \cdot l^{-1}$.

1. Ist $\Delta_R G_m^0 < 0$, so kann die Reaktion spontan ablaufen und es kann dabei Arbeit geleistet werden. Solche Reaktionen bezeichnet man auch als **exergonisch.**

2. Ist $\Delta_R G_m^0 > 0$, so kann die Reaktion nicht spontan ablaufen, sie kann aber durch Arbeit erzwungen werden. Solche Reaktionen bezeichnet man als **endergonisch.**

Eine Reaktion läuft also freiwillig ab, wenn die Änderung der freien Enthalpie ΔG negativ ist. Günstig für den Ablauf einer Reaktion ist es, wenn nach dem *Prinzip des Energieminimums* $\Delta H < 0$ und wenn nach dem *Prinzip des Entropiemaximums* $\Delta S > 0$ ist. Für den Einfluss von Enthalpie und Entropie lassen sich vier Fälle unterscheiden:

$\Delta H < 0$ und $\Delta S > 0$. Chemische Reaktionen können immer ablaufen, wenn die Enthalpie abnimmt und die Entropie zunimmt. Ein typisches Beispiel ist die Verbrennung von Pentan an der Luft. Die Reaktion ist stark exotherm. Da die Teilchenzahl insgesamt und insbesondere die Anzahl der gasförmigen Teilchen zunimmt, wird die Entropie ebenfalls deutlich größer. Entropie und Enthalpie ergänzen sich hier bestens.

$$C_5H_{12}\ (l) + 8\ O_2\ (g) \longrightarrow 5\ CO_2\ (g) + 6\ H_2O\ (g); \quad \Delta_R G_m^0 = -3336\ kJ \cdot mol^{-1}$$

$\Delta H > 0$ und $\Delta S < 0$. Reaktionen laufen nie freiwillig ab, wenn die Enthalpie zunimmt und die Entropie abnimmt. Sauerstoff reagiert nie freiwillig zu Ozon. Die Reaktion ist endotherm und die Teilchenzahl wird kleiner.

$$3\ O_2\ (g) \longrightarrow 2\ O_3\ (g); \quad \Delta_R G_m^0 = 327\ kJ \cdot mol^{-1}$$

$\Delta H > 0$ und $\Delta S > 0$. Endotherme Reaktionen können nur ablaufen, wenn die Entropie größer wird und die Temperatur hoch genug ist. Oberhalb einer Grenztemperatur wird ΔG negativ, wenn $T \cdot \Delta S > \Delta H$ ist. Diese Grenztemperatur lässt sich näherungsweise aus den Standardwerten berechnen, wenn man die Temperaturabhängigkeit von Enthalpie und Entropie vernachlässigt. Wasser und Kohle reagieren bei Zimmertemperatur nicht miteinander. Die Bildung von Wassergas aus Wasser und Kohle findet jedoch bei hohen Temperaturen endotherm statt.

$$H_2O\ (g) + C\ (s) \longrightarrow CO\ (g) + H_2\ (g);$$
$$\Delta_R G_m^0\ (298\ K) = 92\ kJ \cdot mol^{-1}; \quad \Delta_R G_m^0\ (1000\ K) = -3\ kJ \cdot mol^{-1}$$

$\Delta H < 0$ und $\Delta S < 0$. Exotherme Reaktionen mit abnehmender Entropie können nur unterhalb einer bestimmten Grenztemperatur freiwillig ablaufen, wenn $|T \cdot \Delta S| < |\Delta H|$ ist. Stickstoffdioxid reagiert bei Zimmertemperatur exotherm zu Distickstofftetraoxid. Bei 400 K läuft diese Reaktion jedoch nicht mehr ab, da sie nun endergonisch geworden ist.

$$2\ NO_2\ (g) \longrightarrow N_2O_4\ (g);$$
$$\Delta_R G_m^0\ (298\ K) = -5\ kJ \cdot mol^{-1}; \quad \Delta_R G_m^0\ (400\ K) = 13\ kJ \cdot mol^{-1}$$

Die **molare freie Standard-Reaktionsenthalpie $\Delta_R G_m^0$ für 298 K** kann jeweils aus den tabellierten Werten der molaren Standard-Bildungsenthalpien $\Delta_f H_m^0$ und der molaren Standard-Entropien S_m^0 berechnet werden.

Oft wird aber auch ein ΔG-Wert für andere Temperaturen benötigt. Man berechnet dann Näherungswerte für die molare freie Standard-Reaktionsenthalpie mit Hilfe der GIBBS-HELMHOLTZ-Gleichung. Dabei setzt man sowohl für die molare Standard-Bildungsenthalpie $\Delta_f H_m^0$ als auch für die molare Standard-Entropie S_m^0 die für 298 K gültigen Tabellenwerte ein. Der Fehler ist meist zu vernachlässigen, da Bildungsenthalpie und Entropie nur wenig temperaturabhängig sind. Wichtig ist aber, dass man jeweils Werte für die in der Reaktionsgleichung angegebenen Aggregatzustände wählt.

Die Thermodynamik kann grundsätzlich nur vorhersagen, ob eine chemische Reaktion ablaufen *kann*. Über den zeitlichen Ablauf liefert sie dagegen keine Informationen. Viele Reaktionen laufen trotz negativer Werte für die freie Reaktionsenthalpie $\Delta_R G_m^0$ nicht ab, da die Reaktionsgeschwindigkeit praktisch null ist. Ein Beispiel ist der Zerfall von Wasserstoffperoxid (H_2O_2) in Sauerstoff und Wasser:

$$H_2O_2\,(aq) \longrightarrow H_2O\,(l) + \tfrac{1}{2}\,O_2\,(g); \quad \Delta_R G_m^0 = -109\ kJ \cdot mol^{-1}$$

Diese Reaktion verläuft nur sehr langsam. Man sagt, Wasserstoffperoxid ist *metastabil*. Allgemein sind *metastabile* Systeme thermodynamisch instabil, aber kinetisch inert (reaktionsträge).
Andererseits laufen manche Reaktionen trotz positiver Werte für $\Delta_R G_m^0$ *teilweise* ab, weil die Konzentrationen stark von den Standardwerten abweichen. So protolysiert Essigsäure merklich in wässeriger Lösung.

A1 Ammoniumchlorid wird beim Erhitzen in Ammoniak und Chlorwasserstoff gespalten.
a) Formulieren Sie die Reaktionsgleichung.
b) Welcher Reaktionstyp liegt vor?
c) Schätzen Sie mit Hilfe der GIBBS-HELMHOLTZ-Gleichung die ungefähre Temperatur ab, bei der sich Ammoniumchlorid zersetzt.

	$\frac{\Delta_f H_m^0}{kJ \cdot mol^{-1}}$	$\frac{S_m^0}{J \cdot mol^{-1} \cdot K^{-1}}$
NH_4Cl (s)	−314	95
NH_3 (g)	−46	192
HCl (g)	−92	187

A2 Essigsäure reagiert mit Wasser.
a) Formulieren Sie die Reaktionsgleichung.
b) Berechnen Sie die molare freie Standard-Reaktionsenthalpie. Gehen Sie dabei von folgenden Daten aus:
$\Delta_f G_m(CH_3COOH\,(aq)) = -399{,}6\ kJ \cdot mol^{-1}$;
$\Delta_f G_m(CH_3COO^-\,(aq)) = -372{,}5\ kJ \cdot mol^{-1}$;
Warum kann Essigsäure dennoch als Säure reagieren?

EXKURS

Was ist Thermodynamik?

Seit Jahrhunderten beschäftigen sich die Menschen mit der Frage „Was ist Wärme?". Noch im 19. Jahrhundert hielten die Wissenschaftler Wärme für einen Stoff. Sie erklärten so den Übergang der Wärme von einem Körper auf einen anderen.
Der Heilbronner Arzt Robert VON MAYER (1814–1876) berechnete 1842 erstmals aufgrund vorliegender Messungen ein *mechanisches Wärmeäquivalent*. Der Wärmestoff sollte durch mechanische Arbeit entstehen. Drei Jahre später erschien sein Aufsatz „Die organische Bewegung in ihrem Zusammenhang mit dem Stoffwechsel". Der Organismus eines von Gott geschaffenen lebendigen Wesens sollte Wärme produzieren, eine Vorstellung, die manchem damals sicher als Ketzerei erschien.

Der englische Physiker James Prescott JOULE (1818–1889) erforschte die Wärmeentwicklung durch den elektrischen Strom. Daraus ergab sich das *elektrische Wärmeäquivalent:* 1 cal = 4,18 Ws. Heute wird die Energieeinheit (1 Joule = 1 Wattsekunde) nach ihm benannt.

William THOMSON, der spätere Lord KELVIN (1824–1907), fasste die verschiedenen Konzepte zusammen. Er verstand Wärme als Bewegung von Teilchen. Im Jahre 1851 erschien sein Aufsatz "On the dynamical theory of heat". Nach KELVIN wurde die Einheit der absoluten Temperatur benannt.

Der deutsche Physiker Rudolf CLAUSIUS (1822–1888) verwarf endgültig die Vorstellung vom Wärmestoff. In seinem Aufsatz „Über die bewegende Kraft der Wärme" beschreibt er die Wärme als Bewegungsenergie von Materieteilchen. Er ist der eigentliche Begründer der *mechanischen Wärmetheorie* oder **Thermodynamik.** Auf ihn geht auch die Beschreibung der thermodynamischen Gesetze durch so genannte **Hauptsätze** zurück.
Der *erste Hauptsatz* lautet bei CLAUSIUS: „Der Energieinhalt der Welt ist konstant."
Im *zweiten Hauptsatz* definiert CLAUSIUS die Entropie so: „Die Entropie der Welt strebt einem Maximum zu."

Einen weiteren Höhepunkt in der Geschichte der Thermodynamik stellte die statistische Deutung des mechanischen Modells der Wärme durch Ludwig BOLTZMANN (1844–1906) dar. Die experimentell messbaren Größen ließen sich nun auf der Basis dieses Modells interpretieren.
BOLTZMANN deutete die Entropie als Maß für die Wahrscheinlichkeit, ein System aus vielen kleinen Teilchen in einem bestimmten Zustand vorzufinden. Seine statistische Thermodynamik stellte das damalige Weltbild in Frage. Er wurde deshalb heftig kritisiert und schließlich in den Selbstmord getrieben. Auf seinem Grabstein ist der zweite Hauptsatz eingemeißelt, wie er von ihm formuliert wurde:

$S = k \cdot \ln W$.

4.8 Aufgaben · Versuche · Probleme

Aufgabe 1: Berechnen Sie die molaren Reaktionsenthalpien und die freien Reaktionsenthalpien der folgenden Reaktionen:

a) H_2 (g) + Cl_2 (g) ⟶ 2 HCl (g)
b) N_2 (g) + 3 H_2 (g) ⟶ 2 NH_3 (g)
c) NH_4NO_3 (s) ⟶ N_2O (g) + 2 H_2O (g)
d) $CaCO_3$ (s) ⟶ CaO (s) + CO_2 (g)
e) C (s) + CO_2 (g) ⟶ 2 CO (g)

Wie ändert sich bei diesen Reaktionen die Entropie?

Aufgabe 2: Berechnen Sie die molaren Reaktionsenthalpien der Verbrennung von Ethan (C_2H_6), Ethin (C_2H_2) und Butan (C_4H_{10}).

Aufgabe 3: Die Enthalpieänderung einer chemischen Reaktion ist nach dem HESSschen Satz unabhängig vom Reaktionsweg.
Berechnen Sie die molare Standard-Bildungsenthalpie von Schwefelwasserstoff aus den Verbrennungsenthalpien von Wasserstoff, Schwefel und Schwefelwasserstoff.

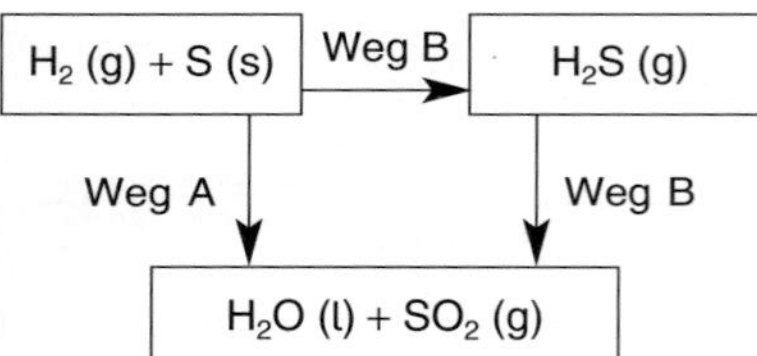

Aufgabe 4: **a)** Ermitteln Sie mit Hilfe eines PASCALschen Dreiecks die Anzahl der möglichen Anordnungen von zwölf Münzen in einer Schachtel.

Zahl der Münzen	mögliche Anordnungen
1	1 1
2	1 2 1
3	1 3 3 1
4	1 4 6 4 1

Jede Zeile gibt die möglichen Anordnungen für eine bestimmte Münzenzahl n an. Die Anzahl der unterschiedlichen Anordnungen (Verteilung von Wappen und Zahl) ist jeweils n + 1. Die Summe der Zahlen einer Reihe gibt die Gesamtzahl der Realisierungsmöglichkeiten wieder (2^n).
b) Berechnen Sie den Entropieunterschied, wenn Sie ausgehend von zwölfmal Zahl nach dem Schütteln sechsmal Zahl erhalten.

Versuch 1: Indirekte Ermittlung einer Reaktionsenthalpie
In einem Pappbecher löst man 0,025 mol wasserfreies Kupfersulfat (Xn) in 50 ml Wasser und bestimmt die Temperaturdifferenz.
Der Versuch wird mit 48 ml Wasser und 0,025 mol Kupfersulfat-Pentahydrat (Xn) wiederholt.
Führen Sie die entsprechenden Versuche mit Magnesiumsulfat-Heptahydrat und wasserfreiem Magnesiumsulfat durch.
Berechnen Sie die molaren Reaktionsenthalpien der Bildung der Hydrate aus den wasserfreien Salzen und Wasser. Wenden Sie dazu den HESSschen Satz an.

Versuch 2: Endotherme Reaktion
Gleiche Mengen von Bariumhydroxid ($Ba(OH)_2 \cdot 8\ H_2O$; C) und Ammoniumthiocyanat (NH_4SCN; Xn) werden in einen Erlenmeyerkolben gegeben. Es wird ein Stopfen aufgesetzt und der Inhalt durch kräftiges Schütteln gemischt. Stellen Sie den Kolben danach in eine kleine Wasserlache auf einem Holzbrett.
a) Beschreiben Sie Ihre Beobachtungen.
b) Weshalb läuft die Reaktion spontan ab, obwohl sie endotherm ist?

Problem 1: Warum ist es für Tiere günstiger, Energie in Form von Fett zu speichern als in Form von Kohlenhydraten?
Warum ist dies für Pflanzen nicht so wichtig?

Problem 2: Nach CLAUSIUS nimmt die Entropie im Universum zu.
Warum können Lebewesen mit ihrem hohen Grad an Ordnung trotzdem existieren?

Problem 3: Es ist relativ schwierig vorherzusagen, wie sich die Löslichkeiten von Salzen abstufen.
Begründen Sie diese Aussage.

Problem 4: Wie sparsam ist Ihre Heizung?
a) Berechnen Sie den Jahresverbrauch an Heizenergie in MJ für Ihre Wohnung aufgrund des Gas- oder Heizölverbrauches bzw. der Heizkostenabrechnung.
b) Ob die Heizung wirtschaftlich ist, lässt sich anhand der Grafik überprüfen.
c) Wie viel Kohlenstoffdioxid wird jährlich ausgestoßen, um die Wohnung warm zu halten? Verwenden Sie die Informationen des Exkurses (S. 58) für Ihre Berechnung.

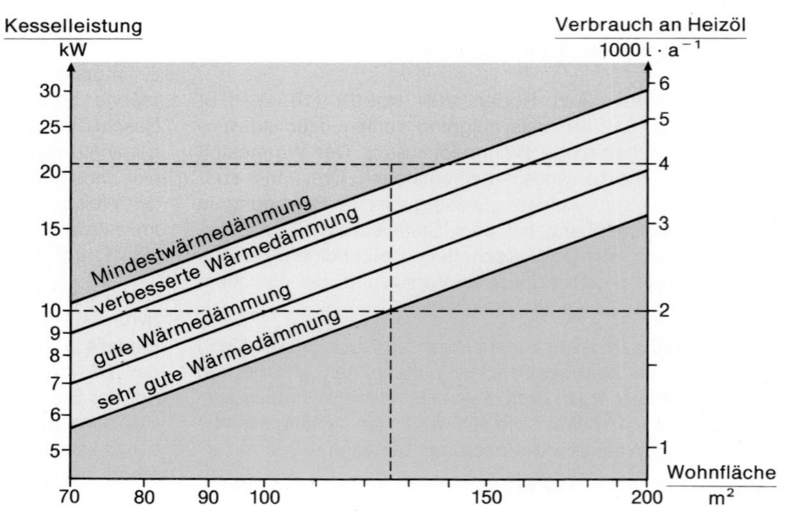

Beispiel: Bei einer beheizten Wohnfläche von 125 m² werden jährlich 4000 l Heizöl verbraucht. Dies ist unwirtschaftlich und die Kesselleistung mit 21 kW unnötig groß. Durch entsprechende Wärmedämmung ließe sich der Heizölverbrauch halbieren; eine Kesselleistung von 10 kW wäre ausreichend.

Energetik

1. Enthalpie *H*

Die **Reaktionsenthalpie $\Delta_R H$** ist die Reaktionswärme bei konstantem Druck. Ihr Wert erhält bei exothermen Reaktionen ein negatives Vorzeichen ($\Delta H < 0$): Das System verliert Wärme Q an die Umgebung.

Für die Bestimmung geht man von kalorimetrischen Messungen aus:

$\Delta_R H = -Q = -c_P \cdot m \cdot \Delta T$

Enthalpieänderungen von Reaktionen können mit tabellierten Werten der molaren Standard-Bildungsenthalpien $\Delta_f H_m^0$ berechnet werden:

$\Delta_R H_m^0 = \Sigma\, \Delta_f H_m^0$ (Produkte) $- \Sigma\, \Delta_f H_m^0$ (Edukte)

Für die **molare Standard-Bildungsenthalpie** eines elementaren Stoffes gilt $\Delta_f H_m^0 = 0$. Die Bildungsenthalpie einer Verbindung ist daher die Reaktionsenthalpie für die Bildung des Stoffes aus den Elementen.

Die **molare Reaktionsenthalpie $\Delta_R H_m^0$** bezieht sich immer auf eine bestimmte Reaktionsgleichung:

$Cu\ (s) + 2\ Ag^+\ (aq) \longrightarrow Cu^{2+}\ (aq) + 2\ Ag\ (s)$;
$\Delta_R H_m^0 = -146\ kJ \cdot mol^{-1}$ (bezogen auf 1 mol Cu-Atome)

$\frac{1}{2}\ Cu\ (s) + Ag^+\ (aq) \longrightarrow \frac{1}{2}\ Cu^{2+}\ (aq) + Ag\ (s)$;
$\Delta_R H_m^0 = -73\ kJ \cdot mol^{-1}$ (bezogen auf 1 mol Ag^+-Ionen)

2. Satz von HESS

Die Reaktionsenthalpie ist unabhängig vom Reaktionsweg, sie hängt nur vom Ausgangs- und Endzustand des Systems ab.

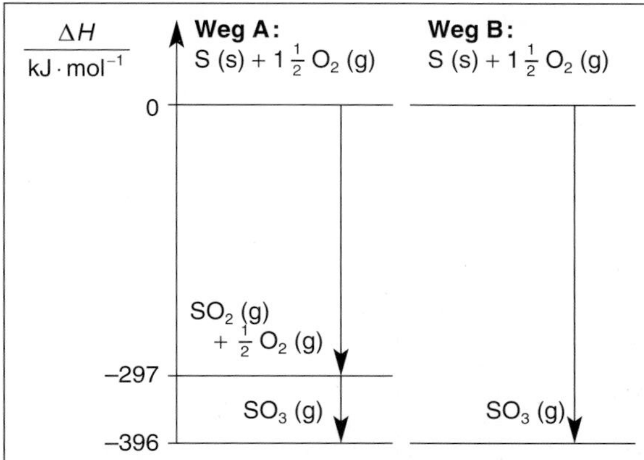

Enthalpiediagramm der Reaktion von Schwefel mit Sauerstoff (Anwendung des Satzes von HESS)

3. Entropie *S*

Zur Beschreibung des Ordnungszustandes eines Systems wird der Begriff **Entropie** verwendet. Die Entropie ist eine Größe, die mit steigender Unordnung der Teilchen zunimmt. Je größer die Entropie ist, desto größer ist auch die Wahrscheinlichkeit eines Zustandes. Entropieänderungen von Reaktionen können mit den tabellierten Werten der molaren Standard-Entropie berechnet werden:

$\Delta_R S_m^0 = \Sigma\, S_m^0$ (Produkte) $- \Sigma\, S_m^0$ (Edukte)

Ist der Wert für ΔS positiv, so nimmt die Entropie bei einer Reaktion zu, die Unordnung wird größer.

4. Freie Enthalpie *G*

GIBBS verknüpfte Enthalpie und Entropie zu einer neuen Energiegröße G, der **freien Reaktionsenthalpie.**
Der Zusammenhang wird durch die **GIBBS-HELMHOLTZ-Gleichung** beschrieben:

$\Delta_R G_m = \Delta_R H_m - T \cdot \Delta_R S_m$

Die molare freie Standard-Reaktionsenthalpie kann auch direkt mit den tabellierten Werten der molaren freien Standard-Bildungsenthalpien berechnet werden:

$\Delta_R G_m^0 = \Sigma\, \Delta_f G_m^0$ (Produkte) $- \Sigma\, \Delta_f G_m^0$ (Edukte)

Eine Reaktion läuft freiwillig ab, wenn die Änderung der freien Enthalpie ΔG negativ ist.

5. Enthalpie und Entropie im Wechselspiel

Günstig für den Ablauf einer Reaktion ist es, wenn nach dem Prinzip des Energieminimums $\Delta H < 0$ und wenn nach dem Prinzip des Entropiemaximums $\Delta S > 0$ ist.
Reaktionen mit $\Delta G < 0$ bezeichnet man als *exergonisch;* für *endergonische* Reaktionen ist $\Delta G > 0$.

Der Einfluss der *Temperatur* führt dazu, dass manche Reaktionen nur unterhalb oder oberhalb einer bestimmten Grenztemperatur T ablaufen:

$$T = \frac{|\Delta H|}{|\Delta S|}$$

Typen von Reaktionen:

$\Delta H < 0$ und $\Delta S > 0$
Reaktion läuft immer freiwillig ab.

$\Delta H > 0$ und $\Delta S < 0$
Reaktion läuft nie freiwillig ab.

$\Delta H > 0$ und $\Delta S > 0$
Endotherme Reaktionen laufen nur oberhalb einer Grenztemperatur T ab, sodass $T \cdot \Delta S > \Delta H$ wird.

$\Delta H < 0$ und $\Delta S < 0$
Exotherme Reaktionen laufen nur unterhalb einer Grenztemperatur T ab, sodass $|T \cdot \Delta S| < |\Delta H|$ wird.

5 Geschwindigkeit chemischer Reaktionen

Die Bildung von Wasser-Molekülen bei der Neutralisation ist eine wenig spektakuläre Reaktion. Trotzdem war sie über lange Zeit eine Herausforderung für die physikalische Chemie: Noch um 1955 galt sie als *unmessbar* schnell.

Inzwischen sind Methoden und Messgeräte entwickelt worden, mit denen man auch die schnellsten Reaktionen verfolgen kann. Auch über den Ablauf explosionsartiger Umsetzungen liegen zahllose wissenschaftliche Arbeiten vor.

Grundlegende Erkenntnise über den Einfluss verschiedener Faktoren auf die Geschwindigkeit chemischer Reaktionen wurden bereits im Zeitraum zwischen 1850 und 1930 gewonnen. Die Basis bildeten Untersuchungen an mäßig schnellen Reaktionen mit recht einfachen Messtechniken – ganz ähnlich wie heute im Schulunterricht.

Bildung von Patina auf einem Kupferdach – eine langsame Reaktion

Mehlstaub-Explosion – eine schnelle Reaktion

5.1 Reaktionszeit und Reaktionsgeschwindigkeit

Der zeitliche Verlauf der Reaktion von Zink mit Salzsäure lässt sich experimentell unterschiedlich verfolgen. So kann beispielsweise die *Reaktionszeit* bestimmt werden, in der das Zink vollständig mit der Salzsäure reagiert hat. Bei einem Überschuss an Säure führt die Verdopplung der Zinkmenge jedoch nicht zur Verdopplung der Reaktionszeit. Der Einfluss der größeren Oberfläche macht sich bemerkbar.

Reaktionsgeschwindigkeit. Eine bessere Möglichkeit besteht darin, die Konzentrationsänderung während der Reaktion zu verfolgen. So lassen sich aus dem Volumen des gebildeten Wasserstoffs die Konzentration der noch vorhandenen Hydronium-Ionen und die Konzentration der Zink-Ionen berechnen. Damit sich die Oberfläche während der Reaktion praktisch nicht verändert, wird ein großer Überschuss an Zink verwendet. Zu Beginn der Reaktion bildet sich pro Zeiteinheit viel Wasserstoff, während gegen Ende der Reaktion immer weniger Wasserstoff pro Zeiteinheit entsteht. Die Reaktion verläuft zu Anfang am schnellsten und wird dann immer langsamer.

Die *Reaktionsgeschwindigkeit v* definiert man allgemein als Konzentrationsänderung Δc der Ausgangsstoffe oder der Produkte pro Zeitintervall Δt:

$$v = \frac{\Delta c\,(\text{Produkt})}{\Delta t} = -\frac{\Delta c\,(\text{Ausgangsstoff})}{\Delta t}$$

Das Minuszeichen vor dem letzten Term ist aus folgendem Grunde notwendig: Die Geschwindigkeit v und das Zeitintervall Δt ($= t_2 - t_1$) sind positive Größen. Für Δc ($= c_2 - c_1$) ergibt sich aber ein negativer Wert, denn für einen Ausgangsstoff nimmt die Konzentration im Verlauf der Reaktion ab.

Entsprechend der Reaktionsgleichung werden bei der Bildung von einem Mol Zink-Ionen zwei Mol Hydronium-Ionen verbraucht. Die Konzentration der Hydronium-Ionen nimmt doppelt so schnell ab, wie die Konzentration der Zink-Ionen zunimmt. Es gilt:

$$-\frac{\Delta c\,(H_3O^+)}{\Delta t} = 2 \cdot \frac{\Delta c\,(Zn^{2+})}{\Delta t} \Rightarrow v\,(H_3O^+) = 2\,v\,(Zn^{2+})$$

Durchschnittsgeschwindigkeit und Momentangeschwindigkeit. Trägt man die ermittelten Konzentrationen in ein Konzentrations/Zeit-Diagramm ein, so ergibt sich die Durchschnittsgeschwindigkeit $\bar{v}$ für ein Zeitintervall aus dem Differenzenquotienten $\frac{\Delta c}{\Delta t}$. Sie entspricht der Steigung der Sekante. Wählt man das Zeitintervall immer kleiner, so wird aus der Sekante eine Tangente. Die Steigung der Tangente entspricht dem Grenzwert $\lim\limits_{\Delta t \to 0} \frac{\Delta c}{\Delta t} = \frac{dc}{dt}$, den man als Momentangeschwindigkeit v bezeichnet. Die *Anfangsgeschwindigkeit* v_0 einer Reaktion erhält man aus der Steigung der Tangente zur Zeit $t = 0$.

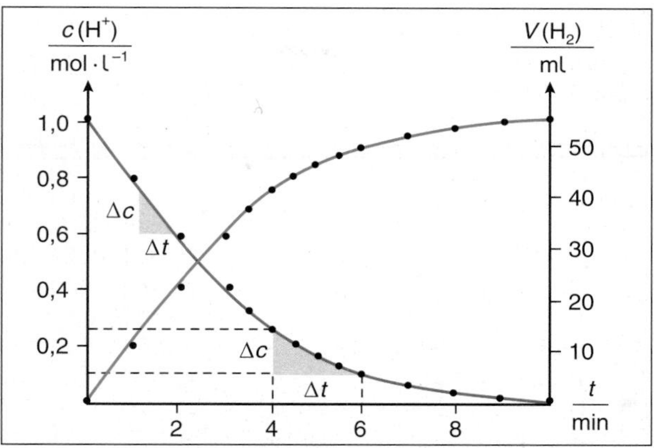

1. Konzentrations/Zeit-Diagramm. Zum Vergleich ist auch das direkt gemessene Volumen des gebildeten Wasserstoffs eingezeichnet.

A1 Warum bezieht man sich bei der Angabe der Geschwindigkeit von Reaktionen, bei denen ein Gas entsteht, nicht auf das Volumen des Gases?

A2 Gehen Sie von dem im Bild 1 dargestellten Konzentrationsverlauf aus:

a) Berechnen Sie jeweils die Durchschnittsgeschwindigkeit für die aufeinanderfolgenden Zeitabschnitte von je zwei Minuten.

b) Geben Sie die zugehörigen Werte für $v\,(Zn^{2+})$ an.

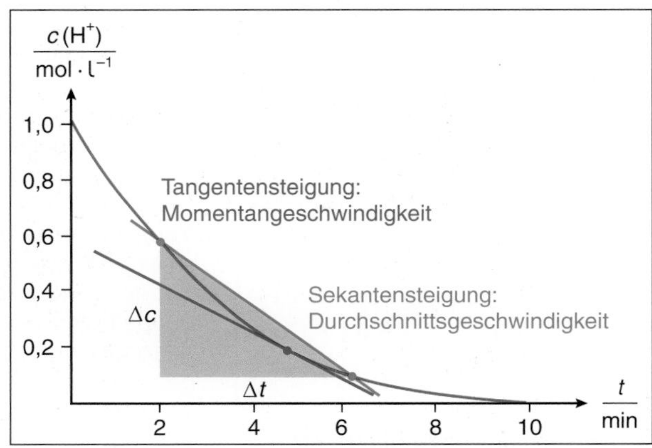

2. Grafische Bestimmung der Reaktionsgeschwindigkeit

5.2 Methode der Anfangsgeschwindigkeit

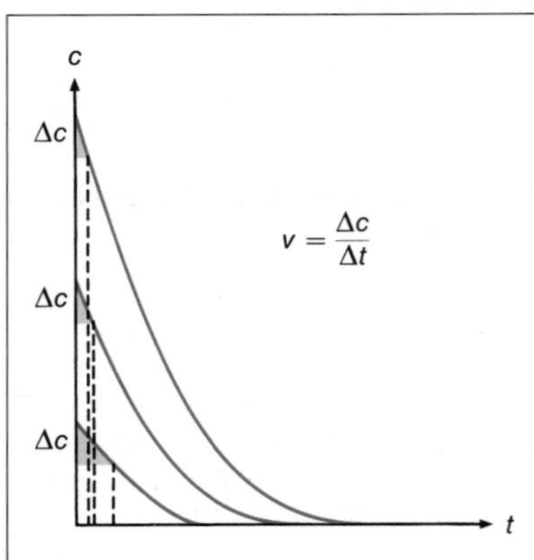

1. Ermittlung von Anfangsgeschwindigkeiten

Der Verlauf von *heterogenen* Reaktionen, bei denen Gase entstehen, lässt sich relativ leicht verfolgen. Schwieriger ist die Ermittlung der Reaktionsgeschwindigkeit bei *homogenen* Systemen.

Als Konzentrationsänderungen noch nicht kontinuierlich mit einem Photometer bestimmt werden konnten, war eine der wenigen Möglichkeiten zur Bestimmung der Momentangeschwindigkeit die *Methode der Anfangsgeschwindigkeit.* Zu Beginn einer Reaktion nimmt die Konzentration annähernd linerar ab. Im Konzentrations/Zeit-Diagramm stimmt daher die Tangentensteigung mit der Sekantensteigung überein. Der Differenzenquotient $\frac{\Delta c}{\Delta t}$ ergibt also direkt die *Momentangeschwindigkeit* für den Zeitpunkt $t = 0$, die Anfangsgeschwindigkeit der Reaktion bei den gewählten Ausgangskonzentrationen.

Doch wie lassen sich die Größen Δc und Δt bestimmen? Besonders einfach ist folgender Weg: Sobald sich die Konzentration um einen bestimmten Wert Δc geändert hat, sorgt ein Indikator für einen Farbumschlag. Die zugehörige Reaktionszeit Δt wird notiert.

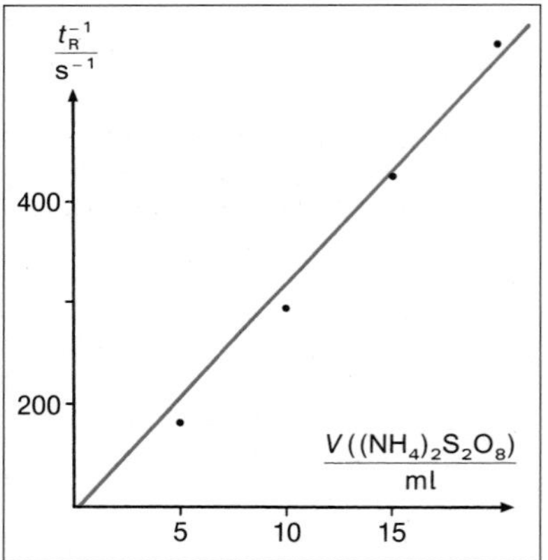

2. Reaktionsgeschwindigkeit in Abhängigkeit von der Konzentration

Als Beispiel betrachten wir die langsam verlaufende Reaktion von Iodid-Ionen mit Peroxodisulfat-Ionen. Bei dieser Reaktion werden Iod und Sulfat-Ionen gebildet:

$$2\ I^-\ (aq) + S_2O_8^{2-}\ (aq) \longrightarrow I_2\ (aq) + 2\ SO_4^{2-}\ (aq)$$

Um die Zeit Δt zu bestimmen, in der sich eine kleine, aber immer *gleiche* Menge Iod bildet, setzt man verschiedenen Reaktionsgemischen immer die gleiche geringe Menge Thiosulfat zu. Dadurch wird das gebildete Iod in einer sehr schnellen Reaktion sofort wieder umgesetzt:

$$I_2\ (aq) + 2\ S_2O_3^{2-}\ (aq) \longrightarrow 2\ I^-\ (aq) + S_4O_6^{2-}\ (aq)$$

Erst wenn alles Thiosulfat verbraucht ist, bleibt das Iod unverändert. Es ergibt mit vorher zugesetzter Stärkelösung eine blaue Farbe. Die Zeit t_R bis zum Auftreten der Blaufärbung wird bestimmt. Für die Anfangsgeschwindigkeit v_0 gilt:

$$v_0 = \frac{\Delta c\ (I_2)}{\Delta t} = \frac{\text{Konstante}}{t_R}$$

Die Anfangsgeschwindigkeit ist also dem Kehrwert der bis zum Auftreten der Blaufärbung gemessenen Zeit t_R proportional. Die Größe t_R^{-1} ist damit ein Maß für die Anfangsgeschwindigkeit.

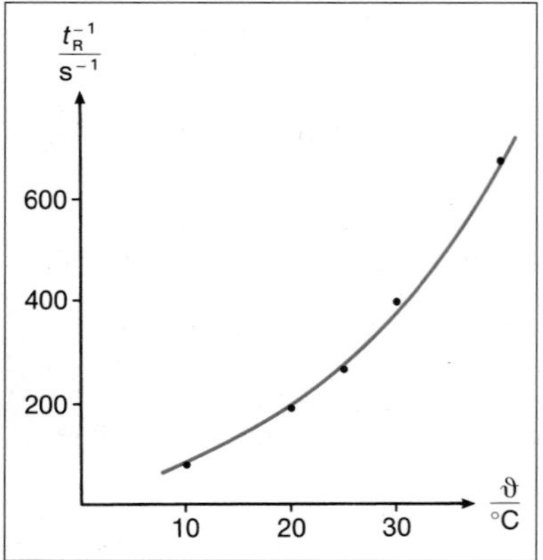

3. Reaktionsgeschwindigkeit in Abhängigkeit von der Temperatur

Aus einer Reihe von Experimenten lässt sich erkennen, wie die Reaktionsgeschwindigkeit von der Konzentration eines Edukts abhängt. Man trägt dazu die Kehrwerte der Reaktionszeiten gegen die Konzentration eines Edukts auf. Für die als Beispiel betrachtete Reaktion gilt: Die Reaktionsgeschwindigkeit ist proportional zur Konzentration der Iodid-Ionen und auch proportional zur Konzentration der Peroxodisulfat-Ionen.

Temperaturabhängigkeit. Mit der gleichen Methode lässt sich zeigen, in welcher Weise die Reaktionsgeschwindigkeit von der Temperatur abhängt. Für viele Reaktionen gilt die Faustregel: Die Reaktionsgeschwindigkeit verdoppelt sich bei einer Temperaturerhöhung um 10 K. Nach dieser **R**eaktions**g**eschwindigkeits/**T**emperatur-Regel (RGT-Regel) würde die Reaktionsgeschwindigkeit bei einer Temperaturerhöhung um 100 K um den Faktor $2^{10} = 1024$ zunehmen. Schon eine um 2 K höhere Temperatur vergrößert die Reaktionsgeschwindigkeit um 15 %. Bei genauen kinetischen Messungen muss deshalb die Temperatur sorgfältig konstant gehalten werden.

PRAKTIKUM

Reaktionsgeschwindigkeit

Versuch 1: **Untersuchung der Reaktion von Peroxodisulfat-Ionen mit Iodid-Ionen**

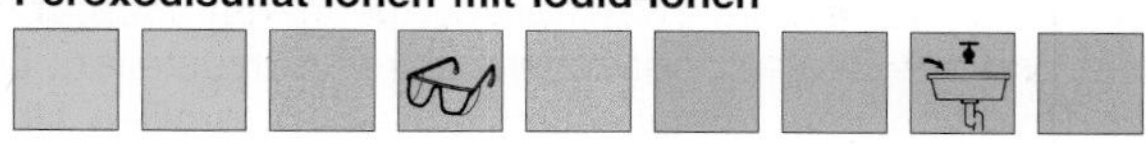

Materialien: Wasserbad, Stoppuhr, Thermometer (1/1 K), Kunststoffspritzen (20 ml/5 ml), Erlenmeyerkolben (100 ml); Kaliumiodid-Lösung (0,1 mol · l^{-1}), Kaliumnitrat-Lösung (0,1 mol · l^{-1}), Kaliumsulfat-Lösung (0,1 mol · l^{-1}), mit frischer Stärkelösung versetzte Natriumthiosulfat-Lösung (0,01 mol · l^{-1}), Ammoniumperoxodisulfat-Lösung (0,1 mol · l^{-1}), Kupfer(II)-sulfat-Lösung (1 %), Titriplex III (Na_2H_2edta), Eis

Durchführung:
Konzentrationsabhängigkeit

1. Mischen Sie jeweils die Lösungen A bis D mit Hilfe von Kunststoffspritzen.
   Hinweise: 1) Sollte sich in der Versuchsreihe eine Störung durch katalytisch wirkende Spuren (Fe(III), Cu(II)) zeigen, fügt man der Mischung jeweils eine Spatelspitze Titriplex III hinzu.
   2) Die Salzlösungen B und C sind erforderlich, um die Ionenkonzentration konstant zu halten.
2. Geben Sie mit Hilfe einer Kunststoffspritze zu dieser Mischung die Lösung E und starten Sie gleichzeitig die Uhr. Messen Sie die Zeit bis zum ersten Auftreten der Blaufärbung (weißer Untergrund).

Versuchs-nummer	A KI	B KNO_3	C K_2SO_4	D $Na_2S_2O_3$	E $(NH_4)_2S_2O_8$
1	20 ml	–	–	5 ml	20 ml
2	20 ml	–	5 ml	5 ml	15 ml
3	20 ml	–	10 ml	5 ml	10 ml
4	20 ml	–	15 ml	5 ml	5 ml
5	15 ml	5 ml	–	5 ml	20 ml
6	10 ml	10 ml	–	5 ml	20 ml
7	5 ml	15 ml	–	5 ml	20 ml

Temperaturabhängigkeit
Wiederholen Sie das Experiment mit den für Versuchsnummer 3 angegebenen Volumina bei 30 °C, bei 40 °C und bei 10 °C. Dazu wird das Lösungsgemisch im Erlenmeyerkolben im Wasserbad erhitzt, bis die gewünschte Temperatur erreicht ist. Die genaue Reaktionstemperatur wird nach Zugabe von Lösung E ermittelt. Analog verfährt man für 10 °C im Eisbad.

Katalysatorwirkung
Wiederholen Sie das Experiment mit den für Versuchsnummer 3 angegebenen Volumina. Als Katalysator werden Lösung E drei Tropfen Kupfer(II)-sulfat-Lösung zugesetzt.

Aufgaben:

a) Stellen Sie in Diagrammen dar, wie die Reaktionsgeschwindigkeit von der Konzentration der Iodid-Ionen bzw. Peroxodisulfat-Ionen abhängt. Tragen Sie dazu den Kehrwert der Reaktionszeit gegen das Volumen der jeweiligen Lösung auf.

b) Stellen Sie entsprechend dar, wie die Reaktionsgeschwindigkeit von der Temperatur abhängt.

Versuch 2: **Untersuchung der Reaktion von Natriumthiosulfat mit Salzsäure**

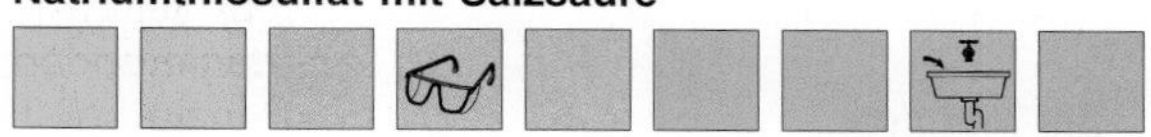

Bei der Zersetzung von Thiosulfat-Ionen durch Hydronium-Ionen entsteht Schwefel:

$$S_2O_3^{2-}\ (aq) + 2\ H^+\ (aq) \longrightarrow SO_2\ (aq) + S\ (s) + H_2O\ (l)$$

Durch den ausgeschiedenen Schwefel wird die Lösung trüb und schließlich undurchsichtig. Man bestimmt die Zeit, nach der man nicht mehr durch die Lösung hindurchschauen kann. Es hat sich dann immer etwa die gleiche Menge Schwefel gebildet. Im Prinzip wird also auch hier die Methode der Anfangsgeschwindigkeit angewendet.

Materialien: Wasserbad, Stoppuhr, Thermometer (1/1 K), weißes Papier mit aufgezeichnetem Kreuz, 1 Messzylinder (50 ml), Kunststoffspritze (5 ml), Erlenmeyerkolben (100 ml); Natriumthiosulfat-Lösung (0,1 mol · l^{-1}), Salzsäure (2 mol · l^{-1}), Eis

Durchführung:
Konzentrationsabhängigkeit

1. Geben Sie jeweils Natriumthiosulfat-Lösung und Wasser in einen Erlenmeyerkolben.
2. Fügen Sie mit Hilfe einer Kunststoffspritze die Salzsäure zu dieser Mischung und starten Sie gleichzeitig die Uhr. Stellen Sie den Kolben sofort auf das Papier mit dem Kreuz und messen Sie die Zeit, bis das Kreuz nicht mehr zu erkennen ist.

Versuchs-nummer	$Na_2S_2O_3$ (aq)	Wasser	Salzsäure
1	50 ml	–	5 ml
2	40 ml	10 ml	5 ml
3	30 ml	20 ml	5 ml
4	20 ml	30 ml	5 ml
5	10 ml	40 ml	5 ml

Temperaturabhängigkeit
Wiederholen Sie das Experiment mit den für Versuchsnummer 4 angegebenen Volumina bei 30 °C, bei 40 °C und bei 10 °C. Dazu wird das Gemisch aus Natriumthiosulfat-Lösung und Wasser im Wasserbad erhitzt, bis die entsprechende Temperatur erreicht ist. Die genaue Reaktionstemperatur wird nach Zugabe der Salzsäure ermittelt. Analog verfährt man für 10 °C im Eisbad.

Aufgaben:

a) Inwiefern ist der Kehrwert der gemessenen Zeit ein Maß für die Reaktionsgeschwindigkeit?

b) Stellen Sie grafisch dar, wie die Reaktionsgeschwindigkeit von der Konzentration der Thiosulfat-Ionen abhängt. Tragen Sie dazu t_R^{-1} gegen $V(S_2O_3^{2-})$ auf.

c) Stellen Sie entsprechend die Abhängigkeit von der Temperatur dar.

5.3 Von den Messwerten zur Geschwindigkeitsgleichung

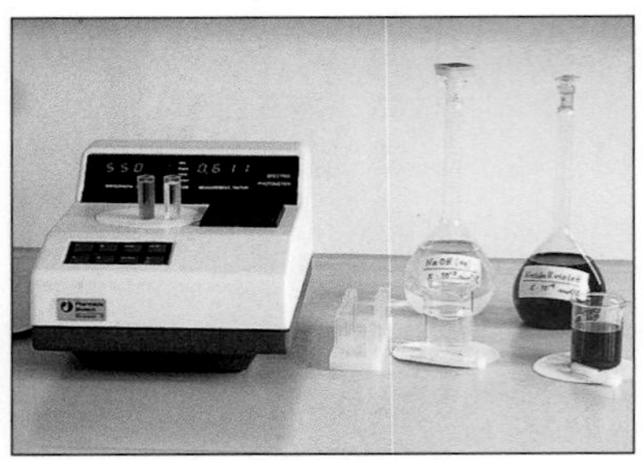

1. Photometrische Messung.
Der Messwert, die Extinktion, ist proportional zur Konzentration.

Um den Ablauf einer chemischen Reaktion zu beschreiben, versucht man eine mathematische Beziehung zwischen den Konzentrationen der reagierenden Stoffe und der Reaktionsgeschwindigkeit aufzustellen. Das Prinzip soll für die Reaktion von Kristallviolett mit einem großen Überschuss an Natronlauge erläutert werden. Bei dieser Reaktion entfärbt sich der Farbstoff durch die Reaktion mit Hydroxid-Ionen. Der zeitliche Verlauf kann mit einem Photometer verfolgt werden. Die dabei gemessene Extinktion ist proportional zur Konzentration des Farbstoffs.

$$\underset{\text{violett}}{[(CH_3)_2N-C_6H_4]_3C^+ (aq)} + OH^- (aq) \longrightarrow \underset{\text{farblos}}{[(CH_3)_2N-C_6H_4]_3C-OH (aq)}$$

Aus einem *Konzentrations/Zeit-Diagramm* lassen sich für einzelne Zeitintervalle die Durchschnittsgeschwindigkeiten ermitteln. Trägt man diese Werte gegen die Konzentration auf, so erhält man ein *Geschwindigkeits/Konzentrations-Diagramm.* Es zeigt eine lineare Abhängigkeit; die Reaktionsgeschwindigkeit ist proportional zur Konzentration: $v \sim c$ (Kristallviolett). Man erhält damit folgende **Geschwindigkeitsgleichung:**

$$v = \frac{\Delta c \text{ (Kristallviolett)}}{\Delta t} = k \cdot c \text{ (Kristallviolett)}$$

Diese Gleichung wird oft auch als Zeitgesetz der Reaktion bezeichnet. Der Proportionalitätsfaktor k ist die **Geschwindigkeitskonstante.** Sie ist charakteristisch für eine Reaktion bei konstanter Temperatur. Mit steigender Temperatur wächst k stark an.
Führt man das Experiment mit einer höheren OH^--Konzentration durch, entfärbt sich die Lösung rascher; es ergibt sich ein größerer Wert für k. Offensichtlich hängt die Geschwindigkeit der Entfärbung auch von der Konzentration der Hydroxid-Ionen ab. Im Zeitgesetz tritt diese Konzentration jedoch nicht explizit auf, denn wegen des großen Überschusses bleibt sie im Verlauf der Reaktion praktisch konstant.

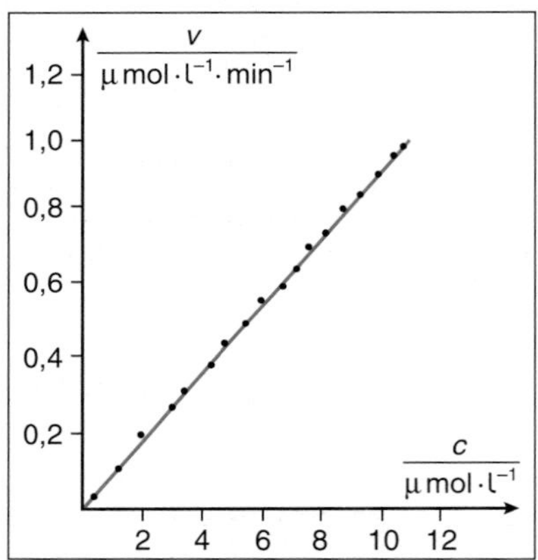

2. Grafische Auswertung: Geschwindigkeits/Konzentrations-Diagramm

Reaktionsordnung. In vielen Fällen hat die Geschwindigkeitsgleichung einer Reaktion zwischen zwei Stoffen A und B die folgende Form:

$$v = k \cdot c^n(A) \cdot c^m(B)$$

Die Summe der Exponenten n und m nennt man *Reaktionsordnung.* Dabei ist n die Ordnung in Bezug auf A und m die Ordnung in Bezug auf B. Die Reaktionsordnung lässt sich grundsätzlich nicht aus der Reaktionsgleichung ableiten. Trotz ähnlicher Stöchiometrie erhält man experimentell unterschiedliche Zeitgesetze:

$2\ N_2O_5 (g) \longrightarrow 4\ NO_2 (g) + O_2 (g)$ $\quad v = k \cdot c\ (N_2O_5)$ (1. Ordnung)

$2\ NO_2 (g) \longrightarrow N_2O_4 (g)$ $\quad v = k \cdot c^2\ (NO_2)$ (2. Ordnung)

Welche Form die Geschwindigkeitsgleichung hat, hängt davon ab, mit welcher Geschwindigkeit die einzelnen Reaktionsschritte nacheinander ablaufen. Die langsamste dieser **Elementarreaktionen** bestimmt die Geschwindigkeit der Gesamtreaktion. So ist bei der Oxidation von Iodid durch Peroxodisulfat die erste Elementarreaktion der *geschwindigkeitsbestimmende Schritt:*

(1) $I^- (aq) + S_2O_8^{2-} (aq) \xrightarrow{\text{langsam}} IS_2O_8^{3-} (aq)$

(2) $IS_2O_8^{3-} (aq) \xrightarrow{\text{schnell}} 2\ SO_4^{2-} (aq) + I^+ (aq)$

(3) $I^+ (aq) + I^- (aq) \xrightarrow{\text{schnell}} I_2 (aq)$

Die Gesamtreaktion ist daher eine Reaktion 2. Ordnung:

$$v = k \cdot c\ (S_2O_8^{2-}) \cdot c\ (I^-)$$

A1 In den folgenden Fällen erweist sich die Reaktion als Elementarreaktion. Geben Sie das Zeitgesetz und die Reaktionsordnung an.
a) $H_2 + I_2 \longrightarrow 2\ HI$
b) $2\ NOCl \longrightarrow 2\ NO + Cl_2$
c) $2\ NO_2 \longrightarrow N_2O_4$

A2 Im Falle der Entfärbung von Kristallviolett mit überschüssiger Natronlauge spricht man von einer Reaktion pseudo-1. Ordnung.
Erläutern Sie den Sinn dieser Bezeichnung.

Stoßtheorie. Die Gesetzmäßigkeiten für den zeitlichen Verlauf chemischer Reaktionen lassen sich mit Hilfe der Stoßtheorie anschaulich erklären. Sie beruht auf den folgenden Grundgedanken:

1. Die Teilchen werden als *starre Körper* angesehen, die sich mit steigender Temperatur immer schneller bewegen.
2. Voraussetzung für eine chemische Reaktion ist ein *Zusammenstoß* der entsprechenden Teilchen.
3. Je *häufiger* Zusammenstöße stattfinden, desto schneller verläuft die Reaktion.
4. Für einen erfolgreichen Zusammenstoß müssen die Teilchen eine bestimmte *Mindestenergie* E_{min} mitbringen.
5. Eine Reaktion tritt nur ein, wenn die Teilchen beim Stoß eine gewisse *räumliche Orientierung* zueinander haben.

Als einfache Anwendung soll das Zeitgesetz für eine Elementarreaktion zwischen zwei Teilchenarten A und B abgeleitet werden:
Die Anzahl der erfolgreichen Stöße pro Zeiteinheit ist proportional zur Anzahl der Stoßmöglichkeiten zwischen A-Teilchen und B-Teilchen. Stöße zwischen gleichartigen Teilchen sind ohne Bedeutung für die Reaktion. Enthält ein kleines Volumen zwei A-Teilchen und zwei B-Teilchen, so gibt es vier verschiedene A/B-Stoßmöglichkeiten. Verdoppelt man beide Konzentrationen, so sind 16 A/B-Stöße möglich.
Die Reaktionsgeschwindigkeit ist somit proportional zu den Konzentrationen von A und von B, also zum Produkt der beiden Konzentrationen. Mit der Geschwindigkeitskonstanten k als Proportionalitätsfaktor erhält man das Zeitgesetz einer Reaktion 2. Ordnung:

$$v = k \cdot c\,(\mathrm{A}) \cdot c\,(\mathrm{B})$$

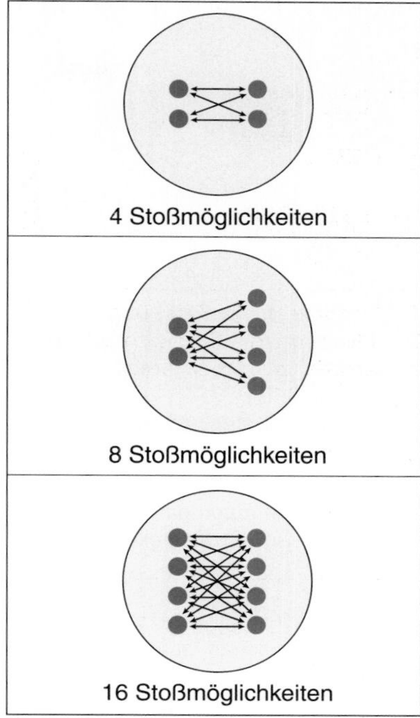

1. Die Reaktionsgeschwindigkeit steigt proportional zur Anzahl der Stoßmöglichkeiten

PRAKTIKUM

Reaktionsordnung

Versuch 1: **Entfärbung von Kristallviolett**

   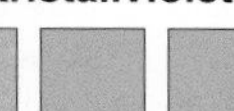 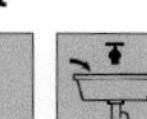 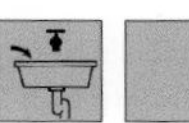 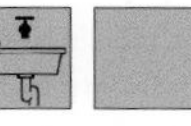

Materialien: Photometer, Stoppuhr, 3 Küvetten, 2 Kunststoffspritzen (2 ml);
Kristallviolett-Lösung ($2 \cdot 10^{-5}$ mol · l^{-1}),
Natronlauge ($5 \cdot 10^{-2}$ mol · l^{-1})

Durchführung:

1. Das Photometer wird auf eine Wellenlänge von 550 nm eingestellt. Man setzt eine mit Wasser gefüllte Küvette ein und stellt den Extinktionswert $E = 0$ ein.
2. Mischen Sie in einer zweiten Küvette 2 ml Kristallviolett-Lösung mit 2 ml Wasser und messen Sie E_0.
3. In einer weiteren Küvette werden 2 ml Kristallviolett-Lösung mit 2 ml Natronlauge gemischt. Starten Sie sofort die Stoppuhr und messen Sie die Extinktion E in Abständen von 20 s.

Aufgaben:

a) Berechnen Sie die jeweilige Kristallviolett-Konzentration mit Hilfe der Beziehung $c = \frac{E}{E_0} \cdot c_0$.
b) Zeichnen Sie das Konzentrations/Zeit-Diagramm und das Geschwindigkeits/Konzentrations-Diagramm. Welche Reaktionsordnung leiten Sie daraus ab?

Versuch 2: **Zersetzung von Wasserstoffperoxid**

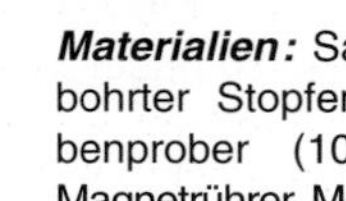    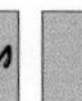  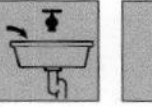

Materialien: Saugflasche, durchbohrter Stopfen mit Hahn, Kolbenprober (100 ml), Stoppuhr, Magnetrührer, Messzylinder (50 ml); Wasserstoffperoxid-Lösung (0,15 mol · l^{-1}), Braunstein (Xn)

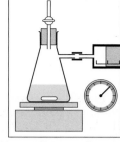

Durchführung:

1. Füllen Sie 50 ml Wasserstoffperoxid-Lösung in die Saugflasche und wählen Sie eine mittlere Rührgeschwindigkeit.
2. Geben Sie 250 mg Braunstein hinzu und setzen Sie den Stopfen mit geöffnetem Hahn auf die Saugflasche. Schließen Sie dann den Hahn und starten Sie gleichzeitig die Uhr. Das Volumen wird in Abständen von 10 s abgelesen; dabei ist auf Druckausgleich zu achten.

Aufgaben:

a) Formulieren Sie die Reaktionsgleichung und berechnen Sie jeweils $c\,(H_2O_2)$.
b) Welche Reaktionsordnung ergibt sich?

5.4 Warum steigt die Reaktionsgeschwindigkeit mit der Temperatur?

1. Modellversuch zur Geschwindigkeitsverteilung. Eine Temperaturerhöhung kann durch eine Erhöhung der Vibrationsgeschwindigkeit simuliert werden.

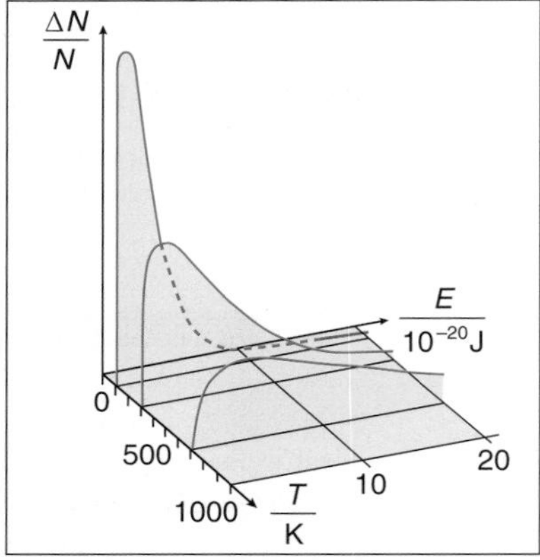

2. Energieverteilung nach BOLTZMANN für verschiedene Temperaturen

Im Allgemeinen steigt die Reaktionsgeschwindigkeit, und damit auch die Geschwindigkeitskonstante, auf das Zweifache bis Vierfache, wenn man die Temperatur um 10 K erhöht. Um diese **RGT-Regel** zu verstehen, muss man die Energie der reagierenden Teilchen betrachten.

Energieverteilung nach BOLTZMANN. Auch bei gleich bleibender Temperatur haben gleichartige Teilchen sehr verschiedene Bewegungsgeschwindigkeiten; man spricht von einer *Geschwindigkeitsverteilung*. Je größer die Geschwindigkeit der Teilchen, desto größer ist ihre kinetische Energie $E_{kin} = \frac{1}{2} mv^2$. BOLTZMANN hat die Häufigkeitsverteilung von Geschwindigkeiten und Energien von Gasmolekülen für verschiedene Temperaturen berechnet.
Einen ersten Eindruck einer solchen Geschwindigkeitsverteilung kann ein Modellversuch vermitteln: Kleine Glaskugeln werden als „Modellgas" durch eine vibrierende Platte in Bewegung gehalten. Die Kugeln können den „Gasraum" durch einen Spalt verlassen. Aufgefangen werden sie in einer Reihe von Kammern. Die Kugeln mit der größten Geschwindigkeit, und damit der größten kinetischen Energie, fliegen am weitesten. Die Mehrzahl der Kugeln hat eine mittlere Geschwindigkeit. Nur relativ wenige sind so langsam, dass sie schon in die erste Kammer fallen. Zählt man die in den einzelnen Kammern aufgefangenen Kugeln aus, so ergibt die grafische Darstellung zugleich ein Bild der Geschwindigkeitsverteilung.
Trägt man den Anteil $\Delta N / N$ der Teilchen in einem engen Energieintervall gegen die Energie E auf, so erhält man **Energieverteilungskurven.** Sie steigen jeweils vom Nullpunkt aus steil an und fallen dann umso langsamer ab, je höher die Temperatur ist. Die häufigste Energie steigt dabei proportional zur Temperatur an.

Mindestenergie. Bei vielen chemischen Reaktionen reagieren die Teilchen nur dann miteinander, wenn sie mit einer kinetischen Mindestenergie $\boldsymbol{E_{min}}$ zusammenstoßen. Typisch für viele Reaktionen sind Mindestenergien im Bereich von 10^{-19} J pro Teilchen. Das entspricht 50 kJ bis 100 kJ pro Mol. Da die mittlere Bewegungsenergie eines Teilchens bei Raumtemperatur nur $6 \cdot 10^{-21}$ J ist, kann nur ein minimaler Bruchteil aller zusammenstoßenden Teilchen reagieren.
Bei Erhöhung der Temperatur nimmt die Größe dieses Bruchteils stark zu, sodass die Reaktionsgeschwindigkeit exponentiell ansteigt.

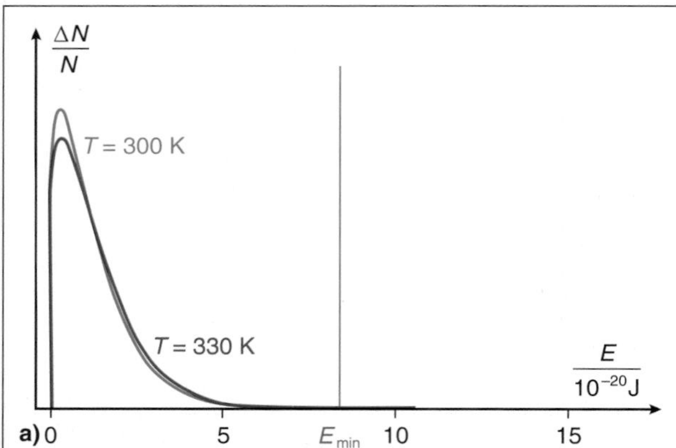

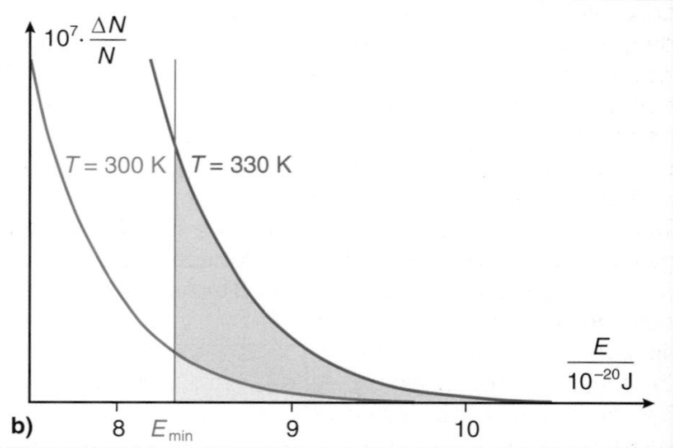

3. Mindestenergie. Nur ein sehr kleiner Anteil der Teilchen hat die für eine Reaktion erforderliche Mindestenergie E_{min}. Dieser Anteil wächst exponentiell mit der Temperatur. In Bild 3.b) sind die Energieverteilungskurven für den Bereich $\geq 7{,}5 \cdot 10^{-20}$ J vergrößert dargestellt.

In einer grafischen Darstellung von Energieverteilungskurven erkennt man diesen Zusammenhang erst, wenn man den Maßstab im Bereich höherer Teilchenenergien stark verändert. Für das gewählte Beispiel (S. 72) sind dazu die Anteile der Teilchen $\Delta N/N$ in Bild 3.b) mit dem Faktor 10^7 multipliziert.

Aktivierungsenergie. ARRHENIUS kam bei seinen Untersuchungen über den Einfluss der Temperatur auf die Reaktionsgeschwindigkeit 1889 zu folgender Erkenntnis: Die Geschwindigkeitskonstante k ändert sich proportional zu einem Faktor $e^{-c/T}$.

Die im Exponenten auftretende Konstante c wurde dann mit Hilfe der allgemeinen Gaskonstanten R physikalisch gedeutet: $c = E_A/R$. $\boldsymbol{E_A}$ ist dabei eine reaktionsspezifische Energiegröße, die man als *Aktivierungsenergie* bezeichnet. Da E_A nahezu unabhängig von der Temperatur ist, wird der Wert auf folgende Weise grafisch ermittelt: Man trägt den Logarithmus der Geschwindigkeitskonstanten ($\ln k$ oder $\lg k$) gegen den Kehrwert der zugehörigen Temperatur auf. Das ergibt eine Gerade, aus deren Steigung sich E_A berechnen lässt.

Der Name Aktivierungsenergie bezieht sich auf eine Deutung, die auf ARRHENIUS zurückgeht: *Damit eine Reaktion ablaufen kann, müssen sich zunächst aktivierte Moleküle bilden. Das ist mit der Aufnahme der Aktivierungsenergie E_A verbunden.* Offen blieb aber, was man sich unter einem aktivierten Molekül vorstellen soll.

Später ist viel darüber diskutiert worden, wie man die experimentell ermittelte ARRHENIUS-Aktivierungsenergie auf klare physikalische Grundlagen zurückführen kann. Heute gibt es eine einfache Antwort: **Die Aktivierungsenergie entspricht gerade der Mindestenergie E_{min} der zusammenstoßenden Teilchen.**

Als Schlagwort kennt man „Aktivierungsenergie" auch in sehr elementaren Zusammenhängen. So spricht man davon, dass zuerst die Aktivierungsenergie zugeführt werden muss, um eine Reaktion zu starten. Dabei handelt es sich meist um exotherme Reaktionen, die erst dann einsetzen, wenn man erwärmt. Beispiele dafür sind die Reaktionen von Eisenwolle mit Luftsauerstoff und von Eisenpulver und Schwefel.
Die erwähnte Sprechweise ist missverständlich: Man gewinnt den Eindruck, dass es sich bei der Aktivierungsenergie um einen bestimmten Energiebetrag handelt, der von außen zugeführt werden muss. Tatsächlich beruht die Wirkung des Erwärmens auf folgendem Zusammenhang: In einem kleinen Teilbereich wird die Temperatur so hoch, dass relativ viele Teilchen die Mindestenergie überschreiten: Die exotherme Reaktion kann dort merklich einsetzen. Die frei werdende Wärme sorgt dann dafür, dass die Reaktion bei hoher Temperatur vollständig ablaufen kann.

EXKURS

ARRHENIUS-Gleichung

Reaktionen mit sehr kleiner Aktivierungsenergie laufen fast augenblicklich ab. Reaktionen mit sehr großer Aktivierungsenergie sind dagegen so langsam, dass sie praktisch gar nicht ablaufen. Gut beobachten lassen sich Reaktionen, die innerhalb einiger Sekunden, Minuten oder Stunden ablaufen. Sie haben mittlere Aktivierungsenergien.
Die ARRHENIUS-Gleichung beschreibt, wie die Geschwindigkeitskonstante k von der Temperatur und der Aktivierungsenergie abhängt:

$$k = A \cdot e^{-\frac{E_A}{RT}}$$

Dabei ist $R = 8{,}314\ \mathrm{J \cdot mol^{-1} \cdot K^{-1}}$, die allgemeine Gaskonstante. Die Konstante A entspricht nach der Stoßtheorie dem Produkt aus der Stoßzahl Z und dem Orientierungsfaktor P.
Hat man für zwei Temperaturen T_1 und T_2 die Geschwindigkeitskonstanten k_1 und k_2 ermittelt, so lässt sich über die ARRHENIUS-Gleichung die Aktivierungsenergie der Reaktion berechnen.

Beispiel: Die Geschwindigkeitskonstante verdreifacht sich bei einer Temperaturerhöhung um 10 K:

$$T_1 = 300\ \mathrm{K}, \quad T_2 = 310\ \mathrm{K}, \quad \frac{k_2}{k_1} = 3$$

$$\frac{e^{-\frac{E_A}{R \cdot T_2}}}{e^{-\frac{E_A}{R \cdot T_1}}} = 3 \quad \Rightarrow \quad \ln 3 = \left(\frac{1}{T_1} - \frac{1}{T_2}\right) \cdot \frac{E_A}{R}$$

$$\Rightarrow E_A = \left(\frac{1}{300\ \mathrm{K}} - \frac{1}{310\ \mathrm{K}}\right)^{-1} \cdot R \cdot \ln 3 = 85\ \mathrm{kJ \cdot mol^{-1}}$$

Das ist ein typischer Wert für eine mittelgroße Aktivierungsenergie.

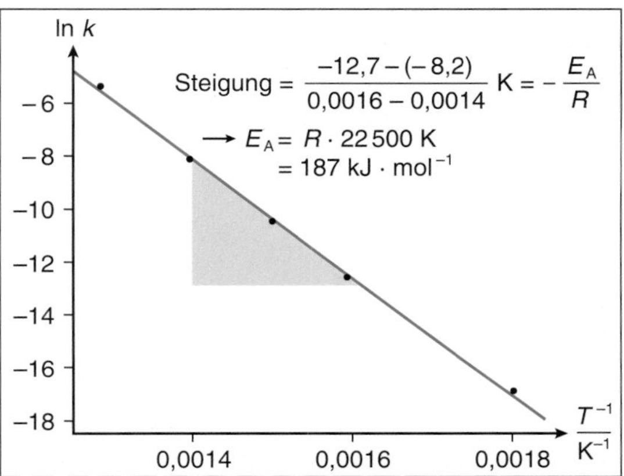

Ermittlung der Aktivierungsenergie für den Zerfall von Iodwasserstoff

5.5 Übergangszustand und Aktivierungsenergie

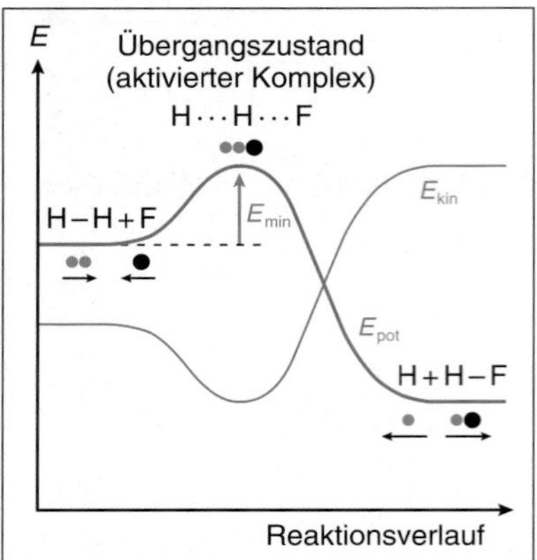

1. Der aktivierte Komplex – ein Zustand maximaler potentieller Energie. Die Änderung der potentiellen Energie spiegelt die Änderung der Bindungsverhältnisse wieder: Die H–F-Bindung ist fester als die H–H-Bindung. Die Produkte (H + HF) weisen daher eine geringere potentielle Energie auf als die Edukte (H_2 + F). Dementsprechend haben die Produktteilchen eine höhere kinetische Energie. Wenn die Reaktion mit vielen Teilchen abläuft, erwärmt sich die Mischung, und das System kann Wärme an die Umgebung übertragen.

A1 Skizzieren Sie ein Energiediagramm entsprechend Bild 2 für eine endotherme Reaktion.

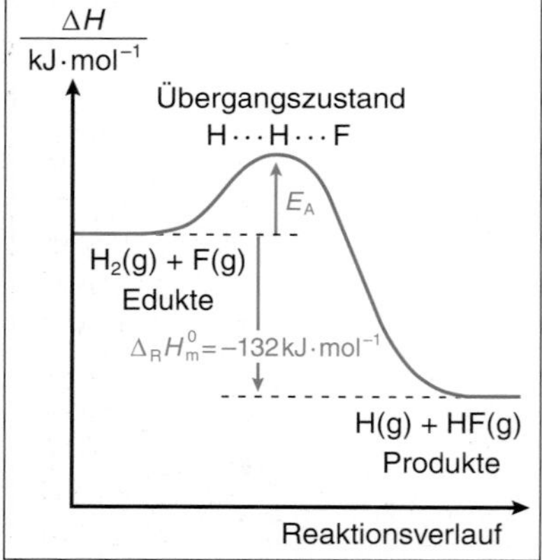

2. Aktivierungsenergie E_A und Reaktionsenthalpie ΔH

Um 1930 versuchte man, die eben entwickelte Quantenmechanik auch auf Fragen der Reaktionskinetik anzuwenden. Damit ergab sich ein neuer Zugang zum Verständnis der Aktivierungsenergie.

Theorie des Übergangszustandes. Änderungen der Bindungsverhältnisse lassen sich allgemein als Änderungen der potentiellen Energie beschreiben: Je fester die Bindungen sind, desto niedriger ist die potentielle Energie. Mit einer von EYRING und POLANYI entwickelten Theorie lässt sich berechnen, wie sich die potentielle Energie ändert, wenn sich die Teilchen einander nähern und dabei verschiedene Bindungszustände durchlaufen. Der Zustand maximaler potentieller Energie wird als **aktivierter Komplex** bezeichnet. Die Geschwindigkeiten, mit denen dieser nicht fassbare *Übergangszustand* gebildet wird und in die Produkte zerfällt, bestimmen die gemessene Geschwindigkeit der Gesamtreaktion.

Die Grundgedanken der Theorie sollen an einem besonders einfachen Beispiel näher erläutert werden. Betrachtet wird die Reaktion von Wasserstoff-Molekülen mit Fluor-Atomen: $H_2 + F \longrightarrow H + HF$

Zunächst bewegen sich die Teilchen in großem Abstand voneinander mit einer bestimmten potentiellen und kinetischen Energie. Die Summe dieser beiden Energien bleibt während der gesamten Reaktion konstant. Um miteinander reagieren zu können, müssen die Teilchen zusammenstoßen. Während sie sich annähern, sinkt die kinetische Energie und wird in potentielle Energie umgewandelt. Schließlich bildet sich der aktivierte Komplex aus drei Atomen: [H···· H···· F]. Er ist durch ein Minimum der kinetischen Energie und ein Maximum der potentiellen Energie charakterisiert.

In einer Zeitspanne von etwa 10^{-13} s nähern sich nun ein Wasserstoff-Atom und das Fluor-Atom bis auf den Bindungsabstand. Gleichzeitig entfernen sich die beiden H-Atome voneinander und die Bindung zwischen ihnen wird schwächer. Diese Vorgänge sind mit der Umwandlung von potentieller Energie in kinetische Energie verknüpft. Im Endzustand liegen ein Fluorwasserstoff-Molekül und ein Wasserstoff-Atom vor.

Zu einer solchen Reaktion kann es nur kommen, wenn die ursprüngliche kinetische Energie der Teilchen mindestens so groß ist wie der für die Bildung des aktivierten Komplexes notwendige Zuwachs an potentieller Energie. Wie groß diese **Mindestenergie E_{min}** ist, hängt auch davon ab, aus welcher Richtung das F-Atom auf das lineare H_2-Molekül trifft. Im realen System mit seinen vielen Teilchen sind zusätzliche Wechselwirkungen mit benachbarten Teilchen zu berücksichtigen. Stets aber gibt es den Zustand eines aktivierten Komplexes und einen definierten Reaktionsweg für Atome, deren Bindungen gelöst oder neu geknüpft werden. Die experimentell ermittelte **Aktivierungsenergie E_A** entspricht damit dem *mittleren* Zuwachs an potentieller Energie für den Übergangszustand.

Das Maximum der potentiellen Energie für den aktivierten Komplex bedeutet anschaulich eine *Energiebarriere* für die Reaktion. Sie kann nur von genügend energiereichen Teilchen überwunden werden. Je höher die Energiebarriere ist, desto weniger Teilchen gelangen hinüber, umso kleiner wird die Reaktionsgeschwindigkeit.

Solche Reaktionen mit hoher Aktivierungsenergie laufen erst dann mit merklicher Geschwindigkeit ab, wenn man die Ausgangsstoffe erwärmt. Beispiele sind die Reaktion von Eisen mit Schwefel und die Verbrennung von Holzkohle mit Luftsauerstoff.

Schnell ablaufende Reaktionen haben eine geringe Aktivierungsenergie. Dazu zählen vor allem Ionenreaktionen in wässeriger Lösung wie die Fällung von Silberchlorid oder die Neutralisation.

EXKURS

Explosion und Detonation

Der Begriff Explosion erinnert an Unglücksfälle und Katastrophen. Explosionen können aber auch nützlich sein: Bergbau, Tunnelbau und Straßenbau wären ohne den Einsatz von Explosivstoffen nicht denkbar. Explosionsschweißen ist sogar die einzige Möglichkeit, sonst unverträgliche Materialien wie Aluminium und Stahl miteinander zu verbinden.

Explosionen. Am Knallgas-Brenner lässt sich ausströmendes Wasserstoff-Gas gefahrlos entzünden. Explosionen treten dagegen auf, wenn Gemische von Wasserstoff und Luft im geschlossenen Raum gezündet werden. Trotz der unterschiedlichen Wirkung handelt es sich um recht ähnliche chemische Reaktionen. In beiden Fällen entstehen *Radikale* und es laufen *Kettenreaktionen* ab.

Die Kettenreaktion läuft jedoch in der Brennerflamme nicht lange genug, da der erforderliche Luftsauerstoff nur durch Diffusion in die Verbrennungszone gelangen kann. Die Kettenreaktion kommt durch Abbruchreaktionen frühzeitig zum Erliegen. Ein Beispiel für solch eine Abbruchreaktion ist die Bildung von Wasserstoffperoxid aus den in der Flamme enthaltenen OH-Radikalen. Richtet man eine Wasserstoffflamme auf einen Eisblock, so lässt sich mit Hilfe von Titanoxidsulfat-Lösung Wasserstoffperoxid im Schmelzwasser nachweisen.
Sorgt man dagegen für gute Durchmischung der Edukte vor der Reaktion, so kommt es zu *verzweigten* Kettenreaktionen. Dabei bildet jedes entstehende Radikal bis zu drei weitere. Innerhalb kürzester Zeit wird dabei sehr viel Energie frei. Die Reaktionsgeschwindigkeit steigt sprunghaft an, das Gemisch explodiert.

Staubexplosionen. Das Reaktionsverhalten wird auch durch den *Verteilungsgrad* der Stoffe beeinflusst. Je feiner verteilt Stoffe vorliegen, desto reaktionsfähiger und gefährlicher werden sie. Mit Kohle- oder Mehlstaub ist es schon zu verheerenden Explosionen in Bergwerken und in Silos gekommen. Besonders tückisch sind explosionsfähige Gas/Luft-Gemische, da sie leicht durch Funken gezündet werden.

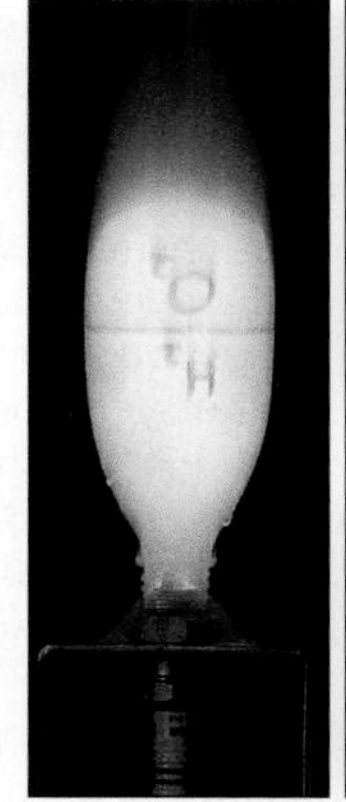
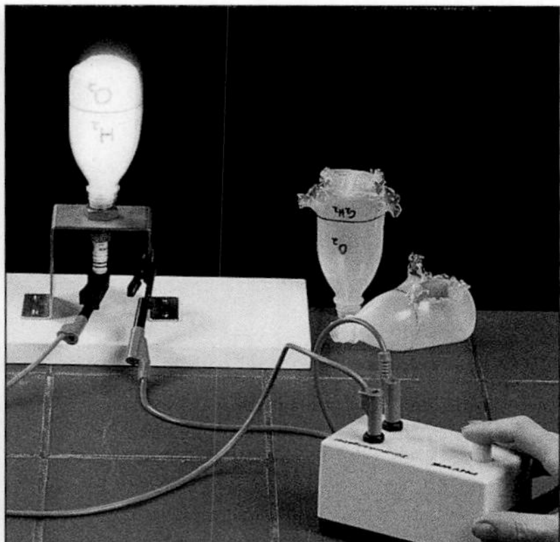

Versuchsanordnung zur Zündung explosionsfähiger Gasgemische

Detonationen. Bei allen Explosionsreaktionen werden Gase frei. Ist eine Explosion mit einer Stoßwelle verbunden, so spricht man von einer Detonation. Detonationen verlaufen etwa 1000-mal schneller als Explosionen. Stoßwellen komprimieren und erhitzen das Reaktionsgemisch sehr stark. Dabei entstehen Temperaturen bis zu 6000 °C. Dieser Wärmestau erhöht die Reaktionsgeschwindigkeit in der nachfolgenden Reaktionszone. Stoßwellen wirken auf festes Material pulverisierend. Dies ist bei Sprengungen oft erwünscht.

Allgemein gelten Stoffe mit einer Zersetzungsenergie von mehr als 500 $J \cdot g^{-1}$ als gefährlich, da sich Detonationen ergeben können.
Um eine Detonation gezielt auszulösen, verwendet man meist *Initialzünder*. Sie enthalten Sprengstoffe, die leicht durch Stoß oder Erwärmen zur Reaktion gebracht werden können. Ein bekanntes Beispiel ist Bleiazid ($Pb(N_3)_2$).

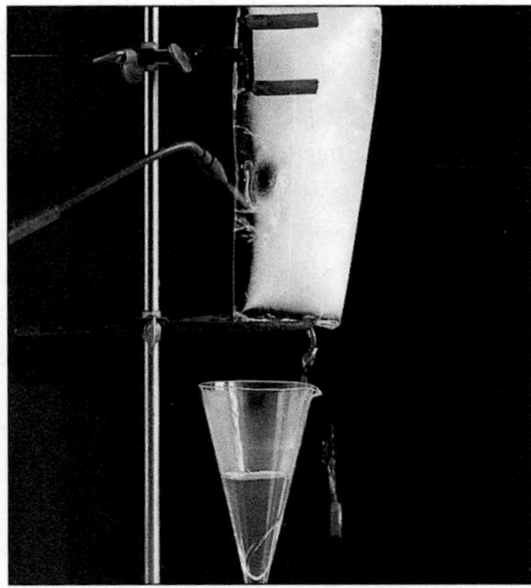

Nachweis von Wasserstoffperoxid

Reaktionsschritte	$\frac{\Delta_R H^0_m}{kJ \cdot mol^{-1}}$
Startreaktion:	
$H_2 + O_2 \longrightarrow 2\,HO\bullet$	8
Kettenreaktion:	
$HO\bullet + H_2 \longrightarrow H_2O + H\bullet$	–27
$H\bullet + O_2 \longrightarrow HO\bullet + \bullet O\bullet$	62
$\bullet O\bullet + H_2 \longrightarrow HO\bullet + H\bullet$	–27
Abbruchreaktionen:	
$HO\bullet + \bullet OH \longrightarrow H_2O_2$	–146
$H\bullet + \bullet H \longrightarrow H_2$	–436
$H\bullet + \bullet OH \longrightarrow H_2O$	–464

Ablauf der Knallgas-Reaktion

Mehlstaub-Explosion

5.6 Katalyse

1. Aufglühen von Platin im Wasserstoff-Strom

„Um diese höchst interessante Erscheinung hervorzubringen, braucht man das Platin nur mit einer kleinen Zange in einigem Abstande vor die Öffnung einer Röhre zu halten, durch welche man Wasserstoff-Gas in die Luft ausströmen lässt. Das Platin wird im Augenblicke weissglühend, und kurz darauf entzündet sich das Gas. Die Erklärung hiervon ist, dass sich, durch eine Wirkung des Platins, dessen Ursache wir noch nicht verstehen der Sauerstoff der Luft mit dem ausströmenden Wasserstoff-Gase an den Berührungspunkten mit dem Metalle, verbindet, und dass durch die Wärme, welche dabei entsteht, das Metall zum Glühen erhitzt wird, welche endlich so hoch steigt, dass sich das Gas entzündet."

(BERZELIUS, Lehrbuch der Chemie, Dresden 1825)

Schon früh hat man erkannt, dass viele chemische Reaktionen erst bei Zusatz bestimmter Stoffe mit merklicher Geschwindigkeit ablaufen. So entdeckte PARMENTIER 1781, dass Stärke durch Mineralsäuren in Traubenzucker gespalten werden kann. CLEMENT und DESORMES fanden 1806, dass sich Schwefeldioxid in Gegenwart von Stickstoffoxiden zu Schwefeltrioxid oxidieren lässt. DÖBEREINER entdeckte 1823, dass sich Wasserstoff in Gegenwart von Platin an der Luft entzündet.
Auch bei der Herstellung von Lebensmitteln werden aufgrund von uralten Erfahrungen oft bestimmte Stoffe zugesetzt. So wird die Verwendung von Sauerteig beim Brotbacken schon in der Bibel erwähnt. Seit Jahrtausenden nutzt man auch die Wirkung von Hefe für die Bereitung alkoholischer Getränke.

BERZELIUS erkannte 1835, dass sich die *Beschleunigung* der chemischen Reaktion in all diesen Fällen auf die Wirkung bestimmter Stoffe zurückführen lässt. Er führte dafür 1835 den Begriff **Katalysator** (griech. *katalysis:* Aufhebung) ein. Solche Stoffe ermöglichen durch ihre bloße Gegenwart chemische Reaktionen, die ohne sie nicht oder nur sehr langsam ablaufen würden. Für BERZELIUS und seine Zeitgenossen waren die Katalysatoren geheimnisvolle Stoffe. Trotz intensiver Untersuchungen blieb ihre eigentliche Wirkung zunächst unklar.
Spätere Experimente zeigten, dass die *Aktivierungsenergie* einer katalysierten Reaktion immer niedriger ist als die Aktivierungsenergie einer nicht katalysierten Reaktion. So findet man für den Zerfall von Iodwasserstoff eine Aktivierungsenergie von 185 kJ · mol^{-1}. Für die durch Platin katalysierte Reaktion beträgt die Aktivierungsenergie nur 59 kJ · mol^{-1}. Die geringere Aktivierungsenergie erklärt die Vergrößerung der Reaktionsgeschwindigkeit. Über die niedrigere Energiebarriere können pro Zeiteinheit mehr Teilchen gelangen. Zwar greift der Katalysator stark in das Reaktionsgeschehen ein und verändert den Reaktionsweg, aber er liegt hinterher in der ursprünglichen Form wieder vor.

Heterogene Katalyse. Wasserstoff entzündet sich in Gegenwart eines Platin-Katalysators schon bei Raumtemperatur an der Luft. Hierbei *aktiviert* das Platin den Wasserstoff: An der Metalloberfläche dissoziieren die Wasserstoff-Moleküle teilweise in Atome. Diese Atome können sogar vom Metallgitter aufgenommen werden. Der *atomare* Wasserstoff reagiert dann leicht mit ebenfalls an der Platinoberfläche gebundenen Sauerstoff-Molekülen. Die exotherme Reaktion erwärmt das Metall schließlich so stark, dass sich das Wasserstoff/Sauerstoff-Gemisch entzündet und die Reaktion ohne Katalysator weiterläuft.

Weist der Katalysator einen anderen Aggregatzustand auf als die Edukte, so spricht man von *heterogener Katalyse*. Heterogene Katalysatoren spielen in der technischen Chemie eine große Rolle. Dabei werden immer Edukte an Oberflächen von Festkörpern aktiviert. *Beispiele:* Hydrierungen erfolgen oft an Nickel-Katalysatoren. Darauf beruht beispielsweise die *Fetthärtung* für die Herstellung von Margarine. Bei der Reinigung von Autoabgasen werden Platin/Rhodium-Legierungen eingesetzt. Durch Vanadiumoxide kann der Gehalt an Stickstoffoxiden in Rauchgasen verringert werden. Die Katalysatoren sind auf Trägermaterialien mit großer innerer Oberfläche aufgebracht.

Je nach Katalysator können sich aus den gleichen Edukten ganz unterschiedliche Produkte bilden. So erhält man bei der Reaktion von Propen mit Sauerstoff entweder Acrolein (Bismut, Molybdän), Aceton (Zinn), Essigsäure (Titan, Vanadium) oder Propenoxid (Thallium, Wolfram).

A1 Ethanol kann mit Kupfer als Katalysator zu Ethanal reagieren, mit Aluminiumoxid dagegen zu Ethen.
Stellen Sie für beide Reaktionen die Reaktionsgleichungen auf.

A2 Kann durch einen Katalysator die Reaktionsenthalpie verändert werden? Begründen Sie Ihre Antwort.

A3 Stellen Sie die Reaktionsgleichungen für die Reaktion von Propen mit Sauerstoff zu Acrolein (Propenal), Aceton, Propionsäure und Propenoxid auf.

Homogene Katalyse. Liegen Katalysator und Edukt in gleicher Phase vor, so bezeichnet man dies als *homogene Katalyse.* Ein Beispiel ist die Oxidation von Tartrat-Ionen durch Wasserstoffperoxid. Bei 40 °C stellt man keine nennenswerte Reaktion fest. Nach Zugabe von etwas Cobaltnitrat kommt es dagegen zu einer stürmischen Gasentwicklung:

$$3\ H_2O_2\ (aq) + C_4H_4O_6^{2-}\ (aq) \longrightarrow 4\ H_2O\ (l) + 2\ HCO_2^-\ (aq) + 2\ CO_2\ (g)$$

Die zunächst durch Cobalt(II)-Ionen rosa gefärbte Lösung wird dabei tiefgrün. Nach der Reaktion tritt wieder die ursprüngliche Rosafärbung auf. Dieser Farbwechsel weist auf die Bildung einer **Zwischenstufe** hin. Der Reaktionsweg der katalysierten Reaktion verläuft nicht über eine *einzige hohe,* sondern über *zwei niedrigere* Energiebarrieren. NERNST vermutete bereits 1907, dass Katalysator und Edukt eine Zwischenstufe bilden, sodass ein Reaktionsverlauf mit geringerer Aktivierungsenergie möglich wird. Diese meist kurzlebigen Verbindungen können in wenigen Fällen direkt beobachtet werden.

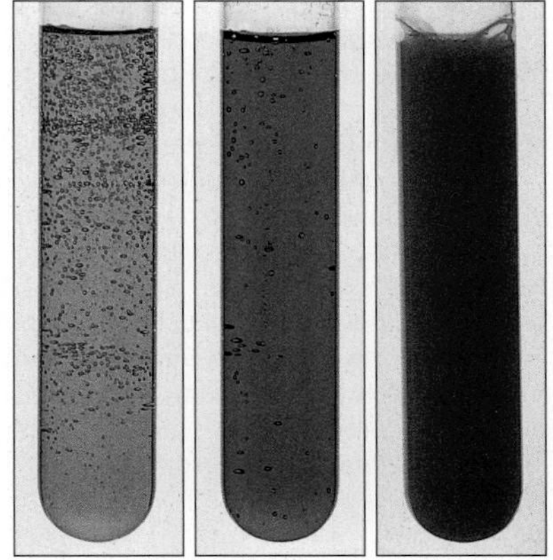

1. Bildung einer Zwischenstufe beim katalysierten Zerfall von Tartrat

Enzymatische Katalyse. Die erstaunlichsten Katalysatoren sind die an allen Lebensvorgängen beteiligten **Enzyme** (griech. *enzymos:* Sauerteig). Sie gehören zu den makromolekularen Eiweißstoffen, den Proteinen.
Die Wirkung eines Enzyms soll am Beispiel des *Chymotrypsins* verdeutlicht werden. Dieses in der Bauchspeicheldrüse gebildete Enzym katalysiert die Spaltung von Eiweißstoffen, die mit der Nahrung aufgenommen werden. Im Labor wäre siedende konzentrierte Salzsäure erforderlich, um die Aminosäureketten der Proteine mit vergleichbarer Geschwindigkeit zu zerlegen.

An der Oberfläche des Chymotrypsin-Moleküls kommen sich drei Aminosäure-Reste aus der Proteinkette des Enzyms sehr nahe, sie bilden das so genannte **aktive Zentrum:** Asparagin (102), Histidin (57) und Serin (195). Wegen seiner besonderen Geometrie können sich hier nur ganz bestimmte Bereiche von Peptidketten anlagern. Diese stereospezifische Wirkung von Enzymen wird als *Schlüssel-Schloss-Prinzip* bezeichnet. Aufgrund dieses Prinzips wird die Peptid-Bindung immer genau neben der Carbonyl-Gruppe eines Aminosäure-Restes mit einer aromatischen Seitenkette gespalten. An einem einzigen Enzym-Molekül können innerhalb einer Minute mehrere Millionen Substrat-Moleküle umgesetzt werden. Nur so erreichen lebensnotwendige Reaktionen wie der Abbau von Glucose in der Glykolyse die erforderliche Geschwindigkeit.

A1 Wie kann das bei der Oxidation der Tartrat-Ionen mittels Wasserstoffperoxid entstehende Kohlenstoffdioxid nachgewiesen werden?
Stellen Sie die Reaktionsgleichung in Ionenschreibweise auf.

A2 Zeichnen Sie ein Energiediagramm mit und ohne Katalysator für
a) eine exotherme Reaktion,
b) eine endotherme Reaktion.

A3 Nennen Sie weitere Beispiele für enzymatische Katalysen.

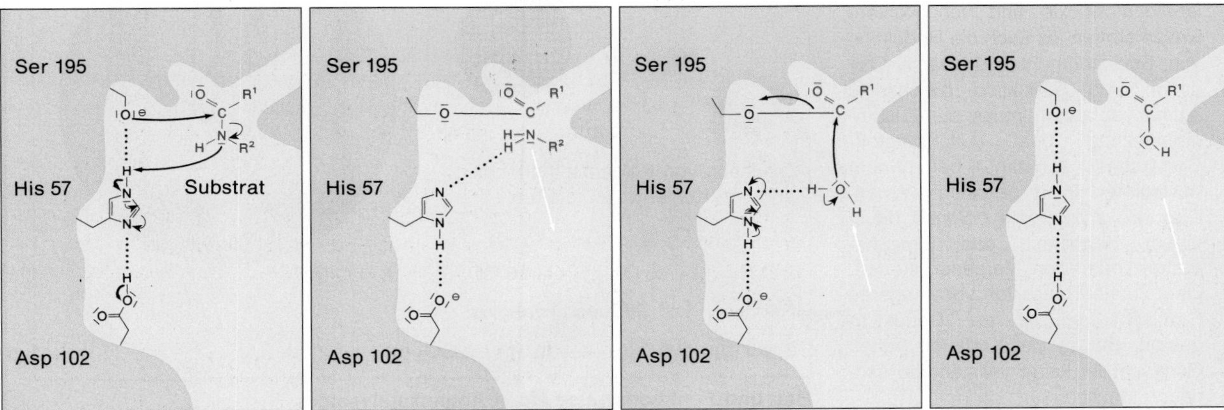

2. Enzymatische Spaltung einer Eiweißkette durch Chymotrypsin

EXKURS

Katalysatoren in der Technik

Katalytische Verfahren. Etwa 80 % aller produzierten Chemikalien werden heute mit Hilfe von Katalysatoren hergestellt. 1995 entsprach das weltweit einem Produktionswert von etwa 300 Milliarden Euro. Mit dem Einsatz von Katalysatoren ist gleichzeitig eine erhebliche Energieeinsparung verbunden.

Von den neueren Entwicklungen profitierte auch der Umweltschutz: Bei der Entschwefelung von Erdöl sind Katalysatoren ebenso beteiligt wie bei der Herabsetzung von Stickstoffoxid-Emissionen.

Außerdem versucht man, die Wirkung von Mikroorganismen und Enzymen für die *biotechnologische* Produktion bestimmter Stoffe auszunutzen. So werden jährlich bereits mehrere Millionen Tonnen Flüssigzucker aus Stärke hergestellt. Auch die stereospezifisch synthetisierten Aminosäuren L-Glutaminsäure und L-Methionin sind wichtige Produkte.

	Verfahren	Edukte	Katalysator / Bedingungen	Produkte
Heterogene Katalyse	Ammoniak-Synthese	$N_2 + 3\ H_2$	Fe (Al_2O_3, K_2O); 480 °C, 25 MPa (250 bar)	$2\ NH_3$
	Kontaktverfahren	$2\ SO_2 + O_2$	V_2O_5; 500 °C	$2\ SO_3$
	Entstickung von Rauchgasen	$4\ NO + 4\ NH_3 + O_2$	V_2O_5; 300 °C, 0,8 MPa	$4\ N_2 + 6\ H_2O$
	Entschwefelung von Erdöl	$R{-}SH + H_2$	CoS/MoS; 200 °C, 3 MPa	$R{-}H + H_2S$
	Ethylenoxid-Synthese	$2\ H_2C{=}CH_2 + O_2$	Ag/Al_2O_3; 250 °C, 1,5 MPa	$2\ H_2C{-}CH_2$ (über O verbrückt)
Homogene Katalyse	Polyethylen-Synthese	$n\ CH_2{=}CH_2$	$TiCl_4/(C_2H_5)_3Al$; 800 °C, 0,5 MPa	$(-CH_2-CH_2-)_n$
	WACKER-Verfahren	$2\ H_2C{=}CH_2 + O_2$	$PdCl_2/CuCl_2$; 120 °C, 0,5 MPa	$2\ CH_3CHO$
	alkoholische Gärung	$C_6H_{12}O_6$	Hefe	$2\ C_2H_5OH + 2\ CO_2$
	Isomerisierung von Glucose	Glucose	Glucose-Isomerase	Fructose

Einige wichtige katalytische Verfahren

Abgaskatalysator. Weltweit fahren bereits etwa 80 % aller PKW mit Abgaskatalysatoren. Die wichtigsten Schadstoffe der Autoabgase können dadurch zu mehr als 90 % in ungefährliche Stoffe überführt werden.

Der **Träger** des Katalysators besteht aus einem Keramikkörper mit wabenförmigen Gängen. Diese Gänge sind mit einer porösen Schicht von Aluminiumoxid überzogen. Die innere Oberfläche wird dadurch etwa um den Faktor 5000 vergrößert.

Auf der Oxidschicht sind als eigentlicher **Katalysator** etwa zwei Gramm einer Platin/Rhodium-Legierung aufgebracht. An der Metalloberfläche erfolgt sowohl die Oxidation von Kohlenstoffmonooxid und von Kohlenwasserstoffen als auch die Reduktion von Stickstoffmonooxid. Damit Oxidation und Reduktion gleichzeitig optimal ablaufen, muss die Zusammensetzung des Luft/Kraftstoff-Gemisches konstant bei einem bestimmten Wert gehalten werden. Dies erfolgt durch die *λ-Sonde*, die in einem Regelkreis das Einspritzsystem oder den Vergaser steuert. Liegt zu viel Sauerstoff vor (mageres Gemisch), so ist die Reduktion gestört. Bei zu viel Kraftstoff (fettes Gemisch) ist keine vollständige Oxidation möglich.

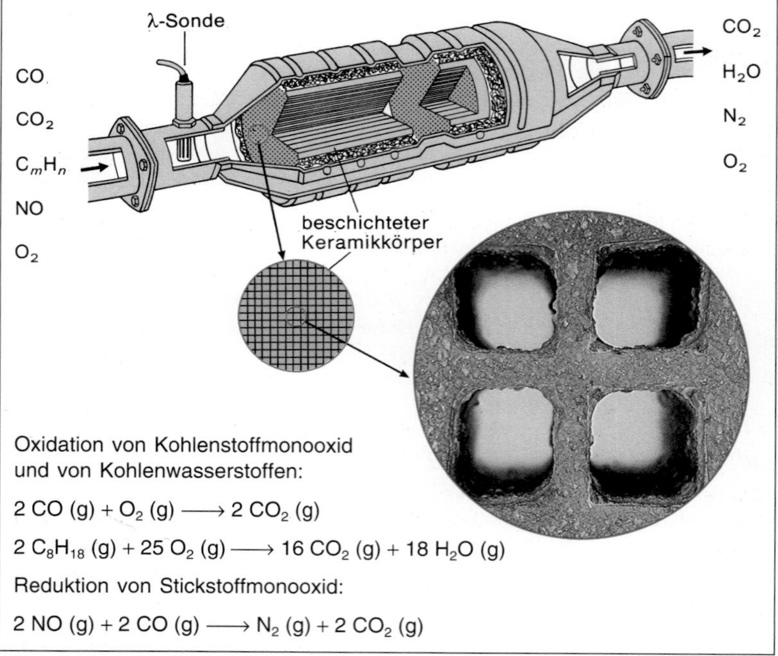

Oxidation von Kohlenstoffmonooxid und von Kohlenwasserstoffen:

$$2\ CO\ (g) + O_2\ (g) \longrightarrow 2\ CO_2\ (g)$$

$$2\ C_8H_{18}\ (g) + 25\ O_2\ (g) \longrightarrow 16\ CO_2\ (g) + 18\ H_2O\ (g)$$

Reduktion von Stickstoffmonooxid:

$$2\ NO\ (g) + 2\ CO\ (g) \longrightarrow N_2\ (g) + 2\ CO_2\ (g)$$

Bau und Funktionsweise eines Abgaskatalysators

Katalyse

Versuch 1: Katalysierter Zerfall von Wasserstoffperoxid

   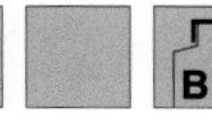 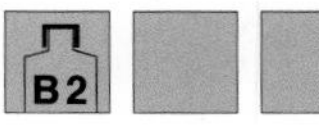

Materialien: Gasbrenner, Pipette, Pipettierhilfe; Wasserstoffperoxid-Lösung (5 %; Xi), Tropffläschchen mit Kaliumdichromat-Lösung (5 %; T), Holzspan

Durchführung:

1. Geben Sie fünf Tropfen Kaliumdichromat-Lösung in ein Reagenzglas und fügen Sie etwa 3 ml Wasserstoffperoxid-Lösung hinzu.
2. Führen Sie dann sofort eine Spanprobe durch.

Aufgaben:

a) Notieren Sie Ihre Beobachtungen.
b) Erläutern Sie die auftretenden Farbänderungen anhand eines Energiediagramms.
c) Formulieren Sie die Reaktionsgleichung für den Zerfall von Wasserstoffperoxid.

Versuch 2: Nachweis einer Zwischenstufe bei der katalysierten Oxidation von Tartrat-Ionen

  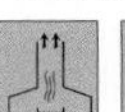   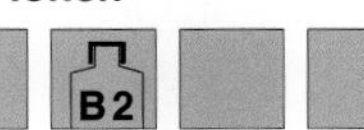

Materialien: Erlenmeyerkolben (250 ml), Stopfen mit U-förmig gebogenem Gasableitungsrohr, Becherglas (150 ml, hoch), Messzylinder (100 ml), Thermometer, Laborhebebühne, Gasbrenner, Waage; Wasserstoffperoxid-Lösung (15 %; Xi), Kaliumnatriumtartrat, Cobalt(II)-chlorid ($CoCl_2 \cdot 6\,H_2O$; T), Kalkwasser

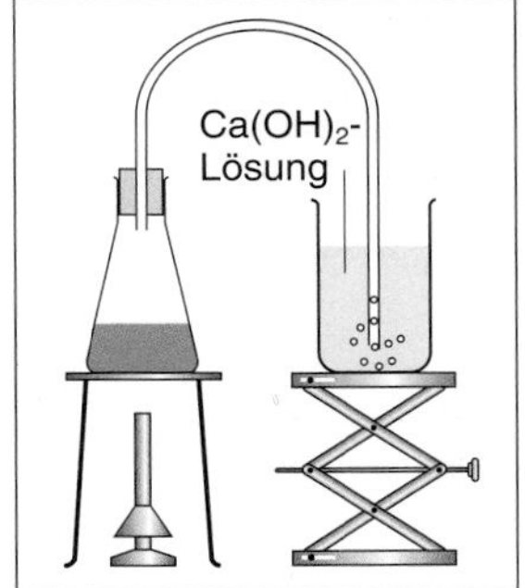

Durchführung:

1. Bereiten Sie die Versuchsanordnung vor, setzen Sie den Stopfen mit dem Gasableitungsrohr aber noch nicht auf.
2. Lösen Sie 3 g Kaliumnatriumtartrat in 50 ml Wasser und geben Sie 10 ml Wasserstoffperoxid-Lösung hinzu. Diese Mischung wird im Erlenmeyerkolben auf 40 °C erwärmt; danach wird der Gasbrenner abgestellt.
3. Geben Sie dann 0,2 g Cobalt(II)-chlorid hinzu. Setzen Sie sofort den Stopfen mit dem Gasableitungsrohr auf den Erlenmeyerkolben und leiten Sie so das entstehende Gas in das Becherglas mit Kalkwasser.

Hinweis: Nach Beendigung der Reaktion muss wegen der entstehenden Sogwirkung der Stopfen sofort abgenommen werden.

Aufgabe: Protokollieren Sie das Experiment und erläutern Sie Ihre Beobachtungen.

Versuch 3: Einfluss von Konzentration, Temperatur und Katalysator auf die Reaktionsgeschwindigkeit

Materialien: Becherglas (als Wasserbad), Erlenmeyerkolben (100 ml), Messzylinder (25 ml), Stoppuhr, Thermometer, Kunststoffspritze (5 ml), 2 Tropfpipetten, Gasbrenner;
Oxalsäure-Lösung (0,5 mol · l^{-1}),
Schwefelsäure (0,2 mol · l^{-1}),
Kaliumpermanganat-Lösung (0,02 mol · l^{-1}),
Mangan(II)-sulfat-Lösung (0,2 mol · l^{-1})

Durchführung:
Für die Versuchsreihe stellt man im Erlenmeyerkolben eine *Stammlösung* aus gleichen Volumina der Oxalsäure-Lösung und der Schwefelsäure bereit.
In der Versuchsreihe werden jeweils gleiche Stoffmengen an Permanganat mit Proben der Stammlösung unter verschiedenen Bedingungen umgesetzt.

1. Geben Sie 5 ml Stammlösung in ein Reagenzglas und in ein weiteres Reagenzglas je 2,5 ml Stammlösung und demineralisiertes Wasser.
2. Geben Sie gleichzeitig je zwei Tropfen Kaliumpermanganat-Lösung in diese Proben. Bestimmen Sie die Zeit bis zur Entfärbung der Lösungen.
3. Fügen Sie anschließend je zwei weitere Tropfen Kaliumpermanganat-Lösung hinzu.
4. Geben Sie 5 ml Stammlösung in ein Reagenzglas und erwärmen Sie diese Probe auf 60 °C. Fügen Sie dann zwei Tropfen Kaliumpermanganat-Lösung hinzu.
5. Wiederholen Sie das Experiment bei Raumtemperatur, nachdem Sie zu 5 ml Stammlösung zwei Tropfen Mangan(II)-sulfat-Lösung hinzugefügt haben.

Aufgaben:

a) Stellen Sie die Teilgleichungen für die Oxidation und die Reduktion auf. Formulieren Sie die vollständige Redoxgleichung.
b) Erläutern Sie aufgrund Ihrer Messergebnisse den Einfluss von Konzentration, Temperatur und Katalysator auf die Reaktionsgeschwindigkeit.
c) Erklären Sie, warum die katalytisch verlaufende Reaktion als Autokatalyse bezeichnet wird.
d) Die in diesem Experiment ablaufende Reaktion ist die Grundreaktion der Manganometrie, einer im Labor häufig angewendeten Redox-Titration.
Erklären Sie, warum zu Beginn einer manganometrischen Titration die Entfärbung der Lösung im Erlenmeyerkolben zunächst relativ langsam abläuft. Warum wird meist bei 60 °C titriert?

Aufgabe 1: Beim OSTWALD-Verfahren zur Produktion von Salpetersäure wird zunächst Ammoniak zu Stickstoffmonooxid oxidiert. Dabei strömt ein Ammoniak/Luft-Gemisch rasch durch einen Reaktor, in dem ein Platin-Drahtnetz als Katalysator ausgespannt ist. Welche unerwünschte, aber energetisch günstige Folgereaktion wird durch diese ungewöhnliche Arbeitstechnik vermieden?

5.7 Aufgaben · Versuche · Probleme

Aufgabe 1: Lässt man Butan-2-ol mit Bromwasserstoffsäure in Gegenwart von konzentrierter Schwefelsäure reagieren, so bildet sich auf dem Reaktionsgemisch eine immer dicker werdende Schicht von 2-Brombutan. Die Zunahme der Schichthöhe h in Abhängigkeit von der Zeit t kann experimentell bestimmt werden. Die Konzentration von Butan-2-ol ist proportional zur Differenz $h(t=\infty) - h(t)$.

$\frac{t}{\text{min}}$	$\frac{h}{\text{cm}}$	$\frac{t}{\text{min}}$	$\frac{h}{\text{cm}}$
1	0,5	5	9,5
2	4,5	6	10,0
2,5	6,0	6,5	10,5
3,0	7,0	7,5	11,0
3,5	7,5	9,5	11,5
4,0	8,5	11,0	11,7
4,5	9,0	∞	12,0

a) Formulieren Sie die Reaktionsgleichung.
b) Welche Reaktionsordnung ergibt sich aus den Messwerten?
c) Diskutieren Sie einen möglichen Mechanismus für die Reaktion.

Versuch 1: LANDOLTscher Zeitversuch
Lösung A: 2,4 g Kaliumiodat (O) werden in einem Liter Wasser gelöst;
Lösung B: 1,4 g Natriumsulfit (wasserfrei; Xi) werden in einem Liter Wasser gelöst und mit 30 ml Stärkelösung (1 %) sowie 20 ml Schwefelsäure (1 mol · l^{-1}; Xi) versetzt.
Die Handhabung wird erleichtert, wenn man beide Lösungen in Spritzflaschen aufbewahrt.
Die in der Tabelle angegebenen Volumina für Lösung A und Wasser werden jeweils in Messzylindern abgemessen und in ein Becherglas gegeben. Dann wird aus einem Messzylinder Lösung B hinzugefügt, gemischt und sofort eine Stoppuhr gestartet.
Gemessen wird die Reaktionszeit t_R bis zum Auftreten der Blaufärbung.

Versuch	$\frac{\text{Lösung A}}{\text{ml}}$	$\frac{\text{Wasser}}{\text{ml}}$	$\frac{\text{Lösung B}}{\text{ml}}$
1	40	–	20
2	20	20	20
3	15	25	20
4	10	30	20

Versuchen Sie, die Lösungen für einen Zaubertrick so zu verdünnen, dass ein Farbumschlag nach genau fünf Sekunden auftritt.

Versuch 2: Oszillierende Reaktion
Lösung A: 1,5 g Natriumiodat (O) und 10 ml Schwefelsäure (1 mol · l^{-1}; Xi) in 100 ml Wasser;
Lösung B: 1 g Malonsäure (Xn), 1,5 g Mangan(II)-sulfat (Xn) und 10 ml Stärkelösung (1%) in 100 ml Wasser;
Lösung C: 135 ml Wasserstoffperoxid (10 %; Xi)
Die Lösungen werden in einem Becherglas gemischt. Die Farbe der Lösung oszilliert nach kurzer Anlaufzeit zwischen farblos und blau. Die Blaufärbung dauert etwa 10 s, der farblose Zustand 5 s.

Versuch 3: Enzymkatalyse
Urease katalysiert die Hydrolyse von Harnstoff in wässeriger Lösung zu Ammoniak und Kohlenstoffdioxid:

$$OC(NH_2)_2\,(aq) + H_2O\,(l) \longrightarrow CO_2\,(g) + 2\,NH_3\,(aq)$$

Für das Experiment benötigt man 10 ml Harnstoff-Lösung (10 %), die mit einigen Tropfen Phenolphthalein-Lösung versetzt ist, sowie eine Urease-Suspension: eine Spatelspitze Urease in 10 ml Wasser geben und gut schütteln.
1. Geben Sie gleiche Volumina der Harnstoff-Lösung und der Urease-Mischung in ein Reagenzglas. Messen Sie die Zeit bis zum Auftreten der Rotfärbung.
2. Wiederholen Sie das Experiment mit einer Urease-Probe, die bis zum Sieden erhitzt wurde.
3. Wiederholen Sie das Experiment mit einer Harnstoff-Lösung, der einige Tropfen Silbernitrat-Lösung (0,001 mol · l^{-1}) zugesetzt wurden.

Aufgabe: Protokollieren und erklären Sie Ihre Beobachtungen.

Problem 1: Für das *Blue-bottle-Experiment* werden in einer Glasflasche (500 ml) 10 g Glucose in 150 ml Wasser gelöst. Fügen Sie dann eine Lösung von 10 g Natriumhydroxid (C) in 150 ml Wasser und 1 ml Methylenblau-Lösung (1 %) hinzu. Man verschließt die Flasche und lässt sie ruhig stehen. Nach Entfärbung der Lösung schüttelt man die Flasche kräftig.
a) Prüfen Sie, ob sich eine Farbänderung wiederholt.
b) Geben Sie Experimente an, mit denen sich klären lässt, welche Faktoren für die Färbung und Entfärbung der Lösung verantwortlich sind.
Dazu folgende Anregungen:
- Besteht ein Zusammenhang zwischen Schüttelzeit und Farbintensität bzw. Entfärbungszeit?
- Wie wirkt sich die Art des Gases über der Lösung aus?
- Beeinflusst ein Verdünnen der Lösung die Entfärbungszeit?

c) Sind Ihre Beobachtungen mit folgendem Mechanismus vereinbar?

$$O_2\,(g) \longrightarrow O_2\,(aq) \quad (1)$$

$$\underset{\text{(red. Form)}}{2\,MbH_2} + O_2\,(aq) \longrightarrow \underset{\text{(oxid. Form)}}{2\,Mb} + 2\,H_2O \quad (2)$$

$$\underset{\text{blau}}{Mb} + \text{Glucose} + H_2O \longrightarrow \underset{\text{farblos}}{MbH_2} + \text{Gluconsäure} \quad (3)$$

d) Welcher Schritt ist geschwindigkeitsbestimmend?
e) Welches ist die Zwischenstufe?

Problem 2: In der Atmosphäre wird das aus Abgasen und Vulkanen stammende Schwefeldioxid durch Sauerstoff-Atome oxidiert.
In der Fachliteratur wird für diese Reaktion die folgende Reaktionsgleichung formuliert:

$$SO_2 + O + M \longrightarrow SO_3 + M$$

Dabei bedeutet M ein beliebiges Gas-Molekül (vor allem N_2 und O_2), das als Stoßpartner an der Reaktion beteiligt ist.
a) Welche Reaktionsordnung ergibt sich in der Atmosphäre?
b) Welche Funktion erfüllt der Stoßpartner für den Ablauf der Reaktion? Berücksichtigen Sie die Bindungsenthalpie einer S/O-Bindung im SO_2-Molekül (435 kJ · mol^{-1}) und die Reaktionsenthalpie (–348 kJ · mol^{-1}).
c) Wie können Sauerstoff-Atome in der Atmosphäre gebildet werden?

Reaktionsgeschwindigkeit

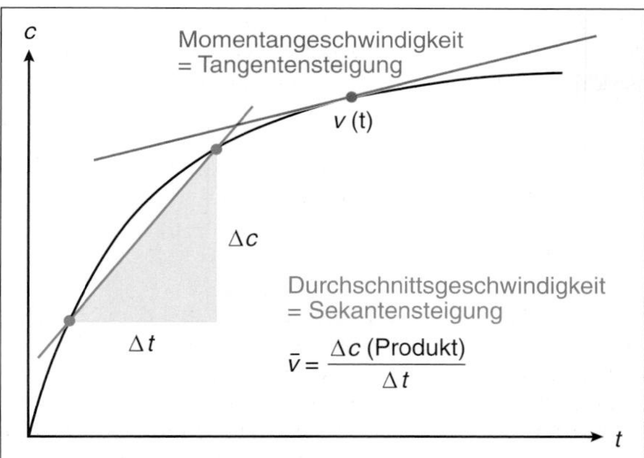

Konzentrations/Zeit-Diagramm für die Bildung eines Produkts

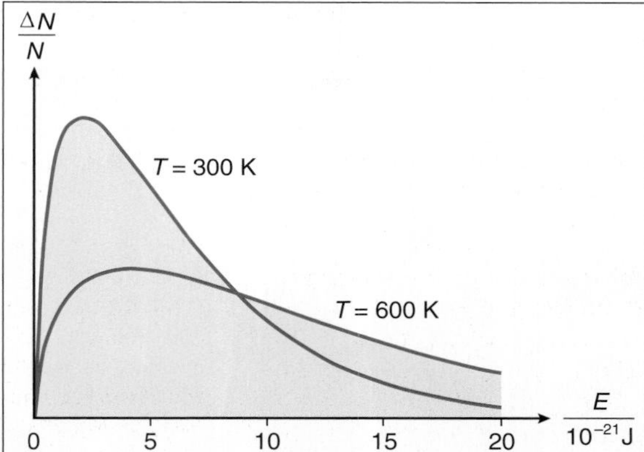

Energieverteilung nach BOLTZMANN für verschiedene Temperaturen

1. Reaktionsgeschwindigkeit

Die Geschwindigkeit einer Reaktion entspricht der zeitlichen Änderung der Konzentration eines an der Reaktion beteiligten Stoffes. Man unterscheidet die *Durchschnittsgeschwindigkeit* $\bar{v}$ für ein bestimmtes Zeitintervall Δt und die *Momentangeschwindigkeit* v für einen Zeitpunkt t.
Grafisch ergibt sich die Durchschnittsgeschwindigkeit aus der Steigung einer Sekante; die Momentangeschwindigkeit entspricht der Steigung der Tangente.

2. Geschwindigkeitsgleichung und Reaktionsordnung

Eine Geschwindigkeitsgleichung beschreibt, wie die Reaktionsgeschwindigkeit von den Konzentrationen der reagierenden Stoffe abhängt. Für Reaktionen zwischen zwei Edukten A und B ergibt sich meist eine Geschwindigkeitsgleichung der folgenden Form:

$v = k \cdot c^m(\text{A}) \cdot c^n(\text{B})$

Dabei ist k die **Geschwindigkeitskonstante.** Die Summe der Exponenten m und n nennt man **Reaktionsordnung.**
Die Geschwindigkeitsgleichung muss grundsätzlich experimentell ermittelt werden. Entscheidend ist nicht die Stöchiometrie der Gesamtreaktion, sondern der langsamste Reaktionsschritt.

3. Temperaturabhängigkeit

Für viele Reaktionen gilt die *RGT-Regel: Die Reaktionsgeschwindigkeit steigt auf das Doppelte bis Vierfache, wenn man die Temperatur um 10 K erhöht.*
Ursache: Mit steigender Temperatur erreicht ein größerer Anteil der stoßenden Teilchen die für eine Reaktion erforderliche Mindestenergie E_{min}.

4. Energieverteilung, Mindestenergie und Aktivierungsenergie

Damit eine Reaktion abläuft, müssen die Teilchen mit einer bestimmten Mindestenergie E_{min} zusammenstoßen. Für viele Reaktionen liegt E_{min} bei 10^{-19} J pro Teilchen. Bei niedrigen Temperaturen erreichen nur sehr wenige Teilchen diese Energie. Ihr Anteil steigt aber exponentiell mit der Temperatur und die Reaktionsgeschwindigkeit wächst entsprechend (RGT-Regel).
Die aus der Temperaturabhängigkeit der Geschwindigkeitskonstanten ermittelte *Aktivierungsenergie* entspricht der Mindestenergie für einen erfolgreichen Stoß.

5. Katalysatoren

Katalysatoren sind Stoffe, die eine Reaktion beschleunigen, am Ende aber wieder in der ursprünglichen Form vorliegen. Im Reaktionsverlauf sind sie an der Bildung von *Zwischenprodukten* beteiligt. Dadurch ergibt sich ein Reaktionsweg mit geringerer Aktivierungsenergie.
Technisch genutzt werden Katalysatoren für die Herstellung zahlreicher Produkte der chemischen Industrie und bei der Reinigung von Abgasen. Alle Lebewesen nutzen zahlreiche Enzyme als Biokatalysatoren, um lebenswichtige Stoffwechselprozesse zu beschleunigen.

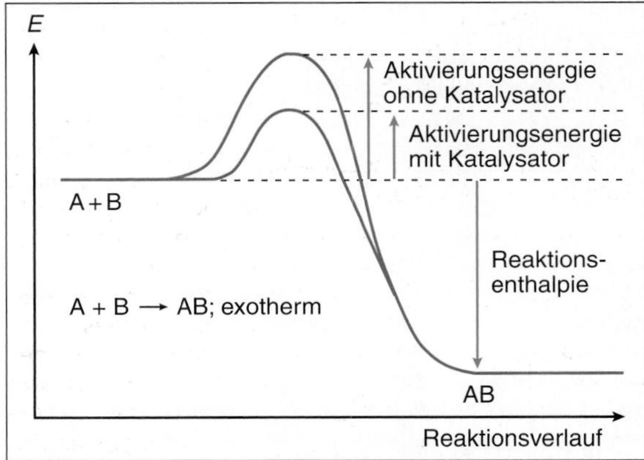

Energiediagramm einer Reaktion ohne Katalysator und mit Katalysator

6 Das chemische Gleichgewicht

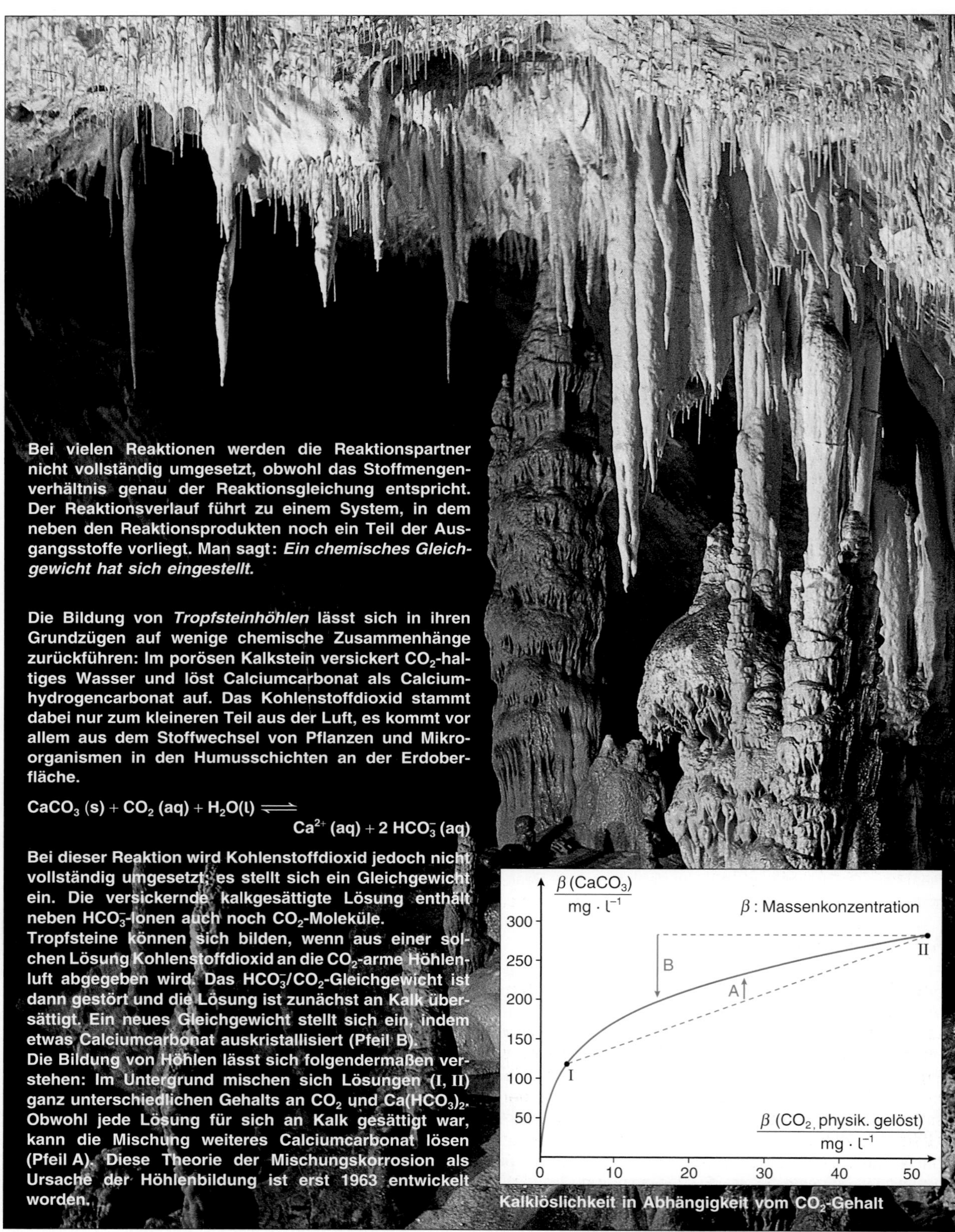

Bei vielen Reaktionen werden die Reaktionspartner nicht vollständig umgesetzt, obwohl das Stoffmengenverhältnis genau der Reaktionsgleichung entspricht. Der Reaktionsverlauf führt zu einem System, in dem neben den Reaktionsprodukten noch ein Teil der Ausgangsstoffe vorliegt. Man sagt: *Ein chemisches Gleichgewicht hat sich eingestellt.*

Die Bildung von *Tropfsteinhöhlen* lässt sich in ihren Grundzügen auf wenige chemische Zusammenhänge zurückführen: Im porösen Kalkstein versickert CO_2-haltiges Wasser und löst Calciumcarbonat als Calciumhydrogencarbonat auf. Das Kohlenstoffdioxid stammt dabei nur zum kleineren Teil aus der Luft, es kommt vor allem aus dem Stoffwechsel von Pflanzen und Mikroorganismen in den Humusschichten an der Erdoberfläche.

$$CaCO_3\,(s) + CO_2\,(aq) + H_2O(l) \rightleftharpoons Ca^{2+}\,(aq) + 2\,HCO_3^-\,(aq)$$

Bei dieser Reaktion wird Kohlenstoffdioxid jedoch nicht vollständig umgesetzt; es stellt sich ein Gleichgewicht ein. Die versickernde kalkgesättigte Lösung enthält neben HCO_3^--Ionen auch noch CO_2-Moleküle.
Tropfsteine können sich bilden, wenn aus einer solchen Lösung Kohlenstoffdioxid an die CO_2-arme Höhlenluft abgegeben wird. Das HCO_3^-/CO_2-Gleichgewicht ist dann gestört und die Lösung ist zunächst an Kalk übersättigt. Ein neues Gleichgewicht stellt sich ein, indem etwas Calciumcarbonat auskristallisiert (Pfeil B).
Die Bildung von Höhlen lässt sich folgendermaßen verstehen: Im Untergrund mischen sich Lösungen (I, II) ganz unterschiedlichen Gehalts an CO_2 und $Ca(HCO_3)_2$. Obwohl jede Lösung für sich an Kalk gesättigt war, kann die Mischung weiteres Calciumcarbonat lösen (Pfeil A). Diese Theorie der Mischungskorrosion als Ursache der Höhlenbildung ist erst 1963 entwickelt worden.

Kalklöslichkeit in Abhängigkeit vom CO_2-Gehalt

6.1 Umkehrbare Reaktionen

Am Beispiel des Wassers lässt sich eine grundlegende Eigenschaft chemischer Reaktionen erkennen: Bei der Verbrennung von Wasserstoff bildet sich Wasser in einer exothermen Reaktion; es kann aber auch die umgekehrte Reaktion ablaufen, wenn man genügend Energie zuführt. In einer endothermen Reaktion entsteht dann aus Wasser Knallgas, ein Gemisch aus Wasserstoff und Sauerstoff. Wasserbildung und Wasserzerlegung sind ein System *umkehrbarer Reaktionen*; man spricht in diesem Zusammenhang auch von *Hinreaktion* und *Rückreaktion*.

$$2\,H_2\,(g) + O_2\,(g) \underset{\text{Rückreaktion}}{\overset{\text{Hinreaktion}}{\rightleftarrows}} 2\,H_2O\,(g)$$

Prinzipiell lässt sich natürlich zu jeder Reaktion auch die entsprechende Rückreaktion angeben; der Energieumsatz ist dabei jeweils mit dem entgegengesetzten Vorzeichen zu versehen. Ein einfaches Beispiel ist das Kalklöschen:

Hinreaktion: $CaO\,(s) + H_2O\,(l) \longrightarrow Ca(OH)_2\,(s); \quad \Delta_R H^0_m = -\,65\ kJ \cdot mol^{-1}$

Rückreaktion: $Ca(OH)_2\,(s) \longrightarrow CaO\,(s) + H_2O\,(l); \quad \Delta_R H^0_m = +\,65\ kJ \cdot mol^{-1}$

Bei stark endothermen Reaktionen lässt sich die für eine vollständige Umsetzung erforderliche Energie meist nicht allein durch Erhitzen zuführen. Auch bei 2000 K würde Steinsalz nicht in Natrium und Chlor zerlegt werden. Die Reaktion läuft jedoch ab, wenn man die benötigte Energie als elektrische Energie zuführt. Man arbeitet dabei mit einer Elektrolyse-Zelle, die eine Salzschmelze enthält.

Chemisches Gleichgewicht. Die Bildung von Knallgas aus Wasserdampf läuft erst bei sehr hohen Temperaturen erkennbar ab. Die Reaktion verläuft jedoch nicht vollständig. Man erhält ein Gemisch, in dem sich auch nach längerer Wartezeit das Verhältnis von Edukten und Produkten nicht verändert. So werden bei 2000 K lediglich 4 % der Wasser-Moleküle zerlegt. Lässt man bei 2000 K Wasserstoff und Sauerstoff miteinander reagieren, so verläuft auch diese Reaktion nicht vollständig; sie führt zu dem gleichen Mischungsverhältnis wie bei der Zerlegung von Wasser. In solchen Fällen spricht man von einem *chemischen Gleichgewicht*. Bei gleichem Druck und gleicher Temperatur führen Hinreaktion und Rückreaktion zu dem gleichen Zustand. Man sagt auch: *Das Gleichgewicht kann sich von beiden Seiten einstellen.* Ein Doppelpfeil in der Reaktionsgleichung weist darauf hin, dass die Reaktion zu einem Gleichgewicht führt, also nicht vollständig abläuft:

$$2\,H_2O\,(g) \rightleftharpoons 2\,H_2\,(g) + O_2\,(g)$$

Derartige Gleichgewichte stellen sich bei allen umkehrbaren Reaktionen ein, wenn man sie bei geeigneter Temperatur in einem *geschlossenen System* ablaufen lässt.

Bei der Einstellung eines chemischen Gleichgewichts verringern sich die Konzentrationen der Edukte; die Geschwindigkeit der Hinreaktion nimmt daher allmählich ab. Gleichzeitig vergrößern sich die Konzentrationen der Produkte; die Geschwindigkeit der Rückreaktion nimmt fortlaufend zu. Der zeitliche Verlauf der Gleichgewichtseinstellung ist für einige Reaktionen genauer untersucht worden. Ein für die Geschichte der Chemie besonders wichtiges Beispiel ist die Reaktion von Iod mit Wasserstoff.
Im Gleichgewichtszustand sind insgesamt keine Konzentrationsänderungen mehr feststellbar. Trotzdem sind die Reaktionen nicht zum Stillstand gekommen; Hinreaktion und Rückreaktion laufen jetzt mit *gleicher* Geschwindigkeit ab. Man muss sich daher ein chemisches Gleichgewicht als einen *dynamischen* Gleichgewichtszustand vorstellen.

1. Thermolyse von Wasserdampf. Diese Reaktion wurde Anfang des 20. Jahrhunderts von mehreren Forschergruppen quantitativ untersucht. Verschiedene Versuchsanordnungen ermöglichten Messungen bis in den Bereich von 3000 K.

A1 Leitet man Wasserstoff über siedenden Schwefel ($\vartheta_s = 445\ °C$), so bildet sich Schwefelwasserstoff. Geben Sie Reaktionsbedingungen an, bei denen sich wahrscheinlich die endotherm verlaufende Spaltung von Schwefelwasserstoff in die Elemente beobachten lässt.

A2 Auf welche Weise wird Calciumoxid (Branntkalk) technisch gewonnen? Erklären Sie das Verfahren als Anwendung einer Gleichgewichtsreaktion.

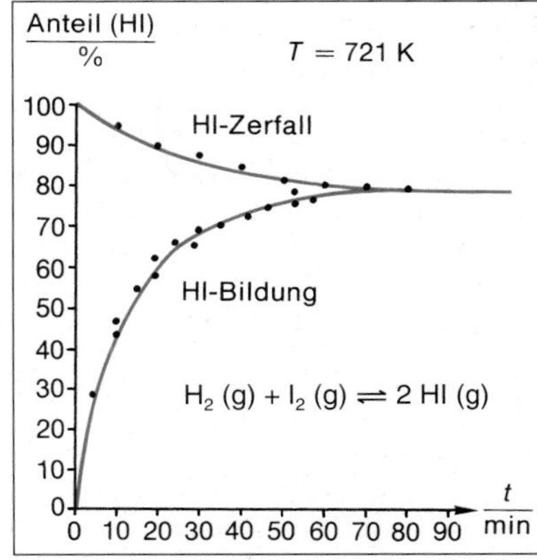

2. Zeitlicher Verlauf der Gleichgewichtseinstellung

Umkehrbare Reaktionen

Versuch 1: Kalklöschen und seine Umkehrung

Materialien: Porzellantiegel, Thermometer, Gasbrenner; Calciumoxid (C), Calciumhydroxid (C)

Durchführung:

a) Hinreaktion. Verrühren Sie einige Gramm Calciumoxid in dem Porzellantiegel mit etwas Wasser zu einem steifen Brei. Verwenden Sie dazu das Thermometer und achten Sie dabei während einiger Minuten auf die Änderung der Temperatur.
Vorsicht! Gelegentlich wird eine Temperatur von 100 °C überschritten. Verdampfendes Wasser kann dann das Produkt herausschleudern!

b) Rückreaktion. Erhitzen Sie einen Spatel Calciumhydroxid in einem Reagenzglas bis zur Rotglut.

Versuch 2: Die Reaktion von Eisen(II)-Ionen mit Silber-Ionen und Rückreaktion

Materialien: Trichter, Filtrierpapier, Kunststoffspritze (5 ml); Silbernitrat-Lösung (0,1 mol · l^{-1}), Eisen(II)-sulfat (0,1 mol · l^{-1}) gelöst in Schwefelsäure (verd.; Xi), Eisen(III)-nitrat (konz.; Xi) gelöst in Schwefelsäure (verd.; Xi), Salzsäure (verd.)

Durchführung:

a) Hinreaktion

1. Geben Sie 5 ml Silbernitrat-Lösung in ein Reagenzglas und fügen Sie die gleiche Menge Eisen(II)-sulfat-Lösung hinzu. Lassen Sie die Mischung etwa zehn Minuten stehen und filtrieren Sie dann.
2. Tropfen Sie Salzsäure in das Filtrat.

b) Rückreaktion

1. Das gebildete Silber wird auf dem Filter gut gewaschen.
2. Geben Sie einige Milliliter Eisen(III)-nitrat-Lösung auf das Silber.
3. Die abtropfende Lösung wird in einem sauberen Reagenzglas gesammelt und auf Silber-Ionen geprüft.

Aufgaben:

a) Welcher Effekt würde auftreten, wenn man im Falle der Hinreaktion zu früh abfiltriert?

b) Ist eine Reaktion zu erwarten, wenn man im Filtrat der Hinreaktion weiteres Eisen(II)-sulfat auflöst?

Aufgabe 1: Elektrolysiert man eine wässerige Zinkbromid-Lösung, so bildet sich an der Anode Brom, während sich an der Kathode Zink abscheidet.
Welche Reaktion ist zu erwarten, wenn man Zinkpulver in Bromwasser gibt?
Beschreiben Sie diese Reaktionen als System umkehrbarer Reaktionen. Berücksichtigen Sie dabei insbesondere energetische Aspekte.

Versuch 3: Modellexperiment zu einem chemischen Gleichgewicht A $\rightleftharpoons$ B

Das hier beschriebene Experiment veranschaulicht in einfacher Weise den zeitlichen Verlauf der Gleichgewichtseinstellung und den dynamischen Charakter des Gleichgewichtszustandes.

Materialien: 2 Messzylinder (50 ml), je ein Glasrohr mit 6 mm und mit 8 mm Außendurchmesser

Durchführung:

1. Füllen Sie 40 ml Wasser in einen der Messzylinder. Die Flüssigkeitsmenge in diesem Messzylinder stellt die Menge oder die Konzentration des Edukts A dar.
2. Um die „Reaktion" ablaufen zu lassen, verwendet man die Glasrohre als Stechheber. Tauchen Sie dazu das 8-mm-Rohr jeweils im ersten Messzylinder, das 6-mm-Rohr jeweils im zweiten Messzylinder bis auf den Boden. Dann verschließt man die obere Öffnung der Glasrohre mit dem Daumen und überträgt die in den Glasrohren enthaltenen Flüssigkeitsmengen *gleichzeitig* in den jeweils anderen Zylinder. Lesen Sie nach jeder Übertragungsoperation den Flüssigkeitsstand in den Messzylindern ab; notieren Sie die Werte.

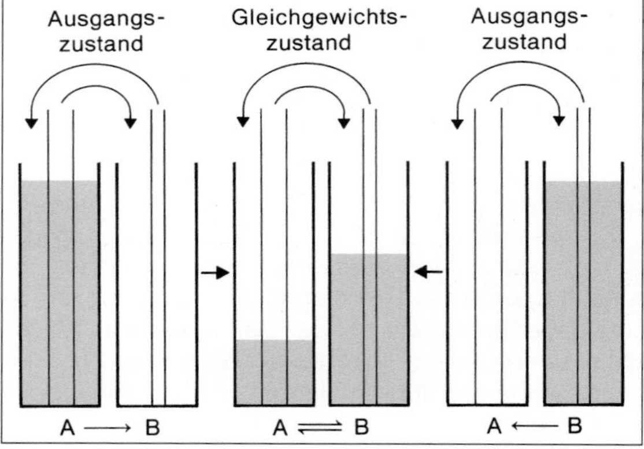

3. Geben Sie nach Erreichen des „Gleichgewichts" weitere 20 ml Wasser in einen der Messzylinder. Fahren Sie dann mit den Übertragungsoperationen fort, bis sich erneut ein Gleichgewicht ergibt.

Aufgaben:

a) Tragen Sie die Werte in ein Diagramm ein. Verbinden Sie die Werte für den Messzylinder A (Edukt) und für den Messzylinder B (Produkt) jeweils durch einen Kurvenzug.

b) Welche der im Modellsystem beobachtbaren Größen entsprechen den folgenden Größen:
Momentangeschwindigkeit der Hinreaktion und der Rückreaktion, Geschwindigkeitskonstante der Hinreaktion und der Rückreaktion, Gleichgewichtskonzentrationen von A und von B?

c) Formulieren Sie eine Gleichgewichtsbedingung für das Modellsystem. Wie lautet eine entsprechende Gleichgewichtsbedingung für die Reaktion A $\rightleftharpoons$ B?

EXKURS

Geschichte der Erdatmosphäre

Die Lufthülle der Erde (Atmosphäre) bildet zusammen mit dem Wasser an der Erdoberfläche (Hydrosphäre) und dem äußeren Gesteinsmantel (Lithosphäre) ein riesiges chemisches System. Die Zusammensetzung der Luft ist in diesem globalen System in einem für die Menschheit sehr langen Zeitraum nahezu konstant geblieben.

Im Unterschied zu einem chemischen Gleichgewicht handelt es sich hier um ein **Fließgleichgewicht:** In einem *offenen System* greifen verschiedene Stoffkreisläufe so ineinander, dass insgesamt Zufluss- und Abflussgeschwindigkeiten jeweils gleich groß sind. Dieser *stationäre Zustand* ist aber nur scheinbar unveränderlich. Schon verhältnismäßig kleine zusätzliche Eingriffe in die Stoffkreisläufe können zu dramatischen Umgestaltungen führen. Besonders deutlich wird das, wenn man die Geschichte der Erdatmosphäre betrachtet.

Die **Uratmosphäre** war nach heutiger Kenntnis im Wesentlichen aus Wasserdampf, Kohlenstoffdioxid und Stickstoff zusammengesetzt. Daneben spielten auch Schwefelverbindungen, Methan und Ammoniak eine Rolle. Sauerstoff fehlte dagegen fast ganz. Selbst wenn sich Sauerstoff durch die starke UV-Strahlung aus Wasserdampf bildete, wurde er sofort wieder chemisch gebunden.

Eine erste Veränderung der Uratmosphäre wurde durch Ausgasungsprozesse hervorgerufen: Wasserstoff diffundierte ins Weltall, Vulkane gaben Gase in die Atmosphäre ab. Aber auch Lösungs- und Fällungsvorgänge sowie Reaktionen der Gase mit den im Wasser oder in den Gesteinen enthaltenen Verbindungen veränderten die Zusammensetzung der Luft nachhaltig. Der eigentlich revolutionäre Prozess war aber das Auftreten der ersten Lebewesen. Die ursprünglichen Verhältnisse wurden durch sie schließlich auf den Kopf gestellt.
Zunächst handelte es sich um niedere *anaerobe Lebensformen*, die in der Lage waren, den vorhandenen sauerstofffreien Lebensraum zu nutzen. Die heute noch existierenden anaerob lebenden Bakterien und Blaualgen geben einen guten Eindruck von dieser Entwicklungsstufe des Lebens.
Photosynthetisch aktive Organismen sorgten nach und nach dafür, dass schließlich Sauerstoff in die Atmosphäre kam. Sie waren in der Lage, mit Hilfe des Sonnenlichtes Wasser zu spalten und Sauerstoff freizusetzen.
Man vermutet, dass dieser erste Sauerstoff anfangs die noch reichlich vorhandenen Eisen(II)-Verbindungen zu Eisen(III)-Verbindungen oxidierte und dadurch chemisch gebunden wurde. Erst als keine Fe^{2+}-Ionen mehr zur Verfügung standen, gelangte freier Sauerstoff in die Atmosphäre. Nun erst konnten sich *aerobe Lebewesen* entwickeln, die Sauerstoff atmen. In der Stratosphäre bildete sich dann jene *Ozonschicht*, von der heute oft die Rede ist. Diese Schicht entsteht unter dem Einfluss von UV-Strahlung, die dabei absorbiert wird.

In heutiger Zeit ist es vor allem unsere Zivilisation mit der stark zunehmenden Weltbevölkerung, die sich auf die Atmosphäre auswirkt. Durch die Verbrennung fossiler Brennstoffe gelangen Schwefeldioxid, Stickstoffoxide und andere giftige Gase neben unterschiedlichen Staubarten in die Luft. Selbst das früher als harmlos angesehene Kohlenstoffdioxid ist in die Schlagzeilen geraten: Sein Anteil in der Luft steigt kontinuierlich an. Es liefert damit den Hauptbeitrag zu bedrohlichen Klimaveränderungen, die unter den Schlagworten *Treibhauseffekt* und *Klimakatastrophe* diskutiert werden. Schließlich sind wohl auch die früher vielseitig verwendeten Chlorfluorkohlenwasserstoffe (FCKW) an auffälligen Veränderungen in der Atmosphäre beteiligt: Sie führen zum Abbau der stratosphärischen Ozonschicht; immer mehr UV-Strahlung erreicht die Erdoberfläche und die Gefährdung durch Hautkrebs nimmt zu.
Aufgrund der weltweiten Forschung und Diskussion gibt es aber auch einige Fortschritte: In vielen Ländern werden umweltfreundliche Technologien gefördert; der Einsatz problematischer Stoffe und Verfahren wird zurückgedrängt.

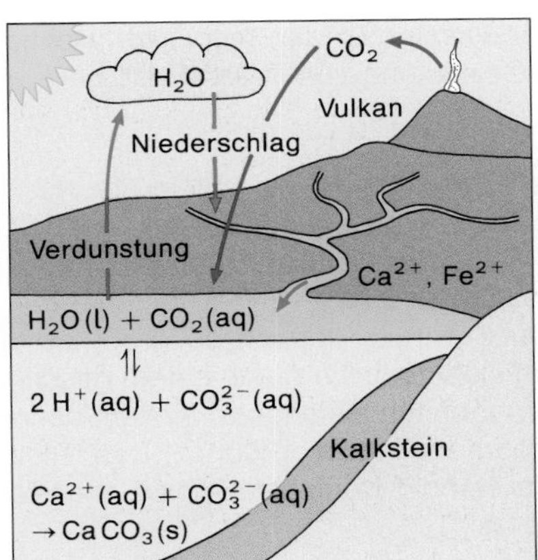

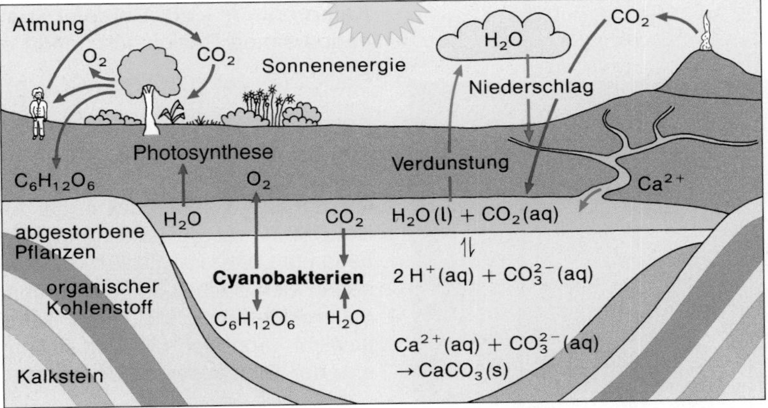

Entwicklung der Erdatmosphäre. Vor $4 \cdot 10^9$ Jahren: Es existiert noch kein Leben; die Atmosphäre enthält nur Spuren von Sauerstoff. Vor $3 \cdot 10^9$ Jahren: Anaerobe Bakterien produzieren den ersten Sauerstoff. Heute gefährden Eingriffe des Menschen das Fließgleichgewicht.

6.2 Gleichgewichtsverschiebung und das Prinzip von LE CHATELIER

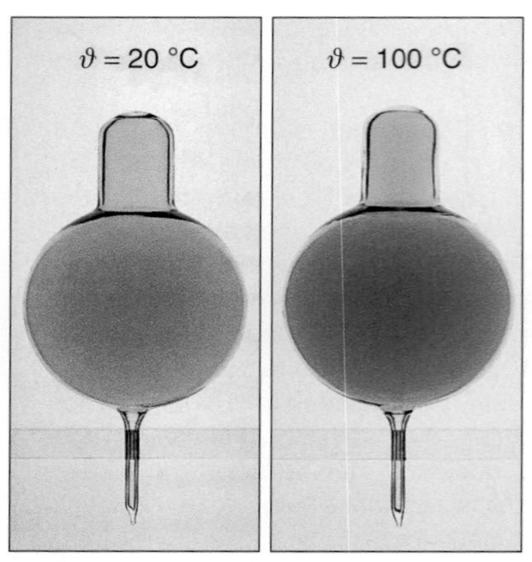

1. Einfluss der Temperatur auf das N_2O_4/NO_2-Gleichgewicht

Je nach Art der Reaktionspartner können bei einer Gleichgewichtsreaktion die Edukte oder die Produkte überwiegen. Das Ausmaß der Umsetzung und somit die *Lage des Gleichgewichts* hängt aber auch von der *Temperatur* und von den *Konzentrationen* ab. Bei Reaktionen, an denen Gase beteiligt sind, spielt daher neben der Temperatur der *Druck* eine entscheidende Rolle. Eine Änderung der Reaktionsbedingungen führt im Allgemeinen zu einer Verschiebung der Gleichgewichtslage.

Temperaturabhängigkeit. Bei 2000 K wird Wasserdampf zu 4 % in Knallgas zerlegt, bei 2700 K dissoziieren dagegen schon 8 % aller Wasser-Moleküle zu Wasserstoff und Sauerstoff. So wie in diesem Beispiel verschiebt sich allgemein bei Gleichgewichtsreaktionen die Lage des Gleichgewichts, wenn man die Temperatur ändert. *Genauer:* Zu jeder Temperatur gehört ein anderer Gleichgewichtszustand.

Bei der Thermolyse von Wasserdampf handelt es sich um eine stark endotherme Reaktion ($\Delta_R H^0_m = 242 \text{ kJ} \cdot \text{mol}^{-1}$). Eine merkliche Umsetzung erreicht man daher erst bei extrem hohen Temperaturen.
Für einfache Experimente eignen sich besonders solche Reaktionen, bei denen ein Stoff in einer nur wenig endothermen Reaktion zerfällt. Ein bekanntes Beispiel ist die Dissoziation von Distickstofftetraoxid (N_2O_4) zu Stickstoffdioxid (NO_2):

$$N_2O_4 \text{ (g)} \rightleftharpoons 2\ NO_2 \text{ (g)}; \quad \Delta_R H^0_m = 57 \text{ kJ} \cdot \text{mol}^{-1}$$

farblos   braun

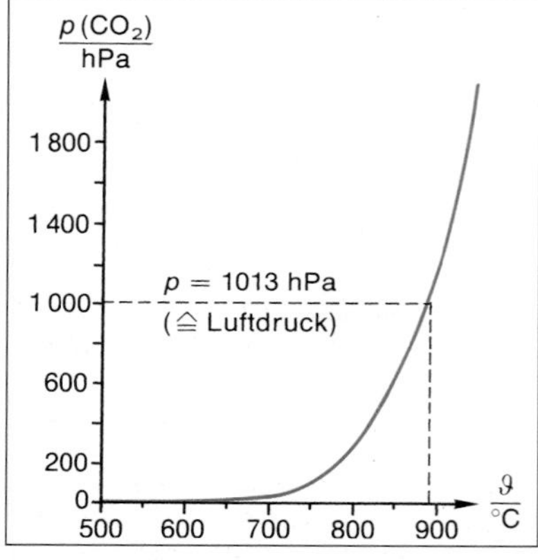

2. Kalkbrennen: Kohlenstoffdioxid-Gleichgewichtsdrücke

Bei Raumtemperatur liegt ein hellbraunes Gasgemisch vor, in dem der Anteil der farblosen N_2O_4-Moleküle noch stark überwiegt. Beim Erwärmen vertieft sich die Färbung, da mehr braunes Stickstoffdioxid gebildet wird. So sind bei 50 °C bereits 40 % aller ursprünglich vorhandenen N_2O_4-Moleküle gespalten. Bei 140 °C ist die Dissoziation nahezu vollständig. Kühlt man das Gemisch dagegen stark ab, so verblasst die Braunfärbung. Im Gleichgewicht liegen dann nur noch wenige NO_2-Moleküle vor.

Allgemein gilt: Durch Erhöhung der Temperatur verschiebt sich das Gleichgewicht in Richtung des endothermen Reaktionsablaufs. Erniedrigt man die Temperatur, so schreitet die Reaktion in Richtung des exothermen Ablaufs fort.

Kalkbrennen – ein Beispiel aus der Praxis. Zu den technisch wichtigen endothermen Reaktionen gehört die Gewinnung von Branntkalk:

$$CaCO_3 \text{ (s)} \rightleftharpoons CaO \text{ (s)} + CO_2 \text{ (g)}; \quad \Delta_R H^0_m = 179 \text{ kJ} \cdot \text{mol}^{-1}$$

Kennzeichnend für die Lage des Gleichgewichts ist hier allein die von der Temperatur abhängige CO_2-Konzentration beziehungsweise der CO_2-Druck. Erst bei 500 °C wird ein CO_2-Druck erreicht, der genauso groß ist wie der CO_2-Partialdruck in der Atmosphäre: 35 Pa.
Bei 950 °C ist der Gleichgewichtsdruck bereits doppelt so groß wie der gesamte Luftdruck. Dieser Druck kann sich natürlich nur in einem geschlossenen Gefäß einstellen. Kalkbrennöfen arbeiten als offenes System bei normalem Luftdruck und einer Temperatur von etwa 1000 °C. Das Gleichgewicht kann sich nicht einstellen, da ständig Kohlenstoffdioxid entweicht, ehe der Gleichgewichtsdruck erreicht ist.

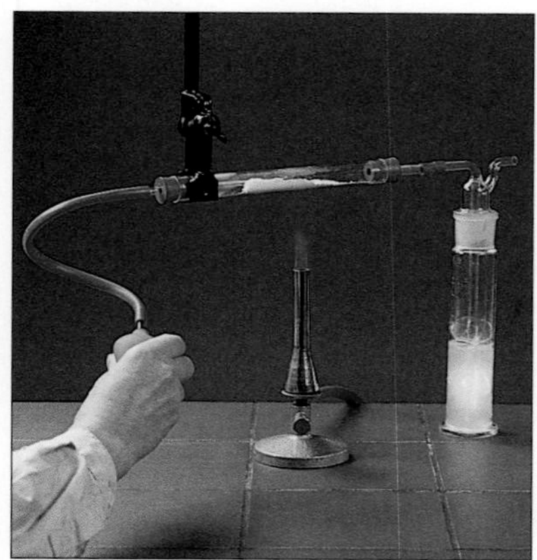

3. Kalkbrennen im Schulversuch

Prinzipiell könnte man das Kalkbrennen auch bei Temperaturen um 700 °C durchführen. Man müsste dann aber ständig Luft über den erhitzten Kalkstein leiten, um die Einstellung des Gleichgewichts zu verhindern. Dieses Verfahren würde daher wesentlich mehr Energie erfordern.

Temperaturabhängigkeit der Löslichkeit. Wenn man Wasser erwärmt, bilden sich Gasbläschen, vor allem am Boden des Topfes. Diese Beobachtung weist darauf hin, dass sich die in der Luft enthaltenen Gase in Wasser lösen und dass die Löslichkeit mit steigender Temperatur abnimmt. Bei 0 °C kann ein Liter Wasser unter normalem Luftdruck 29,5 cm^3 Gase aus der Luft aufnehmen, bei 50 °C sind es nur 14 cm^3.

So wie in diesem Beispiel nimmt die Löslichkeit von Gasen in Flüssigkeiten allgemein ab, wenn man die Temperatur erhöht. Der Lösungsvorgang verläuft nämlich in praktisch allen Fällen exotherm. Erwärmt man eine gesättigte Lösung, so wird die endotherme Rückreaktion begünstigt: Ein Teil des Gases wird ausgetrieben.

Beim Lösen von Salzen beobachtet man sowohl exotherme als auch endotherme Reaktionen. Dementsprechend kann die Löslichkeit mit steigender Temperatur abnehmen oder auch zunehmen.

$$Li_2CO_3\ (s) \rightleftharpoons 2\ Li^+\ (aq) + CO_3^{2-}\ (aq); \quad \Delta_R H_m^0 = -16\ kJ \cdot mol^{-1}$$

$$NaCl\ (s) \rightleftharpoons Na^+\ (aq) + Cl^-\ (aq); \quad \Delta_R H_m^0 = 4\ kJ \cdot mol^{-1}$$

$$KCl\ (s) \rightleftharpoons K^+\ (aq) + Cl^-\ (aq); \quad \Delta_R H_m^0 = 17\ kJ \cdot mol^{-1}$$

Erhitzt man eine bei Raumtemperatur gesättigte Lithiumcarbonat-Lösung, so fällt ein Teil des gelösten Salzes aus. Bei 100 °C lösen sich in 100 g Wasser nur 0,74 g, bei 20 °C sind es dagegen 1,33 g. Im Falle von Natriumchlorid nimmt die Löslichkeit mit steigender Temperatur leicht zu, während bei Kaliumchlorid die Löslichkeit stark ansteigt.

Komplexere Verhältnisse ergeben sich, wenn ein Salz je nach Temperatur Hydrate mit unterschiedlichem Gehalt an *Kristallwasser* bildet. So erreicht Zinksulfat ein Maximum der Löslichkeit bei 55 °C. Oberhalb dieser Temperatur ist der Bodenkörper ein Monohydrat ($ZnSO_4 \cdot H_2O$), unterhalb dagegen ein Hexahydrat ($ZnSO_4 \cdot 6\ H_2O$).

In Labor und Technik nutzt man die Temperaturabhängigkeit der Löslichkeit bei der Reinigung von Stoffen durch **Umkristallisieren.** Man löst den verunreinigten Stoff unter Erwärmen in einem geeigneten Lösungsmittel. Beim Abkühlen kristallisiert der reine Stoff aus, während die Verunreinigungen in Lösung bleiben.

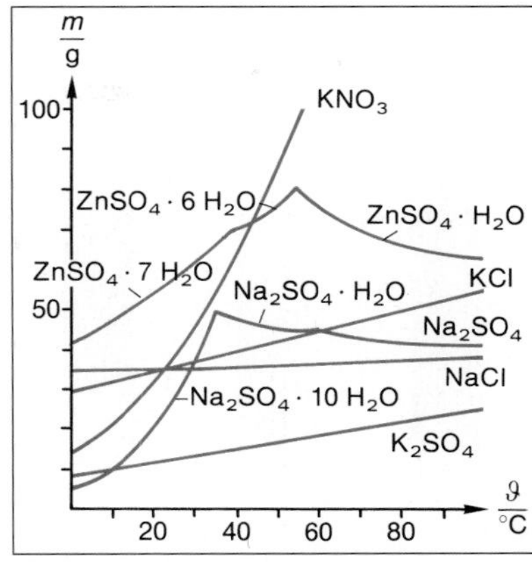

1. Temperaturabhängigkeit der Löslichkeit. Die Werte geben an, wie viel Gramm des wasserfreien Salzes in 100 g Wasser löslich sind. Die Formeln beziehen sich auf die Zusammensetzung des Bodenkörpers.

A1 Für welche der in Abbildung 1 erfassten Salze verläuft der Lösungsvorgang exotherm?

A2 Erklären Sie folgende Beobachtungen:

a) Leitet man Sauerstoff durch Wasser von 20 °C, so lösen sich 44 mg Sauerstoff in einem Liter. Leitet man Luft durch Wasser, so sind es nur 9,2 mg Sauerstoff.

b) Das durch Erhitzen von Wasser ausgetriebene Gasgemisch ist wesentlich sauerstoffreicher (Volumenanteil etwa 35 %) als die atmosphärische Luft.

EXKURS

Kesselstein

Wohl jeder kennt die lästigen Kalkablagerungen, die sich in Heißwasserbereitern bilden. Auch in Warmwasserleitungen und in technisch genutzten Wärmeaustauschern können sie zum Problem werden, da sie die Rohrquerschnitte verringern und wegen ihrer schlechten Wärmeleitfähigkeit die Wärmeübertragung behindern.

Man könnte sich denken, dass die geringe Löslichkeit von Calciumcarbonat in heißem Wasser die Ursache für die Kesselsteinbildung ist. Insgesamt handelt es sich aber um einen recht komplexen Vorgang, bei dem mehrere Reaktionen miteinander gekoppelt sind:
In Wasser sind verschiedene Salze gelöst. Bei den Kationen überwiegen meist Ca^{2+}-Ionen, sie sind die Ursache für die **Wasserhärte.** Bei den Anionen handelt es sich neben SO_4^{2-}-Ionen und Cl^--Ionen vor allem um HCO_3^--Ionen und nicht um CO_3^{2-}-Ionen.

Kesselstein bildet sich immer dann, wenn in hartem Wasser ein hoher Anteil an HCO_3^--Ionen vorliegt. Wesentliche Ursache ist eine Störung des folgenden Gleichgewichts:

$$2\ HCO_3^-\ (aq) \rightleftharpoons CO_3^{2-}\ (aq) + H_2O\ (l) + CO_2\ (aq)$$

Bei höherer Temperatur ist die Löslichkeit von Kohlenstoffdioxid geringer, es entweicht daher gasförmig aus der Lösung. Gleichzeitig bilden sich weitere CO_3^{2-}-Ionen. Da aber Calciumcarbonat wesentlich schwerer löslich ist als Calciumhydrogencarbonat, kommt es zur Ablagerung von Calciumcarbonat.

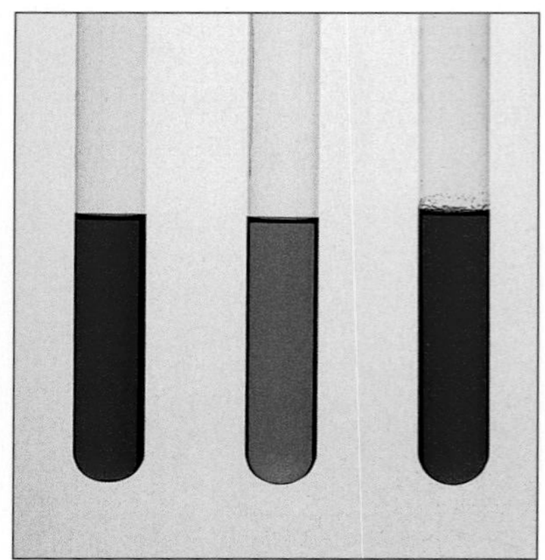

1. Das Anthracenpikrat-Gleichgewicht. Es wurden jeweils gleiche Volumina von Anthracen-Lösung und Pikrinsäure-Lösung gemischt. Zur linken Probe wurde zusätzlich feste Pikrinsäure hinzugefügt. Die rechte Probe enthält einen Überschuss an Anthracen.
Hinweis: Lösungsmittel ist Trichlormethan. Die Konzentration der verwendeten Lösungen beträgt jeweils 0,05 mol · l^{-1}.

A1 **a)** Wie kann man experimentell beweisen, dass sich eine Anthracenpikrat-Lösung beim Verdünnen anders verhält als rote Tinte?
b) Eine Anthracenpikrat-Lösung wird beim Abkühlen dunkler rot, beim Erhitzen hellt sie sich auf.
Wie lässt sich diese Beobachtung erklären?

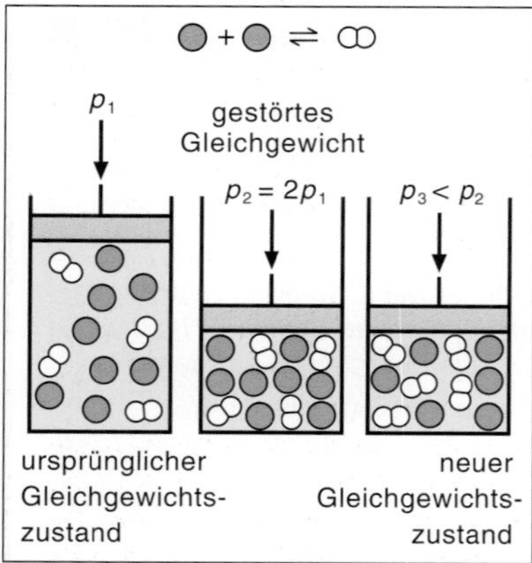

2. Gleichgewichtsverschiebung durch Druckerhöhung bei einer Gasreaktion

Konzentrationsabhängigkeit. Wie ein Gleichgewichtssystem allgemein durch Konzentrationsänderungen beeinflusst wird, kann man in dem folgenden Beispiel direkt an Farbänderungen erkennen:
In organischen Lösungsmitteln wie Trichlormethan (Chloroform) reagiert Anthracen (A) mit Pikrinsäure (P) unter Bildung einer roten Verbindung, die man als Anthracenpikrat (AP) bezeichnet. Da in diesem Zusammenhang die Struktur der Moleküle unwesentlich ist, lässt sich die Reaktion schematisch auf folgende Weise beschreiben:

$$\underset{\text{farblos}}{A} + \underset{\text{gelb}}{P} \rightleftharpoons \underset{\text{rot}}{AP}$$

Löst man in der gebildeten roten Lösung weiteres Anthracen, so vertieft sich die Färbung. Ein Teil der noch vorhandenen Pikrinsäure wird also durch überschüssiges Anthracen zu Anthracenpikrat umgesetzt; das Gleichgewicht wird in Richtung der Produktbildung verschoben. Der gleiche Effekt tritt auf, wenn man die Konzentration an Pikrinsäure erhöht.

Allgemein gilt: Stört man ein chemisches Gleichgewicht, indem man die Konzentration eines der beteiligten Stoffe erhöht, so schreitet die Reaktion in der Richtung fort, in der dieser Stoff verbraucht wird.

Verdünnt man eine Anthracenpikrat-Lösung, so nimmt die Farbintensität stärker ab als beim Verdünnen von roter Tinte. Das Gleichgewicht wird also in Richtung der Ausgangsstoffe verschoben: Die Konzentration von Anthracenpikrat nimmt stärker ab als die Konzentrationen von Anthracen und Pikrinsäure.
Ganz entsprechende Beobachtungen macht man auch bei anderen Reaktionen, die mit einer Änderung der Teilchenzahl verbunden sind. Beim Verdünnen wird immer die Reaktionsrichtung begünstigt, die zu einer Vergrößerung der Teilchenzahl führt. Ein Beispiel dieser Art ist die Bildung von Hydronium-Ionen und Acetat-Ionen (Ac^-) in einer wässerigen Lösung von Essigsäure (HAc). Beim Verdünnen wird das Gleichgewicht nach rechts verschoben, der Anteil der Ionen nimmt zu:

$$HAc\ (aq) \rightleftharpoons H^+\ (aq) + Ac^-\ (aq)$$

Druckabhängigkeit. Vorgänge, die mit einer Volumenänderung verbunden sind, lassen sich durch eine Änderung des Druckes beeinflussen. Ein alltägliches Beispiel ist die Druckabhängigkeit der Löslichkeit von Kohlenstoffdioxid in Wasser. Öffnet man eine Sprudelflasche oder eine Sektflasche, so bilden sich Gasbläschen. Offensichtlich ist die Löslichkeit von Kohlenstoffdioxid bei Atmosphärendruck kleiner als bei dem in der geschlossenen Flasche herrschenden Überdruck.

Zu den besonders gut untersuchten Gleichgewichtsreaktionen gehört die Spaltung von Distickstofftetraoxid bei konstanter Temperatur. Bei Druckerniedrigung zerfällt das Dimere, während sich durch Druckerhöhung sein Anteil erhöht. Bei einer Temperatur von 50 °C liegen bei einem Druck von 125 hPa von ursprünglich 100 N_2O_4-Molekülen noch 22 Moleküle unzersetzt vor, bei einem Druck 653 hPa sind es dagegen 52 N_2O_4-Moleküle.

$$\underset{\text{farblos}}{N_2O_4\ (g)} \underset{\text{Druckerhöhung}}{\overset{\text{Druckerniedrigung}}{\rightleftharpoons}} \underset{\text{braun}}{2\ NO_2\ (g)}$$

Allgemein gilt: Durch Druckerhöhung wird die Bildung der Stoffe mit kleinerem Volumen begünstigt. Bei Gasreaktionen entspricht das einer Verminderung der Teilchenzahl. Eine Druckerniedrigung verschiebt das Gleichgewicht in die umgekehrte Richtung.

Das Prinzip von LE CHATELIER. Im Jahre 1884 versuchte der französische Chemiker LE CHATELIER allgemein zu beschreiben, wie sich die Lage eines Gleichgewichts *qualitativ* verschiebt, wenn man die Temperatur, den Druck oder die Konzentration ändert. Das wesentliche Ergebnis seiner theoretischen Überlegungen wird in der Literatur als *Prinzip von LE CHATELIER* bezeichnet. Üblich ist auch die Bezeichnung *Prinzip vom kleinsten Zwang.* Sie weist darauf hin, dass durch die Gleichgewichtsverschiebung der äußere Einfluss („Zwang") verkleinert wird. Eine mögliche Beschreibung lautet: *Jede Störung eines Gleichgewichts durch die Änderung der äußeren Bedingungen führt zu einer Verschiebung des Gleichgewichts, die der Störung entgegenwirkt.*
Das Prinzip von LE CHATELIER ist oft in Frage gestellt worden, da es sich wegen seiner Allgemeinheit nicht zu einer Gesetzmäßigkeit mit quantitativen Aussagen machen lässt. Trotzdem wird es bis heute von der großen Mehrzahl der Chemiker geschätzt; denn vielfach sind schon qualitative Aussagen nützlich.

Beispiele: Erniedrigt man die *Konzentration* eines der im Gleichgewicht vorliegenden Stoffe durch eine Folgereaktion, so verschiebt sich das Gleichgewicht so, dass dieser Stoff nachgebildet wird.
Erhöht man die *Temperatur,* so verschiebt sich das Gleichgewicht in Richtung der *endothermen* Reaktion. Die ursprüngliche Temperaturerhöhung wird also teilweise rückgängig gemacht.
Für Labor und Technik ergibt sich daraus eine wichtige Folgerung: Bei der Herstellung von Produkten, die sich in einer exothermen Reaktion bilden, darf die Reaktionstemperatur nicht zu hoch steigen, da sonst wegen der ungünstigeren Gleichgewichtslage die Ausbeute sinkt.

1. Störung eines Gleichgewichts durch Druckerniedrigung. Das Wasser hat eine Temperatur von 80 °C. Die Doppelhahnkugel wurde mit einer Wasserstrahlpumpe evakuiert.

A1 Zwischen flüssigem Wasser und Wasserdampf besteht ein temperaturabhängiges Gleichgewicht.
Erklären Sie die Bildung und die Auflösung von Nebel als eine Folge von Gleichgewichtsverschiebungen.

EXKURS

Höhenakklimatisierung

Gerade bei Fernreisen gehören auch sehr hoch gelegene Orte zu den bevorzugten Zielen. Allein Tausende von Touristen wandern jährlich bis zum Gipfel des Kilimandscharo. Dabei sind sie auf die Hilfe einheimischer Träger angewiesen, denn oberhalb von 4000 m droht die *Höhenkrankheit.*
Sie macht sich durch Kopfschmerzen, Herzklopfen, Übelkeit und Atemnot bemerkbar. Ursache ist eine mangelhafte Versorgung des Körpers mit Sauerstoff. Die im Blut erreichbare Sauerstoff-Konzentration hängt nämlich vom Partialdruck des Sauerstoffs in der Atemluft ab. Im Blut wird Sauerstoff an Hämoglobin (Hb) gebunden; dabei stellt sich das folgende Gleichgewicht ein:

$$O_2 + Hb \rightleftharpoons HbO_2$$

Je geringer der Sauerstoff-Partialdruck ist, umso weniger an HbO_2 kann gebildet werden und umso schlechter werden Muskeln und Organe mit Sauerstoff versorgt.
Einwohner der hoch gelegenen Regionen haben bekanntlich keine besonderen Schwierigkeiten mit der Sauerstoffaufnahme. Nach einem Höhenaufenthalt von zwei bis vier Wochen erreichen auch Flachlandbewohner dort ihre volle Leistungsfähigkeit. Selbst sportliche Höchstleistungen sind dann möglich.

Der Körper kann sich offensichtlich auf das geringere Sauerstoffangebot einstellen. Es geschieht dabei genau das, was nach dem Prinzip von LE CHATELIER zu erwarten ist: Die Hämoglobin-Konzentration im Blut wird erhöht. Ein Maß dafür ist der so genannte *Hämatokrit.* Dieser Wert gibt an, wie viel Prozent des Blutvolumens durch die roten Blutkörperchen eingenommen werden.

Wohnort	Meereshöhe	$p(O_2)$	Hämatokrit
Lima	160 m	200 hPa	45 %
Denver	1610 m	170 hPa	48 %
Mexico City	2270 m	150 hPa	51%
Morococha (Peru)	4400 m	120 hPa	60 %

Ab 5500 m Meereshöhe kann sich der Körper nicht weiter anpassen. Bergsteiger halten sich daher in größeren Höhen nur möglichst kurze Zeit auf. Zur Ausrüstung gehört dann oft ein Sauerstoffvorrat in Druckflaschen.
Aber auch höhere Sauerstoff-Partialdrücke können Gefahren mit sich bringen. Es kommt dann zu Lungenschädigungen, deren Ursache bisher nicht genau bekannt ist. Für Taucher ist daher bei Atmung von Pressluft nur eine Wassertiefe von 75 m erreichbar; das entspricht einem Sauerstoff-Partialdruck von 1700 hPa.

6.3 Löslichkeitsgleichgewicht und Löslichkeitsprodukt

1. Fällung durch gleichionigen Zusatz. Eine gesättigte Lösung von Blei(II)-iodid wird mit Kaliumiodid-Lösung versetzt.

A1 Man löst Strontiumchromat in reinem Wasser, in einer Strontiumchlorid-Lösung und in einer Natriumnitrat-Lösung. Welche Lösung ist am stärksten gelb gefärbt?

A2 100 ml einer Cadmiumnitrat-Lösung ($0{,}1\ mol \cdot l^{-1}$) wurden mit Kaliumiodat-Lösung ($0{,}3\ mol \cdot l^{-1}$) titriert. Nach Zusatz von 20,6 ml trat eine bleibende Trübung durch Cadmiumiodat ($Cd(IO_3)_2$) auf.
a) Formulieren Sie die Reaktionsgleichung und das Löslichkeitsprodukt.
b) Berechnen Sie näherungsweise das Löslichkeitsprodukt von Cadmiumiodat. (Der im gefällten Salz gebundene Anteil der Ionen bleibt unberücksichtigt.)

Salz	pK_L	Salz	pK_L
AgCl	9,7	CaF_2	10,4
AgBr	12,3	BaF_2	5,8
AgI	16,1	$PbCl_2$	4,8
$CaSO_4$	4,6	$PbBr_2$	5,7
$BaSO_4$	10,0	PbI_2	8,1
$PbSO_4$	7,8	$Mg(OH)_2$	11,2
$PbCrO_4$	13,7	$Ca(OH)_2$	5,4
Ag_2S	50,1	$Fe(OH)_2$	18,1
CuS	36,1	$Fe(OH)_3$	38,8
ZnS	24,7	$Cu(OH)_2$	19,3
FeS	18,1	$CaCO_3$	8,3
PbS	27,5	$PbCO_3$	13,1

2. pK_L-Werte einiger schwer löslicher Salze (bei 25 °C)

Salze lösen sich in Wasser besser als in den meisten anderen Lösungsmitteln. Ursache sind die starken elektrostatischen Wechselwirkungen zwischen den Ionen des Salzes und den Dipolmolekülen des Wassers. Die Konzentrationen der Ionen in der *gesättigten Lösung* sind dabei nur von der Temperatur abhängig, nicht dagegen von der Menge des noch vorhandenen Bodenkörpers. Auch das **Löslichkeitsgleichgewicht** ist ein dynamisches Gleichgewicht: Pro Zeiteinheit gehen genauso viele Teilchen in Lösung wie sich ablagern.

Am Beispiel von Kaliumchlorat ($KClO_3$) erkennt man eine charakteristische Eigenschaft des Löslichkeitsgleichgewichts: Gibt man etwas konzentrierte *Kalium*chlorid-Lösung oder konzentrierte Natrium*chlorat*-Lösung zu einer gesättigten Lösung von Kaliumchlorat, so fällt ein Teil des gelösten Salzes wieder aus. Die Löslichkeit eines Salzes wird also vermindert, wenn eine der Ionenarten im Überschuss vorliegt. Man spricht von einer Löslichkeitsverminderung durch *gleichionigen Zusatz*.

Um die Lage des Löslichkeitsgleichgewichts quantitativ zu beschreiben, müssen die Gleichgewichtskonzentrationen beider Ionenarten berücksichtigt werden. Bei Salzen des Formeltyps AB erweist sich das Produkt der Ionenkonzentrationen als konstant. Diese stoffcharakteristische Konstante wird als **Löslichkeitsprodukt** K_L bezeichnet.

$$AB\ (s) \rightleftharpoons A\ (aq) + B\ (aq); \quad K_L\ (AB) = c\ (A) \cdot c\ (B);$$

Beispiel: $AgCl\ (s) \rightleftharpoons Ag^+\ (aq) + Cl^-\ (aq); \quad K_L\ (AgCl) = c\ (Ag^+) \cdot c\ (Cl^-)$

Für gesättigte Lösungen von Salzen des Formeltyps AB_2, ergibt sich eine Konstante, wenn man die Anionen-Konzentration quadriert:

$K_L\ (AB_2) = c\ (A) \cdot c^2\ (B)$; *Beispiel:* $K_L\ (Ca(OH)_2) = c\ (Ca^{2+}) \cdot c^2\ (OH^-)$

Allgemein erhält man das Löslichkeitsprodukt, indem man die Konzentrationen von Kation und Anion in der gesättigten Lösung entsprechend den Indizes in der Formel potenziert:

$K_L\ (A_mB_n) = c^m\ (A) \cdot c^n\ (B)$; *Beispiel:* $K_L\ (Bi_2S_3) = c^2\ (Bi^{3+}) \cdot c^3\ (S^{2-})$

In Tabellenwerken wird statt des Löslichkeitsprodukts häufig der pK_L-Wert angegeben. Es handelt sich dabei um den negativen Zehnerlogarithmus des *Zahlenwerts* von K_L. *Beispiel:*

$$K_L\ (AgCl) = 2 \cdot 10^{-10}\ mol^2 \cdot l^{-2} \Longleftrightarrow pK_L = -\lg \frac{2 \cdot 10^{-10}\ mol^2 \cdot l^{-2}}{mol^2 \cdot l^{-2}} = 9{,}7$$

Grenzen der Gesetzmäßigkeit. Bei experimentellen Untersuchungen findet man oft größere Gleichgewichtskonzentrationen, als man aufgrund der tabellierten K_L-Werte erwartet. Das gilt insbesondere für Lösungen, in denen neben den Ionen des schwer löslichen Salzes noch andere Ionen in höherer Konzentration vorliegen. Ein konstantes Löslichkeitsprodukt ergibt sich hier nur, wenn man die Gleichgewichtskonzentrationen mit einem Korrekturfaktor multipliziert. Dieser *Aktivitätskoeffizient* γ hat Werte zwischen 0 und 1. Sein Produkt mit der Konzentration heißt *Aktivität a*. Tabellierte pK_L-Werte sind mit Aktivitäten berechnet.
Auch bei mäßig schwer löslichen Salzen findet man aufgrund interionischer Wechselwirkungen deutliche Abweichungen: Aus den *Konzentrationen* der Ionen in einer reinen gesättigten Calciumsulfat-Lösung erhält man: $K_L = 2{,}25 \cdot 10^{-4}\ mol^2 \cdot l^{-2}$. Das tabellierte Löslichkeitsprodukt ist wesentlich kleiner: $K_L = 2{,}45 \cdot 10^{-5}\ mol^2 \cdot l^{-2}$. Das entspricht einem Aktivitätskoeffizienten von $\gamma = 0{,}33$ für die Ionen in der gesättigten Lösung.

Löslichkeitsgleichgewichte

Versuch 1: Fällung durch gleichionigen Zusatz

Materialien: 2 Erlenmeyerkolben (100 ml); gesättigte Kaliumchlorat-Lösung (mit grobkristallinem Bodensatz), gesättigte Lösungen von Natriumchlorat (Xn), Kaliumchlorid und Blei(II)-iodid (B2), Kaliumiodid-Lösung ($0{,}1\ mol \cdot l^{-1}$)

Durchführung:

1. Dekantieren Sie je etwa 50 ml der Kaliumchlorat-Lösung in die beiden Erlenmeyerkolben.
2. Versetzen Sie eine Probe mit etwa 5 ml Kaliumchlorid-Lösung, die andere mit 5 ml Natriumchlorat-Lösung. Beobachten Sie die Mischungen nach dem Umschütteln für einige Minuten.
3. Versetzen Sie in einem Reagenzglas eine Probe der klaren Bleiiodid-Lösung mit etwas Kaliumiodid-Lösung.

Aufgabe: Erläutern Sie Ihre Beobachtungen.

Versuch 2: Bestimmung des Löslichkeitsprodukts von Calciumhydroxid

Materialien: 5 Erlenmeyerkolben (100 ml, eng) mit passenden Stopfen, Erlenmeyerkolben (100 ml, weit), Bürette, Pipetten (20 ml, 25 ml); Calciumhydroxid (C), Natriumnitrat (O), Phenolphthalein-Lösung, Maßlösungen: Natronlauge ($0{,}1\ mol \cdot l^{-1}$), Salzsäure ($0{,}1\ mol \cdot l^{-1}$)

Durchführung:

1. Bereiten Sie zunächst gesättigte Lösungen von Calciumhydroxid in Wasser, in Natriumnitrat-Lösung ($1\ mol \cdot l^{-1}$) sowie in Natronlauge verschiedener Konzentrationen ($0{,}1\ mol \cdot l^{-1}$, $0{,}05\ mol \cdot l^{-1}$, $0{,}025\ mol \cdot l^{-1}$) vor:
   Auf 100 ml gibt man dazu jeweils einen Spatel Calciumhydroxid, setzt einen Stopfen auf und schüttelt gelegentlich um. Diese Proben sollten vor der Untersuchung mindestens einen Tag stehen.
2. Pipettieren Sie jeweils 20 ml der klaren gesättigten Lösung in einen Erlenmeyerkolben. Fügen Sie Phenolphthalein als Indikator hinzu und titrieren Sie mit Salzsäure bis zur Entfärbung. Der Säureverbrauch wird jeweils notiert.

Aufgaben:

a) Berechnen Sie für die einzelnen Proben das Löslichkeitsprodukt.
Anleitung: Man ermittelt zunächst die Gesamtkonzentration der OH^--Ionen. Dann berechnet man den Anteil, der aus dem gelösten Calciumhydroxid ($Ca(OH)_2$) stammt, und schließlich die zugehörige Ca^{2+}-Konzentration.

b) Vergleichen Sie Ihre Ergebnisse mit dem (aktivitätsbezogenen) Tabellenwert.

c) Zeichnen Sie ein Diagramm, in dem Sie die Konzentration der Ca^{2+}-Ionen der verschiedenen gesättigten Lösungen gegen die Konzentration der OH^--Ionen auftragen.

Versuch 3: Ermittlung des Löslichkeitsprodukts von Blei(II)-iodid

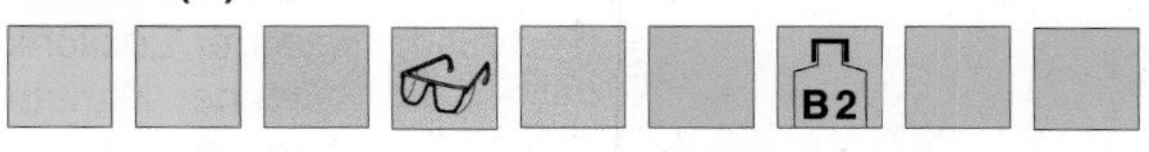

Materialien: Kunststoffspritze oder Pipette (5 ml); Blei(II)-nitrat-Lösungen (A: $2 \cdot 10^{-3}\ mol \cdot l^{-1}$, B: $1 \cdot 10^{-3}\ mol \cdot l^{-1}$, C: $5 \cdot 10^{-4}\ mol \cdot l^{-1}$), Kaliumiodid-Lösungen (I: $2 \cdot 10^{-2}\ mol \cdot l^{-1}$, II: $1{,}4 \cdot 10^{-2}\ mol \cdot l^{-1}$, III: $1 \cdot 10^{-2}\ mol \cdot l^{-1}$)

Durchführung:

1. Mischen Sie in Reagenzgläsern jeweils 5 ml einer Bleinitrat-Lösung mit 5 ml einer Kaliumiodid-Lösung.
2. Schütteln Sie gut um und lassen Sie die Mischungen bei etwa 20 °C zehn Minuten stehen. In sechs der neun Proben sollte dann eine Fällung erkennbar sein.

Aufgabe: Berechnen Sie für die drei Proben, in denen eine geringfügige Fällung vorliegt, das Löslichkeitsprodukt. Der in der Fällung gebundene Anteil der Blei-Ionen und der Iodid-Ionen ist dabei zu vernachlässigen.

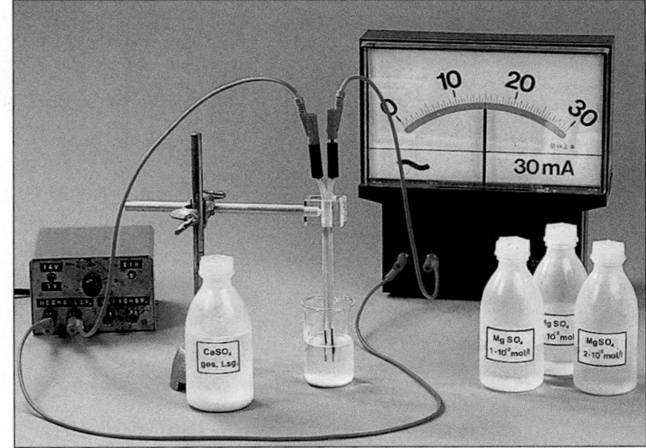

Bestimmung der Löslichkeit durch Leitfähigkeitsvergleich. Lösungen von Magnesiumsulfat und von Calciumsulfat haben bei gleicher Konzentration die gleiche Leitfähigkeit. Bei gleicher Spannung misst man daher für beide Lösungen die gleiche Stromstärke.

Aufgabe 1: Eine wissenschaftliche Untersuchung über den Einfluss von Ammoniumsulfat auf die Löslichkeit von Calciumsulfat führte zu folgenden Ergebnissen:

$\frac{c((NH_4)_2SO_4)}{10^{-2}\ mol \cdot l^{-1}}$	0	0,771	3,125	12,50
$\frac{c(CaSO_4)}{10^{-2}\ mol \cdot l^{-1}}$	1,53	1,327	1,131	1,064

Berechnen Sie für die verschiedenen gesättigten Lösungen jeweils das Produkt $c(Ca^{2+}) \cdot c(SO_4^{2-})$.

6.4 Von den Messwerten zum Massenwirkungsgesetz

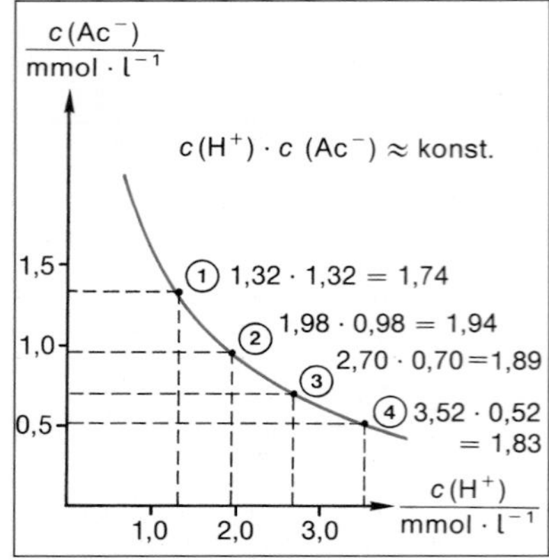

1. Gleichgewichtsverschiebung bei Essigsäure durch Zusatz von Salzsäure. ① gilt für reine Essigsäure (0,1 mol · l^{-1}). Bei ② bis ④ enthält die Lösung auch Salzsäure mit Konzentrationen von: 1 · 10^{-3} mol · l^{-1}, 2 · 10^{-3} mol · l^{-1} und 3 · 10^{-3} mol · l^{-1}.

A1 Verdünnt man Essigsäure in der unten abgebildeten Versuchsanordnung, so nimmt die Stromstärke zu. Beim Verdünnen von Salzsäure bleibt sie dagegen nahezu konstant.
a) Erklären Sie diesen Unterschied.
b) Wie würden sich die Stromstärken ändern, wenn man statt der Graphit-Elektroden einen Leitfähigkeitsprüfer verwendet, dessen Elektroden vollständig in die Lösung eintauchen?
c) Erläutern Sie, warum die folgende Aussage irreführend ist: „Die Leitfähigkeit von Essigsäure nimmt beim Verdünnen zu."

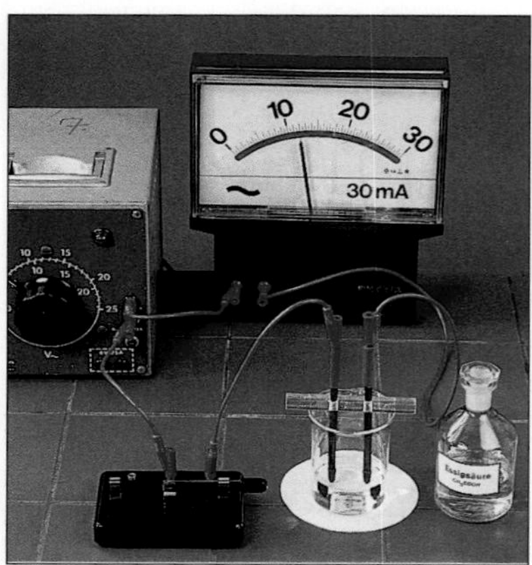

2. Verdünnen vergrößert den Anteil der Ionen (qualitative Untersuchung)

Für zahlreiche Reaktionen wurden genaue Untersuchungen über die im Gleichgewichtszustand vorliegenden Konzentrationen durchgeführt. Ähnlich wie bei Löslichkeitsgleichgewichten lässt sich allgemein eine reaktionsspezifische Konstante berechnen. Diese **Gleichgewichtskonstante *K*** gilt ebenfalls nur für eine bestimmte Temperatur.

Essigsäure-Gleichgewicht. Es gibt nur wenige Reaktionen, bei denen sich die Gleichgewichtslage mit einfachen Mitteln rasch und zuverlässig ermitteln lässt. Ein Beispiel ist die Reaktion von Essigsäure mit Wasser: Aus Essigsäure-Molekülen (Kurzzeichen HAc) bilden sich Hydronium-Ionen (H_3O^+ (aq) oder kurz H^+ (aq)) und Acetat-Ionen (Ac^-). Diese Reaktion kann schematisch als Dissoziationsgleichgewicht beschrieben werden:

$$\text{HAc (aq)} \rightleftharpoons \text{H}^+\text{ (aq)} + \text{Ac}^-\text{ (aq)}$$

Aus Leitfähigkeitsmessungen ergibt sich, dass bei einer Gesamtkonzentration von 0,1 mol · l^{-1} nur etwa 1,3 % aller Essigsäure-Moleküle reagiert haben. Erhöht man die Konzentration der Hydronium-Ionen (H^+ (aq)) durch Zugabe von Salzsäure, so wird das Gleichgewicht entsprechend dem Prinzip von LE CHATELIER noch weiter nach links verschoben. Das Produkt der Ionenkonzentrationen bleibt aber praktisch konstant. Man erhält jeweils:

$$c(\text{H}^+) \cdot c(\text{Ac}^-) \approx \mathbf{1{,}7 \cdot 10^{-6}\ mol^2 \cdot l^{-2}} \qquad \text{(I)}$$

In einer Lösung mit einer Gesamtkonzentration von 0,01 mol · l^{-1} sind schon 4 % aller Essigsäure-Moleküle umgesetzt. Für das Produkt der Ionenkonzentrationen ergibt sich hier aber ein kleinerer Wert:

$$c(\text{H}^+) \cdot c(\text{Ac}^-) \approx \mathbf{1{,}6 \cdot 10^{-7}\ mol^2 \cdot l^{-2}} \qquad \text{(II)}$$

Das Produkt der Ionenkonzentrationen ist demnach abhängig von der Gesamtkonzentration; es stellt also noch nicht die gesuchte reaktionsspezifische Konstante dar.

Dividiert man jedoch in beiden Fällen das Produkt der Ionenkonzentrationen durch die Konzentration der im Gleichgewichtszustand noch vorhandenen Essigsäure-Moleküle, so erhält man übereinstimmende Werte:

$$c_0(\text{HAc}) = 0{,}1\ \text{mol} \cdot l^{-1}; \quad c(\text{H}^+) = c(\text{Ac}^-) = 1{,}3 \cdot 10^{-3}\ \text{mol} \cdot l^{-1} \qquad \text{(I)}$$

$$K = \frac{c(\text{H}^+) \cdot c(\text{Ac}^-)}{c(\text{HAc})} = \frac{(1{,}3 \cdot 10^{-3}\ \text{mol} \cdot l^{-1})^2}{(1 \cdot 10^{-1} - 1{,}3 \cdot 10^{-3})\ \text{mol} \cdot l^{-1}} \approx \mathbf{1{,}7 \cdot 10^{-5}\ mol \cdot l^{-1}}$$

$$c_0(\text{HAc}) = 0{,}01\ \text{mol} \cdot l^{-1}; \quad c(\text{H}^+) = c(\text{Ac}^-) = 4 \cdot 10^{-4}\ \text{mol} \cdot l^{-1} \qquad \text{(II)}$$

$$K = \frac{c(\text{H}^+) \cdot c(\text{Ac}^-)}{c(\text{HAc})} = \frac{(4 \cdot 10^{-4}\ \text{mol} \cdot l^{-1})^2}{(1 \cdot 10^{-2} - 4 \cdot 10^{-4})\ \text{mol} \cdot l^{-1}} \approx \mathbf{1{,}7 \cdot 10^{-5}\ mol \cdot l^{-1}}$$

Der gleiche Wert ergibt sich auch für beliebige andere Essigsäure-Konzentrationen, unabhängig davon, ob die Konzentration der Hydronium-Ionen mit der Konzentration der Acetat-Ionen im Gleichgewichtszustand übereinstimmt oder nicht.

Auf die gleiche Weise erhält man eine Gleichgewichtskonstante für alle anderen Reaktionen des Typs A $\rightleftharpoons$ B + C – vorausgesetzt, alle Stoffe liegen in einem homogenen System vor: Man multipliziert die Konzentrationen der Produkte und dividiert durch die Konzentration des Edukts.
Meist verwendet man das Symbol K_c; der Index weist darauf hin, dass der Wert mit den Gleichgewichts-Konzentrationen berechnet wird.

$$\text{A} \rightleftharpoons \text{B} + \text{C}; \quad K_c = \frac{c(\text{B}) \cdot c(\text{C})}{c(\text{A})}$$

Iodwasserstoff-Gleichgewicht. Bei höherer Temperatur reagiert Wasserstoff mit Ioddampf unter Bildung von Iodwasserstoff:

$$H_2\,(g) + I_2\,(g) \rightleftharpoons 2\,HI\,(g); \quad \Delta_R H_m^0 = -10\ kJ \cdot mol^{-1}$$

Für diese Reaktion wurde Ende des 19. Jahrhunderts zum ersten Mal die Lage des Gleichgewichts bei verschiedenen Temperaturen sehr gründlich untersucht. Nachdem man die Ergebnisse in den letzten Jahrzehnten mehrfach sorgfältig überprüft hat, gehört das Iodwasserstoff-Gleichgewicht zu den am besten untersuchten Reaktionen überhaupt. In den meisten Fällen ging man folgendermaßen vor: Man ließ genau gemessene Mengen von Wasserstoff und Iod in einem geschlossenen Kolben bei konstanter Temperatur miteinander reagieren. Nachdem sich das Gleichgewicht eingestellt hatte, wurde möglichst rasch abgekühlt. Durch dieses Abschrecken wird der bei der hohen Temperatur erreichte Gleichgewichtszustand eingefroren. So konnte die Bestimmung der bei einer bestimmten Temperatur im Gleichgewicht vorliegenden Iodmenge bequem bei Raumtemperatur durchgeführt werden.

Mit den für eine bestimmte Temperatur ermittelten Gleichgewichtskonzentrationen ergeben sich für den Gleichgewichtsterm nur dann konstante Werte, wenn man die Konzentration von Iodwasserstoff quadriert, entsprechend dem Faktor 2 in der Reaktionsgleichung. Die folgenden Werte gelten für eine Temperatur von 700 K:

$$\frac{c^2\,(HI)}{c\,(H_2) \cdot c(I_2)} = \frac{(13{,}54 \cdot 10^{-3}\ mol \cdot l^{-1})^2}{4{,}56 \cdot 10^{-3}\ mol \cdot l^{-1} \cdot 0{,}74 \cdot 10^{-3}\ mol \cdot l^{-1}} = \mathbf{54{,}3}$$

$$\frac{c^2\,(HI)}{c\,(H_2) \cdot c\,(I_2)} = \frac{(3{,}54 \cdot 10^{-3}\ mol \cdot l^{-1})^2}{0{,}48 \cdot 10^{-3}\ mol \cdot l^{-1} \cdot 0{,}48 \cdot 10^{-3}\ mol \cdot l^{-1}} = \mathbf{54{,}3}$$

Auf entsprechende Weise ergibt sich auch für alle anderen Reaktionen dieses Typs die Gleichgewichtskonstante:

$$A + B \rightleftharpoons 2\,C; \quad K_c = \frac{c^2\,(C)}{c\,(A) \cdot c\,(B)}$$

Massenwirkungsgesetz. Bereits 1867 wurde von den norwegischen Forschern GULDBERG und WAAGE beschrieben, wie sich allgemein eine Gleichgewichtskonstante für eine Reaktion aus den Gleichgewichtskonzentrationen berechnen lässt. Diese Gesetzmäßigkeit wird als *Massenwirkungsgesetz* bezeichnet, denn man sprach damals noch von der *aktiven Masse*, wenn es um die Stoffmengenkonzentration im heutigen Sinne ging.

Für eine beliebige Reaktion ergibt sich die Gleichgewichtskonstante folgendermaßen:

$$a\,A + b\,B \rightleftharpoons c\,C + d\,D; \quad K_c = \frac{c^c\,(C) \cdot c^d\,(D)}{c^a\,(A) \cdot c^b\,(B)}$$

Die beteiligten Stoffe müssen allerdings in einem *homogenen System*, also in einer Lösung oder als Gase, vorliegen. Bei *heterogenen Systemen* bleiben im Term für die Gleichgewichtskonstante feste Stoffe unberücksichtigt.

Beispiel: Für die Reaktion von Silber-Ionen mit Eisen(II)-Ionen kommt es nicht darauf an, in welcher Menge festes Silber vorliegt:

$$Ag^+\,(aq) + Fe^{2+}\,(aq) \rightleftharpoons Ag\,(s) + Fe^{3+}\,(aq); \quad K_c = \frac{c\,(Fe^{3+})}{c\,(Ag^+) \cdot c\,(Fe^{2+})}$$

Gleichgewichtskonzentrationen			
Versuchsnummer	$\frac{c(HI)}{mol \cdot l^{-1}}$	$\frac{c(I_2)}{mol \cdot l^{-1}}$	$\frac{c(H_2)}{mol \cdot l^{-1}}$
Bildung von Iodwasserstoff			
1	$17{,}67 \cdot 10^{-3}$	$3{,}13 \cdot 10^{-3}$	$1{,}83 \cdot 10^{-3}$
2	$16{,}48 \cdot 10^{-3}$	$1{,}71 \cdot 10^{-3}$	$2{,}91 \cdot 10^{-3}$
3	$13{,}54 \cdot 10^{-3}$	$0{,}74 \cdot 10^{-3}$	$4{,}56 \cdot 10^{-3}$
Zerfall von Iodwasserstoff			
4	$3{,}54 \cdot 10^{-3}$	$0{,}48 \cdot 10^{-3}$	$0{,}48 \cdot 10^{-3}$
5	$8{,}41 \cdot 10^{-3}$	$1{,}14 \cdot 10^{-3}$	$1{,}14 \cdot 10^{-3}$

1. Iodwasserstoff-Gleichgewicht. Ergebnisse einer Versuchsreihe bei 700 K

A1 **a)** Berechnen Sie aus den Ergebnissen der einzelnen Versuche aus Abbildung 1 die Gleichgewichtskonstante für das Gleichgewicht:

$$H_2\,(g) + I_2\,(g) \rightleftharpoons 2\,HI\,(g)$$

b) Welche Werte ergeben sich, wenn man im Zähler jeweils $c\,(HI)$ statt $c^2\,(HI)$ einsetzt?
c) Wie groß waren jeweils die Ausgangskonzentrationen bei den einzelnen Versuchen?
d) Berechnen Sie, zu welchem Anteil der Wasserstoff bei den Versuchen 1 bis 3 umgesetzt wurde.
e) Tragen Sie in einer Grafik diese Werte gegen das Verhältnis von $c_0\,(I_2)$ zu $c_0\,(H_2)$ auf.

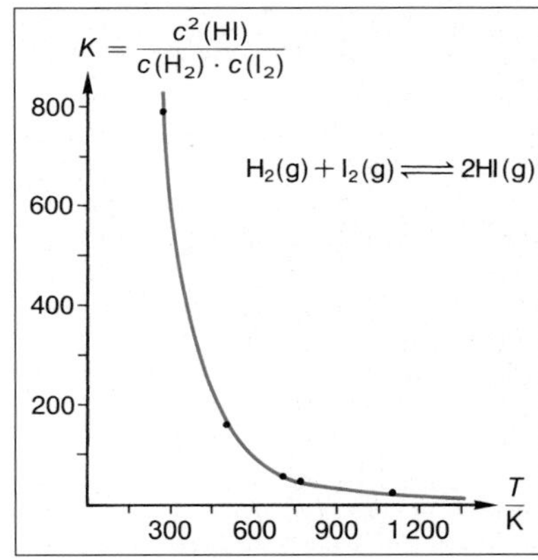

2. Einfluss der Temperatur auf die Gleichgewichtskonstante

6.5 Adsorption und Verteilung

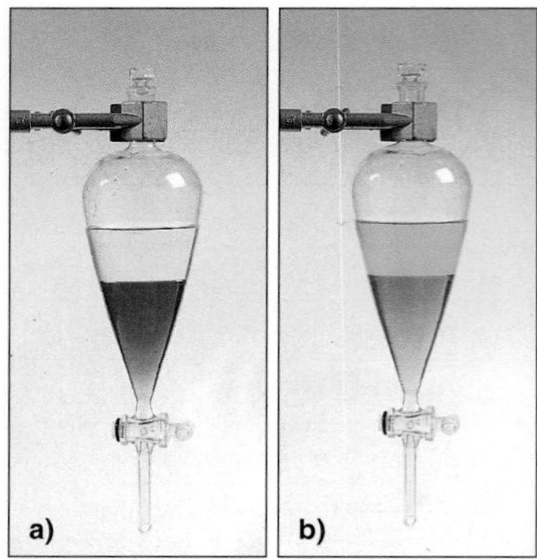

1. Verteilung von Iod zwischen Wasser und Tetrachlormethan. Man arbeitet mit Scheidetrichtern, sodass sich die beiden Phasen leicht voneinander trennen lassen.
a) Aus einer Lösung von Iod in reinem Wasser wird Iod fast vollständig extrahiert.
b) In Gegenwart von Iodid-Ionen lässt sich Iod viel schlechter aus Wasser extrahieren. Ursache ist eine Konkurrenzreaktion:

$I_2\,(aq) + I^-\,(aq) \rightleftharpoons I_3^-\,(aq)$

Die Gelbfärbung der wässerigen Phase wird durch die Triiodid-Ionen verursacht. Für den im Gleichgewicht vorliegenden Anteil an I_2-Molekülen ist der Verteilungskoeffizient unverändert.

A1 Bei 25 °C verteilt sich Iod zwischen Chloroform (Trichlormethan, $CHCl_3$) und Wasser mit einem Verteilungskoeffizienten von 130.
Welche Iod-Konzentration bleibt in der wässerigen Phase zurück, wenn man eine gesättigte Lösung von Iod in Wasser ($c\,(I_2) = 1{,}3 \cdot 10^{-3}\ mol \cdot l^{-1}$) mit dem gleichen Volumen an Chloroform ausschüttelt?

A2 Für die Verteilung von Essigsäure zwischen Wasser und Amylalkohol (Pentanol) wurde $K = 1{,}1$ ermittelt.
a) Welcher Anteil der Essigsäure bleibt in der organischen Phase zurück, wenn man 50 ml einer Lösung von Essigsäure in Amylalkohol ($0{,}5\ mol \cdot l^{-1}$) mit 200 ml Wasser extrahiert?
b) Wie groß ist der Anteil, wenn man viermal mit je 50 ml Wasser extrahiert?
c) Warum führen sehr kleine Essigsäurekonzentrationen zu Abweichungen von dem angegebenen Wert für K?

Die Einstellung von Gleichgewichten spielt auch bei zahlreichen Verfahren zur Stofftrennung und Reinigung von Substanzen eine Rolle. So leitet man in Wasserwerken Trinkwasser über Aktivkohlefilter, um Schadstoffe durch *Adsorption* zu binden. In der Laborpraxis geht es manchmal darum, einen bestimmten Stoff aus einer Lösung abzutrennen. Das gelingt durch **Ausschütteln** mit einem zweiten Lösungsmittel, in dem dieser Stoff besonders gut löslich ist. Man nutzt dabei die Einstellung eines *Verteilungsgleichgewichts*.

Adsorption. Schüttelt man Rotwein mit pulverisierter Aktivkohle, so erhält man beim Filtrieren eine wasserklare Flüssigkeit: Die Farbstoffe und auch viele Aromastoffe des Rotweins sind von der Aktivkohle *adsorbiert* worden. Ein weiteres Beispiel ist die Adsorption von Brom-Dampf an Aktivkohle. Neben Aktivkohle wirken auch Kieselgel, Aluminiumoxid, Stärke und Cellulose als gute *Adsorbentien*.
Die Adsorption beruht auf Wechselwirkungen der adsorbierten Stoffe mit der *Oberfläche* des Adsorbens: Die Bindungskräfte von Atomen oder Atomgruppen an der Oberfläche sind nach außen hin nicht abgesättigt. Es können daher VAN-DER-WAALS-Bindungen zu Molekülen aus der Umgebung gebildet werden. Dieser Vorgang verläuft exotherm; die Adsorptionswirkung nimmt deshalb mit steigender Temperatur ab.

Im Gegensatz zur Adsorption wird bei der *Absorption* ein Stoff im *Absorptionsmittel* gelöst oder chemisch umgesetzt, sodass sich ein homogenes System bildet. Beispiele dafür sind die Absorption von Luftfeuchtigkeit durch Phosphor(V)-oxid und die Absorption von Chlor durch Natronlauge.

Verteilung. Schüttelt man eine wässerige Iod-Lösung mit etwas Tetrachlormethan (CCl_4), so geht der größte Teil des gelösten Iods in die organische Phase über. Dementsprechend geht nur wenig Iod in die wässerige Phase, wenn man eine Lösung von Iod in Tetrachlormethan mit reinem Wasser schüttelt. Es stellt sich jeweils ein *Verteilungsgleichgewicht* ein. Für das Verhältnis der Iod-Anteile in den beiden nicht mischbaren flüssigen Phasen gilt das bereits 1891 von NERNST formulierte **Verteilungsgesetz:**
Bei der Verteilung eines Stoffes zwischen zwei Phasen (I, II) nimmt das Verhältnis seiner Stoffmengenkonzentrationen bei konstanter Temperatur einen konstanten Wert an: $K = \frac{c_{I}}{c_{II}}$

Die Gleichgewichtskonstante für ein Verteilungsgleichgewicht bezeichnet man meist als **Verteilungskoeffizient.** Für die Verteilung von Iod zwischen Tetrachlormethan und Wasser bei 25 °C gilt $K = 85$. Dazu zwei Beispiele aus wissenschaftlichen Untersuchungen:

$$\frac{c_{I}\,(I_2 \text{ in } CCl_4)}{c_{II}\,(I_2 \text{ in } H_2O)} = \frac{4{,}4 \cdot 10^{-3}\ mol \cdot l^{-1}}{5{,}2 \cdot 10^{-5}\ mol \cdot l^{-1}} = \frac{1{,}1 \cdot 10^{-2}\ mol \cdot l^{-1}}{1{,}3 \cdot 10^{-4}\ mol \cdot l^{-1}} = 85$$

Dieses Verteilungsgesetz gilt nur für den Fall, dass der gelöste Stoff in beiden Phasen in der gleichen Form vorliegt. Er darf weder dissoziieren noch dimerisieren oder Addukte mit dem Lösungsmittel bilden. Die Verteilung von Iod zwischen Wasser und organischen Lösungsmitteln beispielsweise ändert sich drastisch, wenn man Kaliumiodid in der wässerigen Phase löst: Aus Iod bilden sich überwiegend Triiodid-Ionen (I_3^-); das Verteilungsgleichgewicht verschiebt sich zugunsten der wässerigen Phase.

Durch wiederholtes Ausschütteln lässt sich ein Stoff aus einer Lösung auch dann weitgehend abtrennen, wenn der Verteilungskoeffizient relativ klein ist. In der Regel ist es günstig, häufiger mit kleinen Volumina eines Lösungsmittels zu extrahieren als nur zwei- oder dreimal mit größeren Volumina.

EXKURS

Multiplikative Verteilung

1922 entdeckte man bei der Untersuchung von Zirconium-Mineralien ein neues Element. Einige Spektrallinien im Röntgenbereich waren der Beweis. Dieses Element erhielt nach seinem Entdeckungsort Kopenhagen (lat. *Hafniae*) den Namen Hafnium. Die Abtrennung von reinen Hafniumverbindungen erwies sich aber als äußerst mühsam. Man war dabei auf geringfügige Unterschiede in der Löslichkeit bestimmter Salze angewiesen. Erst nach monatelanger Arbeit hatte man durch fünftausendfach wiederholte teilweise Kristallisation einige Kristalle der reinen Hafniumverbindung in der Hand.

Ein Durchbruch für die Lösung derartig schwieriger Probleme der Stofftrennung war die Entwicklung neuer Verteilungsverfahren seit 1937. So benötigte man 1944 nur wenige Tage, um reine Hafniumverbindungen im Gramm-Maßstab zu isolieren.

Die Grundlagen dieser Verteilungsverfahren sollen am Beispiel des einfachsten, 1945 von CRAIG beschriebenen Verfahrens erläutert werden: Das Ausschütteln wird dabei nicht immer mit der reinen zweiten Phase durchgeführt, sondern die beiden nicht mischbaren Flüssigkeiten werden im *Gegenstrom* aneinander vorbeigeführt. Man füllt dazu in eine größere Anzahl von Trenngefäßen – manchmal mehr als zweihundert – zunächst das Lösungsmittel mit der größeren Dichte ein: Es bildet die Unterphase. In das erste Gefäß (1) gibt man nun als Oberphase die Lösung des Stoffgemisches und schüttelt, sodass sich das Verteilungsgleichgewicht für die einzelnen Stoffe einstellt. Anschließend wird die Oberphase aus dem ersten in das zweite Trenngefäß (2) überführt. Die im ersten Trenngefäß zurückgebliebene Unterphase wird dann mit dem reinen Lösungsmittel der Oberphase überschichtet. Man schüttelt die Gefäße (1) und (2) und überführt die Oberphase von (2) in das dritte Gefäß sowie die Oberphase von (1) nach (2). Die Unterphase von (1) wird wieder mit reinem Lösungsmittel überschichtet. Nach erneuter Einstellung der Verteilungsgleichgewichte setzt man den Überführungsprozess der Oberphasen in der Reihe der Trenngefäße fort.

Die Oberphasen wandern als *mobile Phase* über die *stationären Unterphasen* hinweg. Die ursprünglich nur in der Oberphase des ersten Gefäßes gelösten Substanzen wandern unterschiedlich schnell durch die Trenngefäße, da sie sich durch ihre Löslichkeiten in den beiden flüssigen Phasen und somit in ihren Verteilungskoeffizienten unterscheiden. Bei einer genügend großen Anzahl von Gefäßen erhält man für jeden Stoff annähernd eine GAUSS-Verteilung.

Für die praktische Anwendung solcher Verfahren der multiplikativen Verteilung sind spezielle Gerätesysteme entwickelt worden. Sie können weitgehend automatisiert und auch in technischem Maßstab eingesetzt werden.
Das Prinzip der multiplikativen Verteilung zwischen einer stationären und einer mobilen Phase ist auch Grundlage der *Chromatografie* (vgl. Kapitel 12.5).

Aufgabe 1: Berechnen Sie für das im Bild dargestellte Beispiel die Verteilung nach der dritten und der vierten Gleichgewichtseinstellung.

$N(A) = N(B) = 1000$
blaue Zahl: Teilchensorte A
rote Zahl: Teilchensorte B
$K_A = 0{,}25$; $K_B = 1$

Vor der ersten Gleichgewichtseinstellung:

1000 1000	Oberphase
0 0	Unterphase

1. Gleichgewichtseinstellung:

Gefäß (1)	Gefäß (2)	Gefäß (3)	Gefäß (4)	Gefäß (5)	Gefäß (6)	Gefäß (7)	Gefäß (8)
800 500							
200 500	0 0	0 0	0 0	0 0	0 0	0 0	0 0

Transport der oberen Phase in Gefäß (2);
Zugabe von frischer Oberphase in Gefäß (1):

(1)	(2)	(3)	(4)	(5)	(6)	(7)	(8)
0 0	800 500						
200 500	0 0	0 0	0 0	0 0	0 0	0 0	0 0

2. Gleichgewichtseinstellung:

(1)	(2)	(3)	(4)	(5)	(6)	(7)	(8)
160 250	640 250						
40 250	160 250	0 0	0 0	0 0	0 0	0 0	0 0

.
.
.

8. Gleichgewichtseinstellung:

(1)	(2)	(3)	(4)	(5)	(6)	(7)	(8)
0 4	0 28	3 83	24 138	92 138	221 83	293 28	168 4
0 4	0 28	1 83	6 138	23 138	55 83	73 28	42 4

Verteilung nach der 8. Gleichgewichtseinstellung
in grafischer Darstellung:

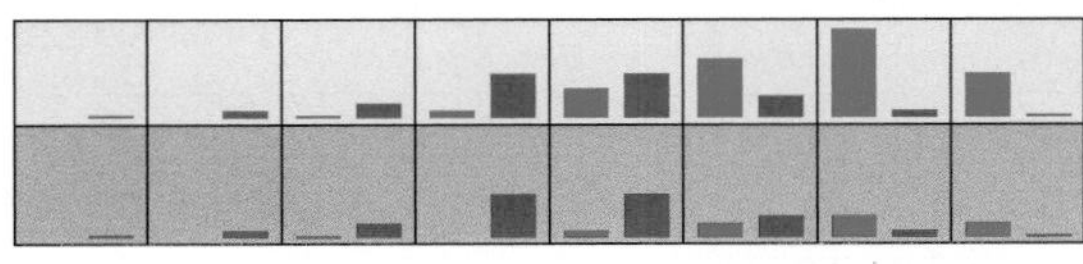

Computersimulation der multiplikativen Verteilung nach CRAIG

Untersuchung von Gleichgewichten

Versuch 1: Ermittlung einer Gleichgewichtskonstanten durch Leitfähigkeitsvergleich

Bei Reaktionen in wässeriger Lösung lassen sich die im Gleichgewichtszustand vorliegenden Ionenkonzentrationen oft einfach mit ausreichender Genauigkeit durch einen Leitfähigkeitsvergleich bestimmen. Als Vergleichslösungen verwendet man Lösungen mit bekannten Konzentrationen. Die Ionen in der Vergleichslösung und in der Probe sollten sich in ihrer Ionenbeweglichkeit möglichst wenig unterscheiden.
Untersucht werden soll die Reaktion von Essigsäure (HAc) mit Wasser:

$$HAc\ (aq) \rightleftharpoons H^+\ (aq) + Ac^-\ (aq)$$

Als Vergleichslösungen verwendet man Salzsäure; für sie gilt: $c(H^+) = c(Cl^-) = c_0(HCl)$.

Materialien: Leitfähigkeits-Messgerät, 5 Bechergläser (100 ml), Messzylinder (100 ml), Pipetten oder Kunststoffspritzen (10 ml, 1 ml);
Salzsäure ($0{,}1\ mol \cdot l^{-1}$), Essigsäure ($1\ mol \cdot l^{-1}$)

Durchführung:

1. Mischen Sie 1 ml der Salzsäure mit 100 ml demineralisiertem Wasser und messen Sie die Leitfähigkeit.
Geben Sie drei weitere Milliliter-Portionen Salzsäure hinzu; notieren Sie jeweils den Messwert.

2. Stellen Sie von der Essigsäure ($1\ mol \cdot l^{-1}$) auch verdünnte Proben her ($10^{-1}\ mol \cdot l^{-1}$, ($10^{-2}\ mol \cdot l^{-1}$, $10^{-3}\ mol \cdot l^{-1}$).
Messen Sie jeweils die Leitfähigkeit.

Aufgaben:

a) Stellen Sie in einem Diagramm die Abhängigkeit der Leitfähigkeit von der Konzentration der Salzsäure dar.

b) Ermitteln Sie mit Hilfe dieser Eichkurve grafisch die Ionenkonzentrationen in den Essigsäure-Lösungen.
Dabei wird als Näherung angenommen, dass bei gleicher Leitfähigkeit auch die Ionenkonzentrationen in Salzsäure und Essigsäure übereinstimmen.

c) Berechnen Sie dann für alle Essigsäure-Konzentrationen die folgenden Größen:
- den Protolysegrad α,
- das Produkt der Ionenkonzentrationen,
- die Gleichgewichtskonstante K.

Stellen Sie die Ergebnisse in einer Tabelle nach folgendem Muster zusammen:

$\frac{c(HAc)}{mol \cdot l^{-1}}$	$\frac{c(H^+)\ (= c(Ac^-))}{mol \cdot l^{-1}}$	$\frac{\alpha}{\%}$	$\frac{c(H^+) \cdot c(Ac^-)}{mol^2 \cdot l^{-2}}$	$\frac{K}{mol \cdot l^{-1}}$
1	$3{,}6 \cdot 10^{-3}$	0,36	$1{,}3 \cdot 10^{-5}$	$1{,}3 \cdot 10^{-5}$
0,1				
0,01				
0,001				

Versuch 2: Chlorwasser – ein Gleichgewichtssystem

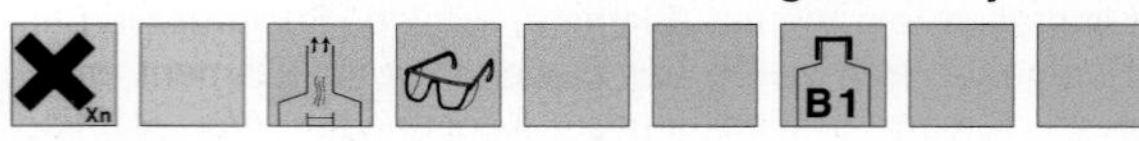

Chlorwasser, eine wässerige Lösung von Chlor, enthält Cl^--Ionen, und die Lösung reagiert sauer:

$$Cl_2\ (aq) + H_2O\ (l) \rightleftharpoons H^+\ (aq) + Cl^-\ (aq) + HClO\ (aq)$$

Die Lage des Gleichgewichts lässt sich über einen Leitfähigkeitsvergleich mit Salzsäure bekannter Konzentration bestimmen.

Materialien: Leitfähigkeits-Messgerät, 2 Bechergläser (100 ml);
Salzsäure ($10^{-2}\ mol \cdot l^{-1}$), Chlorwasser (frisch gesättigt; Xn)

Durchführung: Messen Sie die elektrische Leitfähigkeit für die Salzsäure und das gesättigte Chlorwasser.

Aufgaben:

a) Welcher Salzsäurekonzentration entspricht die Leitfähigkeit des Chlorwassers?
Wie groß sind demnach die Gleichgewichtskonzentrationen der Produkte?

b) In einem Liter Wasser lösen sich unter normalem Druck bei 25 °C insgesamt 0,09 mol Chlor. Wie groß ist die Konzentration der Cl_2-Moleküle im Gleichgewicht?

c) Stellen Sie den Term für die Gleichgewichtskonstante K auf; berechnen Sie den Wert aufgrund Ihrer Ergebnisse.

Versuch 3: Estergleichgewicht

Materialien: Erlenmeyerkolben (250 ml), Bürette, Kunststoffspritzen (10 ml, 1 ml), Gummistopfen;
Methansäureethylester (F), Ethanol (F), Salzsäure ($2\ mol \cdot l^{-1}$), Natronlauge ($1\ mol \cdot l^{-1}$; C), Bromthymolblau-Lösung

Durchführung:

1. Bereiten Sie in Reagenzgläsern vier gleichartige Mischungen vor: 1 ml Methansäureethylester, 1 ml Salzsäure und je 7,5 ml Ethanol und Wasser. Verschließen Sie die Gläser und schütteln Sie die Proben, damit sich die Stoffe vermischen.

2. Untersuchen Sie zwei Proben nach etwa zwei Stunden, die beiden anderen nach Ablauf von drei Stunden oder am nächsten Tag.
Spülen Sie dazu jeweils den Inhalt eines Reagenzglases in den Erlenmeyerkolben und fügen Sie einige Tropfen Bromthymolblau-Lösung hinzu. Tropfen Sie aus der Bürette Natronlauge bis zum Farbumschlag des Indikators zu. Notieren Sie den Verbrauch.

Aufgaben:

a) Berechnen Sie zunächst die Stoffmengen von Methansäureethylester ($\varrho = 0{,}92\ g \cdot ml^{-1}$) und Wasser im Ausgangszustand und dann die Stoffmengen aller Stoffe im Gleichgewicht ($\varrho = 0{,}79\ g \cdot ml^{-1}$).

b) Berechnen Sie die Gleichgewichtskonstante.

EXKURS

Aus der Geschichte des Massenwirkungsgesetzes

Bereits im 18. Jahrhundert machte der schwedische Chemiker BERGMAN einen Versuch, den Ablauf chemischer Reaktionen berechenbar zu machen. Seine 1775 entstandenen Affinitätstabellen erlaubten aber kaum realistische Voraussagen, da die Mengenverhältnisse überhaupt nicht berücksichtigt wurden.
BERTHOLLET zeigte 1801, dass BERGMANs Tabellen prinzipiell falsch waren. Er hatte nämlich erkannt, dass eine Reaktion in umgekehrter Richtung verlaufen kann, wenn man einen großen Überschuss eines Reaktionsproduktes hinzufügt.

Wesentliche Fortschritte ergaben sich erst 50 Jahre später, als einige Untersuchungen über den zeitlichen Verlauf von Reaktionen ausgeführt wurden. Gleichzeitig entstand die Idee eines dynamischen Gleichgewichts. In einem bekannten Lehrbuch der physikalischen Chemie werden diese Arbeiten so charakterisiert:
„Es ist einigermaßen kurios, dass wir die korrekte Form des ... Massenwirkungsgesetzes einer Serie von Untersuchungen über die Geschwindigkeit chemischer Reaktionen, und nicht deren Gleichgewicht, verdanken. WILHELMY untersuchte 1850 die Hydrolyse von Zucker durch Säuren und fand, dass die Reaktionsgeschwindigkeit proportional der Konzentration des jeweils noch unzersetzten Zuckers war. Marcellin BERTHELOT und Péan DE ST. GILES berichteten 1862 ähnliche Ergebnisse bei der Esterbildung."

BERTHELOT und ST. GILES hatten in ihren etwa 500 Langzeituntersuchungen zur Esterbildung und Esterhydrolyse zahlreiche Beobachtungen über die Lage des Gleichgewichts gemacht. Ihre Ergebnisse waren eine wichtige Anregung für die norwegischen Forscher GULDBERG und WAAGE für allgemeine Überlegungen, die schließlich zum Massenwirkungsgesetz führten.

Wesentliche Grundgedanken wurden schon 1864 in norwegischer Sprache veröffentlicht; 1867 folgte eine umfangreichere französischsprachige Arbeit. Größere Beachtung fand aber erst ihre Darstellung aus dem Jahre 1879 in deutscher Sprache.

Massenwirkungsgesetz und Kinetik. Erstaunlich ist, dass das sehr allgemein anwendbare Massenwirkungsgesetz zu einer Zeit aufgestellt wurde, in der erst sehr wenige Reaktionen genauer untersucht waren. Neben dem Estergleichgewicht war es vor allem ein von GULDBERG und WAAGE untersuchtes Gleichgewicht:

$BaSO_4\,(s) + K_2CO_3\,(aq) \rightleftharpoons BaCO_3\,(s) + K_2SO_4\,(aq)$

Wesentliche Stütze bei der Formulierung des Massenwirkungsgesetzes war eine eigentlich falsche Überlegung: Man glaubte damals, dass sich die Geschwindigkeitsgleichung einer Reaktion, direkt aus der Stöchiometrie der Reaktion ablesen lässt. Mit dieser Annahme lassen sich die Geschwindigkeitsgleichungen für Hinreaktion und Rückreaktion schnell aufstellen:

$a\,A + b\,B \rightleftharpoons c\,C + d\,D$

$\vec{v} = \vec{k} \cdot c^a\,(A) \cdot c^b\,(B)$; $\overleftarrow{v} = \overleftarrow{k} \cdot c^c\,(C) \cdot c^d\,(D)$

Im Gleichgewicht gilt: $\vec{v} = \overleftarrow{v}$. Die Gleichgewichtskonstante ergibt sich als Quotient der Geschwindigkeitskonstanten:

$\vec{k} \cdot c^a\,(A) \cdot c^b\,(B) = \overleftarrow{k} \cdot c^c\,(C) \cdot c^d\,(D)$;

$$K = \frac{\vec{k}}{\overleftarrow{k}} = \frac{c^c\,(C) \cdot c^d\,(D)}{c^a\,(A) \cdot c^b\,(B)}$$

Heute weiß man, dass diese Annahme allgemein nur bei *Elementarreaktionen* zutrifft. Die ersten Gleichgewichtsforscher hatten aber Glück: Für einige der untersuchten Reaktionen führten die kinetischen Messungen zu Gleichgewichtskonstanten, die einigermaßen mit den direkt aus den Gleichgewichtskonzentrationen berechneten Gleichgewichtskonstanten übereinstimmten.
Ein berühmtes Beispiel sind BODENSTEINs Untersuchungen am Iodwasserstoff-Gleichgewicht:

$H_2\,(g) + I_2\,(g) \rightleftharpoons 2\,HI\,(g)$

$\frac{T}{K}$	$\frac{\vec{k}}{mol^{-1} \cdot l \cdot min^{-1}}$	$\frac{\overleftarrow{k}}{mol^{-1} \cdot l \cdot min^{-1}}$	$\frac{\vec{k}}{\overleftarrow{k}}$	$K(T)$ (direkt)
629	$3{,}02 \cdot 10^{-4}$	$3{,}61 \cdot 10^{-6}$	83,6	66,6
661	$1{,}69 \cdot 10^{-3}$	$2{,}63 \cdot 10^{-5}$	64,3	55,8
721	$1{,}67 \cdot 10^{-2}$	$2{,}99 \cdot 10^{-4}$	55,8	50,0

Konzentration und Aktivität. In den ersten Jahrzehnten des 20. Jahrhunderts zeigte sich bei genauen Messungen, dass der aus Gleichgewichtskonzentrationen berechnete Wert für K_c nur näherungsweise konstant ist. Bei Reaktionen in Lösung hängt er nicht nur von der Gesamtkonzentration ab, sondern auch von der Konzentration anderer Ionen, die nicht direkt beteiligt sind.
In den 20er Jahren gelang es schließlich, diese Abweichungen weitgehend zu verstehen. Um die einfache Form des Gesetzes zu erhalten, ging man von Konzentrationen zu *Aktivitäten a* über, indem man einen theoretisch berechenbaren Korrekturfaktor einführte: $a = \gamma \cdot c$. Tabellenwerke enthalten heute meist nur solche *thermodynamischen Gleichgewichtskonstanten* K_a, die mit Aktivitäten berechnet sind. Sie entsprechen K_c-Werten für sehr kleine Konzentrationen.

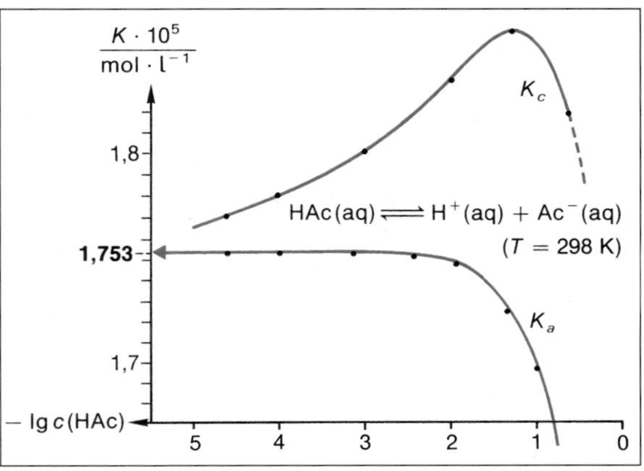

6.6 Gleichgewichtsberechnungen

A1 Welche Stoffmenge an Ester erhält man im Gleichgewicht, wenn man von 1 mol Ester, 1 mol Ethanol und 10 mol Wasser ausgeht?

A2 **a)** Beschreiben Sie den in der Abbildung 1 dargestellten Zusammenhang.
b) Berechnen Sie für den Gesamtdruck von 1000 hPa die Gleichgewichtskonzentrationen.
c) Bestimmen Sie die Gleichgewichtskonstanten K_p und K_c.

A3 Bei der Bildung von Phosgen ($COCl_2$) stellt sich folgendes Gleichgewicht ein:

$$CO\,(g) + Cl_2\,(g) \rightleftharpoons COCl_2\,(g)$$

In einem Experiment betrug der Partialdruck des Chlorgases vor der Reaktion 666 hPa und der des Kohlenstoffmonooxids 533 hPa. Nachdem sich das Gleichgewicht eingestellt hatte, wurde der Gesamtdruck von 800 hPa bestimmt.
a) Welcher Druck hätte sich bei vollständigem Umsatz einstellen müssen?
b) Setzen Sie für den Partialdruck des Phosgens im Gleichgewicht den Wert x ein und formulieren Sie die Partialdrücke der Ausgangsstoffe im Gleichgewicht.
c) Berechnen Sie K_p und K_c.

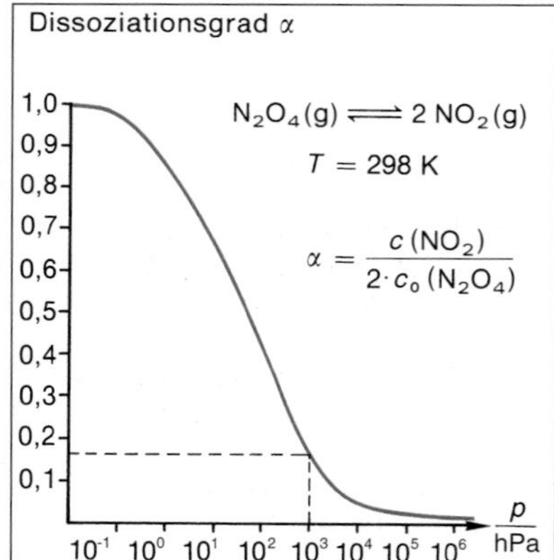

1. Zusammenhang zwischen Dissoziationsgrad und Gesamtdruck

Gleichgewichtskonstante. Kennt man die Zusammensetzung der ursprünglichen Mischung, so lässt sich die Gleichgewichtskonstante berechnen, wenn man die Gleichgewichtskonzentration mindestens einer Komponente experimentell bestimmt hat. Die übrigen Werte lassen sich dann mit Hilfe der Reaktionsgleichung ermitteln.

Beispiel: Bei der Esterbildung in einer Mischung aus je 1 mol Essigsäure und Ethanol findet man, dass im Gleichgewicht noch 0,33 mol Essigsäure vorhanden ist. Damit liegen auch die anderen Stoffmengen fest:

$$\underset{0{,}33\text{ mol}}{\text{Essigsäure}} + \underset{0{,}33\text{ mol}}{\text{Ethanol}} \rightleftharpoons \underset{0{,}67\text{ mol}}{\text{Ester}} + \underset{0{,}67\text{ mol}}{\text{Wasser}}$$

Zur Berechnung der Gleichgewichtskonstanten K_c können in diesem Fall unmittelbar die Stoffmengen eingesetzt werden, da sich der Faktor für die Umrechnung in Konzentrationen kürzen lässt:

$$K_c = \frac{n(\text{Ester}) \cdot \cancel{V^{-1}} \cdot n(\text{Wasser}) \cdot \cancel{V^{-1}}}{n(\text{Essigsäure}) \cdot \cancel{V^{-1}} \cdot n(\text{Ethanol}) \cdot \cancel{V^{-1}}} = \frac{0{,}67\text{ mol} \cdot 0{,}67\text{ mol}}{0{,}33\text{ mol} \cdot 0{,}33\text{ mol}} \approx 4$$

Gleichgewichtskonzentration. Kennt man die Gleichgewichtskonstante, so lassen sich für alle Stoffe die Gleichgewichtskonzentrationen berechnen, wenn das ursprüngliche Mischungsverhältnis der Edukte bekannt ist.

Beispiel: Für die Bildung von Iodwasserstoff gilt: K_c (700 K) = 54,3. Geht man von einer Mischung mit einer Anfangskonzentration von jeweils $5 \cdot 10^{-3}$ mol · l^{-1} aus, so ergibt sich für das Gleichgewicht:

$$\frac{c}{\text{mol} \cdot l^{-1}}: \quad \underset{5 \cdot 10^{-3} - x}{H_2\,(g)} + \underset{5 \cdot 10^{-3} - x}{I_2\,(g)} \rightleftharpoons \underset{2x}{2\,HI\,(g)}; \quad \frac{(2x)^2}{(5 \cdot 10^{-3} - x)^2} = 54{,}3$$

Man erhält eine quadratische Gleichung mit folgender Lösung:
$x \approx 4 \cdot 10^{-3}$ mol · l^{-1}. Die Edukte werden also zu 80 % umgesetzt.

Vom K_p-Wert zum K_c-Wert. Bei Reaktionen im Gaszustand sind Druck und Volumen die unmittelbar messbaren Größen. Der Gesamtdruck setzt sich dabei aus den Druckanteilen aller beteiligten gasförmigen Stoffe zusammen. Diese *Partialdrücke* entsprechen den Volumenanteilen und damit auch den Stoffmengenanteilen der Komponenten.
Für Reaktionen im Gaszustand wird oft eine Gleichgewichtskonstante K_p angegeben, die direkt aus den Partialdrücken berechnet wird. So gilt für die Dissoziation von Distickstofftetraoxid bei 45 °C: K_p = 600 hPa. Bei 1000 hPa Gesamtdruck entspricht das einem NO_2-Partialdruck von 530 hPa:

$$N_2O_4\,(g) \rightleftharpoons 2\,NO_2\,(g);$$

$$K_p = \frac{p^2\,(NO_2)}{p\,(N_2O_4)}; \quad K_p\,(318\text{ K}) = \frac{(530\text{ hPa})^2}{470\text{ hPa}} = 600\text{ hPa}$$

Ein K_p-Wert lässt sich in einen K_c-Wert umrechnen, indem man die allgemeine Gasgleichung anwendet: $p \cdot V = n \cdot R \cdot T$. Mit $n = c \cdot V$ folgt:

$p \cdot V = c \cdot V \cdot R \cdot T$; es gilt also: $c = \frac{p}{R \cdot T}$ (R = 83,1 hPa · l · K^{-1} · mol^{-1})

Beispiel: Für die Dissoziation von Distickstofftetraoxid ergibt sich:

$$K_c = \frac{c^2\,(NO_2)}{c\,(N_2O_4)} = \frac{p^2\,(NO_2) \cdot R \cdot T}{p\,(N_2O_4) \cdot R^2 \cdot T^2} = \frac{K_p}{R \cdot T}$$

$$K_c\,(318\text{ K}) = \frac{K_p\,(318\text{ K})}{R \cdot T} = \frac{600\text{ hPa}}{83{,}1\text{ hPa} \cdot l \cdot K^{-1} \cdot mol^{-1} \cdot 318\text{ K}} = 0{,}023\text{ mol} \cdot l^{-1}$$

EXKURS

Massenwirkungsgesetz und chemische Energetik

Im Verhältnis zu der unvorstellbar großen Anzahl denkbarer und auch möglicher chemischer Reaktionen sind bisher nur wenige Fälle direkt auf die Lage des Gleichgewichts untersucht worden.
Es gibt aber eine Möglichkeit, die Gleichgewichtskonstante für eine Reaktion ohne zeitaufwendige und kostspielige Experimente zu *berechnen*. Voraussetzung ist dabei, dass für alle beteiligten Stoffe die molare freie Bildungsenthalpie $\Delta_f G_m^0$ bekannt ist, sodass zunächst die molare freie Standard-Reaktionsenthalpie $\Delta_R G_m^0$ berechnet werden kann. Zwischen dieser Größe und dem Logarithmus des *Zahlenwertes* der Gleichgewichtskonstanten besteht der folgende Zusammenhang:

$$\ln K(T) = -\frac{1}{R \cdot T} \cdot \Delta_R G_m^0 \quad \text{bzw.} \quad \lg K(T) = -\frac{1}{2{,}3 \cdot R \cdot T} \, \Delta_R G_m^0$$

Diese Beziehung gilt bei Gasreaktionen für K_p und bei Reaktionen in Lösung für K_c. Ist $\Delta_R G_m^0 < 0$, so ergibt sich ein positiver Wert für lg K; der Zahlenwert ist also größer als 1. Bei großen positiven Werten für $\Delta_R G_m^0$ ergeben sich entsprechend kleine Werte für K. Das Gleichgewicht liegt dann weitgehend auf der Seite der Edukte.

Mit den für 25 °C tabellierten Werten lässt sich unmittelbar die Gleichgewichtskonstante für diese Temperatur berechnen. Das reicht vielfach aus, um die Gleichgewichtslage auch bei anderen Temperaturen abzuschätzen.

Ist jede Reaktion eine Gleichgewichtsreaktion? Mit Hilfe der angegebenen Beziehung kann man grundsätzlich für jede Reaktion eine Gleichgewichtskonstante berechnen. Man könnte daraus folgen, dass es weder Reaktionen gibt, die gar nicht ablaufen, noch solche, die wirklich vollständig ablaufen können.

Am Beispiel der Bildung von Fluorwasserstoff aus den Elementen erkennt man, dass dieser Schluss voreilig ist:

$$H_2\,(g) + F_2\,(g) \longrightarrow 2\,HF\,(g); \quad \Delta_R G_m^0 = -546{,}4\ \text{kJ} \cdot \text{mol}^{-1}$$

Für 25 °C müsste demnach gelten:

$$\lg K = \frac{546{,}4 \cdot 10^3\ \text{J} \cdot \text{mol}^{-1}}{2{,}3 \cdot 8{,}314\ \text{J} \cdot \text{K}^{-1} \cdot \text{mol}^{-1} \cdot 298\ \text{K}} = 95{,}9$$

$$K = \frac{p^2\,(HF)}{p\,(H_2) \cdot p\,(F_2)} = \frac{c^2\,(HF)}{c\,(H_2) \cdot c\,(F_2)} = 10^{96}$$

Praktisch bedeutet das, dass die Reaktion tatsächlich vollständig ablaufen kann: Nimmt man an, dass Fluorwasserstoff unter Normaldruck (1013 hPa) vorliegt, so entspricht das einer Konzentration von etwa $\frac{1}{24}$ mol · l^{-1} (0,04 mol · l^{-1}). Aus dem Term für die Gleichgewichtskonstante ergibt sich:

$$c\,(H_2) \cdot c\,(F_2) = \frac{(4 \cdot 10^{-2})^2}{10^{96}}\ \text{mol}^2 \cdot \text{l}^{-2} = 16 \cdot 10^{-100}\ \text{mol}^2 \cdot \text{l}^{-2}$$

Im Gleichgewicht würde dann gelten:

$$c\,(H_2) = c\,(F_2) \approx 4 \cdot 10^{-50}\ \text{mol}^2 \cdot \text{l}^{-1}$$

Derartig kleine Konzentrationen sind aber keine realen Größen mehr. Erst in einem Volumen von 8 · 10^{25} Litern lägen je zwei Moleküle vor. Dieses Volumen ist 80-mal so groß wie das Volumen der Erde.

Berechnung von K für beliebige Temperaturen. Will man eine Gleichgewichtskonstante für andere Temperaturen berechnen als für 25 °C, so muss man die Temperaturabhängigkeit von $\Delta_R G_m^0$ berücksichtigen. Man verwendet dazu die GIBBS-HELMHOLTZ-Gleichung:

$$\Delta_R G_m^0\,(T) = \Delta_R H_m^0\,(T) - T \cdot \Delta_R S_m^0\,(T)$$

Dabei sind die Werte für $\Delta_R H_m^0$ und für $\Delta_R S_m^0$ praktisch nicht temperaturabhängig, soweit sich weder der Aggregatzustand noch die Struktur der betreffenden Stoffe ändert. Man arbeitet daher oft vereinfachend mit den für 25 °C tabellierten Werten. Den entscheidenden Einfluss auf den Wert von $\Delta_R G_m^0$ und damit auf die Lage des Gleichgewichts hat das Produkt aus absoluter Temperatur T und Reaktionsentropie $\Delta_R S_m^0$.
In der folgenden Tabelle sind genaue Werte aus einer neueren Untersuchung über das Gleichgewicht zwischen Kohlenstoffmonooxid und Kohlenstoffdioxid zusammengestellt. In umgekehrter Richtung betrachtet ist es unter dem Namen BOUDOUARD-Gleichgewicht bekannt. Es spielt eine entscheidende Rolle im Hochofenprozess.

$$2\,CO\,(g) \rightleftharpoons C\,(s, \text{Graphit}) + CO_2\,(g); \quad K_p = \frac{p\,(CO_2)}{p^2\,(CO)}$$

$\frac{T}{K}$	$\frac{\Delta_R H_m^0\,(T)}{kJ \cdot mol^{-1}}$	$\frac{\Delta_R S_m^0\,(T)}{J \cdot mol^{-1} \cdot K^{-1}}$	$\frac{T \cdot \Delta_R S_m^0\,(T)}{kJ \cdot mol^{-1}}$	$\frac{\Delta_R G_m^0\,(T)}{kJ \cdot mol^{-1}}$	$\frac{K_p\,(T)}{hPa^{-1}}$
298	−172,5	−176,6	− 52,6	−119,9	10^{18}
600	−173,6	−179,7	−107,8	− 65,8	$5 \cdot 10^2$
800	−172,6	−178,5	−142,8	− 29,8	$8{,}8 \cdot 10^{-2}$
969	−171,0	−176,5	−171,0	0	10^{-3}
1000	−170,7	−176,3	−176,3	5,6	$5{,}1 \cdot 10^{-4}$
1200	−168.2	−173,8	−208,6	40,4	$1{,}7 \cdot 10^{-5}$
1400	−165,3	−171,7	−240,4	75,1	$1{,}6 \cdot 10^{-6}$

Bei niedrigen Temperaturen verläuft die Reaktion praktisch vollständig; im Gleichgewichtszustand liegt nur noch sehr wenig Kohlenstoffmonooxid vor. Wie bei anderen exothermen Reaktionen nimmt aber das Ausmaß der Umsetzung mit steigender Temperatur ab. Bei 969 K kompensieren sich $\Delta_R H_m^0$ und $T \cdot \Delta_R S_m^0$, sodass die freie Reaktionsenthalpie null wird.

Aufgabe 1: Zeichnen Sie ein Diagramm mit den Werten aus der obigen Tabelle. Tragen Sie dabei die Werte von $\Delta_R H_m^0$, $T \cdot \Delta_R S_m^0$ und $\Delta_R G_m^0$ gegen die Temperatur auf. Verbinden Sie gleichartige Werte durch eine Kurve.

Aufgabe 2: **a)** In welchen Volumenanteilen liegen Kohlenstoffdioxid und Kohlenstoffmonooxid bei 969 K vor? Gehen Sie davon aus, dass der Gesamtdruck 1000 hPa beträgt.
b) In welchen Volumenanteilen liegen die beiden Gase vor, wenn sich das Gleichgewicht bei 1400 K eingestellt hat?

Aufgabe 3: Berechnen Sie die Gleichgewichtskonstante für die Protolyse von Essigsäure bei 25 °C.

$$CH_3COOH\,(aq) \rightleftharpoons H^+\,(aq) + CH_3COO^-\,(aq)$$

$\Delta_f G_m^0$: −399,61 kJ · mol^{-1} 0 kJ · mol^{-1} −372,46 kJ · mol^{-1}

6.7 Vom Schwefel zur Schwefelsäure

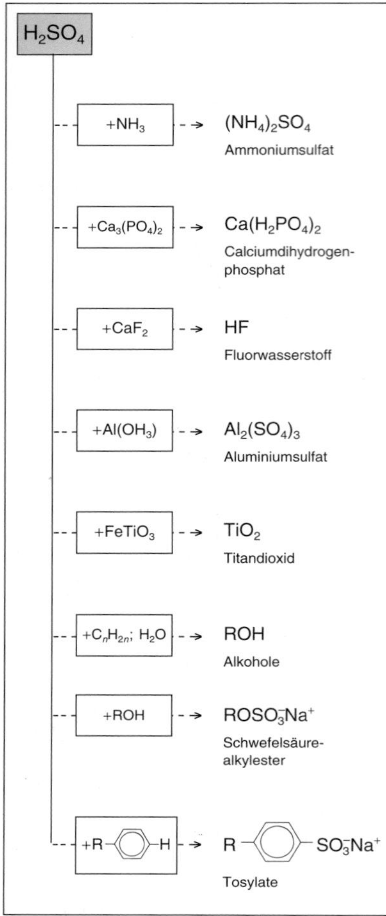

1. Verwendung von Schwefelsäure

In Deutschland wurden 1992 etwa 3,7 Millionen Tonnen Schwefelsäure hergestellt. Damit ist Schwefelsäure vor Ammoniak, Chlor und Natronlauge die am meisten produzierte Chemikalie. Weithin bekannt ist ihre Verwendung in Bleiakkumulatoren. Der größte Teil der Schwefelsäure wird weltweit jedoch zur Erzeugung von Düngemitteln wie Superphosphat oder Ammoniumsulfat verbraucht. Außerdem wird sie bei der Herstellung von Tensiden, Farbstoffen und Medikamenten eingesetzt. In Deutschland entfällt ein verhältnismäßig großer Anteil des Verbrauchs an Schwefelsäure auf die Herstellung von Titandioxid (TiO_2); es dient vor allem als Weißpigment in Anstrichfarben.

Ausgangsstoff für die technische Herstellung von Schwefelsäure ist meist elementarer Schwefel. Man erhält ihn unter anderem bei der Reinigung des Erdöls von Schwefelverbindungen. In Deutschland gewinnt man ihn hauptsächlich durch die Oxidation von Schwefelwasserstoff-Gas, das in vielen Erdgasen enthalten ist.

$$2\ H_2S\ (g) + O_2\ (g) \longrightarrow 2\ S\ (g) + 2\ H_2O\ (l); \quad \Delta_R H_m^0 = -443\ kJ \cdot mol^{-1}$$

Im ersten Schritt des technischen Verfahrens wird Schwefel zu Schwefeldioxid verbrannt. Schwefeldioxid lässt sich auch durch Rösten von Pyrit (FeS_2) oder von schwefelhaltigen Kupfererzen, Zinkerzen und Bleierzen gewinnen. In Deutschland wird der überwiegende Teil der Schwefelsäure jedoch aus elementarem Schwefel hergestellt. Eine Schwefel-Verbrennungsanlage ist nur halb so teuer wie eine Pyrit-Anlage, weil das durch Rösten von Pyrit erzeugte Schwefeldioxid vor der Weiterverarbeitung gereinigt werden muss, bei einer Schwefel-Verbrennungsanlage ist das nicht notwendig.

Der entscheidende Vorgang für die Herstellung von Schwefelsäure ist die Oxidation von Schwefeldioxid zu Schwefeltrioxid in einer exotherm verlaufenden Gleichgewichtsreaktion:

$$2\ SO_2\ (g) + O_2\ (g) \rightleftharpoons 2\ SO_3\ (g); \quad \Delta_R H_m^0 = -197\ kJ \cdot mol^{-1}$$

In der Technik wird dazu ein Gemisch aus Schwefeldioxid und Luft in einen Kontaktofen geleitet. Er enthält vier oder fünf übereinander angeordnete Siebböden mit Vanadium(V)-oxid als Katalysator (*„Kontakte"*). Bei etwa 450 °C wird das Schwefeldioxid oxidiert. Nach Verlassen des Reaktors wird das Gasgemisch in *Absorptionstürmen* über konzentrierte Schwefelsäure

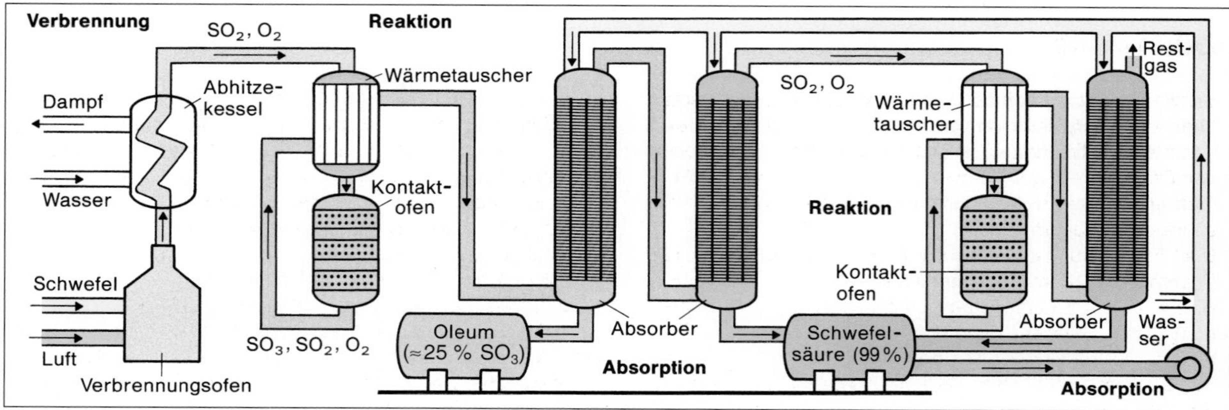

2. Technische Herstellung der Schwefelsäure

geleitet. Zunächst löst sich Schwefeltrioxid in der Säure. Es bildet sich *Oleum*, eine rauchende Schwefelsäure, die vor allem Dischwefelsäure ($H_2S_2O_7$) enthält. Anschließend setzt man Oleum mit Wasser zu 98 %iger Schwefelsäure um.

$$H_2S_2O_7\ (l) + H_2O\ (l) \longrightarrow 2\ H_2SO_4\ (l)$$

Das SO_2/SO_3-Gleichgewicht in der Technik. Die Lage des SO_2/SO_3-Gleichgewichts lässt sich auf unterschiedliche Weise beeinflussen. Entsprechend dem Prinzip von LE CHATELIER sinkt mit steigender *Temperatur* der Anteil von Schwefeltrioxid im Gleichgewicht. Um möglichst viel Schwefeltrioxid zu erhalten, wären daher niedrige Temperaturen günstig. Für ein großtechnisches Verfahren ist jedoch auch eine große Reaktionsgeschwindigkeit wichtig. Deshalb darf die Temperatur nicht zu niedrig sein. Um die Reaktion weiter zu beschleunigen, wird ein Katalysator eingesetzt. Man verwendet dazu Vanadium(V)-oxid. Das als Zwischenprodukt auftretende Vanadium(IV)-oxid wird durch Sauerstoff wieder in Vanadium(V)-oxid überführt: Der Katalysator wirkt als Sauerstoffüberträger:

$$SO_2\ (g) + V_2O_5\ (s) \longrightarrow SO_3\ (g) + V_2O_4\ (s)$$

$$V_2O_4\ (s) + \tfrac{1}{2}\ O_2\ (g) \longrightarrow V_2O_5\ (s)$$

Die Bildung von Schwefeltrioxid verläuft stark exotherm. Das Gasgemisch erhitzt sich bei der Reaktion daher so stark, dass eine vollständige Umsetzung in einem Schritt nicht möglich ist. Deshalb führt man die Oxidation stufenweise durch. Das Gasgemisch strömt im Ofen durch mehrere Kontaktschichten und wird zwischendurch an Wärmeaustauschern abgekühlt, sodass sich wieder eine günstige Reaktionstemperatur einstellt.

Eine möglichst vollständige Umsetzung des Schwefeldioxids ist auch aus Gründen des Umweltschutzes dringend erforderlich. Beim heute in der Technik üblichen so genannten *Doppelkontakt-Verfahren* wird das nach einer Zwischenabsorption des Schwefeltrioxids in konzentrierter Schwefelsäure verbleibende Restgas noch einmal über eine Kontaktschicht geleitet. Dadurch gelingt es, das Schwefeldioxid insgesamt zu 99,6 % umzusetzen. Die sich aus der Produktion von Schwefelsäure ergebende Emission an Schwefeldioxid beträgt nur etwa 0,3 % der Gesamtemission aus menschlicher Tätigkeit. Dennoch bleibt es wünschenswert, das Schwefeldioxid vollständig aus dem Abgas zu entfernen.

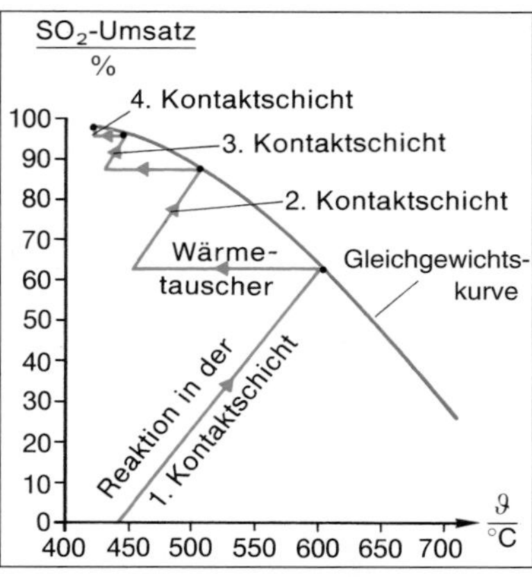

1. Umsatz von Schwefeldioxid an vier Kontaktböden

A1 Begründen Sie mit Hilfe des Prinzips von LE CHATELIER, warum das technische Gasgemisch zur Herstellung von Schwefelsäure einen Überschuss an Luftsauerstoff enthält.

A2 In einigen Ländern wird Dünnsäure entsorgt, indem man sie mit Kalk (Calciumhydroxid) neutralisiert.
a) Stellen Sie die Reaktionsgleichung für diesen Vorgang auf.
b) Welchen Nachteil könnte diese Form der Entsorgung haben?

A3 Beim Recycling-Prozess wird verunreinigte Schwefelsäure thermisch zerlegt. Stellen Sie die Reaktionsgleichung auf.

EXKURS

Dünnsäure

Schwefelsäure wird in der Industrie vielfältig eingesetzt, aber meist nicht völlig verbraucht. Es bleibt verdünnte und verunreinigte Säure zurück. Die früher übliche *Verklappung von Dünnsäure* in der Nordsee ist seit 1989 verboten. Wenn man die Umwelt nicht belasten will, muss man die Abfallsäure wieder aufarbeiten.
Die 20 %ige Dünnsäure aus der Produktion von Titandioxid-Pigmenten ist durch Schwermetallsulfate verunreinigt. Sie wird in Vakuum-Verdampfern erhitzt und auf 65 % konzentriert. Das Wasser verdampft wegen des Unterdrucks bereits bei niedrigen Temperaturen; die ausgefallenen Salze werden abgetrennt. In einer zweiten Stufe wird die Säure auf 98 % konzentriert.

Die bei der Herstellung organischer Produkte anfallende Schwefelsäure muss anders aufgearbeitet werden: In einem Ofen wird sie in eine 1000 °C heiße Flamme gesprüht. Dabei wird die Schwefelsäure in Schwefeldioxid, Sauerstoff und Wasser gespalten. Organische Verunreinigungen verbrennen. Das Schwefeldioxid wird wieder zu Schwefelsäure verarbeitet.
Recycling-Schwefelsäure ist teurer als die ursprüngliche Säure, da bei den Verfahren viel Energie verbraucht wird. Heiße Schwefelsäure greift Kessel und Rohrleitungen an. Deshalb mussten Werkstoffe entwickelt werden, die diesen Anforderungen standhalten. Man verwendet heute glasfaserverstärkte Polyester.

6.8 Vom Stickstoff zum Ammoniak

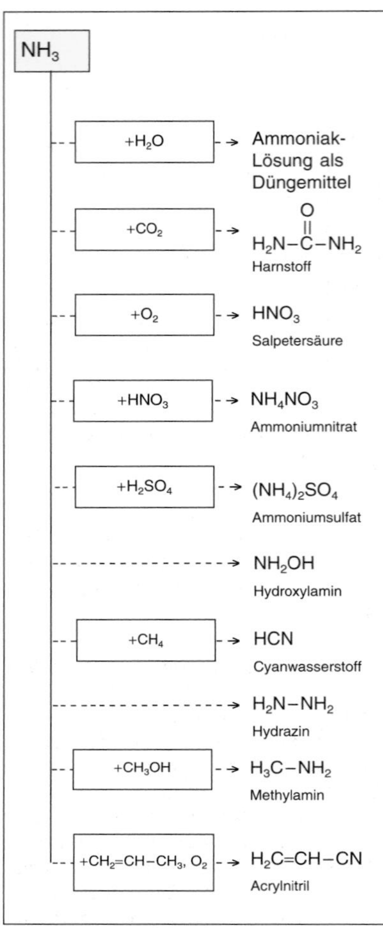

1. Verwendung von Ammoniak

Ammoniak (NH_3) ist eine der wichtigsten Grundchemikalien. 1995 wurden weltweit 120 Millionen Tonnen produziert, davon drei Millionen Tonnen in Deutschland. Entwickelt wurde das Verfahren zur großtechnischen Synthese durch den Chemiker HABER und den Ingenieur BOSCH. Die erste Anlage nach dem HABER-BOSCH-Verfahren ging 1913 bei Ludwigshafen in Betrieb.

Fast 80 % des hergestellten Ammoniaks werden für die Produktion von Düngemitteln verwendet. Der Rest dient zur Herstellung von Vorprodukten für Kunststoffe, Pflanzenschutzmittel und Sprengstoffe.
Wegen der besonderen Bedeutung für die Landwirtschaft steigt die Synthese von Ammoniak direkt mit dem Anstieg der Weltbevölkerung. Ab dem Jahr 2000 rechnet man mit einer Produktion von weltweit 150 Millionen Tonnen pro Jahr. Für viele Entwicklungsländer ist die eigene Herstellung von Ammoniak einer der ersten Schritte zur Industrialisierung.

Herstellung der Ausgangsstoffe. Ammoniak entsteht in einer Gleichgewichtsreaktion aus den Elementen Wasserstoff und Stickstoff.

$$N_2\,(g) + 3\,H_2\,(g) \rightleftharpoons 2\,NH_3\,(g);\quad \Delta_R H_m^0 = -92\ \text{kJ} \cdot \text{mol}^{-1}$$

Wasserstoff wird heute überwiegend aus Erdgas und Wasser gewonnen. Nach der Entschwefelung wird Erdgas mit Wasserdampf bei etwa 750 °C unter Druck an Nickeloxid/Aluminiumoxid-Katalysatoren umgesetzt.

$$CH_4\,(g) + H_2O\,(g) \longrightarrow CO\,(g) + 3\,H_2\,(g);\quad \Delta_R H_m^0 = 206\ \text{kJ} \cdot \text{mol}^{-1}$$

In einem zweiten Reaktor reagiert überschüssiges Methan mit Luft. Dabei entstehen Kohlenstoffmonooxid und Wasserstoff, während der Stickstoff aus der Luft unverändert bleibt.

$$2\,CH_4\,(g) + O_2\,(g) \longrightarrow 2\,CO\,(g) + 4\,H_2\,(g);\quad \Delta_R H_m^0 = -71\ \text{kJ} \cdot \text{mol}^{-1}$$

Kohlenstoffmonooxid wirkt bei der Ammoniak-Synthese als ein Katalysatorgift. Es wird daher in einer Konvertierungsanlage mit Wasserdampf in Gegenwart von Kupferoxid/Zinkoxid-Katalysatoren zu Kohlenstoffdioxid und Wasserstoff umgesetzt.

$$CO\,(g) + H_2O\,(g) \longrightarrow CO_2\,(g) + H_2\,(g);\quad \Delta_R H_m^0 = -41\ \text{kJ} \cdot \text{mol}^{-1}$$

Das Kohlenstoffdioxid wird durch Waschen mit Triethanolamin aus dem Gasgemisch entfernt.
Die beschriebenen Reaktionen können so gesteuert werden, dass Stickstoff und Wasserstoff schließlich im Verhältnis 1 : 3 vorliegen.

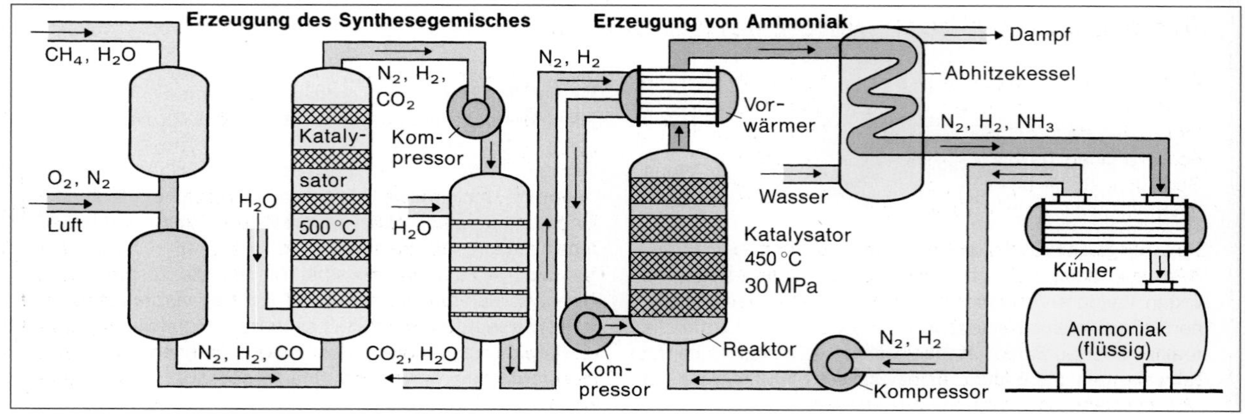

2. Technische Herstellung von Ammoniak

Die großtechnische Ammoniak-Synthese. Im Gleichgewicht liegt nach dem Prinzip von LE CHATELIER ein hoher Anteil an Ammoniak vor, wenn der Druck hoch und die Temperatur niedrig ist. Die für ein wirtschaftliches Verfahren erforderliche Reaktionsgeschwindigkeit lässt sich aber auch beim Einsatz guter Katalysatoren nur bei höheren Temperaturen erreichen. Man arbeitet heute meist bei Temperaturen um 450 °C und bei Drücken um 30 MPa (300 bar). Die Synthese findet in einem Kreislaufprozess statt, bei dem das gebildete Ammoniak laufend durch Verflüssigung aus dem Gasgemisch entfernt wird. Das nicht umgesetzte Synthesegas wird wieder demselben Reaktor zugeführt. Nach einmaligem Durchgang durch den Reaktor beträgt der Ammoniakanteil im Gasgemisch etwa 15 %. Aus Zeitgründen wartet man die Einstellung des Gleichgewichts nicht ab.

Entscheidend für die Planung einer Ammoniak-Anlage ist der Druck. Höherer Druck führt zu kleineren Apparaturen und zu größerer Produktionsleistung. Die Erzeugung sehr hoher Drücke erfordert allerdings aufwendige, teure Apparaturen und einen hohen Energieeinsatz für die Verdichtung des Synthesegases. Zur Druckerzeugung werden mehrstufige dampfgetriebene Turbokompressoren eingesetzt, in denen das Gas durch schnell rotierende Laufräder verdichtet wird.

Kernstück der Anlage ist ein *Druckreaktor* aus hochwertigem Stahl. Seine Wand besteht häufig aus mehreren Schichten. Dazu wird auf ein Kernrohr ein glühendes, profiliertes Stahlband in mehreren Lagen schraubenförmig aufgewickelt. Für eine Tagesproduktion von 1500 Tonnen Ammoniak setzt man Reaktoren von 30 Metern Länge mit einem Innendurchmesser von 2,40 Metern und einer Masse von etwa 400 Tonnen ein. Der Katalysator wird im Reaktor in bis zu zehn Schichten angeordnet, zwischen denen sich Wärmetauscher befinden. Sie entziehen dem Gasgemisch die bei der Bildung von Ammoniak freigesetzte Wärme, denn eine Temperaturerhöhung wirkt sich ungünstig auf die Gleichgewichtslage aus. Gleichzeitig wird das einströmende Synthesegas in den Wärmetauschern auf die Reaktionstemperatur gebracht.

Zwei wichtige Faktoren für die Wirtschaftlichkeit des Verfahrens zur Herstellung von Ammoniak sind Preis und Lebensdauer des Katalysators. Man verwendet heute Eisen, dem zur Erhöhung der Aktivität, der Lebensdauer und der Temperaturbeständigkeit Kaliumcarbonat, Aluminiumoxid, Calciumoxid und Siliciumoxid zugesetzt sind. Moderne Reaktoren fassen bis zu 100 Tonnen Katalysator.

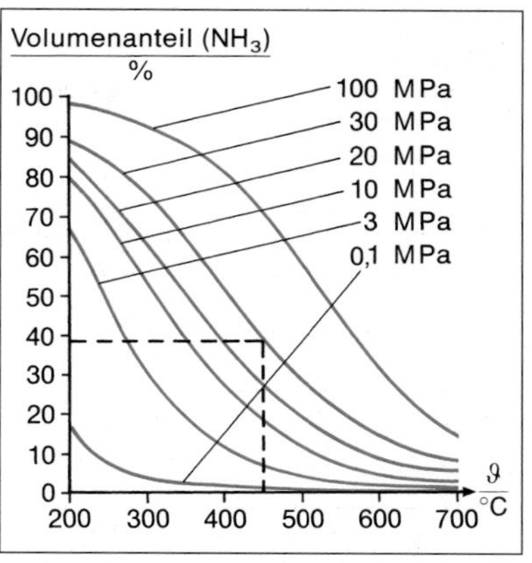

1. Ammoniakanteile im Gleichgewicht

A1 Erläutern Sie die Vorteile und die Nachteile von hohem Druck und niedriger Temperatur bei der Ammoniak-Synthese.

A2 **a)** Bei 450 °C und 30 MPa beträgt der Ammoniak-Gehalt im Gleichgewichtszustand 38 %.
Erläutern Sie, wie man trotzdem zu einer vollständigen Umsetzung des Synthesegases kommt.
b) Beim großtechnischen Verfahren liegen nach einem Durchgang durch den Reaktor nur etwa 15% Ammoniak im Gasgemisch vor. Begründen Sie, warum man die Gleichgewichtseinstellung nicht abwartet.
c) Berechnen Sie die Gleichgewichtskonstante K_p für die in a) angegebenen Bedingungen.

EXKURS

Ammoniak-Synthese ohne Energieaufwand?

Drei Prozent des Weltenergieverbrauchs entfallen auf die Produktion von Ammoniak nach dem HABER-BOSCH-Verfahren, bei dem 30 MPa und 450 °C erforderlich sind. Einigen Bakterien gelingt es dagegen schon unter normalen Bedingungen, Ammoniak zu produzieren. Sie besitzen einen viel wirksameren Katalysator.

Die biologische Stickstoff-Fixierung wird durch das Enzym *Nitrogenase* möglich. Im aktiven Zentrum dieses Enzyms liegen mehrere Eisen-Ionen und Molybdän-Ionen komplex an Schwefel-Gruppen gebunden vor. Die Aktivierung des reaktionsträgen Stickstoffs verläuft im aktiven Zentrum des Enzyms über die Bildung eines Distickstoff-Metall-Komplexes, der dann schrittweise reduziert wird.

$[Me-N\equiv N|]^{n+} \dashrightarrow [Me-\bar{N}=\bar{N}H]^{n+} \dashrightarrow$

$[Me=\bar{N}-\bar{N}H_2]^{n+} \dashrightarrow [Me\equiv N|]^{n+} + NH_3 \dashrightarrow$

$Me^{n+} + 2\,NH_3$

In der Forschung werden heute zwei Wege eingeschlagen: Einerseits versucht man die Natur zu imitieren und metallorganische Komplexe zu synthetisieren, die sich als Katalysatoren eignen. Andererseits ist man dabei, die für die Stickstoff-Fixierung verantwortlichen Gene der Bakterien zu lokalisieren. Eine denkbare zukünftige Entwicklung wäre die direkte Übertragung dieser Gene in Pflanzen, sodass diese den von ihnen benötigten Stickstoff selbst fixieren können.

6.9 Aufgaben · Versuche · Probleme

Aufgabe 1: Eine wissenschaftliche Untersuchung über den Einfluss von Natriumsulfat auf die Löslichkeit von Radiumsulfat führte zu den folgenden Ergebnissen:

Versuch Nr.	$\frac{c(Na_2SO_4)}{mol \cdot l^{-1}}$	$\frac{c(RaSO_4)}{mol \cdot l^{-1}}$
1	0	$6{,}52 \cdot 10^{-6}$
2	$5 \cdot 10^{-5}$	$1{,}07 \cdot 10^{-6}$
3	$5 \cdot 10^{-4}$	$1{,}45 \cdot 10^{-7}$

a) Berechnen Sie für alle Versuche das Löslichkeitsprodukt. Beachten Sie dabei, dass die Gleichgewichtskonzentration der SO_4^{2-}-Ionen der Summe der beiden angeführten Konzentrationen entspricht.
b) Für die Aktivitätskoeffizienten der Ionen wurden für die einzelnen Versuche folgende Werte angegeben: 1) $\gamma = 0{,}99$; 2) $\gamma = 0{,}89$; 3) $\gamma = 0{,}75$. Berechnen Sie mit Hilfe dieser Werte jeweils das Produkt der Aktivitäten.

Aufgabe 2: Bei einem Experiment wurden im Gleichgewichtszustand folgende Konzentrationen ermittelt:
$c(Fe^{2+}) = 0{,}05\ mol \cdot l^{-1}$,
$c(Fe^{3+}) = 0{,}05\ mol \cdot l^{-1}$,
$c(Ag^{+}) = 0{,}06\ mol \cdot l^{-1}$.
a) Berechnen Sie die Gleichgewichtskonstante für folgende Reaktion:
$$Fe^{2+}(aq) + Ag^{+}(aq) \rightleftharpoons Fe^{3+}(aq) + Ag(s)$$
b) Wie groß waren die Anfangskonzentrationen? ($c_0(Fe^{3+}) = 0$)

Versuch 1: Löslichkeit von Gips
a) *Gravimetrische Bestimmung:*
Man geht von einer gesättigten Lösung von Calciumsulfat aus, die bei konstanter Temperatur mindestens einen Tag gestanden hat und dabei gelegentlich umgeschüttelt wurde. Der restliche Bodenkörper ($CaSO_4 \cdot 2\,H_2O$) wird abfiltriert. Man dampft 100 ml der Lösung in einem Becherglas ein, das zuvor genau gewogen wurde. Um ein Überhitzen zu vermeiden, sollte der Rest des Lösungsmittels im Trockenschrank (110 °C) verdampft werden. Nach dem Abkühlen wird erneut gewogen. Prüfen Sie, ob es sich bei dem auskristallisierten Stoff um ein Hydrat handelt.
b) *Löslichkeitsverminderung durch Ethanol* (F): Versetzen Sie eine klare gesättigte $CaSO_4$-Lösung portionsweise mit Ethanol.

Problem 1: Die Berechnung von Gleichgewichtskonzentrationen mit Hilfe des Massenwirkungsgesetzes stößt schnell an die Grenzen der einfachen Mathematik, oft ergeben sich Gleichungen höheren Grades.
In diesen Fällen lässt sich jedoch auf einfache Weise eine Näherungslösung berechnen. Man geht dazu von einem Schätzwert aus, der größenordnungsmäßig zu den angegebenen Bedingungen passt. Durch wiederholtes Einsetzen eines immer besseren Schätzwertes in das Massenwirkungsgesetz nähert man sich schrittweise dem Ergebnis.

Beispiel: Für das Ammoniak-Gleichgewicht gilt bei 500 °C:

$$N_2(g) + 3\,H_2(g) \rightleftharpoons 2\,NH_3(g);$$
$$K_p = 1{,}6 \cdot 10^{-3}\ MPa^{-2}$$

Gesucht ist die Zusammensetzung im Gleichgewichtszustand bei einem Gesamtdruck von 20 MPa. Stickstoff und Wasserstoff sollen im stöchiometrischen Verhältnis (1 : 3) vorliegen.
Schätzwert für den NH_3-Partialdruck:
$p(NH_3) = 2{,}5$ MPa; Damit erhält man:
$p(N_2) = \frac{17{,}5}{4}$ MPa; $p(H_2) = \frac{3 \cdot 17{,}5}{4}$ MPa.
Man berechnet danach den Term für K_p:

$$K_p = \frac{p^2(NH_3)}{p(N_2) \cdot p^3(H_2)}$$
$$= \frac{2{,}5^2\ MPa^2}{4{,}1375\ MPa \cdot 13{,}125^3\ MPa^3}$$
$$= 6{,}3 \cdot 10^{-4}\ MPa^{-2}$$

Der für K_p berechnete Wert zeigt an, dass $p(NH_3)$ im Gleichgewicht größer sein muss. Man erhöht jetzt den Schätzwert für $p(NH_3)$ schrittweise um jeweils 10 %, bis sich für K_p ein Wert ergibt, der größer ist als $1{,}6 \cdot 10^{-3}\ MPa^{-2}$. Dann erniedrigt man den Schätzwert schrittweise um jeweils 1 %, bis sich ein K_p-Wert ergibt, der praktisch mit der Gleichgewichtskonstanten übereinstimmt.
a) Führen Sie die Berechnung für den im Beispiel beschriebenen Fall aus.
b) Berechnen Sie auf entsprechende Weise die Partialdrücke im Gleichgewicht bei einem Gesamtdruck von 10 MPa (100 bar).
c) Dieses *iterative Rechenverfahren* lässt sich wesentlich erleichtern, wenn man einen Computer einsetzt. Entwerfen Sie ein entsprechendes Programm.

Problem 2: Bei normalen Glühlampen schwärzt sich allmählich der Glaskolben: Das vom heißen Glühdraht verdampfende Wolfram lagert sich an den kältesten Stellen wieder ab:

$$W(g) \rightleftharpoons W(s); \quad \Delta H < 0$$

$\frac{T}{K}$	$\frac{Lichtausbeute}{\%}$	$\frac{Lebensdauer}{h}$
2400	1,4	1200
2600	2,1	40
2800	3,0	2

Bei **Halogenlampen** tritt dieses Problem trotz höherer Temperatur des Drahtes nicht auf. Da sie neben Iod auch etwas Sauerstoff enthalten, reagiert der Wolframdampf in der Nähe des Glaskolbens vor allem zu Wolframdioxidiodid (WO_2I_2). Diese relativ leicht flüchtige Verbindung entsteht in einer exothermen Reaktion.
Man könnte sich nun vorstellen, dass am Glühdraht WO_2I_2-Moleküle in der endothermen Rückreaktion wieder zerlegt werden. Diese Reaktion sollte vor allem an den dünnsten Stellen des Drahtes ablaufen, da hier der Widerstand und damit auch die Temperatur am höchsten sind. Auf diese Weise könnten Schwachstellen wieder ausheilen; eine Halogenlampe sollte demnach nie durchbrennen.
Neuere Untersuchungen haben gezeigt, dass WO_2I_2-Moleküle schrittweise zerfallen.
Erklären Sie, warum sich Wolfram leider bevorzugt an den dicksten Stellen des Drahtes ablagert.
Betrachten Sie dazu den Einfluss der Temperatur auf die beteiligten Gleichgewichte.

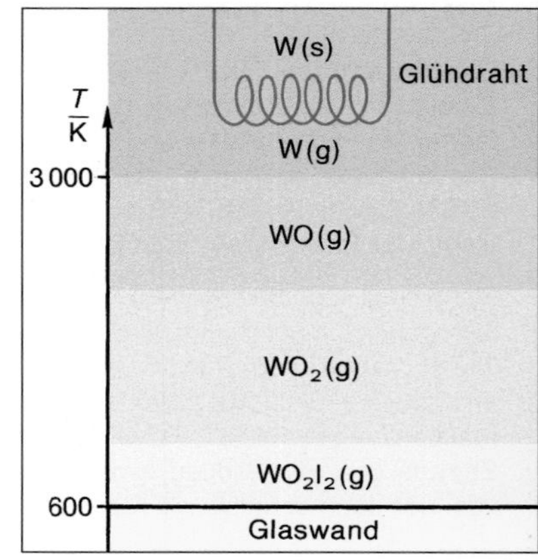

Chemisches Gleichgewicht

1. Umkehrbarkeit chemischer Reaktionen

Chemische Reaktionen sind im Prinzip umkehrbar. Verläuft die Hinreaktion *exotherm*, so ist die Rückreaktion *endotherm.*

$I_2 (g) + H_2 (g) \longrightarrow 2\,HI (g)$; $\Delta_R H_m^0 = -10\ kJ \cdot mol^{-1}$

$2\,HI (g) \longrightarrow H_2 (g) + I_2 (g)$; $\Delta_R H_m^0 = 10\ kJ \cdot mol^{-1}$

2. Chemisches Gleichgewicht

In einem geschlossenen System stellt sich bei konstanter Temperatur und konstantem Druck ein gleich bleibendes Stoffmengenverhältnis zwischen den Ausgangsstoffen (Edukten) und den Endstoffen (Produkten) ein. Es stellt sich ein *dynamisches Gleichgewicht* ein: Die Geschwindigkeit von Hin- und Rückreaktion ist gleich groß.

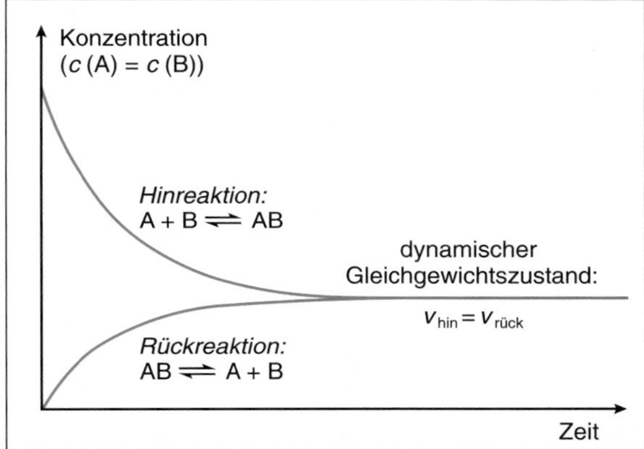

Zeitlicher Verlauf der Gleichgewichtseinstellung

3. Das Prinzip von LE CHATELIER

Jede Störung eines chemischen Gleichgewichts führt zu einer Veränderung der Gleichgewichtslage, die der Störung entgegenwirkt.

a) *Temperaturabhängigkeit*
Die exotherme Reaktionsrichtung wird durch niedrige Temperaturen, die endotherme Reaktionsrichtung durch hohe Temperaturen begünstigt.

$$2\,CO (g) \underset{\text{Reaktionsrichtung bei hoher Temperatur}}{\overset{\text{Reaktionsrichtung bei niedriger Temperatur}}{\rightleftharpoons}} C (s) + CO_2 (g);\ \text{exotherm}$$

b) *Druckabhängigkeit*
Bei vielen Gasreaktionen ändert sich die Anzahl der Teilchen. In diesem Fall hängt die Lage des Gleichgewichts vom Druck ab. Bei Druckerhöhung verringert sich die Anzahl der Teilchen; die Druckerhöhung wird dadurch teilweise kompensiert. Bei Druckerniedrigung vergrößert sich die Teilchenzahl.

$$2\,NO_2 (g) \underset{\text{Reaktionsrichtung bei Druckerniedrigung}}{\overset{\text{Reaktionsrichtung bei Druckerhöhung}}{\rightleftharpoons}} N_2O_4 (g)$$

c) *Konzentrationsabhängigkeit*
Erhöht man die Konzentration eines Reaktionsteilnehmers, so läuft die Reaktion in der Richtung ab, in der dieser Stoff verbraucht wird. Erhöht man im folgenden Beispiel die Konzentration der Fe(II)-Ionen, so bilden sich Fe(III)-Ionen und elementares Silber:

$$Fe^{2+} (aq) + Ag^+ (aq) \underset{\text{Reaktionsrichtung bei Erhöhung der Konzentration eines Endstoffes}}{\overset{\text{Reaktionsrichtung bei Erhöhung der Konzentration eines Ausgangsstoffes}}{\rightleftharpoons}} Fe^{3+} (aq) + Ag (s)$$

4. Massenwirkungsgesetz und Gleichgewichtskonstante *K*

Für eine beliebige Reaktion ergibt sich die Gleichgewichtskonstante folgendermaßen:

$$a\,A + b\,B \rightleftharpoons c\,C + d\,D;\quad K_c = \frac{c^c (C) \cdot c^d (D)}{c^a (A) \cdot c^b (B)}$$

Die beteiligten Stoffe müssen allerdings in einem *homogenen System*, also in einer Lösung oder als Gase, vorliegen. Bei *heterogenen Systemen* bleiben im Term für die Gleichgewichtskonstante feste Stoffe unberücksichtigt.

Beispiel: Beim BOUDOUARD-Gleichgewicht, der Reaktion von Kohlenstoff mit Kohlenstoffdioxid, kommt es nicht darauf an, in welcher Menge Kohlenstoff vorliegt:

$$C (s) + CO_2 (g) \rightleftharpoons 2\,CO (g);\quad K_c = \frac{c^2 (CO)}{c (CO_2)}$$

K_c ist die auf Konzentrationsangaben bezogene *Gleichgewichtskonstante.* Setzt man in den Ausdruck für das Massenwirkungsgesetz Partialdrücke ein, so erhält man die Gleichgewichtskonstante K_p. Zwischen den beiden Konstanten besteht folgende Beziehung:

$$K_p = K_c \cdot (R \cdot T)^{\Delta\nu}$$

$$\Delta\nu = \Sigma\nu_i\ (\text{Produkte}) - \Sigma\nu_i\ (\text{Edukte})$$

Löslichkeitsgleichgewicht. Für gesättigte wässerige Lösungen salzartiger Stoffe ist das Löslichkeitsprodukt K_L die Gleichgewichtskonstante:

Beispiele: $AgBr (s) \rightleftharpoons Ag^+ (aq) + Br^- (aq)$

$K_L (AgBr) = c (Ag^+) \cdot c (Br^-)$

$CaF_2 (s) \rightleftharpoons Ca^{2+} (aq) + 2\,F^- (aq)$

$K_L (CaF_2) = c (Ca^{2+}) \cdot c^2 (F^-)$

Verteilungsgleichgewicht. Für die Verteilung eines Stoffes zwischen zwei nicht miteinander mischbaren Lösungsmitteln gilt das **NERNSTsche Verteilungsgesetz:** *Das Verhältnis der Konzentrationen des gelösten Stoffes in den beiden Lösungsmitteln ist konstant.*

Beispiel: Für die Verteilung von Essigsäure zwischen Wasser und Pentanol gilt bei 20 °C:

$$K = \frac{c\ (\text{Essigsäure in Wasser})}{c\ (\text{Essigsäure in Pentanol})} = 1{,}1$$

7 Säure/Base-Reaktionen

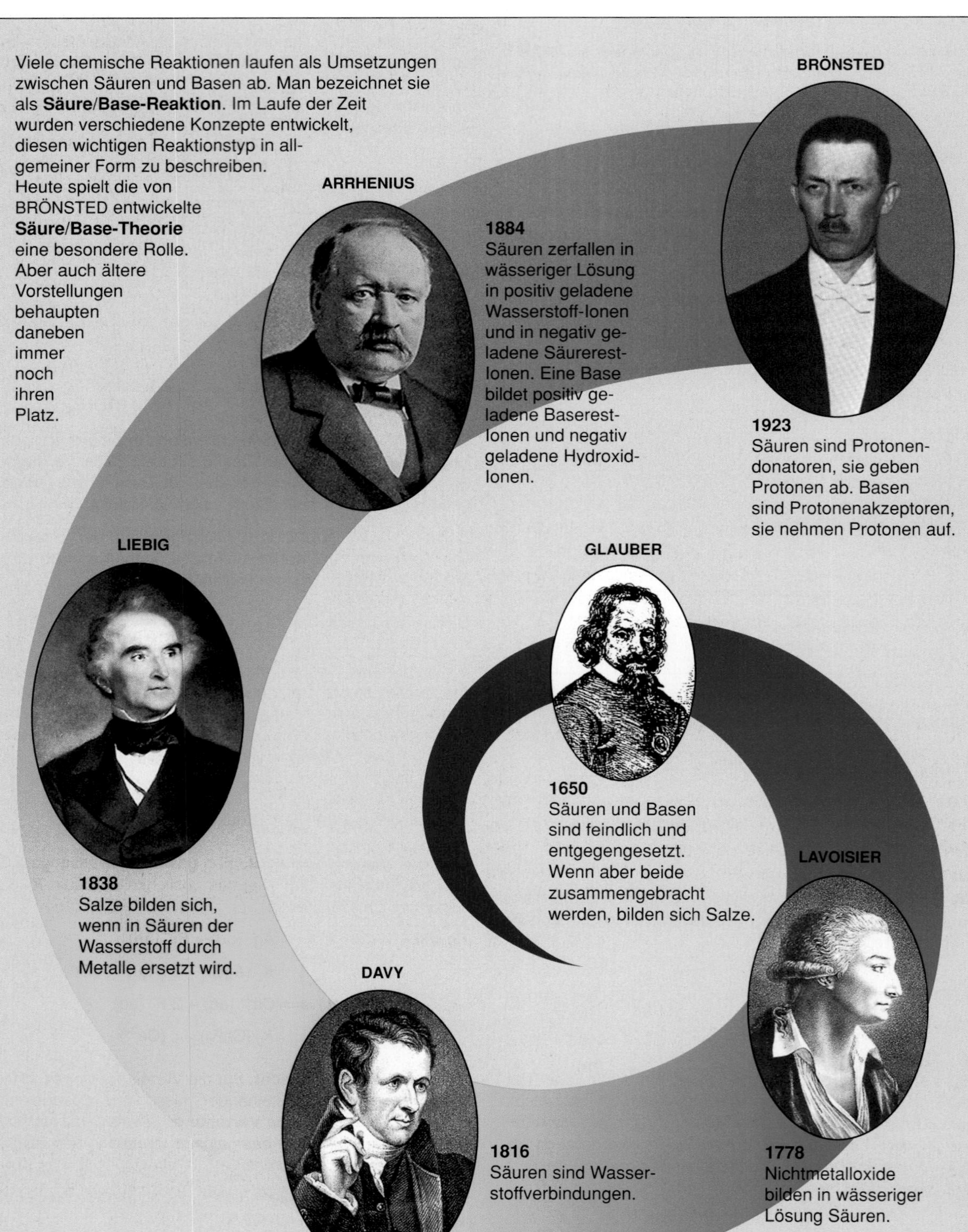

Viele chemische Reaktionen laufen als Umsetzungen zwischen Säuren und Basen ab. Man bezeichnet sie als **Säure/Base-Reaktion**. Im Laufe der Zeit wurden verschiedene Konzepte entwickelt, diesen wichtigen Reaktionstyp in allgemeiner Form zu beschreiben. Heute spielt die von BRÖNSTED entwickelte **Säure/Base-Theorie** eine besondere Rolle. Aber auch ältere Vorstellungen behaupten daneben immer noch ihren Platz.

GLAUBER
1650
Säuren und Basen sind feindlich und entgegengesetzt. Wenn aber beide zusammengebracht werden, bilden sich Salze.
LAVOISIER
1778
Nichtmetalloxide bilden in wässeriger Lösung Säuren.
DAVY
1816
Säuren sind Wasserstoffverbindungen.
LIEBIG
1838
Salze bilden sich, wenn in Säuren der Wasserstoff durch Metalle ersetzt wird.
ARRHENIUS
1884
Säuren zerfallen in wässeriger Lösung in positiv geladene Wasserstoff-Ionen und in negativ geladene Säurerest-Ionen. Eine Base bildet positiv geladene Baserest-Ionen und negativ geladene Hydroxid-Ionen.
BRÖNSTED
1923
Säuren sind Protonendonatoren, sie geben Protonen ab. Basen sind Protonenakzeptoren, sie nehmen Protonen auf.

7.1 Die pH-Skala

ARRHENIUS stellte 1884 fest, dass die elektrisch leitenden wässerigen Lösungen von Säuren, Hydroxiden und Salzen **Ionen** enthalten. Später zeigte sich, dass auch chemisch reinstes Wasser eine gewisse elektrische Leitfähigkeit aufweist. Man schloss daraus, dass Wasser-Moleküle zu einem geringen Teil in Ionen zerfallen:

$H_2O\ (l) \rightleftharpoons H^+\ (aq) + OH^-\ (aq)$

Bei 25 °C beträgt die Konzentration der Wasserstoff-Ionen und der Hydroxid-Ionen jeweils 10^{-7} mol · l^{-1}. Die Bildung dieser Ionen ist eine Gleichgewichtsreaktion. Die Lage des Gleichgewichts wird durch das **Ionenprodukt des Wassers** (K_W) beschrieben: Das Produkt aus der Konzentration der Wasserstoff-Ionen und der Hydroxid-Ionen hat bei jeder Temperatur einen konstanten Wert. Für 25 °C gilt:

$K_W = c\,(H^+) \cdot c\,(OH^-) = 10^{-14}\ mol^2 \cdot l^{-2}$

In *neutralen* Lösungen sind beide Ionenkonzentrationen gleich groß: $c\,(H^+) = c\,(OH^-) = 10^{-7}$ mol · l^{-1}.
In *sauren* Lösungen überwiegt die Konzentration an Wasserstoff-Ionen: $c\,(H^+) > 10^{-7}$ mol · l^{-1} bzw. $c\,(OH^-) < 10^{-7}$ mol · l^{-1}.
Alkalisch reagierende Lösungen haben einen Überschuss an Hydroxid-Ionen: $c\,(OH^-) > 10^{-7}$ mol · l^{-1} bzw. $c\,(H^+) < 10^{-7}$ mol · l^{-1}.

pH-Wert. Im Jahre 1909 machte der dänische Biochemiker SÖRENSEN den Vorschlag, statt der Konzentration der Wasserstoff-Ionen – als leichter überschaubare Größe – den negativen dekadischen Logarithmus des Zahlenwerts dieser Konzentration zu verwenden. Er nannte diese Größe pH-Wert (lat. *potentia hydrogenii:* Wasserstoff-Exponent):

$$pH = -\lg \frac{c\,(H^+)}{mol \cdot l^{-1}}; \qquad \frac{c\,(H^+)}{mol \cdot l^{-1}} = 10^{-pH}$$

Aus den angegebenen Beziehungen folgt: Eine neutrale Lösung hat den pH-Wert 7. Die pH-Werte saurer Lösungen sind kleiner als 7 und die pH-Werte alkalischer Lösungen sind größer als 7.
Von praktischer Bedeutung ist die Angabe von pH-Werten im Bereich von pH = 0 bis pH = 14. Salzsäure mit der Konzentration $c\,(HCl) = 1$ mol · l^{-1} hat den pH-Wert 0; Natronlauge derselben Konzentration besitzt den pH-Wert 14. Zwischen diesen Grenzen liegen die pH-Werte geringer konzentrierter Säuren und Laugen. Die Reihe der pH-Werte von 0 bis 14 wird als **pH-Skala** bezeichnet.

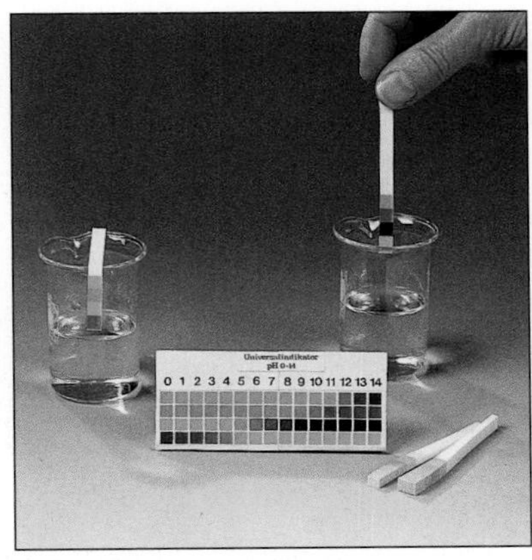

1. pH-Messung mit Universalindikator-Stäbchen

Beispielrechnung: Eine Seifenlösung hat den pH-Wert 8,5. Wie groß ist die Konzentration der Wasserstoff-Ionen?

$c\,(H^+) = 10^{-pH}$ mol · l^{-1}; pH = 8,5
$c\,(H^+) = 10^{-8,5}$ mol · l^{-1}
$= 3,16 \cdot 10^{-9}$ mol · l^{-1}

A1 Eine Ammoniak-Lösung hat den pH-Wert 11,2. Wie groß ist die Konzentration der Wasserstoff-Ionen?

A2 2,5 g Natriumhydroxid (NaOH) werden in 100 ml Wasser gelöst. Welchen pH-Wert besitzt die Lösung? Wie ändert sich der pH-Wert, wenn man auf 1 l verdünnt?

A3 20 ml Salzsäure mit $c\,(HCl) = 2,5$ mol · l^{-1} werden auf 250 ml verdünnt. Welcher pH-Wert stellt sich ein?

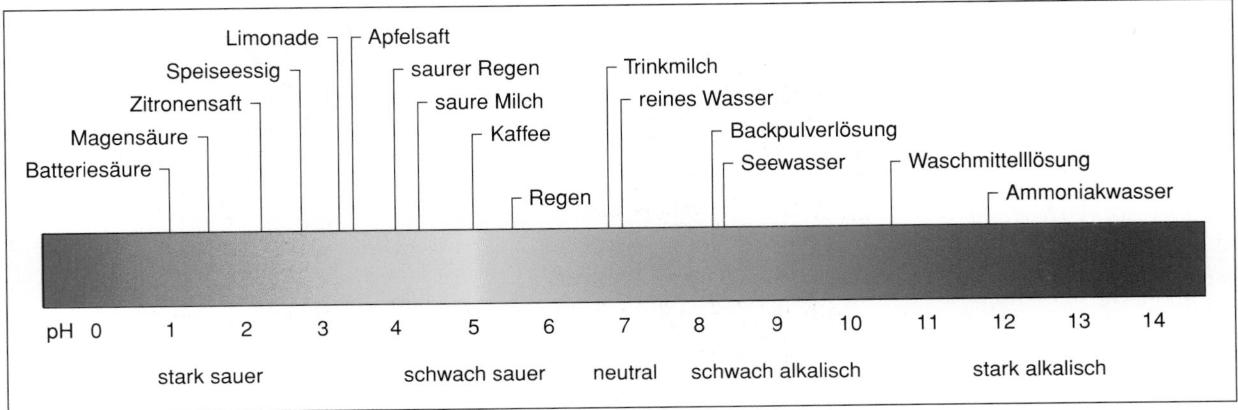

2. pH-Skala und pH-Werte einiger Lösungen

7.2 Die BRÖNSTED-Theorie

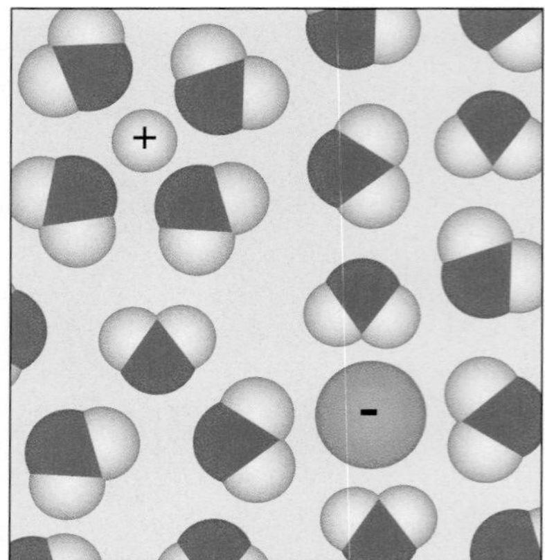

1. Hydratisierte Hydronium- und Chlorid-Ionen in Salzsäure

A1 Begründen Sie die Tatsache, dass eine Ammoniumchlorid-Lösung schwach sauer reagiert. Verwenden Sie für die Argumentation folgende Gleichungen:

$$NH_4Cl\ (s) \longrightarrow NH_4^+\ (aq) + Cl^-\ (aq)$$

$$NH_4^+\ (aq) + H_2O\ (l) \rightleftharpoons NH_3\ (aq) + H_3O^+\ (aq)$$

A2 Warum entweicht Ammoniak, wenn man zu Ammoniumchlorid Natronlauge gibt? Formulieren Sie die Protolysegleichung für diese Reaktion.

A3 Erwärmt man Natriumacetat (CH_3COONa) mit verdünnter Schwefelsäure, so macht sich der Geruch von Essigsäure bemerkbar.
Formulieren Sie die Reaktionsgleichung für die hier ablaufende Protonenübertragung.

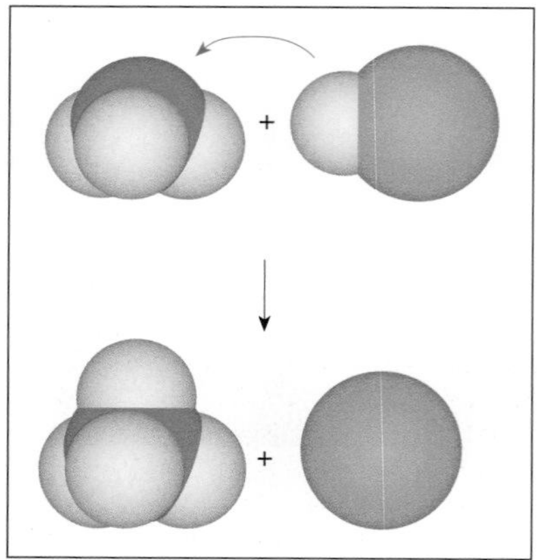

2. Chlorwasserstoff reagiert mit Ammoniak

Leitet man Chlorwasserstoff-Gas in Wasser, so bildet sich Salzsäure. Dabei steigt die elektrische Leitfähigkeit der Lösung sprunghaft an und der pH-Wert sinkt. Die Zunahme der Leitfähigkeit deutet auf die Bildung von Ionen hin; dabei zeigt die Abnahme des pH-Werts die Bildung von Wasserstoff-Ionen an. Mit Silbernitrat-Lösung lassen sich *Chlorid*-Ionen nachweisen. Diese können aber nur entstehen, wenn Chlorwasserstoff-Moleküle *Protonen* abgeben und auf Wasser-Moleküle übertragen. Die dabei entstehenden H_3O^+-Ionen sind von weiteren Wasser-Molekülen umgeben. Man spricht dann von ***Hydronium*-Ionen** (H_3O^+ (aq) oder H^+ (aq)).

$$H{-}\overline{O}|(H) + H{-}\overline{Cl}| \longrightarrow H{-}\overline{O}^{\oplus}(H){-}H + |\overline{Cl}|^-$$

BRÖNSTED-Säuren. Im Jahre 1923 definierte BRÖNSTED Teilchen, die wie Chlorwasserstoff-Moleküle Protonen auf andere Teilchen übertragen können, als *Säuren*. Man bezeichnet solche BRÖNSTED-Säuren daher auch als *Protonenspender* oder *Protonendonatoren*. Sie enthalten Wasserstoff-Atome mit positiver Partialladung.
Ein weiteres Beispiel für die Eigenschaft des Chlorwasserstoffs als Protonendonator ist seine Umsetzung mit Ammoniak zu Ammoniumchlorid (NH_4Cl):

$$H{-}N|(H)(H) + H{-}\overline{Cl}| \longrightarrow H{-}N^{\oplus}(H)(H){-}H + |\overline{Cl}|^-$$

BRÖNSTED-Basen. Auch beim Einleiten von Ammoniak-Gas in Wasser nimmt die elektrische Leitfähigkeit der Lösung sprunghaft zu. In diesem Fall bildet sich eine *alkalische* Lösung: Es entstehen Hydroxid-Ionen, indem Wasser-Moleküle Protonen auf Ammoniak-Moleküle übertragen; neben Hydroxid-Ionen bilden sich dabei Ammonium-Ionen (NH_4^+):

$$H{-}N|(H)(H) + H{-}\overline{O}|(H) \longrightarrow H{-}N^{\oplus}(H)(H){-}H + H{-}\overline{O}|^-$$

Teilchen, die Protonen aufnehmen können, bezeichnet man allgemein als BRÖNSTED-Basen. Sie sind *Protonenempfänger* oder *Protonenakzeptoren*. Base-Teilchen besitzen an einem Atom ein freies Elektronenpaar, über das ein Proton gebunden werden kann.

Protolyse. Ein Säure-Teilchen kann nur dann ein Proton abgeben, wenn *gleichzeitig* ein Base-Teilchen ein Proton aufnimmt. Eine Säure/Base-Reaktion nach BRÖNSTED ist also eine ***Protonenübertragungsreaktion.*** Man bezeichnet einen solchen Vorgang auch als *Protolyse*. BRÖNSTED sagte dazu: „Die den Säuren und Basen gemeinsame Funktion besteht in der Wanderung des Protons.“ Allgemein lässt sich eine Protolyse mit dem Symbol HA für eine Säure und dem Symbol B für eine Base folgendermaßen darstellen:

$$\underset{\text{Säure}}{HA} + \underset{\text{Base}}{B} \rightleftharpoons \underset{\text{Base}}{A^-} + \underset{\text{Säure}}{HB^+}$$

Der Doppelpfeil weist darauf hin, dass sich bei Protolysereaktionen ein Gleichgewicht einstellt. Im Allgemeinen spielt also auch die Rückreaktion eine merkliche Rolle. Die Säure HB^+ überträgt dabei ihr Proton auf die Base A^-.

Korrespondierende Säure/Base-Paare. In einer Ammoniak-Lösung hat nur ein kleiner Teil der Ammoniak-Moleküle Protonen aufgenommen. Es stellt sich ein dynamisches *Gleichgewicht* ein. Während Ammoniak-Moleküle als Base zu Ammonium-Ionen reagieren, entstehen umgekehrt aus Ammonium-Ionen Ammoniak-Moleküle. Die Ammonium-Ionen geben dabei Protonen ab, sie wirken als Säure:

$$NH_3 (aq) + H_2O (l) \rightleftharpoons NH_4^+ (aq) + OH^- (aq)$$

Das Teilchen-Paar NH_4^+/NH_3 wird als *korrespondierendes Säure/Base-Paar* bezeichnet. Auch Wasser-Moleküle tauschen untereinander Protonen aus. Dabei bilden sich H_3O^+-Ionen und OH^--Ionen. Die Paare H_3O^+/H_2O und H_2O/OH^- sind ebenfalls korrespondierende Säure/Base-Paare. Wie bei diesen Beispielen liegen in jedem Protolysegleichgewicht zwei korrespondierende Säure/Base-Paare vor:

korrespondierend (HA – A⁻)

$$\underset{\text{Säure}}{HA} + \underset{\text{Base}}{B} \rightleftharpoons \underset{\text{Base}}{A^-} + \underset{\text{Säure}}{HB^+}$$

korrespondierend (B – HB⁺)

Wasser, ein Ampholyt. Je nach Reaktionspartner kann ein Wasser-Molekül ein Proton abgeben oder ein Proton aufnehmen. Teilchen, die wie das Wasser-Molekül als Säure und auch als Base reagieren können, bezeichnet man allgemein als *Ampholyte*.
Ein Beispiel ist das Hydrogencarbonat-Ion (HCO_3^-). Gegenüber Hydroxid-Ionen wirkt es als Säure, gegenüber Hydronium-Ionen dagegen als Base:

$$HCO_3^- (aq) + OH^- (aq) \rightleftharpoons CO_3^{2-} (aq) + H_2O (l)$$

$$HCO_3^- (aq) + H_3O^+ (aq) \longrightarrow H_2CO_3 (aq) + H_2O (l)$$

Die durch Protonenaufnahme gebildete Kohlensäure zerfällt weitgehend unter Bildung von Kohlenstoffdioxid-Gas.

Neutralisation. Gibt man zu Salzsäure die gleiche Stoffmenge an Natronlauge, so entsteht eine neutrale Kochsalzlösung:

$$H_3O^+ (aq) + Cl^- (aq) + Na^+ (aq) + OH^- (aq) \longrightarrow Na^+ (aq) + Cl^- (aq) + 2\ H_2O (l)$$

Natrium-Ionen und Chlorid-Ionen liegen nach der Reaktion unverändert vor. Die Umsetzung findet also nur zwischen *Hydronium*-Ionen und *Hydroxid*-Ionen statt. Dabei bildet sich Wasser. Da dieser Vorgang für alle Neutralisationsreaktionen gleich ist, besitzen sie auch denselben Wert für die molare *Reaktionsenthalpie*:

$$H_3O^+ (aq) + OH^- (aq) \longrightarrow 2\ H_2O (l); \quad \Delta_R H_m^0 = -56\ kJ \cdot mol^{-1}$$

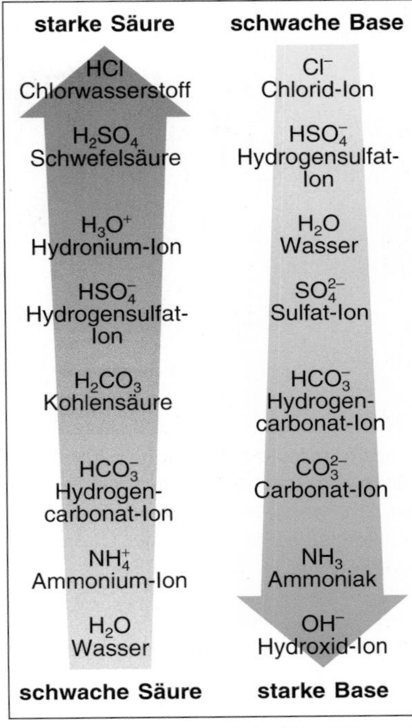

1. Korrespondierende Säure/Base-Paare. Die Stärke der Säuren nimmt von unten nach oben, die der Basen von oben nach unten zu.

A1 Formulieren Sie das Säure/Base-Gleichgewicht für die Umsetzung von Salzsäure mit Ammoniak.

A2 Eine Natriumhydrogencarbonat-Lösung wird mit Natronlauge bzw. mit Salzsäure versetzt.
Welche Reaktionen laufen ab?

A3 Zeigen Sie, dass die Spaltung von Ammoniumchlorid in Ammoniak und Chlorwasserstoff eine Säure/Base-Reaktion ist.

EXKURS

Ist Natriumhydroxid eine Base?

Nach ARRHENIUS sind Stoffe **Säuren,** wenn sie in wässeriger Lösung Wasserstoff-Ionen und Säurerest-Ionen bilden. Stoffe sind **Basen,** wenn sie Hydroxid-Ionen und Baserest-Ionen erzeugen. Dieses Konzept ordnet den Begriff Säure oder Base also einem *Stoff* zu. In diesem Sinn ist Natriumhydroxid nach ARRHENIUS eine *Base*. Nach BRÖNSTED *enthält* Natriumhydroxid eine Base, das Hydroxid-Ion. Hier sind es also besondere Teilchen und nicht die Stoffe, welche die Säure- oder Base-Eigenschaft besitzen.

Eine entsprechende Doppeldeutigkeit findet sich auch in der Verwendung des Säure-Begriffs. Von Salzsäure, verdünnter Schwefelsäure usw. kann man nur im Sinne von ARRHENIUS sprechen: Man meint eine Lösung, in der hydratisierte Wasserstoff-Ionen neben Säurerest-Ionen vorliegen. Im Sinne von BRÖNSTED wirken HCl-Moleküle bzw. H_2SO_4-Moleküle gegenüber Wasser als Säure. Im Sprachgebrauch der Chemiker werden Begriffe aus beiden Theorien nebeneinander verwendet.

7.3 Autoprotolyse

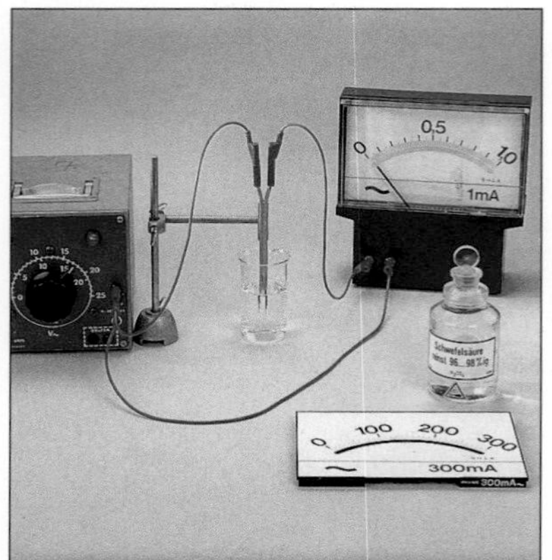

1. Leitfähigkeitsvergleich. Während reines Wasser den elektrischen Strom nur sehr wenig leitet, ist bei reiner Schwefelsäure ein deutlicher Stromfluss zu erkennen.

A1 Welches Zahlenverhältnis besteht zwischen Hydronium-Ionen bzw. Hydroxid-Ionen und den nicht protolysierten Wasser-Molekülen bei 25 °C?

A2 Eine verdünnte Säure-Lösung besitzt den pH-Wert 3,2. Wie groß sind die Konzentrationen der Hydronium-Ionen und der Hydroxid-Ionen?

A3 Formulieren Sie mit Strukturformeln die Autoprotolyse von flüssigem Ammoniak und die Autoprotolyse von wasserfreier Salpetersäure.

A4 Berechnen Sie die Konzentration der Hydrogensulfat-Ionen (HSO_4^-) in wasserfreier Schwefelsäure.

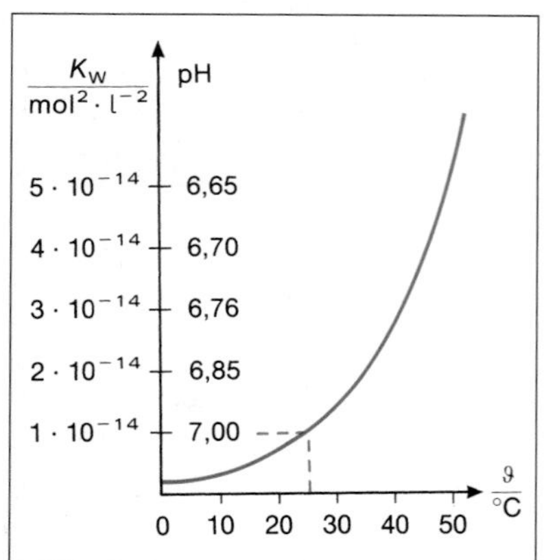

2. Temperaturabhängigkeit des Ionenprodukts von Wasser

Selbst reinstes Wasser leitet in geringem Maße den elektrischen Strom. Die elektrische Leitfähigkeit wird durch Ionen hervorgerufen, die durch eine Protolyse-Reaktion zwischen Wasser-Molekülen entstehen. Man spricht von einer **Autoprotolyse,** da hier die Protolyse zwischen gleichartigen Molekülen abläuft (gr. *autos:* selbst). Die Autoprotolyse des Wassers führt zu einem Gleichgewicht, in dem Hydronium-Ionen und Hydroxid-Ionen bei 25 °C mit einer Konzentration von je 10^{-7} mol · l^{-1} vorliegen:

$$H_2O\ (l) + H_2O\ (l) \rightleftharpoons H_3O^+\ (aq) + OH^-\ (aq)$$

Auf das Protolysegleichgewicht des Wassers lässt sich das Massenwirkungsgesetz anwenden:

$$K = \frac{c\,(H_3O^+) \cdot c\,(OH^-)}{c^2\,(H_2O)}$$

Ein Mol Wasser hat die Masse von 18,0 g und ein Liter Wasser besitzt bei 25 °C die Masse von 997 g. Somit enthält ein Liter Wasser 55,4 mol Wasser-Moleküle. Die H_2O-Konzentration in Wasser ist also 55,4 mol · l^{-1}. Die Konzentration der Hydronium-Ionen und Hydroxid-Ionen beträgt jeweils 10^{-7} mol · l^{-1}. Setzt man diese Werte in das Massenwirkungsgesetz ein, so ergibt sich:

$$K = \frac{(10^{-7}\,mol \cdot l^{-1})^2}{(55{,}4\,mol \cdot l^{-1})^2} = 3{,}26 \cdot 10^{-18}$$

Die Konzentration des Wassers bleibt auch bei einer Verschiebung des Gleichgewichts praktisch konstant; sie kann daher mit der Gleichgewichtskonstanten K zu einer neuen Konstanten K_W, dem Ionenprodukt des Wassers, vereinigt werden:

$$K \cdot c^2\,(H_2O) = K_W = c\,(H_3O^+) \cdot c\,(OH^-) = 10^{-14}\,mol^2 \cdot l^{-2}$$

Entsprechend dem pH-Wert führt man den **pOH-Wert** und den **pK_W-Wert** ein:

$$pH = -\lg \frac{c\,(H_3O^+)}{mol \cdot l^{-1}}; \qquad pOH = -\lg \frac{c\,(OH^-)}{mol \cdot l^{-1}}; \qquad pK_W = -\lg \frac{K_W}{mol^2 \cdot l^{-2}}$$

Damit erhält man für das Ionenprodukt des Wassers bei 25 °C folgende Beziehung:

$$pH + pOH = pK_W; \quad pH + pOH = 14 \quad (\text{bei } 25\,°C)$$

Das Ionenprodukt K_W ist wie die Gleichgewichtskonstante K temperaturabhängig. Mit steigender Temperatur wird das Gleichgewicht in Richtung der endothermen Reaktion verschoben. Entsprechend nimmt der Wert des Ionenprodukts zu und der pH-Wert wird etwas kleiner. Bei 50 °C beträgt der pH-Wert des Wassers etwa 6,65.

Außer Wasser gibt es noch andere Ampholyte, in denen Autoprotolysen möglich sind. Beispiele sind flüssiger Ammoniak, wasserfreie Essigsäure, wasserfreie Salpetersäure und wasserfreie Schwefelsäure. Wasserfreie Schwefelsäure zeigt eine wesentlich größere elektrische Leitfähigkeit als Wasser. Sie ist also stärker protolysiert:

$$\underset{\text{Säure}}{H_2SO_4} + \underset{\text{Base}}{H_2SO_4} \rightleftharpoons \underset{\text{Base}}{HSO_4^-} + \underset{\text{Säure}}{H_3SO_4^+}$$

Das Ionenprodukt der wasserfreien Schwefelsäure beträgt $2{,}7 \cdot 10^{-4}$ mol^2 · l^{-2}, es ist also weit größer als K_W.

Wasser – ein dynamisches System

Wasser scheint ein alltäglicher und einfacher Stoff zu sein. Es hat aber erstaunliche physikalische und chemische Eigenschaften. Einige davon sollen im Folgenden beschrieben werden.

Eisstruktur. Bei 0 °C beträgt die Dichte von Eis $0{,}917\ g \cdot cm^{-3}$; die Dichte von Wasser hat aber den Wert $0{,}9998\ g \cdot cm^{-3}$. Die Dichte von Eis ist demnach um rund 8 % geringer als die von Wasser. Ursache dafür ist die besondere Struktur von Eis: Jedes Wasserstoff-Atom bildet mit einem Sauerstoff-Atom eines benachbarten Wasser-Moleküls eine *Wasserstoffbrückenbindung*. Dabei entsteht eine tetraedrische Anordnung der Sauerstoff-Atome. Je vier liegen in den Ecken, ein fünftes im Zentrum eines regulären Tetraeders. Aufgrund dieser Struktur weisen Eiskristalle relativ große Hohlräume auf, und darauf ist die geringere Dichte von Eis zurückzuführen.

Anomalie des Wassers. Beim Schmelzen von Eis bricht die Gitterordnung nicht völlig zusammen. Neben freien Wasser-Molekülen entstehen verschieden große Bruchstücke des Kristalls, die man als Cluster (engl.: Haufen) bezeichnet. Freie Wasser-Moleküle können die Hohlräume in diesen Clustern teilweise auffüllen, sodass Wasser bei 0 °C eine größere Dichte als Eis besitzt.

Bei 0 °C bestehen die Cluster noch aus durchschnittlich 100 Wasser-Molekülen; mit zunehmender Temperatur werden die Cluster immer kleiner. So wird einerseits beim Erwärmen die Ordnung geringer und die Teilchen können sich dichter zusammenlagern. Andererseits nimmt wie bei allen Substanzen die thermische Bewegung der Teilchen und damit ihr Raumbedarf zu. Als Folge dieser entgegengesetzten Effekte hat Wasser ein Dichtemaximum. Es liegt bei 4 °C. Diese Eigenschaft wird als *Dichteanomalie* des Wassers bezeichnet.

Kristallstruktur von Eis

Hydronium-Ion. Auch im flüssigen Wasser sind benachbarte Wasser-Moleküle über *Wasserstoffbrückenbindungen* verbunden. Bei der *Autoprotolyse* des Wassers nimmt ein Wasser-Molekül von einem benachbarten Molekül ein *Proton* aus einer Wasserstoffbrücke auf und bindet es über ein freies Elektronenpaar seines Sauerstoff-Atoms. Das so entstandene H_3O^+-Ion wird als **Oxonium-Ion** bezeichnet. Dieses Ion zieht aufgrund seiner positiven Ladung benachbarte Wasser-Moleküle an. Dadurch erhält jedes Oxonium-Ion eine *Hydrathülle*. Ein solches hydratisiertes Oxonium-Ion bezeichnet man als **Hydronium-Ion** H_3O^+ (aq). Oft schreibt man auch kurz H^+ (aq), denn insgesamt handelt es sich schließlich um ein hydratisiertes Proton.

Protonenaustausch. Durch einen geschickten Versuch lässt sich zeigen, dass Wasser-Moleküle fortwährend Protonen untereinander austauschen. Hierzu mischt man gewöhnliches Wasser (H_2O) mit *schwerem* Wasser (D_2O). Schon nach kürzester Zeit findet man in einem Massenspektrogramm keine D_2O-Moleküle mehr, dafür aber HDO-Moleküle. Es muss also ein schneller Austausch stattgefunden haben:

$$H_2O\ (l) + D_2O\ (l) \longrightarrow 2\ HDO\ (l)$$

Auch H_2O-Moleküle tauschen untereinander rasch Protonen aus. Wasser ist also ein *dynamisches* System, in dem ein einzelnes Wasser-Molekül nur für kurze Zeit existiert. Wie schnell diese Austauschvorgänge ablaufen, ermittelte der Göttinger Chemiker EIGEN 1962. Aus Messungen bestimmte er die Geschwindigkeitskonstante dieser Austauschreaktion und konnte daraus die „Lebensdauer" eines H_3O^+-Ions berechnen. Sie beträgt 10^{-12} s. Wasser-Moleküle existieren rund 0,8 ms. Nach dieser Zeit nehmen sie entweder ein Proton auf oder sie geben ein Proton ab.

Auch *Hydronium*-Ionen sind nicht stabil: Ein Wasserstoff-Atom, das sich zwischen einem Oxonium-Ion und einem Wasser-Molekül seiner Hydrathülle in einer *Wasserstoffbrückenbindung* befindet, kann als Proton von einem Sauerstoff-Atom zum anderen überwechseln. Dadurch entsteht aus dem Wasser-Molekül ein neues Oxonium-Ion und durch Hydratation ein neues Hydronium-Ion.

Elektrische Leitfähigkeit von Säure-Lösungen. Saure Lösungen besitzen eine auffallend große elektrische Leitfähigkeit. Diese Eigenschaft lässt sich durch das *Protonenaustauschmodell* erklären: Man stelle sich dazu eine Reihe von Wasser-Molekülen vor, die durch *Wasserstoffbrückenbindungen* miteinander verbunden sind. Am Anfang dieser Reihe befinde sich ein Oxonium-Ion. In einem elektrischen Feld wandert die positive Ladung vom Oxonium-Ion über die Reihe der Wasser-Moleküle. Dabei ändern sich nur die Bindungsverhältnisse. Aus *Wasserstoffbrückenbindungen* bilden sich kovalente Bindungen, und kovalente Bindungen werden zu Wasserstoffbrückenbindungen:

a) $(++++)\ H-\underset{H}{\overset{\oplus}{\bar{O}}}-H\cdots|\underset{H}{\bar{O}}-H\cdots|\underset{H}{\bar{O}}-H\cdots|\underset{H}{\bar{O}}-H\cdots|\underset{H}{\bar{O}}-H\ (----)$

b) $(++++)\ H-\underset{H}{\bar{O}}|\cdots H-\underset{H}{\bar{O}}|\cdots H-\underset{H}{\bar{O}}|\cdots H-\underset{H}{\bar{O}}|\cdots H-\underset{H}{\overset{\oplus}{\bar{O}}}-H\ (----)$

7.4 Wie stark sind Säuren und Basen?

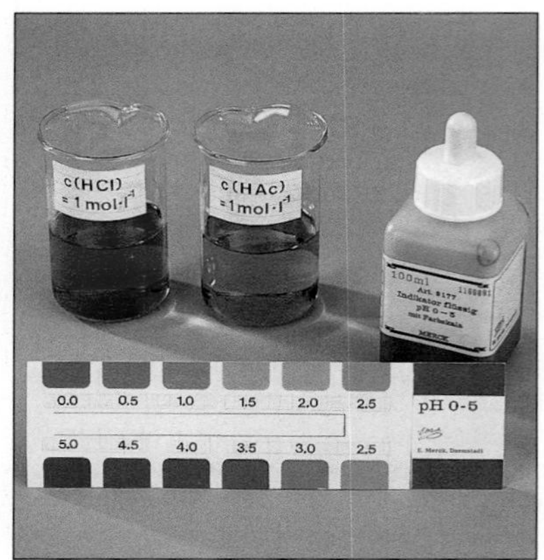

1. Säuren gleicher Konzentration haben unterschiedliche pH-Werte

A1 **a)** Berechnen Sie die Konzentration der Wasser-Moleküle in Wasser.
b) Erläutern Sie die Tatsache, dass die Konzentration der Wasser-Moleküle in verdünnten Lösungen unterschiedlicher Konzentrationen annähernd gleich ist.

A2 Werden 0,2 mol Propansäure (CH_3CH_2COOH) mit Wasser auf einen Liter aufgefüllt, so beträgt der pH-Wert 2,8. Berechnen Sie den pK_S-Wert der Propansäure.

A3 Der pH-Wert einer Ammoniak-Lösung mit der Konzentration $c\,(NH_3) = 0{,}7\ mol \cdot l^{-1}$ beträgt 11,5. Berechnen Sie den pK_B-Wert.

A4 Das Acetat-Ion (CH_3COO^-) ist eine Base.
a) Formulieren Sie die Protolyse der Acetat-Ionen in Wasser.
b) Formulieren Sie den Term für die Basenkonstante.
c) Eine Natriumacetat-Lösung mit der Konzentration $c\,(CH_3COONa) = 0{,}1\ mol \cdot l^{-1}$ besitzt den pH-Wert 8,1. Berechnen Sie den pK_B-Wert der Acetat-Ionen.

A5 Für ein korrespondierendes Säure-Base-Paar gilt die Beziehung $pK_S + pK_B = pK_W$. Leiten Sie diese Beziehung am Beispiel der Essigsäure und der Acetat-Ionen her.

A6 Eine verdünnte Essigsäure (CH_3COOH) besitzt den pH-Wert 2,6. Berechnen Sie die Ausgangskonzentration $c_0\,(CH_3COOH)$.

Eine wässerige Lösung von *Chlorwasserstoff* mit einer Konzentration von 0,1 mol · l^{-1} reagiert lebhaft mit Magnesium; verdünnte Essigsäure derselben Konzentration setzt sich dagegen nur langsam mit diesem Metall um. Das hat einen einfachen Grund: Chlorwasserstoff ist in Wasser vollständig protolysiert, Essigsäure dagegen nur zu einem kleinen Anteil. Mit den Symbolen HAc für Essigsäure-Moleküle und Ac^- für Acetat-Ionen lautet die Protolyse-Gleichung:

$$HAc\,(aq) + H_2O\,(l) \rightleftharpoons H_3O^+\,(aq) + Ac^-\,(aq)$$

Säurekonstante. Säuren, die wie Chlorwasserstoff (HCl), Schwefelsäure (H_2SO_4) und Salpetersäure (HNO_3) in verdünnten Lösungen vollständig protolysieren, bezeichnet man als *starke Säuren*. Essigsäure dagegen ist eine *schwache Säure*. Auf ihre Protolyse kann man das *Massenwirkungsgesetz* anwenden:

$$K = \frac{c\,(H_3O^+) \cdot c\,(Ac^-)}{c\,(HAc) \cdot c\,(H_2O)}$$

Für diesen Ausdruck gilt hinsichtlich der Konzentration des Wassers dieselbe Überlegung wie bei der Ableitung des Ionenprodukts des Wassers: In verdünnten Lösungen wirkt sich die Säure-Konzentration praktisch nicht auf die Konzentration des Wassers aus. Man fasst daher auch in diesem Fall die annähernd konstante Konzentration des Wassers mit der Gleichgewichtskonstanten K zu einer neuen Konstanten, der **Säurekonstanten K_S**, zusammen:

$$K_S = K \cdot c\,(H_2O) = \frac{c\,(H_3O^+) \cdot c\,(Ac^-)}{c\,(HAc)}$$

Die Werte der Säurekonstanten unterscheiden sich je nach Säurestärke um viele Zehnerpotenzen voneinander. Um den Vergleich zu erleichtern, verwendet man pK_S-Werte, die *negativen dekadischen Logarithmen* der K_S-Werte:

$$pK_S = -\lg K_S$$

Vom pH-Wert zum pK_S-Wert. Am Beispiel der Essigsäure soll gezeigt werden, wie ein pK_S-Wert experimentell bestimmt werden kann: Verdünnte Essigsäure der Ausgangskonzentration $c_0\,(HAc) = 10^{-2}\ mol \cdot l^{-1}$ besitzt den pH-Wert 3,3. Im Protolysegleichgewicht gilt also: $c(H_3O^+) = c\,(Ac^-) = 10^{-3{,}3}\ mol \cdot l^{-1}$.
Als schwache Säure reagiert Essigsäure nur in geringem Maße mit Wasser. Daher stimmt ihre Gleichgewichtskonzentration $c\,(HAc)$ ungefähr mit der Ausgangskonzentration $c_0\,(HAc)$ überein.
Es gilt: $c\,(HAc) = c_0\,(HAc) - c\,(H_3O^+) \approx c_0\,(HAc) \approx 10^{-2}\ mol \cdot l^{-1}$.
Mit diesen Werten lassen sich der K_S-Wert und der pK_S-Wert der Essigsäure näherungsweise berechnen:

$$K_S = \frac{10^{-3{,}3} \cdot 10^{-3{,}3}}{10^{-2}}\ mol \cdot l^{-1} = 10^{-4{,}6}\ mol \cdot l^{-1}; \quad pK_S = 4{,}6$$

Basenkonstante. Starke Basen protolysieren in Wasser vollständig. Bei schwächeren Basen stellt sich ein Protolysegleichgewicht ein. Die Gleichgewichtskonstante ist die Basenkonstante K_B. Oft verwendet man auch den pK_B-Wert:

$$B\,(aq) + H_2O\,(l) \rightleftharpoons HB^+\,(aq) + OH^-\,(aq)$$

$$K_B = \frac{c\,(HB^+) \cdot c\,(OH^-)}{c\,(B)}; \quad pK_B = -\lg K_B$$

Mehrprotonige Säuren. Schwefelsäure (H_2SO_4) und Phosphorsäure (H_3PO_4) sind Säuren, deren Moleküle mehr als *ein* Proton abgeben können. Man bezeichnet sie deshalb als *mehrprotonige* Säuren. Solche Säuren protolysieren in mehreren Stufen. Ein Beispiel hierfür ist die Protolyse der zweiprotonigen Schwefelsäure. In wässeriger Lösung entstehen zunächst Hydrogensulfat-Ionen (HSO_4^-). Erst bei höheren pH-Werten bilden sich auch merklich Sulfat-Ionen (SO_4^{2-}):

1. Protolysestufe: $H_2SO_4\,(aq) + H_2O\,(l) \rightleftharpoons H_3O^+\,(aq) + HSO_4^-\,(aq)$

2. Protolysestufe: $HSO_4^-\,(aq) + H_2O\,(l) \rightleftharpoons H_3O^+\,(aq) + SO_4^{2-}\,(aq)$

Die Ionen, die aus der Protolyse einer mehrprotonigen Säure stammen und selbst noch ein Proton abgeben können, sind *Säuren* im Sinne BRÖNSTEDS. Infolgedessen lässt sich für sie auch ein pK_S-Wert angeben. So ist das Hydrogensulfat-Ion (HSO_4^-) mit $pK_S = 1{,}8$ eine relativ starke Säure. Das Hydrogensulfat-Ion kann aber auch als *Base* reagieren, indem es ein Proton aufnimmt.
Über die Richtung der Reaktion entscheidet der jeweilige Reaktionspartner. So reagieren Hydrogencarbonat-Ionen (HCO_3^-) mit Ammoniak-Molekülen als Säure. Mit der stärkeren Essigsäure setzen sie sich als Base um.

$HA\,(aq) \rightleftharpoons H^+\,(aq) + A^-\,(aq)$		pK_S
Oxalsäure	$(COOH)_2$	1,1
Schweflige Säure	$SO_2 + H_2O$	1,8
Hydrogensulfat-Ion	HSO_4^-	1,8
Phosphorsäure	H_3PO_4	2,0
Fluorwasserstoff	HF	3,05
Salpetrige Säure	HNO_2	3,2
Ameisensäure	$HCOOH$	3,65
Essigsäure	CH_3COOH	4,65
Kohlensäure	$CO_2 + H_2O$	6,3
Schwefelwasserstoff	H_2S	6,9
Hydrogensulfit-Ion	HSO_3^-	6,8
Dihydrogenphosphat-Ion	$H_2PO_4^-$	6,9
Borsäure	H_3BO_3	9,1
Ammonium-Ion	NH_4^+	9,37
Cyanwasserstoff	HCN	9,0
Hydrogencarbonat-Ion	HCO_3^-	10,1
Hydrogenphosphat-Ion	HPO_4^{2-}	11,7
Hydrogensulfid-Ion	HS^-	12,6

1. pK_S-Werte einiger Säuren bei 25 °C

EXKURS

Protolyse der Phosphorsäure

Phosphorsäure (H_3PO_4) ist eine *dreiprotonige* Säure. Löst man Phosphorsäure in Wasser, so bilden sich zunächst neben Hydronium-Ionen fast nur Dihydrogenphosphat-Ionen ($H_2PO_4^-$). Phosphorsäure-Moleküle reagieren also in Wasser wie eine einprotonige Säure. Bei der Ausgangskonzentration $0{,}1\ mol \cdot l^{-1}$ misst man den pH-Wert 1,6. Demnach ist nur etwa ein Viertel der Phosphorsäure-Moleküle protolysiert:

$H_3PO_4\,(aq) + H_2O\,(l) \rightleftharpoons H_3O^+\,(aq) + H_2PO_4^-\,(aq)$

Mit abnehmender Konzentration der Hydronium-Ionen nimmt die Konzentration der Dihydrogenphosphat-Ionen zu. Diesen Effekt erreicht man durch Zugabe von *Natronlauge*. Bei pH = 4,2 ist die gesamte Phosphorsäure in Dihydrogenphosphat-Ionen umgewandelt. Weitere Zugabe von Natronlauge bewirkt die Umsetzung von Dihydrogenphosphat-Ionen in Hydrogenphosphat-Ionen (HPO_4^-). Diese zweite Protolysestufe ist bei pH = 9 praktisch abgeschlossen.

Die dritte Protolysestufe der Phosphorsäure spielt erst bei pH-Werten oberhalb von 9 eine Rolle. Schließlich ist beim pH-Wert 14 die Phosphorsäure vollständig in Phosphat-Ionen (PO_4^{3-}) umgewandelt. Insgesamt muss man also die *dreifache* Stoffmenge an Natriumhydroxid einsetzen, um alle Protonen von einer bestimmten Stoffmenge Phosphorsäure abzutrennen. Alle diese Verhältnisse lassen sich aus dem *Protolysediagramm* der Phosphorsäure entnehmen.

A1 Formulieren Sie die zweite und dritte Protolysestufe der Phosphorsäure als Gleichgewichtsreaktionen. Geben Sie jeweils die korrespondierenden Säure/Base-Paare an.

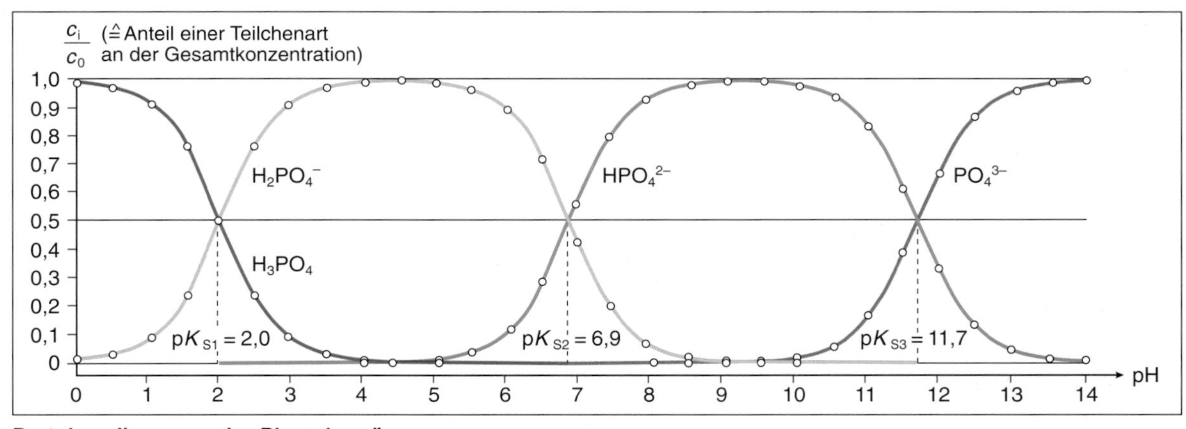

Protolysediagramm der Phosphorsäure

7.5 pH-Wert-Berechnung

A1 Aus folgenden Stoffen wird jeweils ein Liter einer wässerigen Lösung hergestellt. Welcher pH-Wert stellt sich ein?

a) 2,5 g Natriumhydroxid
b) 0,4 g Chlorwasserstoff
c) 3,0 g Bariumhydroxid ($Ba(OH)_2$)

A2 Aus 35 ml reiner Essigsäure (Ethansäure) wird 1 l einer wässerigen Lösung hergestellt.
(ϱ (Ethansäure) = 1,044 g · ml^{-1}; $pK_S = 4{,}65$)

a) Berechnen Sie die Masse der Ethansäure-Portion: $m = \varrho \cdot V$

b) Berechnen Sie die Stoffmenge der Ethansäure:

$$n = \frac{m}{M}$$

c) Berechnen Sie die Konzentration der Ethansäure-Lösung:

$$c = \frac{n}{V}$$

d) Berechnen Sie den pH-Wert der Ethansäure-Lösung.

A3 **a)** Welchen pH-Wert besitzt eine wässerige Ammoniak-Lösung mit der Konzentration $c_0(NH_3) = 0{,}1$ mol · l^{-1}? ($pK_B = 4{,}63$)

b) Beim Springbrunnenversuch mit Ammoniak löst sich 1 l Gas in 1 l Wasser. Welcher pH-Wert ergibt sich?

A4 Leiten Sie die Beziehung

$$pH = \tfrac{1}{2} \cdot (pK_S - \lg c_0(HA))$$

aus dem Protolysegleichgewicht einer schwachen Säure HA ab.

A5 5,0 l Schwefeldioxid-Gas ($p = 1013$ hPa, $\vartheta = 25$ °C) werden in Wasser gelöst und auf 1 l aufgefüllt. Welcher pH-Wert stellt sich ein? ($pK_S(SO_2 + H_2O) = 1{,}8$)

A6 Wo steckt der Fehler?

a) Der pH-Wert einer Flusssäure-Lösung mit der Konzentration $c_0(HF) = 10^{-4}$ mol · l^{-1} beträgt nach der unten angegebenen Beziehung 3,6. Die Lösung scheint also stärker sauer zu sein als eine Salzsäure von derselben Konzentration.

$$pH = \tfrac{1}{2} \cdot (pK_S - \lg c_0(HF))$$

b) Formal sollte eine Salzsäure von der Konzentration $c(HCl) = 10^{-8}$ mol · l^{-1} den pH-Wert 8 haben. Sie wäre demnach alkalisch.

Starke Säuren. In verdünnten Lösungen starker Säuren verläuft die Protolyse vollständig. Die Konzentration der *Hydronium*-Ionen stimmt daher mit der *Ausgangskonzentration* c_0 der Säure HA überein. Der pH-Wert ist somit gleich dem negativen dekadischen Logarithmus der Ausgangskonzentration:

$$HA\,(aq) + H_2O\,(l) \longrightarrow H_3O^+\,(aq) + A^-\,(aq)$$

$$c(H_3O^+) = c_0(HA); \quad pH = -\lg \frac{c(H_3O^+)}{mol \cdot l^{-1}} = -\lg \frac{c_0(HA)}{mol \cdot l^{-1}}$$

Werden beispielsweise 0,2 mol Chlorwasserstoff in Wasser gelöst und auf einen Liter aufgefüllt, so gilt $c(H_3O^+) = c_0(HCl) = 0{,}2$ mol · l^{-1}. Der pH-Wert der Lösung ist

$$pH = -\lg \frac{c(H_3O^+)}{mol \cdot l^{-1}} = -\lg 0{,}2 = 0{,}7$$

Starke Basen. Um den pH-Wert von Lösungen der *Alkalihydroxide* zu berechnen, muss man einen kleinen Umweg gehen. Von einer Lösung, die 0,2 mol Natriumhydroxid im Liter enthält, ist zunächst die Konzentration der Hydroxid-Ionen bekannt. Es gilt:
$c(OH^-) = c_0(NaOH) = 0{,}2$ mol · l^{-1}. Damit ist $pOH = -\lg c(OH^-) = 0{,}7$.
Aufgrund der Beziehung pH + pOH = 14 folgt: pH = 13,3.

Schwache Säuren. In Lösungen schwacher Säuren stellen sich Protolysegleichgewichte ein. Neben der Ausgangskonzentration $c_0(HA)$ muss die *Säurekonstante* berücksichtigt werden. Als Beispiel soll der pH-Wert einer Essigsäure-Lösung mit der Ausgangskonzentration $c_0(HAc) = 0{,}1$ mol · l^{-1} berechnet werden ($pK_S(CH_3COOH) = 4{,}65$): Da sich bei der Essigsäure die Ausgangskonzentration durch Protolyse nur unwesentlich ändert, gilt: $c(HAc) \approx c_0(HAc) = 10^{-1}$ mol · l^{-1}.
Die Konzentration der Hydronium-Ionen ist gleich der Konzentration der Acetat-Ionen: $c(H_3O^+) = c(Ac^-)$.
Mit diesen Beziehungen kann die Konzentration der Hydronium-Ionen über den Term der Säurekonstante berechnet werden:

$$K_S = \frac{c(H_3O^+) \cdot c(Ac^-)}{c_0(HAc)} = 10^{-4{,}65}\ mol \cdot l^{-1} = \frac{c^2(H_3O^+)}{c_0(HAc)}$$

$$c(H_3O^+) = \sqrt{K_S \cdot c_0(HAc)} = \sqrt{10^{-4{,}65} \cdot 0{,}1}\ mol \cdot l^{-1} = 1{,}5 \cdot 10^{-3}\ mol \cdot l^{-1}$$

pH = 2,8

Im Allgemeinen erhält man für schwache Säuren mit Hilfe der folgenden Gleichung einen brauchbaren Näherungswert:

$$\mathbf{pH = \tfrac{1}{2} \cdot (pK_S - \lg c_0(HA))}$$

Schwache Basen. Bei der Berechnung der pH-Werte von Lösungen schwacher Basen gelten entsprechende Beziehungen:
$c(B) \approx c_0(B)$; $c(BH^+) = c(OH^-)$.
Aus der Protolysegleichung für Basen und aus dem Ausdruck für die Basenkonstante folgt:

$$B\,(aq) + H_2O\,(l) \rightleftharpoons BH^+\,(aq) + OH^-\,(aq)$$

$$K_B = \frac{c(BH^+) \cdot c(OH^-)}{c_0(B)}; \quad c(OH^-) = \sqrt{K_B \cdot c_0(B)}$$

$$\mathbf{pOH = \tfrac{1}{2} \cdot (pK_B - \lg c_0(B)); \quad pH = 14 - pOH}$$

pH-Werte von Salzlösungen. Nach ARRHENIUS entstehen Salze durch *Neutralisation* von Säuren und Basen. Hierbei reagieren hydratisierte *Wasserstoff*-Ionen und *Hydroxid*-Ionen zu Wasser. Wenn das Lösungsmittel Wasser verdampft, treten Metall-Kationen und Säurerest-Anionen zu kristallinen **Salzen** zusammen. Nach dieser Vorstellung sollten alle Salzlösungen *neutral* sein, wie das bei einer Lösung von Kochsalz (NaCl) auch der Fall ist. Eine wässerige Lösung von Ammoniumchlorid (NH_4Cl) reagiert aber *sauer*, eine Lösung von Natriumacetat (CH_3COONa) dagegen *alkalisch*. Eine Erklärung für die unterschiedlichen pH-Werte von Salzlösungen liefert das Konzept von BRÖNSTED: Die Ionen, aus denen Salze bestehen, sind häufig selbst BRÖNSTED-Säuren oder BRÖNSTED-Basen, die mit Wasser-Molekülen reagieren.

In einer **Ammoniumchlorid-Lösung** reagiert das *Ammonium-Ion* (NH_4^+) als schwache Säure ($pK_S = 9{,}4$). Das *Chlorid-Ion* ist dagegen eine sehr viel schwächere Base als das Wasser-Molekül; es wirkt sich daher nicht auf den pH-Wert der Lösung aus. Ammonium-Ionen protolysieren mit Wasser-Molekülen und es entstehen *Hydronium-Ionen:*

$$NH_4^+\,(aq) + H_2O\,(l) \rightleftharpoons NH_3\,(aq) + H_3O^+\,(aq)$$

Für eine Ausgangskonzentration von $c_0(NH_4^+) = 0{,}1\ mol \cdot l^{-1}$ ergibt sich folgender pH-Wert:

$$pH = \frac{1}{2} \cdot (pK_S - \lg c_0(NH_4^+)) = \frac{1}{2} \cdot (9{,}4 + 1) = \mathbf{5{,}2}$$

In einer **Natriumacetat-Lösung** spielen die Natrium-Ionen keine Rolle für den pH-Wert. Die *Acetat*-Ionen (CH_3COO^-) dagegen reagieren als schwache Base ($pK_B = 9{,}35$). Mit Wasser-Molekülen, die in diesem Fall als Säure wirken, bilden sich *Hydroxid-Ionen:*

$$CH_3COO^-\,(aq) + H_2O\,(l) \rightleftharpoons CH_3COOH\,(aq) + OH^-\,(aq)$$

Bei einer Ausgangskonzentration von $c_0(CH_3COONa) = 0{,}1\ mol \cdot l^{-1}$ stellt sich folgender pH-Wert ein:

$$pH = 14 - \frac{1}{2} \cdot (pK_B - \lg c_0(B)) = 14 - \frac{1}{2} \cdot (9{,}35 + 1) = \mathbf{8{,}8}$$

Im Gegensatz zu einer Natriumacetat-Lösung reagiert eine **Ammoniumacetat**-Lösung neutral. Hier sind beide Ionen in gleichem Ausmaß an Protolysereaktionen beteiligt, sodass sich die Effekte kompensieren.

Hydratisierte Metall-Ionen als Säuren. Lösungen von Kochsalz und anderen Halogeniden der Alkali- und Erdalkalimetalle reagieren neutral. Diese Salze enthalten *einfach* oder *zweifach* positiv geladene Metall-Ionen. Die wässerigen Lösungen von Salzen mit *dreifach* positiv geladenen Metall-Ionen wie Eisen(III)-Ionen oder Aluminium(III)-Ionen reagieren dagegen mehr oder weniger stark sauer. So hat eine Eisen(III)-nitrat-Lösung mit der Konzentration $c_0(Fe(NO_3)_3) = 0{,}1\ mol \cdot l^{-1}$ einen pH-Wert von 1,5. Dieser Sachverhalt lässt sich folgendermaßen erklären: Jedes Eisen(III)-Ion ist von *sechs* Wasser-Molekülen unmittelbar umgeben. Die ohnehin polaren Wasser-Moleküle werden durch die hohe positive Ladung des Eisen-Ions noch stärker polarisiert. Die Abspaltung eines Protons aus der Hydrathülle des Kations ist dadurch erleichtert:

$$\underset{\text{farblos}}{[Fe(H_2O)_6]^{3+}}\,(aq) + H_2O\,(l) \rightleftharpoons \underset{\text{gelbbraun}}{[Fe(OH)(H_2O)_5]^{2+}}\,(aq) + H_3O^+\,(aq)$$

Die einfach oder zweifach geladenen Ionen der Alkali- und Erdalkalimetalle polarisieren Wasser-Moleküle weniger stark; Protonen werden daher nicht abgegeben. Die entsprechenden Lösungen reagieren neutral.

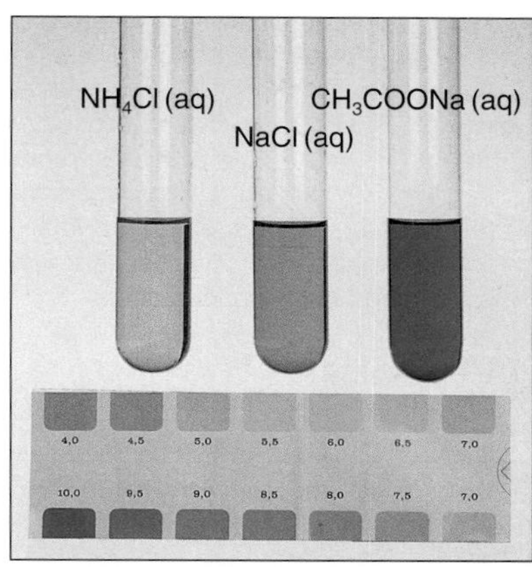

1. pH-Werte verschiedener Salzlösungen

A1 Die Lösungen der folgenden Stoffe haben die Konzentration $c = 0{,}1\ mol \cdot l^{-1}$. Berechnen Sie die pH-Werte der Lösungen.

a) Kaliumnitrat (KNO_3)
b) Natriumcarbonat (Na_2CO_3)
c) Natriumhydrogencarbonat ($NaHCO_3$)
d) Natriumsulfid (Na_2S)
e) Aluminiumchlorid ($AlCl_3$) ($pK_S([Al(H_2O)_6]^{3+}) = 4{,}85$)
f) Ammoniumcarbonat ($(NH_4)_2CO_3$)

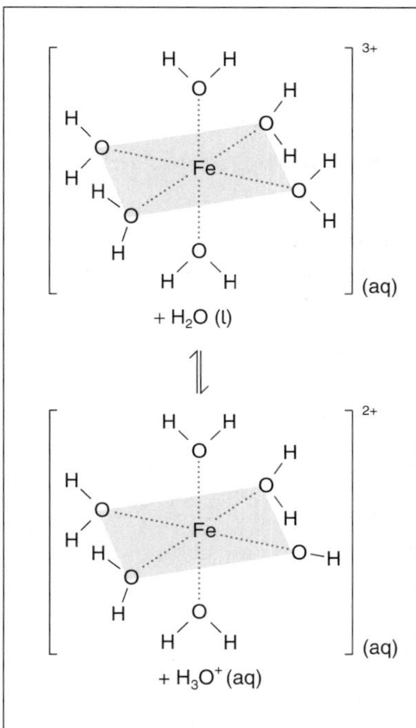

2. Protolyse des hydratisierten Fe(III)-Ions

EXKURS

Der Protolysegrad

Die Stärke von Säuren und Basen lässt sich an ihren pK_S- und pK_B-Werten erkennen. Diesen Werten ist aber nicht unmittelbar anzusehen, in welchem Maße eine Protolyse abläuft. Wenn man wissen möchte, wie viel Prozent einer Säure (HA) oder einer Base (B) protolysiert sind, muss man den **Protolysegrad** α berechnen. Allgemein gilt: Der Protolysegrad ist der Quotient aus der Konzentration des protolysierten Anteils und der Ausgangskonzentration einer schwachen Säure oder Base.

Berechnung des Protolysegrades verdünnter Säuren und Basen aus dem gemessenen pH-Wert

Beispiel Essigsäure: Bei der Protolyse von Essigsäure stellt sich folgendes Gleichgewicht ein:

$$HA\,(aq) + H_2O\,(l) \rightleftharpoons H_3O^+\,(aq) + Ac^-\,(aq)$$

Die Konzentration der protolysierten Essigsäure ist demnach gleich der Konzentration der Acetat-Ionen und der Konzentration der Hydronium-Ionen. Für den Protolysegrad gilt:

$$\alpha = \frac{c\,(Ac^-)}{c_0\,(CH_3COOH)} = \frac{c\,(H_3O^+)}{c_0\,(CH_3COOH)}$$

Essigsäure mit der Konzentration $c_0\,(CH_3COOH) = 0{,}1\ mol \cdot l^{-1}$ hat den pH-Wert 2,8. Die Konzentration der Hydronium-Ionen beträgt demnach $c\,(H_3O^+) = 10^{-2,8}\ mol \cdot l^{-1}$. Für den Protolysegrad erhält man:

$$\alpha = \frac{10^{-2,8}\ mol \cdot l^{-1}}{0{,}1\ mol \cdot l^{-1}} = 0{,}016 \mathrel{\hat=} \mathbf{1{,}6\ \%}$$

1,6 % der ursprünglichen Essigsäure-Moleküle sind protolysiert. Von 1000 Essigsäure-Molekülen haben also 16 ein Proton abgegeben.

Beispiel Ammoniak: Ammoniak protolysiert in wässeriger Lösung nach folgender Gleichung:

$$NH_3\,(aq) + H_2O\,(l) \rightleftharpoons NH_4^+\,(aq) + OH^-\,(aq)$$

Die Konzentration des protolysierten Anteils der Ammoniak-Moleküle ist ebenso groß wie die Konzentration der Ammonium-Ionen oder der Hydroxid-Ionen. Der Protolysegrad wird also durch den folgenden Ausdruck wiedergegeben:

$$\alpha = \frac{c\,(NH_4^+)}{c_0\,(NH_3)} = \frac{c\,(OH^-)}{c_0\,(NH_3)}$$

Mit der Beziehung $c\,(OH^-) = \frac{K_W}{c\,(H_3O^+)}$ erhält man:

$$\alpha = \frac{K_W}{c_0\,(NH_3) \cdot c\,(H_3O^+)}$$

Eine Ammoniak-Lösung mit der Konzentration $c_0\,(NH_3) = 0{,}01\ mol \cdot l^{-1}$ hat den pH-Wert 10,62. Der Protolysegrad ist also:

$$\alpha = \frac{10^{-14}\ mol^2 \cdot l^{-2}}{10^{-2}\ mol \cdot l^{-1} \cdot 10^{-10,62}\ mol \cdot l^{-1}} \approx 0{,}042 \mathrel{\hat=} \mathbf{4{,}2\ \%}$$

Berechnung des Protolysegrades mit Hilfe der Säurekonstanten

Der Protolysegrad einer schwachen Säure kann auch aus der Säurekonstanten und der Konzentration der Lösung berechnet werden. Zunächst ermittelt man die Konzentration der Hydronium-Ionen aus folgender Beziehung:

$$c\,(H_3O^+) = \sqrt{K_S \cdot c_0\,(CH_3COOH)}$$

Für den Protolysegrad ergibt sich damit:

$$\alpha = \frac{\sqrt{K_S \cdot c_0\,(CH_3COOH)}}{c_0\,(CH_3COOH)} = \sqrt{\frac{K_S}{c_0\,(CH_3COOH)}}$$

Für eine Essigsäure-Lösung mit der Konzentration von $0{,}1\ mol \cdot l^{-1}$ erhält man:

$$\alpha = \sqrt{\frac{10^{-4,65}\ mol^2 \cdot l^{-2}}{10^{-1}\ mol \cdot l^{-1}}} = 0{,}015 \mathrel{\hat=} \mathbf{1{,}5\ \%}$$

Sind andererseits der Protolysegrad und die Gesamtkonzentration einer schwachen Säure oder Base bekannt, so lassen sich mit derselben Beziehung ihre pK_S- bzw. pK_B-Werte ermitteln. Den jeweiligen Protolysegrad α ermittelt man über Leitfähigkeitsmessungen:

$$\alpha = \sqrt{\frac{K_S}{c_0\,(CH_3COOH)}} \quad \Leftrightarrow \quad K_S = \alpha^2 \cdot c_0\,(CH_3COOH)$$

Das OSTWALDsche Verdünnungsgesetz. Mit der zuletzt angegebenen Beziehung lässt sich berechnen, wie der Protolysegrad einer schwachen Säure von der Ausgangskonzentration c_0 abhängt. Man spricht vom OSTWALDschen Verdünnungsgesetz: „Der Protolysegrad ist der Quadratwurzel aus der Verdünnung proportional." Mit *Verdünnung* ist dabei der Kehrwert der Konzentration gemeint.

Diese Aussage gilt allerdings nicht exakt. Eine Ableitung mit Hilfe des Massenwirkungsgesetzes zeigt, dass es sich um eine Näherung handelt. Man verknüpft zunächst die im Gleichgewicht vorliegenden Konzentrationen über den Protolysegrad α mit der Ausgangskonzentration c_0:

$$\underset{c_0 \cdot (1-\alpha)}{HA\,(aq)} + H_2O\,(l) \rightleftharpoons \underset{\alpha \cdot c_0}{H_3O^+\,(aq)} + \underset{\alpha \cdot c_0}{A^-\,(aq)}$$

$$K_S = \frac{(\alpha \cdot c_0)^2}{c_0\,(1-\alpha)} = \frac{\alpha^2 \cdot c_0}{1-\alpha}$$

Ist das Ausmaß der Protolyse nur gering ($\alpha \ll 1$), so gilt $1 - \alpha \approx 1$. Man erhält damit die einfache Näherungsformel:

$$K_S = \alpha^2 \cdot c_0 \quad \Leftrightarrow \quad \alpha = \sqrt{\frac{K_S}{c_0}}$$

Aufgabe 1: Berechnen Sie für Essigsäure ($pK_S = 4{,}65$) den Protolysegrad bei folgenden Konzentrationen: $10^{-1}\ mol \cdot l^{-1}$; $10^{-2}\ mol \cdot l^{-1}$ und $10^{-3}\ mol \cdot l^{-1}$.

a) Verwenden Sie die Näherungsformel.

b) Führen Sie die exakte Berechnung durch.

EXKURS

Chemikalien im Haushalt – sauer oder alkalisch?

Zur Reinigung und Pflege im Haushalt wird von der Industrie eine riesige Palette mehr oder minder nützlicher Mittel angeboten. Neben Waschmitteln und Körperpflegemitteln werden in Deutschland jährlich mehr als 500000 Tonnen solcher Produkte verkauft.

Geschirrspülmittel. *Handspülmittel* kommen meist als wässerige Lösungen in den Handel. Sie enthalten hauptsächlich anionische und nichtionische Tenside sowie Alkohole als Lösungsvermittler. In geringen Mengen sind Hautschutzstoffe, Parfümöle, Konservierungsmittel und Farbstoffe beigegeben.
Die Tenside lösen zusammen mit dem Alkohol Fett und Speisereste. Da die Oberflächenspannung stark herabgesetzt ist, kann das Wasser vollständig ablaufen. Die beim Trocknen auf dem Geschirr zurückbleibenden Tensidreste gelten gesundheitlich als unbedenklich.

Spülmittel und Körperpflegemittel werden oft als *pH-neutral* oder auch als *hautneutral* bezeichnet. Gemeint ist damit nicht der Neutralpunkt der pH-Skala, sondern der natürliche pH-Wert der Haut, der bei pH = 5 liegt. Man spricht in diesem Zusammenhang auch von einem Säureschutzmantel der Haut, der möglichst nicht gestört werden sollte.

Zum *Maschinenspülen* werden drei verschiedene Produkte benötigt: das alkalisch wirkende Spülmittel („Reiniger"), der sauer wirkende Klarspüler und das Regeneriersalz.
Das Spülmittel enthält nichtschäumende Tenside und Soda (Na_2CO_3) oder Natriumsilicate. Als Komplexbildner dient Natriumtriphosphat oder Natriumcitrat. Ein oxidierendes Bleichmittel wie Natriumperborat sorgt dafür, dass auch Kaffee- und Teeflecken verschwinden.
Der Klarspüler enthält organische Säuren, die Kalkrückstände insbesondere auf Gläsern verhindern.
Hartes Wasser ist für den Spülgang ungeeignet. Ein Ionenaustauscher tauscht daher Erdalkali-Ionen gegen Natrium-Ionen aus. Wenn die Kapazität des Austauschers erschöpft ist, muss er mit Kochsalz regeneriert werden (Regeneriersalz).

Entkalker. Hartes Wasser ist die Ursache von Kalkablagerungen in Heißwassergeräten und Kaffeemaschinen. Wirkstoffe von *Entkalkern* sind Säuren wie Citronensäure, Amidosulfonsäure (H_2N-SO_3H) oder Ameisensäure (Methansäure). Die Säuren lösen den Kalk unter Entwicklung von Kohlenstoffdioxid.

Allzweckreiniger und Scheuermittel. Zu den am häufigsten verwendeten Haushaltsreinigungsmitteln gehören die Allzweckreiniger und Scheuermittel in flüssiger oder in fester Form. Sie enthalten Tenside und Komplexbildner, die flüssigen zusätzlich Ammoniak und Alkohol. Hauptbestandteil von Scheuermitteln ist gemahlener Quarzsand (SiO_2). Bei den pulverförmigen Produkten sind es bis zu 95 %.

Backofenreiniger. Grill- oder Backofensprays enthalten alkalische Substanzen wie Natronlauge oder Kalilauge sowie Amide oder Amine in Kombination mit Tensiden, hydrophilen Lösungsmitteln und Verdickungsmitteln. Beim Erwärmen quellen die Speisereste auf. Fettreste werden von den Laugen verseift und so leichter von den Tensiden aufgenommen.

WC- und Sanitärreiniger. Im Handel werden sauer oder alkalisch eingestellte Mittel angeboten. So enthalten die festen, *sauren WC-Reiniger* neben Tensiden, Farb- und Duftstoffen vor allem Citronensäure oder Natriumhydrogensulfat und Natriumhydrogencarbonat. Beim Auflösen in Wasser wird daher Kohlenstoffdioxid frei. Die saure Lösung baut Urinstein- und Kalksteinablagerungen ab; auch braune Verfärbungen durch Eisenhydroxid verschwinden.
Die flüssigen, *alkalischen Sanitärreiniger* enthalten Bleichmittel wie Wasserstoffperoxid oder auch Natriumhypochlorit. Zugesetzte Methylcellulose verhindert ein zu schnelles Ablaufen des Reinigers.
Unter keinen Umständen dürfen saure und alkalische Reiniger gleichzeitig benutzt werden! Mit hypochlorithaltigen Reinigern können innerhalb kurzer Zeit mehrere Liter giftiges Chlor-Gas entstehen.

Rohrreiniger. Gegen verstopfte Abflüsse können Rohrreiniger eingesetzt werden, die meist starke Basen wie festes oder gelöstes Natriumhydroxid enthalten. Den meisten festen Zubereitungen sind etwa 2 % granuliertes Aluminium zugesetzt. Bei der Anwendung entsteht Wasserstoff-Gas, das die Verstopfung mechanisch lockert. Die Temperatur kann auf bis zu 80 °C steigen. Die heiße Lauge ist für Augen und Haut sehr gefährlich.

Metallputzmittel. Je nach Metall verwendet man saure oder alkalische Zubereitungen. So enthalten Putzmittel für Edelstahl neben Poliermitteln und Tensiden auch Citronensäure, Weinsäure, Milchsäure oder Natriumhydrogensulfat. Putzmittel für Kupfer und seine Legierungen (Messing, Bronze) enthalten Ammoniak und reagieren daher alkalisch.
Tauchbäder für die Reinigung von Silber sind meist durch Phosphorsäure stark sauer eingestellt. Sie enthalten zusätzlich Thioharnstoff als Komplexbildner.

Haushaltschemikalien. Sie belasten unsere Umwelt. Man verwende sie so sparsam wie möglich.

7.6 Indikatoren

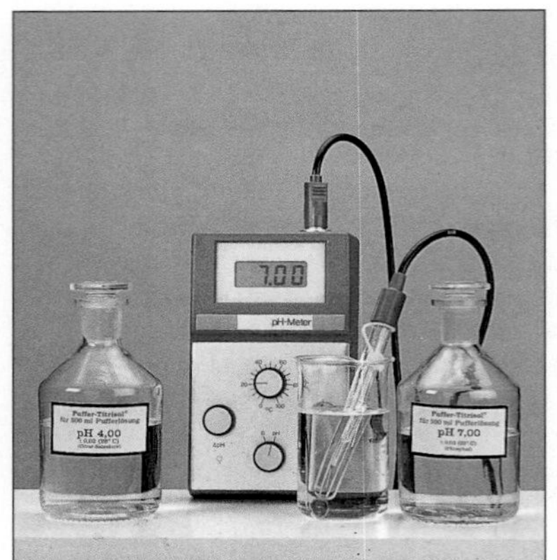

1. pH-Meter. Zur schnellen und genauen Bestimmung von pH-Werten wird anstelle von Indikatoren häufig ein pH-Meter verwendet. Dieses Gerät besteht aus einer Zentraleinheit und einer Elektrode. Die Elektrode erzeugt auf elektrochemischem Wege eine Spannung, die vom pH-Wert abhängt. Das Gerät rechnet den Spannungswert in den pH-Wert.
Vor Beginn der Messung muss das Gerät *kalibriert* werden. Hierzu verwendet man zwei Pufferlösungen mit unterschiedlichen pH-Werten. Man misst zunächst in der Pufferlösung, die den pH-Wert 7 besitzt, und korrigiert an einer Stellschraube den angezeigten pH-Wert, bis er mit dem der Pufferlösung übereinstimmt. Danach verfährt man mit der zweiten Pufferlösung ebenso. Zwischen den Messungen spült man die Messsonde mit entmineralisiertem Wasser. Der angezeigte Wert hängt auch von der Temperatur ab. Für genauere Messungen muss die Wassertemperatur am pH-Meter eingestellt werden.

Der pH-Wert einer Lösung kann mit Hilfe eines pH-Meters oder durch Säure/Base-Indikatoren bestimmt werden. Solche Indikatoren sind im Allgemeinen organische Säuren, die sich in der Farbe von ihren korrespondierenden Basen unterscheiden. So ist bei Methylorange die Säure rot und ihre korrespondierende Base gelb. Bezeichnet man die Indikatorsäure mit HIn, so lässt sich das Protolysegleichgewicht des Indikators in wässeriger Lösung folgendermaßen formulieren:

$$\mathrm{HIn\,(aq) + H_2O\,(l) \rightleftharpoons H_3O^+\,(aq) + In^-\,(aq)}$$

Die Farbe des Indikators ergibt sich aus dem im Gleichgewicht vorliegenden Verhältnis $c\,(\mathrm{HIn}) : c\,(\mathrm{In^-})$. Dieses Verhältnis hängt vom pH-Wert ab: Erniedrigt man den pH-Wert, so verschiebt sich das Gleichgewicht nach links, die Lösung nimmt die Farbe der Indikatorsäure (HIn) an. Eine Erhöhung des pH-Werts begünstigt die Bildung der Indikatorbase ($\mathrm{In^-}$) und die Lösung nimmt deren Farbe an. Sind die Konzentrationen der Indikatorsäure und der Indikatorbase gleich, zeigt ein zweifarbiger Indikator die Mischfarbe. Für diesen Fall lässt sich der pH-Wert auf einfache Weise berechnen:

$$K_\mathrm{S}\,(\mathrm{HIn}) = \frac{c\,(\mathrm{H_3O^+}) \cdot c\,(\mathrm{In^-})}{c\,(\mathrm{HIn})} = c\,(\mathrm{H_3O^+}); \quad \mathrm{p}K_\mathrm{S}\,(\mathrm{HIn}) = \mathrm{pH}$$

Ein Wechsel zwischen zwei Farben erscheint dem Auge erst dann vollständig, wenn eine Komponente mit etwa zehnfachem Überschuss vorliegt. Für Indikatoren ergibt sich daher ein **Umschlagsbereich,** der ungefähr zwei pH-Einheiten entspricht:

$$\mathrm{pH} = \mathrm{p}K_\mathrm{S}\,(\mathrm{HIn}) \pm 1$$

Indikatoren können einen oder zwei Umschlagsbereiche besitzen. So ändert Bromthymolblau im pH-Bereich von 1 bis 2 seine Farbe von Rot nach Gelb und im Bereich von 6 bis 8 die Farbe von Gelb über die Mischfarbe Grün nach Blau.

Universalindikatoren enthalten ein Gemisch mehrerer Indikatoren mit unterschiedlichen Umschlagsbereichen. In den Handel kommen sie als Indikatorlösung, als Indikatorpapier oder als Indikatorstäbchen. Der pH-Bereich der Universalindikatoren erstreckt sich oft von 1 bis 14.
Es gibt aber auch *Spezialindikatoren* für kleine pH-Bereiche; ihre Genauigkeit kann bis zu 0,2 pH-Einheiten betragen.

A1 Geben Sie für die in Abb. 2 gezeigten Indikatoren die Umschlagsbereiche und die $\mathrm{p}K_\mathrm{S}$-Werte von HIn an.

A2 In einer Natriumhydrogencarbonat-Lösung zeigt Phenolphthalein eine blassrosa Färbung. Welcher pH-Wert wird dadurch angezeigt?

A3 Drei Lösungen enthalten Aluminiumchlorid ($\mathrm{p}K_\mathrm{S}$ ($[\mathrm{Al(H_2O)_6}]^{3+}$) = 4,85) Ammoniumsulfat bzw. Natriumhydrogencarbonat (jeweils 0,1 mol · $\mathrm{l^{-1}}$). Sie sollen mit Hilfe von Indikatoren identifiziert werden. Erläutern Sie die Vorgehensweise.

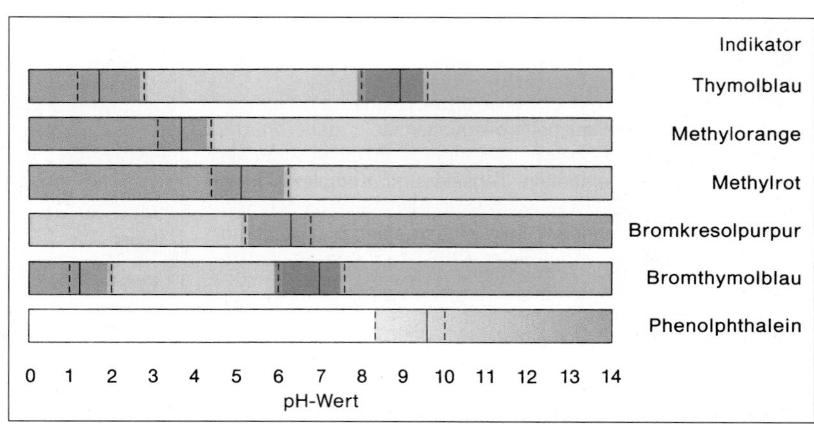

2. Farben und Umschlagsbereiche von Säure/Base-Indikatoren

EXKURS

Säuren und Basen in nichtwässerigen Lösungsmitteln

In verdünnten, wässerigen Lösungen protolysieren starke *Säuren* wie Perchlorsäure ($HClO_4$), Chlorwasserstoff (HCl), Schwefelsäure (H_2SO_4) und Salpetersäure (HNO_3) vollständig. In der Säurestärke ist kein Unterschied erkennbar. Will man auch die starken Säuren vergleichen, so muss man ein Lösungsmittel wählen, das weniger leicht Protonen aufnimmt, also schwächer basisch ist als Wasser, z. B. wasserfreie Essigsäure.

Perchlorsäure + Essigsäure (H^+) ⇌

Gibt man zu einer Lösung von Perchlorsäure in wasserfreier Essigsäure Kristallviolett als Indikator, wechselt die Indikatorfarbe genau wie in einer stark sauren wässerigen Lösung schlagartig nach Gelb. Bei einer Lösung von Salpetersäure ist hingegen keine Farbänderung zu beobachten. Perchlorsäure ist demnach eine stärkere Säure als Salpetersäure, sie ist die stärkste bekannte Säure.

Auch die Prüfung der elektrischen Leitfähigkeit zeigt die unterschiedliche Acidität. Auf diese Weise ergibt sich für die starken Säuren folgende Abstufung der Säurestärke:

$HNO_3 < H_2SO_4 < HCl < HClO_4$

Das Lösungsmittel ist auch für die Stärke einer *Base* entscheidend. So protolysieren schwache Basen verstärkt, wenn ein Lösungsmittel gewählt wird, das stärker sauer als Wasser wirkt. Ammoniak protolysiert in wasserfreier Essigsäure vollständig, es wirkt dann als starke Base:

$NH_3 + CH_3COOH \longrightarrow NH_4^+ + CH_3COO^-$

Die LEWIS-Theorie. Wässerige Säurelösungen verfärben Säure/Base-Indikatoren. Die gleichen Farbänderungen treten bei einer Reihe von Substanzen wie Aluminiumchlorid ($AlCl_3$), Borfluorid (BF_3) und Schwefeltrioxid (SO_3) in nichtwässerigen Lösungsmitteln auf, obwohl diese Verbindungen nach BRÖNSTED keine Säuren sind. Diese Beobachtung führte LEWIS 1923 zu einer umfassenderen Säuredefinition. Er erkannte, dass in solchen sauer wirkenden Teilchen Atome mit einer unvollständig besetzten äußeren Elektronenschale vorliegen. Diese **LEWIS-Säuren** können ein Elektronenpaar von einem anderen Atom aufnehmen, wobei sich eine Elektronenpaarbindung bildet. LEWIS-Säuren sind also *elektrophile* Teilchen.

Ein Nachteil dieses Konzepts ist, dass die üblicherweise als Säuren bezeichneten Verbindungen wie Chlorwasserstoff keine Säuren im Sinne von LEWIS sind. Erst das H^+-Ion ist eine LEWIS-Säure, da es ein *Elektronenpaarakzeptor* ist. Ein weiterer Nachteil ist, dass man die Säurestärken der LEWIS-Säuren nicht quantitativ durch Säurekonstanten beschreiben kann.

Analog versteht man unter einer **LEWIS-Base** ein Teilchen, das ein freies Elektronenpaar für eine Elektronenpaarbindung zur Verfügung stellen kann. Als *Elektronenpaardonatoren* sind LEWIS-Basen *nucleophile* Teilchen. Hier decken sich die Definitionen von BRÖNSTED und LEWIS, denn auch eine BRÖNSTED-Base muss zur Aufnahme des Protons ein freies Elektronenpaar besitzen.

Reagiert eine LEWIS-Säure wie Borfluorid mit einer Base wie Ammoniak, so verbinden sich die Moleküle, indem sich eine Elektronenpaarbindung ausbildet:

LEWIS-Säure + LEWIS-Base ⇌

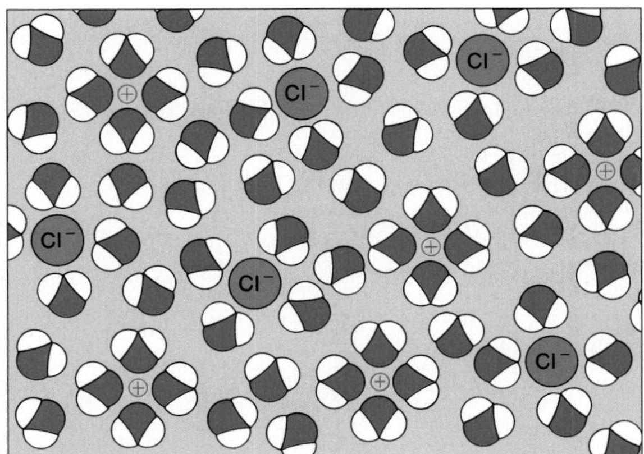

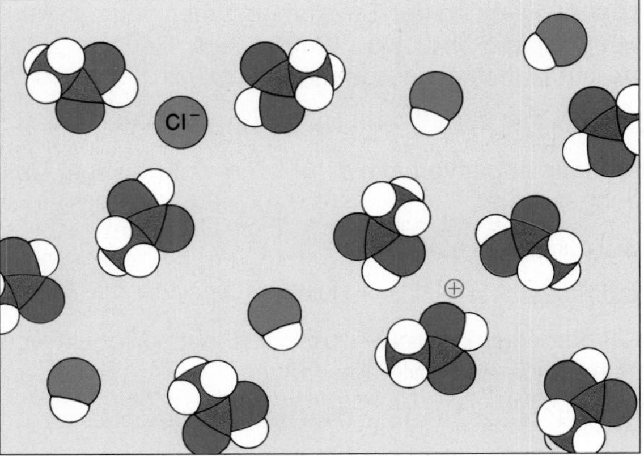

Protolyse starker Säuren. Chlorwasserstoff zeigt in Wasser vollständige, in reiner Essigsäure nur teilweise Protolyse.

7.7 Säure/Base-Titration – ein chemisches Messverfahren

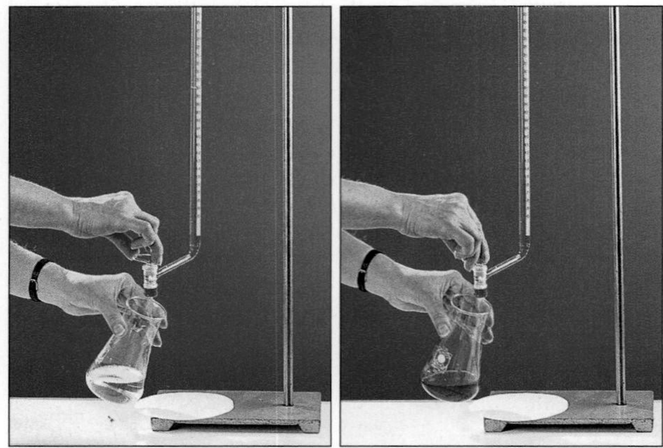

1. Durchführung einer Säure/Base-Titration

Um wässerige Lösungen auf ihren *Gehalt* an Säuren oder Basen zu untersuchen, wird eine **Säure/Base-Titration** durchgeführt. Dabei *neutralisiert* man ein bestimmtes Volumen der Lösung mit einer **Maßlösung.** Das ist die Lösung einer Säure oder Base mit genau bekannter Konzentration. Den Endpunkt der Titration erkennt man am Farbumschlag eines Indikators. Der Indikator sollte dabei so gewählt werden, dass der pH-Wert der gebildeten Salzlösung möglichst in der Mitte des Umschlagbereiches liegt.

Im Einzelnen geht man bei einer Titration folgendermaßen vor:

1. Ein bestimmtes Volumen der zu untersuchenden Lösung wird mit einer *Pipette* in einen Erlenmeyerkolben gegeben.
2. Der Probe fügt man einige Tropfen eines geeigneten Säure-Base-Indikators zu.
3. Aus einer *Bürette* lässt man Maßlösung bis zum Farbumschlag des Indikators zutropfen.
4. An der Bürette wird das Volumen der zur Neutralisation benötigten Maßlösung abgelesen.

Für die Auswertung der Titration geht man von der *Neutralisationsgleichung* aus. Wurde zum Beispiel Salzsäure mit Natronlauge neutralisiert, so gilt:

$$HCl\,(aq) + NaOH\,(aq) \longrightarrow NaCl\,(aq) + H_2O\,(l)$$

Das Stoffmengenverhältnis für eine vollständige Umsetzung beträgt:

$$n\,(HCl) : n\,(NaOH) = 1 : 1$$

Daraus folgt: $n\,(HCl) = n\,(NaOH)$

Die Stoffmengen ergeben sich aus dem Produkt von Konzentration und Volumen *($n = c \cdot V$):*

$$c\,(HCl) \cdot V\,(\text{Salzsäure}) = c\,(NaOH) \cdot V\,(\text{Natronlauge})$$

$$c\,(HCl) = \frac{c\,(NaOH) \cdot V\,(\text{Natronlauge})}{V\,(\text{Salzsäure})}$$

Beispiel 1: Für die Neutralisation von 50 ml verdünnter Schwefelsäure (H_2SO_4) werden 30 ml Natronlauge ($c\,(NaOH) = 0{,}1\ mol \cdot l^{-1}$) benötigt. Als Indikator dient Bromthymolblau.

Neutralisationsgleichung:

$$H_2SO_4\,(aq) + 2\,NaOH\,(aq) \longrightarrow Na_2SO_4\,(aq) + 2\,H_2O\,(l)$$

Stoffmengenverhältnis:

$$n\,(H_2SO_4) : n\,(NaOH) = 1 : 2 \Rightarrow n\,(H_2SO_4) = \tfrac{1}{2}\,n\,(NaOH)$$

Berechnung der Konzentration der Schwefelsäure:

$$c\,(H_2SO_4) = \frac{1 \cdot c\,(NaOH) \cdot V\,(\text{Natronlauge})}{2 \cdot V\,(\text{Schwefelsäure})}$$

$$= \frac{1 \cdot 0{,}1\ mol \cdot l^{-1} \cdot 0{,}030\ l}{2 \cdot 0{,}050\ l} = \mathbf{0{,}03\ mol \cdot l^{-1}}$$

Beispiel 2: Bei der Titration von 25 ml Trinatriumphosphat-Lösung gegen Phenolphthalein als Indikator werden 12 ml Salzsäure-Maßlösung ($c\,(HCl) = 0{,}1\ mol \cdot l^{-1}$) benötigt. Es soll der Gehalt an gelöstem Trinatriumphosphat (Na_3PO_4) berechnet werden.

Hinweis: Phosphat-Ionen (PO_4^{3-}) werden hier in Hydrogenphosphat-Ionen (HPO_4^{2-}) überführt.

Neutralisationsgleichung:

$$PO_4^{3-}\,(aq) + H_3O^+\,(aq) \longrightarrow HPO_4^{2-}\,(aq) + H_2O\,(l)$$

Stoffmengenverhältnis:

$$n\,(PO_4^{3-}) : n\,(H^+) = 1 : 1 \Rightarrow n\,(PO_4^{3-}) = n\,(H_3O^+)$$

Berechnung der Konzentration an Phosphat-Ionen:

$$c\,(PO_4^{3-}) = \frac{c\,(HCl) \cdot V\,(\text{Salzsäure})}{V\,(\text{Trinatriumphosphat-Lösung})}$$

$$= \frac{0{,}1\ mol \cdot l^{-1} \cdot 0{,}012\ l}{0{,}025\ l} = \mathbf{0{,}048\ mol \cdot l^{-1}}$$

Berechnung der Massenkonzentration β an Trinatriumphosphat:

$M\,(Na_3PO_4) = 163{,}9\ g \cdot mol^{-1}$

$n\,(Na_3PO_4) = 0{,}048\ mol$

$V\,(\text{Lösung}) = 1000\ ml$

$$\beta\,(Na_3PO_4) = \frac{m\,(Na_3PO_4)}{1000\ ml}$$

$$= \frac{0{,}048\ mol \cdot 163{,}9\ g \cdot mol^{-1}}{1000\ ml} = \frac{7{,}9\ g}{1000\ ml}$$

In 1000 ml der Lösung sind 7,9 g Trinatriumphosphat enthalten.

7.8 Titrationskurven

Mit einem pH-Meter kann die Änderung des pH-Werts während einer Titration verfolgt werden. Trägt man die gemessenen pH-Werte gegen das Volumen der Maßlösung grafisch auf, so erhält man eine *Titrationskurve*. Sie zeigt, dass sich während der Titration der pH-Wert zunächst nur wenig, dann aber sprunghaft ändert. Nach diesem pH-Sprung verläuft die Kurve wieder flach, der pH-Wert ändert sich also kaum noch.

Um die durch eine Titrationskurve wiedergegebenen Zusammenhänge zu erläutern, betrachten wir zunächst die Annäherung an den *Äquivalenzpunkt*. Das ist der *Wendepunkt* der Kurve. Er wird erreicht, wenn äquivalente Mengen an Säure und Base vorliegen. Die folgende Tabelle gibt die Änderung des pH-Werts bei der Titration von 100 ml **Salzsäure** (c (HCl) = 0,1 mol · l^{-1}) mit Natronlauge der Konzentration 1,0 mol · l^{-1} wieder:

V (Natronlauge)	pH-Wert
0,00 ml	1
9,00 ml	2
9,90 ml	3
9,99 ml	4
10,00 ml	7

Neun Zehntel der Säure müssen umgesetzt werden, damit sich der pH-Wert um *eine* Einheit ändert. Danach genügen schon neun Hundertstel und dann neun Tausendstel. In der Nähe des Äquivalenzpunktes verursacht schließlich ein einziger Tropfen der Maßlösung einen pH-Sprung um bis zu sechs Einheiten. Danach verläuft die Titrationskurve wieder flach, weil die zugefügte Natronlauge den pH-Wert nicht mehr nennenswert ändern kann.

Bei der Titration von **Essigsäure** beginnt die Titrationskurve bei einem höheren pH-Wert, weil Essigsäure eine schwache Säure ist. Der Äquivalenzpunkt entspricht dem pH-Wert einer reinen Natriumacetat-Lösung. Er liegt im schwach alkalischen Bereich zwischen pH = 8 und pH = 9, weil Acetat-Ionen als schwache Base reagieren. Der Äquivalenzpunkt wird vom Farbumschlag des Indikators *Phenolphthalein* angezeigt. Die Farbänderung von *farblos* nach *Rot* erfolgt zwischen pH = 8,2 und pH = 10. Der *Endpunkt* der Titration wird also mit hinreichender Genauigkeit bestimmt.

Mehrprotonige Säuren. Bei der Titration zweiprotoniger Säuren treten meist zwei pH-Sprünge auf. Das gilt auch für eine wässerige Lösung von Kohlenstoffdioxid. Man spricht hier von **Kohlensäure** und verwendet oft die Formel H_2CO_3 ($\hat{=}$ $CO_2 + H_2O$), obwohl solche Moleküle praktisch nicht vorliegen. In der ersten Protolysestufe werden Hydrogencarbonat-Ionen gebildet, in der zweiten schließlich Carbonat-Ionen:

$$CO_2\,(aq) + H_2O\,(l) + OH^-\,(aq) \longrightarrow HCO_3^-\,(aq) + H_2O\,(l)$$

$$HCO_3^-\,(aq) + OH^-\,(aq) \longrightarrow CO_3^{2-}\,(aq) + H_2O\,(l)$$

Der erste pH-Sprung wird durch den Farbumschlag von Bromthymolblau angezeigt. Für den zweiten wäre β-Naphtholviolett geeignet.

Bei der Titration von **Phosphorsäure** lassen sich nur zwei pH-Sprünge beobachten. Sie können durch die Farbumschläge von Dimethylgelb und Phenolphthalein angezeigt werden. Die Äquivalenzpunkte liegen bei den pH-Werten 4,2 und 9,1, der dritte Äquivalenzpunkt liegt oberhalb von pH = 12, sodass keine sprunghaften pH-Änderungen mehr möglich sind.

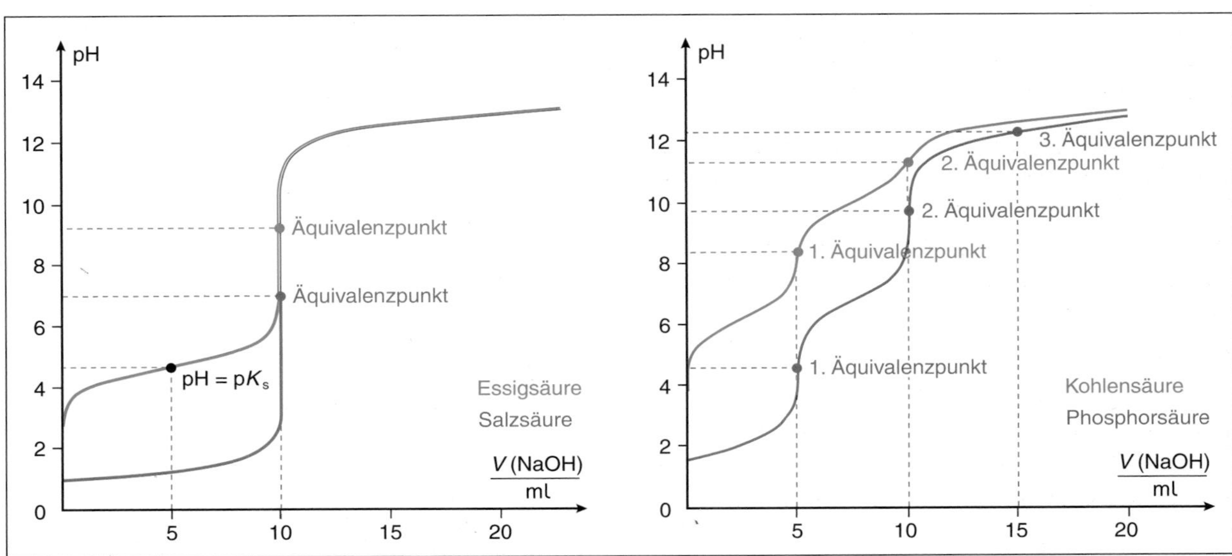

1. Titrationskurven für die Titration verschiedener Säuren mit Natronlauge

Säure/Base-Titrationen

Versuch 1: Einübung der Titrationstechnik

Materialien: Bürette (25 ml), Pipette (10 ml), Pipettierhilfe, Erlenmeyerkolben (300 ml, weit), Trichter;
Salzsäure (0,1 mol · l^{-1}), Natronlauge (0,1 mol · l^{-1}), Indikator-Lösungen: Methylorange, Universalindikator, Bromthymolblau, Phenolphthalein

Durchführung:

1. *Einspannen der Bürette:* Achten Sie darauf, dass die Bürette sicher, aber nicht zu fest von der Klammer gehalten wird.
2. *Füllen der Bürette:* Schließen Sie den Auslaufhahn der Bürette! Setzen Sie einen Trichter auf und gießen Sie Natronlauge so langsam ein, dass sie gleichmäßig abfließt. Füllen Sie die Bürette bis etwa 1 cm oberhalb der Nullmarke und nehmen Sie dann den Trichter ab. Öffnen Sie anschließend den Hahn und lassen Sie die Maßlösung ablaufen, bis die Nullmarke erreicht ist. Gleichzeitig füllt sich dabei die Auslaufspitze.
3. *Ablesetechnik:* Im Hintergrund der Bürette befindet sich eine Ablesehilfe (SCHELLBACH-Streifen). Als Ablesemarke dient die durch Lichtbrechung erzeugte Spitze des Streifens. Lesen Sie stets in Augenhöhe ab.
4. *Probenahme mit der Pipette:* Üben Sie die Verwendung der Pipettierhilfe zunächst mit Wasser in folgenden Schritten:
   a) Pipettierhilfe auf die Pipette setzen,
   b) Pipettierhilfe entlüften,
   c) Flüssigkeit vorsichtig ansaugen,
   d) Flüssigkeit auf die Ablesemarke Null einstellen,
   e) Flüssigkeit in den Erlenmeyerkolben überführen.
   Bei abgenommener Pipettierhilfe soll dabei die Spitze der Pipette an der Innenwand des Erlenmeyerkolbens anliegen. Der in der Spitze verbleibende Rest ist bei der Volumenangabe der Pipette berücksichtigt.
5. Geben Sie auf entsprechende Weise 10 ml Salzsäure in den Erlenmeyerkolben und fügen Sie etwa 100 ml Wasser und einige Tropfen Bromthymolblau-Lösung hinzu.
6. *Titration:* Tropfen Sie nun Natronlauge aus der Bürette zu. Schwenken Sie dabei den Erlenmeyerkolben leicht im Kreise, damit sich die zugegebene Lauge verteilt. Im Umschlagsbereich sollen die Laugentropfen einzeln zugegeben werden, damit nur *ein* Tropfen den Farbumschlag hervorruft. Ein weißer Untergrund hilft beim Erkennen des Farbumschlags.
7. *Ergebnis sichern:* Lesen Sie das Volumen der benötigten Maßlösung an der Bürette ab und notieren Sie den Wert.

Auswertung:

a) Berechnen Sie die Konzentration der Salzsäure.
b) Wiederholen Sie die Titration mit demselben Indikator. Überprüfen Sie die Genauigkeit des Verfahrens.
c) Wiederholen Sie die Titration und verwenden Sie verschiedene Indikatoren. Vergleichen Sie die Ergebnisse miteinander. Erklären Sie etwa auftretende Unterschiede.

Versuch 2: Titration einer Natriumcarbonat-Lösung

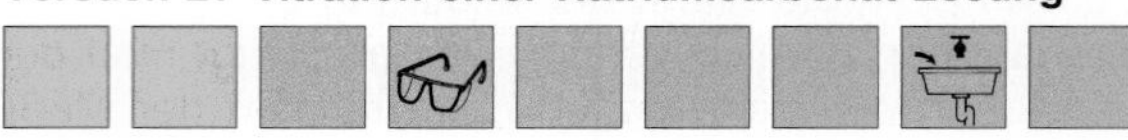

Materialien: Bürette (25 ml), Pipette (10 ml), Pipettierhilfe, Erlenmeyerkolben (300 ml, weit), Trichter;
Salzsäure (c(HCl) = 0,1 mol · l^{-1}), Natriumcarbonat-Lösung ($c(Na_2CO_3)$ = 0,1 mol · l^{-1}), Lösungen von Methylorange und Phenolphthalein

Durchführung:

1. Geben Sie mit der Pipette 10 ml Natriumcarbonat-Lösung in den Erlenmeyerkolben und fügen Sie einige Tropfen Phenolphthalein-Lösung hinzu.
2. Titrieren Sie mit Salzsäure bis zur Entfärbung des Phenolphthaleins.
3. Geben Sie nun einige Tropfen Methylorange hinzu und titrieren Sie weiter bis zur Rotfärbung des Indikators.

Auswertung:

a) Formulieren Sie die Neutralisationsgleichungen für die Umsetzung von Natriumcarbonat mit Salzsäure.
b) Bestimmen Sie den pH-Wert in Natriumhydrogencarbonat-Lösung und in Kohlensäure-Lösung der Konzentration 0,1 mol · l^{-1}.
c) Begründen Sie die Wahl der Indikatoren.

Versuch 3: Titrationskurven von Salzsäure und Essigsäure

Materialien: Bürette (25 ml), Pipette (10 ml), Pipettierhilfe, Erlenmeyerkolben (300 ml, weit), Trichter; pH-Meter, Magnetrührer mit Rührstäbchen;
Salzsäure (0,1 mol · l^{-1}), Natronlauge (0,1 mol · l^{-1}), Essigsäure (0,1 mol · l^{-1}), Lösungen von Methylorange und Phenolphthalein

Durchführung:

1. Geben Sie 10 ml Salzsäure, 100 ml Wasser und einige Tropfen Methylorange in den Erlenmeyerkolben.
2. Bauen Sie die Titrationseinrichtung so auf, dass der Erlenmeyerkolben auf dem Rührgerät steht und die pH-Elektrode in die verdünnte Salzsäure eintaucht. Achten Sie darauf, dass das Rührstäbchen nicht gegen die Elektrode schlägt.
3. Geben Sie nun schrittweise je 1 ml Natronlauge zu und protokollieren Sie jeweils das Volumen der insgesamt zugegebenen Lauge und den zugehörigen pH-Wert. Im Bereich des Äquivalenzpunkts soll das Volumen der zugegebenen Lauge jeweils 0,1 ml betragen. Insgesamt werden 20 ml Maßlösung zugefügt.
4. Wiederholen Sie den Versuch mit Essigsäure und Phenolphthalein als Indikator.

Auswertung:

a) Zeichnen Sie die Titrationskurven.
b) Erläutern Sie den Verlauf der Titrationskurven und vergleichen Sie die Titrationskurve der Salzsäure mit der Titrationskurve der Essigsäure.

Versuch 4: **Leitfähigkeitstitration**

Materialien: Bürette (25 ml), Pipette (10 ml), Pipettierhilfe, Becherglas (150 ml), Spannungsquelle, Strommessgerät, Leitfähigkeitsprüfer, Magnetrührer mit Rührstäbchen; Salzsäure (0,1 mol · l^{-1}), Natronlauge (0,1 mol · l^{-1})

Durchführung:

1. Bauen Sie die Versuchsanordnung auf. Geben Sie 10 ml Salzsäure in das Becherglas und füllen Sie mit Wasser auf etwa 100 ml auf.
2. Geben Sie aus der Bürette portionsweise Natronlauge zu der Salzsäure und notieren Sie jeweils das Volumen der insgesamt zugegebenen Lauge und den zugehörigen Wert der Stromstärke.

Auswertung:

a) Stellen Sie die Messergebnisse grafisch dar. Ermitteln Sie den Äquivalenzpunkt durch Extrapolation.

b) Erläutern Sie das Ergebnis.

Hinweis: Die elektrische Leitfähigkeit von Lösungen beruht auf der Anwesenheit von Ionen. Die einzelnen Ionensorten tragen aber in unterschiedlichem Maße zur Leitfähigkeit bei. Einen besonders hohen Beitrag leisten die *Hydronium*-Ionen. In geringerem Maße tragen *Hydroxid*-Ionen und noch weniger alle übrigen Ionen zur elektrischen Leitfähigkeit bei:

Ionensorte	Leitfähigkeit (bei 25 °C) $\Omega^{-1} \cdot cm^2 \cdot mol^{-1}$
H_3O^+ (aq)	350
OH^- (aq)	198
Na^+ (aq)	50
Cl^- (aq)	76

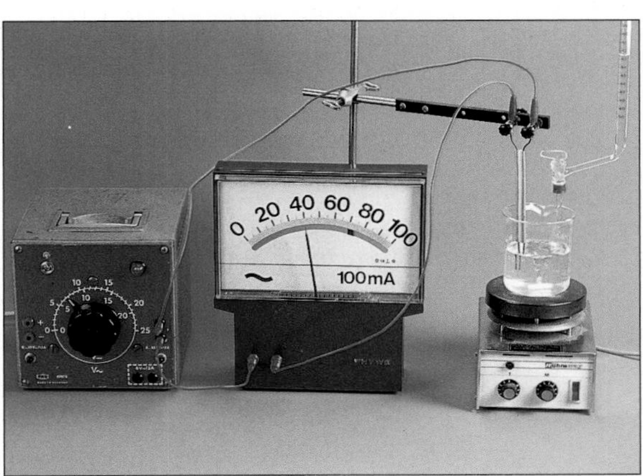

Versuch 5: **Bestimmung der Säure-Konzentration in Nahrungsmitteln**

Materialien: Bürette (25 ml), Pipette (50 ml), Pipettierhilfe, Erlenmeyerkolben (300 ml, weit); Natronlauge (0,1 mol · l^{-1}), Weißwein, Haushaltsessig, Citronensaft, Frischmilch, saure Milch

Durchführung:

1. Geben Sie mit Hilfe der Pipette 50 ml Wein in den Erlenmeyerkolben. Fügen Sie einige Tropfen Phenolphthalein-Lösung hinzu.
2. Titrieren Sie mit Natronlauge, bis die Indikatorfarbe umschlägt.
3. Notieren Sie das benötigte Volumen an Natronlauge.
4. Führen Sie entsprechende Titrationen mit 5 ml Essig, 5 ml Citronensaft und 50 ml frischer bzw. saurer Milch durch.

Auswertung:

a) Informieren Sie sich über die Formeln von Weinsäure, Essigsäure, Citronensäure und Milchsäure.

b) Berechnen Sie die Konzentrationen der Säuren.

Versuch 6: **Bestimmung des Gehalts an Kohlenstoffdioxid in Mineralwasser**

Materialien: Bürette (25 ml), Pipette (10 ml), Pipettierhilfe, Erlenmeyerkolben (300 ml, weit), Messzylinder (50 ml), Magnetrührer mit Rührstäbchen; Natronlauge (0,1 mol · l^{-1}), kohlensäurehaltiges Mineralwasser, Phenolphthalein-Lösung

Durchführung:

1. Geben Sie 100 ml entmineralisiertes Wasser in den Erlenmeyerkolben und fügen Sie 50 ml Mineralwasser sowie einige Tropfen Phenolphthalein-Lösung hinzu.
2. Geben Sie aus der Bürette Natronlauge zu, bis die Lösung dauerhaft eine blassrosa Farbe angenommen hat.

Auswertung:

a) Formulieren Sie die Neutralisationsgleichung.

b) Berechnen Sie die Konzentration der Kohlensäure des Mineralwassers.

c) Berechnen Sie das Volumen an Kohlenstoffdioxid-Gas, das sich in einem Liter des untersuchten Mineralwassers befindet.

Hinweis: Berechnen Sie zunächst die Stoffmenge an Kohlenstoffdioxid-Gas für einen Liter Mineralwasser. Wenden Sie dann die Stoffmengenbeziehung für Gase an:

$$n = \frac{V}{V_m}; \quad V_m = 24\ l \cdot mol^{-1} \quad \text{(bei 20 °C)}$$

pH-Messung mit dem Computer

Der Computer spielt in vielen Bereichen unseres Lebens eine immer größere Rolle. Auch vom Arbeitsplatz des Chemikers ist er nicht mehr wegzudenken.

Computersimulation. Unter Simulation versteht man ein Experimentieren mit einem Modell. Mit dem Computer kann man systematisch den Einfluss einzelner Parameter auf das Verhalten des Modells untersuchen. Die durch Simulation erhaltenen Ergebnisse lassen sich als Hypothesen auffassen, die im realen Experiment verifiziert oder falsifiziert werden müssen.

Der Computer als Rechner. Mit dem Computer kann man aufwendige Berechnungen schnell durchführen. Sollen etwa bei einer pH-Berechnung die Hydronium-Ionen aus der Autoprotolyse des Wassers mit berücksichtigt werden, so ist eine Gleichung dritten Grades zu lösen:

$$c^3(H_3O^+) + K_S \cdot c^2(H_3O^+) - (K_W + K_S \cdot c_0(HA)) \cdot c(H_3O^+) - K_S \cdot K_W = 0$$

Durch schrittweise Näherung (Iteration) kann der Computer die sonst äußerst zeitaufwendige Lösung der Gleichung in kürzester Zeit liefern.

Datenbanken. Mit dem Computer hat man schnellen Zugriff auf interne Datenbanken, etwa auf CD-Rom, oder über das Telefonnetz auch auf die Angebote im Internet oder auf die Online-Datenbanken der Fachinformationszentren (FIZ).

Der Computer als Messinstrument. Im chemischen Labor ist der Computer häufig Bestandteil von Versuchsaufbauten. Dabei benötigt man ein *Interface*, das die Messgröße computerspezifisch aufbereitet. Dazu gehört auch die Umwandlung des der Messgröße proportionalen, analogen Signals in einen digitalen, im Dualsystem dargestellten Wert. Dies geschieht mit Hilfe eines elektronischen Bausteins, den man als *A-D-Wandler* (Analog-Digital-Wandler) bezeichnet.
Eine besondere Stärke des Computers als Messgerät liegt darin, dass über lange Zeiträume praktisch kontinuierlich gemessen werden kann. Andererseits kann der Computer auch bei sehr schnellen Vorgängen in kurzer Zeit noch eine genügend große Anzahl an Messwerten aufnehmen.

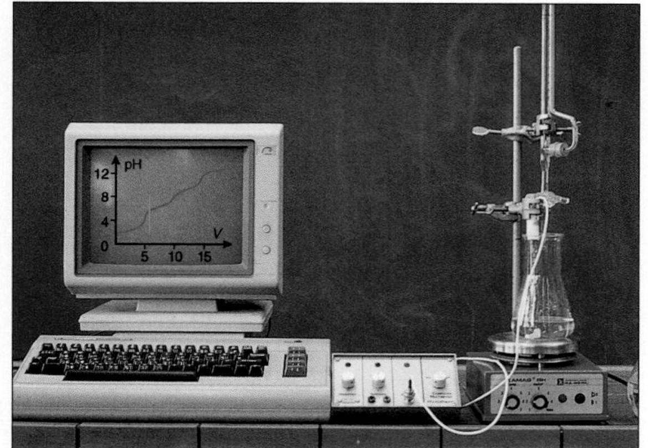

Versuch 1: **Titrationskurve von Histidindihydrochlorid**

Bei der Aufnahme einer Titrationskurve müssen gleichzeitig der pH-Wert der Lösung und das Volumen des zugegebenen Titrationsmittels gemessen werden.
Messinterfaces, wie sie für den Chemieunterricht erhältlich sind, können jedoch nicht gleichzeitig zwei Größen messen. Außerdem lassen sich elektronische Volumenmessungen nicht einfach durchführen. Deshalb wird das Titrationsmittel mit konstanter Tropfgeschwindigkeit zugegeben und statt des Volumens einfach die Zeit gemessen. Weil normale Büretten wegen des abnehmenden hydrostatischen Druckes nicht mit konstanter Geschwindigkeit auslaufen, muss mit einer *Gleichlaufbürette* gearbeitet werden.
Eine solche Gleichlaufbürette kann man sich vom Glasbläser auf einfache Weise herstellen lassen, indem im unteren Teil der Bürette ein dünnes Glasröhrchen angesetzt wird, das die gleiche Höhe wie das Hauptrohr der Bürette besitzt. Das Hauptrohr ist dann mit einem Gummistopfen zu verschließen.

Materialien: Computermultimeter mit Einstabmesskette, Gleichlaufbürette, Magnetrührer, Becherglas (200 ml); Histidindihydrochlorid-Lösung (0,05 mol · l^{-1}), Natronlauge (1 mol · l^{-1}; C)

Durchführung:

a) *Messwerterfassung:* 100 ml einer Histidindihydrochlorid-Lösung (0,05 mol · l^{-1}) werden mit Natronlauge (1 mol · l^{-1}; C) titriert. Die Einstabmesskette wird an das Computermultimeter angeschlossen, das selbst über eine Schnittstelle mit dem Computer verbunden ist. Die zugehörige Software zur Messwerterfassung wird gestartet.
Im Hauptmenü wählt man *pH-Messung*, und das Computermultimeter wird entsprechend eingestellt.

b) *Messwertdarstellung:* Die gemessenen pH-Werte werden in einer digitalen Großanzeige auf dem Monitor ausgegeben. Sie können aber auch direkt oder später in einer Grafik dargestellt werden, wobei der pH-Wert gegen die Zeit aufgetragen wird.

c) *Auswertung:* Zur Auswertung wird die pH-Wert/Zeit-Kurve auf dem Monitor dargestellt. Durch Eingabe des Volumens an verbrauchter Natronlauge erfolgt dann die Eichung der Zeitachse als Volumenachse. Mit Hilfe des Computers kann dann die jeweilige Steigung der Titrationskurve berechnet werden. Damit lassen sich die Wendepunkte der Kurve exakt bestimmen.

7.9 Puffersysteme

Bleibt in einer Lösung trotz der Zugabe von Säuren oder Basen der pH-Wert weitgehend konstant, so spricht man von einer *Pufferlösung*. Typische Puffersysteme wirken sowohl bei einem Säurezusatz als auch bei der Zugabe von Basen. Sie enthalten eine schwache Säure und ihre korrespondierende Base. Im Labor werden verschiedene Pufferlösungen verwendet. Beispiele sind die *Essigsäure/Acetat*-Pufferlösung und die *Ammoniumchlorid/Ammoniak*-Pufferlösung. Die Säure neutralisiert jeweils hinzugefügte Basen und die Base neutralisiert hinzugefügte Säuren. Die Menge an Säure oder Base, die ohne wesentliche Änderung des pH-Werts aufgenommen werden kann, hängt von der Menge der gelösten Puffersubstanzen ab. Man spricht von der *Pufferkapazität* der Pufferlösung. Die Pufferkapazität steigt demnach mit der Konzentration der Pufferlösung.

Essigsäure/Acetat-Puffer. Enthält eine Lösung gleiche Stoffmengen an Essigsäure und Natriumacetat, so erhält man eine Pufferlösung mit dem pH-Wert 4,65:

$$K_S = \frac{c(H_3O^+) \cdot c(Ac^-)}{c_0(HAc)} = 10^{-4,65}\ \text{mol} \cdot l^{-1}$$

$$c(H_3O^+) = K_S \cdot \frac{c(HAc)}{c(Ac^-)}$$

$$pH = pK_S + \lg \frac{c(Ac^-)}{c(HAc)} \quad \textit{(Puffergleichung)}$$

Für die beschriebene Pufferlösung mit gleichen Stoffmengen an Essigsäure und Natriumacetat gilt: $c(HAc) = c(Ac^-)$. Daraus folgt:

$$\mathbf{pH = pK_S = 4,65}$$

Wie der pH-Wert einer Pufferlösung durch Zugabe von Säure oder Lauge beeinflusst wird, soll für einen Essigsäure-Acetat-Puffer gezeigt werden.

Zu 990 ml Pufferlösung, die je 0,1 mol Essigsäure und Natriumacetat enthalten, werden 10 ml Salzsäure mit der Konzentration $c(HCl) = 1\ \text{mol} \cdot l^{-1}$ gegeben. Die zugefügte Stoffmenge an Hydronium-Ionen beträgt:

$$n(HCl) = c(HCl) \cdot V(\text{Salzsäure}) = 0{,}01\ \text{mol}$$

Welcher pH-Wert sich nach der Säurezugabe einstellt, ergibt sich mit Hilfe der Puffergleichung:

$$c(HAc) = (0{,}1 + 0{,}01)\ \text{mol} \cdot l^{-1} = 0{,}11\ \text{mol} \cdot l^{-1}$$

$$c(Ac^-) = (0{,}1 - 0{,}01)\ \text{mol} \cdot l^{-1} = 0{,}09\ \text{mol} \cdot l^{-1}$$

$$pH = 4{,}65 + \lg \frac{0{,}09\ \text{mol} \cdot l^{-1}}{0{,}11\ \text{mol} \cdot l^{-1}} = 4{,}56$$

Fügt man 10 ml Natronlauge der Konzentration $c(NaOH) = 1\ \text{mol} \cdot l^{-1}$ hinzu, steigt der pH-Wert entsprechend auf 4,74. In einem Liter ungepufferter Lösung ergibt dieselbe Menge Salzsäure den pH-Wert 2 und der Laugenzusatz den pH-Wert 12.

Phosphatpuffer. Einen pH-Wert von etwa 7 erhält man durch einen Phosphatpuffer, der gleiche Konzentrationen an *Dihydrogenphosphat-Ionen* und *Hydrogenphosphat-Ionen* enthält.

Blutpuffer. Auch unsere Körperflüssigkeiten, vor allem das Blut, sind gepuffert. Unser Wohlbefinden hängt davon ab, dass der pH-Wert des Blutes nur im engen Bereich von pH = 7,4 ± 0,05 schwankt. Ohne Pufferung könnte schon der Genuss einer Essiggurke zu schweren gesundheitlichen Problemen führen. Am so genannten Blutpuffer ist vor allem das Kohlensäure/Hydrogencarbonat-Gleichgewicht beteiligt. Hydrogencarbonat (HCO_3^-) setzt sich mit Hydronium-Ionen zu Kohlensäure um, die in Wasser und Kohlenstoffdioxid zerfällt. Nach dem Genuss von sauren Speisen wird also vermehrt Kohlenstoffdioxid ausgeatmet.

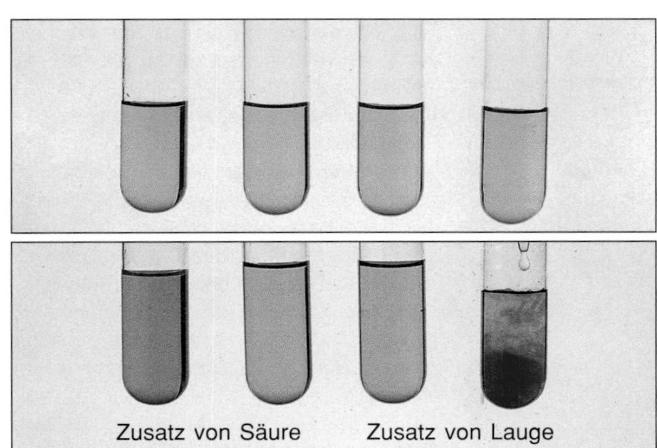

1. Gepufferte und ungepufferte Systeme. Die beiden äußeren Gläser enthalten Wasser, die mittleren eine Pufferlösung.

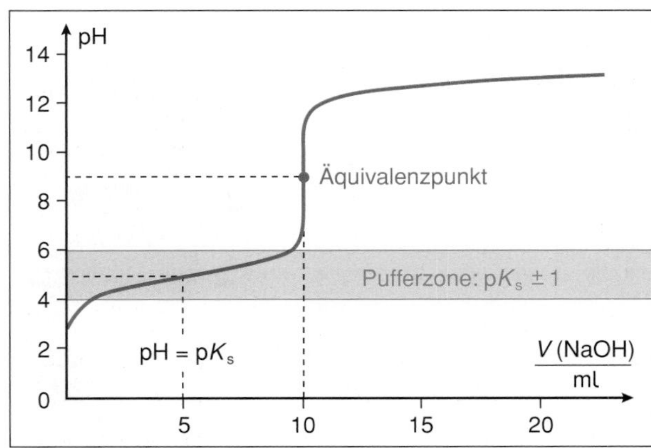

2. Pufferzone in einer Titrationskurve. Diese Zone liegt im Bereich von $pH = pK_S \pm 1$.

7.10 Aufgaben · Versuche · Probleme

Struktur	
$H_3\overset{\oplus}{N}-C(COOH)(R)-H$	Kation
$H_3\overset{\oplus}{N}-C(COO^{\ominus})(R)-H$	Zwitterion
$H_2N-C(COO^{\ominus})(R)-H$	Anion

Aufgabe 1: Die Abbildung zeigt mögliche Strukturen für Aminosäuren.
a) Beschreiben Sie die verschiedenen Strukturen, die Aminosäuren annehmen können.
b) Welche Struktur liegt in stark saurer, in neutraler bzw. in stark alkalischer Lösung vor? Begründen Sie Ihre Meinung.
c) Bei der Stofftrennung durch Elektrophorese werden Ionen einem elektrischen Gleichspannungsfeld ausgesetzt. Wie verhalten sich Aminosäuren bei unterschiedlichen pH-Werten hinsichtlich der Ionenwanderung?

Aufgabe 2: Eine verdünnte Salzsäure hat den pH-Wert 2. Wie viel Natronlauge der Konzentration 1 mol · l^{-1} müssen zu 100 ml der Salzsäure gegeben werden, damit der pH-Wert auf 3 ansteigt?

Aufgabe 3: Zu einer Magnesiumchlorid-Lösung ($c\,(MgCl_2) = 10^{-3}$ mol · l^{-1}) wird tropfenweise Natronlauge gegeben. Bei welchem pH-Wert bildet sich ein Niederschlag von Magnesiumhydroxid?
($K_L\,(Mg(OH)_2) = 10^{-11}$ mol^3 · l^{-3})

Aufgabe 4: Im Blut spielt der Kohlensäure/Hydrogencarbonat-Puffer eine große Rolle.
$pK_S\,(CO_2/HCO_3^-) = 6{,}1$ bei 37 °C,
$c\,(CO_2 + HCO_3^-) = 24 \cdot 10^{-3}$ mol · l^{-1}
a) In welchem Konzentrationsverhältnis sind CO_2 und HCO_3^- im Blut vorhanden, wenn der pH-Wert 7,4 beträgt?
b) Bei starker Muskeltätigkeit wird Milchsäure ($pK_S = 3{,}86$) erzeugt. Wie ändert sich der pH-Wert des Blutes, wenn 6 mmol Milchsäure von 6 Litern Blut aufgenommen werden?

Aufgabe 5: Eine Lösung mit einem pH-Wert von 0 enthält sowohl Zink-Ionen (Zn^{2+}) als auch Blei-Ionen (Pb^{2+}) mit einer Konzentration von 0,05 mol · l^{-1}. In diese Lösung wird Schwefelwasserstoff (H_2S) eingeleitet, bis die Konzentration der Schwefelwasserstoff-Säure (H_2S (aq)) 0,1 mol · l^{-1} beträgt. In der Lösung haben die Sulfid-Ionen (S^{2-}) die Konzentration von $1{,}1 \cdot 10^{-22}$ mol · l^{-1}. Man beobachtet, dass wohl Bleisulfid (PbS), aber nicht Zinksulfid (ZnS) ausfällt. Die Löslichkeitsprodukte der beiden Metallsulfide haben die Werte:
K_L (PbS) = $7 \cdot 10^{-29}$ mol^2 · l^{-2},
K_L (ZnS) = $2{,}5 \cdot 10^{-22}$ mol^2 · l^{-2}.
Erklären Sie diesen Sachverhalt.

Versuch 1: Bestimmung des Kalkgehalts von Eierschalen durch Rücktitration
1 g getrocknete und fein pulverisierte Eierschalen werden zu 50 ml Salzsäure (1 mol · l^{-1}) gegeben. Nach Beendigung der Gasentwicklung (am besten über Nacht stehen lassen) kocht man die Probe kurz auf. Ein Volumen von 20 ml wird dann mit Natronlauge (1 mol · l^{-1}; C) titriert. Als Indikator dient Phenolphthalein.
a) Formulieren Sie die Reaktion des Kalks ($CaCO_3$) mit Salzsäure.
b) Geben Sie die ursprüngliche Stoffmenge der Salzsäure in der Probe an.
c) Welche Stoffmenge an Salzsäure hat mit dem Kalk reagiert?
d) Berechnen Sie den Massenanteil an Calciumcarbonat ($CaCO_3$) in den verwendeten Eierschalen. Geben Sie den Wert in Prozent an.
e) Erläutern Sie, warum hier für die Titration Phenolphthalein als Indikator geeignet ist.

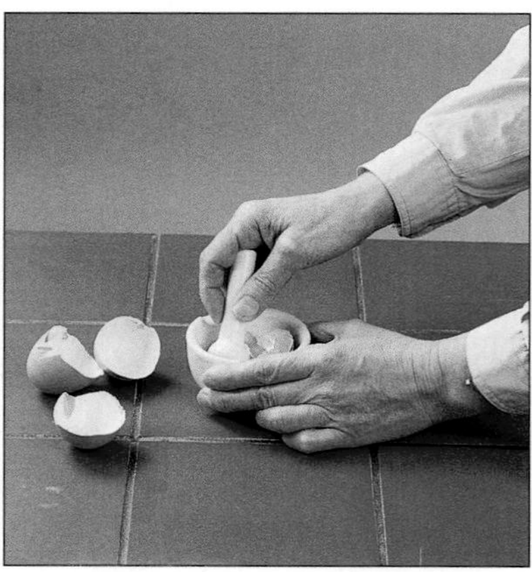

Versuch 2: Jogurt selbst gemacht
Etwa 200 ml frische Milch werden auf 75 °C erhitzt, um die meisten Keime und Bakterien abzutöten. Danach lässt man die Milch auf 40 °C abkühlen und gibt drei Esslöffel *frischen* Jogurt hinzu. In einem Wasserbad wird diese Temperatur über drei Stunden gehalten. Dabei wandeln die Milchsäurebakterien des zugegebenen Jogurts den Milchzucker (Maltose) in Milchsäure um. Durch die Säuerung gerinnt die Milch und nimmt den typischen Jogurtgeschmack an. Danach füllt man den Jogurt in sorgfältig gereinigte Becher, lagert diese etwa eine Stunde bei Zimmertemperatur und dann mindestens fünf Stunden im Kühlschrank. Aus dem selbst gemachten Jogurt lässt sich beliebig oft neuer Jogurt herstellen.

Problem 1: In der Praxis verwendet man gern folgende Regel:
„Eine stärkere Säure treibt eine schwächere Säure aus ihren Salzen aus."
Als Beispiel hierfür gilt die Umsetzung von Schwefelsäure (H_2SO_4) mit Calciumcarbonat ($CaCO_3$).
a) Formulieren Sie die angegebene Umsetzung.
b) Erläutern Sie an diesem Beispiel den Inhalt der oben erwähnten Regel.
c) Leitet man Schwefelwasserstoff-Gas (H_2S) über wasserfreies weißes Kupfersulfat ($CuSO_4$), so bilden sich schwarzes Kupfersulfid (CuS) und Schwefelsäure. Verdeutlichen Sie, dass es sich hierbei um ein Gegenbeispiel zur Regel handelt.
d) Zeigen Sie, dass bei der Anwendung der Regel neben den Säurestärken auch thermodynamische Gesichtspunkte berücksichtigt werden müssen.

Säure/Base-Reaktionen

1. Säure/Base-Definitionen

a) nach ARRHENIUS: Eine **Säure** zerfällt in wässeriger Lösung in positiv geladene *Wasserstoff*-Ionen und in negativ geladene *Säurerest*-Ionen. Eine **Base** bildet positiv geladene *Baserest*-Ionen und negativ geladene *Hydroxid*-Ionen.

b) nach BRÖNSTED: Eine **Säure** ist ein *Protonendonator* (Protonenspender). Eine **Base** ist ein *Protonenakzeptor* (Protonenempfänger).

2. Säure/Base-Reaktionen

Zwischen einer Säure HA und einer Base B findet ein *Protonenübergang* statt. Ein solcher Vorgang wird auch als Säure/Base-Reaktion oder **Protolyse** bezeichnet. Säure-Base/Reaktionen sind Gleichgewichtsreaktionen. Ein *Protolysegleichgewicht* wird stets von *zwei* korrespondierenden Säure/Base-Paaren HA/A^- und HB^+/B gebildet:

korrespondierend (HA – A^-)

$$\underset{\text{Säure}}{HA} + \underset{\text{Base}}{B} \rightleftharpoons \underset{\text{Base}}{A^-} + \underset{\text{Säure}}{HB^+}$$

korrespondierend (B – HB^+)

3. Ampholyte

Ampholyte sind Teilchen, die – wie Wasser-Moleküle – je nach Säurestärke bzw. Basenstärke des Reaktionspartners entweder als Säure oder als Base reagieren.

4. Autoprotolyse

Der Protonenübergang zwischen gleichartigen Teilchen wird als Autoprotolyse bezeichnet. Auch Autoprotolysen führen zu einem Gleichgewicht, z. B.:

$$H_2O\ (l) + H_2O\ (l) \rightleftharpoons H_3O^+\ (aq) + OH^-\ (aq)$$

5. Ionenprodukt des Wassers

In wässrigen Lösungen ist das Produkt aus der Konzentration der Hydronium-Ionen und der Konzentration der Hydroxid-Ionen konstant. Für die Temperatur von 25 °C gilt:

$$K_W = c\,(H_3O^+) \cdot c\,(OH^-) = 1{,}00 \cdot 10^{-14}\ mol^2 \cdot l^{-2}$$

$$pK_W = pH + pOH = 14$$

6. pH-Wert

Der pH-Wert ist der negative dekadische Logarithmus des Zahlenwerts der Konzentration der *Hydronium*-Ionen (H_3O^+ (aq)). Es gelten die Beziehungen:

$$pH = -\lg \frac{c\,(H_3O^+)}{mol \cdot l^{-1}};\quad \frac{c\,(H_3O^+)}{mol \cdot l^{-1}} = 10^{-pH}$$

Die **pH-Skala** reicht von pH = 0 bis pH = 14.

7. Die Stärke von Säuren und Basen

Starke Säure und Basen protolysieren in Wasser weitgehend oder vollständig. Schwache Säuren und Basen protolysieren in Wasser mehr oder weniger unvollständig. Sie bilden ein Protolysegleichgewicht.

Säurekonstante K_S und pK_S-Wert

Das Produkt aus der Gleichgewichtskonstanten eines Protolysegleichgewichts und der (annähernd konstanten) Konzentration des Wassers bezeichnet man als Säurekonstante K_S.

$$HA\ (aq) + H_2O\ (l) \rightleftharpoons H_3O^+\ (aq) + A^-\ (aq)$$

$$K_S = K \cdot c\,(H_2O) = \frac{c\,(H_3O^+) \cdot c\,(A^-)}{c\,(HA)}$$

Der negative dekadische Logarithmus aus dem Wert einer Säurekonstanten ist der pK_S-Wert:

$$pK_S = -\lg \frac{K_S}{mol \cdot l^{-1}}$$

Basenkonstante und pK_B-Wert

Für schwache Basen lässt sich eine Basenkonstante definieren:

$$B\ (aq) + H_2O\ (l) \rightleftharpoons HB^+\ (aq) + OH^-\ (aq)$$

$$K_B = K \cdot c\,(H_2O) = \frac{c\,(HB^+) \cdot c\,(OH^-)}{c\,(B)}$$

$$pK_B = -\lg \frac{K_B}{mol \cdot l^{-1}}$$

$$pK_S + pK_B = 14$$

8. Protolysegrad

Unter dem Protolysegrad α versteht man den Quotienten aus der Konzentration der protolysierten Teilchen und der Ausgangskonzentration einer Säure oder Base. Den Protolysegrad einer Säure HA berechnet man nach folgender Beziehung:

$$\alpha = \frac{c\,(H_3O^+)}{c_0\,(HA)}$$

Darin bedeutet c_0 (HA) die Ausgangskonzentration der Säure. Die Konzentration der Hydronium-Ionen $c\,(H_3O^+)$ ist gleich der Konzentration des protolysierten Säureanteils.

9. Berechnung von pH-Werten wässeriger Lösungen

Starke Säuren protolysieren weitgehend bis vollständig. Daher gilt: $c\,(H_3O^+) = c_0\,(HA)$

$$pH = -\lg \frac{c_0\,(HA)}{mol \cdot l^{-1}}$$

Für starke Basen gilt: $c\,(OH^-) = c_0\,(B)$

$$pH = 14 - pOH;\quad pH = 14 + \lg \frac{c_0(B)}{mol \cdot l^{-1}}$$

Für schwache Säuren gilt: $pH = \frac{1}{2} \cdot (pK_S - \lg c_0\,(HA))$

Für schwache Basen gilt: $pH = 14 - \frac{1}{2} \cdot (pK_B - \lg c_0\,(B))$

10. Puffersysteme

Lösungen, die ihren pH-Wert nur wenig ändern, wenn in begrenztem Maße Säuren oder Basen zugefügt werden, heißen Pufferlösungen. Sie enthalten etwa gleiche Stoffmengen einer schwachen Säure und ihrer korrespondierenden Base. Den pH-Wert von Pufferlösungen berechnet man mit der Puffergleichung:

$$pH = pK_S + \lg \frac{c\,(Base)}{c\,(Säure)}$$

8 Redoxreaktionen – Konkurrenz um Elektronen

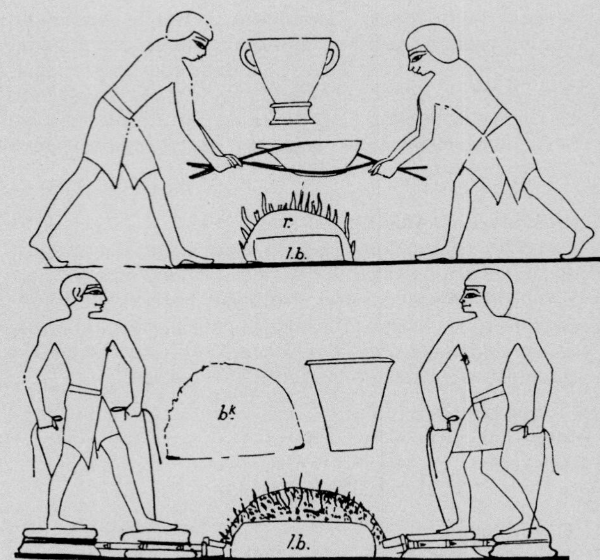

Bereits im 3. Jahrtausend vor Christus wurde im Nahen und Mittleren Osten Bronze hergestellt und verarbeitet. Mit der zielstrebigen Herstellung von Metallen aus Erzen begann damals eine neue Epoche in der Geschichte der Menschheit. Man kann heute nur vermuten, wie die Verfahren zur Gewinnung von Metallen entdeckt wurden. Sicher spielte dabei der tägliche Umgang mit dem Feuer eine Rolle.

Zwei grundlegende chemische Vorgänge wurden in der antiken Metallurgie technisch genutzt: Beim Erhitzen der Erze im Luftstrom, dem *Rösten,* entstanden die Metalloxide. Die *Reduktion* der Metalloxide erfolgte im Holzkohlenfeuer; dabei wirkte Kohlenstoffmonooxid als Reduktionsmittel.

Neue Ausgrabungen zeigen, dass im Nildelta zur Zeit Ramses II. Metallverarbeitung in großem Maßstab betrieben wurde. Auf einer Fläche von mehr als 30 000 m^2 konnte vermutlich mehr als eine Tonne Bronze am Tag verarbeitet werden.

Auf einem Relief aus der Zeit um 1450 vor Christus lassen sich die einzelnen Arbeitsschritte verfolgen:

Zunächst muss das Feuer geschürt werden. Ein Handwerker verteilt die Holzkohle und zwei kräftige Männer treten zwei Blasebälge mit den Füßen. Durch ständige Luftzufuhr werden so die erforderlichen Temperaturen für die chemische Reaktion und das Schmelzen der Metalle erreicht.

Ein Tiegel mit einem Gemisch aus Kupfererz und Holzkohle wird, von Zangen gehalten, in das Feuer gesenkt. Das Kupfererz wird oxidiert. Beim Verbrennen der Holzkohle entsteht ein Gasgemisch mit einem hohen Anteil an Kohlenstoffmonooxid. Dieses reduziert das Kupferoxid zu Kupfer. Danach wird die Schmelze in Formen gegossen.

Möglicherweise wurde damals auch ein Kupfer/Zinn-Mineral (Zinnkies, Cu_2FeSnS_4) verarbeitet. Das geschmolzene Kupfer enthielt dann Zinn. Es entstanden Bronzen, die härter als Kupfer waren und zur Herstellung von Messern, Dolchen und Schwertern verwendet wurden.
Auf der rechten Seite des Reliefs sieht man, wie Nachschub angeliefert wird. Der Oberaufseher überwacht und dirigiert den Vorgang.

8.1 Herstellung von Eisen

Eisen ist heute wegen seiner vielen Verwendungsmöglichkeiten der wichtigste metallische Werkstoff. Bei der Herstellung von Roheisen im Hochofen geht man von Eisenoxiden aus. Die wichtigsten oxidischen Eisenerze sind Magneteisenstein (Fe_3O_4) und Hämatit (Fe_2O_3). Sulfidische Erze wie Pyrit (FeS_2) müssen zunächst durch Rösten in Eisenoxid (Fe_2O_3) überführt werden. Die gemahlenen Eisenoxide werden mit *Zuschlägen* wie Kalk oder Sand vermischt und dann gesintert. Im Hochofenprozess bilden die Zuschläge mit anderen Begleitstoffen der Eisenerze eine niedrig schmelzende Schlacke, die sich gut vom Roheisen trennen lässt.

Vorgänge im Hochofen. Der Hochofen ist abwechselnd mit Schichten von *Koks* sowie *Eisenerz* mit *Zuschlag* gefüllt. Beim Verbrennen von Koks bildet sich Kohlenstoffmonooxid. In einer Redoxreaktion reduziert das Kohlenstoffmonooxid die Eisenoxide zu Eisen und wird dabei selbst zu Kohlenstoffdioxid oxidiert. In den weniger heißen Zonen des Hochofens bildet sich aus dem Kohlenstoffmonooxid fein verteilter Kohlenstoff, der sich zum Teil in dem entstandenen Roheisen löst und dessen Schmelztemperatur von 1540 °C auf etwa 1200 °C senkt. Das flüssige Roheisen lässt man in regelmäßigen Abständen aus dem Hochofen abfließen.

Vom Roheisen zum Stahl. Beim schnellen Abkühlen des Roheisens in Eisenformen entsteht weißes Roheisen, das zu etwa 4 % Kohlenstoff in gebundener Form enthält. Es ist hart, spröde, brüchig und schmilzt, ohne vorher zu erweichen. Um den Kohlenstoffgehalt auf 0,5 % bis 2 % zu verringern, bläst man meist Sauerstoff durch ein wassergekühltes Rohr in das flüssige Roheisen (LD-Verfahren). Der Kohlenstoff reagiert dabei zu Kohlenstoffmonooxid, während andere Verunreinigungen mit Zuschlagstoffen eine Schlacke bilden. Man erhält ein gut zu bearbeitendes, schmiedbares Eisen, den *Stahl*.

1. Entnahme einer Roheisen-Probe. Maßnahmen zum Umweltschutz und zur Humanisierung des Arbeitsplatzes haben das ursprüngliche Bild der Arbeit am Hochofen völlig verändert.

A1 In der Schmelzzone des Hochofens wird Eisen(III)-oxid (Fe_2O_3) durch Kohlenstoff zu Eisen reduziert.
a) Wie viel Eisen(III)-oxid wird zur Erzeugung von 1 t Eisen benötigt?
b) Wie viel Energie wird für diese Umsetzung benötigt?
($\Delta_R H^0_m = 491 \text{ kJ} \cdot \text{mol}^{-1}$)

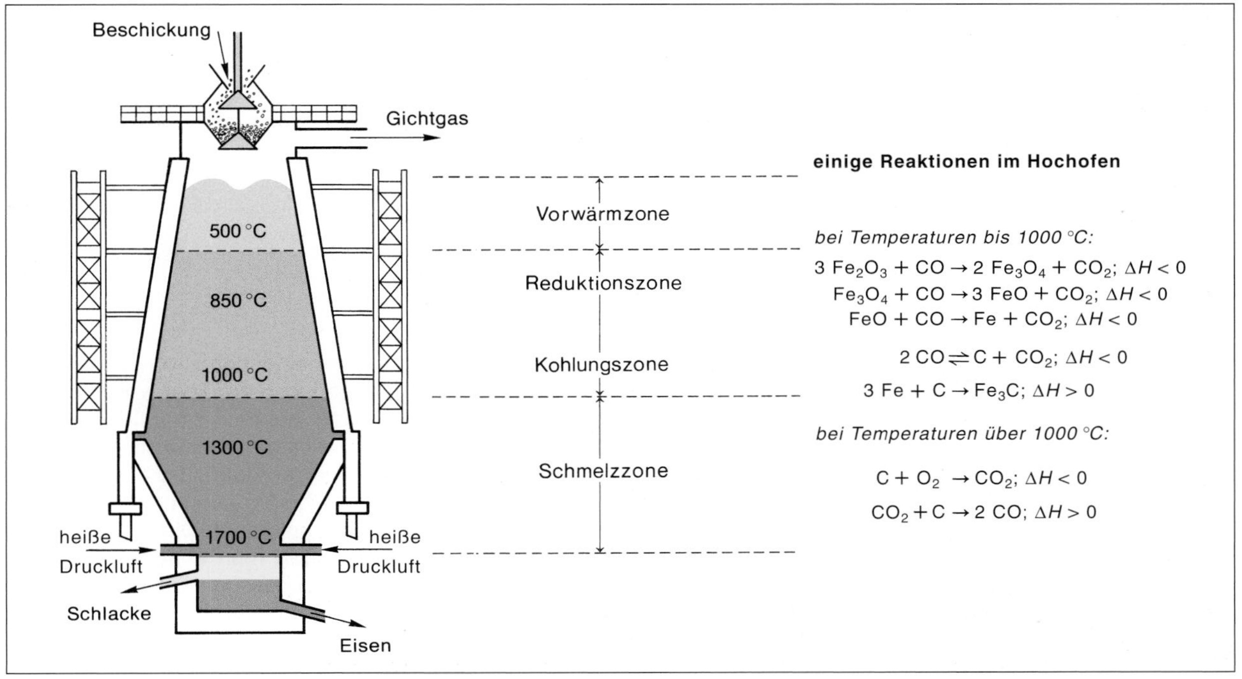

2. Hochofenprozess (schematisch)

8.2 Erweiterung des Redoxbegriffs

$\overset{\text{I}}{H_3}\overset{\text{V}}{P}\overset{\text{-II}}{O_4}$

$\overset{\text{VI}}{S}\overset{\text{-II}}{O_4^{2-}}$

$\overset{\text{-III}}{H_3C}-\overset{\text{-I}}{CH_2}-OH$

$\overset{\text{-III}}{H_3C}-\overset{\text{III}}{C}(=O)-OH$

1. Ermittlung von Oxidationszahlen

A1 Ermitteln Sie die Oxidationszahlen der Atome in folgenden Verbindungen und Ionen:
a) Cl_2, H_2S, H_2O_2, CO_2, ClO_2, HNO_3, CH_4, SiH_4, NH_3, P_4O_{10},
b) Fe^{3+}, NaH, H_3O^+, $KMnO_4$, CrO_4^{2-}, $Cr_2O_7^{2-}$, $KClO_3$, $S_2O_3^{2-}$
c) Methanol, Formaldehyd, Ameisensäure, Benzol, Propan, Glucose, Propanon, Chloroform.

1. Metalle haben positive Oxidationszahlen.
2. Wasserstoff hat die Oxidationszahl I. (Ausnahme: –I in Metallhydriden)
3. Sauerstoff hat die Oxidationszahl –II. (Ausnahmen: –I in Peroxiden, II in OF_2)
4. Bei Verbindungen ist die Summe der Oxidationszahlen aller Atome null.
5. Bei Ionen ist die Summe der Oxidationszahlen aller Atome gleich der Ionenladung.

2. Regeln zur Ermittlung von Oxidationszahlen in Verbindungen

Reaktionen mit Sauerstoff spielen für die unbelebte wie für die belebte Natur eine wichtige Rolle. So bezeichneten die Chemiker eine Reaktion, bei denen sich ein Stoff mit Sauerstoff verbindet, als **Oxidation** und eine Reaktion, bei der ein Stoff Sauerstoff abgibt, als **Reduktion.** Treten die Aufnahme und die Abgabe von Sauerstoff in einer Reaktion gleichzeitig auf, spricht man von einer **Redoxreaktion.** In diesem Sinne ist die Reaktion von schwarzem Kupferoxid (CuO) mit Magnesium eine Redoxreaktion, bei der Kupferoxid Sauerstoff abgibt und Magnesium sich mit Sauerstoff verbindet:

$$CuO\ (s) + Mg\ (s) \longrightarrow Cu\ (s) + MgO\ (s)$$

Kupferoxid und Magnesiumoxid sind als Ionenverbindungen aus positiven Metall-Ionen und negativen Oxid-Ionen aufgebaut. Bei der Reaktion geben also die Magnesium-Atome Elektronen ab und die Kupfer-Ionen des Kupferoxids nehmen Elektronen auf. Die Oxid-Ionen (O^{2-}) bleiben unverändert:

Elektronenabgabe: $Mg\ (s) \dashrightarrow Mg^{2+} + 2\ e^-$

Elektronenaufnahme: $Cu^{2+} + 2\ e^- \dashrightarrow Cu\ (s)$

Bei der Reaktion werden also lediglich Elektronen von den Magnesium-Atomen auf Kupfer-Ionen übertragen. Elektronenübertragungen treten aber auch bei vielen anderen Reaktionen auf, an denen keine Sauerstoffverbindungen beteiligt sind. Man verwendet daher heute den Redoxbegriff viel allgemeiner und versteht unter **Oxidation** eine **Elektronenabgabe** und unter **Reduktion** eine **Elektronenaufnahme.** Das *Oxidationsmittel* nimmt Elektronen auf und das *Reduktionsmittel* gibt Elektronen ab.

Nach dieser neuen Definition sind Oxidation und Reduktion immer miteinander gekoppelt. Bei der Redoxreaktion von Magnesium mit Chlor wird Magnesium oxidiert und Chlor reduziert:

Elektronenabgabe: $Mg\ (s) \dashrightarrow Mg^{2+} + 2\ e^-$ *Oxidation*

Elektronenaufnahme: $Cl_2\ (g) + 2\ e^- \dashrightarrow 2\ Cl^-$ *Reduktion*

Oxidationszahlen. Die formale Zerlegung einer Redoxreaktion in einen Oxidationsschritt und einen Reduktionsschritt bereitet keine Schwierigkeiten, solange an der Reaktion Elemente und einfache Ionen beteiligt sind. In diesem Fall lassen sich beide *Teilreaktionen* einfach nachvollziehen. Wo aber werden bei der Oxidation von Ethanol zu Essigsäure die Elektronen übertragen?

$$H_3C-CH_2-O-H + O_2 \longrightarrow H_3C-C(=O)-O-H + H_2O$$

In den beteiligten Molekülen liegen keine Ionenbindungen vor, sondern ausschließlich Elektronenpaarbindungen. Um dennoch zu einer allgemein gültigen Definition des Redoxbegriffs zu kommen, hat man einen Formalismus entwickelt: Man ordnet jeweils die Bindungselektronen einer polaren Elektronenpaarbindung formal dem elektronegativeren Atom zu. Bei einer unpolaren Bindung zwischen zwei gleichartigen Atomen werden die Bindungselektronen den beiden Atomen je zur Hälfte zugeordnet. Die sich so für die Atome ergebenden *fiktiven* Ladungszahlen nennt man ***Oxidationszahlen.*** Oxidationszahlen werden in Formeln als *römische Zahlen* über die Elementsymbole geschrieben; sie beziehen sich auf ein einzelnes Atom. Für Elemente ist die Oxidationszahl definitionsgemäß 0; für einfache Ionen stimmt sie mit der Ladungszahl überein. In Namen von Verbindungen setzt man die Oxidationszahl in runde Klammern: Kupfer(II)-oxid.

Durch das beschriebene Vorgehen erhält im Ethanol-Molekül das Kohlenstoff-Atom mit der Hydroxyl-Gruppe die Oxidationszahl –I; bei Essigsäure ergibt sich für das entsprechende Atom die Oxidationszahl III. Die fiktive Ladung ist nach der Reaktion um vier Elementarladungen größer, was formal einer Abgabe von vier Elektronen entspricht. Den beiden Sauerstoff-Atomen im Sauerstoff-Molekül ordnet man die Oxidationszahl 0 zu, nach der Reaktion besitzen sie die Oxidationszahl –II. Dies entspricht formal der Aufnahme von zwei Elektronen je Sauerstoff-Atom. Formal sind also bei der Oxidation von Ethanol vier Elektronen vom Kohlenstoff-Atom auf die Sauerstoff-Atome übertragen worden. Das Kohlenstoff-Atom wurde oxidiert; die Sauerstoff-Atome wurden reduziert.

Mit Hilfe von Oxidationszahlen lässt sich der Redoxbegriff nun umfassend definieren: Unter **Oxidation** versteht man eine *Teilreaktion*, bei der die Oxidationszahl eines Atoms erhöht wird. Dabei gibt das Atom tatsächlich oder formal Elektronen ab. Unter **Reduktion** versteht man eine *Teilreaktion*, bei der die Oxidationszahl eines Atoms erniedrigt wird. Dabei nimmt das Atom tatsächlich oder formal Elektronen auf.

Atome ein und desselben Elements können verschiedene Oxidationszahlen besitzen und miteinander reagieren. So reagieren Chlorid-Ionen und Hypochlorit-Ionen in saurer Lösung zu Chlor.

$$\overset{-I}{Cl}^- (aq) + \overset{I}{Cl}\overset{-II}{O}^- (aq) + 2\ \overset{I}{H}^+ (aq) \longrightarrow \overset{0}{Cl}_2 (g) + \overset{I}{H}_2\overset{-II}{O} (l)$$

Bei dieser Reaktion wird das Chlorid-Ion oxidiert und das Chlor-Atom im Hypochlorit-Ion reduziert. Nach der Reaktion liegen beide mit gleicher Oxidationszahl vor. Man spricht von *Synproportionierung*. Die in umgekehrter Richtung ablaufende Reaktion ist ein Beispiel für eine *Disproportionierung*.

1. Chlorgas aus WC-Reiniger und Sanitärreiniger

A1 Bei welchen der folgenden Reaktionen handelt es sich um Redoxreaktionen?

a) $Zn (s) + H_2SO_4 (aq) \longrightarrow ZnSO_4 (aq) + H_2 (g)$

b) $Cu (s) + 4\ HNO_3 (aq) \longrightarrow Cu(NO_3)_2 (aq) + 2\ NO_2 (g) + 2\ H_2O (l)$

c) $H_2SO_4 (aq) + 2\ NaCl (aq) \longrightarrow Na_2SO_4 (aq) + 2\ HCl (aq)$

EXKURS

Leben ohne Sauerstoff?

Lebensvorgänge erfordern Energie, die durch **Atmung** gewonnen wird. Dabei wird elementarer Sauerstoff reduziert und organische Stoffe werden oxidiert.

$$C_6H_{12}O_6 + 6\ O_2 \longrightarrow 6\ CO_2 + 6\ H_2O$$

Durch **Photosynthese** können grüne Pflanzen aus Kohlenstoffdioxid und Wasser wieder organische Stoffe aufbauen, wobei die Kohlenstoff-Atome des Kohlenstoffdioxids reduziert werden und aus dem Wasser elementarer Sauerstoff freigesetzt wird.

Leben ist aber auch ohne elementaren Sauerstoff unter extremsten Bedingungen möglich. In vulkanischen Quellen entdeckte man vor kurzem **Archae-Bakterien,** die unter völligem Sauerstoffabschluss leben. Bei Überdruck herrschen in diesen Quellen Temperaturen von über 100 °C. Die Hitze und die durchströmenden Gase verhindern das Eindringen von Sauerstoff. Archae-Bakterien benutzen eine urtümliche Form der Atmung, wie sie in erdgeschichtlicher Frühzeit in einer sauerstofffreien Atmosphäre abgelaufen sein könnte. Anstelle des elementaren Sauerstoffs reduzieren sie Schwefel, der die Funktion des Elektronenakzeptors übernimmt. Endprodukt dieser *Schwefelatmung* ist Schwefelwasserstoff.

$$C_6H_{12}O_6 + 12\ S + 6\ H_2O \longrightarrow 6\ CO_2 + 12\ H_2S$$

Eines der entdeckten Archae-Bakterien lebt *autotroph*, es kann aus Kohlenstoffdioxid wieder organische Verbindungen aufbauen. Die Energie gewinnt das Bakterium auf eine bisher einzigartige Weise. Es reduziert Schwefel mit elementarem Wasserstoff, der in den vulkanischen Gasen ausreichend vorhanden ist.

Kochende Schlammlöcher beherbergen massenhaft Archae-Bakterien

Aufgabe 1: Ermitteln Sie die Oxidationszahlen in den Reaktionsgleichungen der Stoffwechselreaktionen und vergleichen Sie die Reaktionen.

8.3 Einrichten von Reaktionsgleichungen für Redoxreaktionen

1. Herstellung von Chlor. Man lässt Kaliumpermangant mit konzentrierter Salzsäure reagieren.

A1 Richten Sie die folgenden Reaktionsgleichungen ein:

a) $KMnO_4$ (s) + HCl (aq) ⟶ KCl (aq) + $MnCl_2$ (aq) + Cl_2 (g) + H_2O (l)

b) $Na_2S_2O_3$ (aq) + I_2 (aq) ⟶ $Na_2S_4O_6$ (aq) + NaI (aq)

c) NH_3 (g) + O_2 (g) ⟶ N_2 (g) + H_2O (l)

d) NH_3 (g) + O_2 (g) ⟶ NO (g) + H_2O (l)

e) $Pb(NO_3)_2$ (s) ⟶ PbO (s) + NO_2 (g) + O_2 (g)

f) $Cr_2O_7^{2-}$ (aq) + $CH_3CHOHCH_3$ (l) + H^+ (aq) ⟶ Cr^{3+} (aq) + CH_3COCH_3 (l) + H_2O (l)

A2 Eine Reaktion, bei der ein und derselbe Stoff zugleich oxidiert und reduziert wird, bezeichnet man als **Disproportionierung.** Der entgegengesetzte Vorgang wird **Synproportionierung** genannt.
Richten Sie die folgenden Reaktionsgleichungen ein.
Stellen Sie fest, ob eine Disproportionierung oder eine Synproportionierung vorliegt.

a) H_2SO_4 (aq) + H_2S (aq) ⟶ S (s) + H_2O (l)

b) $KClO_3$ (s) ⟶ $KClO_4$ (s) + KCl (s)

c) NH_4NO_3 (s) ⟶ N_2O (g) + H_2O (l)

d) NO_2 (g) + H_2O (l) ⟶ H^+ (aq) + NO_3^- (aq) + HNO_2 (aq)

e) BrO_3^- (aq) + Br^- (aq) + H^+ (aq) ⟶ Br_2 (aq) + H_2O (l)

Reaktionsgleichungen für Redoxreaktionen aufzustellen ist in vielen Fällen schwieriger als bei den bisher verwendeten Beispielen. Eine bewährte Methode zur Lösung dieser Aufgabe besteht darin, Oxidation und Reduktion zunächst getrennt voneinander zu betrachten. Unter Verwendung von Oxidationszahlen stellt man dazu für die Oxidation und für die Reduktion *Teilgleichungen* auf, die rein formalen Charakter haben. Die Teilgleichungen werden dann zur vollständigen Reaktionsgleichung, der Redoxgleichung, kombiniert.
Diese Methode soll an einigen Beispielen erläutert werden:

Beispiel 1: **Reaktion von Kaliumdichromat mit Eisen(II)-sulfat**

a) Versetzt man eine angesäuerte Eisen(II)-sulfat-Lösung mit einer Lösung des orangefarbenen Kaliumdichromats ($K_2Cr_2O_7$), so bildet sich beim Erhitzen eine grüne Lösung: Sie enthält Chrom(III)-Ionen, die durch die Reduktion des Dichromats entstanden sind. Gleichzeitig sind Eisen(II)-Ionen zu Eisen(III)-Ionen oxidiert worden.

b) Für die Oxidation und die Reduktion formuliert man Teilgleichungen. Bei den Atomen, die am Elektronenaustausch beteiligt sind, werden dabei die Oxidationszahlen hinzugefügt. Besonders einfach ist in diesem Beispiel die Teilgleichung für die Oxidation:

Oxidation: $\overset{\text{II}}{Fe}{}^{2+}$ (aq) ---→ $\overset{\text{III}}{Fe}{}^{3+}$ (aq) + e^-

Bei der Teilgleichung für die Reduktion ist Folgendes zu berücksichtigen: Aus den in $Cr_2O_7^{2-}$-Ionen gebundenen Sauerstoff-Atomen (Oxidationszahl –II) bilden sich in saurer Lösung Wasser-Moleküle. Es werden also Hydronium-Ionen verbraucht:

Reduktion: $\overset{\text{VI}}{Cr_2}O_7^{2-}$ (aq) + 14 H^+ (aq) + 6 e^- ---→ 2 $\overset{\text{III}}{Cr}{}^{3+}$ (aq) + 7 H_2O (l)

c) Die Teilgleichungen werden mit möglichst kleinen Faktoren so multipliziert, dass die Gesamtzahl der abgegebenen und der aufgenommenen Elektronen gleich ist. Diese Zahl ist das *kleinste gemeinsame Vielfache* der Elektronenzahlen in den Teilgleichungen. Die vollständige Reaktionsgleichung ergibt sich durch Addition:

Oxidation: Fe^{2+} (aq) ---→ Fe^{3+} (aq) + e^- (· 6)

Reduktion: $Cr_2O_7^{2-}$ (aq) + 14 H^+ (aq) + 6 e^- ---→ 2 Cr^{3+} (aq) + 7 H_2O (l) (· 1)

Oxidation: 6 Fe^{2+} (aq) ---→ 6 Fe^{3+} (aq) + 6 e^-

Reduktion: $Cr_2O_7^{2-}$ (aq) + 14 H^+ (aq) + 6 e^- ---→ 2 Cr^{3+} (aq) + 7 H_2O (l)

Redoxreaktion: 6 Fe^{2+} (aq) + $Cr_2O_7^{2-}$ (aq) + 14 H^+ (aq) ⟶ 6 Fe^{3+} (aq) + 2 Cr^{3+} (aq) + 7 H_2O (l)

Die erhaltene Reaktionsgleichung sollte abschließend überprüft werden. Beide Seiten müssen übereinstimmen in Bezug auf die Anzahl der Atome und die Summe der Ionenladungen.

d) Falls erforderlich, kann man zum Schluss noch die Ionen ergänzen, die nicht an der Reaktion beteiligt sind, sodass sich aus der Reaktionsgleichung die benötigten Stoffe ablesen lassen:

6 $FeSO_4$ (aq) + $K_2Cr_2O_7$ (aq) + 7 H_2SO_4 (aq) ⟶ 3 $Fe_2(SO_4)_3$ (aq) + $Cr_2(SO_4)_3$ (aq) + K_2SO_4 (aq) + 7 H_2O (l)

***Beispiel 2:* Reaktion von Kaliumpermanganat mit Natriumsulfit**

a) Gibt man zu einer violetten Kaliumpermanganat-Lösung eine alkalische Natriumsulfit-Lösung, so entsteht eine grüne Lösung, in der sich Manganat(VI)-Ionen (MnO_4^{2-}) und Sulfat-Ionen nachweisen lassen.

b) *Formulierung der Teilreaktionen*
Bei diesem Beispiel lässt sich die Teilgleichung für die Reduktion besonders einfach formulieren:

Reduktion: $\overset{VII}{Mn}O_4^- (aq) + e^- \dashrightarrow \overset{VI}{Mn}O_4^{2-} (aq)$

Bei der Teilgleichung für die Oxidation ist Folgendes zu berücksichtigen: Jedes durch die Oxidation eines Sulfit-Ions (SO_3^{2-}) gebildete Sulfat-Ion (SO_4^{2-}) enthält ein weiteres Sauerstoff-Atom mit der Oxidationszahl –II; es stammt aus der alkalischen Lösung. Bei dieser Reaktion werden also Hydroxid-Ionen verbraucht:

Oxidation: $\overset{IV}{S}O_3^{2-} (aq) + 2\,OH^- (aq) \dashrightarrow \overset{VI}{S}O_4^{2-} (aq) + H_2O (l) + 2\,e^-$

c) *Multiplikation und Addition der Teilgleichungen*

Oxidation: $SO_3^{2-} (aq) + 2\,OH^- (aq) \dashrightarrow SO_4^{2-} (aq) + H_2O (l) + 2\,e^-$

Reduktion: $2\,MnO_4^- (aq) + 2\,e^- \dashrightarrow 2\,MnO_4^{2-} (aq)$

Redox-reaktion: $SO_3^{2-} (aq) + 2\,MnO_4^- (aq) + 2\,OH^- (aq) \longrightarrow SO_4^{2-} (aq) + 2\,MnO_4^{2-} (aq) + H_2O (l)$

Beide Seiten der Reaktionsgleichung werden überprüft bezüglich der Anzahl der Atome und der Ionenladungen.

d) *Vervollständigung der Reaktionsgleichung*
$Na_2SO_3 (aq) + 2\,KMnO_4 (aq) + 2\,KOH (aq) \longrightarrow Na_2SO_4 (aq) + 2\,K_2MnO_4 (aq) + H_2O (l)$

***Beispiel 3:* Reaktion von Kaliumpermanganat mit Oxalsäure**

a) Eine violette, angesäuerte Kaliumpermanganat-Lösung entfärbt sich nach Zugabe von Oxalsäure-Lösung. Es entweicht Kohlenstoffdioxid, in der Lösung liegen nach der Reaktion Mangan(II)-Ionen vor.

b) *Formulierung der Teilreaktionen*

Oxidation: $H_2\overset{III}{C}_2O_4 (aq) \dashrightarrow 2\,\overset{IV}{C}O_2 (g) + 2\,H^+ (aq) + 2\,e^-$

Reduktion: $\overset{VII}{Mn}O_4^- (aq) + 8\,H^+ (aq) + 5\,e^- \dashrightarrow \overset{II}{Mn}{}^{2+} (aq) + 4\,H_2O (l)$

c) *Multiplikation und Addition der Teilgleichungen*

Oxidation: $5\,H_2C_2O_4 (aq) \dashrightarrow 10\,CO_2 (g) + 10\,H^+ (aq) + 10\,e^-$

Reduktion: $2\,MnO_4^- (aq) + 16\,H^+ (aq) + 10\,e^- \dashrightarrow 2\,Mn^{2+} (aq) + 8\,H_2O (l)$

Redox-reaktion: $5\,H_2C_2O_4 (aq) + 2\,MnO_4^- (aq) + 6\,H^+ (aq) \longrightarrow 10\,CO_2 (g) + 2\,Mn^{2+} (aq) + 8\,H_2O (l)$

d) *Vervollständigung der Reaktionsgleichung*

$5\,H_2C_2O_4 (aq) + 2\,KMnO_4 (aq) + 3\,H_2SO_4 (aq) \longrightarrow 10\,CO_2 (g) + 2\,MnSO_4 (aq) + K_2SO_4 (aq) + 8\,H_2O (l)$

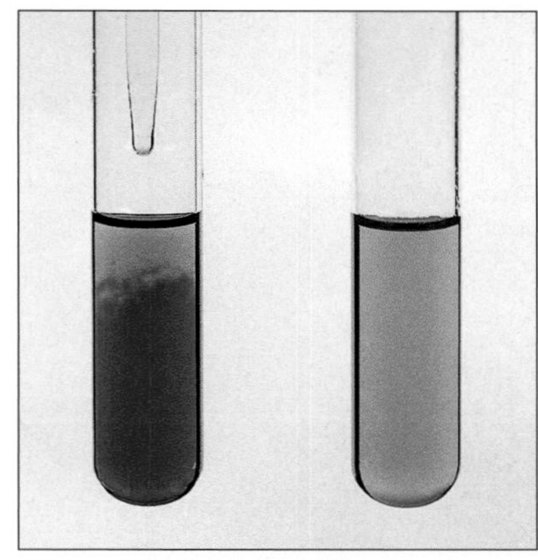

1. Reaktion von Permanganat-Ionen mit Sulfit-Ionen in alkalischer Lösung

A1 Ermitteln Sie bei folgenden Redoxreaktionen die Änderung von Oxidationszahlen und richten Sie die Reaktionsgleichungen ein.

a) $Cu^{2+} (aq) + CH_3\text{-}CHO (aq) + OH^- (aq) \longrightarrow Cu_2O (s) + CH_3\text{-}COO^- (aq) + H_2O (l)$

b) $Cu (s) + HNO_3 (aq) \longrightarrow Cu(NO_3)_2 (aq) + NO (g) + H_2O (l)$

c) $H_2SO_4 (l) + KBr (s) \longrightarrow K_2SO_4 (aq) + SO_2 (g) + H_2O (l) + Br_2 (g)$

d) $Cu (s) + H_2SO_4 (l) \longrightarrow CuSO_4 (s) + SO_2 (g) + H_2O (l)$

e) $H_2C_2O_4 (s) + H_2O_2 (aq) \longrightarrow CO_2 (g) + H_2O (l)$

f) $PbCl_2 (s) + NaClO (aq) + H_2O (l) \longrightarrow PbO_2 (s) + HCl (aq) + NaCl (aq)$

g) $H_2O_2 (aq) + HClO (aq) \longrightarrow O_2 (g) + Cl^- (aq) + H_2O (l) + H^+ (aq)$

A2 Die folgenden Reaktionen laufen in alkalischer Lösung ab. Stellen Sie die Reaktionsgleichungen auf.

a) Chrom(III)-Ionen reagieren mit Wasserstoffperoxid zu Chromat-Ionen (CrO_4^{2-}).

b) Permanganat-Ionen reagieren mit Bromid-Ionen zu Mangandioxid (Braunstein) und Bromat-Ionen (BrO_3^-).

8.4 Fotografie

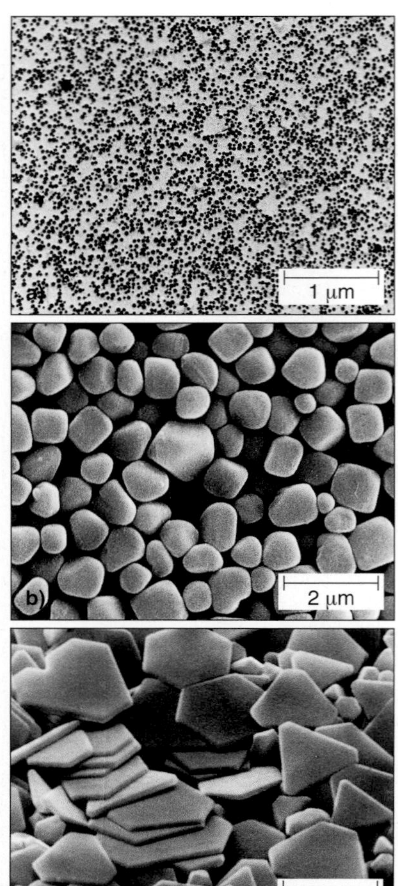

1. Silberbromid-Kristalle. Mikrokristalle (a), Röntgenfilm (b), Amateurfilm (c)

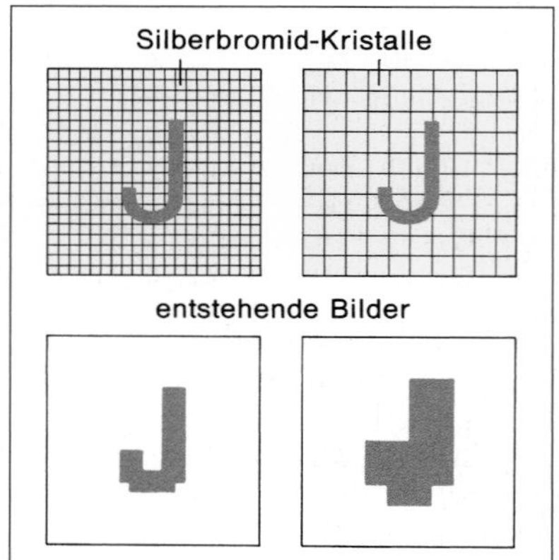

2. Auflösungsvermögen bei unterschiedlicher Korngröße

1839 stellte der Physiker ARAGO vor der Pariser Akademie der Wissenschaften die Erfindung der **Lichtbildnerei** erstmals der Öffentlichkeit vor. Er konnte dabei auf eine Entwicklung von DAGUERRE zurückgreifen, der lichtempfindliche Schichten durch Einwirkung von Ioddämpfen auf versilberte Kupferplatten herstellte. Nach der Belichtung wurde das noch unsichtbare, *latente* Bild sichtbar gemacht, indem man Quecksilberdämpfe auf die Platten einwirken ließ. Dabei bildete sich an den belichteten Stellen Silber. Das unverbrauchte Silberiodid wurde mit Natriumthiosulfat-Lösung von der Platte gelöst.

Auch die heutige Schwarzweiß- und Farbfotografie nutzt immer noch die Lichtempfindlichkeit der Silberhalogenide. Bei der **Herstellung lichtempfindlicher Schichten** werden gelatinehaltige Lösungen von Silbernitrat und Ammoniumbromid vermischt. Dabei fällt das Silberbromid in Mikrokristallen in der Gelatine aus. Je nach Verwendungszweck lässt man sie für Röntgenfilme zu würfelförmigen oder für Amateurfilme zu tafelförmigen Kristallen mit Korngrößen von 1 µm bis 3 µm wachsen. Sie sind nicht völlig regelmäßig aufgebaut: Einige Silber-Ionen liegen auf Zwischengitterplätzen.

Belichten. Fällt Licht auf die Silberbromid-Kristalle, so werden aus einigen Anionen Elektronen abgespalten. Diese **Photoelektronen** werden von Silber-Ionen aufgenommen, die sich auf Zwischengitterplätzen befinden. Bei diesem Vorgang spielen Silbersulfid-Verunreinigungen im Kristall eine entscheidende, aber bis heute noch nicht vollständig geklärte Rolle. Vereinfacht laufen die folgenden Reaktionen nacheinander ab:

$$Br^- \xrightarrow{\text{Licht}} Br + e^-; \quad Ag^+ + e^- \longrightarrow Ag$$

Die Brom-Atome werden in der Gelatineschicht irreversibel gebunden.

Die Abspaltung eines Elektrons vom Bromid-Ion ist nur durch energiereiches blaues und violettes Licht möglich. Um auch mit längerwelligem Licht belichten zu können, werden **Sensibilisierungsfarbstoffe** an die Kristalloberfläche angelagert. Sie werden schon durch rotes oder grünes Licht angeregt, Elektronen in den Silberbromid-Kristall abzugeben.

Entwickeln und Fixieren. Die an den belichteten Stellen entstandenen Silber-Atome erzeugen ein nicht sichtbares, *latentes Bild*. Die lichtempfindliche Schicht muss jetzt entwickelt werden. Dazu behandelt man sie mit Reduktionsmitteln wie Hydrochinon. Silber-Ionen eines belichteten Kristalls werden dabei zu Silber-Atomen reduziert, die die fotografische Schicht schwärzen. Man erhält so ein *Negativ* des fotografierten Motivs.

Die hohe Lichtempfindlichkeit silberhalogenidhaltiger Fotomaterialien beruht auf folgender Tatsache: Von etwa 10^6 Silber-Ionen an der Oberfläche eines Silberbromid-Kristalls müssen nur etwa vier durch Photoelektronen zu Silber reduziert sein, damit beim Entwickeln die Silber-Ionen dieses Kristalls reduziert werden. Die anfangs vorhandenen Silber-Atome wirken beim Reduktionsvorgang katalytisch. Die Lichtempfindlichkeit eines Films lässt sich erhöhen, indem man größere Silberbromid-Kristalle verwendet. Die Körnigkeit des Films nimmt dadurch jedoch zu, das Auflösungsvermögen wird schlechter.

Beim abschließenden *Fixieren* wird das restliche Silberbromid aus der Schicht herausgelöst: Die Silber-Ionen werden dabei durch Thiosulfat-Ionen ($S_2O_3^{2-}$) der Fixierlösung in einen löslichen Silberkomplex überführt: $[Ag(S_2O_3)_2]^{3-}$ (aq). Nach dem Wässern und Trocknen hat man ein haltbares Bild, das auch im Sonnenlicht nicht mehr geschwärzt werden kann.

Fotografie

Versuch 1: Lichtempfindlichkeit von Silberchlorid

Materialien: Kreide, Reibschale, Messzylinder (10 ml), schwarzes Papier, Schere;
Silbernitrat-Lösung (2 %), Natriumchlorid

Durchführung:
1. Kreide wird pulverisiert und mit Wasser zu einem Brei angerührt. Damit füllt man ein Reagenzglas zu drei Vierteln.
2. Unter Umschütteln gibt man 4 ml Silbernitrat-Lösung und etwas gesättigte Natriumchlorid-Lösung hinzu.
3. Man umwickelt das Reagenzglas mit einem schwarzen Papier, aus dem eine Figur ausgeschnitten wurde.
4. Die ausgeschnittene Stelle wird stark belichtet.

Versuch 2: Herstellung lichtempfindlicher Schichten

Materialien: Gasbrenner, Schreibmaschinenpapier, Watte; Silbernitrat-Lösung (10 %; Xi), Natriumchlorid, Kaliumbromid, Gelatine

Durchführung:
1. Unter Erhitzen werden in 100 ml Wasser 3 g Natriumchlorid und 10 g Gelatine gelöst.
2. Man trägt die Lösung auf einige Blatt Papier auf und lässt sie trocknen.
3. Im Dunkeln legt man die Blätter drei Minuten mit der Schichtseite nach unten in Silbernitrat-Lösung und lässt sie anschließend im Dunkeln trocknen.
4. Legen Sie Figuren auf die Schichtseite und belichten Sie die Blätter unterschiedlich stark.
5. Wiederholen Sie den Versuch, ersetzen Sie jedoch das Natriumchlorid durch 6 g Kaliumbromid.
6. Legen Sie auf ein Blatt nebeneinander eine blaue und eine rote Folie und belichten Sie dann.

Versuch 3: Hydrochinon als Entwickler

Materialien: Silbernitrat-Lösung (2 %), Natriumchlorid, Hydrochinon (Xn), Kaliumhydroxid-Lösung (verd.; C)

Durchführung:
1. Fällen Sie Silberchlorid aus.
2. Geben Sie zu einer Probe Silberchlorid verdünnte, wässerige Hydrochinon-Lösung.
3. Wiederholen Sie den Versuch, setzen Sie aber einige Tropfen Kaliumhydroxid-Lösung zu.

Aufgabe: Formulieren Sie die Reaktionsgleichung.

Versuch 4: Rezeptur eines Papierentwicklers

Materialien: belichtetes Fotopapier, 3 Fotoschalen, Pinzette, Fixiersalz;
p-(Methylamino)-phenol (Xn), Natriumsulfit (wasserfrei; Xi), Hydrochinon (Xn), Natriumcarbonat (wasserfrei; Xi), Kaliumbromid, Essigsäure (5 %)

Durchführung:
1. Lösen Sie in der angegebenen Reihenfolge in 1000 ml Wasser: 1 g *p*-(Methylamino)-phenol, 13 g Natriumsulfit, 3 g Hydrochinon, 26 g Natriumcarbonat und 1 g Kaliumbromid.
2. Entwickeln Sie in dieser Lösung ein belichtetes Fotopapier. Tauchen Sie es dann in Essigsäure und fixieren Sie es anschließend.

Aufgaben:

a) Beschreiben Sie die Wirkung der einzelnen Bestandteile. Wie könnte man die Rezeptur sinnvoll verändern?

b) Warum ist beim Lösen die Reihenfolge wichtig?

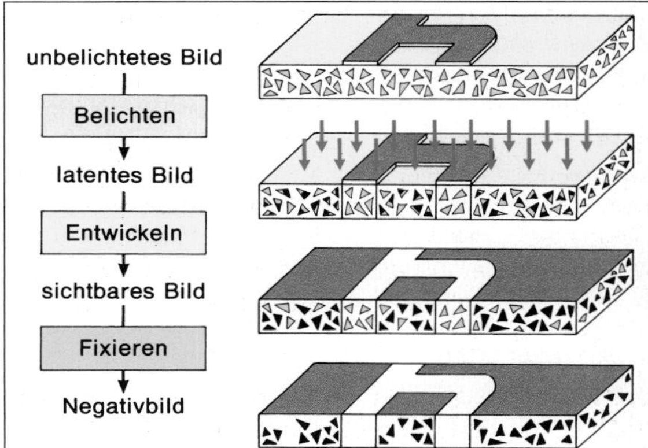

Entstehung eines Schwarzweiß-Negativs

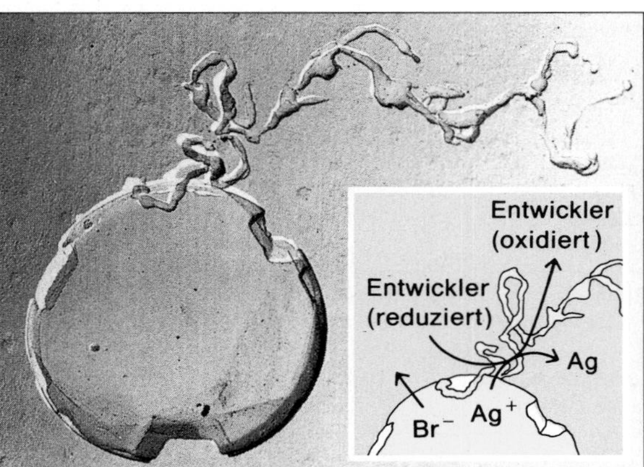

Entwicklungsvorgang an einem AgBr-Kristall

Redoxreaktionen

Versuch 1: Permanganat-Ionen als Oxidationsmittel

Materialien: Holzspan, Gasableitungsrohr; Kalkwasser (Calciumhydroxid-Lösung), verdünnte Lösungen von: Kaliumpermanganat, Schwefelsäure (Xi), Eisen(II)-sulfat, Kaliumiodid, Natriumnitrit (2 %; Xn), Oxalsäure, Wasserstoffperoxid (3 %)

Durchführung:

1. Füllen Sie fünf Reagenzgläser zu einem Drittel mit einer verdünnten, noch durchscheinenden, mit Schwefelsäure angesäuerten Lösung von Kaliumpermanganat.

2. Geben Sie in je ein Reagenzglas eine wässerige Lösung von ***a)*** Eisen(II)-sulfat, ***b)*** Kaliumiodid, ***c)*** Natriumnitrit, ***d)*** Wasserstoffperoxid, ***e)*** Oxalsäure.
Prüfen Sie bei *d)* und *e)* die entstehenden Gase mit der Spanprobe und durch Einleiten in Kalkwasser.

Aufgabe: Formulieren Sie die Reaktionsgleichungen.

Versuch 2: Oxidierende Wirkung der Permanganat-Ionen in Abhängigkeit vom pH-Wert

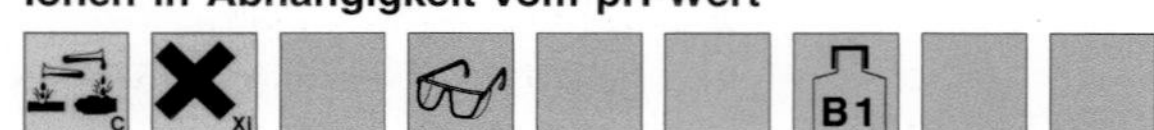

Materialien: Kaliumpermanganat-Lösung (verd.), Natriumsulfit-Lösung (verd.), Schwefelsäure (verd.; Xi), Natriumhydroxid-Lösung (verd.; C)

Durchführung:

1. Füllen Sie drei Reagenzgläser zu einem Drittel mit einer wässerigen Natriumsulfit-Lösung.

2. Die erste Probe wird mit Schwefelsäure angesäuert, die zweite bleibt neutral, die dritte wird mit Natriumhydroxid-Lösung versetzt.

3. Geben Sie zu den drei Lösungen tropfenweise verdünnte Kaliumpermanganat-Lösung.

Aufgabe: Identifizieren Sie anhand der Farbumschläge die Reaktionsprodukte und formulieren Sie die Reaktionsgleichungen.

Verbindung	Formel	Oxidationszahl	Farbe der wässerigen Lösung
Kaliumpermanganat	$KMnO_4$	VII	violett
Kaliummanganat(VI)	K_2MnO_4	VI	grün
Kaliummanganat(V)	K_3MnO_4	V	blau
Mangan(IV)-oxid (Braunstein)	MnO_2	IV	gelb/braun (kaum löslich)
Mangan(II)-sulfat	$MnSO_4$	II	schwach rosa

Versuch 3: Nachweis von Mangan

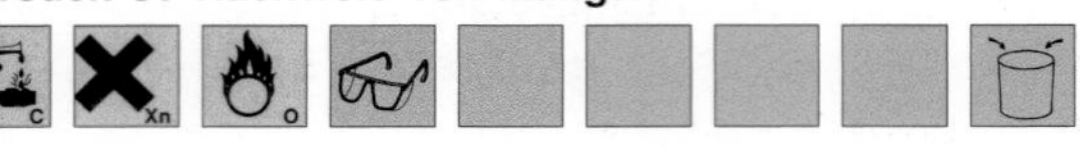

Materialien: Reibschale, Magnesiarinne, Uhrglas; Mangan(II)-sulfat (Xn), Natriumcarbonat (wasserfrei; Xi), Kaliumnitrat (O), Essigsäure (96 %; C)

Durchführung:

1. Stellen Sie ein Gemisch aus gleichen Teilen Natriumcarbonat und Kaliumnitrat her.

2. Verreiben Sie einige Milligramm Mangansulfat mit der fünffachen Menge des Gemisches.

3. Diese Probe wird auf der Magnesiarinne so lange bis zur Rotglut erhitzt, bis die Gasentwicklung aufhört.

4. Lösen Sie die erkaltete Schmelze auf einem Uhrglas in wenig Wasser. Lassen Sie vom Rand des Uhrglases einen Tropfen Essigsäure in die Lösung einfließen.

Aufgaben:

a) Die Schmelze nennt man Oxidationsschmelze. Erklären Sie diese Bezeichnung und erläutern Sie die in der Schmelze ablaufenden Vorgänge.

b) Welche Reaktion läuft beim Ansäuern auf dem Uhrglas ab?

Versuch 4: Untersuchung von Chlorwasser

Materialien: Messkolben (250 ml), Becherglas; frisch angesetztes Chlorwasser (0,7 %; Xn), Silbernitrat-Lösung (2 %), Universalindikator-Papier, Kochsalz

Durchführung:

1. Untersuchen Sie frisch angesetztes Chlorwasser: Prüfen Sie die Farbe. Prüfen Sie mit Indikatorpapier. Setzen Sie einige Tropfen Silbernitrat-Lösung hinzu.

2. Füllen Sie den Messkolben mit Chlorwasser. Die Öffnung wird mit dem Daumen verschlossen und der Kolben mit der Öffnung nach unten in ein passendes Becherglas mit gesättigter Kochsalz-Lösung gestellt. Das Chlorwasser bleibt einige Tage im Sonnenlicht stehen.

3. Untersuchen Sie dann das Chlorwasser: Prüfen Sie das entstandene Gas mit einem glimmenden Holzspan. Beurteilen Sie Farbe und Geruch. Prüfen Sie mit Indikatorpapier und Silbernitrat-Lösung.

Aufgaben:

a) Welche Reaktion läuft beim Einleiten von Chlor in Wasser ab? Formulieren Sie die Reaktionsgleichung.

b) Welche Reaktion findet unter Lichteinwirkung statt?

c) Chlorwasser wird zum Desinfizieren in Schwimmbädern und zum Bleichen verwendet. Völlig trockenes Chlor-Gas zeigt keine Bleichwirkung. Welcher Stoff ruft die Bleichwirkung hervor?

8.5 Redoxreihe der Metalle

Bei chemischen Reaktionen nehmen Metalle fast ausnahmslos positive Oxidationszahlen an. Sie unterscheiden sich jedoch erheblich in ihrer Reaktionsfähigkeit, was sich in ihrem unterschiedlichen Verhalten beim Erhitzen an der Luft und gegenüber Säuren zeigt. Bei diesen Reaktionen wirken die Metalle jeweils als Reduktionsmittel: Sie geben Elektronen ab und bilden Kationen; ihre Fähigkeit zur Elektronenabgabe ist aber recht unterschiedlich ausgeprägt.

Bei der Reaktion von Eisen mit Kupfersulfat-Lösung beobachtet man, dass sich auf dem Eisen Kupfer abscheidet. Mit Fortschreiten der Reaktion verschwindet die von den hydratisierten Kupfer-Ionen hervorgerufene Blaufärbung der Lösung: Die Kupfer-Ionen werden zu metallischem Kupfer reduziert. Die dazu benötigten Elektronen kommen vom Eisen, das bei dieser Reaktion oxidiert wird. Die entstandenen Eisen(II)-Ionen lassen sich nachweisen, indem man eine Lösung von Kaliumhexacyanoferrat(III) zugibt. Es bildet sich Berliner Blau ($KFe[Fe(CN)_6]$).

$Cu^{2+}(aq) + 2\,e^- \dashrightarrow Cu(s)$ *Reduktion*

$Fe(s) \dashrightarrow Fe^{2+}(aq) + 2\,e^-$ *Oxidation*

$Fe(s) + Cu^{2+}(aq) \longrightarrow Fe^{2+}(aq) + Cu(s)$ *Redoxreaktion*

Gibt man jedoch Kupfer in Eisen(II)-sulfat-Lösung, so ist keine Reaktion zu beobachten. Kupfer ist nicht in der Lage, Eisen(II)-Ionen zu reduzieren. Eisen ist von beiden Metallen das stärkere Reduktionsmittel, es hat das größere Bestreben Elektronen abzugeben und hydratisierte Ionen zu bilden. Von den beiden Ionensorten ist das hydratisierte Kupfer(II)-Ion das stärkere Oxidationsmittel. Kurz sagt man auch: Kupfer ist ein *edleres* Metall als Eisen.

Führt man derartige Versuche systematisch mit weiteren Metallen und ihren Salzlösungen durch, so lassen sich die Metalle nach ihrer Reduktionswirkung und die hydratisierten Metall-Ionen nach ihrer Oxidationswirkung ordnen. Die Ergebnisse dieser Untersuchungen sind in der **Redoxreihe der Metalle** zusammengefasst. Aus ihr lässt sich in einfacher Weise ablesen, dass ein Metall alle hydratisierten Metall-Ionen reduzieren kann, die unterhalb von ihm in der Redoxreihe angeordnet sind.
Ein Metall und das zugehörige hydratisierte Metall-Ion bezeichnet man als ein **Redoxpaar.** Üblich ist folgende *Kurzschreibweise*: **Me^{z+}/Me.**

1. Bildung eines Bleibaums bei der Reaktion von Zink mit Blei(II)-Ionen

A1 Die Metalle Silber, Zink, Kupfer und Blei werden nacheinander in Silbernitrat-, Bleinitrat-, Zinksulfat- bzw. Kupfersulfat-Lösung gegeben.
In welchen Fällen findet eine Reaktion statt?

A2 Folgende Redoxreaktionen laufen ab:

$3\,V(s) + 2\,Cr^{3+}(aq) \longrightarrow 3\,V^{2+}(aq) + 2\,Cr(s)$

$Ni(s) + Sn^{2+}(aq) \longrightarrow Ni^{2+}(aq) + Sn(s)$

$2\,Cr(s) + 3\,Ni^{2+}(aq) \longrightarrow 2\,Cr^{3+}(aq) + 3\,Ni(s).$

Sind dann auch folgende Reaktionen möglich?

a) $2\,Cr(s) + 3\,Sn^{2+}(aq) \longrightarrow$
b) $Ni(s) + V^{2+}(aq) \longrightarrow$
c) $V(s) + Sn^{2+}(aq) \longrightarrow$

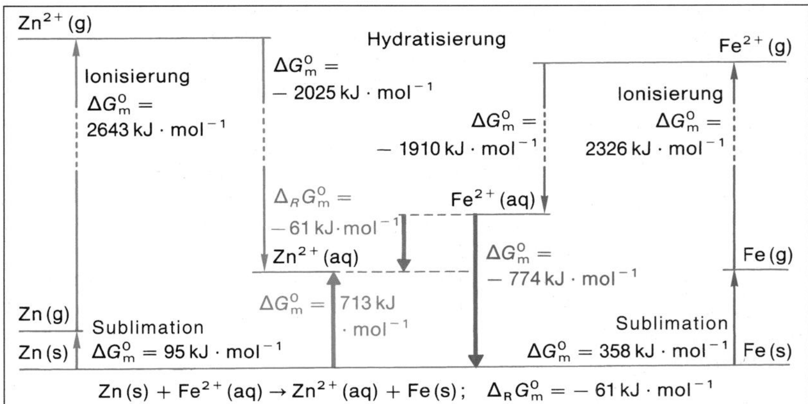

2. Freie Enthalpie für die Reaktion von Zink mit Eisen(II)-Ionen

oxidierte Form	reduzierte Form
Li^+	Li
K^+	K
Ca^{2+}	Ca
Na^+	Na
Mg^{2+}	Mg
Al^{3+}	Al
Zn^{2+}	Zn
Fe^{2+}	Fe
Ni^{2+}	Ni
Pb^{2+}	Pb
Cu^{2+}	Cu
Ag^+	Ag
Au^{3+}	Au

3. Redoxreihe der Metalle

EXKURS

Aus den Anfängen der Elektrochemie

Elektrische Erscheinungen, die auf Reibung beruhen, waren schon im Altertum bekannt. Auf Reibungselektrizität basierten auch die ersten ab 1610 gezielt durchgeführten Versuche zur Erzeugung von Elektrizität. Mit den damals konstruierten Maschinen ließ sich aber kein größerer kontinuierlicher Stromfluss erreichen.

Die Geschichte der Elektrochemie begann mit Experimenten des Mediziners GALVANI. Er entdeckte, dass Froschschenkel gerade getöteter Tiere zuckten, wenn er sie der Elektrizität von Elektrisiermaschinen oder Blitzen aussetzte. 1786 machte er bei den Vorbereitungen für seine Versuche eine seltsame Beobachtung. Er befestigte einen frisch präparierten Froschschenkel mit einem Messinghaken an einem Eisendrahtgitter, wobei der Schenkel jedes Mal zuckte, wenn er den Eisendraht mit dem Messinghaken berührte. Weitere Experimente mit anderen Metallen ergaben, dass die Froschschenkel immer dann zuckten, wenn Nerv und Muskel von zwei unterschiedlichen, miteinander verbundenen Metalldrähten berührt wurden. GALVANI nahm an, dass Elektrizität im Muskel säße, und bezeichnete sie als „tierische Elektrizität“. Aber ohne es zu wissen, konstruierte GALVANI mit seinen Metalldrähten eine einfache Form von Batterie. Heute nutzt man seine Entdeckungen bei der Anwendung von Herzschrittmachern zur Stimulierung von Herzmuskeln.

Eine Erklärung für GALVANIS Experimente fand erst der Physiker VOLTA. Er wiederholte viele Experimente, lenkte aber bald seinen Blick auf die verwendeten Metalldrähte und erinnerte sich an eine in diesen Zusammenhang passende ungeklärte Beobachtung. Berührt man mit der Zunge gleichzeitig ein Stück Blei und ein Stück Silber, die miteinander Kontakt haben, bemerkt man einen unangenehmen, scharfen Geschmack. Trennt man die Metalle, so bleibt der Geschmack aus. Nach zweijähriger experimenteller Arbeit stellte VOLTA seine Theorie der „metallischen Elektrizität“ vor. Er ordnete die Metalle in einer Reihe an, wobei zwei Metalle umso stärkere Elektrizität hervorrufen, je weiter sie auseinander stehen. Seine Anordnung war:

Zink, Blei, Zinn, Eisen, Kupfer, Silber, Gold.

VOLTA war nun in der Lage, ein Gerät zur Erzeugung kontinuierlicher starker Ströme zu bauen, indem er mehrere Paare von Zink- und Kupferplatten übereinander schichtete. Zwischen den Platten lagen Filzscheiben, die mit verdünnter Schwefelsäure getränkt waren. Mit dieser **VOLTAschen Säule** stand den Chemikern ein neues Experimentiergerät zur Verfügung. Man entdeckte, dass an den Polen Wasser in Wasserstoff und Sauerstoff zerlegt wird und dass sich aus Salzlösungen am negativen Pol Metalle abscheiden.

Größtes Aufsehen erregten 1807 Versuche, die DAVY mit Hilfe der VOLTAschen Säule durchführte. Er kam auf die Idee, Salze „wasserfrei flüssig zu machen“ und sie in geschmolzenem Zustand zu elektrolysieren. Durch Elektrolyse von Kaliumhydroxid und von Natriumhydroxid konnte er beweisen, dass es sich bei diesen Stoffen nicht wie bisher angenommen um Elemente, sondern um Verbindungen handelte: Er entdeckte die Elemente Kalium und Natrium.

Anfang des 19. Jahrhunderts entwickelte BERZELIUS eine elektrochemische Theorie, die große Bedeutung erlangte. Er nahm an, dass bei chemischen Reaktionen Elektrizität ausgetauscht wird, und dachte sich in jedem Atom ungleichnamige „Elektrizitäten“ konzentriert. Obwohl die Deutung elektrochemischer Vorgänge noch unklar blieb, wurden in der Zeit von 1835 bis 1880 viele wichtige Entdeckungen gemacht. So fallen in diese Zeit die Erfindungen der Brennstoffzelle und der Batterien.

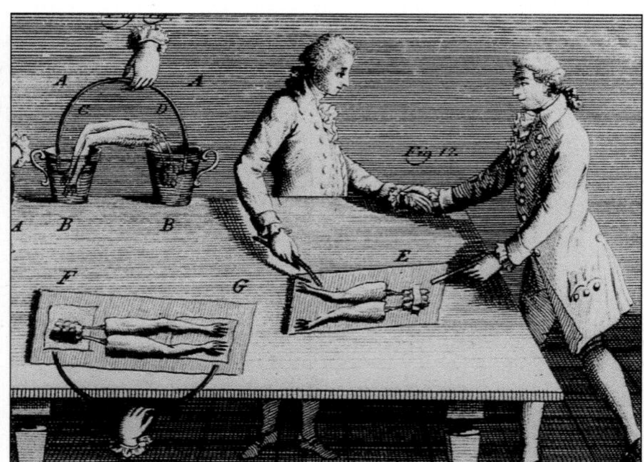

GALVANIs Experimente mit Froschschenkeln

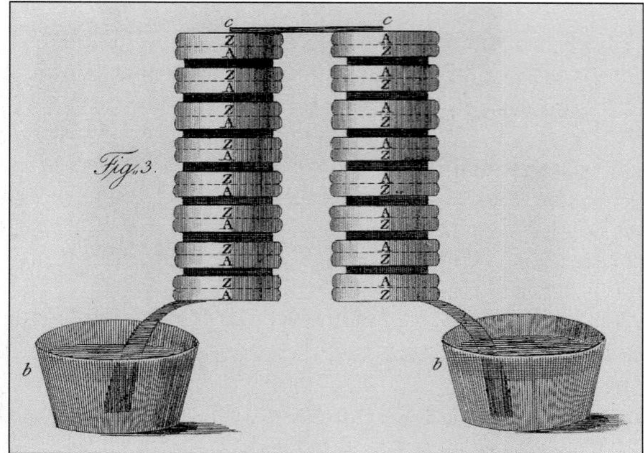

VOLTAsche Säule

8.6 Redoxreaktionen nutzbar gemacht – galvanische Zellen

Taucht man einen Zinkstab in eine Kupfersulfat-Lösung, so scheidet sich Kupfer ab. An der Zinkoberfläche werden Elektronen *direkt* von Zink-Atomen auf Kupfer-Ionen übertragen. Dabei wird Energie in Form von Wärme freigesetzt. Ändert man die Versuchsanordnung, so lässt sich durch diese Reaktion statt Wärme elektrische Energie gewinnen. Um die direkte Elektronenübertragung zu verhindern, muss man den Zinkstab und die Kupfersulfat-Lösung räumlich voneinander trennen und gleichzeitig für einen geschlossenen Stromkreis sorgen. Diese Bedingungen sind in einer *galvanischen Zelle* erfüllt.

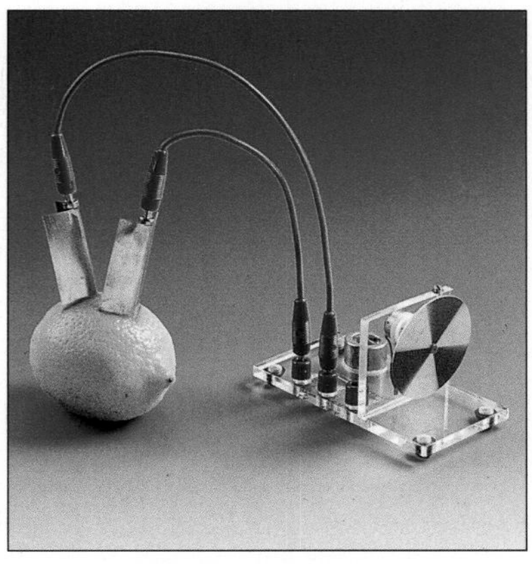

1. Stromerzeugung durch eine Redoxreaktion

Eine galvanische Zelle besteht aus zwei **Halbzellen.** In unserem Beispiel taucht in der einen Halbzelle eine Zink-Elektrode in Zinksulfat-Lösung, in der anderen eine Kupfer-Elektrode in Kupfersulfat-Lösung. Die Lösungen sind durch eine poröse Wand, das **Diaphragma,** getrennt. Das Diaphragma verhindert, dass sich die Lösungen durchmischen und so Kupfer-Ionen direkt zur Zink-Elektrode gelangen. Andererseits ist ein Ladungsausgleich durch Ionenwanderung möglich.

Stellt man eine leitende Verbindung zwischen den Elektroden her, fließen Elektronen von der Zink-Halbzelle, der **Donatorhalbzelle,** zur Kupfer-Halbzelle, der **Akzeptorhalbzelle.** Die Zink-Elektrode ist in dieser Anordnung der **Minuspol,** die Kupfer-Elektrode der **Pluspol**. Während des Elektronenflusses gehen von der Zink-Elektrode Zink-Ionen in Lösung. Gleichzeitig werden an der Kupfer-Elektrode gleich viele Kupfer-Ionen aus der Lösung abgeschieden.

Donatorhalbzelle:	Zn (s)	---→	Zn^{2+} (aq) + 2 e^-	*Oxidation*
Akzeptorhalbzelle:	Cu^{2+} (aq) + 2 e^-	---→	Cu (s)	*Reduktion*
Zellreaktion:	Zn (s) + Cu^{2+} (aq)	⟶	Zn^{2+} (aq) + Cu (s)	*Redoxreaktion*

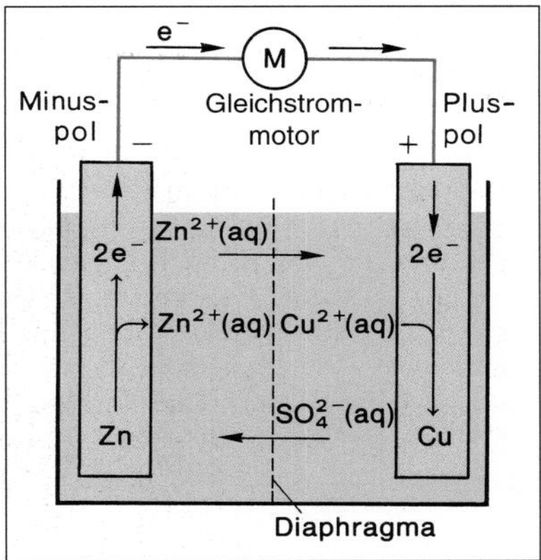

2. Elektronenfluss und Ionenwanderung in einer Zink/Kupfer-Zelle

Durch die Elektrodenvorgänge entsteht in der Zink-Halbzelle ein Überschuss an Zink-Ionen, in der Kupfer-Halbzelle ein Überschuss an Sulfat-Ionen. Die Elektrodenreaktionen und somit der Stromfluss lassen sich aber nur aufrechterhalten, wenn zwischen den Elektrolytlösungen ein Ladungsausgleich möglich ist: Durch das Diaphragma wandern Zink-Ionen zur Kupfer-Halbzelle und gleichzeitig wandern Sulfat-Ionen zur Zink-Halbzelle. So entsteht durch den Transport der Elektronen in den Metallen und die Wanderung der Ionen in den Elektrolytlösungen ein *geschlossener Stromkreis.*

Der Elektronenfluss in einer galvanischen Zelle wird durch eine Spannung zwischen den Halbzellen hervorgerufen: In jeder Halbzelle treten durch die Phasengrenze fest/flüssig ständig Metall-Ionen in beiden Richtungen hindurch. Überwiegt zunächst die Abgabe von Metall-Ionen an die flüssige Phase, so lädt sich das Metall gegenüber der flüssigen Phase negativ auf. Diese Aufladung wirkt einem weiteren Übergang von positiven Metall-Ionen in die flüssige Phase entgegen und führt zu einem **elektrochemischen Gleichgewicht.** Pro Zeiteinheit treten gleich viele Ionen in beiden Richtungen durch die Phasengrenze.

An der Phasengrenze entsteht eine *elektrochemische Doppelschicht* aus negativen und positiven Ladungsträgern. NERNST beschrieb diese Vorgänge anschaulich als Gleichgewicht zwischen dem *Lösungsdruck* des Metalls und dem *Abscheidungsdruck* der Ionen. Nach der Einstellung des elektrochemischen Gleichgewichts sind die Elektroden unterschiedlicher Halbzellen verschieden aufgeladen, zwischen ihnen ist eine Spannung messbar.

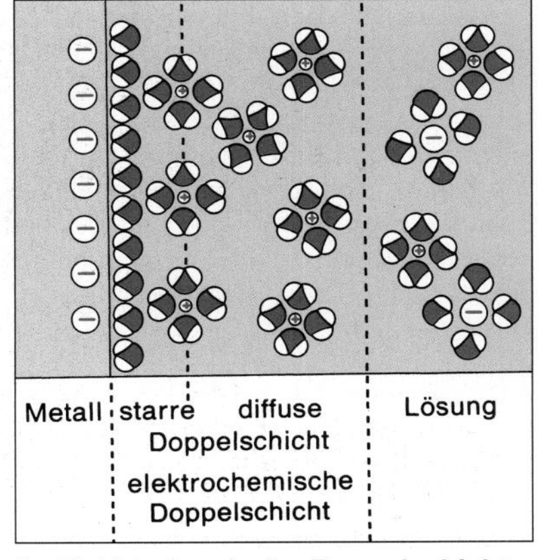

3. Elektrochemische Doppelschicht

8.7 Die Spannungsreihe – Redoxreaktionen quantitativ

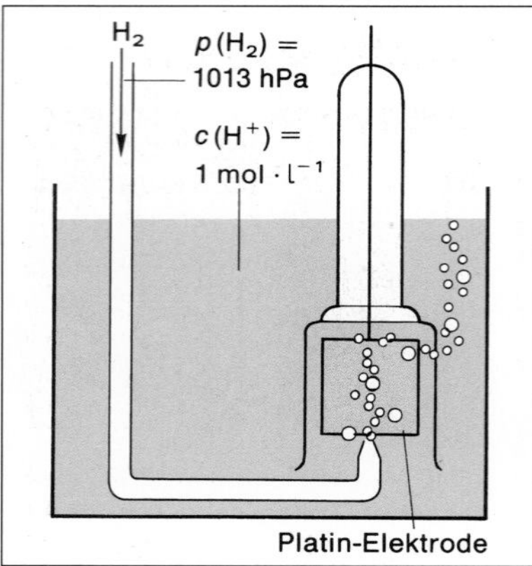

1. Standard-Wasserstoffhalbzelle

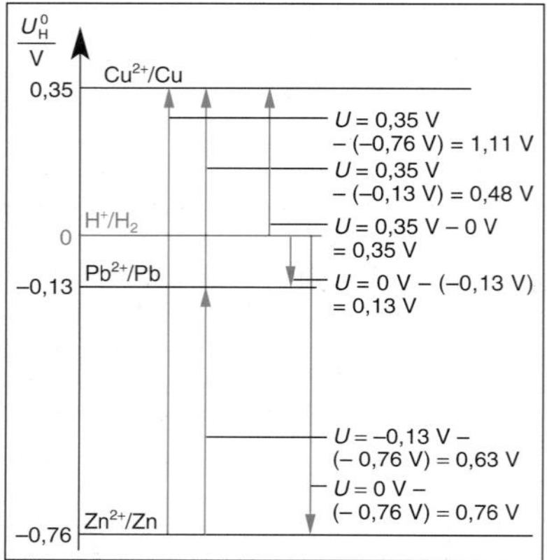

2. Spannungen galvanischer Zellen

A1 **a)** Beschreiben Sie, wie es zur Ausbildung eines Potentials an der Elektrode einer Halbzelle kommt.
b) Erklären Sie das Auftreten einer Spannung an einer galvanischen Zelle.

A2 Unter Standardbedingungen zeigt eine Blei/Silber-Zelle eine Spannung von 0,93 V, eine Zink/Silber-Zelle eine Spannung von 1,56 V.
Zeichnen Sie ein Spannungsdiagramm und ermitteln Sie die Spannung einer Zink/Blei-Zelle.

A3 Bestimmen Sie die Zellspannungen folgender galvanischer Zellen unter Standardbedingungen:
a) $Cu/Cu^{2+}//Ag^+/Ag$
b) $Cu/Cu^{2+}//Fe^{2+}/Fe$
c) $Zn/Zn^{2+}//Fe^{2+}/Fe$

Die Aufladung der Elektrode in einer Halbzelle führt zur Ausbildung eines **elektrischen Potentials.** Zwischen den Elektroden der beiden Halbzellen einer galvanischen Zelle besteht eine *Potentialdifferenz,* dies ist die messbare *Spannung.* Die Potentiale selbst können nicht direkt gemessen werden. Sie lassen sich aber aufgrund von Spannungsmessungen miteinander vergleichen.

Man kombiniert dazu die verschiedenen Halbzellen jeweils mit der gleichen Bezugshalbzelle zu einer galvanischen Zelle und misst die Zellspannung. Verwendet man Salzlösungen der Konzentration 1 mol · l^{-1}, so zeigt eine Zink/Kupfer-Zelle eine Spannung von 1,11 V und eine Blei/Kupfer-Zelle eine Spannung von 0,48 V. In beiden Fällen ist die Kupfer-Elektrode der Pluspol. Daraus lässt sich schließen, dass die Zink-Elektrode ein negativeres Elektrodenpotential besitzt als die Blei-Elektrode. Bei der Einstellung des elektrochemischen Gleichgewichts gehen also in der Zink-Halbzelle mehr Metall-Ionen aus der Elektrode in den hydratisierten Zustand über als bei der Blei-Halbzelle. In einer Zink/Blei-Zelle ist daher die Zink-Elektrode der Minuspol.

Den Aufbau einer galvanischen Zelle beschreibt man kurz und übersichtlich durch ein *Zelldiagramm*, aus dem man die Art der Halbzellen und die Elektrolyt-Konzentrationen ablesen kann. Dabei steht links immer die Donatorhalbzelle mit dem Minuspol, rechts die Akzeptorhalbzelle mit dem Pluspol. Für die Zink/Kupfer-Zelle schreibt man:

$$Zn/Zn^{2+}\ (c = 1\ mol \cdot l^{-1})//Cu^{2+}\ (c = 1\ mol \cdot l^{-1})/Cu$$

Redoxpotentiale. Weltweit werden in der Fachliteratur Elektrodenpotentiale angegeben, die sich auf eine bestimmte Bezugshalbzelle beziehen, die **Standard-Wasserstoff-Halbzelle.** Ihr Potential ist definitionsgemäß 0 V: Ein platiniertes Platinblech taucht in eine saure Lösung mit einer Konzentration an Hydronium-Ionen von 1 mol · l^{-1}. Das Blech wird bei normalem Luftdruck (1013 hPa) von Wasserstoff-Gas umspült. Die Platin-Elektrode adsorbiert an ihrer Oberfläche Wasserstoff. Ähnlich wie bei Metall-Halbzellen stellt sich an der Platinoberfläche ein elektrochemisches Gleichgewicht zwischen adsorbierten Wasserstoff-Molekülen und hydratisierten Wasserstoff-Ionen ein. Der Elektronenaustausch findet an der Oberfläche des Platins statt, dadurch erhält die Platin-Elektrode ein bestimmtes elektrisches Potential.
Die Spannung der folgenden galvanischen Zelle bezeichnet man als das **Standard-Elektrodenpotential** (kurz: *Redoxpotential*) U_H^0 eines Redoxpaares Me^{z+}/Me; der Index H weist auf die Wasserstoffhalbzelle als Bezugshalbzelle hin:

$$Me/Me^{z+}\ (c = 1\ mol \cdot l^{-1})//H^+\ (c = 1\ mol \cdot l^{-1})/H_2\ (Pt)$$

Ist die Halbzelle Me/Me^{z+} gegenüber der Standard-Wasserstoffhalbzelle die Donatorhalbzelle, erhält ihr Standard-Elektrodenpotential ein negatives, andernfalls ein positives Vorzeichen. Aus den Standard-Elektrodenpotentialen lassen sich die Zellspannungen galvanischer Zellen berechnen:

$$U = U_H^0\ (\text{Akzeptorhalbzelle}) - U_H^0\ (\text{Donatorhalbzelle}).$$

Ähnlich wie bei der Wasserstoffhalbzelle lassen sich Halbzellen mit anderen **nichtmetallischen Redoxpaaren** aufbauen und so auch deren Standard-Elektrodenpotentiale bestimmen. Als Elektrode verwendet man eine nicht angreifbare, *inerte* Elektrode aus Platin oder Graphit, an der sich das elektrochemische Gleichgewicht einstellen kann. In Bezug auf Platin oder Graphit spricht man oft auch von einer *Ableitelektrode.*

In einer Chlor-Halbzelle taucht eine von Chlor ($p = 1013$ hPa) umspülte Platin-Elektrode in eine Natriumchlorid-Lösung ($c = 1$ mol · l^{-1}). An der Elektrode wird Chlor adsorbiert; Chlor-Atome nehmen aus der Platin-Elektrode Elektronen auf und gehen als hydratisierte Ionen in die wässerige Phase über. Umgekehrt geben Chlorid-Ionen Elektronen an der Elektrode ab. Bis zur Einstellung des elektrochemischen Gleichgewichts überwiegt der erste Vorgang, sodass sich die Elektrode positiv auflädt. Kombiniert man diese Halbzelle mit der Standard-Wasserstoffhalbzelle zu einer galvanischen Zelle, so ermittelt man für das Redoxpaar Cl_2/Cl^- ein Standard-Elektrodenpotential von 1,36 V.

Redoxpaare aus hydratisierten Ionen, bei denen dasselbe Element in unterschiedlichen Oxidationszahlen vorkommt, bezeichnet man als **homogene Redoxsysteme.** Ein Beispiel ist das Redoxpaar Fe^{3+}/Fe^{2+}. Sein Standard-Elektrodenpotential ermittelt man mit einer Halbzelle, bei der eine Platin-Elektrode in eine Lösung taucht, die Eisen(II)-Ionen und Eisen(III)-Ionen in gleicher Konzentration enthält. Treffen Eisen(II)-Ionen auf die Elektrode, so können sie ein Elektron abgeben, während Eisen(III)-Ionen ein Elektron aufnehmen können. Nach einiger Zeit stellt sich ein Gleichgewicht zwischen Eisen(II)-Ionen und Eisen(III)-Ionen an der Elektrode ein, die dann elektrisch geladen ist.

Ordnet man alle Redoxpaare nach ihren Standard-Elektrodenpotentialen, erhält man die so genannte **Spannungsreihe**. Die Spannungsreihe liefert wichtige Informationen über den Verlauf von Redoxreaktionen in wässeriger Lösung, da hier die Reduktions- bzw. die Oxidationswirkung der Redoxpaare erfasst wird.
Je kleiner das Standard-Elektrodenpotential ist, desto stärker reduzierend wirkt das Redoxsystem; je größer das Redoxpotential ist, desto stärker oxidierend wirkt das Redoxsystem: Stärkstes Reduktionsmittel ist das Alkalimetall Lithium ($U_H^0(Li^+/Li) = -3{,}04$ V), stärkstes Oxidationsmittel ist das Halogen Fluor ($U_H^0(F_2/F^-) = 2{,}85$ V).

EXKURS

Richtig messen

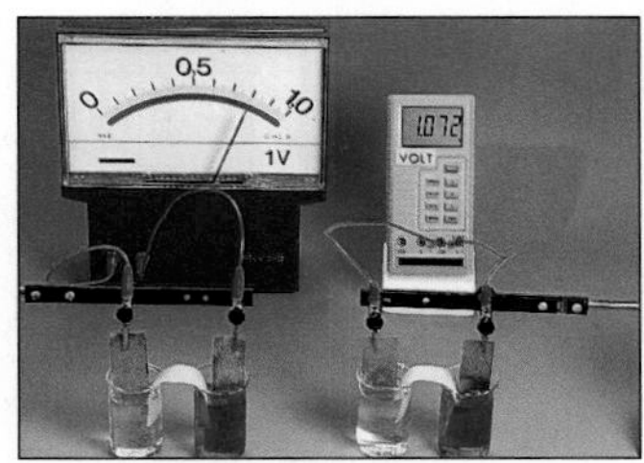

Während der Spannungsmessung an einer galvanischen Zelle fließt ein Strom durch das Messgerät und stört die elektrochemischen Gleichgewichte an den Elektroden: Elektronen fließen von der negativen Elektrode durch das Messgerät zur positiven Elektrode. Da sich die elektrochemischen Gleichgewichte nicht momentan wieder neu einstellen können, wächst das Potential an der negativen Elektrode und fällt an der positiven Elektrode. Die Spannung wird also kleiner.
Für exakte Messungen verwendet man daher digitale Messgeräte mit Innenwiderständen von mindestens 1 MΩ, sodass der Stromfluss vernachlässigbar klein wird.

oxidierte Form ⇌ reduzierte Form	$\frac{U_H^0}{V}$
$Li^+(aq) + e^- \rightleftharpoons Li(s)$	−3,04
$K^+(aq) + e^- \rightleftharpoons K(s)$	−2,92
$Ca^{2+}(aq) + 2\,e^- \rightleftharpoons Ca(s)$	−2,87
$Na^+(aq) + e^- \rightleftharpoons Na(s)$	−2,71
$Mg^{2+}(aq) + 2\,e^- \rightleftharpoons Mg(s)$	−2,36
$Al^{3+}(aq) + 3\,e^- \rightleftharpoons Al(s)$	−1,66
$Mn^{2+}(aq) + 2\,e^- \rightleftharpoons Mn(s)$	−1,18
$2\,H_2O(l) + 2\,e^- \rightleftharpoons H_2(g) + 2\,OH^-(aq)$	−0,83
$Zn^{2+}(aq) + 2\,e^- \rightleftharpoons Zn(s)$	−0,76
$Cr^{3+}(aq) + 3\,e^- \rightleftharpoons Cr(s)$	−0,74
$S(s) + 2\,e^- \rightleftharpoons S^{2-}(aq)$	−0,48
$Fe^{2+}(aq) + 2\,e^- \rightleftharpoons Fe(s)$	−0,44
$Cr^{3+}(aq) + e^- \rightleftharpoons Cr^{2+}(aq)$	−0,41
$Cd^{2+}(aq) + 2\,e^- \rightleftharpoons Cd(s)$	−0,40
$Co^{2+}(aq) + 2\,e^- \rightleftharpoons Co(s)$	−0,28
$Ni^{2+}(aq) + 2\,e^- \rightleftharpoons Ni(s)$	−0,25
$Sn^{2+}(aq) + 2\,e^- \rightleftharpoons Sn(s)$	−0,14
$Pb^{2+}(aq) + 2\,e^- \rightleftharpoons Pb(s)$	−0,13
$2\,H^+(aq) + 2\,e^- \rightleftharpoons H_2(g)$	0,00
$S(s) + 2\,H^+(aq) + 2\,e^- \rightleftharpoons H_2S(g)$	0,17

oxidierte Form ⇌ reduzierte Form	$\frac{U_H^0}{V}$
$Cu^{2+}(aq) + e^- \rightleftharpoons Cu^+(aq)$	0,17
$Cu^{2+}(aq) + 2\,e^- \rightleftharpoons Cu(s)$	0,35
$O_2(g) + 2\,H_2O(l) + 4\,e^- \rightleftharpoons 4\,OH^-(aq)$	0,40
$I_2(aq) + 2\,e^- \rightleftharpoons 2\,I^-(aq)$	0,62
$Fe^{3+}(aq) + e^- \rightleftharpoons Fe^{2+}(aq)$	0,77
$Ag^+(aq) + e^- \rightleftharpoons Ag(s)$	0,80
$Hg^{2+}(aq) + 2\,e^- \rightleftharpoons Hg(l)$	0,85
$NO_3^-(aq) + 4\,H^+(aq) + 3\,e^- \rightleftharpoons NO(g) + 2\,H_2O(l)$	0,96
$Br_2(l) + 2\,e^- \rightleftharpoons 2\,Br^-(aq)$	1,07
$Pt^{2+}(aq) + 2\,e^- \rightleftharpoons Pt(s)$	1,20
$O_2(g) + 4\,H^+(aq) + 4\,e^- \rightleftharpoons 2\,H_2O(l)$	1,23
$MnO_2(s) + 4\,H^+(aq) + 2\,e^- \rightleftharpoons Mn^{2+}(aq) + 2\,H_2O(l)$	1,23
$Cr_2O_7^{2-}(aq) + 14\,H^+(aq) + 6\,e^- \rightleftharpoons 2\,Cr^{3+}(aq) + 7\,H_2O(l)$	1,33
$Cl_2(g) + 2\,e^- \rightleftharpoons 2\,Cl^-(aq)$	1,36
$PbO_2(s) + 4\,H^+(aq) + 2\,e^- \rightleftharpoons Pb^{2+}(aq) + 2\,H_2O(l)$	1,46
$MnO_4^-(aq) + 8\,H^+(aq) + 5\,e^- \rightleftharpoons Mn^{2+}(aq) + 4\,H_2O(l)$	1,51
$Au^+(aq) + e^- \rightleftharpoons Au(s)$	1,68
$H_2O_2(aq) + 2\,H^+(aq) + 2\,e^- \rightleftharpoons 2\,H_2O(l)$	1,77
$S_2O_8^{2-}(aq) + 2\,e^- \rightleftharpoons 2\,SO_4^{2-}(aq)$	2,01
$F_2(g) + 2\,e^- \rightleftharpoons 2\,F^-(aq)$	2,85

1. Spannungsreihe. Standard-Elektrodenpotentiale U_H^0 einiger Redoxpaare

8.8 Elektrodenpotentiale und Reaktionsverhalten

1. Reaktion von Kupfer mit halbkonzentrierter Salpetersäure

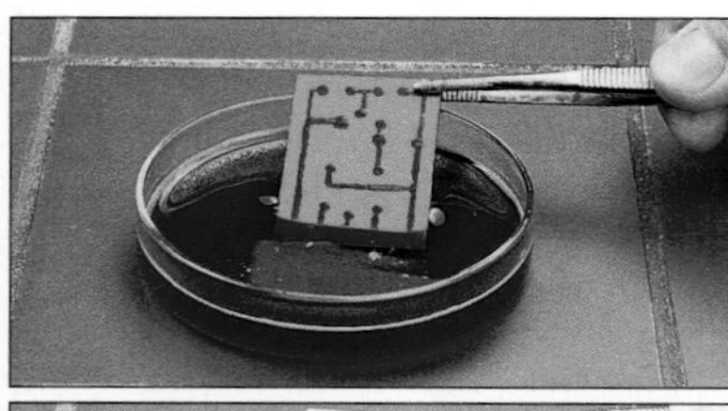

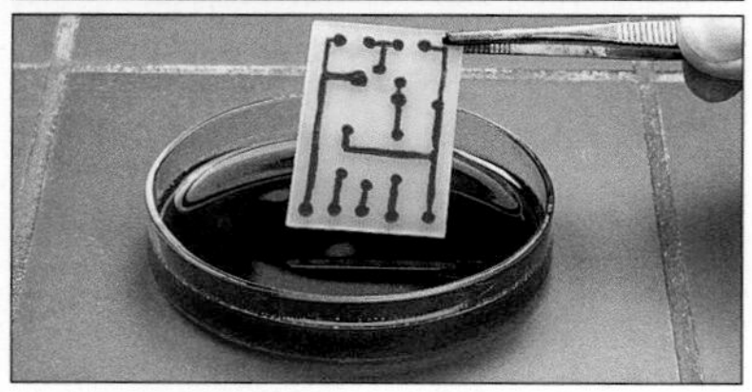

2. Ätzen einer Platine. Zunächst überträgt man das Leiterbahnbild mit Kohlepapier auf die gereinigte Kupferfläche der Platine. Dann werden die Leiterbahnen auf der Kupferfläche mit Lack nachgezeichnet.
Bei Platinen mit einer löslichen, aber durch Licht härtbaren Lackschicht, kann man diese Arbeitsgänge durch optische Projektion des Leiterbahnbildes in einem Schritt durchführen.
Anschließend wird die Platine in warme Eisen(III)-chlorid-Lösung gelegt. An den nicht durch Lack geschützten Stellen löst sich das Kupfer auf. Schließlich spült man die Platine mit Wasser und entfernt den Lack mit Aceton.

A1 Warum scheidet sich aus einer Lösung von Schwefelwasserstoff Schwefel aus, wenn sie an der Luft steht? Formulieren Sie die Reaktionsgleichung.

In der Spannungsreihe sind die Standard-Elektrodenpotentiale der Redoxpaare Me^{z+}/Me tabelliert; es sind also die Spannungen von galvanischen Zellen der folgenden Art:

$$(Pt)H_2/H^+ \ (c = 1 \ mol \cdot l^{-1})//Me^{z+} \ (c = 1 \ mol \cdot l^{-1})/Me$$

Mit Hilfe der Spannungsreihe lassen sich Redoxreaktionen in wässeriger Lösung deuten und vorhersagen.

Verhalten von Metallen gegenüber sauren Lösungen. *Unedle Metalle* haben ein negatives Standard-Elektrodenpotential. Sie lösen sich in saurer Lösung unter Wasserstoffentwicklung:

$$2 \ Me \ (s) + 2 \ z \ H^+ \ (aq) \longrightarrow 2 \ Me^{z+} \ (aq) + z \ H_2 \ (g)$$

Edelmetalle haben ein positives Redoxpotential. Sie lassen sich nicht von Hydronium-Ionen oxidieren. Daher reagiert Kupfer nicht mit verdünnter Salpetersäure.
Kupfer löst sich jedoch in halbkonzentrierter Salpetersäure unter Bildung von Stickstoffmonooxid. Als Oxidationsmittel wirken also die Nitrat-Ionen der Salpetersäure. Das relativ hohe Elektrodenpotential $U_H^0 \ (NO_3^-/NO)$ ermöglicht die Oxidation von Kupfer zu Kupfer(II)-Ionen:

$$Cu \ (s) \dashrightarrow Cu^{2+} \ (aq) + 2 \ e^-; \quad U_H^0 = 0{,}35 \ V$$

$$NO_3^- \ (aq) + 4 \ H^+ \ (aq) + 3 \ e^- \dashrightarrow NO \ (g) + 2 \ H_2O \ (l); \quad U_H^0 = 0{,}96 \ V$$

Königswasser. Wegen ihres höheren Redoxpotentials werden Gold und Platin von Salpetersäure nicht angegriffen. Diese Metalle lösen sich aber in Königswasser, einem Gemisch aus einem Teil konzentrierter Salpetersäure und drei Teilen konzentrierter Salzsäure. Dabei läuft folgende Redoxreaktion ab:

$$HNO_3 \ (aq) + 3 \ HCl \ (aq) \longrightarrow NOCl \ (aq) + Cl_2 \ (g) + 2 \ H_2O \ (l)$$

Neben Nitrosylchlorid liegt freies Chlor vor, das die Metalle unter Bildung von Chloro-Komplexen ($[AuCl_4]^-$ bzw. $[PtCl_6]^{2-}$) oxidiert:

$$Au \ (s) + 4 \ Cl^- \ (aq) \dashrightarrow [AuCl_4]^- \ (aq) + 3 \ e^-; \quad U_H^0 = 1{,}00 \ V$$

$$Cl_2 \ (g) + 2 \ e^- \dashrightarrow 2 \ Cl^- \ (aq); \quad U_H^0 = 1{,}36 \ V$$

Ätzen von Platinen. In der Elektrotechnik wird bei der Herstellung von Platinen Kupfer von einer Trägerplatte an den Stellen abgelöst, an denen keine Leiterbahnen benötigt werden. Dazu taucht man die Platten in eine Lösung von Eisen(III)-chlorid. Aufgrund des höheren Redoxpotentials von $U_H^0 = (Fe^{3+}/Fe^{2+}) = 0{,}77 \ V$ sind die Eisen(III)-Ionen in der Lage, Kupfer zu Kupfer(II)-Ionen zu oxidieren.

Reinigung von Silber. Gebrauchsgegenstände aus Silber laufen an. Dies beruht auf der Bildung von Silbersufid. Reaktionspartner ist dabei Schwefelwasserstoff, der fast überall in kleinen Anteilen in der Raumluft enthalten ist. Zur Reinigung des angelaufenen Silbers werden Putzmittel und Tauchbäder angeboten. Beim Putzen wird eine dünne Silberschicht abgerieben, beim Tauchverfahren bilden die Silber-Ionen wasserlösliche Komplexverbindungen, beispielsweise mit Thioharnstoff. Bei diesen Reinigungsverfahren geht also immer ein wenig Silber verloren.
Angelaufene Silbergegenstände lassen sich ohne Silberverlust reinigen, indem man sie in einer Kochsalz-Lösung auf Aluminiumfolie legt. Dabei reduziert Aluminium die Silber-Ionen aus der Anlaufschicht wieder zu Silber; Aluminium-Ionen gehen in Lösung. Der Geruch zeigt an, dass die freigesetzten Sulfid-Ionen teilweise zu Schwefelwasserstoff reagieren.

8.9 Elektrodenpotentiale und Konzentration – die NERNSTsche Gleichung

Eine galvanische Zelle, die aus zwei gleichen Halbzellen aufgebaut ist, zeigt keine Spannung. Die Elektroden besitzen gleiche Elektrodenpotentiale. Ändert man jedoch die Konzentration des Elektrolyten in einer der Halbzellen, so entsteht eine so genannte **Konzentrationszelle,** an der eine Spannung messbar ist. Zwischen den Elektroden besteht eine Potentialdifferenz. Die Elektrodenpotentiale der Redoxsysteme sind also von der Konzentration der Elektrolytlösung abhängig. Dieses Phänomen soll zunächst am Beispiel einer Blei-Konzentrationszelle erläutert werden:

Pb/Pb^{2+} (c = 0,01 mol · l^{-1})//Pb^{2+} (c = 1 mol · l^{-1})/Pb

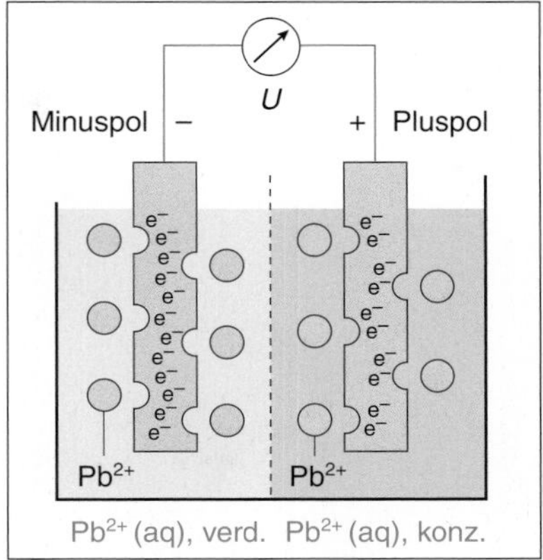

1. Potentialdifferenz in einer Blei-Konzentrationszelle

Diese galvanische Zelle zeigt bei 25 °C eine Spannung von 0,059 V, wobei die Halbzelle mit der geringer konzentrierten Elektrolytlösung die Donatorhalbzelle (Minuspol) ist. Ihre Elektrode besitzt das kleinere Potential. Das lässt sich nur so erklären, dass bis zur Einstellung des elektrochemischen Gleichgewichts in der Halbzelle mit dem stärker verdünnten Elektrolyten mehr Ionen aus dem Metall in die flüssige Phase übergetreten sind als in der anderen Halbzelle.

Stellt man zwischen den Elektroden dieser Blei-Konzentrationszelle eine leitende Verbindung her, fließen Elektronen von der Halbzelle mit der verdünnten Lösung zur Halbzelle mit der konzentrierteren Lösung. Dabei werden in der Donatorhalbzelle Blei-Atome oxidiert und Blei-Ionen gehen in Lösung, während in der Akzeptorhalbzelle Blei-Ionen reduziert werden und sich an der Elektrode festes Blei abscheidet. Mit der Zeit nimmt der Konzentrationsunterschied ab, und die Spannung sinkt. Der Stromfluss endet, wenn in beiden Halbzellen gleiche Konzentrationen entstanden sind.

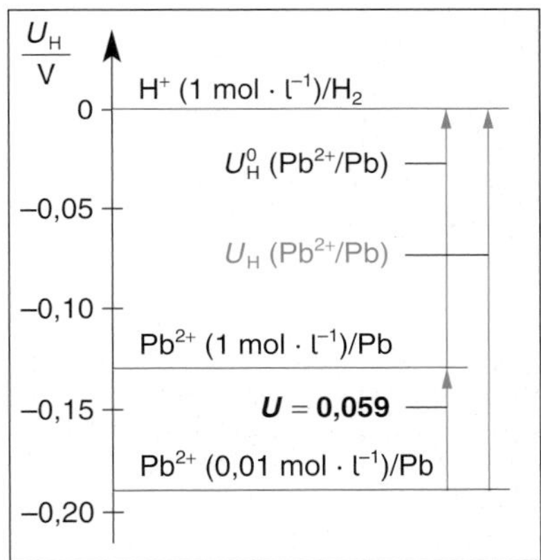

2. Elektrodenpotential der Halbzelle Pb^{2+} (c = 0,01 mol · l^{-1})/Pb

Der quantitative Zusammenhang zwischen der Elektrolytkonzentration c und dem Elektrodenpotential U_H (Me^{z+}/Me) in einer Halbzelle wurde von NERNST untersucht. Seine experimentellen Ergebnisse sind in der **NERNSTschen Gleichung** zusammengefasst. Für Metall-Halbzellen und für die Wasserstoff-Halbzelle gilt jeweils bei 25 °C:

$$U_H\,(Me^{z+}(c)/Me) = U_H^0\,(Me^{z+}/Me) + \frac{0{,}059\ V}{z} \cdot \lg \frac{c\,(Me^{z+})}{mol \cdot l^{-1}}$$

$$U_H\,(H^+(c)/H_2) = U_H^0\,(H^+/H_2) + 0{,}059\ V \cdot \lg \frac{c\,(H^+)}{mol \cdot l^{-1}}$$

Da man Logarithmen nur von *Zahlenwerten* bilden kann, muss die Konzentration der Ionen jeweils durch die Einheit mol · l^{-1} dividiert werden. Für Redoxpaare Me^+/Me (z = 1) ergibt sich aus dieser Gleichung, dass sich bei einer Änderung der Elektrolytkonzentration um den Faktor 10 das Elektrodenpotential um 0,059 V ändert.

Für Konzentrationszellen mit anderen Nichtmetallen gelten ähnliche Überlegungen. Man muss jedoch beachten, dass im Gegensatz zur Wasserstoff-Halbzelle die reduzierte Form des Redoxpaares in der Elektrolytlösung vorliegt. So ist in einer Chlor-Konzentrationszelle die Halbzelle mit der stärker konzentrierten Chlorid-Lösung die Donatorhalbzelle. Diese Halbzelle besitzt das niedrigere Elektrodenpotential, da bis zur Einstellung des elektrochemischen Gleichgewichts weniger Chlor-Atome unter Aufnahme eines Elektrons in Lösung gehen als in der Halbzelle mit der kleineren Konzentration an Chlorid-Ionen.

Für die Nichtmetall-Halbzelle mit dem Redoxpaar Cl_2/Cl^- nimmt die NERNSTsche Gleichung daher folgende Form an (z = 1):

$$U_H\,(Cl_2/Cl^-(c)) = U_H^0\,(Cl_2/Cl^-) - 0{,}059\ V \cdot \lg \frac{c\,(Cl^-)}{mol \cdot l^{-1}}$$

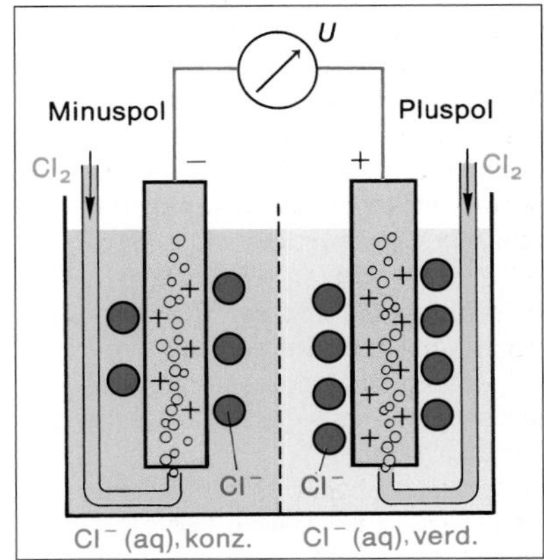

3. Potentialdifferenz in einer Chlor-Konzentrationszelle

8.10 Redoxpotentiale: abhängig von pH-Wert und Temperatur

1. Walter NERNST (1864–1941). Für seine Forschungen auf dem Gebiet der Elektrochemie erhielt NERNST 1920 den Nobelpreis für Chemie.

Untersuchungen zeigen, dass die Elektrodenpotentiale nicht nur von der Elektrolytkonzentration der Redoxpaare abhängen. Vielfach spielt die Konzentration der Hydronium-Ionen eine Rolle und generell hat auch die Temperatur einen Einfluss.

pH-Abhängigkeit. Chlorid-Ionen können in saurer Lösung mit Dichromat-Ionen zu Chlor oxidiert werden. Die Reaktion gelingt aber nicht in neutraler Lösung. Die Oxidationswirkung und somit das Redoxpotential des Redoxsystems $Cr_2O_7^{2-}/Cr^{3+}$ ist offensichtlich vom pH-Wert abhängig.

Für Redoxsysteme, bei denen sich sowohl die Konzentration der oxidierten als auch die Konzentration der reduzierten Form in Lösung ändern können, nimmt die NERNSTsche Gleichung folgende Form an:

$$U_H\,(\text{Ox/Red}) = U_H^0\,(\text{Ox/Red}) + \frac{0{,}059\ \text{V}}{z} \cdot \lg \frac{c\,(\text{Ox})}{c\,(\text{Red})}$$

Dabei sind c (Ox) und c (Red) die nach den Regeln des Massenwirkungsgesetzes zu bildenden Terme für die oxidierte und die reduzierte Form des Redoxpaares.

Für das Redoxsystem $Cr_2O_7^{2-}/Cr^{3+}$ gilt:

$$Cr_2O_7^{2-}\,(aq) + 14\ H^+\,(aq) + 6\ e^- \longrightarrow 2\ Cr^{3+}\,(aq) + 7\ H_2O\,(l);$$

$$U_H^0 = 1{,}33\ \text{V}$$

$$U_H\,(Cr_2O_7^{2-}/Cr^{3+}) = U_H^0\,(Cr_2O_7^{2-}/Cr^{3+}) + \frac{0{,}059\ \text{V}}{6} \cdot \lg \frac{c\,(Cr_2O_7^{2-}) \cdot c^{14}\,(H^+)}{c^2\,(Cr^{3+})}$$

Beispielrechnung:
Für $c\,(Cr_2O_7^{2-}) = 1\ \text{mol} \cdot l^{-1}$ und $c\,(Cr^{3+}) = 10^{-4}\ \text{mol} \cdot l^{-1}$ ergibt sich bei pH = 0:

$$U_H\,(Cr_2O_7^{2-}/Cr^{3+}) = 1{,}33\ \text{V} + \frac{0{,}059\ \text{V}}{6} \cdot \lg \frac{1 \cdot 1^{14}}{(10^{-4})^2} = 1{,}41\ \text{V}$$

In stark saurer Lösung lassen sich also Chlorid-Ionen zu Chlor oxidieren ($U_H^0\,(Cl_2/Cl^-) = 1{,}36$ V). Bei pH = 7 ist das Redoxpotential wesentlich niedriger:

$$U_H\,(Cr_2O_7^{2-}/Cr^{3+}) = 1{,}33\ \text{V} + \frac{0{,}059\ \text{V}}{6} \cdot \lg \frac{1 \cdot (10^{-7})^{14}}{(10^{-4})^2} = 0{,}445\ \text{V}$$

Chlorid-Ionen lassen sich in neutraler Lösung somit nicht mehr oxidieren.

Temperaturabhängigkeit. Bei 25 °C zeigt die Silber-Halbzelle Ag/Ag^+ ($10^{-5}\ \text{mol} \cdot l^{-1}$) ein Redoxpotential von 0,505 V. Bei 60 °C misst man nur 0,47 V. Das liegt daran, dass der Faktor 0,059 V in der NERNSTschen Gleichung nur für eine Temperatur von 25 °C gilt.

Die bisher angegebenen Formen der NERNSTschen Gleichung sind nur Spezialfälle der **allgemeinen Form der NERNSTschen Gleichung:**

$$U_H\,(\text{Ox/Red}) = U_H^0\,(\text{Ox/Red}) + \frac{R \cdot T}{z \cdot F} \cdot \ln \frac{c\,(\text{Ox})}{c\,(\text{Red})}$$

Dabei ist:
R: universelle Gaskonstante, ($R = 8{,}314\ \text{J} \cdot \text{K}^{-1} \cdot \text{mol}^{-1}$),
T: Temperatur in K,
z: Zahl der pro Formelumsatz ausgetauschten Elektronen,
F: FARADAY-Konstante ($F = 96\,500\ \text{C} \cdot \text{mol}^{-1}$),
ln: natürlicher Logarithmus.

A1 Eine Lösung enthält Dichromat-Ionen ($c = 0{,}1\ \text{mol} \cdot l^{-1}$) und Chrom(III)-Ionen ($c = 0{,}001\ \text{mol} \cdot l^{-1}$). Die Lösung wird angesäuert:
a) mit Schwefelsäure auf pH = 1
b) mit Essigsäure auf pH = 3.
Berechnen Sie jeweils das Redoxpotential.

A2 Permanganat-Ionen werden in saurer Lösung zu Mangan(II)-Ionen oxidiert.
Berechnen Sie, bis zu welchem pH-Wert man mit einer Kaliumpermanganat-Lösung ($c = 0{,}1\ \text{mol} \cdot l^{-1}$), die Mangan(II)-Ionen ($c = 0{,}0001\ \text{mol} \cdot l^{-1}$) enthält, Chlorid-Ionen ($c = 1\ \text{mol} \cdot l^{-1}$) zu Chlor oxidieren kann.

A3 Wählen Sie aus der Tabelle der Spannungsreihe zwei weitere pH-abhängige Redoxsysteme und stellen Sie jeweils die NERNSTsche Gleichung auf.

A4 Welche Faktoren ergeben sich in der NERNSTschen Gleichung für 20 °C, 50 °C und 80 °C?
(Umrechnung: $\ln x = 2{,}303 \cdot \lg x$)

Konzentrationszellen

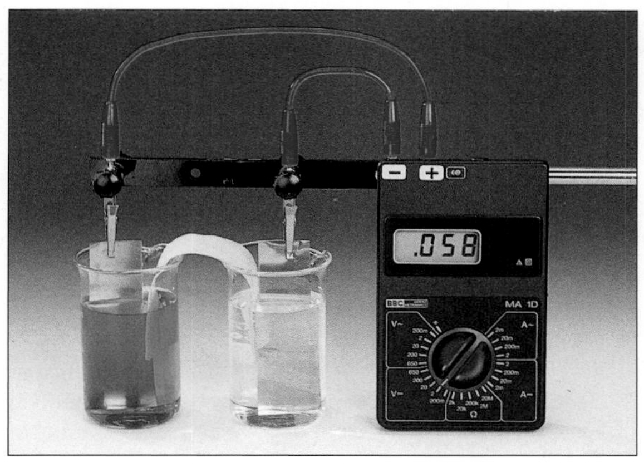

Versuch 1: **Abhängigkeit der Spannung einer Konzentrationszelle von den Elektrolytkonzentrationen**

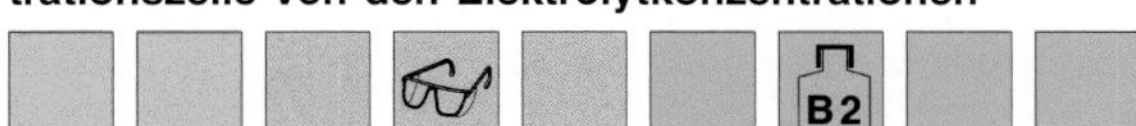

Materialien: Bechergläser (100 ml), Messzylinder (100 ml), Filtrierpapier, Silber-Elektroden und Kupfer-Elektroden (z. B. Bleche 2 cm × 6 cm), Krokodilklemmen, Kabel, Spannungsmessgerät (Innenwiderstand > 1 MΩ); Silbernitrat-Lösung ($0{,}1\ mol \cdot l^{-1}$), Kaliumnitrat-Lösungen ($0{,}1\ mol \cdot l^{-1}$ und $0{,}3\ mol \cdot l^{-1}$), Kupfernitrat-Lösung ($0{,}1\ mol \cdot l^{-1}$)

Durchführung:

a) Silber-Konzentrationszellen:

1. Füllen Sie zwei Bechergläser mit je 50 ml Silbernitrat-Lösung und tauchen Sie zwei gleichartige Silberbleche als Elektroden ein. Anstelle eines Diaphragmas werden die beiden Halbzellen mit einem in Kaliumnitrat-Lösung getränkten Filtrierpapier verbunden.
2. Verbinden Sie dann die Elektroden kurz mit einem Kabel, um eine eventuell zu Anfang auftretende Spannung abzubauen, und schließen Sie danach das Spannungsmessgerät an.
3. Verdünnen Sie die Silbernitrat-Lösung der einen Halbzelle mehrmals, indem Sie 10 ml der benutzten Lösung in einen Messzylinder füllen und 90 ml Kaliumnitrat-Lösung ($0{,}1\ mol \cdot l^{-1}$) zusetzen. Messen Sie nach jedem Verdünnungsschritt die Spannung.

b) Kupfer-Konzentrationszellen:

Bauen Sie entsprechende Kupfer-Konzentrationszellen auf und messen Sie jeweils die Spannungen. Verwenden Sie zum Verdünnen Kaliumnitrat-Lösung ($0{,}3\ mol \cdot l^{-1}$).

Hinweis: Zum Verdünnen der Elektrolytlösungen verwendet man kein Wasser, sondern die angegebenen Kaliumnitrat-Lösungen. Dadurch bleiben die elektrostatischen Wechselwirkungen in den verschiedenen Lösungen konstant.

Aufgaben:

a) Nehmen Sie die Auswertung nach folgender Tabelle vor (c_A bezeichnet die Konzentration der Silber-Ionen der Akzeptorhalbzelle, c_D die Konzentration in der Donatorhalbzelle):

$\frac{c_A(Ag^+)}{mol \cdot l^{-1}}$	$\frac{c_D(Ag^+)}{mol \cdot l^{-1}}$	$\frac{c_A(Ag^+)}{c_D(Ag^+)}$	$\lg \frac{c_A(Ag^+)}{c_D(Ag^+)}$	$\frac{U}{mV}$

b) Stellen Sie die Zellspannung in Abhängigkeit vom Logarithmus der Konzentrationsverhältnisse grafisch dar.

c) Bestätigen Sie die folgende Gleichung zur Berechnung der Spannung einer Silber-Konzentrationszelle:

$$U = 0{,}059\ V \cdot \lg \frac{c_A}{c_D}$$

d) Führen Sie die Auswertung für die Kupfer-Konzentrationszellen analog zu a) und b) durch. Vergleichen Sie die Ergebnisse bei den Silber- und Kupfer-Konzentrationszellen.

Versuch 2: **Abhängigkeit der Spannung einer Silber-Konzentrationszelle von der Temperatur**

Materialien: Bechergläser (100 ml), Messzylinder (100 ml), Filtrierpapier, Silber-Elektroden (z. B. Silberbleche 2 cm × 6 cm), Krokodilklemmen, Kabel, digitales Spannungsmessgerät (Auflösung 0,1 mV), elektrische Heizplatte, Thermometer;
Silbernitrat-Lösung ($0{,}1\ mol \cdot l^{-1}$),
Kaliumnitrat-Lösung ($0{,}1\ mol \cdot l^{-1}$)

Durchführung:

1. Bauen Sie entsprechend Versuch 1 eine Silber-Konzentrationszelle auf einer Heizplatte auf:
   $c_A = 0{,}1\ mol \cdot l^{-1}$, $c_D = 0{,}01\ mol \cdot l^{-1}$
2. Befestigen Sie das Thermometer in der Elektrolytlösung auf Höhe der Elektroden.
3. Erhöhen Sie die Temperatur schrittweise um jeweils 20 K und messen Sie die Zellspannung bei 40 °C, 60 °C und 80 °C.

Aufgaben:

a) Bereiten Sie für die Auswertung eine Tabelle nach folgendem Muster vor:

$\frac{T}{K}$	$\frac{U}{mV}$	$\frac{U}{T}$ in $\frac{mV}{K}$
293		

b) Stellen Sie die Zellspannung in Abhängigkeit von der Temperatur grafisch dar.

c) Stellen Sie den Zusammenhang von Zellspannung und Temperatur durch eine Gleichung dar.

Löslichkeitsprodukt und Ionenprodukt

Versuch 1: Bestimmung des Löslichkeitsprodukts von Silberchlorid

Materialien: 2 Bechergläser (100 ml), Filtrierpapier, Silber-Elektroden (z. B. Silberbleche 2 cm × 6 cm), Krokodilklemmen, Kabel, Spannungsmessgerät (Innenwiderstand > 1 MΩ);
Silbernitrat-Lösung (0,1 mol · l^{-1}), Kaliumnitrat-Lösung (1 mol · l^{-1}), Kaliumchlorid-Lösung (0,1 mol · l^{-1})

Durchführung:
1. Ein Becherglas wird mit 80 ml Silbernitrat-Lösung, das andere mit 80 ml Kaliumchlorid-Lösung gefüllt. Geben Sie in die Kaliumchlorid-Lösung einige Tropfen Silbernitrat-Lösung und rühren Sie gut um.
2. Tauchen Sie in die Lösungen zwei gleichartige Silberbleche als Elektroden ein. Anstelle eines Diaphragmas werden die beiden Halbzellen mit einem in Kaliumnitrat-Lösung getränkten Filtrierpapierstreifen verbunden.
3. Messen Sie die Zellspannung.

Aufgaben:
a) Berechnen Sie die Konzentration der Silber-Ionen in der Halbzelle mit dem Silberchlorid-Niederschlag.
b) Berechnen Sie das Löslichkeitsprodukt von Silberchlorid. Nehmen Sie dabei an, dass sich die Konzentration der Chlorid-Ionen durch das Ausfällen von wenig Silberchlorid praktisch nicht ändert.

Aufgabe 1: Eine Silber-Konzentrationszelle enthält in der einen Halbzelle Silbernitrat-Lösung (0,01 mol · l^{-1}), in der anderen Halbzelle Kaliumbromid-Lösung (0,1 mol · l^{-1}) mit einem Silberbromid-Niederschlag. Die Spannung beträgt 0,55 V. Berechnen Sie das Löslichkeitsprodukt von Silberbromid.

Aufgabe 2: Berechnen Sie die Spannung für die folgende Silber-Konzentrationzelle: Eine Halbzelle enthält Silbernitrat-Lösung (0,1 mol · l^{-1}), die andere Kaliumiodid-Lösung (0,01 mol · l^{-1}), mit einem Niederschlag von Silberiodid (K_L(AgI) = 8 · 10^{-17} mol^2 · l^{-2}).

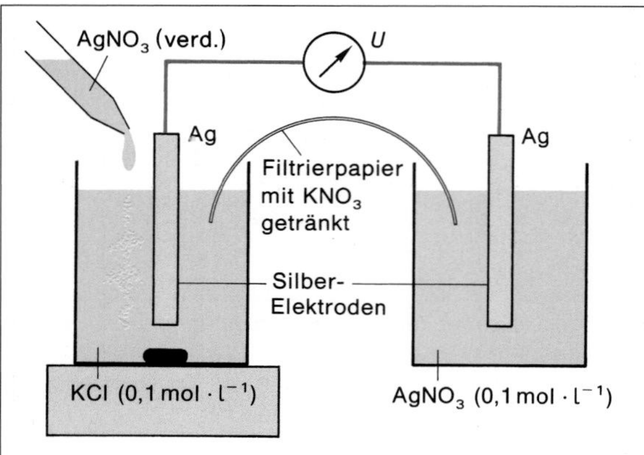

Versuch 2: Bestimmung des Ionenprodukts des Wassers

Materialien: 2 Bechergläser (100 ml), Filtrierpapier, 2 platinierte Platin-Elektroden, 2 blanke Platin-Elektroden oder 2 Graphit-Elektroden, Gleichspannungsquelle, Spannungsmessgerät (Innenwiderstand > 1 MΩ);
Salzsäure (1 mol · l^{-1}), Kaliumhydroxid-Lösung (1 mol · l^{-1}, C), Kaliumnitrat-Lösung (1 mol · l^{-1})

Durchführung:
1. Ein Becherglas wird zur Hälfte mit Salzsäure gefüllt. Man elektrolysiert dann etwa eine Minute bei einer Spannung von 2 V. Als Minuspol dient dabei eine platinierte Platin-Elektrode, als Pluspol die blanke Platin-Elektrode oder eine Graphit-Elektrode.
2. Elektrolysieren Sie in einem zweiten Becherglas ebenso Kaliumhydroxid-Lösung. Eine platinierte Platin-Elektrode dient als Minuspol und eine blanke Platin-Elektrode (Graphit-Elektrode) als Pluspol.
3. Man trennt die Elektroden von der Spannungsquelle und verbindet die Bechergläser mit einem in Kaliumnitrat-Lösung getränkten Filtrierpapierstreifen.
4. Verbinden Sie die platinierten Platin-Elektroden, die zu Wasserstoff-Elektroden geworden sind, mit dem Spannungsmessgerät, und messen Sie die Zellspannung.

Aufgabe: Berechnen Sie aus der gemessenen Spannung die Konzentration der Hydronium-Ionen in der Kaliumhydroxid-Lösung und berechnen Sie das Ionenprodukt des Wassers.

Aufgabe 3: Bei der folgenden Silber-Konzentrationszelle wird eine Spannung von 1,35 V gemessen:
Ag/Ag$^+$ (0,01 mol · l^{-1})//
Ag$_2$S-Fällung in Na$_2$S (aq; 1 mol · l^{-1})/Ag
Berechnen Sie die Gleichgewichtskonzentration der Silber-Ionen mit Hilfe der NERNSTschen Gleichung.
Prüfen Sie, ob dieser Wert anschaulich als Teilchenkonzentration interpretiert werden kann.

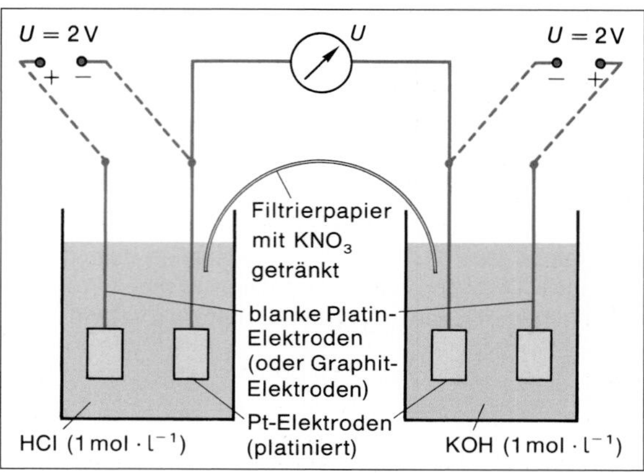

EXKURS

Zellspannung, freie Enthalpie und Gleichgewicht bei einer Redoxreaktion

Zellspannung und freie Reaktionsenthalpie. Eine galvanische Zelle kann nutzbare elektrische Arbeit verrichten. Diese lässt sich als Produkt aus der Zellspannung und der transportierten Ladung berechnen:

$W_{el} = U \cdot I \cdot t = U \cdot Q$

Die **freie molare Standard-Reaktionsenthalpie** der Zellreaktion ($\Delta_R G_m^0$) entspricht der **maximalen Nutzarbeit,** die sich aus der Zellspannung unter Standardbedingungen ermitteln lässt.

Beispiel: Die Eisen/Cadmium-Zelle zeigt unter Standardbedingungen eine Spannung von 0,04 V.

$\Delta_R G_m^0 = -W_{el} = -U \cdot Q$

$\Delta_R G_m^0 = -0{,}04\ \text{V} \cdot 2 \cdot 96500\ \text{C} \cdot \text{mol}^{-1} = -7720\ \text{J} \cdot \text{mol}^{-1}$

Dabei ist Q die Ladung der bei einem molaren Formelumsatz geflossenen Elektronen. Die Ladung von 1 mol Elektronen beträgt 96500 C. Diesen Wert bezeichnet man als FARADAY-Konstante: $1\ F = 96500\ \text{C} \cdot \text{mol}^{-1}$.

Zellspannung und Gleichgewichtskonstante. Während eine Zellreaktion abläuft, ändert sich kontinuierlich die Zellspannung. Wenn die Reaktion schließlich den Zustand des chemischen Gleichgewichts erreicht, sinkt die Zellspannung auf 0 V.

Als Beispiel wird folgende Reaktion betrachtet:

$Fe\,(s) + Cd^{2+}\,(aq) \rightleftharpoons Fe^{2+}\,(aq) + Cd\,(s)$

Die Zellspannung U ergibt sich als Differenz der beiden Elektrodenpotentiale:

$$U_H\,(Cd^{2+}/Cd) = U_H^0\,(Cd^{2+}/Cd) + \frac{59\ \text{mV}}{2} \cdot \lg c\,(Cd^{2+})$$

$$U_H\,(Fe^{2+}/Fe) = U_H^0\,(Fe^{2+}/Fe) + \frac{59\ \text{mV}}{2} \cdot \lg c\,(Fe^{2+})$$

$$U = U_H\,(Cd^{2+}/Cd) - U_H\,(Fe^{2+}/Fe)$$
$$= \Delta U_H^0 + \frac{59\ \text{mV}}{2} \cdot \lg \frac{c(Cd^{2+})}{c(Fe^{2+})}$$
$$= \Delta U_H^0 - \frac{59\ \text{mV}}{2} \cdot \lg \frac{c(Fe^{2+})}{c(Cd^{2+})}$$

Im Gleichgewichtszustand ist $U = 0$ V.

$$0\ \text{mV} = \Delta U_H^0 - \frac{59\ \text{mV}}{2} \cdot \lg \frac{c_{Gl}\,(Fe^{2+})}{c_{Gl}\,(Cd^{2+})} = \Delta U_H^0 - \frac{59\ \text{mV}}{2} \cdot \lg K$$

Dabei ist K die Gleichgewichtskonstante der Zellreaktion.

Es gilt also: $\Delta U_H^0 = \frac{59\ \text{mV}}{2} \cdot \lg K$

Nach K aufgelöst ergibt sich: $K = 10^{\frac{2 \cdot \Delta U_H^0}{59\ \text{mV}}} = 10^{\frac{2 \cdot 40\ \text{mV}}{59\ \text{mV}}} = 22{,}7$

Freie Reaktionsenthalpie und Gleichgewichtskonstante. Für beliebige Redoxreaktionen lässt sich die Gleichgewichtskonstante aus den Standard-Elektrodenpotentialen berechnen. Es gilt:

$$\Delta U_H^0 = \frac{R \cdot T}{z \cdot F} \cdot \ln K = \frac{2{,}3 \cdot R \cdot T}{z \cdot F} \cdot \lg K \quad \text{oder} \quad K = 10^{\frac{z \cdot F \cdot \Delta U_H^0}{2{,}3 \cdot R \cdot T}}$$

Das Produkt $z \cdot F \cdot \Delta U_H^0$ entspricht der maximalen Nutzarbeit W_{el}. Es gilt also:

$$-z \cdot F \cdot \Delta U_H^0 = -W_{el} = \Delta_R G_m^0$$

Damit ergibt sich folgender Zusammenhang zwischen der freien molaren Standard-Reaktionsenthalpie und der Gleichgewichtskonstanten einer Reaktion:

$$K = 10^{\frac{-\Delta_R G_m^0}{2{,}3 \cdot R \cdot T}} \quad \text{oder} \quad \Delta_R G_m^0 = -2{,}3 \cdot R \cdot T \cdot \lg K$$

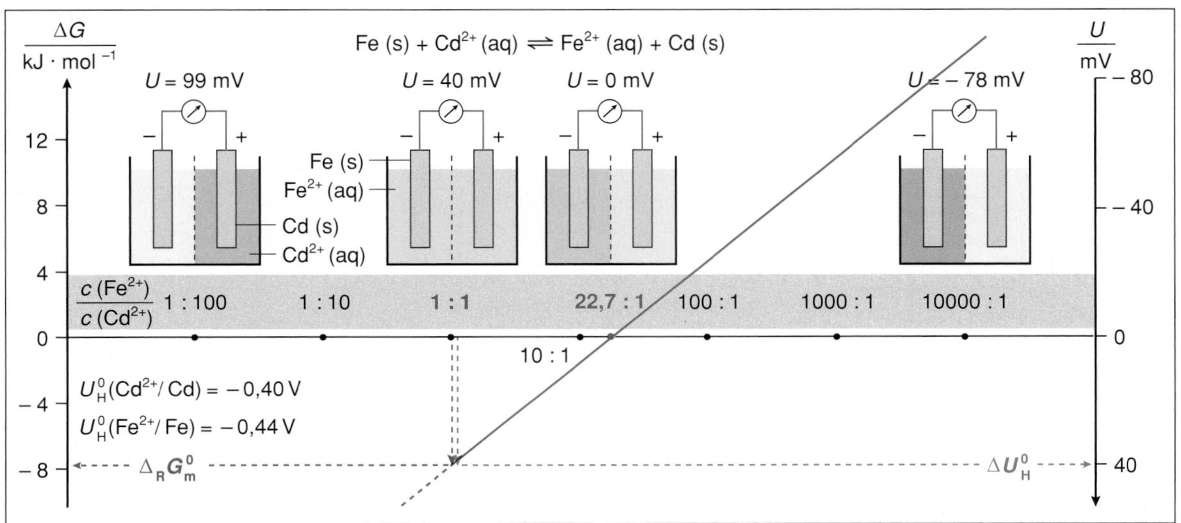

Änderung von Spannung und freier Reaktionsenthalpie in Abhängigkeit vom Konzentrationsverhältnis

8.11 Aufgaben · Versuche · Probleme

Aufgabe 1: Bei Anwesenheit von Palladium als Katalysator wird Ethanol dehydriert. Dabei werden einem Ethanol-Molekül formal zwei Wasserstoff-Atome entzogen.
a) Stellen Sie die Reaktionsgleichung für diesen Vorgang auf.
b) Handelt es sich hierbei um eine Redoxreaktion? Benennen Sie gegebenenfalls das Reduktionsmittel.

Aufgabe 2: Sie sollen untersuchen, ob Wasserstoffperoxid gegenüber einer unbekannten Substanz als Oxidationsmittel oder als Reduktionsmittel wirkt. Wie würden Sie vorgehen, um diese Frage durch ein möglichst einfaches Experiment zu klären?

Aufgabe 3: Im Bergbau werden Bakterien zur Nutzung von Erzen eingesetzt. Mit ihrer Hilfe kann man aus sulfidischen Erzen, deren Aufarbeitung sonst nicht rentabel wäre, Kupfersalze gewinnen. Dazu wird das schwach kupferhaltige Erz mit einer Bakterien-Lösung besprüht. Die Bakterien oxidieren Eisen(II)-Ionen im Erz zu Eisen(III)-Ionen. Die Eisen(III)-Ionen oxidieren die Sulfid-Ionen des schwer löslichen Kupfersulfids zu Sulfat-Ionen. Aus der Kupfersulfat-Lösung wird Kupfer gewonnen.
Formulieren Sie die Reaktionsgleichungen für die Redoxreaktionen.

Aufgabe 4: Aus den beiden folgenden Halbzellen wird eine galvanische Zelle zusammengestellt:
Sn/Sn^{2+} ($c = 0{,}1\ mol \cdot l^{-1}$) und
Pb/Pb^{2+} ($c = 0{,}001\ mol \cdot l^{-1}$)
a) In welche Richtung fließen die Elektronen? Benennen Sie Akzeptor- und Donatorhalbzelle.
b) Welche Spannung stellt sich ein?

Aufgabe 5: Eine Konzentrationszelle besteht aus zwei Wasserstoff-Halbzellen. Die Konzentrationen der Hydronium-Ionen in den Elektrolyten betragen $c(H^+) = 0{,}1\ mol \cdot l^{-1}$ und $c(H^+) = 0{,}0001\ mol \cdot l^{-1}$.
Berechnen Sie die Spannung der galvanischen Zelle.

Aufgabe 6: An der folgenden galvanischen Zelle wird eine Spannung von 0,06 V gemessen: Pb/Pb^{2+} ($0{,}01\ mol \cdot l^{-1}$)//$PbSO_4$ (gesättigt)/Pb
Berechnen Sie näherungsweise das Löslichkeitsprodukt von Bleisulfat.

Aufgabe 7: Leitet man Fluor in verdünnte Natronlauge ein, so entsteht ein farbloses Gas mit der Formel OF_2, das die Atmungsorgange stark angreift.
a) Geben Sie die Oxidationszahlen für Fluor und Sauerstoff in dieser Verbindung an.
b) In Lehrbüchern findet man die Namen „Sauerstoffdifluorid“ und „Difluoroxid“ für dieses Gas. Welcher Name scheint Ihnen geeigneter?
c) Mit alkalischer Lösung reagiert das Gas folgendermaßen:

$$OF_2\,(g) + 2\,OH^-\,(aq) \longrightarrow 2\,F^-\,(aq) + O_2\,(g) + H_2O\,(l)$$

Prüfen Sie, ob hier eine Redoxreaktion vorliegt.

Aufgabe 8: Lithiumhydrid (LiH) reagiert mit Wasser unter Bildung von Wasserstoff. Stellen Sie die Reaktionsgleichung auf und prüfen Sie, ob eine Säure/Base-Reaktion oder eine Redoxreaktion vorliegt.

Versuch 1: Vom Iodid zum Iodat
a) Tropfen Sie Chlorwasser (Xn) zu einigen Millilitern verdünnter Kaliumiodid-Lösung, bis die anfänglich auftretende Braunfärbung verschwunden ist.
b) Geben Sie etwa 3 g iodiertes Speisesalz in ein Reagenzglas mit etwas Wasser. Säuern sie mit verdünnter Schwefelsäure (Xi) an und geben Sie dann eine Spatelspitze Kaliumiodid hinzu.

Aufgaben: **a)** Beschreiben Sie Ihre Beobachtungen und formulieren Sie Reaktionsgleichungen für die vermuteten Reaktionen.
b) Welchen Zusatzstoff enthält das Salz?

Problem 1: Eine galvanische Zelle besteht aus einer Wasserstoff-Halbzelle und einer unbekannten Halbzelle, beide unter Standard-Bedingungen.
Beim Verdünnen der Lösung in der unbekannten Halbzelle wird die Spannung der galvanischen Zelle größer.
Welche der folgenden Aussagen kann/können richtig sein:

I) Es handelt sich um eine Zn^{2+}/Zn-Halbzelle,
II) es handelt sich um eine Cu^{2+}/Cu-Halbzelle,
III) es handelt sich um eine Cl_2/Cl^--Halbzelle.

Begründen Sie ihre Antwort auf der Grundlage der NERNSTschen Gleichung.

Problem 2: Die Gewinnung von Silber beruht überwiegend auf der Verhüttung von *Bleiglanz* (PbS). Dieses recht häufige Erz enthält etwa 1 % Silber. In der frühen Metallurgie ging man folgendermaßen vor:
Beim Rösten von Bleiglanz entstand zunächst Blei(II)-oxid. Es wurde in Schmelzöfen im Holzkohlenfeuer durch Kohlenstoffmonooxid zu Blei reduziert. Dieses silberhaltige Rohblei schmolz man dann in einem flachen Herd und blies Luft darauf. Das entstehende Blei(II)-oxid (Schmelztemperatur 885 °C) konnte in flüssiger Form kontinuierlich abgezogen werden, sodass sich das Silber im Blei anreicherte. Dieser Vorgang wurde so lange weitergeführt, bis alles Blei oxidiert war und schließlich metallisches Silber unter der dünnen Bleioxidschicht zum Vorschein kam.
a) Wie könnten Kristalle von silberhaltigem Bleiglanz aufgebaut sein?
b) Beschreiben Sie die bei diesem Verfahren ablaufenden Vorgänge durch Reaktionsgleichungen.
c) Welche Eigenschaften der beteiligten Stoffe ermöglichen es, Silber von Blei auf die oben beschriebene Weise zu trennen?
d) Welcher Vorgang könnte in der Abbildung dargestellt sein?

Holzschnitt aus G. AGRICOLA: De re metallica

Redoxreaktionen

1. Reduktion – Oxidation – Redoxreaktion

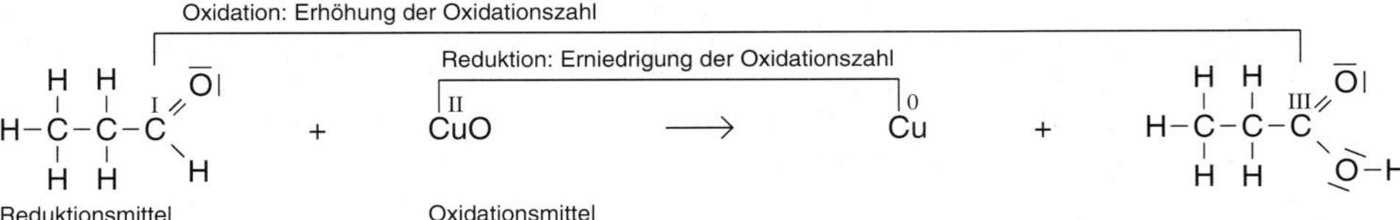

2. Galvanische Zellen

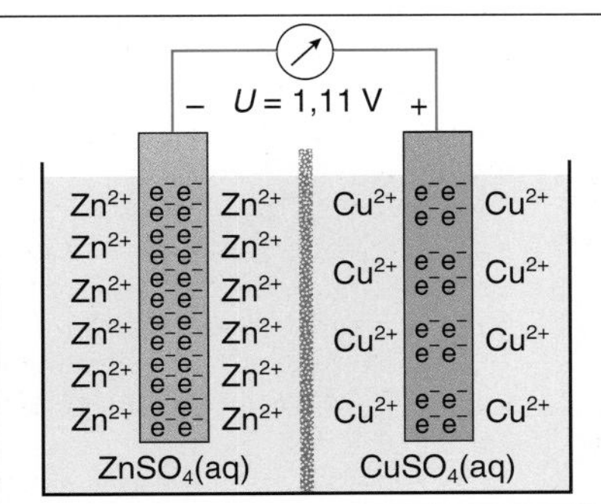

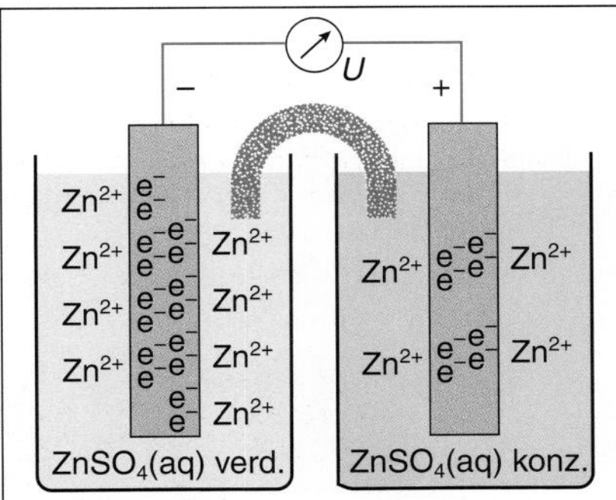

Aufbau einer galvanischen Zelle
- Donatorhalbzelle, Minuspol
  Halbzellenreaktion: Oxidation
- Akzeptorhalbzelle, Pluspol
  Halbzellenreaktion: Reduktion
- Diaphragma
  Das Diaphragma ermöglicht die für den Ladungsausgleich zwischen den Elektrolytlösungen notwendige Ionenwanderung.

Zelldiagramm: Zn/Zn^{2+} (c_D)//Cu^{2+} (c_A)/Cu

Spannung einer galvanischen Zelle. An den Elektroden der Halbzellen bildet sich jeweils eine *elektrochemische Doppelschicht* aus. Dies führt zur Aufladung der Elektroden und zur Ausbildung von *Elektrodenpotentialen* U_H. Die Potentialdifferenz zwischen den Halbzellen ist die Zellspannung U:
$U = U_H$ (Akzeptorhalbzelle) – U_H (Donatorhalbzelle)
U_H: Elektrodenpotential der Halbzelle bezogen auf die Standard-Wasserstoff-Halbzelle

Konzentrationszellen. Galvanische Zellen aus gleichartigen Halbzellen mit unterschiedlicher Elektrolytkonzentration heißen Konzentrationszellen. Für die Spannung einer Konzentrationszelle gilt bei 25 °C:

$$U_{\text{Konzentrationszelle}} = \frac{0{,}059\ \text{V}}{z} \cdot \lg \frac{c_A}{c_D}$$

z: Zahl der pro Formelumsatz ausgetauschten Elektronen
c_A: Elektrolytkonzentration in der Akzeptorhalbzelle
c_D: Elektrolytkonzentration in der Donatorhalbzelle

NERNSTsche Gleichung
allgemeine Form

$$U_H\ (\text{Ox/Red}) = U_H^0\ (\text{Ox/Red}) + \frac{R \cdot T}{z \cdot F} \cdot \ln \frac{c\ (\text{Ox})}{c\ (\text{Red})}$$

Dabei ist:
R: universelle Gaskonstante ($R = 8{,}314\ \text{J} \cdot \text{K}^{-1} \cdot \text{mol}^{-1}$),
T: Temperatur in K,
z: Zahl der pro Formelumsatz ausgetauschten Elektronen,
F: FARADAY-Konstante ($F = 96\,500\ \text{C} \cdot \text{mol}^{-1}$),
ln: natürlicher Logarithmus,
c (Ox), c (Red): nach den Regeln des Massenwirkungsgesetzes gebildete Terme für die oxidierte bzw. reduzierte Form des Redoxpaares

Metall-Halbzellen (25 °C)

$$U_H\ (Me^{z+}/Me) = U_H^0\ (Me^{z+}/Me) + \frac{0{,}059\ \text{V}}{z} \cdot \lg \frac{c\ (Me^{z+})}{\text{mol} \cdot \text{l}^{-1}}$$

Nichtmetall-Halbzellen (25 °C)
(*Beispiel:* Halogen-Halbzelle)

$$U_H\ (X_2/X^-) = U_H^0\ (X_2/X^-) - 0{,}059\ \text{V} \cdot \lg \frac{c\ (X^-)}{\text{mol} \cdot \text{l}^{-1}}$$

9 Redoxreaktionen in Labor und Technik

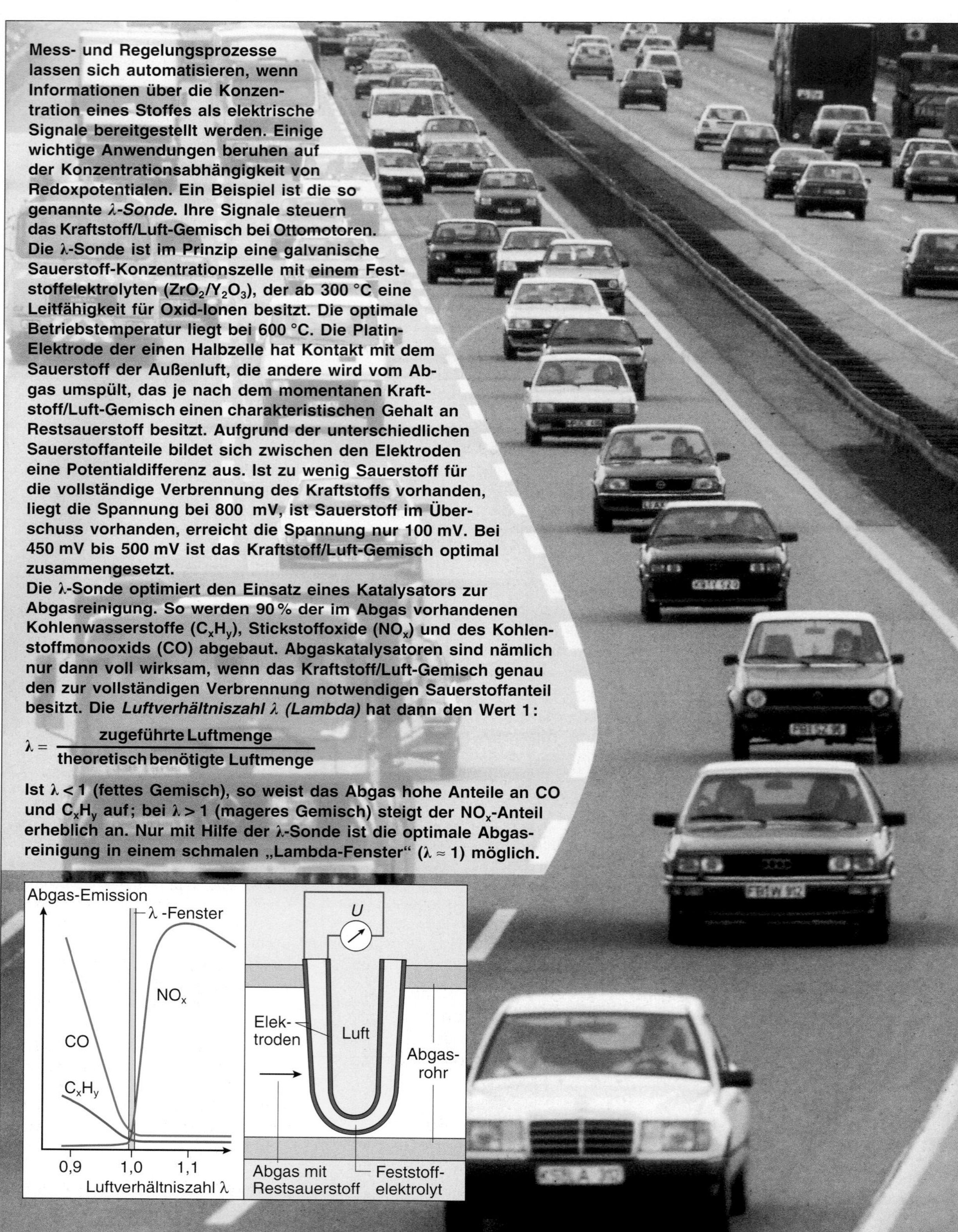

Mess- und Regelungsprozesse lassen sich automatisieren, wenn Informationen über die Konzentration eines Stoffes als elektrische Signale bereitgestellt werden. Einige wichtige Anwendungen beruhen auf der Konzentrationsabhängigkeit von Redoxpotentialen. Ein Beispiel ist die so genannte *λ-Sonde*. Ihre Signale steuern das Kraftstoff/Luft-Gemisch bei Ottomotoren. Die λ-Sonde ist im Prinzip eine galvanische Sauerstoff-Konzentrationszelle mit einem Feststoffelektrolyten (ZrO_2/Y_2O_3), der ab 300 °C eine Leitfähigkeit für Oxid-Ionen besitzt. Die optimale Betriebstemperatur liegt bei 600 °C. Die Platin-Elektrode der einen Halbzelle hat Kontakt mit dem Sauerstoff der Außenluft, die andere wird vom Abgas umspült, das je nach dem momentanen Kraftstoff/Luft-Gemisch einen charakteristischen Gehalt an Restsauerstoff besitzt. Aufgrund der unterschiedlichen Sauerstoffanteile bildet sich zwischen den Elektroden eine Potentialdifferenz aus. Ist zu wenig Sauerstoff für die vollständige Verbrennung des Kraftstoffs vorhanden, liegt die Spannung bei 800 mV, ist Sauerstoff im Überschuss vorhanden, erreicht die Spannung nur 100 mV. Bei 450 mV bis 500 mV ist das Kraftstoff/Luft-Gemisch optimal zusammengesetzt.

Die λ-Sonde optimiert den Einsatz eines Katalysators zur Abgasreinigung. So werden 90 % der im Abgas vorhandenen Kohlenwasserstoffe (C_xH_y), Stickstoffoxide (NO_x) und des Kohlenstoffmonooxids (CO) abgebaut. Abgaskatalysatoren sind nämlich nur dann voll wirksam, wenn das Kraftstoff/Luft-Gemisch genau den zur vollständigen Verbrennung notwendigen Sauerstoffanteil besitzt. Die *Luftverhältniszahl λ (Lambda)* hat dann den Wert 1:

$$\lambda = \frac{\text{zugeführte Luftmenge}}{\text{theoretisch benötigte Luftmenge}}$$

Ist $\lambda < 1$ (fettes Gemisch), so weist das Abgas hohe Anteile an CO und C_xH_y auf; bei $\lambda > 1$ (mageres Gemisch) steigt der NO_x-Anteil erheblich an. Nur mit Hilfe der λ-Sonde ist die optimale Abgasreinigung in einem schmalen „Lambda-Fenster" ($\lambda \approx 1$) möglich.

9.1 Messung von pH-Werten

Mit Hilfe der NERNSTschen Gleichung kann man bei bekanntem Elektrodenpotential auf die Ionenkonzentration in einer Lösung schließen. Auf dieser Tatsache beruht die Bedeutung der NERNSTschen Gleichung für Anwendungen in Labor und Technik. Eine häufige Untersuchungsmethode ist die elektrochemische Messung des pH-Wertes.

Das Elektrodenpotential einer Wasserstoff-Halbzelle ist vom pH-Wert abhängig:

$U_H (H^+/H_2) = U_H^0 (H^+/H_2) + 0{,}059 \text{ V} \cdot \lg c(H^+)$

Dabei ist $U_H^0 = 0$ V und $\lg c(H^+) = -\text{pH}$, somit gilt:

$U_H (H^+/H_2) = -0{,}059 \text{ V} \cdot \text{pH}$

Die Abhängigkeit des Elektrodenpotentials der Wasserstoff-Halbzelle vom pH-Wert des Elektrolyten lässt sich zur pH-Messung ausnutzen. Dazu könnte man die Spannung einer galvanischen Zelle messen, die aus einer Standard-Wasserstoffhalbzelle und einer Wasserstoff-Halbzelle mit der Probelösung als Elektrolyten besteht. Der pH-Wert ließe sich aus der gemessenen Spannung U berechnen:

$U = U_H^0 (H^+/H_2) - U_H (H^+/H_2) = 0 \text{ V} - (-0{,}059 \text{ V} \cdot \text{pH}) = 0{,}059 \text{ V} \cdot \text{pH}$

$$\text{pH} = \frac{U}{0{,}059 \text{ V}}$$

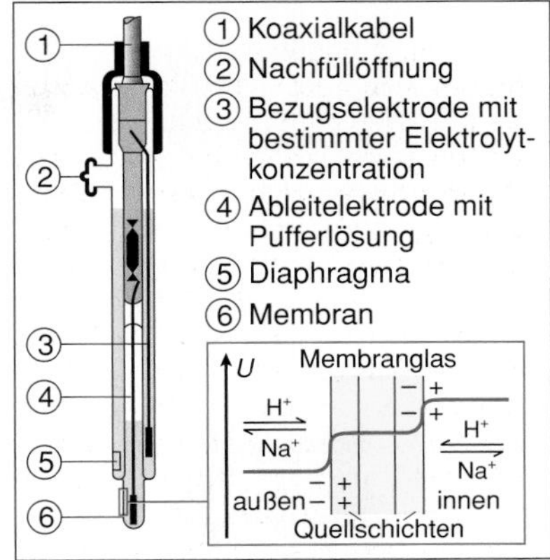

1. **Einstabmesskette**

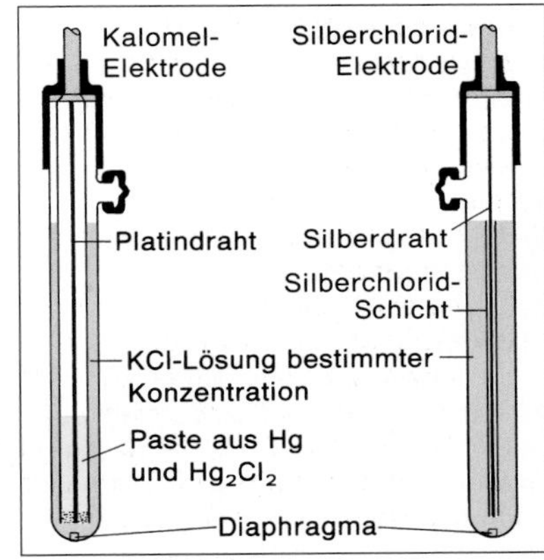

2. **Bezugselektroden**

Glaselektroden. In der Praxis verwendet man für die pH-Messung fast ausschließlich Glaselektroden. Sie bestehen aus einem Glasrohr, an das ein dünnwandiges Glaskölbchen als Membran angesetzt ist. Innen taucht eine Ableitelektrode in eine Pufferlösung mit genau festgelegtem pH-Wert. An der Membran entsteht eine Potentialdifferenz, die vom pH-Wert der äußeren Lösung abhängig ist. Besonders einfach lassen sich *Einstabmessketten* handhaben, bei denen eine Glaselektrode und eine Bezugselektrode in einem doppelwandigen Glasrohr kombiniert sind.
Die Elektrolytlösung der Bezugselektrode ist bei der Messung über ein eingeschmolzenes Diaphragma leitend mit der Probelösung verbunden.

Bezugselektroden. Für die Messung von Redoxpotentialen verwendet man in der Praxis anstelle der Wasserstoff-Elektrode leichter handhabbare Bezugselektroden. Es handelt sich dabei um Metall-Elektroden, die mit einer Schicht eines schwer löslichen Salzes überzogen sind. Man nennt sie auch „Elektroden 2. Art".

Ein Beispiel ist die **Kalomel-Elektrode.** Im Prinzip handelt es sich hierbei um eine Quecksilber-Halbzelle mit Quecksilber(I)-Ionen im Elektrolyten. Eine genaue, durch das Löslichkeitsprodukt von Quecksilber(I)-chlorid festgelegte Konzentration an Hg_2^{2+}-Ionen erhält man, indem man eine Kaliumchlorid-Lösung mit Kalomel (Hg_2Cl_2) sättigt. Je nach Konzentration der Kaliumchlorid-Lösung ergeben sich unterschiedliche Konzentrationen an Hg_2^{2+}-Ionen und unterschiedliche Elektrodenpotentiale. Bei der Konzentration $c(\text{KCl}) = 1 \text{ mol} \cdot l^{-1}$ ist das Potential der Kalomel-Elektrode $U_H = 0{,}28$ V.

Praktische Bedeutung hat auch die **Silberchlorid-Elektrode.** Bei ihr taucht ein Silberdraht, der mit Silberchlorid überzogen ist, in eine Kaliumchlorid-Lösung bestimmter Konzentration. Entsprechend dem Löslichkeitsprodukt gehen Silber-Ionen in Lösung, und an der Silber-Elektrode stellt sich nach der NERNSTschen Gleichung ein bestimmtes Potential ein. Für $c(\text{KCl}) = 1 \text{ mol} \cdot l^{-1}$ ist das Potential $U_H = 0{,}23$ V.

A1 Eine Konzentrationszelle besteht aus einer Standard-Wasserstoff-Halbzelle und einer Wasserstoff-Halbzelle mit einer Elektrolytlösung von unbekannter Konzentration der Hydronium-Ionen. Berechnen Sie den pH-Wert von Lösungen, bei denen die folgenden Spannungen gemessen wurden:
a) 0,531 V, **b)** 0,708 V, **c)** 0,455 V.

A2 Eine galvanische Zelle besteht aus einer Wasserstoff-Halbzelle und einer Kalomel-Elektrode ($c(\text{KCl}) = 1 \text{ mol} \cdot l^{-1}$). Berechnen Sie die Spannung der Zelle, wenn der Elektrolyt einen pH-Wert von **a)** 5,5 und **b)** 9 besitzt.

A3 Berechnen Sie das Potential einer Silberchlorid-Elektrode für $c(\text{KCl}) = 0{,}01 \text{ mol} \cdot l^{-1}$ ($0{,}1 \text{ mol} \cdot l^{-1}$).

9.2 Redoxreaktionen in der Analytik

1. Redoxtitration mit einer Kaliumpermanganat-Maßlösung

A1 Nitrit-Ionen lassen sich manganometrisch bestimmen.
a) Stellen Sie die Reaktionsgleichung für die Umsetzung von Nitrit-Ionen mit Permanganat-Ionen in saurer Lösung auf.
b) Wie viel Milligramm Nitrit-Ionen werden durch 1 ml der Maßlösung angezeigt, wenn $c\,(MnO_4^-) = 0{,}02\ mol \cdot l^{-1}$ ist?

A2 Der Eisengehalt einer Lösung, die Eisen(II)- und Eisen(III)-Ionen nebeneinander enthält, lässt sich manganometrisch bestimmen, wenn man die Lösung mit einem Überschuss an Zinkpulver versetzt.
a) Wie viel Milligramm Eisen werden durch 1 ml Maßlösung angezeigt, wenn $c\,(MnO_4^-) = 0{,}02\ mol \cdot l^{-1}$ ist?
b) Welche Bedeutung hat die Zugabe von Zinkpulver im Überschuss für die Bestimmung?

Redoxsystem	U_H^0
$2\,CO_2 + 2\,H^+ + 2\,e^- \rightleftharpoons H_2C_2O_4$	− 0,49 V
$S_4O_6^{2-} + 2\,e^- \rightleftharpoons 2\,S_2O_3^{2-}$	+ 0,08 V
$SO_4^{2-} + 2\,H^+ + 2\,e^- \rightleftharpoons SO_3^{2-} + H_2O$	+ 0,17 V
$I_2(s) + 2\,e^- \rightleftharpoons 2\,I^-$	**+ 0,54 V**
$O_2\,(g) + 2\,H^+ + 2\,e^- \rightleftharpoons H_2O_2$	+ 0,68 V
$Fe^{3+} + e^- \rightleftharpoons Fe^{2+}$	+ 0,77 V
$NO_3^- + 2\,H^+ + 2\,e^- \rightleftharpoons NO_2^- + H_2O$	+ 0,94 V
$IO_3^- + 6\,H^+ + 6\,e^- \rightleftharpoons I^- + 3\,H_2O$	+ 1,09 V
$BrO_3^- + 6\,H^+ + 6\,e^- \rightleftharpoons Br^- + 3\,H_2O$	+ 1,44 V
$MnO_4^- + 8\,H^+ + 5\,e^- \rightleftharpoons Mn^{2+} + 4\,H_2O$	**+ 1,51 V**

2. Manganometrisch und iodometrisch bestimmbare Stoffe

Redoxreaktionen spielen bei vielen analytischen Untersuchungen eine wichtige Rolle. Ein Beispiel ist die Bestimmung von oxidierbaren Substanzen, die Gewässer verunreinigen. Flüsse und Seen enthalten in der Regel eine gewisse Menge von Schadstoffen. Dabei handelt es sich häufig um gelöste organische Verbindungen. Sie werden im Laufe der Zeit von Bakterien unter Verbrauch von Sauerstoff abgebaut. Ein Übermaß an organischen Stoffen führt zu Sauerstoffmangel in dem Gewässer. Die Fähigkeit zur Selbstreinigung nimmt ab. Fäulnisvorgänge setzen ein. Das Wasser trübt sich und Schlamm setzt sich ab, Fische sterben.
Bestimmt man den Anteil an oxidierbaren Substanzen in einer Wasserprobe, erhält man also einen Hinweis auf die Qualität des Wassers. Als Verfahren dafür eignet sich eine *Redoxtitration.*

Manganometrie. Bei dieser Methode versetzt man eine Probe, die einen oxidierbaren Stoff enthält, mit einer Maßlösung von Kaliumpermanganat. Die Permanganat-Ionen wirken als Oxidationsmittel.

$$MnO_4^-\,(aq) + 8\,H^+\,(aq) + 5\,e^- \dashrightarrow Mn^{2+}\,(aq) + 4\,H_2O\,(l); \quad U_H^0 = 1{,}51\ V$$

Die violette Permanganat-Lösung wird beim Eintropfen in die Vorlage entfärbt, es entsteht die farblose Lösung eines Mangan(II)-Salzes. Wenn das Reduktionsmittel vollständig umgesetzt ist, färbt der erste Tropfen der überschüssigen Permanganat-Lösung die Flüssigkeit schwach rosa. Aus dem Volumen der verbrauchten Kaliumpermanganat-Lösung kann man auf die Konzentration des Reduktionsmittels zurückschließen. Da das Redoxpotential des Redoxpaares MnO_4^-/Mn^{2+} sehr hoch ist, lassen sich viele Reduktionsmittel manganometrisch bestimmen.
Der bei bestimmten Reaktionsbedingungen ermittelte Verbrauch an Kaliumpermanganat ist ein Maß für den Gehalt an leicht oxidierbaren organischen Stoffen in Trinkwasser sowie in Fluss- und Seewasser.

Iodometrie. Eine sehr vielseitige maßanalytische Methode ist die Iodometrie. Mit einem Redoxpotential von $U_H^0 = 0{,}54\ V$ nimmt das Redoxpaar I_2/I^- eine mittlere Stellung in der Spannungsreihe ein. Daher lassen sich sowohl Reduktionsmittel als auch Oxidationsmittel iodometrisch bestimmen.

Zur Bestimmung von *Reduktionsmitteln* wird Iod als Oxidationsmittel eingesetzt. Da Iod in Wasser schlecht löslich ist, arbeitet man mit einer Maßlösung, bei der Iod in Kaliumiodid-Lösung gelöst ist. In ihr liegen I_3^--Ionen vor, die sich jedoch wie Iod-Moleküle verhalten. Ein einfaches Beispiel ist die iodometrische Bestimmung von Sulfid-Ionen.

$$I_2\,(aq) + S^{2-}\,(aq) \longrightarrow S\,(s) + 2\,I^-\,(aq)$$

Auch bei dieser Methode ist der Endpunkt der Titration leicht zu erkennen. Solange noch das Reduktionsmittel vorhanden ist, wird die braune Iod-Lösung in die farblose Iodid-Lösung überführt. Das erste überschüssige Iod wird durch die Braunfärbung der Lösung angezeigt. Die Empfindlichkeit der Endpunktanzeige lässt sich erhöhen, wenn man der zu titrierenden Lösung Stärkelösung hinzusetzt. Iod bildet bereits in sehr geringen Konzentrationen mit Stärke die tiefblaue Iod-Stärke.

Zur Bestimmung von *Oxidationsmitteln* gibt man Kaliumiodid-Lösung im Überschuss zu der zu untersuchenden Lösung. Das dabei entstehende Iod wird dann mit einer Maßlösung von Natriumthiosulfat zurücktitriert. Die Thiosulfat-Ionen ($S_2O_3^{2-}$) werden zu Tetrathionat-Ionen ($S_4O_6^{2-}$) oxidiert. Der Endpunkt wird durch die Entfärbung der Iod-Stärke angezeigt.

$$I_2\,(aq) + 2\,S_2O_3^{2-}\,(aq) \longrightarrow 2\,I^-\,(aq) + S_4O_6^{2-}\,(aq)$$

Redoxtitration

Versuch 1: Bestimmung des Permanganat-Verbrauchs einer Wasserprobe

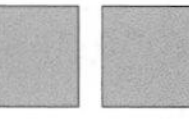
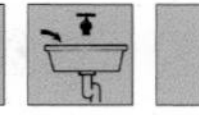

Materialien: Plastikflasche mit Schraubverschluss (250 ml) zur Entnahme der Wasserprobe, Erlenmeyerkolben (250 ml), Messpipette (100 ml), Pipette (20 ml), Pipettierhilfe, Bürette (25 ml);
Flusswasser oder Seewasser, Kaliumpermanganat-Lösung ($0{,}002\ mol \cdot l^{-1}$), Oxalsäure-Lösung ($0{,}005\ mol \cdot l^{-1}$), Schwefelsäure (25 %; C)

Durchführung: Bei Entnahme der Wasserprobe aus einem Gewässer wird die Plastikflasche vollständig gefüllt. Die Probe wird gekennzeichnet. Datum, Ort und Beobachtungen an der Entnahmestelle werden notiert.

1. Geben Sie 100 ml der Wasserprobe in den Erlenmeyerkolben. Fügen Sie aus der Bürette genau 15 ml der Kaliumpermanganat-Lösung sowie aus der Pipette etwa 5 ml Schwefelsäure hinzu.
2. Die Lösung wird für etwa 15 min zum schwachen Sieden erhitzt; dabei wird der Kolben mit einem Uhrglas abgedeckt, um den Wasserverlust zu verringern.
3. Geben Sie mit der Pipette 15 ml der Oxalsäure-Lösung hinzu, erhitzen Sie kurze Zeit weiter. Titrieren Sie die heiße Lösung mit der Kaliumpermanganat-Lösung bis zu einer bleibenden Rosafärbung.

Auswertungsbeispiel: Bei der Titration der Oxalsäure wurden 10 ml der Kaliumpermanganat-Lösung verbraucht. Daraus ergibt sich ein Permanganat-Verbrauch von $31{,}6\ mg \cdot l^{-1}$. Diesem Ergebnis liegen die folgenden Überlegungen zugrunde.

Der Gesamtvorgang lässt sich in drei Schritte gliedern:

1. Ein Teil der Permanganat-Lösung reagiert mit den oxidierbaren Verunreinigungen im Wasser.

2. Die übrig gebliebene Menge an Permanganat-Ionen wird durch die im Überschuss zugesetzte Oxalsäure vollständig reduziert.

3. Die überschüssige Oxalsäure wird durch die Titration mit Permanganat-Lösung bestimmt. Zu beachten ist weiterhin, dass die Konzentrationen der beiden Lösungen so gewählt wurden, dass 1 ml der Permanganat-Lösung genau 1 ml der Oxalsäure vollständig umsetzt.

Wenn in dem gegebenen Beispiel 10 ml der Permanganat-Lösung in Schritt 3 verbraucht wurden, dann haben von den 15 ml Oxalsäure, die in Schritt 2 zu der Permanganat-Lösung gegeben wurden, 5 ml reagiert. Das heißt aber, dass von den anfangs vorhandenen 15 ml Permanganat-Lösung genau 10 ml von den oxidierbaren Substanzen in der Wasserprobe verbraucht wurden.

$$m(KMnO_4 \text{ in } 10\ ml) = 158\ g \cdot mol^{-1} \cdot 0{,}00002\ mol = 3{,}16\ mg.$$

Da 100 ml der Probe untersucht wurden, beträgt der Permanganat-Verbrauch $31{,}6\ mg \cdot l^{-1}$.

Aufgaben:

a) Stellen Sie die Reaktionsgleichung für die Umsetzung von Permanganat-Ionen mit Oxalsäure auf.

b) Zeigen Sie auf der Grundlage der Reaktionsgleichung, dass bei den in diesem Versuch gewählten Konzentrationen gerade 1 ml der Permanganat-Lösung vollständig mit 1 ml der Oxalsäure reagiert.

c) Das hier beschriebene Verfahren wird auch bei der Untersuchung von Trinkwasser angewendet. Das Ergebnis wird allerdings in den äquivalenten Sauerstoff-Verbrauch umgerechnet (Grenzwert: $\beta(O_2) = 5\ mg \cdot l^{-1}$). Wie viel Milligramm Kaliumpermanganat entsprechen der Oxidationswirkung von einem Milligramm Sauerstoff?

Versuch 2: Bestimmung des Wasserstoffperoxid-Gehalts eines Haarbleichmittels

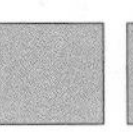

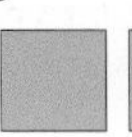

Materialien: Messkolben (100 ml), Erlenmeyerkolben (250 ml), Pipetten (1 ml, 10 ml), Bürette, Pipettierhilfe;
Haarbleichmittel (gebrauchsfertige Lösung), Kaliumpermanganat-Lösung ($0{,}01\ mol \cdot l^{-1}$), Schwefelsäure (25 %; C)

Durchführung:

1. 1 ml des Haarbleichmittels werden in einen Messkolben gegeben und auf 100 ml verdünnt.
2. 10 ml dieser Lösung werden in einen Erlenmeyerkolben pipettiert, auf etwa 50 ml verdünnt und mit 5 ml Schwefelsäure angesäuert.
3. Titrieren Sie diese Lösung mit der Kaliumpermanganat-Lösung.

Aufgaben:

a) Stellen Sie die Reaktionsgleichung für die Umsetzung von Kaliumpermanganat mit Wasserstoffperoxid (H_2O_2) in saurer Lösung auf.

b) Welche Masse an Wasserstoffperoxid wird durch 1 ml der Maßlösung angezeigt?

c) Berechnen Sie den Massenanteil von Wasserstoffperoxid in dem Haarbleichmittel.

Versuch 3: Iodometrische Bestimmung von Sulfit-Ionen

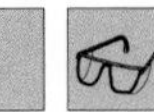

Materialien: Messkolben (500 ml), Pipette (50 ml), Bürette, Pipettierhilfe;
Natriumsulfit-Lösung, Iod-Lösung ($0{,}1\ mol \cdot l^{-1}$),
Natriumthiosulfat-Lösung ($0{,}1\ mol \cdot l^{-1}$), Salzsäure (verd.)

Durchführung:

1. 50 ml der verdünnten Natriumsulfit-Lösung werden in 50 ml der Iod-Lösung pipettiert. Die Lösung wird auf etwa 200 ml verdünnt und mit Salzsäure schwach angesäuert.
2. Der Überschuss an Iod wird mit der Thiosulfat-Lösung titriert.

Aufgabe: Berechnen Sie die Konzentration der Natriumsulfit-Lösung.

9.3 Korrosion – Redoxreaktionen auf Abwegen

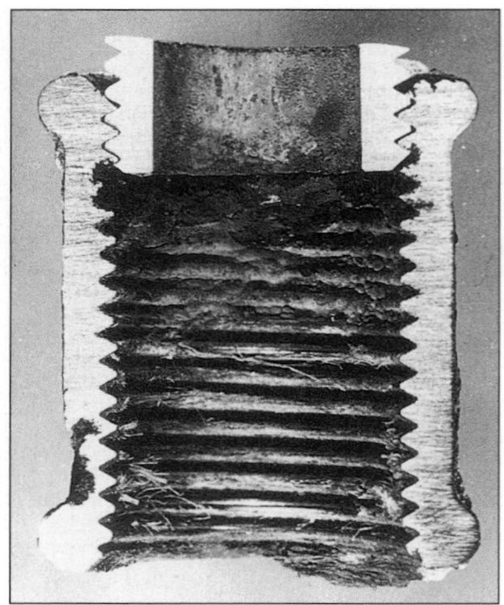

1. Korrosion. Ein Lokalelement an der Berührungsstelle zwischen Eisen und Messing hat die Korrosion beschleunigt.

A1 Stellt man einen Stab aus reinem Zink in ein Becherglas mit verdünnter Schwefelsäure, so läuft zunächst keine Reaktion ab. Berührt man jedoch das Zink mit einem Kupferdraht, so stellt man eine deutliche Gasentwicklung am Kupferdraht fest.
Erklären Sie diese Beobachtung und formulieren Sie die Reaktionsgleichung.

A2 Heizkessel aus Eisen werden gewöhnlich mit Kupferrohren verbunden. Dennoch kommt es kaum zum Rosten des Wasserkessels. Woran könnte das liegen?

A3 Wie kann man mit einem einfachen Versuch zeigen, dass beim Rosten von Eisen Sauerstoff verbraucht wird?

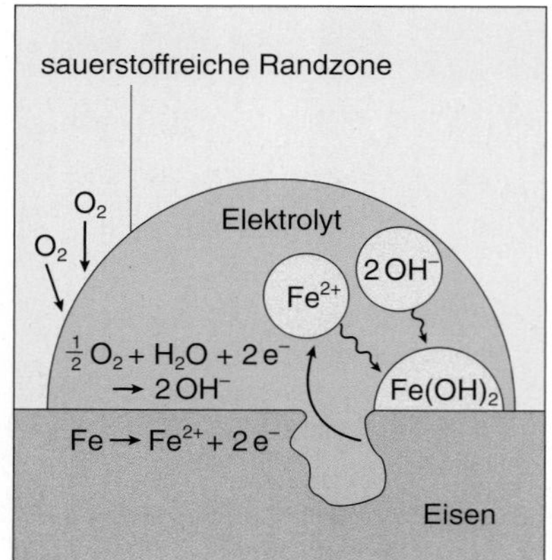

2. Rosten von Eisen

Jeder kennt das Problem aus dem Alltag: Metalle verändern sich mit der Zeit, wenn sie Luft und Wasser ausgesetzt sind, sie *korrodieren*. Fahrräder rosten, Wasserleitungsrohre werden undicht, in Druckkesseln bilden sich Risse.

Die meisten dieser Vorgänge lassen sich auf zwei grundlegende Arten der Korrosion zurückführen: Bei der *Säure-Korrosion* werden Metalle durch Hydronium-Ionen oxidiert, es bildet sich Wasserstoff. Bei der *Sauerstoff-Korrosion* wirkt der Sauerstoff als Oxidationsmittel, er wird zu Hydroxid-Ionen reduziert.

Säure-Korrosion. Viele Metalle sind durch geringe Mengen anderer Metalle verunreinigt. So ist beispielsweise in technischem Zink immer etwas Kupfer zu finden. Wenn dieses Zink mit CO_2-haltigem Wasser in Berührung kommt, bildet sich zwischen Zink und Kupfer eine kurzgeschlossene galvanische Zelle, ein *Lokalelement*. Der Vergleich der Standard-Elektrodenpotentiale der beiden Metalle ergibt eine Differenz von 1,11 Volt. Das unedlere Zink geht daher an den Berührungsstellen zwischen Zink und Kupfer unter Abgabe von Elektronen in Lösung. Die Elektronen fließen vom Zink zum edleren Kupfer und reduzieren an der Grenzfläche zwischen Kupfer und Wasser Hydronium-Ionen, die sich durch die Protolyse der Kohlensäure gebildet haben.

$$Zn\ (s) + 2\ H^+\ (aq) \longrightarrow Zn^{2+}\ (aq) + H_2\ (g)$$

Die Oberfläche des Zinks wird ständig abgetragen, sodass sich unter Einwirkung des Elektrolyten auch weiter im Innern Lokalelemente bilden und sich das unedlere Zink im Lauf der Zeit auflöst.

Sauerstoff-Korrosion. Ähnlich wie Zink korrodiert auch Eisen schnell, wenn es mit säurehaltigem Wasser in Berührung kommt. Entscheidend für die Zerstörung des Metalls in *neutralen* oder *alkalischen* Lösungen ist jedoch der im Wasser gelöste Luftsauerstoff. Eisen gibt Elektronen an den Sauerstoff ab, es entstehen Eisen(II)-Ionen, die im Wasser gelöst werden. Edlere Fremdmetalle im Eisen oder auch Eisenoxid fördern dabei die Korrosion aufgrund der Bildung von Lokalelementen.

$2\ Fe\ (s) \dashrightarrow 2\ Fe^{2+}\ (aq) + 4\ e^-$		Oxidation
$O_2\ (aq) + 2\ H_2O\ (l) + 4\ e^- \dashrightarrow 4\ OH^-\ (aq)$		Reduktion
$2\ Fe\ (s) + O_2\ (aq) + 2\ H_2O\ (l) \longrightarrow 2\ Fe^{2+}\ (aq) + 4\ OH^-\ (aq)$		Redoxreaktion

Beim Rosten müssen also sowohl Sauerstoff als auch Wasser vorhanden sein. Die Hydroxid-Ionen bilden sich bevorzugt in sauerstoffreichen Zonen des Wassers, während die Eisen(II)-Ionen in sauerstoffarmen Bereichen entstehen. Durch Diffusion treffen die Eisen(II)-Ionen und die Hydroxid-Ionen aufeinander. Es bildet sich ein Niederschlag aus Eisen(II)-hydroxid. Luftsauerstoff bewirkt dann die Bildung einer porösen Rostschicht, die vor allem aus wasserhaltigem Eisen(III)-oxid besteht.

$$4\ Fe(OH)_2\ (s) + O_2\ (g) \longrightarrow 2\ Fe_2O_3 \cdot H_2O\ (s) + 2\ H_2O\ (l)$$

Es entstehen bei diesem Vorgang jedoch auch Eisen(II, III)-oxid (Fe_3O_4) sowie Eisen(II)-oxid. Eine Rostschicht kann das Eisen nicht vor weiterer Korrosion schützen, denn die Stelle, an der das Eisen in Lösung geht, ist nicht mit dem Ort der Rostbildung identisch.

Selbst Wasserleitungsrohre aus *Kupfer* können durch den gelösten Sauerstoff angegriffen werden, wenn die Korrosion durch Lokalelemente gefördert wird. Es kommt dann zum gefürchteten *Lochfraß*.

Korrosionsfördernde und korrosionshemmende Faktoren. Das Rosten von Eisen ist für uns eine alltägliche Erscheinung. Deshalb sind die folgenden Beobachtungen auf den ersten Blick erstaunlich: Eine etwa sieben Meter hohe und sieben Tonnen schwere Eisensäule, die vor ungefähr 1500 Jahren in Delhi aufgestellt wurde, zeigt bis heute nur geringe Rostansätze. Proben dieser Säule rosteten dagegen, als sie auf dem Seeweg nach England transportiert wurden. In ägyptischen Pyramiden fand man 4000 Jahre alte Eisenwerkzeuge, die gut erhalten waren; sie rosteten erst, als man sie nach Europa in Museen brachte. Hochgebirgswanderer können feststellen, dass die eisernen Haken, Leitern und Seile der Klettersteige kaum korrodieren.
Die Erklärung ist einfach: In sehr trockenem Klima und bei reiner Luft rostet Eisen nicht. In feuchter, schadstoffhaltiger Luft bildet sich dagegen auf dem Metall schnell ein Flüssigkeitsfilm. Durch im Wasser gelöste Gase wie Schwefeldioxid, Kohlenstoffdioxid oder Stickstoffdioxid entstehen saure Lösungen, die Korrosion wird beschleunigt.

1. Rost in der Kunst. Ein leicht rostender Spezialstahl schützt das Objekt.

Autos rosten im Winter besonders stark, wenn sie mit salzhaltigem Spritzwasser in Berührung kommen. Das hat folgende Ursache: Die elektrische Leitfähigkeit ist erhöht, der Ladungstransport in der Lösung wird daher erleichtert.
Zentralheizungsrohre rosten dagegen kaum: Die Löslichkeit von Gasen in Wasser sinkt mit steigender Temperatur. Heißes Wasser enthält daher nur wenig gelösten Sauerstoff.

Einige andere wichtige Gebrauchsmetalle sind an Luft beständig, obwohl sie nach ihrer Stellung in der Spannungsreihe als unedel einzustufen sind. So bildet *Aluminium* mit dem Luftsauerstoff schnell eine dünne, zusammenhängende Oxidschicht, die den Zutritt von weiterem Sauerstoff verhindert. *Zink* wird durch eine Schicht aus Zinkoxid und Zinkcarbonat geschützt. Im Falle von *Blei* ist auch das schwer lösliche Bleisulfat an der Bildung der Schutzschicht beteiligt.

2. Patina

Kupfer oxidiert schon wegen seines positiven Standard-Elektrodenpotentials kaum. An seiner Oberfläche entsteht überdies eine schützende Schicht aus basischen Kupfersalzen wie $CuSO_4 \cdot 3\,Cu(OH)_2$. Diese grüne *Patina* lässt sich vor allem an Kupferdächern oder auch an Bronzestatuen beobachten.

EXKURS

Rostumwandler

Roststellen an einem Fahrrad kann man mit so genannten Rostumwandlern behandeln. Sie enthalten als wesentlichen Bestandteil zumeist Phosphorsäure. Diese bildet durch Reaktion mit dem Rost eine unlösliche Schicht aus Eisen(III)-phosphat, die mit der Metalloberfläche fest verwächst. Die Poren in der Phosphatschicht werden durch Behandlung mit einem Kunstharz geschlossen, sodass eine luftundurchlässige Schicht entsteht. Auf dieser Unterlage lässt sich nun gut ein Lackanstrich auftragen. So wird die Metalloberfläche für eine gewisse Zeit vor weiterem Rosten geschützt.

Allerdings ist es nicht immer einfach, Rostumwandler sachgemäß anzuwenden. Die verwendete Säuremenge muss auf die Dicke der Rostschicht abgestimmt werden, damit nicht das darunter liegende blanke Metall angegriffen wird. Schwierigkeiten können auch entstehen, wenn die behandelte Rostschicht unterschiedlich stark ist, sodass die benötigte Menge sehr schwer einzuschätzen ist.

Um diesen Problemen zu begegnen und die Anwendung zu erleichtern, enthalten die Rostumwandler eine Reihe von Zusatzstoffen: Organische Lösungsmittel reinigen und entfetten die Oberfläche. Sie ermöglichen zusammen mit Netzmitteln das schnelle Eindringen der Säure. Andere organische Verbindungen wirken als *Inhibitoren.* Sie sollen die Reaktion der Säure mit dem Metall weitgehend verhindern.

9.4 Korrosionsschutz

1. Feuerverzinken

Durch Korrosion von Metallen wird die Wirtschaft von Industrieländern erheblich geschädigt. Schätzungen für die jährlichen Verluste in Deutschland reichen bis zu 23 Milliarden Euro. Neben der Zerstörung der Metalle kommt es häufig auch noch zu gravierenden Folgeschäden: Produktionsanlagen fallen aus, wenn korrodierte Teile ersetzt werden müssen, undichte Wasser- und Gasleitungen führen zu gefährlichen Unfällen, Öl läuft aus beschädigten Tanks aus und verschmutzt die Umwelt. Inzwischen fordern daher auch Rechtsvorschriften und Versicherungsklauseln die Einhaltung bestimmter technischer Regeln für den Korrosionsschutz.

Überzüge. Man kann Metalle gegen Korrosion schützen, indem man sie mit einer Schicht aus einem korrosionsbeständigeren Metall überzieht, die Luft und Feuchtigkeit fern hält. So werden Stahlbleche für die Herstellung von Autos in eine 450 °C heiße Schmelze von flüssigem Zink getaucht (*Feuerverzinken*). An der Grenzfläche der beiden Metalle bildet sich eine Zink/Eisen-Legierung. Die Stahloberfläche erhält eine etwa 15 µm dicke Schicht aus Zink, die korrosionsbeständig ist, da Zink an Luft eine schützende Oxidschicht ausbildet. Energiebedarf und Materialverbrauch sind allerdings relativ hoch.

2. Unterbodenschutz

Stahlbleche lassen sich auch durch *Elektrolyse* verzinken. Dazu wird das Blech in eine wässerige Zinksalz-Lösung gehängt und als Kathode geschaltet. Als Anode dient eine Zinkplatte. Bei einer Gleichspannung von 20 V bildet sich eine etwa 5 µm dünne Zinkschicht, die bei sorgfältiger Vorbehandlung der Stahloberfläche gut auf dem Metall haftet.

Autos werden noch durch weitere Maßnahmen gegen Korrosion geschützt. Die Rohkarosserie durchläuft eine *Phosphatier-Straße*. Zunächst wird dabei die Metalloberfläche in einem Reinigungsbad von Schmutz, Öl und Fett befreit. Das Auto gelangt dann in ein Tauchbad, das Phosphorsäure oder eine Lösung von Hydrogenphosphaten enthält. Dabei bildet sich eine mit dem Metall fest verbundene Schicht aus Eisen- und Zinkphosphaten, auf die dann der *Lack* aufgetragen werden kann. In die Hohlräume der Karosserie wird flüssiges Wachs eingespritzt; als *Unterbodenschutz* dient meist Polyvinylchlorid (PVC).

Nichtmetallüberzüge spielen seit alters her eine wichtige Rolle beim Korrosionsschutz. Römische Soldaten behandelten die Eisenrahmen von Katapulten und Pfeilgeschützen mit Pflanzenölen. Auch heute noch werden Maschinenteile und Waffen zur Pflege eingeölt. Daneben spielen Anstriche mit Kunstharzlacken oder Chlorkautschuklacken eine große Rolle.

3. Opferanoden an einem Schiff

Bei einigen Metallen ergeben sich Überzüge an Luft auf natürlichem Weg: Aluminium, Chrom und Nickel bilden ähnlich wie Zink dünne *Oxidschichten* aus, die die Korrosion des darunter liegenden Metalls verhindern. Man spricht von *Passivierung*.

Kathodischer Schutz. Um die Korrosion von Tanklagern, unterirdisch verlegten Rohren oder auch Erdölbohrtürmen im Meerwasser zu vermeiden, verbindet man den gefährdeten Stahl elektrisch leitend mit einem Metall, das leichter oxidiert wird. Aus dem gleichen Grund werden an den Stahlteilen von Hochseeschiffen Zinkplatten angebracht. Das unedlere Zink gibt über das Eisen Elektronen an Akzeptoren im Meerwasser ab; die größte Rolle spielt hier der gelöste Sauerstoff. Der Anodenvorgang der galvanischen Zelle – die Oxidation – findet also am Zink statt. Dabei löst sich das Zink langsam auf. Man spricht deshalb von einer *Opferanode*. Das Eisen bleibt unbeschädigt.

Korrosion und Korrosionsschutz

Versuch 1: Korrosion von Eisen

Materialien: Petrischale, Erlenmeyerkolben (250 ml), Messzylinder (100 ml), Waage;
Agar-Agar, Natriumchlorid, Kaliumhexacyanoferrat(III), Phenolphthalein-Lösung, Eisennägel, dünner Kupferdraht

Durchführung:
1. Aus ewa 2 g Agar-Agar (Gel-Bildner) und 100 ml Wasser wird unter Erhitzen eine Lösung hergestellt. Fügen Sie einen Spatel Natriumchlorid, eine Spatelspitze Kaliumhexacyanoferrat(III) und einige Tropfen Phenolphthalein-Lösung hinzu.
2. Die Lösung wird in eine Petrischale gegossen. Dann legt man folgende Gegenstände hinein:
   - einen unbehandelten Eisennagel;
   - einen Eisennagel, dessen eine Hälfte in der Flamme oxidiert wurde;
   - einen Eisennagel, der in der Mitte mit Kupferdraht umwickelt ist.

Hinweis: Eisen(II)-Ionen bilden mit Hexacyanoferrat(III)-Ionen eine blaue Verbindung (Berliner Blau).

Aufgaben:
a) Beschreiben Sie den Teilvorgang, der durch die Blaufärbung angezeigt wird, durch eine Reaktionsgleichung.
b) Die Rotfärbung von Phenolphthalein zeigt an, dass sich Hydroxid-Ionen gebildet haben. An dieser Reaktion ist der in Wasser gelöste Sauerstoff beteiligt. Geben Sie die Reaktionsgleichung für die abgelaufene Reaktion an und versuchen Sie den Gesamtvorgang zu deuten.
c) Auf einem Eisennagel scheint es edlere und unedlere Bereiche zu geben. Welcher Teil des Nagels wirkt als Minuspol, welcher als Pluspol?
d) Erläutern Sie, inwiefern beim dritten Versuch ein Lokalelement vorliegt. Welche Funktion hat der Kupferdraht?

Versuch 2: Korrosionsschutz

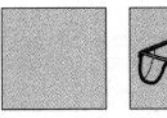

Materialien: Petrischale, Erlenmeyerkolben (250 ml);
Agar-Agar, Natriumchlorid, Kaliumhexacyanoferrat(III), Phenolphthalein-Lösung, Eisennägel, Zinkstab

Durchführung:
1. Stellen Sie wie in Versuch 1 eine Agar-Agar-Mischung her.
2. Legen Sie einen Eisennagel in die Petrischale, der leitend mit einem Zinkstab verbunden ist. Die Probe wird nach einigen Stunden betrachtet.

Aufgaben:
a) Beschreiben Sie Ihre Beobachtungen und erklären Sie diese anhand von Reaktionsgleichungen.
b) Inwiefern wird bei diesem Versuch das Prinzip des kathodischen Schutzes deutlich?

Versuch 3: Passivierung

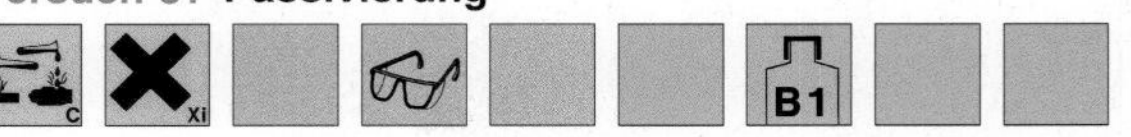

Materialien: Becherglas (250 ml), Glasstab, Schmirgelpapier;
Eisen (2 lange Nägel), Salpetersäure (konz.; C), Schwefelsäure (verd.; Xi)

Durchführung:
1. Zwei Eisennägel werden blank geschmirgelt. Einer der beiden wird in konzentrierte Salpetersäure getaucht.
2. Beide Nägel werden in ein Becherglas mit verdünnter Schwefelsäure gebracht, ohne dass sie sich berühren. Achten Sie auf Gasentwicklung.
3. Der mit Salpetersäure vorbehandelte Nagel wird herausgenommen und durch einen leichten Schlag mit dem Glasstab erschüttert. Bringen Sie ihn darauf wieder in die Schwefelsäure.

Aufgabe: Wie könnte man das unterschiedliche Verhalten der beiden Eisennägel erklären?

Aufgabe 1: Zur Fertigung von Konservendosen wird Eisenblech elektrolytisch verzinnt, dabei entsteht *Weißblech.* Wenn der Zinnüberzug beschädigt wird, setzt Korrosion ein. Sie verläuft jedoch anders als bei *verzinktem* Eisenblech. Versuchen Sie dies zu erklären.

Aufgabe 2: Die Korrosion in Rohrleitungen und Kesseln kann gemindert werden, wenn man dem Wasser Natriumsulfit (Na_2SO_3) zusetzt. Worauf könnte die korrosionshemmende Wirkung dieses *Inhibitors* zurückzuführen sein? Formulieren Sie eine Reaktionsgleichung.

Aufgabe 3: Um die Korrosion von unterirdisch verlegten Rohrleitungen zu verhindern, verlegt man Magnesiumblöcke parallel zu den Eisenrohren und verbindet sie leitend mit ihnen. Erläutern Sie diese Maßnahme.

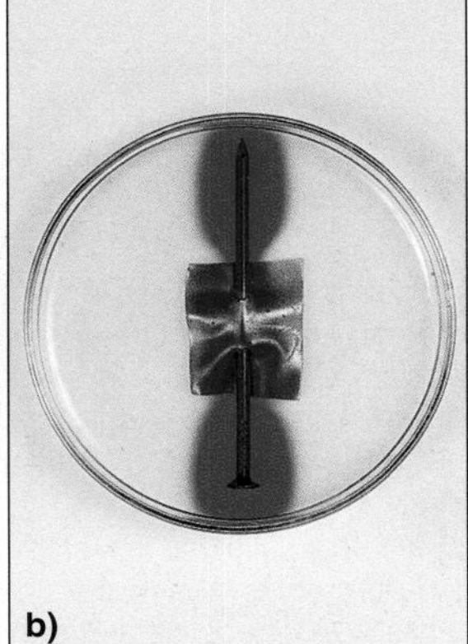

Korrosion durch Bildung von Lokalelementen.
Kupfer und Eisen **(a)**, Zink und Eisen **(b)**

9.5 Batterien

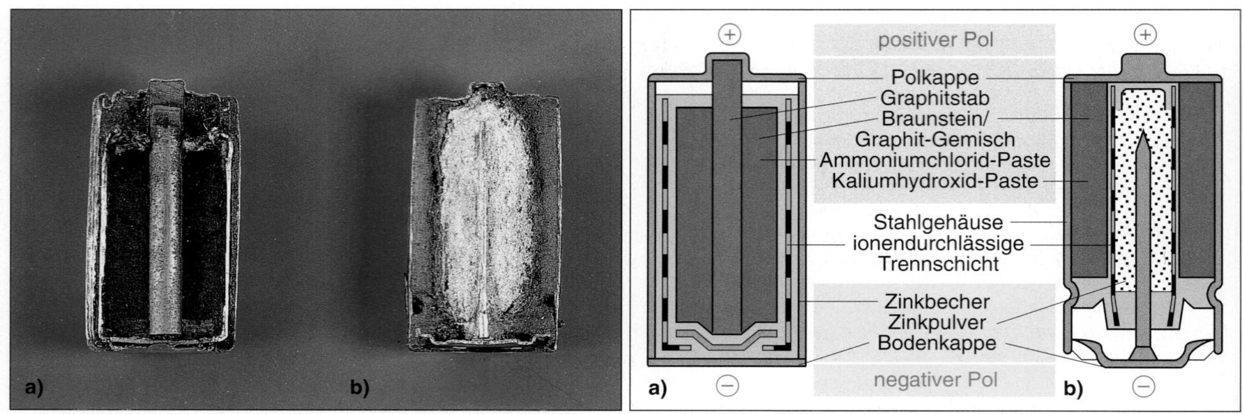

1. Batterien im Vergleich: LECLANCHÉ-Batterie (Zink/Kohle-Batterie) (a) und Alkali/Mangan-Batterie (b)

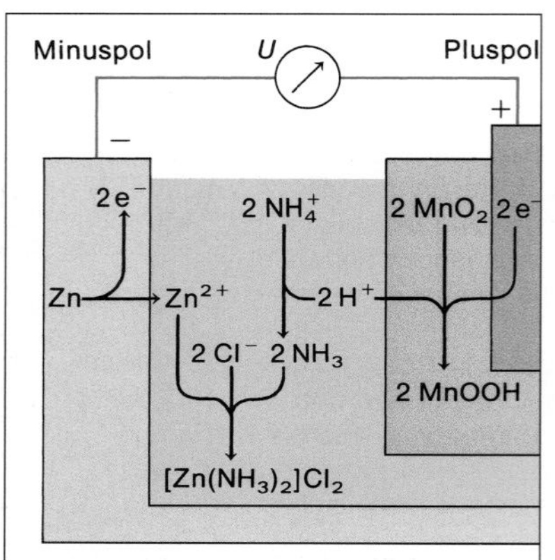

2. Reaktionen in der LECLANCHÉ-Batterie. Die Erfindung des französischen Ingenieurs LECLANCHÉ gehörte 1867 auf der Pariser Weltausstellung zu den technischen Sensationen.

Batterien sind ortsunabhängige Spannungsquellen, bei denen die zum Betrieb von Geräten benötigte elektrische Energie *elektrochemisch* erzeugt wird. Batterien sind somit spezielle galvanische Zellen. Die verschiedenen Batterietypen unterscheiden sich durch die in ihnen ablaufenden Redoxreaktionen und durch ihren Bau. Dadurch besitzen sie unterschiedliche elektrische Eigenschaften.

Um hohe Spannungen zu erreichen, muss man ein unedles Metall am Minuspol mit einem starken Oxidationsmittel am Pluspol kombinieren. Aus praktischen und ökonomischen Gründen ist die Auswahl sehr beschränkt. So eignet sich als negative Elektrode besonders gut das Metall Zink. Auch Lithium und Natrium werden verwendet. Neben der Spannung sind auch die erreichbare Stromstärke und die Kapazität einer Batterie von Bedeutung. Sie werden durch die Größe der Elektroden und die Art der Elektrolytlösung beeinflusst.

LECLANCHÉ-Batterie. Bei dieser Batterie fungiert der stahlummantelte Batteriebecher aus Zink als Minuspol. Den Pluspol bildet ein Graphitstab, der von einem Gemisch aus Graphitpulver und Braunstein umgeben ist. Als Elektrolyt dient eine 20 %ige eingedickte Ammoniumchlorid-Lösung.

Beim Betrieb der LECLANCHÉ-Batterie wird am Minuspol das Zink oxidiert, Zink-Ionen gehen in den Elektrolyten über:

$$Zn\ (s) \dashrightarrow Zn^{2+}\ (aq) + 2\ e^-$$

Die Reaktionen am Pluspol sind komplizierter. Letztlich wird Braunstein (MnO_2) reduziert. Dabei werden Hydronium-Ionen aus der schwach sauren Ammoniumchlorid-Lösung verbraucht:

$$2\ \overset{IV}{Mn}O_2\ (s) + 2\ H^+\ (aq) + 2\ e^- \dashrightarrow 2\ \overset{III}{Mn}OOH\ (s)$$

Der Elektrolyt spielt auch bei den anschließend ablaufenden *Sekundärreaktionen* eine große Rolle. Am Pluspol werden Hydronium-Ionen verbraucht und der pH-Wert steigt. Durch Gleichgewichtsverschiebung entsteht dann im Elektrolyten Ammoniak:

$$NH_4^+\ (aq) + H_2O\ (l) \rightleftharpoons NH_3\ (aq) + H_3O^+\ (aq)$$

Das Ammoniak wird von den am Minuspol entstandenen Zink-Ionen komplex gebunden.

A1 Ein Zinkstab und ein Graphitstab werden in Ammoniumchlorid-Lösung getaucht.
Welche Reaktionen laufen ab, wenn man die beiden Elektroden leitend verbindet?

A2 Warum setzt man in der LECLANCHÉ-Batterie dem Braunstein Graphitpulver zu?

A3 LECLANCHÉ benutzte zunächst statt eines Zinkbechers einen Zinkstab. Welchen Nachteil hat dies?

Die dabei gebildeten Diamminzink-Ionen reagieren mit den Chlorid-Ionen des Elektrolyten zu einem schwer löslichen Niederschlag. Das Diamminzinkchlorid setzt sich auf den Elektroden ab. Dadurch erhöht sich mit der Zeit der elektrische Widerstand der Batterie und ihre Leistung sinkt.

$$[Zn(NH_3)_2]^{2+} (aq) + 2\ Cl^- (aq) \longrightarrow [Zn(NH_3)_2]Cl_2 (s)$$

Eine frische LECLANCHÉ-Batterie zeigt in unbelastetem Zustand eine *Ruhespannung* von etwa 1,5 V. Bei belasteter Batterie misst man eine geringere Spannung, die so genannte *Arbeitsspannung*. Die elektrischen Eigenschaften der LECLANCHÉ-Batterie lassen sich mit Hilfe der NERNSTschen Gleichung erklären:

Minuspol: $U_H (Zn^{2+}/Zn) = U_H^0 (Zn^{2+}/Zn) + 0{,}0295\ V \cdot \lg c (Zn^{2+})$
$= -0{,}76\ V + 0{,}0295\ V \cdot \lg c (Zn^{2+})$

Pluspol: $U_H (MnO_2/MnOOH) = U_H^0 (MnO_2/MnOOH) + 0{,}059\ V \cdot \lg c (H^+)$
$= 1{,}014\ V - 0{,}059\ V \cdot pH$

Während des Betriebs erhöht sich die Konzentration der Zink-Ionen, gleichzeitig steigt der pH-Wert. Dadurch wird das Elektrodenpotential am Minuspol größer, am Pluspol verringert es sich. Die Batteriespannung wird also kleiner.
Nach der Belastung diffundieren die neu gebildeten Ionen von den Elektroden in den Elektrolyten und werden durch die anschließenden Sekundärreaktionen gebunden. Die Batterie erholt sich dadurch und erreicht annähernd wieder ihre Ruhespannung.

Bei fortgesetzter Stromentnahme verbrauchen sich die Elektrodenmaterialien, die Konzentration an Zink-Ionen und der pH-Wert nehmen weiter zu. Dann erreicht die Batterie ihre ursprüngliche Ruhespannung nicht mehr. Ab einer Ruhespannung von 0,75 V fließt kein ausreichender Strom zum Betrieb elektrischer Geräte. Entlädt man die Batterie noch weiter, kommt es zu einer *Tiefentladung*. Im Zinkbecher können dann Risse entstehen und die feuchte Elektrolytmasse kann auslaufen. Entladene Batterien lassen sich nicht wieder aufladen, da die Sekundärreaktionen nicht umkehrbar sind.

LECLANCHÉ-Batterien lassen sich nicht beliebig lange ohne Qualitätsminderung lagern. Schon durch geringen Wasserverlust wird die Elektrolytpaste zäh und Salze kristallisieren aus. Verunreinigungen des Zinks durch Spuren von Eisen und Kupfer führen zur Ausbildung von Lokalelementen und wirken korrodierend, sodass schon während der Lagerung Zink-Ionen in Lösung gehen.

Alkali/Mangan-Batterie. Eine Weiterentwicklung der LECLANCHÉ-Batterie ist die Alkali/Mangan-Batterie. Der Batteriebecher besteht aus Stahl, der an den elektrochemischen Reaktionen nicht teilnimmt. Somit ist die Batterie nahezu auslaufsicher. Als Minuspol dient eine Paste aus Zinkpulver. Durch die im Vergleich zur LECLANCHÉ-Batterie größere Zinkoberfläche kann pro Zeiteinheit mehr Zink oxidiert werden. So können über längere Zeit höhere Entladungsströme fließen, ohne dass die Spannung zu weit absinkt. Als Elektrolyt wird Kaliumhydroxid-Lösung verwendet. Die Zink-Ionen bilden mit den Hydroxid-Ionen kein schwer lösliches Zinkhydroxid, sondern reagieren zu löslichen Hydroxozinkat-Ionen ($[Zn(OH)_4]^{2-}$). Dadurch bleibt die Konzentration der Zink-Ionen im Elektrolyten klein und auf den Elektrodenflächen können sich keine Niederschläge absetzen. Da die Kaliumhydroxid-Lösung erst bei −60 °C vollständig erstarrt, ist die Alkali/Mangan-Batterie auch bei tiefen Temperaturen einsetzbar.

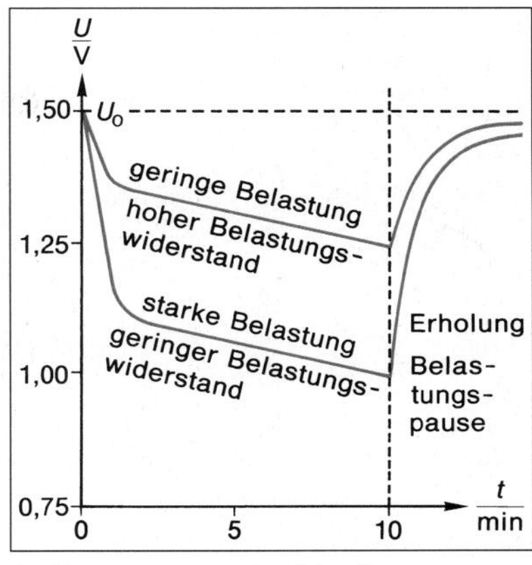

1. Spannungsverlauf in der LECLANCHÉ-Batterie

ϑ / °C	U_{Ruhe} / V	$U_{Arbeit*}$ / V	$I_{Kurzschluß}$ / A	$t_{Entladung*}$ / h
30	1,57	1,49	6,5	17
20	1,56	1,48	6,0	14
10	1,55	1,47	5,5	11
0	1,54	1,46	5,0	8
− 10	1,53	1,41	4,5	6
− 20	1,53	1,30	3,0	4
− 30	1,53	1,00	1,0	1

* Belastungswiderstand 8 Ω

2. Temperaturverhalten der LECLANCHÉ-Batterie

A1 **a)** Beschreiben Sie die Unterschiede zwischen dem Bau der LECLANCHÉ-Batterie und der Alkali/Mangan-Batterie.
b) Welche Funktion hat das Stahlgehäuse bei beiden Batterietypen?
c) Erklären Sie das unterschiedliche elektrische Verhalten dieser beiden Batterietypen.

A2 **a)** Erklären Sie den Einfluss der Temperatur auf die Arbeitsspannung der LECLANCHÉ-Batterie.
b) Wieso wirken sich bei der Ruhespannung tiefere Temperaturen nicht so stark aus?

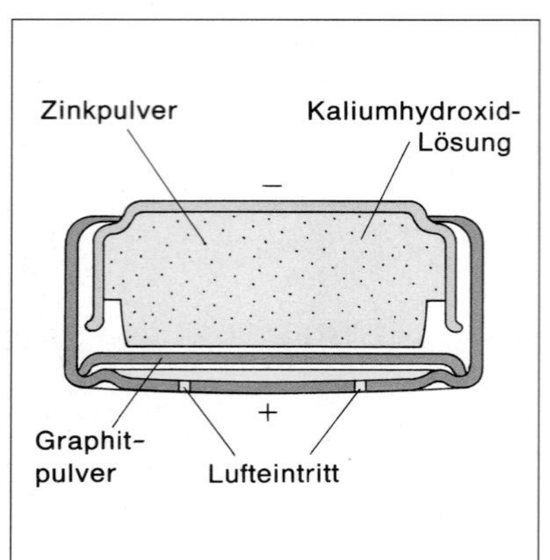

1. Aufbau einer Zink/Luft-Knopfzelle

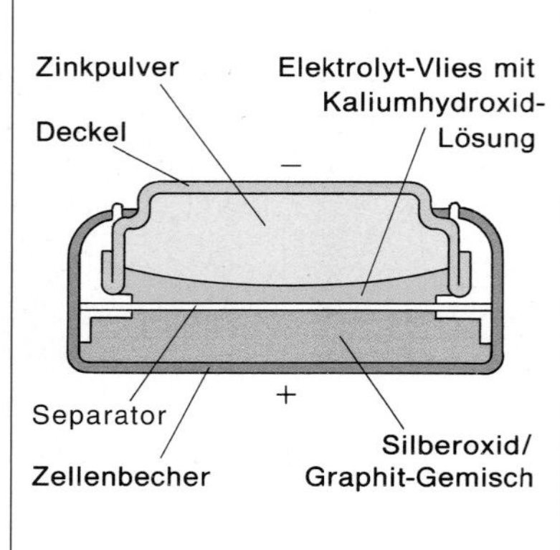

2. Aufbau einer Silberoxid-Knopfzelle

3. Herzschrittmacher mit Lithium-Batterie

Zink/Luft-Batterie. Anstelle des Braunsteins lässt sich auch der Luftsauerstoff als Oxidationsmittel nutzen. In der Zink-Luft-Batterie bildet Zink den Minuspol und ein Graphitstab den Pluspol. Die Graphit-Elektrode taucht nur teilweise in die als Elektrolyt verwendete Kaliumhydroxid-Lösung. Der andere Teil steht mit Luftsauerstoff in Verbindung, der von der Elektrode adsorbiert wird. Unter der katalytischen Wirkung des Elektrodenmaterials wird der Sauerstoff zu Hydroxid-Ionen reduziert, gleichzeitig wird das Zink oxidiert. Die Zink-Ionen reagieren mit den Hydroxid-Ionen weiter zu Hydroxozinkat-Ionen ($[Zn(OH)_4]^{2-}$).

Minuspol: $2\ Zn\ (s) \dashrightarrow 2\ Zn^{2+}\ (aq) + 4\ e^-$

Pluspol: $O_2\ (g) + 2\ H_2O\ (l) + 4\ e^- \dashrightarrow 4\ OH^-\ (aq)$

Die Zink/Luft-Batterie wird als Großbatterie für Langzeitanwendungen eingesetzt, so für Weidezaungeräte und Baustellenbeleuchtungen. Als Knopfzelle findet sie in Hörgeräten Verwendung.

Silberoxid-Batterie. Vorteilhaft für die elektrischen Eigenschaften ist die Verwendung von Silberoxid als Oxidationsmittel am Pluspol. Als Reduktionsmittel wird ebenfalls Zink eingesetzt. Kaliumhydroxid-Lösung dient als Elektrolyt. In der Silberoxid-Batterie laufen folgende Reaktionen ab:

Minuspol: $Zn\ (s) \dashrightarrow Zn^{2+}\ (aq) + 2\ e^-$

Pluspol: $Ag_2O\ (s) + 2\ e^- + H_2O\ (l) \dashrightarrow 2\ Ag\ (s) + 2\ OH^-\ (aq)$

Silberoxid-Batterien haben den großen Vorteil, dass die Spannung von 1,5 V während ihrer gesamten Betriebszeit praktisch konstant bleibt. Sie werden meist als Knopfzellen gefertigt. Nach Gebrauch werden diese Batterien vom Handel zurückgenommen und wirtschaftlich lohnend wieder verarbeitet. Früher waren gleichartig aufgebaute *Quecksilberoxid-Batterien* weit verbreitet.

Lithium-Batterien. Aufgrund seiner Stellung in der Spannungsreihe und wegen seiner geringen Dichte ist Lithium hervorragend als Elektrodenmaterial für den Minuspol in Batterien geeignet. Lithium reagiert jedoch lebhaft mit Wasser, sodass in der Batterie nur nichtwässerige Elektrolyte eingesetzt werden können. Für den Pluspol werden in Lithium-Batterien unterschiedliche Oxidationsmittel verwendet. Eine Elektrode aus Edelstahl steht in Kontakt mit Chromoxid (CrO_x), Braunstein (MnO_2), Thionylchlorid ($SOCl_2$) oder Bismutoxid (Bi_2O_3). Dabei ergeben sich je nach Oxidationsmittel unterschiedliche Batteriespannungen.

Als Beispiel soll hier das System Li/MnO_2 dargestellt werden. Bei der Zellreaktion wird Lithium zu Lithium-Ionen oxidiert und Mangandioxid wird reduziert. Praktisch wird bei diesem Vorgang Lithium in dass Mangandioxid-Gitter eingelagert:

Minuspol: $Li\ (s) \longrightarrow Li^+ + e^-$

Pluspol: $Li^+ + e^- + \overset{IV}{Mn}O_2\ (s) \longrightarrow Li\overset{III}{Mn}O_2\ (s)$

Als Elektrolyt wird in dieser Lithium-Batterie eine Lösung von Lithiumperchlorat ($LiClO_4$) in einem polaren organischen Lösungsmittel (Propylencarbonat oder Dimethoxyethan) eingesetzt. Der Wassergehalt im Elektrolyten darf nicht mehr als 50 ppm betragen.
Lithium-Batterien zeichnen sich durch eine geringe Selbstentladung und somit lange Lagerfähigkeit aus. Bei geringen Entladeströmen eignen sie sich für Langzeitanwendungen von bis zu zehn Jahren. So werden sie in EDV-Anlagen in die Platinen von Datenspeichern eingelötet. Lithium-Batterien sind bei Temperaturen bis zu −40 °C einsetzbar.

9.6 Akkumulatoren

Batterien haben den Nachteil, dass sie nach Gebrauch nicht wieder regeneriert werden können. Bei *Akkumulatoren* dagegen lassen sich die für die Stromerzeugung genutzten Reaktionen wieder rückgängig machen. Wichtige Beipiele sind der Blei-Akkumulator, der Nickel/Cadmium-Akkumulator sowie der Nickel/Metallhydrid(Ni-MH)-Akkumulator.

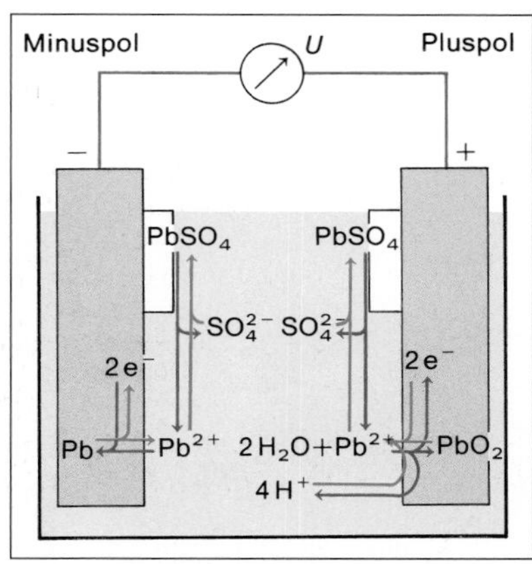

1. Laden und Entladen eines Blei-Akkumulators

Blei-Akkumulator. In geladenem Zustand besteht jede Zelle des Blei-Akkumulators aus einer Blei-Elektrode und einer Bleidioxid-Elektrode, die in Schwefelsäure (20 %) als Elektrolyt eintauchen. Jede einzelne Zelle besitzt eine Spannung von etwa 2 V. Bei Stromentnahme laufen an den Elektroden folgende Reaktionen ab:

Minuspol: $Pb\ (s) \dashrightarrow Pb^{2+}\ (aq) + 2\ e^-$

Pluspol: $PbO_2\ (s) + 4\ H^+\ (aq) + 2\ e^- \dashrightarrow Pb^{2+}\ (aq) + 2\ H_2O\ (l)$

Die an beiden Polen entstehenden Blei(II)-Ionen bilden mit den Sulfat-Ionen des Elektrolyten einen schwer löslichen Niederschlag von Bleisulfat, der sich auf den Elektroden absetzt. Außerdem entsteht bei der Stromerzeugung Wasser. Die Reaktion lässt sich umkehren, der entladene Blei-Akku kann also wieder aufgeladen werden.

$$Pb\ (s) + PbO_2\ (s) + 2\ H_2SO_4\ (aq) \underset{\text{Laden}}{\overset{\text{Entladen}}{\rightleftarrows}} 2\ PbSO_4\ (s) + 2\ H_2O\ (l)$$

Die Umkehrreaktion wird erzwungen, indem man durch Anlegen einer Spannung an die Elektroden die Stromrichtung umkehrt.
Bei diesem Ladevorgang könnte man erwarten, dass der Blei-Akku als Elektrolysezelle arbeitet und die schwefelsaure Lösung unter Bildung von Wasserstoff und Sauerstoff elektrolysiert wird. Die Entwickung von Wasserstoff an einer Blei-Elektrode und die Abscheidung von Sauerstoff an einer Bleidioxid-Elektrode sind jedoch aufgrund von Überspannungen stark behindert, sodass bevorzugt die Blei(II)-Ionen an den Elektroden reagieren. So wird das Laden des Blei-Akkumulators überhaupt erst möglich.

Solange noch festes Bleisulfat vorhanden ist, bleibt aufgrund des Löslichkeitsgleichgewichts die Konzentration an Blei(II)-Ionen während des Ladevorgangs nahezu konstant. Gegen Ende der Aufladung aber nimmt dann die Konzentration an Blei(II)-Ionen schlagartig ab und es kommt schließlich zur Entwicklung von Wasserstoff und Sauerstoff. Dann läuft die Elektrolyse des Wassers ab, der *Akku gast.*

A1 Der Ladezustand eines Blei-Akkumulators lässt sich einschätzen, indem man die Dichte der Schwefelsäure bestimmt (z. B. mit einem Aräometer). Erklären Sie, wieso das möglich ist.

A2 Ein Blei-Akku mit einer Kapazität von 46 Ah wird vollständig entladen. Welche Stoffmengen werden an den Elektroden umgesetzt?

A3 Fassen Sie die Vor- und Nachteile der verschiedenen Akkumulatoren anhand der Angaben in der Tabelle zusammen.

Nickel/Cadmium-Akkumulator. Im geladenen Zustand bestehen die Elektroden dieses Akkumulators aus Platten, die am Minuspol mit fein verteiltem Cadmium und am Pluspol mit Nickel(III)-oxidhydroxid beladen sind. Als Elektrolyt wird Kaliumhydroxid-Lösung (20 %) verwendet. Der Nickel/Cadmium-Akkumulator liefert eine Spannung von 1,3 V. Beim Entladen laufen folgende Reaktionen ab:

Minuspol: $Cd\ (s) + 2\ OH^-\ (aq) \dashrightarrow Cd(OH)_2\ (s) + 2\ e^-$

Pluspol: $2\ NiOOH\ (s) + 2\ H_2O\ (l) + 2\ e^- \dashrightarrow 2\ Ni(OH)_2\ (s) + 2\ OH^-\ (aq)$

Durch Anlegen einer genügend großen Spannung werden die Elektrodenreaktionen umgekehrt:

$$Cd\ (s) + 2\ NiOOH\ (s) + 2\ H_2O\ (l) \underset{\text{Laden}}{\overset{\text{Entladen}}{\rightleftarrows}} Cd(OH)_2\ (s) + 2\ Ni(OH)_2\ (s)$$

Der Nickel/Cadmium-Akku besteht zu 20 % aus giftigem Cadmium. Verbrauchte Akkus müssen daher gesondert gesammelt und dem Recycling zugeführt werden.

	Blei-Akku	Ni/Cd-Akku	Ni/MH-Akku
Energiedichte (volumenbezogen)	−	−	++
Zyklenverhalten	−	++	++
Selbstentladung	+	+	+
Schnellladefähigkeit	−	++	+
Spannungsstabilität beim Entladen	−	++	++
Hochstrom-belastbarkeit	−	++	+
Zuverlässigkeit	++	+	+
Kosten	++	+	−
Umweltverträglichkeit	−	−−	++

2. Vergleich von Akkumulatoren

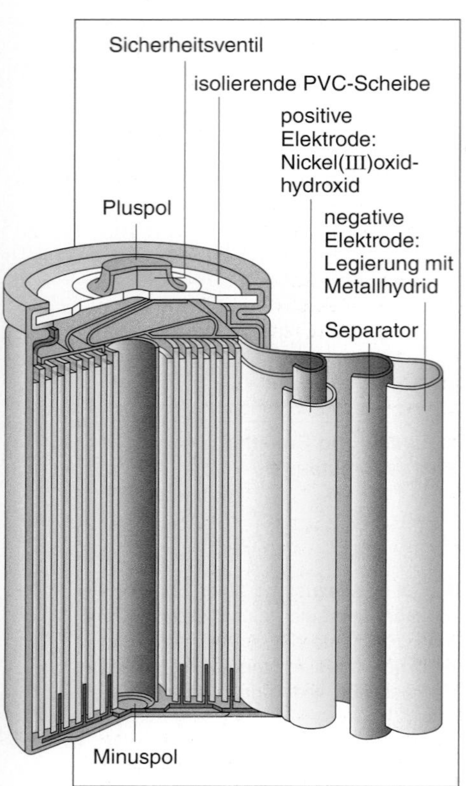

1. Aufbau einer Nickel/Metallhydrid-Rundzelle

Nickel/Metallhydrid-Akku. Für die meisten Anwendungen kann der Nickel/Cadmium-Akku durch den Nickel/Metallhydrid-Akku ersetzt werden. Der wesentliche Unterschied zwischen beiden Akkumulatoren liegt im Aufbau der negativen Elektrode: Statt Cadmium verwendet man eine Metall-Legierung, die bei Zimmertemperatur reversibel Wasserstoff speichern kann. Beim Betrieb der Zelle wird der Wasserstoff oxidiert.

Als Wasserstoffspeicher werden sehr spezielle Legierungen verwendet, z. B. $La_{0,8}Nd_{0,2}Ni_{2,5}Co_{2,4}Si_{0,1}$. Auch Legierungen mit Chrom, Molybdän, Wolfram, Nickel und Cobalt sind im Einsatz. Von den Metall-Legierungen wird der Wasserstoff absorbiert und als Metallhydrid gespeichert. Entscheidend für den Betrieb der Zelle sind eine schnelle Aufnahme und Abgabe von Wasserstoff und eine große Aufnahmekapazität für Wasserstoff.

Der Pluspol besteht aus einer Elektrode, die mit Nickel(III)-oxidhydroxid beschichtet ist. Als Elektrolyt wird Kaliumhydroxid-Lösung verwendet. Die Spannung eines Nickel/Metallhydrid-Akkus beträgt 1,2 V. In der Zelle laufen die folgenden Reaktionen ab:

Minuspol: $\text{Metall-H}_2\text{ (s)} + 2\ OH^-\text{ (aq)} \dashrightarrow \text{Metall} + 2\ H_2O\text{ (l)} + 2\ e^-$

Pluspol: $2\ NiOOH\text{ (s)} + 2\ H_2O\text{ (l)} + 2\ e^- \dashrightarrow 2\ Ni(OH)_2\text{ (s)} + 2\ OH^-\text{ (aq)}$

Zellreaktion: $\text{Metall-H}_2\text{ (s)} + 2\ NiOOH\text{ (s)} \longrightarrow \text{Metall} + 2\ Ni(OH)_2\text{ (s)}$

Durch Anlegen einer genügend großen Spannung lässt sich die Zellreaktion umkehren: Der Akku wird wieder aufgeladen.

Um zu verhindern, dass gegen Ende der Entladung anstelle von Wasserstoff Metalle aus dem Wasserstoffspeicher oxidiert werden, wird die negative Elektrode gegenüber der positiven Elektrode überdimensioniert. Die Größe der positiven Elektrode bestimmt somit die nutzbare Ladungskapazität der Zelle.

PRAKTIKUM

Batterien

Versuch 1: Zink/Kohle-Batterie

    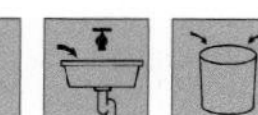  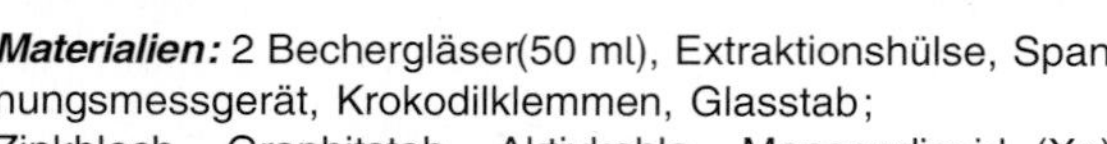

Materialien: 2 Bechergläser(50 ml), Extraktionshülse, Spannungsmessgerät, Krokodilklemmen, Glasstab;
Zinkblech, Graphitstab, Aktivkohle, Mangandioxid (Xn), Ammoniumchlorid-Lösung (20 %)

Durchführung:

1. In einem Becherglas werden Aktivkohle und Mangandioxid etwa im Verhältnis 1 : 6 gut vermengt und mit Ammoniumchlorid-Lösung zu einer Paste angerührt.
2. Füllen Sie die Paste in eine Extraktionshülse und stecken Sie einen Graphitstab hinein.
3. Stellen Sie das rund gebogene Zinkblech zusammen mit der Extraktionshülse in ein Becherglas und füllen Sie mit Ammoniumchlorid-Lösung auf.
4. Messen Sie die Spannung.

Aufgabe: Formulieren Sie die Reaktionsgleichungen für die in der Zelle ablaufenden Vorgänge.

Versuch 2: Blei-Akkumulator

Materialien: Becherglas (100 ml), Gleichspannungsquelle, Spannungsmessgerät, Strommessgerät, Krokodilklemmen;
2 Bleibleche (T), Schwefelsäure (20 %; C)

Durchführung:

1. Stellen Sie die Bleibleche in das Becherglas. Füllen Sie Schwefelsäure ein, sodass die Bleibleche gut zur Hälfte in die Säure eintauchen.
2. Verbinden Sie die Bleibleche mit der Gleichspannungsquelle. Legen Sie eine Spannung von etwa 10 V an und elektrolysieren Sie 5 min bis 10 min bei einer Stromstärke von 0,5 A bis 1 A. Dieser Vorgang kann jeweils nach Umpolen mehrmals wiederholt werden.
3. Messen Sie die Spannung und schließen Sie einen kleinen Gleichspannungsmotor (2 V) an.

Aufgabe: Erklären Sie die ablaufenden Vorgänge und formulieren Sie jeweils die Reaktionsgleichungen.

Die Autobatterie

Jährlich werden weltweit etwa 265 Millionen Blei-Akkumulatoren verkauft, von denen der größte Teil als Starterbatterie für Motoren Verwendung findet.

Aufbau und Herstellung. Damit die „Batterie" beim Startvorgang kurzzeitig einen sehr hohen Strom liefern kann, müssen die Elektrodenflächen möglichst groß sein. Daher baut man viele dünne Elektrodenplatten ein. Die Platten bestehen aus einem Trägergitter und dem elektrochemisch aktiven Material. Da reines Blei weich und leicht verformbar ist, verwendete man für die Gitter lange Zeit *Hartblei*, eine Legierung aus Blei und 4 % bis 10 % Antimon. Der Antimonzusatz verbessert zwar die Festigkeit der Gitter und die Eigenschaften der Schmelze beim Gießen, er bringt aber Nachteile für das elektrochemische Verhalten des Akkus beim Betrieb. Man verwendet daher heute für die Gitter antimonarme Blei-Legierungen (bis 1,7 % Antimon) mit Zusätzen von Arsen (0,1 %), Kupfer (0,03 %), Zinn (0,01 %) und Selen (0,02 %).

Zur Herstellung des aktiven Materials geht man ausschließlich von reinem Blei *(Weichblei)* aus. Geschmolzenes Blei wird in feinen Tröpfchen an der Luft so weit oxidiert, bis ein Gemisch von etwa gleichen Anteilen Blei und Bleioxid entstanden ist. Dann wird das Material zu Pasten angerührt. Um an den negativen Platten eine feinste Verteilung des Bleis mit einer großen Oberfläche zu erhalten, werden der Paste Bariumsulfat, Ruß und Lignin als Spreizmittel zugesetzt. Die Paste für die positiven Platten erhält normalerweise keine Zusätze. Die Pasten werden in die Gitter gestrichen und anschließend getrocknet. Dann werden die Platten für den Minuspol und den Pluspol elektrochemisch hergestellt: Bleioxid wird zu Blei reduziert bzw. Bleioxid und Blei werden zu Bleidioxid oxidiert.

Die Platten einer Akkuzelle werden zu negativen und positiven Plattensätzen verschweißt. Für die Strom führenden Teile und die Pole verwendet man so genanntes *Schweißblei*, das ist Hartblei mit 3 % bis 6 % Antimon. Um die übliche Spannung von 12 V zu erreichen, schaltet man sechs Akkuzellen hintereinander. Die Schwefelsäure wird erst kurz vor Gebrauch eingefüllt, denn mit diesem Zeitpunkt setzt auch die Alterung der Batterie ein.

Alterung. Obwohl der Blei-Akumulator nach dem Start von der Lichtmaschie wieder geladen wird, besitzt er nur eine begrenzte Lebensdauer. Dafür sind Veränderungen an den Platten verantwortlich.
An den negativen Platten kann das feinkörnige Blei *(Schwammblei)* rekristallisieren, es wird kompakter und verliert seine große aktive Oberfläche. Mit der Zeit kann auch das beim Entladen entstandene Bleisulfat auf den Platten größere Kristalle bilden, die beim Laden nicht mehr vollständig gelöst werden.
An den positiven Platten kann beim Laden und Entladen ein Teil des porös aufgetragenen Bleidioxids die Haftung an das Gitter verlieren und abschlammen. Wird der Akku längere Zeit nicht voll geladen oder wird er tiefentladen, kommt es zu Korrosionsvorgängen an den Gittern der positiven Platten. Teile des Gitters, und damit auch Bleidioxid, platzen ab. All diese Vorgänge führen dazu, dass die Leistung und die Kapazität des Blei-Akkumulators während des Betriebs zunehmend geringer werden.

Moderne Batterien sind *wartungsfrei*: Antimonarme Blei/Calcium-Legierungen für die Gitter verhindern das Gasen beim Laden. Somit braucht kein elektrolytisch zersetztes Wasser mehr nachgefüllt zu werden.

Bei **tiefen Temperaturen** kann es vorkommen, dass die Leistung der Batterie nicht mehr ausreicht, um einen Motor zu starten. Wegen des bei tiefen Temperaturen zähflüssigen Motoröls wird eine höhere Starterleistung benötigt. Durch die geringere Ionenbeweglichkeit und die Verlangsamung der Reaktionen nimmt aber der Innenwiderstand der Batterie zu. So sinkt bei fallenden Temperaturen die Arbeitsspannung der Batterie und die entnehmbare Strommenge. Eine Faustregel besagt, dass man ausgehend von 27 °C pro Grad Temperaturerniedrigung mit einer Kapazitätsminderung von etwa 1,3 % rechnen muss.

Über 90 % der ausgedienten Blei-Akkus werden wieder aufgearbeitet. Aus den Platten wird Hartblei zurückgewonnen. Die Kunststoffbehälter verarbeitet man zu einem Granulat, aus dem sich neue Gegenstände fertigen lassen.

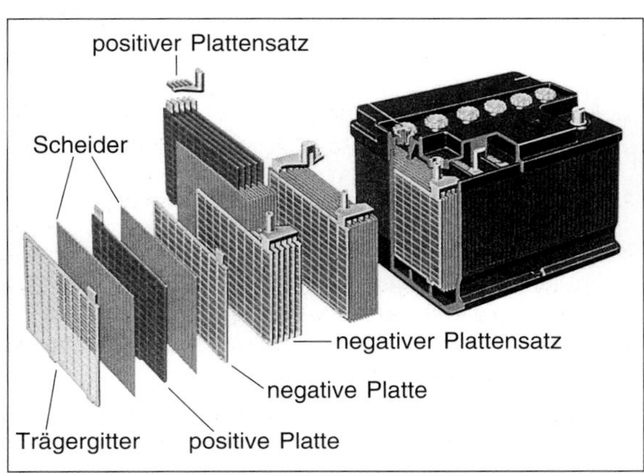

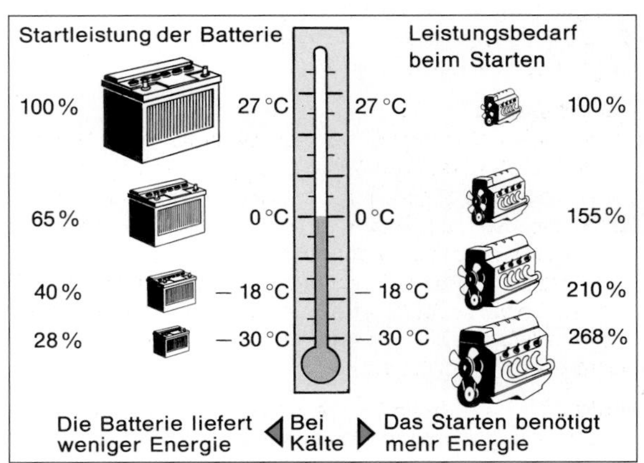

9.7 Brennstoffzellen

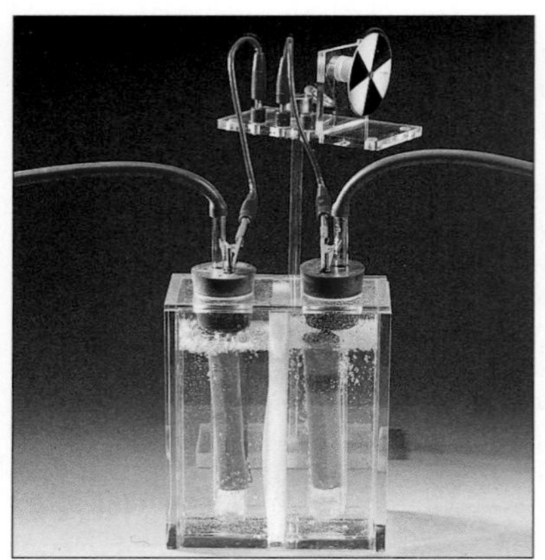

1. Wasserstoff/Sauerstoff-Brennstoffzelle. Zwei Nickel-Drahtnetze tauchen in Kalilauge. Sie werden von Wasserstoff bzw. Sauerstoff umspült. Die Halbzellen sind durch eine poröse Wand getrennt.

A1 Im New Yorker Brennstoffzellen-Kraftwerk verwendet man Phosphorsäure als Elektrolyt.
Welche Elektrodenreaktionen laufen in saurer Lösung am Minuspol und am Pluspol ab?

A2 Anstelle von Wasserstoff erprobt man in Brennstoffzellen auch andere Chemikalien. *Hydrazin* (N_2H_4 (l)) wird in der Raumfahrt eingesetzt. Es gehört zu den Krebs erzeugenden Arbeitsstoffen, bildet bei der Verbrennung aber Stoffe, die die Umwelt nicht belasten.
Geben Sie die Reaktionsgleichung für die Zellreaktion einer Hydrazin/Sauerstoff-Brennstoffzelle an.

2. Mondauto

In Wärmekraftwerken werden fossile Energieträger wie Kohle oder Öl verbrannt. Mit der frei werdenden Energie wird Wasserdampf erzeugt, der bei einem Druck von 20 MPa (200 bar) gegen das Laufrad einer Turbine strömt und diese in Rotation versetzt. Turbinen treiben dann Generatoren zur Stromerzeugung an. Bei dieser Umwandlung der Verbrennungswärme des Heizmaterials in elektrische Energie geht jedoch ein großer Teil der Energie als Abwärme verloren. Der *Wirkungsgrad*, also das Verhältnis von gewonnener zu aufgewendeter Energie, beträgt in Wärmekraftwerken nur etwa 40 %.

In galvanischen Zellen wird die bei einer Redoxreaktion frei werdende Energie direkt in elektrische Energie umgewandelt. Auch Verbrennungsreaktionen sind Redoxreaktionen. Sie lassen sich daher in galvanischen Zellen zur Stromerzeugung einsetzen. Man muss nur dafür sorgen, dass die Brennstoffe kontinuierlich nachgeführt werden, sodass über längere Zeit elektrische Energie erzeugt werden kann. Solche Zellen heißen *Brennstoffzellen*. Ihr Wirkungsgrad kann mehr als 80 % erreichen.

Knallgaszelle. In einer Wasserstoff/Sauerstoff-Brennstoffzelle wird die stark exotherm verlaufende Oxidation von Wasserstoff zur Stromerzeugung genutzt. Allerdings reagieren Wasserstoff und Sauerstoff nicht direkt miteinander. Durch die räumliche Trennung der beiden Reaktionspartner wird der größte Teil der chemischen Energie in elektrische Energie umgewandelt. In einer Zelle mit Kalilauge als Elektrolyten laufen an den Elektroden die folgenden Reaktionen ab.

Minuspol: $2\,H_2\,(g) + 4\,OH^-\,(aq) \dashrightarrow 4\,H_2O\,(l) + 4\,e^-$; $U_H = -0{,}87\,V$

Pluspol: $O_2\,(g) + 2\,H_2O\,(l) + 4\,e^- \dashrightarrow 4\,OH^-\,(aq)$; $U_H = 0{,}36\,V$

Gesamtreaktion: $2\,H_2\,(g) + O_2\,(g) \longrightarrow 2\,H_2O\,(l)$; $U = 1{,}23\,V$

Möglichkeiten und Probleme. In der Raumfahrt haben sich Brennstoffzellen seit Jahrzehnten bewährt. So wurden schon die Apollo-Raumfahrzeuge in den 1960er Jahren mit Strom aus Wasserstoff/Sauerstoff-Brennstoffzellen versorgt. Die beiden Gase wurden in flüssiger Form in Tanks mitgeführt. Das Endprodukt der Reaktion diente als Trinkwasser. Das Gesamtgewicht des Stromversorgungssystems betrug etwa 800 kg. Hätte man Batterien verwendet, so wäre das Gewicht des Aggregats etwa zehnmal so hoch gewesen. Ein Mondflug hätte nicht durchgeführt werden können.

Brennstoffzellen können vielseitig eingesetzt werden. Man erprobt sie zur Zeit in Autos, Booten und Gabelstaplern. Sie werden im militärischen Bereich als mobile Stromquellen verwendet und stehen auch als Notstromaggregate zur Verfügung.
Weltweit sind derzeit auch etwa 300 stationäre Anlagen in Betrieb. Die größte mit einer Leistung von elf Megawatt befindet sich in Tokio. Der notwendige Wasserstoff wird durch Umsetzung von Erdgas und Kohle mit Wasserdampf hergestellt.

Im Gegensatz zu Akkumulatoren benötigen Brennstoffzellen keine Ladezeiten, sie können kontinuierlich betrieben werden. Sie laufen geräuschlos und sind umweltfreundlich. Allerdings sind die Kosten für die Stromerzeugung heute noch weit höher als bei den herkömmlichen Konkurrenten. Das liegt am hohen Preis für Wasserstoff. Zur Zeit werden jedoch Brennstoffzellen erprobt, die billige Brenngase wie Erdgas oder das ebenfalls methanhaltige Gas aus Mülldeponien direkt verwerten. Es handelt sich dabei um stationäre Anlagen, die bei etwa 650 °C mit einem Elektrolyten aus geschmolzenen Alkalicarbonaten arbeiten.

EXKURS

Elektroautos – Autos der Zukunft?

Mit dem schnell wachsenden Verkehr auf unseren Straßen werden auch die durch das Auto verursachten Probleme immer größer. Bei der Verbrennung des Treibstoffs entstehen giftige Abgase, deren Anteil durch aufwendige Katalysatortechnik verringert werden muss. Außerdem sind die wertvollen Rohstoffe, aus denen Treibstoffe hergestellt werden, nicht unerschöpflich. Wie sollte das Auto der Zukunft aussehen?

Eine Lösung könnte das Elektroauto sein. Im Gegensatz zu herkömmlichen Autos mit Verbrennungsmotoren wird es durch einen Elektromotor betrieben. Die Energie für den Motor liefert ein *Akkumulator*. Damit braucht ein Elektroauto keine Treibstoffe, die aus Erdöl hergestellt werden. Es erzeugt keine Abgase und ist daher umweltfreundlich. Allerdings sind die Akkumulatoren noch sehr schwer. Mit frisch aufgeladenen Akkumulatoren kann man heute nur etwa 100 Kilometer weit fahren. Der Ladevorgang dauert mehrere Stunden.

Mit dem *Hybrid-Antrieb* ist ein Kompromiss möglich: In der Stadt wird das Fahrzeug durch einen Elektromotor angetrieben. Bei Fahrten über Land läuft ein Verbrennungsmotor, der das Auto direkt antreibt oder aber einen Generator zum Laden der Batterien in Gang setzt.

Auch *Brennstoffzellen* können Energie für Elektroautos bereitstellen. Daimler-Benz entwickelt seit einigen Jahren **N**ew **E**lectrical **Car**s: NECAR II ist eine Großraumlimousine für sechs Personen mit einer Höchstgeschwindigkeit von 110 km/h und einer Reichweite von mehr als 250 Kilometern. Zwei Hochleistungspakete mit je 150 Brennstoffzellen sind im Heck des Autos untergebracht, der Wasserstoff-Drucktank befindet sich in einer Dachbox. Die Versorgung mit Wasserstoff ist jedoch noch problematisch. Deshalb will man künftige Pkws zunächst mit Methanol betanken, das dann im Fahrzeug in Wasserstoff umgewandelt wird.

Das Auto der Zukunft. Bereits 1899 gab es ein Elektro-Rennauto, das eine Spitzengeschwindigkeit von 100 km/h erreichte. 100 Jahre Technik und immer noch kein Durchbruch – woran liegt das?

Nicht nur die heute noch hohen Anschaffungskosten und die geringeren Fahrleistungen schrecken ab. Kritisiert wird auch die begrenzte Reichweite des Elektroautos. Mit einem gut ausgebauten Netz von Batterie-Tankstellen ließe sich dieser Nachteil verringern, wenn da nicht die lange Ladedauer für die Batterien wäre.
Auch das Prädikat *umweltfreundlich* muss näher betrachtet werden: Am Einsatzort läuft das Elektroauto zwar emissionsfrei; solange der Strom zum Laden der Batterien jedoch in Kraftwerken durch Verbrennung von fossilen Brennstoffen erzeugt wird, entstehen umweltbelastende Stoffe an anderer Stelle. Strom aus regenerativen Energiequellen ist heute noch sehr teuer, aber sicher lässt sich sein Anteil an der gesamten Stromerzeugung erhöhen. Ein alltagstaugliches, netzunabhängiges Solarauto, das ausschließlich mit Sonnenenergie läuft, wird jedoch ein Wunschtraum bleiben.

Das Elektroauto lässt sich sinnvoll im öffentlichen Nahverkehr sowie im gewerblichen Bereich einsetzen. Hier kann man auf hohe Fahrleistungen verzichten, ein Netz von Ladestationen sorgt für Beweglichkeit, die Ladedauer bleibt ohne Folgen. Für jedes technologische Konzept müssen aber die Einzelkomponenten umsichtig aufeinander abgestimmt werden. Diesen Zweck verfolgt ein mehrjähriger Großversuch der Deutschen Post mit Elektroautos, die durch Zink/Luft-Batterien angetrieben werden.
Für viele Menschen bedeutet das herkömmliche eigene Auto mit Verbrennungsmotor jedoch ein Stück Freiheit. Die Industrie muss deshalb – neben der Erprobung alternativer Kraftstoffe – auch die Entwicklung zum Drei-Liter-Auto weiter betreiben, wenn die Umwelt entlastet werden soll.

Der Absatzmarkt

Gasförmig per Pipeline oder in Flüssigkeitstankern kommt Wasserstoff nach Europa und wird in das ehemalige Erdgasnetz eingespeist. Nun lassen sich viele Anwendungen denken. Fünf wichtige sind dargestellt: In althergebrachten Heizkesseln (A) und neuartigen katalytischen Brennern sorgt Wasserstoff für Wärme. Als „Abfallprodukt“ fällt praktisch nur Wasser an. Auch der Straßenverkehr könnte eine neue Entwicklung nehmen (B). Schon heute experimentieren Autofirmen wie BMW oder Daimler-Benz mit wasserstoffgetriebenen Pkws. Blockheizkraftwerke, die nicht nur Strom erzeugen, sondern auch ihre Abwärme als Nutzenergie weitergeben, sind ein dritter Einsatzbereich (C). Hier gibt es zwei Möglichkeiten: Wasserstoff wird in einem Gasmotor verbrannt und treibt einen Generator. Oder: In einer Brennstoffzelle (C 1) verbrennt Wasserstoff mit Sauerstoff zu Wasser und gibt Strom ab. Auch die Wasserstoff als Rohmaterial und Energieträger einsetzende Industrie (D) kann aus diesem Verbund Profit ziehen.

Das Produktionszentrum

Will man mit der Technik der nahen Zukunft in der Sahara 40 % des bundesdeutschen Energie-Jahresbedarfs mittels Wasserstoff bereitstellen, so muss dafür eine 11 000 km^2 große Zone (1) mit Solarturmkraftwerken (2 A) oder mit photovoltaischen Kraftwerken (2 B) bestückt werden (auf der Karte maßstäblich eingezeichnet). Der solarthermisch (2 a) oder photovoltaisch (2 b) erzeugte Strom wird durch Elektrolyse (3) in speicherbaren Wasserstoff umgewandelt. Strom und Wasserstoff können vor Ort zum Aufbau einer Bewässerungs-Landwirtschaft und für industrielle Zwecke genutzt werden (4). Durch eine Pipeline, die heute größtenteils schon als Erdgasleitung existiert, kann der auf hohen Druck verdichtete Wasserstoff nach Europa gelangen. Man kann ihn aber auch verflüssigen (5) und die Energiedichte pro m^3 auf das 10fache gegenüber einem Pipelinetransport vergrößern. Tankschiffe (6) sind so in der Lage, große Mengen zu transportieren. Mit einem geringen Teil des Wasserstoffs wird Meerwasser für die Elektrolyse und die Bewässerung entsalzt (7). Über eine Parallelleitung gelangt das Süßwasser in das Solar-Wasserstoff-Produktionszentrum.

Das verwendete Satellitenbild wurde von NOAA-9 aus 850 km Höhe aufgenommen und im Deutschen Fernerkundungsdatenzentrum (DFD) bei der DFVLR, D-8031 Oberpfaffenhofen, digital verarbeitet.

Eine Illustration in Zusammenarbeit mit der Zeitschrift bild der wissenschaft

Die Solar-Wasserstoff-Welt: eine realistische Vision

EXKURS

Wasserstoff – ein Energieträger mit Zukunft?

Die für das Leben in unserer heutigen hoch technisierten Welt notwendige Energie wird im Wesentlichen aus den *fossilen Energiequellen* Erdöl, Erdgas und Kohle gewonnen. Aber eines Tages werden diese Vorräte erschöpft sein. Schätzungen gehen davon aus, dass die wirtschaftlich förderbaren Erdölreserven bei gleich bleibendem Verbrauch noch etwas mehr als 40 Jahre reichen werden.

Doch auch aus anderen Gründen muss man energiepolitisch neue Konzepte entwickeln. Beim Verbrennen von Kohle und Erdöl entstehen Schadstoffe, die weltweit die Umwelt belasten. Saurer Regen zerstört Bauwerke und Wälder, Smog verschlechtert die Lebensbedingungen in den Städten und Industriegebieten, der Kohlenstoffdioxid-Gehalt der Atmosphäre ist seit Anfang des 20. Jahrhunderts deutlich gestiegen, was weitgehende Klimaveränderungen zur Folge haben könnte. Die *Kernenergie* bietet aus heutiger Sicht wegen der bekannten Risiken langfristig keine Lösung.

Saubere Energiequellen. Wind, Sonne und Wasser liefern Energie, die man nutzen kann, ohne die Umwelt zu belasten. Allerdings stehen diese Energiequellen in größerem Maße heute nur in Gebieten zur Verfügung, in denen die Bevölkerungsdichte gering ist. Doch vielleicht lässt sich Sonne aus Afrika „importieren"?

Dazu muss man nach einem Energieträger suchen, der Energie speichern und sie an jeden beliebigen Ort transportieren kann. Heute wird ein großer Teil der Energie in Form von Elektrizität übertragen. Der Transport ist teuer; viel Energie geht dabei verloren. Speichern lässt sich elektrische Energie nur unter großem technischen Aufwand.

Wasserstoff dagegen wäre ein idealer Energieträger. Er lässt sich auf umweltfreundlichem Wege durch Elektrolyse von Wasser herstellen. Er verbrennt wieder zu Wasser, sodass ein geschlossener Energiekreislauf vorstellbar ist. Die Elektrolyse ist aber heute wegen des großen Verbrauchs an elektrischer Energie noch sehr kostspielig. Doch möglicherweise kann man auch dieses Problem in Zukunft mit Hilfe von Sonnenenergie lösen.

Photovoltaik. In *Solarzellen* wird die Energie des Sonnenlichtes direkt in elektrische Energie umgewandelt. Die heute verwendeten kristallinen Silicium-Zellen haben einen Wirkungsgrad zwischen 10 % und 15 %. Die restliche Energie geht als Wärme verloren. Die Kosten für Solarstrom betragen bei den in Deutschland betriebenen Anlagen etwa ein Euro pro Kilowattstunde; dabei sind Bau und Wartung der Solaranlage eingeschlossen.
In der Entwicklung sind *Dünnschicht*-Solarzellen aus amorphem Silicium. Sie haben einen etwas geringeren Wirkungsgrad von etwa 6 %. Bei großtechnischer Serienproduktion wären sie aber erheblich preiswerter als kristalline Silicium-Zellen. Einige Fachleute gehen heute davon aus, dass sich mit ihrer Hilfe in den nächsten zehn Jahren die Stromkosten auf etwa ein Zehntel senken lassen.

Dennoch – der Weg in eine umweltfreundliche Energiewirtschaft auf der Basis von Wasserstoff ist lang. Ein im Jahre 1986 zwischen der Bundesrepublik Deutschland und Saudi Arabien begonnenes Vorhaben für eine Photovoltaik-Elektrolyseanlage in der arabischen Wüste ist inzwischen ausgelaufen. Beim deutsch-kanadischen *Euro-Quebec-Hydro-Hydrogen-Projekt* soll Wasserstoff durch Elektrolyse mit Energie aus kanadischen Wasserkraftwerken erzeugt und in speziellen Containerschiffen nach Deutschland transportiert werden. Auch hier sind die Kosten viel höher als ursprünglich erwartet.

Zukunftsvisionen. Wenn jedoch Wasserstoff in Zukunft kostengünstig hergestellt werden kann, wird er zentrale Bedeutung als Rohstoff und Energieträger erlangen. Die technologischen Probleme scheinen lösbar.

Die *Speicherung* von Wasserstoff ist verhältnismäßig unproblematisch: Er lässt sich unter Druck wie Erdgas in unterirdischen Kavernen oder in kugelförmigen Stahlbehältern lagern. Auch die Speicherung von Flüssigwasserstoff wird technisch beherrscht. Der zur Zeit größte Tank fasst 240 Tonnen. Das entspricht etwa drei Millionen Kubikmeter an gasförmigem Wasserstoff bei normalen Bedingungen.
Die Verflüssigung ist allerdings sehr teuer, da Wasserstoff erst bei −253 °C kondensiert.

Transport und Verteilung von Wasserstoff machen grundsätzlich keine Schwierigkeiten. Im Ruhrgebiet gibt es ein Wasserstoff-Leitungssystem von 210 km Länge, an das 18 Werke angeschlossen sind. Von einem flächendeckenden Verbundsystem ist man aber noch weit entfernt.

Aus heutiger Sicht bleiben noch einige technologische Probleme; große Investitionen sind notwendig. Es eröffnen sich aber auch interessante Ausblicke: In *Kraftwerken* könnte man durch Verbrennung von Wasserstoff auf saubere Weise Strom erzeugen. Wasserstoff ließe sich – wie Erdgas – zum *Beheizen von Wohnungen* einsetzen.

Im *Straßenverkehr* laufen bereits heute Wasserstoff-Versuchsautos mit umweltfreundlichen Verbrennungsmotoren. Auch Elektroautos mit Wasserstoff/Luft-Brennstoffzellen werden erprobt. Die Speicherung des Gases in Flüssigwasserstofftanks bereitet aber noch Probleme.

Auch für die *Luftfahrt* ist Wasserstoff interessant, da sein Heizwert pro Kilogramm fast dreimal so hoch ist wie der des herkömmlichen Düsentreibstoffs. Das Startgewicht einer Boeing 747 würde um ein Viertel gesenkt, die Reichweite um etwa 50 % erhöht. Allerdings ist das Volumen von Flüssigwasserstoff bei gleichem Energieinhalt etwa viermal so groß wie das des jetzigen Treibstoffs. Zusätzliche Tanks wären erforderlich.

Für die nächsten Jahrzehnte bleibt die heutige Elektrizitätswirtschaft auf der Grundlage fossiler Brennstoffe sicher noch bestehen. Einige Forscher nehmen jedoch an, dass sie im Laufe der nächsten hundert Jahre durch eine Wasserstoffwirtschaft in Verbindung mit der Nutzung von Sonnenenergie ersetzt werden kann.

9.8 Aufgaben · Versuche · Probleme

Aufgabe 1: **a)** Welche Spannung zeigt eine Wasserstoff-Konzentrationszelle, wenn der Elektrolyt in der einen Halbzelle einen pH-Wert von pH = 2 und in der anderen Halbzelle einen pH-Wert von pH = 5,5 besitzt?
b) Welchen pH-Wert hat der Elektrolyt in der einen Halbzelle einer Wasserstoff-Konzentrationszelle, wenn die Konzentration der Hydronium-Ionen in der anderen Halbzelle $c = 0{,}15\ mol \cdot l^{-1}$ beträgt und man die Spannung von 0,63 V misst?

Aufgabe 2: Um geringe Konzentrationen von Chlorid-Ionen zu bestimmen, könnte man eine Chlor-Elektrode ($(Pt)Cl_2/Cl^-$) verwenden. Die Handhabung ist jedoch sehr umständlich. Einfacher geht das mit einer Silber/Silberchlorid-Elektrode, deren Potential gegen eine andere Bezugselektrode gemessen wird.
a) Bestimmen Sie das Elektrodenpotential, wenn im Elektrolyten die Konzentration an Chlorid-Ionen $c = 10^{-6}\ mol \cdot l^{-1}$ beträgt.
($pK_L(AgCl) = 9{,}7$)
b) Wie hoch ist die Konzentration an Chlorid-Ionen, wenn das Potential der Silberchlorid-Elektrode $U_H = 0{,}4\ V$ beträgt?
c) Entwerfen Sie eine ionenselektive Elektrode zur quantitativen Bestimmung von Sulfid-Ionen.

Aufgabe 3: Um den Mangan-Gehalt einer Zink/Mangan-Legierung zu bestimmen, löst man eine Probe in verdünnter Schwefelsäure. Die dabei gebildeten Mangan(II)-Ionen werden dann in neutraler Lösung mit einer Kaliumpermanganat-Lösung titriert. Dabei entsteht Mangandioxid.
a) Stellen Sie die Reaktionsgleichung auf.
b) Berechnen Sie, wie viel Milligramm Mangan(II)-Ionen durch den Verbrauch von 1 ml Kaliumpermanganat-Lösung ($c = 0{,}02\ mol \cdot l^{-1}$) angezeigt werden.

Aufgabe 4: Zur Bestimmung des Gehalts an Eisen(II)-Ionen in Magneteisenstein ($FeO \cdot Fe_2O_3$) wird eine Probe des Erzes in Salzsäure gelöst und mit Kaliumpermangant-Lösung titriert.
a) Erklären Sie anhand der Elektrodenpotentiale, wieso die Anwesenheit von Chlorid-Ionen die Titration stört. Inwiefern werden die Analysenergebnisse verfälscht?
b) Die Störung der Analyse wird durch den Zusatz einer Lösung vermieden, die Mangan(II)-Ionen und Phosphorsäure enthält. (Phosphorsäure bindet in einer Komplexverbindung Eisen(III)-Ionen.)
Erläutern Sie die Wirkung dieser Lösung mit Hilfe der allgemeinen NERNSTschen Gleichung. Inwiefern ändern sich die Elektroden-Potentiale der Redoxpaare MnO_4^-/Mn^{2+} und Fe^{3+}/Fe^{2+}?

Aufgabe 5: Vor einigen Jahren kam ein Batterieladegerät auf den Markt, mit dem man nicht nur Akkus, sondern auch normale Batterien wieder aufladen sollte. Das Wiederaufladen von Primärbatterien ist aber mit großen Sicherheitsrisiken verbunden.
Überlegen Sie, welche Gefahren auftreten könnten. Stellen Sie Reaktionsgleichungen auf.

Aufgabe 6: Erklären Sie, warum ein Blei-Akkumulator nur eine begrenzte Lebensdauer hat und man ihn nicht beliebig oft wieder laden kann.

Aufgabe 7: Welche Vorgänge laufen ab, wenn man einen Nickel/Cadmium-Akkumulator überlädt?

Aufgabe 8: Australische Wissenschaftler haben einen Akkumulator entwickelt, der die verschiedenen Oxidationsstufen des Elements Vanadium nutzt. Der Akkumulator besteht aus zwei Halbzellen, die über eine für Hydronium-Ionen durchlässige Membran verbunden sind. Als Elektroden verwendet man Graphitfasern, die zu einem Filz verarbeitet sind. Die Vanadiumsalze werden in schwefelsaurer Lösung gelöst. Beim Entladen reagieren in der Akzeptorhalbzelle Oxovanadium(V)-Ionen (VO_2^+) zu Oxovanadium(IV)-Ionen (VO^{2+}), in der anderen Halbzelle reagieren Vanadium(II)-Ionen zu Vanadium(III)-Ionen.
a) Fertigen Sie eine Skizze des Akkumulators an. Tragen Sie die Ionen ein und ordnen Sie Minuspol und Pluspol zu.
b) Formulieren Sie die Reaktionsgleichungen für den Entladevorgang und den Ladevorgang.
c) Wie kann man einen vollständig verbrauchten Akku wieder regenerieren? Vergleichen Sie den Vanadium-Akku in diesem Punkt mit anderen Akkumulatoren.

Versuch 1: Bestimmung des Gehalts an Perborat ($NaBO_2 \cdot H_2O_2 \cdot 3\ H_2O$) in Waschmitteln
0,6 g eines Vollwaschmittels werden mit 300 ml kaltem Wasser übergossen. Nach Zusatz von 20 ml Schwefelsäure (5 %; Xi) wird mit Kaliumpermanganat-Lösung ($0{,}02\ mol \cdot l^{-1}$) titriert.
Berechnen Sie, welchen Massenanteil an Natriumperborat das Waschmittel enthält.

Problem 1: Für Zahnfüllungen wird häufig Silberamalgam, eine Legierung aus Silber und Quecksilber, verwendet. Welche Probleme können entstehen, wenn solch einer Füllung ein Zahn mit einer Goldkrone gegenübersteht? (*Hinweis:* Die Bildung von Silberamalgam verläuft exotherm.)

Problem 2: Jährlich werden in Deutschland fast 800 Millionen Batterien und Akkus verkauft.
Recherchieren Sie, welche Probleme mit der Entsorgung der Altbatterien verbunden sind.
Welche Altbatterien werden dem Recycling, welche dem Hausmüll und welche dem Sondermüll zugeführt?

Problem 3: Das in der Entwicklung befindliche „Hot Module"-Brennstoffzellenkraftwerk spaltet bei einer Temperatur von 650 °C alle Arten von Kohlenwasserstoff-Brenngasen in Wasserstoff und Kohlenstoffdioxid auf. Es ist damit nicht auf reinen Wasserstoff angewiesen. Den Strom liefern etwa 300 hintereinander geschaltete Schmelzcarbonat-Zellen.
a) Beschreiben Sie den Aufbau der abgebildeten Zelle, erklären Sie die ablaufenden Vorgänge und formulieren Sie die Reaktionsgleichungen für die Reaktionen am Minuspol und am Pluspol.
b) Stellen Sie die Vor- und Nachteile eines solchen Kraftwerks zusammen.

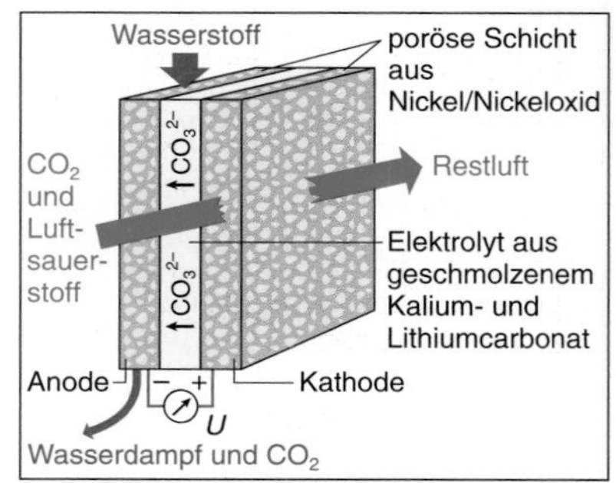

Redoxreaktionen in Labor und Technik

1. Redoxreaktionen in der Analytik

Manganometrie

Quantitative Analyse von reduzierenden Stoffen
Die violette Permanganat-Maßlösung wird bei der Titration entfärbt:

MnO_4^- (aq) + 8 H^+ (aq) + 5 e^- ---→ Mn^{2+} (aq) + 4 H_2O (l)

Endpunktsanzeige: Der erste überschüssige Tropfen Permanganat-Maßlösung färbt die Lösung schwach rosa.

Iodometrie

Quantitative Analyse von reduzierenden Stoffen
Die braune Iod-Maßlösung wird bei der Titration entfärbt:

I_2 (aq) + 2 e^- ---→ 2 I^- (aq)

Endpunktsanzeige: Der erste überschüssige Tropfen Iod-Maßlösung bildet mit zugesetzter Stärkelösung den tiefblauen Iod-Stärke-Komplex.

Quantitative Analyse von oxidierenden Stoffen
Die Probe wird mit Kaliumiodid-Lösung im Überschuss versetzt; dabei bildet sich eine der Probe äquivalente Menge Iod:

2 I^- (aq) ---→ I_2 (aq) + 2 e^-

Die Iodmenge wird durch Titration mit Natriumthiosulfat-Maßlösung bestimmt. Stärke dient als Indikator:

I_2 (aq) + 2 $S_2O_3^{2-}$ (aq) ⟶ 2 I^- (aq) + $S_4O_6^{2-}$ (aq)

2. Korrosion

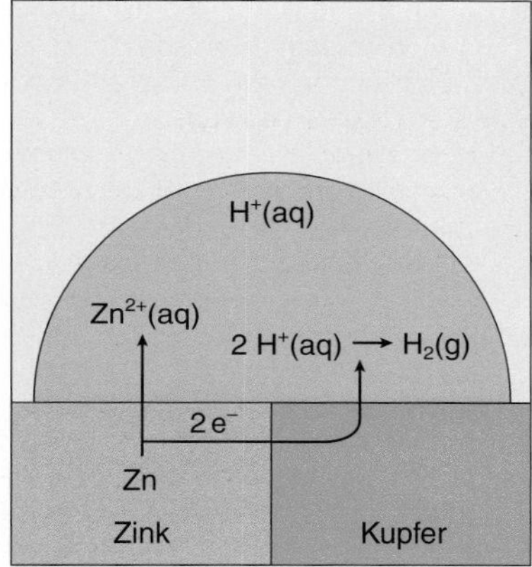

Säure-Korrosion

Säure-Korrosion

Berühren sich zwei Metalle, so entsteht ein *Lokalelement*, eine kurzgeschlossene galvanische Zelle. Das unedlere Metall gibt Elektronen ab, die zum edleren Metall fließen. Am edleren Metall entwickelt sich Wasserstoff.

Sauerstoff-Korrosion

Beim Rosten von Eisen müssen Sauerstoff und Wasser vorhanden sein.

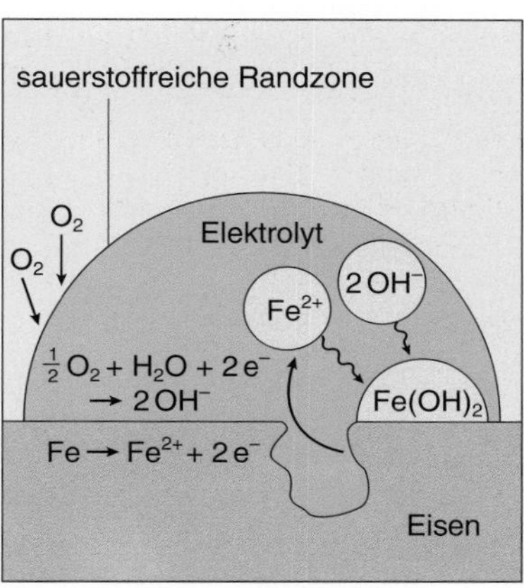

Sauerstoff-Korrosion

3. Batterien

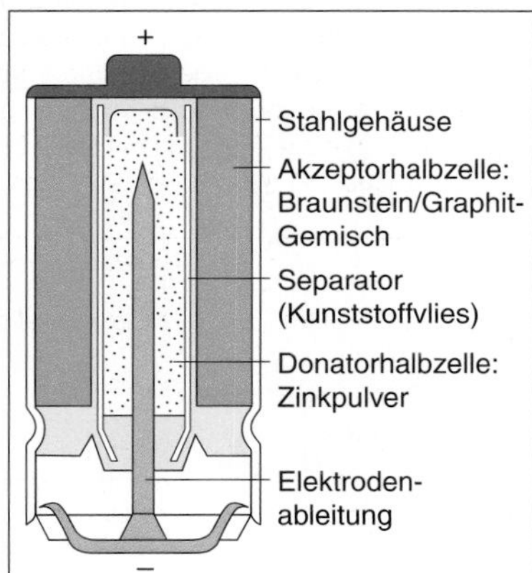

Alkali/Mangan-Batterie

Alkali/Mangan-Batterie

Minuspol: Zn (s) ---→ Zn^{2+} (aq) + 2 e^-

Pluspol: 2 MnO_2 (s) + 2 H_2O (l) ---→ 2 MnOOH (s) + 2 OH^- (aq)

Sekundärreaktion:

Zn^{2+} (aq) + 4 OH^- (aq) ⟶ $[Zn(OH)_4]^{2-}$ (aq)

Blei-Akkumulator

Entladen

Minuspol: Pb (s) ---→ Pb^{2+} (aq) + 2 e^-

Pluspol: PbO_2 (s) + 4 H^+ (aq) + 2 e^- ---→ Pb^{2+} + 2 H_2O (l)

Gesamtreaktion:

$$Pb\,(s) + PbO_2\,(s) + 2\,H_2SO_4\,(l) \underset{\text{Laden}}{\overset{\text{Entladen}}{\rightleftarrows}}$$

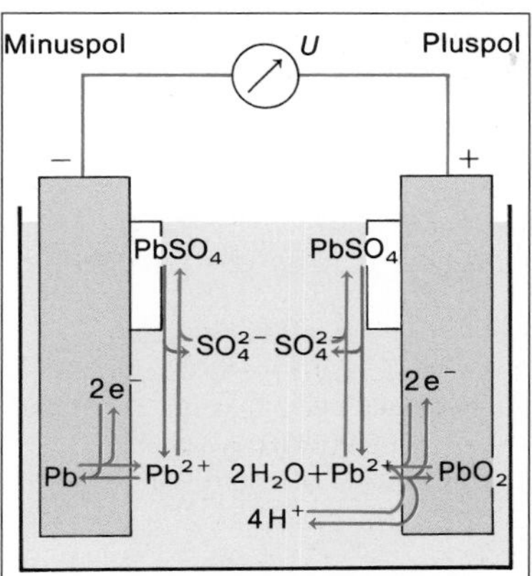

Blei-Akkumulator

10 Erzwungene Redoxreaktionen – die Elektrolyse

Alkalimetalle verbinden sich schnell in exothermer Reaktion mit anderen Stoffen. Sie kommen deshalb in der Natur nicht in elementarer Form vor. In Meerwasser, Salzseen und Salzlagerstätten findet man aber große Mengen an Natrium- und Kaliumverbindungen. Für die Gewinnung der Metalle liegt es daher nahe, die Metalle aus ihren Salzen durch Reduktion der Metall-Ionen herzustellen. Da die Alkalimetalle aber selbst die stärksten Reduktionsmittel sind, lässt sich das nicht auf chemischem Wege erreichen. Möglich wird die Reduktion durch Einsatz elektrischer Energie im technischen Verfahren der *Schmelzfluss-Elektrolyse.*

Natrium wird großtechnisch durch Elektrolyse von gereinigtem Steinsalz (NaCl) hergestellt. Die DOWNS-Elektrolysezelle besteht aus einem zylindrischen Eisenbehälter, der mit feuerfesten Steinen ausgemauert ist. Von unten ragt eine Anode aus Graphit hinein, die von einer ringförmigen Kathode aus Eisen umgeben ist. Da reines Natriumchlorid erst bei 800 °C schmilzt, mischt man etwas Bariumchlorid und Calciumchlorid zu. Diese Mischung schmilzt bereits bei etwa 600 °C. Schließt man den Stromkreis, so wandern die positiv geladenen Natrium-Ionen zur negativen Elektrode, der *Kathode*, und die negativ geladenen Chlorid-Ionen zur positiven Elektrode, der *Anode.* Bei einer Spannung von 7 Volt beträgt die Stromstärke etwa 35 000 Ampere. An den Elektroden laufen folgende Reaktionen ab:

Kathode: $2\,Na^+ + 2\,e^- \longrightarrow 2\,Na$

Anode: $2\,Cl^- \longrightarrow Cl_2 + 2\,e^-$

Das entweichende Chlor wird durch eine Metallglocke abgeleitet, die sich über der Graphit-Anode befindet. Das entstehende flüssige Natrium hat eine geringere Dichte als die Schmelze; es sammelt sich in einer ringförmigen Rinne, die oberhalb der Kathode am Glockenrand befestigt ist. Ein Drahtnetz, das von der Glocke herabhängt, wirkt als Diaphragma. Natrium und Chlor bleiben getrennt.

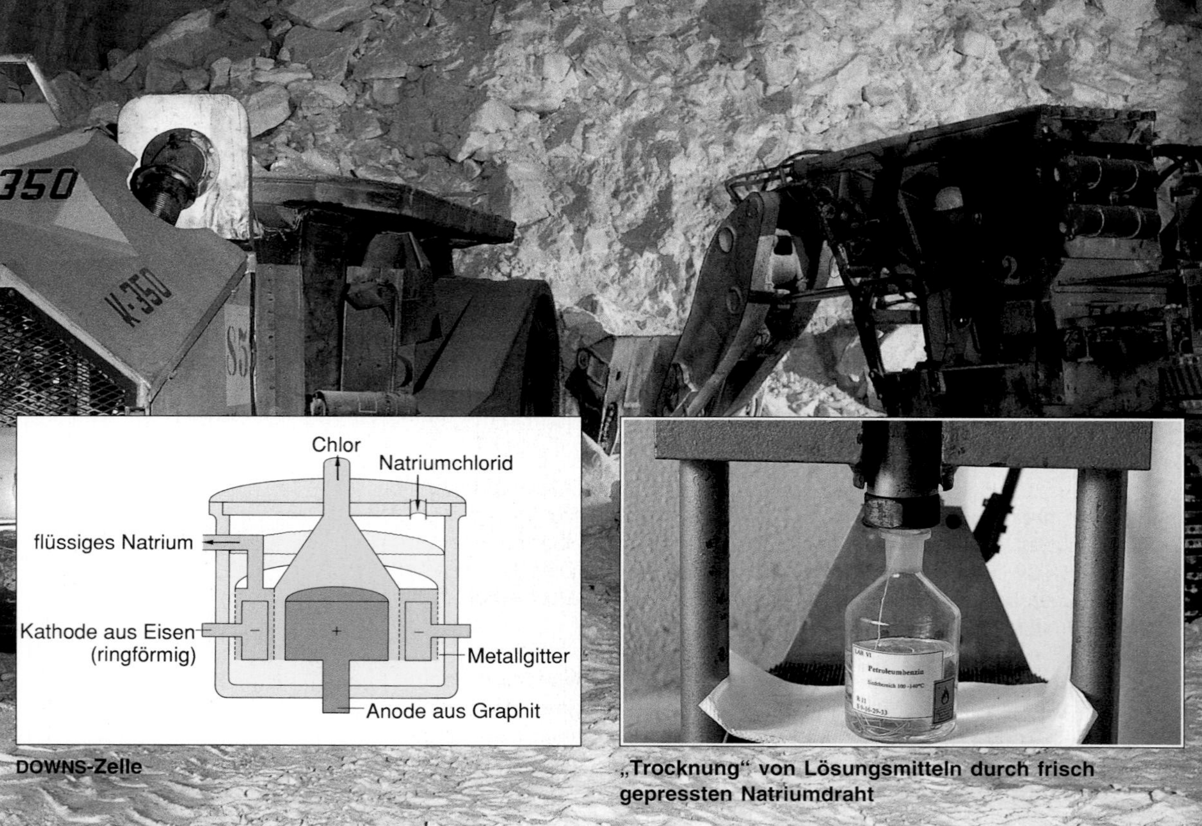

DOWNS-Zelle

„Trocknung" von Lösungsmitteln durch frisch gepressten Natriumdraht

10.1 Herstellung von Aluminium

Gold, Silber, Kupfer, Eisen, Zinn und Blei sind den Menschen seit mehr als 3000 Jahren bekannt. Aluminium dagegen wurde erst Anfang des 19. Jahrhunderts entdeckt, obwohl es das in der Erdrinde am häufigsten vorkommende metallische Element ist.

Im Jahre 1807 untersuchte der Engländer DAVY Tonerde mit Hilfe von elektrischem Strom – ohne fassbaren Erfolg. Nach der Entdeckung der Alkalimetalle Natrium und Kalium war er auf der Suche nach einem neuen Metall, das er als Bestandteil der Tonerde vermutete und dem er den Namen Aluminium (lat. *alumen*: Alaun) gab. Auch WÖHLER experimentierte mit Tonerde, überführte sie in Aluminiumchlorid und verwendete metallisches Kalium als Reduktionsmittel. Nach langwierigen Laborversuchen gelang es ihm 1827, etwa 30 g des Metalls herzustellen.
Lange Zeit war man jedoch von einem wirtschaftlichen Produktionsverfahren für Aluminium weit entfernt. Das Metall blieb praktisch unbezahlbar. Auf der Pariser Weltausstellung im Jahre 1855 konnte man das Metall des Jahrhunderts bewundern: „Silber aus Ton". Aus dem kostbaren Aluminium wurde Schmuck gefertigt.

Erst 1886 gelang es dem Franzosen HÉROULT und dem Amerikaner HALL unabhängig voneinander, das heute noch angewandte Elektrolyse-Verfahren zu entwickeln. Voraussetzung dafür war die Erfindung des Dynamos, der die für das Verfahren notwendige Stromstärke erzeugte. Damit begann am Ende des 19. Jahrhunderts der Einzug des silberweißen Leichtmetalls in alle Bereiche des täglichen Lebens. Heute ist Aluminium nach Eisen das am meisten hergestellte Metall der Welt.

Vom Bauxit zum Aluminiumoxid. Aluminium ist verhältnismäßig spät entdeckt worden, weil es als sehr unedles Metall nur schwer aus seinen Verbindungen erhalten werden kann. Das wichtigste Mineral für die Herstellung des Metalls ist *Bauxit*, der nach seinem ersten Fundort Les Baux in Südfrankreich benannt wurde. Große Lagerstätten befinden sich in den tropischen Gebieten Afrikas und Südamerikas; in Australien und Guinea liegt die Hälfte der bekannten Weltvorräte.

Die Zusammensetzung von Bauxit lässt sich näherungsweise durch die Formeln $Al_2O_3 \cdot H_2O$ oder AlO(OH) beschreiben. Bauxit enthält jedoch neben Aluminiumhydroxiden auch wasserhaltiges Eisen(III)-oxid sowie Siliciumverbindungen und Titanverbindungen.

Der technische Ablauf für die Herstellung von Aluminium lässt sich in zwei Schritte unterteilen. Zunächst wird aus dem Rohbauxit durch ein Aufschluss-Verfahren Aluminiumoxid oder *Tonerde* hergestellt. Dazu wird der Bauxit gemahlen und in Rohrreaktoren mit heißer Natronlauge umgesetzt. Aluminiumhydroxid löst sich dabei unter Bildung von Natriumaluminat, während Verunreinigungen zusammen mit Eisen(III)-hydroxid als *Rotschlamm* ausfallen und abgetrennt werden. Die zurückbleibende Lösung wird verdünnt, bis sich Aluminiumhydroxid abscheidet. Dieses wird in Wirbelschichtöfen bei etwa 1200 °C entwässert. Aus 2 kg Bauxit erhält man etwa 1 kg Aluminiumoxid.

Im zweiten Schritt des Verfahrens wird Aluminiumoxid zu Aluminium reduziert. Wegen der sehr hohen Bildungsenthalpie des Aluminiumoxids ist eine chemische Reduktion praktisch nicht möglich. Daher muss auch hier – ähnlich wie bei der Gewinnung von Alkalimetallen oder Erdalkalimetallen – ein elektrochemisches Verfahren angewendet werden. Man stellt das Metall durch Schmelzfluss-Elektrolyse her.

1. Sonderbriefmarke aus dem Jahre 1986

A1 Beim Aufschluss von Bauxit findet folgende Reaktion statt:

$$Al(OH)_3\,(s) + OH^-\,(aq) \rightleftharpoons Al(OH)_4^-\,(aq)$$

a) Welche Bedeutung hat diese Gleichgewichtsreaktion für den Aufschluss?
b) Was geschieht, wenn man in die Aluminat-Lösung Kohlenstoffdioxid einleitet?

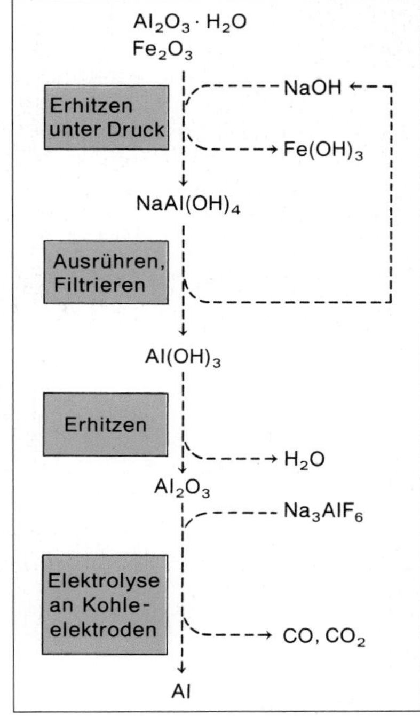

2. Gewinnung von Aluminium aus Rohbauxit

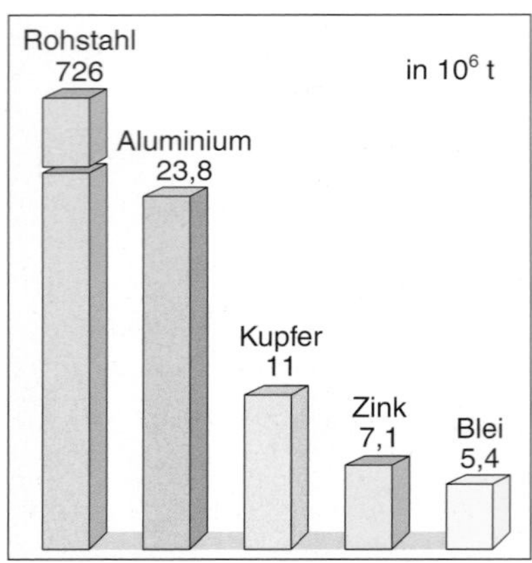

1. Weltproduktion an Metallen (1993)

A1 Um ein Kilogramm Aluminium herzustellen, verbraucht eine moderne Anlage 14 kWh. Ein großer Teil der Energie wird dabei als Wärmeenergie frei.
Wie viel elektrische Energie benötigt man theoretisch, um 1 kg Aluminium herzustellen? (1 kJ = $2{,}78 \cdot 10^{-4}$ kWh)

A2 Eine Elektrolysezelle produziert 1000 kg Aluminium am Tag.
a) Wie groß ist das Volumen des dabei entstehenden Anodengases bei Normbedingungen?
b) Wie groß ist die Masse der Kohleanode, die verbraucht wird?
Gehen Sie für die Rechnungen davon aus, dass bei der Elektrolyse nur Kohlenstoffdioxid entsteht.

Schmelzfluss-Elektrolyse. Die Elektrolyse von Aluminiumoxid findet in einer Eisenwanne statt, die mit Kohle ausgekleidet ist. Die Kohlemasse bildet die Kathode der Elektrolysezelle. In sie sind Stahlschienen zur Stromzuführung eingelagert. Die Blockanoden aus Kohlenstoff sind oberhalb der Elektrolysewanne an einem Strombalken beweglich angebracht, sodass der Abstand zwischen Anode und Kathode reguliert werden kann.

Die Schmelztemperatur von reinem Aluminiumoxid liegt sehr hoch (2045 °C). Zur Herstellung der Schmelze und zur Aufrechterhaltung der Arbeitstemperatur müsste man sehr viel Energie aufwenden. Dadurch würde das Verfahren unrentabel. Um bei niedrigeren Temperaturen arbeiten zu können, wird die Tonerde in geschmolzenem *Kryolith* (Natriumhexafluoroaluminat, Na_3AlF_6) gelöst. Neben 8 % Aluminiumoxid und 80 % Kryolith enthält der Elektrolyt noch Aluminiumfluorid und Lithiumfluorid. Die Zusätze erhöhen die Leitfähigkeit sowie die Stromausbeute, außerdem senken sie die Schmelztemperatur.

Die Elektrolyse wird bei etwa 960 °C durchgeführt. Die einmal hergestellte Schmelze bleibt erhalten, weil ein Teil der elektrischen Energie in Wärmeenergie umgewandelt wird. Man arbeitet bei Zellspannungen von 4,5 V bis 5 V. Die an den Elektroden ablaufenden Vorgänge sind kompliziert. In vereinfachter Form kann man sie folgendermaßen beschreiben:

Kathode: $4\ Al^{3+} + 12\ e^- \dashrightarrow 4\ Al$

Anode: $3\ C + 6\ O^{2-} \dashrightarrow 3\ CO_2 + 12\ e^-$

Gesamtreaktion: $2\ Al_2O_3\ (s) + 3\ C\ (s) \longrightarrow 4\ Al\ (s) + 3\ CO_2\ (g)$; $\Delta_R H^0_m = 2160\ kJ \cdot mol^{-1}$

Man könnte annehmen, dass an der Anode zunächst Oxid-Ionen zu Sauerstoff oxidiert werden. Tatsächlich bildet sich aber das als *Anodengas* entweichende Kohlenstoffdioxid direkt durch elektrochemische Oxidation der Anode im Kontakt mit der Schmelze.

Das flüssige Aluminium hat eine größere Dichte als die Elektrolyt-Schmelze. Das Metall sammelt sich auf dem Boden der Wanne und wird so zur Kathode. Die Schmelze schützt das Aluminium vor Oxidation. Das Metall wird einmal am Tag abgesaugt und gelangt in Warmhalteöfen, in denen sich gelöste Gase und mitgerissene Fremdstoffe abscheiden. Danach wird es in Barren gegossen. Das so hergestellte Aluminium hat eine Reinheit von 99,5 % bis 99,9 %.

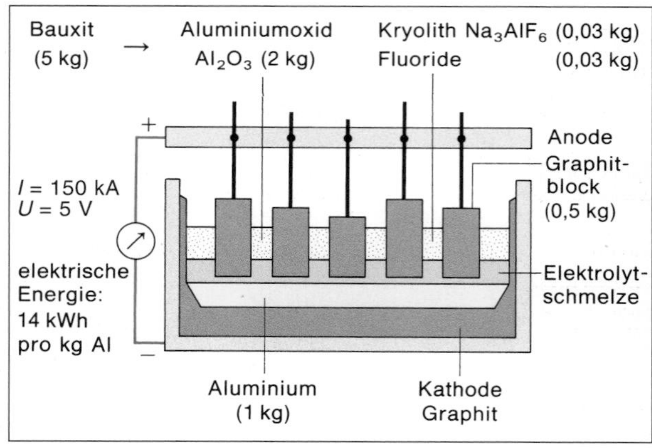

2. Herstellung von Aluminium (Verbrauchswerte für 1 kg)

3. Elektrolysezelle

Die Zelle im Betrieb. Das Aluminiumoxid wird bei dem Verfahren verbraucht. Sein Anteil an der Schmelze bewegt sich zwischen 8 % und 2 %, darf aber nicht unter 2 % sinken, da sonst der *Anodeneffekt* auftritt: Die Anode wird bei zu geringem Anteil an Aluminiumoxid in der Schmelze schlecht benetzt; es bildet sich um die Elektrode ein Gasfilm aus, sodass der Widerstand der Elektrolysezelle steigt. Um die hohe Stromstärke aufrechtzuerhalten, steigt die Spannung dann auf Werte bis zu 30 V. Dieser Effekt muss vermieden werden, damit das Verfahren kontinuierlich ablaufen kann. Außerdem bilden sich an der Anode leicht Fluorverbindungen, wenn der Anteil an Oxid in der Schmelze sinkt. In modernen Elektrolysezellen sorgt deshalb eine computergesteuerte Dosiermaschine dafür, dass in Abständen von wenigen Minuten Aluminiumoxid nachgefüllt wird.

Die Blockanoden werden während der Elektrolyse verbraucht. Der Kohlenstoff wird oxidiert und bildet mit den Oxid-Ionen aus der Schmelze Kohlenstoffdioxid. Um den erforderlichen Abstand zwischen Anode und Kathode von 3 cm bis 6 cm aufrechtzuerhalten, müssen die Anoden regelmäßig nachgeführt werden. Ein Anodenblock von etwa 1000 kg Masse ist nach drei bis vier Wochen im Elektrolysebad so weit abgebrannt, dass er erneuert werden muss.

Das Anodengas muss ständig abgesaugt werden. Es enthält neben Kohlenstoffdioxid bis zu einem Drittel auch giftiges Kohlenstoffmonooxid, das aus dem primär gebildeten Kohlenstoffdioxid durch Reaktion mit der heißen Kohleanode entstanden ist. Allerdings können sich unter Umständen auch sehr giftige Fluorverbindungen wie beispielsweise Fluorwasserstoff bilden. Das fluorhaltige Abgas wird daher an einer Schicht von Aluminiumoxid absorbiert und mit diesem in die Elektrolysezelle zurückgebracht. Das gereinigte Abgas hat einen Fluorwasserstoffgehalt von weniger als $1 \text{ mg} \cdot \text{m}^{-3}$.

Moderne 150-kA-Elektrolysezellen liefern etwa 1000 kg Aluminium pro Tag. Eine Aluminiumhütte, die drei Elektrolysehallen von je 20 m Breite und 600 m Länge mit je 100 Zellen umfasst, erzeugt dann täglich 300 Tonnen Aluminium. Wegen des hohen Energiebedarfs hängt die Rentabilität einer Aluminiumhütte sehr von den Stromkosten ab. Viele Anlagen befinden sich daher in Gegenden, in denen Energie preiswert – beispielsweise durch Wasserkraft – bereitgestellt werden kann.

Muss Aluminiumwerk schließen?

Hannover, April 96 (SV). Müssen 740 Hüttenarbeiter stempeln gehen? Der Generaldirektor der Aluminium AG gab gestern eine pessimistische Prognose ab: „Ende 1998 läuft der günstige Stromvertrag mit dem städtischen Elektrizitätswerk aus. Ich rechne damit, dass hier dann eine wettbewerbsfähige Produktion von Aluminium nicht mehr möglich sein wird.“
Bei einer Jahresproduktion von 130 000 Tonnen des Metalls bezieht die Aluminium AG rund 160 Millionen Kilowattstunden monatlich vom Elektrizitätswerk – zum Kilowattstunden-Preis von 2,8 Pfennig. Dazu kommt noch eine Subvention der Stadt in Höhe von 0,5 Pfennig. Es erscheint unwahrscheinlich, dass das Elektrizitätswerk einen Liefervertrag ab 1999 mit einem Kilowattstunden-Preis unter 8 Pfennig akzeptieren wird. Da die Stromkosten etwa ein Drittel der Herstellungskosten ausmachen, ist das Werk dann nicht mehr konkurrenzfähig.
Allerdings hofft man, dass der Stromlieferant wegen der vielen Arbeitsplätze, die auf dem Spiel stehen, politisch unter Druck gerät und Preiszugeständnisse macht. Die gingen dann jedoch zu Lasten anderer Stromverbraucher.

1. Pressenotiz

A1 An der Anode wird als Nebenprodukt elektrochemisch auch Tetrafluormethan gebildet. Geben Sie die Reaktionsgleichung an.

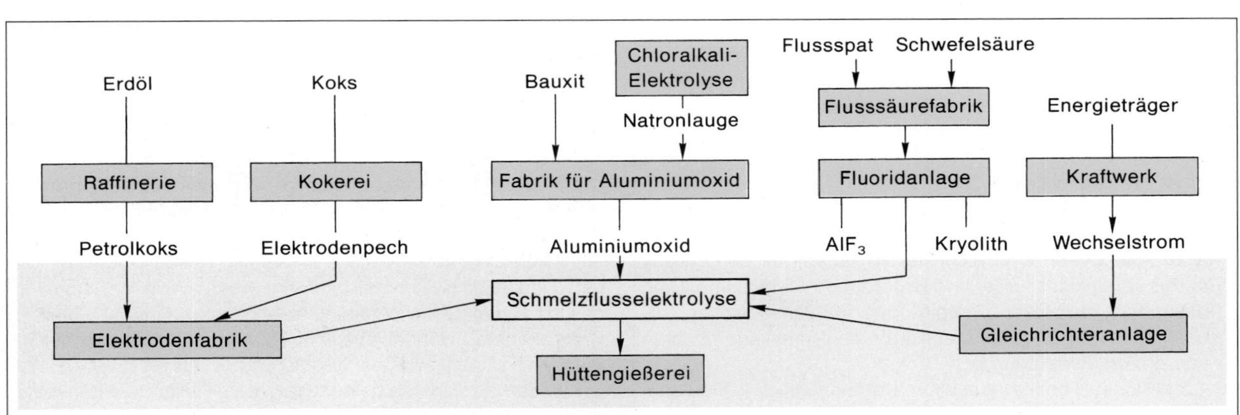

2. Versorgung einer Aluminiumhütte mit Rohstoffen und Energie

EXKURS

Wertvolles Aluminium

Aluminium ist heute nach Eisen das wichtigste Gebrauchsmetall. Seine außergewöhnlichen Eigenschaften eröffnen ihm vielfältige Anwendungsbereiche.

Im *Straßenverkehr* und bei Schienenfahrzeugen hilft Aluminium Energie sparen. Moderne Autos enthalten in zunehmendem Maße Leichtbauteile aus Aluminium. So werden beispielsweise Motorblock, Zylinderköpfe, Kühler und Felgen aus dem mechanisch und thermisch sehr belastbaren Metall gefertigt. In der Praxis spart man durch die Verwendung von Aluminium gegenüber Stahl etwa 50 % des Gewichts ein. Ein um 100 kg leichteres Auto benötigt etwa einen Liter weniger Benzin auf 100 km. Aber auch Fahrradfahrer wissen ein Leichtmetallrad zu schätzen, nicht nur, wenn sie in den Bergen fahren: Aluminium rostet nicht.

Auch die heutige *Luftfahrt* ist ohne das glänzende Leichtmetall kaum vorstellbar. Durch die Verwendung von Aluminium wird das Eigengewicht der Flugzeuge deutlich verringert. Mehr Passagiere können bei geringerem Treibstoffverbrauch befördert werden.

Etwa 20 % des in Westeuropa erzeugten Aluminiums werden in der *Bauindustrie* verwendet. Häuserfassaden, Dächer, Türen, Fenster und Treppengeländer – ohne Aluminium würde das Bild unserer Städte anders aussehen. Aluminium eignet sich zum Bauen nicht nur wegen der geringen Dichte. Es ist leicht formbar, gut zu verarbeiten und doch fest. Aluminiumprofile lassen sich vielseitig gestalten und ermöglichen großflächige Verglasungen, wie man an den Dachkonstruktionen moderner Einkaufspassagen und Freizeitanlagen, aber auch an Wintergarten-Anbauten von Wohnhäusern sehen kann. Tür- und Fensterrahmen aus Aluminium bleiben formstabil und damit luftdicht und wärmedämmend bei allen Witterungsbedingungen. Aluminium hat nahezu unbegrenzte Lebensdauer, weil es chemisch sehr beständig ist. Seine Oberfläche bleibt auch in der verschmutzten Luft von Industriegebieten unverändert.

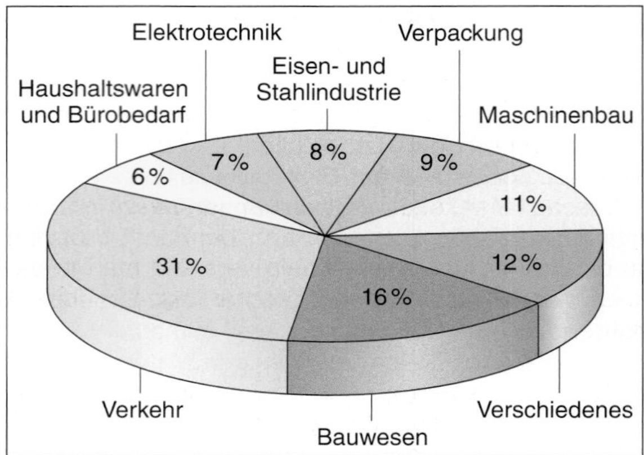

Verwendung von Aluminium in Deutschland
(Gesamtverbrauch 1994: 1,45 Millionen Tonnen)

Auch im *Haushalt* ist Aluminium weit verbreitet. Töpfe und Pfannen sind aus dem Leichtmetall, weil es die Wärme gut leitet. Aluminiumfolie reflektiert Wärmestrahlung. Daher bleiben zubereitete Speisen in Aluminiumfolie länger warm. Andere Nahrungsmittel werden kühl gehalten, weil von außen keine Wärmestrahlung eindringen kann. Aluminiumfolie ist wasserundurchlässig, sodass Frischkäse nicht austrocknet und Backpulver nicht feucht wird. Sie bietet keinen Nährboden für Bakterien, ist gesundheitlich unbedenklich und geschmacksneutral.

Als *Verpackungsmaterial* findet man Aluminium bei Tuben, Flaschenverschlüssen, Deckeln für Jogurtbecher, Getränkedosen oder Fruchtsaftbehältern.

EXKURS

Alu-Dosen: ex und hopp?

Passanten in Bonn staunten nicht schlecht über den ungewohnten Anblick: ein Fuhrwerk, gezogen von vier Pferden, auf dem Wege zum Umweltministerium. Beladen mit einer überdimensionalen Dose, die hunderte kleinerer Getränkedosen enthielt. Gesammelt wurden sie in der Nähe einer Bergstation im Allgäu.

Mehr als fünf Milliarden Getränkedosen werden jährlich in Deutschland verbraucht, etwa 10 % davon sind aus Aluminium. Die Dosen sind nicht nur ein unerfreulicher Anblick in der Landschaft für jeden Naturfreund: Aluminium ist ein besonders wertvoller Energie- und Rohstoffspeicher, sodass das Recycling des Metalls für die Aluminium-Industrie von großer Bedeutung ist.

1,5 Millionen Tonnen Aluminium werden jährlich in Deutschland verbraucht. Etwa ein Drittel des Metalls muss importiert werden. Von dem in Deutschland hergestellten Aluminium stammen etwa 45 % aus dem Recycling-Prozess. Zum Einschmelzen des Metalls benötigt man nur 5 % der Energie, die zu seiner Herstellung aus Bauxit notwendig war.

Die Recycling-Quote ist allerdings sehr unterschiedlich: Im Bauwesen liegt sie bei 85 %, im Bereich Verkehr sogar bei 90 %. Wenig Aluminium kommt dagegen aus den Haushalten zurück: Alu-Abfälle sollten sorgfältig getrennt vom übrigen Hausmüll gesammelt werden. Auch wenn der Anteil des so zurückzugewinnenden Aluminiums gering ist – umweltbewusstes Handeln beginnt im Alltag, jeder kann mitmachen.

Schweden ist vorbildlich, dort gibt es nur Pfand-Getränkedosen aus Aluminium. Recycling-Quote: 85 %!

10.2 Eloxal-Verfahren

Aluminium ist so vielseitig verwendbar, weil es sich in einer Hinsicht wesentlich von vielen anderen Metallen unterscheidet: Es überzieht sich bereits an der Luft mit einer dünnen, durchsichtigen Oxidschicht, die das darunter liegende Metall vor weiterer Oxidation schützt. So bleibt der metallische Glanz erhalten. Wegen dieser zusammenhängenden Schicht reagiert Aluminium trotz seines unedlen Charakters auch nicht mit Wasser. Man sagt, Aluminium ist *passiviert*. Saure und alkalische Lösungen zerstören allerdings den dünnen Schutzfilm schnell und lösen dann das Aluminium auf. Deshalb verstärkt man in der Technik die natürliche Oxidschicht durch **el**ektrolytische **Ox**idation des **Al**uminiums (**Eloxal**-Verfahren).

1. Aluminiumfassade

Bei diesem Verfahren wird der zu eloxierende Gegenstand als Anode in einer Elektrolyse-Apparatur geschaltet. Verdünnte Schwefelsäure oder Oxalsäure-Lösung bildet den Elektrolyten, die Kathode besteht aus Blei oder Aluminium. An der Kathode bildet sich beim Anlegen einer Spannung Wasserstoff.
Die Vorgänge, die sich an der Aluminium-Anode abspielen, sind kompliziert. Sie lassen sich hier nur vereinfacht darstellen. Durch Abgabe von Elektronen entstehen an der Aluminium-Oberfläche Al^{3+}-Ionen, die durch feine Poren in der natürlichen Oxidschicht den Elektrolyten erreichen. Dort tritt vermutlich die folgende Reaktion ein:

$$2\,Al^{3+} + 3\,H_2O \longrightarrow Al_2O_3 + 6\,H^+$$

Ein Teil des Elektrodenmaterials wird also aufgelöst. Gleichzeitig bildet sich ständig Aluminiumoxid. Die Schicht wächst in das Metall hinein. Die Dicke des behandelten Gegenstands nimmt dabei insgesamt etwas zu. Bei den üblichen Verfahren wird die Schicht gegenüber der natürlichen Oxidschicht um den Faktor Zehn auf etwa 0,03 mm verstärkt. Es bilden sich dicht nebeneinander liegende Poren, die der Oberfläche ein wabenähnliches Aussehen geben, wenn man sie durch ein Elektronenmikroskop betrachtet.

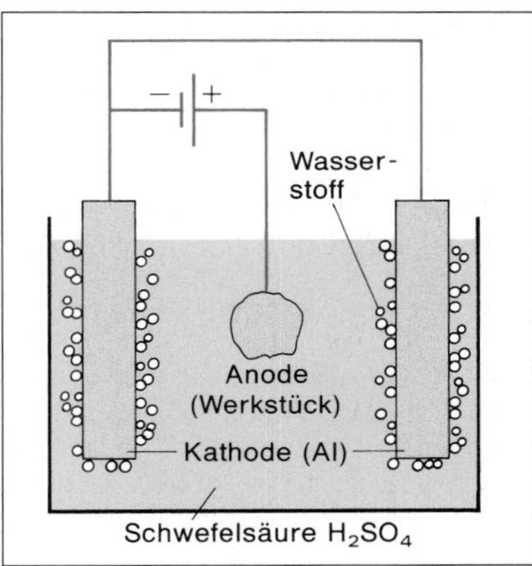

2. Eloxal-Verfahren (schematisch)

Das so entstandene Werkstück lässt sich je nach Einsatzbereich weiter bearbeiten. Wäscht man das Werkstück mit *kaltem* Wasser, so wird das Aluminiumoxid zum Teil in Aluminiumhydroxid überführt. Die Poren bleiben dabei im Wesentlichen erhalten. Man kann unterschiedliche Farbstoffe in die Poren einlagern und dabei eine breite Skala von Farben bis hin zu Messing-, Bronze- und Goldtönen erzielen. Saure organische Farbstoffe bilden mit dem Aluminiumhydroxid leicht Komplexverbindungen. Sie haften dadurch gut auf der Oberfläche, die Einfärbungen sind sehr witterungs- und lichtbeständig. Eloxierte Oberflächen lassen sich auch gut beschriften. Man deckt die gefärbten Flächen teilweise ab und behandelt das Werkstück mit Salpetersäure, sodass die ungeschützten Stellen entfärbt werden. Diese Flächen kann man dann im Naturton belassen oder erneut einfärben.

Abschließend bringt man das Werkstück für einige Zeit in heißes Wasser oder behandelt es mit Wasserdampf. Dabei schließen sich die Poren der Oxidschicht. Es bildet sich ein Aluminiumhydroxid-Gel. Bei den hohen Temperaturen kommt es zu Quellungen und die Schicht verdichtet sich. Da sie durchsichtig ist, bleibt die so erhaltene Oberfläche glänzend. Sie ist mechanisch besonders widerstandsfähig und korrosionsbeständig und wird selbst durch aggressive Chemikalien wie Schwefeldioxid oder Schwefelsäure kaum angegriffen. Der eloxierte Gegenstand kann problemlos weiter bearbeitet werden, ohne dass die fest mit dem Grundmetall verwachsene Oxidschicht abblättert.

A1 Welche Reaktion mit Wasser sollte man von Aluminium erwarten, wenn man seine Stellung in der Spannungsreihe zugrunde legt?

A2 Verreibt man etwas Quecksilber(II)-chlorid-Lösung auf einem Aluminiumblech, so wachsen nach kurzer Zeit weiße Fasern aus dem Aluminium heraus.
a) Welche Reaktion könnte zwischen dem Quecksilber(II)-chlorid und dem Aluminium eingetreten sein?
b) Quecksilber bildet mit Aluminium eine Legierung. Welche Bedeutung hat das für den Verlauf dieses Versuchs? Woraus bestehen die weißen Fasern?

10.3 Elektrolyse wässeriger Lösungen

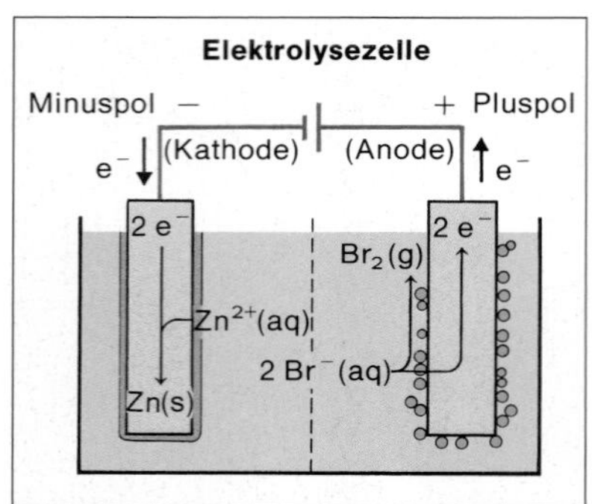

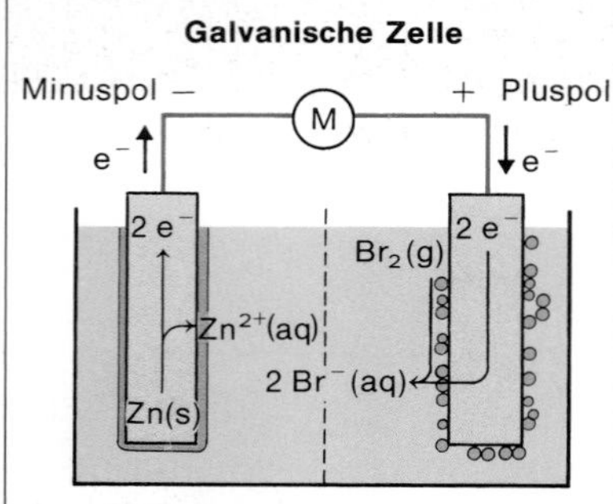

1. Elektrolysezelle und galvanische Zelle im Vergleich

Die Elektrolyse eines Salzes läuft in vielen Fällen nicht nur in der Schmelze, sondern auch in wässeriger Lösung ab. Taucht man zwei Graphit-Elektroden in eine wässerige Zinkbromid-Lösung und legt eine genügend hohe Spannung an, so scheiden sich an der Kathode Zink und an der Anode Brom ab. An den Elektroden finden die folgenden Reaktionen statt:

Minuspol: Zn^{2+} (aq) + 2 e^- ---> Zn (s); *Reduktion*

Pluspol: 2 Br^- (aq) ---> Br_2 (aq) + 2 e^-; *Oxidation*

Am Minuspol werden Zink-Ionen reduziert, am Pluspol werden Bromid-Ionen oxidiert. Man spricht auch von **kathodischer Reduktion** und von **anodischer Oxidation.**

Unterbricht man die Elektrolyse und trennt die Elektroden von der Spannungsquelle, so lässt sich zwischen den Elektroden eine Spannung von 1,8 V messen. Stellt man zwischen den Elektroden eine leitende Verbindung her, so fließt ein Strom, der dem Elektrolysestrom entgegengesetzt gerichtet ist. Mit diesem Strom lässt sich ein kleiner Motor antreiben; es wird elektrische Arbeit verrichtet.

Durch die Elektrolyse ist eine galvanische Zelle entstanden, die aus einer Zink-Halbzelle und einer Brom-Halbzelle aufgebaut ist. Ihre Spannung beträgt unter Standardbedingungen 1,85 V. Es laufen folgende Elektrodenreaktionen ab:

Minuspol: Zn (s) ---> Zn^{2+} (aq) + 2 e^-; *Oxidation*

Pluspol: Br_2 (aq) + 2 e^- ---> 2 Br^- (aq); *Reduktion*

Bei einer Elektrolyse in wässeriger Lösung laufen also unter Aufwendung elektrischer Energie die umgekehrten Vorgänge ab wie in einer galvanischen Zelle.

Zersetzungsspannung. Es stellt sich die Frage, wie groß die bei der Elektrolyse einer wässerigen Lösung anzulegende Spannung mindestens sein muss, damit die Reaktion einsetzt und kontinuierlich abläuft. Dieses Problem soll am Beispiel der Elektrolyse von Salzsäure ($c = 1\ mol \cdot l^{-1}$) mit platinierten Platin-Elektroden untersucht werden. Dazu erhöht man von 0 V ausgehend in kleinen Schritten die Spannung und misst jeweils die Stromstärke in der Elektrolysezelle. Stellt man die Stromstärke in Abhängigkeit von der angelegten Spannung grafisch dar, so erhält man die Strom/Spannungs-Kurve: Sie verläuft zunächst sehr flach und steigt dann bei einer bestimmten Spannung steil an.

Der Verlauf der Strom/Spannungs-Kurve lässt sich erklären, wenn man die Vorgänge an den Elektroden betrachtet. Die zunächst angelegte geringe Spannung bewirkt einen kleinen Elektrolysestrom, der zur Abscheidung von wenig Wasserstoff und Chlor führt. Die gebildeten Moleküle werden an den Platin-Elektroden adsorbiert. Dadurch entsteht eine galvanische Zelle:

H_2 (Pt)/H^+//Cl_2 (Pt)/Cl^-

Die Wasserstoff-Halbzelle stellt den Minuspol, die Chlor-Halbzelle den Pluspol dar. Die Zellspannung dieser galvanischen Zelle bewirkt einen Strom, der dem Elektrolysestrom entgegengesetzt gerichtet ist, sodass anfangs theoretisch kein Strom fließen sollte. Der dennoch gemessene schwache Strom entsteht dadurch, dass in geringem Maße Chlor und Wasserstoff von den Elektroden in die Lösung diffundieren und durch Elektrolyse nachgebildet werden.

A1 **a)** Beschreiben Sie die Vorgänge bei der Elektrolyse einer wässerigen Bleichlorid-Lösung mit Graphit-Elektroden.
b) Welche Spannung zeigt sich, wenn man die Spannungsquelle von der Elektrolysezelle trennt?

A2 Prüfen Sie die folgenden Aussagen:
a) „Verdoppelt man die Elektrolysespannung, so erhält man die doppelte Menge Elektrolyseprodukte."
b) „Verdoppelt man die Elektrolysestromstärke, so erhält man die doppelte Menge Elektrolyseprodukte."

A3 Begründen Sie, wieso in einer Elektrolysezelle die Stromstärke nicht proportional zur angelegten Spannung ist.

Erhöht man die Elektrolysespannung, wird mehr Gas an den Elektroden adsorbiert, sodass auch die Zellspannung steigt. Bei weiterer Steigerung der angelegten Spannung erreicht der Gasdruck an den Elektroden den Wert des äußeren Luftdrucks (1013 hPa) und von den Elektroden beginnen Gasblasen aufzusteigen. Die Zellspannung der galvanischen Zelle beträgt dann 1,36 V. Ab diesem Punkt bleibt der Gasdruck an den Elektroden konstant und die Zellspannung kann sich nicht weiter erhöhen. Eine Steigerung der angelegten Elektrolysespannung führt dann zu einer kontinuierlichen Gasentwicklung mit einem steilen, fast linearen Anstieg der Elektrolysestromstärke.

Die Mindestspannung, bei der die Zersetzung des Elektrolyten beginnt, nennt man **Zersetzungsspannung.** In diesem Beispiel ist sie gleich der Spannung der galvanischen Zelle $H_2(Pt)/H^+//Cl_2(Pt)/Cl^-$ unter Standardbedingungen. Aus einem Diagramm der Strom-Spannungs-Kurve lässt sich die Zersetzungsspannung ablesen, indem man den Schnittpunkt der Verlängerung des linearen Kurventeils mit der *U*-Achse ermittelt.

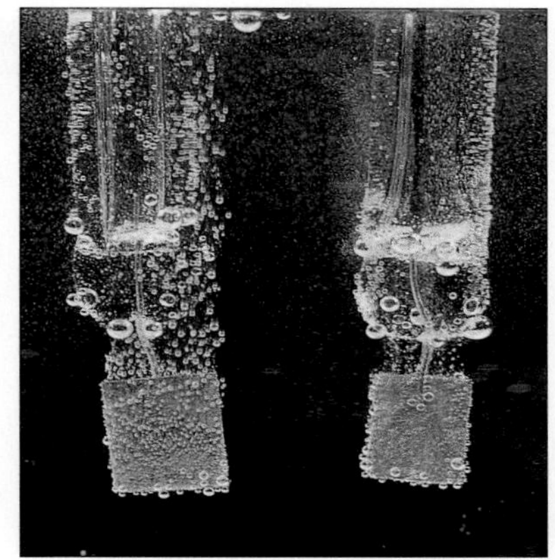

1. Elektrolyse von Salzsäure mit Platin-Elektroden

Überspannung. Elektrolysiert man Salzsäure mit Graphit-Elektroden anstelle von Platin-Elektroden, so nimmt die Zersetzungsspannung deutlich zu. Sie liegt über der theoretisch berechneten Zellspannung der entstehenden galvanischen Zelle. Die Abscheidung von Wasserstoff und Chlor an den Elektroden ist offensichtlich behindert. Die Differenz zwischen der experimentell bestimmten und der theoretisch erwarteten Zersetzungsspannung bezeichnet man als *Überspannung U**. Sie setzt sich aus einem Anteil für die Kathodenreaktion und einem Anteil für die Anodenreaktion zusammen.

Der Überspannungsanteil einer Elektrodenreaktion hängt vom abzuscheidenden Stoff, vom Elektrodenmaterial und von der Oberflächenbeschaffenheit ab. Neben der Temperatur spielt die Stromdichte an den Elektroden eine wichtige Rolle. Diese ist der Quotient aus Stromstärke und Elektrodenoberfläche. Mit zunehmender Stromdichte steigt die Überspannung an. Für die Abscheidung von Metallen sind die Überspannungen niedrig. Bei Gasen, besonders bei Sauerstoff, treten jedoch merkliche Überspannungen auf. Überspannungen haben für viele technische Prozesse eine große Bedeutung, da es auch vom Elektrodenmaterial abhängt, welche Stoffe gebildet werden. Gäbe es keine Überspannung, so ließe sich ein Blei-Akku nicht betreiben und auch die Gewinnung von Zink durch Elektrolyse wässeriger Lösungen wäre nicht möglich.

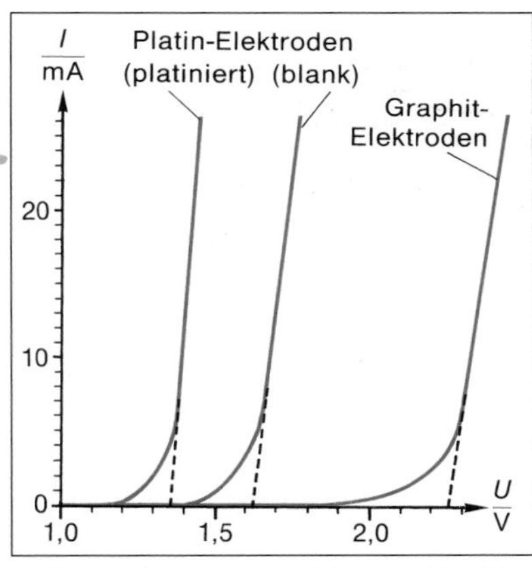

2. Strom/Spannungs-Kurven für die Elektrolyse von Salzsäure (1 mol · l⁻¹)

Gas	Elektroden-material	Stromdichte in A · cm⁻² 10^{-3}	10^{-2}	10^{-1}	10^{0}
Wasserstoff	Pt (platiniert)	− 0,02	− 0,04	− 0,05	− 0,07
	Pt (blank)	− 0,12	− 0,23	− 0,35	− 0,47
	Graphit	− 0,60	− 0,78	− 0,97	− 1,03
	Quecksilber	− 0,94	− 1,04	− 1,15	− 1,25
Sauerstoff	Pt (platiniert)	0,40	0,52	0,64	0,77
	Pt (blank)	0,72	0,85	1,28	1,49
	Graphit	0,53	0,90	1,09	1,24
Chlor	Pt (platiniert)	0,006	0,016	0,026	0,08
	Pt (blank)	0,008	0,03	0,054	0,24
	Graphit	0,1	0,12	0,25	0,50

3. Überspannungsanteile *U in Volt für die Abscheidung einiger Gase**

A1 Eine Bleinitrat-Lösung (0,01 mol · l^{-1}) wird mit Salpetersäure angesäuert und bei einer Stromdichte von 0,1 A · cm^{-2} elektrolysiert. Welche Vorgänge spielen sich an den Elektroden ab, wenn man
a) platinierte Platin-Elektroden
b) Quecksilber-Elektroden verwendet?

A2 Bestimmen Sie die theoretische Zersetzungsspannung für die Elektrolyse von Zinkchlorid-Lösung (1 mol · l^{-1}).
Welche praktische Zersetzungsspannung ergibt sich, wenn man die Elektrolyse bei 0,1 A · cm^{-2} mit Graphit-Elektroden durchführt?

10.4 Abscheidungspotentiale

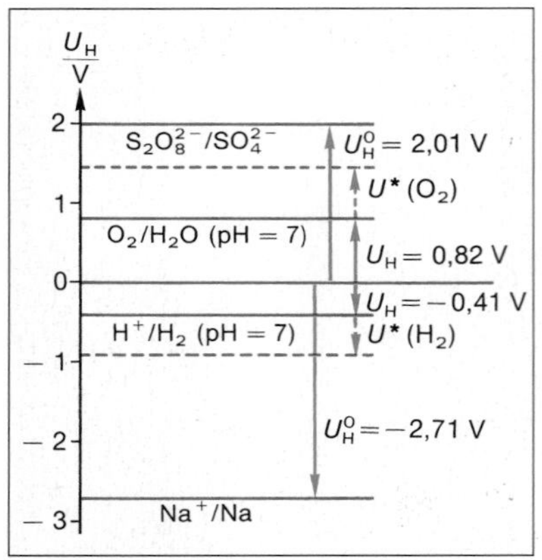

1. Spannungsdiagramm zur Elektrolyse von Natriumsulfat-Lösung

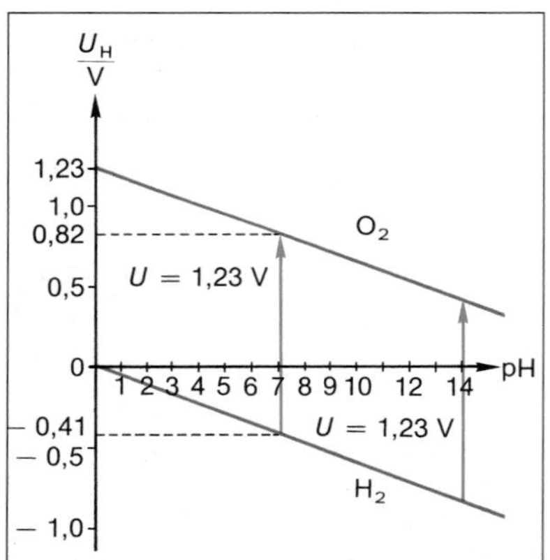

2. pH-Abhängigkeit der Abscheidungspotentiale von Wasserstoff und Sauerstoff

Führt man die Elektrolyse einer wässerigen Natriumsulfat-Lösung mit platinierten Platin-Elektroden durch, so bilden sich an der Kathode Wasserstoff und an der Anode Sauerstoff. Offensichtlich wird durch die Reaktionen an den Elektroden Wasser elektrolytisch zerlegt. Die Ionen des Salzes bleiben dagegen unverändert.

Es stellt sich die Frage, wie man die bei einer Elektrolyse ablaufenden Elektrodenreaktionen voraussagen kann. Dazu betrachtet man für alle denkbaren Elektrodenreaktionen die **Abscheidungspotentiale**. Sie berücksichtigen neben den Elektrodenpotentialen der entsprechenden Halbzellen auch noch die Überspannungsanteile U^* unter den jeweiligen Elektrolysebedingungen.

Bei der Elektrolyse einer Natriumsulfat-Lösung ($c = 1$ mol · l^{-1}, pH = 7) treten an den Elektroden jeweils zwei Reaktionen in Konkurrenz. An der Kathode könnten Natrium-Ionen oder Wasser-Moleküle reduziert werden.

Minuspol:

Na^+ (aq) + 2 e^- ---→ Na (s); $U_H = -2,69$ V

2 H_2O (l) + 2 e^- ---→ H_2 (g) + 2 OH^- (aq); $U_H = -0,41$ V + $U^*(H_2)$

An der Anode könnten Sulfat-Ionen zu Peroxodisulfat-Ionen oder Wasser zu Sauerstoff oxidiert werden.

Pluspol:

2 SO_4^{2-}(aq) ---→ $S_2O_8^{2-}$(aq) + 2 e^-; $U_H^0 = 2,01$ V

2 H_2O (l) ---→ O_2 (g) + 4 H^+ (aq) + 4 e^-; $U_H = 0,82$ V + $U^*(O_2)$

Berechnet man die für die unterschiedlichen Reaktionen erforderliche Zersetzungsspannung $U = U_H$ (Anode) − U_H (Kathode), so ergibt sich für die Elektrolyse des Wassers ein kleinerer Wert als für die Reaktionen, an denen Natrium-Ionen oder Sulfat-Ionen beteiligt sind.

Allgemein gilt: Bei Elektrolysen laufen immer diejenigen Reaktionen ab, die die kleinste Zersetzungsspannung erfordern. An der Kathode wird dann der Stoff mit dem größten Abscheidungspotential reduziert. An der Anode wird der Stoff mit dem kleinsten Abscheidungspotential oxidiert.

Die Abscheidungspotentiale hängen wesentlich von den bei der Elektrolyse auftretenden Überspannungen ab. Elektrolysiert man eine Zinkchlorid-Lösung mit Graphit-Elektroden, scheidet sich an der Kathode Zink ab. Elektrolysiert man dagegen mit platinierten Platin-Elektroden, so ist wegen der minimalen Überspannung des Wasserstoffs die Abscheidung von Wasserstoff begünstigt.

Bei Anwendungen in der Technik werden durch Überspannungen viele gewünschte Elektrodenvorgänge überhaupt erst möglich. Das zeigt sich beispielsweise beim Laden eines Blei-Akkumulators. An der Blei-Kathode können sowohl Blei-Ionen als auch Hydronium-Ionen aus der schwefelsauren Elektrolytlösung reduziert werden. Wegen der Überspannung des Wasserstoffs an Blei wird an der Kathode Blei abgeschieden. Die Abscheidungspotentiale ändern sich aber entsprechend der NERNSTschen Gleichung mit der Konzentration des Elektrolyten. Wenn gegen Ende des Ladevorgangs die Konzentration der Blei-Ionen stark abnimmt, wird das Abscheidungspotential von Blei kleiner als das des Wasserstoffs. Dann kommt es doch zur unerwünschten Entwicklung von Wasserstoff: Der Akku gast.

A1 Eine wässerige Kaliumsulfat-Lösung wird mit Universalindikator versetzt und in einem U-Rohr elektrolysiert.

a) Begründen Sie anhand von Reaktionsgleichungen, welche Farbe die Indikatorlösung in den Schenkeln des U-Rohrs zeigt.

b) Nach Beendigung der Elektrolyse gibt man den Inhalt des U-Rohres in ein Becherglas und rührt um. Welche Farbe zeigt die Indikatorlösung?

10.5 FARADAYsche Gesetze

1. Michael FARADAY (1791–1867)

Von grundlegendem Interesse vor allem bei technischen Elektrolysen ist die Frage, welche Stoffmengen sich unter bestimmten Elektrolysebedingungen abscheiden. Untersuchungen zu diesem Problem hat zuerst FARADAY im Jahre 1833 angestellt. Er elektrolysierte verschiedene Elektrolyt-Lösungen, variierte die Stromstärke und die Elektrolysedauer und bestimmte die abgeschiedenen Stoffmassen. Er fand die folgenden Gesetze.

1. FARADAYsches Gesetz: *Die elektrolytisch abgeschiedenen Stoffmengen sind der durch den Elektrolyten geflossenen Ladung Q proportional.*

Bei der Elektrolyse einer Zinkbromid-Lösung erhält man also die doppelte Menge Zink, wenn man die Elektrolysezeit t oder die Stromstärkte I verdoppelt, da dann die doppelte Ladung Q durch die Elektrolysezelle fließt: $Q = I \cdot t$.

2. FARADAYsches Gesetz: *Zur elektrolytischen Abscheidung von einem Mol Teilchen eines Stoffes ist die Ladung $Q = 1\ mol \cdot z \cdot F$ erforderlich.*
Dabei ist z die Zahl der Elektronen, die bei der Abscheidung eines Teilchens an der Elektrode ausgetauscht werden.
Für die FARADAY-Konstante F gilt:
$1\ F = 96\,500\ C \cdot mol^{-1} = 96\,500\ A \cdot s \cdot mol^{-1}$.

Lässt man die gleichen Ladungsmengen Q durch Elektrolysezellen mit Lösungen von Zinkbromid und von Silbernitrat fließen, erhält man die halbe Stoffmenge n an Zink wie an Silber, da Zink die doppelte Ionenladung z besitzt.
Für die abgeschiedene Stoffmenge n gilt allgemein: $n = \frac{I \cdot t}{z \cdot F}$

A1 **a)** Bei einer Elektrolyse von Kupfersulfat-Lösung fließt 20 min ein Strom von 0,25 A. Wie viel Kupfer wird abgeschieden?
b) Wie viel Kupfer wird aus einer Kupfersulfat-Lösung abgeschieden, wenn gleichzeitig in einer hintereinander geschalteten Elektrolysezelle 1 g Silber abgeschieden wird?

PRAKTIKUM

Elektrolysen

Versuch 1: Elektrolyse von Schwefelsäure mit verschiedenen Elektroden

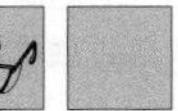

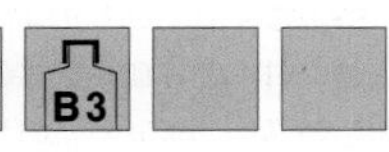

Materialien: U-Rohr mit seitlichen Ansätzen, zwei Gasableitungsrohre, zwei Bechergläser (600 ml), Glaswolle, zwei Platin-Elektroden, zwei neue Graphit-Elektroden, zwei Kupfer-Elektroden, passende einfach durchbohrte Stopfen, Gleichspannungsquelle, Strommessgerät, Gasbrenner, Holzspan;
Schwefelsäure (0,5 mol · l^{-1}), Calciumhydroxid-Lösung, Natronlauge (konz.; C), Pyrogallol-Lösung (10 %; Xn)

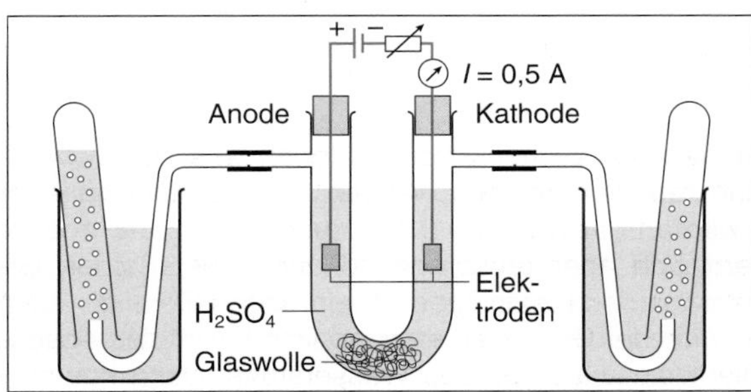

Durchführung: Der Versuch wird entsprechend der Abbildung vorbereitet. Man regelt die Spannung so, dass bei einer Stromstärke von etwa 0,5 A elektrolysiert wird. Entstehende Gase werden pneumatisch aufgefangen.

a) *Elektrolyse mit Platin-Elektroden:*
1. Bringen Sie die Mündung des Reagenzglases mit dem an der Kathode entstandenen Gas in die Brennerflamme.
2. Prüfen Sie das an der Anode entstandene Gas mit einem glimmenden Span.

b) *Elektrolyse mit Graphit-Elektroden:*
1. Prüfen Sie die entstandenen Gase wie unter (a).
2. Führen Sie die Elektrolyse weiter durch und füllen Sie zwei Reagenzgläser teilweise mit dem an der Anode entstandenen Gas.
3. Zu einer Probe gibt man Calciumhydroxid-Lösung und schüttelt um. Die andere Probe wird mit 1 ml Natronlauge und 1 ml Pyrogallol-Lösung versetzt und anschließend umgeschüttelt (Sauerstoffnachweis).

c) *Elektrolyse mit Kupfer-Elektroden:*
Prüfen Sie das an der Kathode entstandene Gas.

Aufgabe: Ermitteln Sie die Abscheidungspotentiale für alle bei diesen Elektrolysen denkbaren Elektrodenreaktionen und erstellen Sie ein Spannungsdiagramm.

10.6 Chloralkali-Elektrolyse

Salz...
macht
Profil
Profile aus Aluminium oder PVC – für Fenster, Fassaden, Raster, Gitter. Für moderne Bautechnik, die ohne Profile nicht vorstellbar wäre. Profile dichten, stutzen, verbinden, bilden Strukturen und Module. Aluminium und PVC sind bevorzugte Werksoffe für stranggepresste Profile. An beiden ist Salz beteiligt. Natronlauge, aus Salz gewonnen, löst das Aluminium aus seinen komplizierten Verbindungen. Das Salz-Atom „Cl" macht die Verkettung von Vinyl-Monomeren zum Kunststoff PVC möglich. Salz bewirkt so viel, was für uns alle unverzichtbar ist.
Salz – wie gut,
dass wir es haben.

1. Salz macht Profil. Eine Anzeige der deutschen Salzindustrie

2. Abbau von Steinsalz (Natriumchlorid)

A1 Welcher Zusammenhang besteht zwischen Salz und einem Profil aus Aluminium?

A2 Die Lösung von Steinsalz, die man auch als *Rohsole* bezeichnet, enthält als lösliche Verunreinigungen Calciumsalze und Eisen(III)-salze. Sie werden durch Zugabe von Natronlauge und Soda gefällt. Geben Sie die Reaktionsgleichungen für die bei der Fällung ablaufenden Vorgänge an.

A3 Der Salzgehalt der gesättigten Sole fällt während der Elektrolyse von 27 % auf 23 %.
Wie viel Gramm Salz enthält ein Liter Sole vor und nach der Elektrolyse etwa? Gehen Sie für die Rechnung von einer Dichte von 1,18 kg · l^{-1} aus.

„Der Mensch kann ohne Gold, nicht aber ohne Salz leben." Dieser Satz stammt von dem römischen Geschichtsschreiber CASSIODORUS, der vor etwa 1500 Jahren lebte. Auch für unser Leben heute hat Salz nicht an Bedeutung verloren. Glücklicherweise steht es als Steinsalz in großen Mengen zur Verfügung. Etwa zehn Millionen Tonnen Salz werden jährlich allein in Deutschland gewonnen. Zwei Drittel davon gehen in die chemische Industrie, wo es als Rohstoff zur Herstellung so unterschiedlicher Stoffe wie Papier, Glas, Aluminium und Seife dient. Nur etwa 3 % werden als Speisesalz verbraucht.

Das wichtigste großtechnische Verfahren, bei dem Salz als Rohstoff eingesetzt wird, ist die so genannte *Chloralkali-Elektrolyse*, die Elektrolyse einer wässerigen Natriumchlorid-Lösung. Betrachtet man die Abscheidungspotentiale für die bei diesem Vorgang denkbaren Elektrodenreaktionen, so sollte man erwarten, dass Wasser elektrolytisch zerlegt wird. Man erhielte lediglich Wasserstoff und Sauerstoff.

Anode:
$2\,Cl^-\,(aq) \dashrightarrow Cl_2\,(g) + 2\,e^-$; $U_H^0 = 1{,}36$ V
$2\,H_2O\,(l) \dashrightarrow O_2\,(g) + 4\,H^+\,(aq) + 4\,e^-$; $U_H = 0{,}82$ V (pH = 7)

Kathode:
$Na^+\,(aq) + e^- \dashrightarrow Na\,(s)$; $U_H^0 = -2{,}71$ V
$2\,H_2O\,(l) + 2\,e^- \dashrightarrow 2\,OH^-\,(aq) + H_2\,(g)$; $U_H = -0{,}41$ V (pH = 7)

In der Technik wird die Elektrolyse jedoch so durchgeführt, dass man neben Wasserstoff die wichtigen anorganischen Grundchemikalien Chlor und Natronlauge erhält. Man setzt dazu das *Amalgam*-Verfahren, das *Diaphragma*-Verfahren und das *Membran*-Verfahren ein.

Amalgam-Verfahren. Das Steinsalz für die Elektrolyse stammt aus unterirdischen Lagerstätten. Es wird bei 80 °C in Wasser gelöst. Die gereinigte konzentrierte Salzlösung oder **Sole** wird aus einem Vorratsbecken kontinuierlich der Elektrolysezelle zugeführt.

Die Amalgam-Zelle besteht aus einem leicht geneigten Stahltrog. Über seinen Boden fließt ein etwa 3 mm dicker Quecksilberfilm. Das Quecksilber bildet die Kathode. In den Deckel der Zelle sind bis zu 180 Anoden eingelassen. Man verwendet heute chemisch beständige Anoden aus Titan. Sie sind zum Schutz mit einer dünnen Schicht von Edelmetalloxiden überzogen. Der Abstand zwischen Anode und Kathode beträgt nur 3 mm. Er muss gleich bleiben, damit die Elektrolyse bei konstanter Spannung von etwa 4 V durchgeführt werden kann.

An der *Anode* bildet sich kein Sauerstoff, weil seine Überspannung an Titan zu hoch ist. Stattdessen entsteht *Chlor*; es wird mit Hilfe von konzentrierter Schwefelsäure getrocknet, dann gekühlt und verflüssigt. Ein Teil des Chlors bleibt in der Sole gelöst. Es wird in Abscheidern von der Salzlösung getrennt und dann ebenfalls verflüssigt.

An der *Kathode* werden Natrium-Ionen zu Natrium reduziert. Mit dem Quecksilber bildet sich flüssiges *Natriumamalgam*, eine Quecksilber-Legierung. Diese überraschende Reaktion ist aus folgenden Gründen möglich: Die eigentlich zu erwartende Abscheidung von Wasserstoff ist stark behindert, weil seine Überspannung an Quecksilber sehr hoch ist. Hinzu kommt, dass sich die für die Abscheidung von Natrium erforderliche Energie um den Betrag verringert, der bei der exothermen Bildung von Natriumamalgam aus Natrium und Quecksilber frei würde.

Das Quecksilber fließt durch die Elektrolysezelle. Im Amalgamzersetzer reagiert das Amalgam mit Wasser zu Natronlauge und Wasserstoff. Graphitstäbe beschleunigen dabei die Reaktion, indem sie die Überspannung für die Abscheidung von Wasserstoff herabsetzen. Das natriumfreie Quecksilber wird in die Elektrolysezelle zurückgeleitet, der Kreislauf ist geschlossen. Der Wasserstoff wird abgeleitet und von Quecksilberdampf gereinigt. Er kann zu Hydrierungsreaktionen weiterverwendet werden. Die so gewonnene 50 %ige Natronlauge ist sehr rein; sie wird direkt an die Verbraucher weitergegeben. Die verdünne Salzlösung wird aus der Zelle in eine Salzlösestation gepumpt, wo die Ausgangskonzentration wieder eingestellt wird.

Das Amalgam-Verfahren wird kontinuierlich betrieben und ist weitgehend automatisiert. Der Stoff- und Energieumsatz lässt sich folgendermaßen zusammenfassen:

$$2\,NaCl\,(aq) + 2\,H_2O\,(l) \xrightarrow{\text{Amalgam-Verfahren}} Cl_2\,(g) + 2\,NaOH\,(aq) + H_2\,(g); \quad \Delta_R H_m^0 = 454\ kJ \cdot mol^{-1}$$

In der Praxis können bei der Durchführung des Verfahrens verschiedene Schwierigkeiten auftreten. So müssen selbst geringe Verunreinigungen durch Schwermetallverbindungen vermieden werden, da es sonst zur Abscheidung von Metallen kommt, an denen Wasserstoff eine geringere Überspannung als an Quecksilber hat. Die Bildung von Wasserstoff wäre gefährlich, weil er sich mit Chlor zu Chlorknallgas mischen würde.

Ein Teil des gebildeten Chlors löst sich in der Sole und geht verloren, weil es zu Chlorid-Ionen und hypochloriger Säure (HOCl) disproportioniert. Um den Verlust an Chlor zu verringern, hält man die Temperatur der Sole hoch und setzt im Chlorabscheider etwas Salzsäure zu.

A1 Um die Abscheidung von Wasserstoff beim Amalgam-Verfahren zu vermeiden, setzt man der Sole etwa $0{,}02\ g \cdot l^{-1}$ Natriumhydroxid zu.
a) Welchen pH-Wert erhält die Sole dadurch?
b) Warum ist die Bildung von Wasserstoff an der Kathode in *alkalischer* Lösung erschwert?

A2 Wenn während der Elektrolyse die Konzentration an Chlorid-Ionen sinkt, kann es an der Anode zur Bildung von Sauerstoff kommen.
Stellen Sie die Reaktionsgleichung für die dann ablaufende Reaktion in alkalischer Lösung auf.

A3 **a)** Stellen Sie die Reaktionsgleichung für die Disproportionierung von Chlor in alkalischer Lösung auf.
b) Wie ändert sich die Lage des Gleichgewichts, wenn man die nach a) gebildete Lösung ansäuert? Erläutern Sie auf der Grundlage des Prinzips von LE CHATELIER.

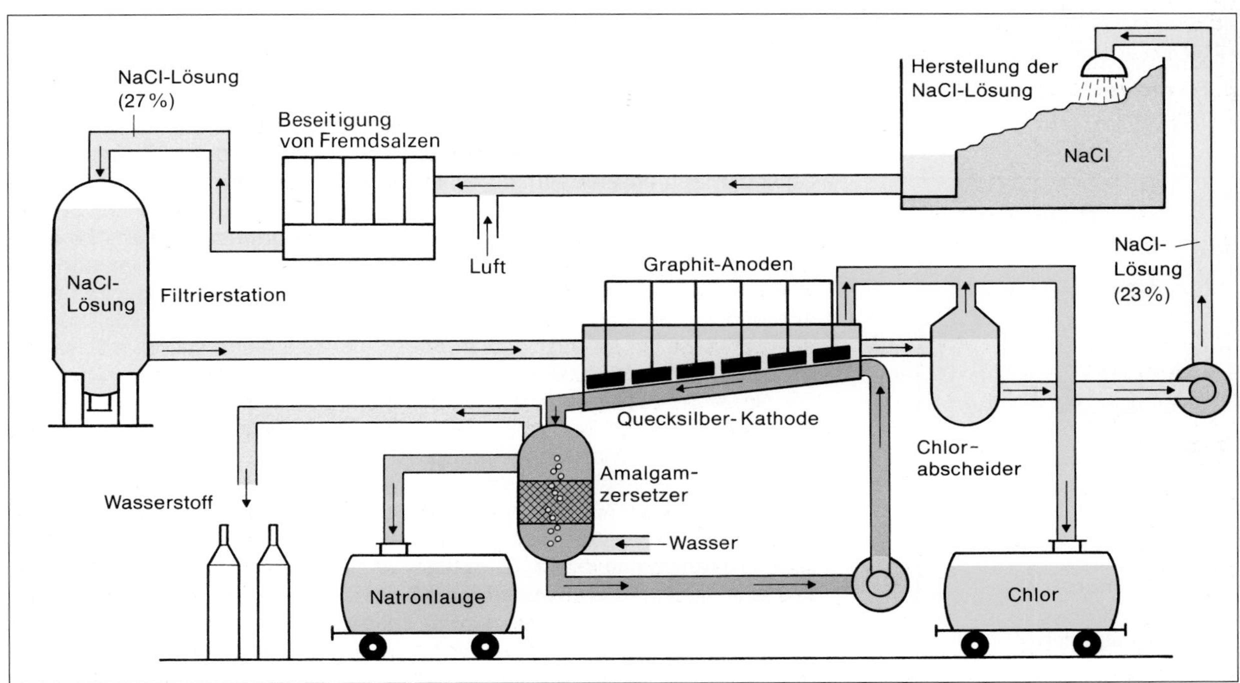

1. Ablauf des Amalgam-Verfahrens in der Technik

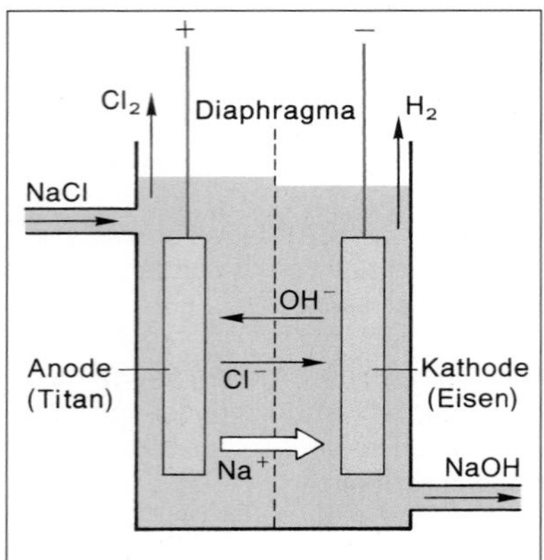

1. Diaphragma-Verfahren

2. Elektrolyse-Halle

Chlor	
Wasserbehandlung	0,1 %
Bleichmittel	3,1 %
anorganische Produkte	5,2 %
chlorierte Aromaten	5,3 %
PVC	19,0 %
Lösungsmittel	22,7 %
andere organische Produkte	41,7 %
Natronlauge	
Textilindustrie	1,0 %
Erdölindustrie	1,2 %
Cellulose-Ester	3,3 %
Zellstoffindustrie	4,4 %
Bauxit-Aufschluss	4,7 %
Reinigungsmittel	10,8 %
chemische Industrie	57,2 %

3. Verwendung von Chlor und Natronlauge (1990)

Diaphragma-Verfahren. Anstelle von Quecksilber wird beim Diaphragma-Verfahren eine Kathode aus Eisen verwendet. Da die Überspannung von Wasserstoff an Eisen viel geringer ist als an Quecksilber, wird nicht Natrium, sondern Wasserstoff abgeschieden. An den Anoden aus Titan bildet sich wie beim Amalgam-Verfahren Chlor.

Kathode: $2\ H_2O\ (l) + 2\ e^- \dashrightarrow H_2\ (g) + 2\ OH^-\ (aq)$

Anode: $2\ Cl^-\ (aq) \dashrightarrow Cl_2\ (g) + 2\ e^-$

Die an der Kathode gebildeten Hydroxid-Ionen dürfen nicht in den Anodenbereich wandern, denn das an der Anode entstandene Chlor disproportioniert in alkalischer Lösung zu Chlorid und Hypochlorit. Die Elektrolysezelle ist daher durch eine poröse Scheidewand, ein *Diaphragma* aus Asbest, in einen Anoden- und einen Kathodenraum getrennt. Das Diaphragma behindert die Wanderung der Ionen im elektrischen Feld nur wenig, sodass der elektrische Widerstand der Zelle kaum erhöht wird. Eine Diffusion von Hydroxid-Ionen in den Anodenraum wird auf folgende Weise erschwert: Man stellt die Strömungsgeschwindigkeiten so ein, dass die Sole im Anodenraum etwas höher steht. Sie fließt daher aufgrund des hydrostatischen Drucks langsam durch das Diaphragma in Richtung Kathode. Für Gasbläschen ist das Diaphragma praktisch undurchlässig, sodass sich Chlor und Wasserstoff nicht zu Chlorknallgas vermischen können.
Aus dem Kathodenraum wird eine verdünnte, etwa 12 %ige Natronlauge abgeleitet, die noch Natriumchlorid enthält. Vor Weitergabe an den Verbraucher muss sie in einem energieaufwendigen Verfahren durch Eindampfen auf 50 % konzentriert werden. Dabei fällt das Natriumchlorid bis auf einen Restgehalt von etwa 1 % aus. Das Chlor ist durch geringe Mengen von Sauerstoff verunreinigt.

Membran-Verfahren. Dieses Verfahren wurde erst in der letzten Zeit entwickelt. Es arbeitet ebenfalls mit Titan-Anoden und Eisen-Kathoden. Allerdings ist das Diaphragma durch eine nur 0,1 mm dünne chlorbeständige Ionenaustaucher-Membran ersetzt. Sie besteht aus Polytetrafluorethen mit negativ geladenen SO_3-Resten. Durch diese Membran gelangen Natrium-Ionen zum Ladungsausgleich in den Kathodenraum, für Hydroxid-Ionen und Chlorid-Ionen sowie für Chlor ist sie praktisch undurchlässig. Die so erzeugte, etwa 35 %ige Natronlauge ist daher fast frei von Chlorid-Ionen. Auch die Disproportionierung von Chlor wird so vermieden.

Vergleich der Verfahren. Durch die Trennung der Reaktionsräume sind die Endprodukte beim *Amalgam-Verfahren* sehr rein. Sie können direkt an den Verbraucher weitergegeben werden. Allerdings sind aufwendige Verfahren notwendig, um eine Umweltbelastung durch mitgerissenes Quecksilber gering zu halten. In Deutschland werden Chlor und Natronlauge in etwa der Hälfte der Anlagen mit dem Amalgam-Verfahren produziert.
Die Nachteile des *Diaphragma-Verfahrens* liegen in der geringeren Reinheit der Produkte. Auch der Umgang mit Asbest als Diaphragma-Material wird heute als problematisch angesehen.
Das *Membran-Verfahren* bietet eine umweltfreundliche Alternative. Die Produkte sind ähnlich rein wie beim Amalgam-Verfahren, nur das Chlor enthält geringe Mengen Sauerstoff. Die Membranen sind sehr empfindlich gegenüber Erdalkalimetall-Ionen: Sie setzen sich in der Membran fest und behindern den Durchtritt der Natrium-Ionen. Die Sole muss daher aufwendig gereinigt werden. Wegen der geringen Lebensdauer und des hohen Preises der Membran kann das Verfahren heute noch nicht überall mit den beiden anderen konkurrieren. Der Weltmarktanteil beträgt etwa 30 % gegenüber je 35 % bei den beiden älteren Verfahren.

EXKURS

Wozu eigentlich Chlor und Natronlauge?

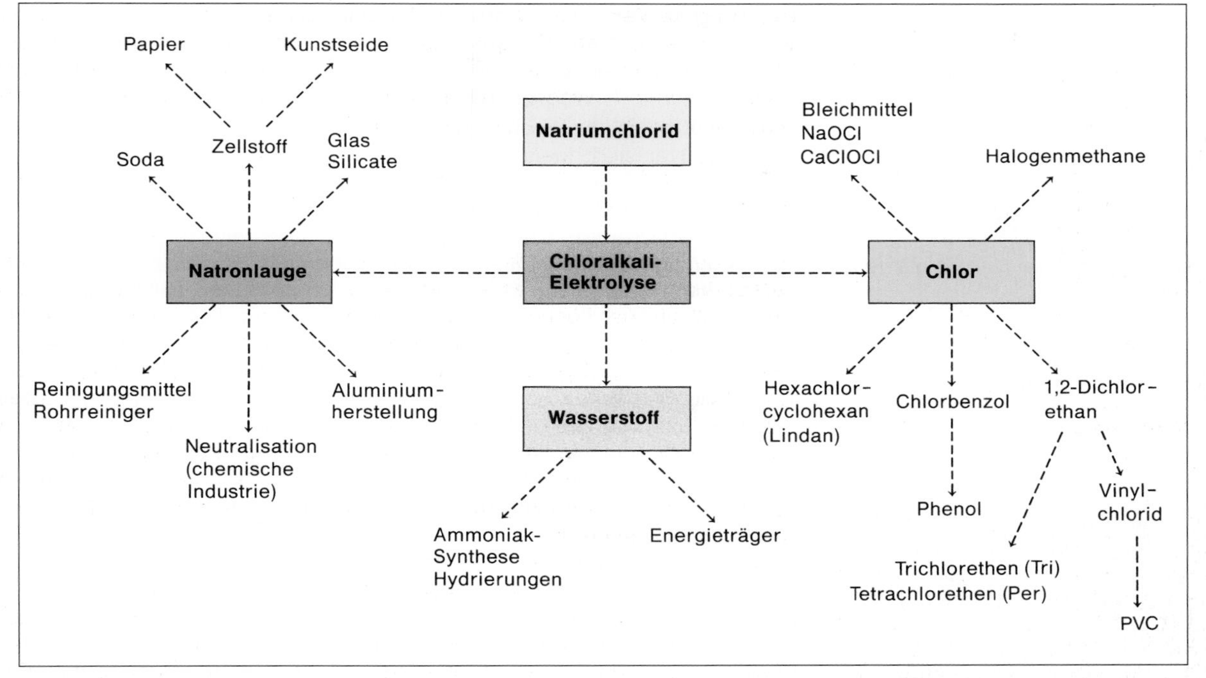

EXKURS

Chlorchemie in der Diskussion

Ozonloch durch Fluorchlorkohlenwasserstoffe, Krebs erregende chlorhaltige Lösungsmittel im Trinkwasser, eine Serie von Chemieunfällen beim Umgang mit chlorhaltigen Chemikalien: Dioxin in Seveso, Phosgen in Bhopal, Pflanzenschutzmittel im Rhein ... – Presse-Schlagzeilen, die uns erheblich verunsichern.

3,4 Millionen Tonnen Chlor werden jährlich in Deutschland erzeugt. Die Produktionszahlen stagnieren in den letzten Jahren, bleiben aber auf hohem Niveau. Etwa 60 % der Produkte der chemischen Industrie sind vom Chlor abhängig. Dabei enthält nur die Hälfte Chlor, die andere Hälfte wird über chlorhaltige Zwischenprodukte hergestellt.

Muss das so sein? Einer der Gründe für den vielfältigen Einsatz von Chlor in der chemischen Industrie liegt in der historischen Entwicklung der Chloralkali-Elektrolyse. Ursprünglich diente sie vor allem zur Herstellung von Natronlauge. Bei der Produktion von einer Tonne Natronlauge erhielt man jedoch etwa 0,9 Tonnen Chlor. Also suchte man nach Verwendungsmöglichkeiten für das *Koppelprodukt* Chlor.

Die Chemiker zeigten sich kreativ. Man begann das Überschussprodukt in den Stoffverbund der chemischen Industrie zu integrieren und Produktionszweige auf Chlorbasis zu entwickeln. Kunststoffe wie Polyvinylchlorid, Polyurethane, organische Lösungsmittel, Reinigungsmittel, Pflanzenschutzmittel, Synthesekautschuk, Lacke, Farbstoffe, Arzneimittel – sie alle werden unter Verwendung von Chlor hergestellt. Nicht überall gibt es geeignete Ersatzstoffe. So werden beim Bau moderner Gebäude nach wie vor große Mengen an PVC für Abwasserleitungen, Lüftungskanäle und Bodenbeläge verbraucht. Es gibt Arzneimittel und andere hochwertige Stoffe, deren Wirkung auf ihrem Anteil an Chlor beruht. Natronlauge als Koppelprodukt kann nur zum Teil durch andere Chemikalien ersetzt werden. Ein kurzfristiger Ausstieg aus der Chlorchemie hätte für Wirtschaft, Arbeitsplätze und Verbraucher kaum absehbare Folgen.

Die ideologisch bedingte Ablehnung der Chlorchemie als „unnatürlich" hat sich als fragwürdig erwiesen: Zur Zeit sind etwa 800 natürlich vorkommende organische Chlorverbindungen bekannt. Durch Algen und Pilze gelangen jährlich etwa fünf Millionen Tonnen Monochlormethan in die Luft – die chemische Industrie produziert nur etwa 30000 Tonnen. Bakterien erzeugen *Chloramphenicol*, das als wertvolles Breitbandantibiotikum inzwischen synthetisch hergestellt wird.

Dennoch: Einiges wird schon getan, manches lässt sich in Zukunft noch tun, um die mit der Chlorchemie verbundenen Risiken zu senken: Seit 1991 dürfen FCKW nicht mehr in den Bereichen Kältemittel, Verpackungsmaterialien und Dämmstoffe eingesetzt werden. Chlorhaltige Lösungsmittel werden in geschlossenen Kreisläufen regeneriert. In brandgefährdeten Bereichen sollten PVC-haltige Materialien nicht verwendet werden. Die Suche nach Ersatzstoffen sowie nach Synthesewegen, die ohne chlorhaltige Zwischenstufen auskommen, muss vorangetrieben werden.

10.7 Galvanotechnik

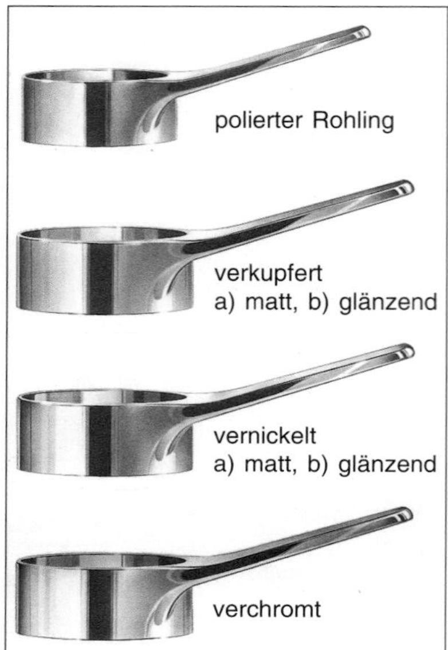

1. Ein Hebel wird verchromt.
Der Hebel wird zunächst poliert und gründlich entfettet, damit die aufzubringenden Metallschichten gut auf der Oberfläche haften. Dann werden nacheinander fünf Metallschichten abgeschieden. Auf dem Chrom bildet sich nach kurzer Zeit eine dünne, harte Oxidschicht.

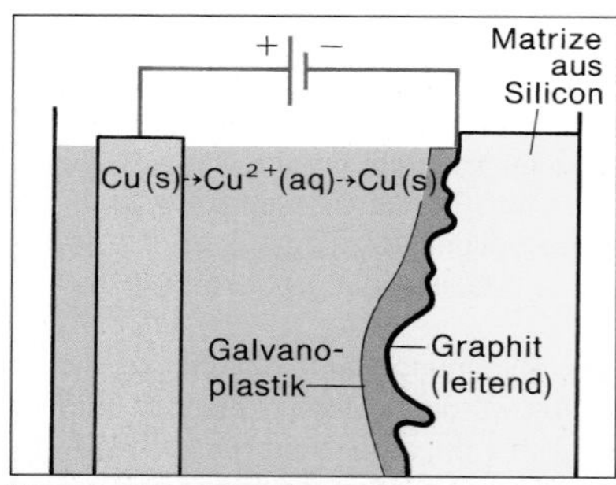

2. Herstellung einer Galvanoplastik

Chromglänzende Radkappen und Zierleisten am Auto, vernickelte Hausschlüssel, versilberte Bestecke, verzinkte Schrauben für den Heimwerker, verchromte Armaturen im Badezimmer und vergoldete Schmuckstücke – man begegnet Produkten der Galvanotechnik überall im täglichen Leben. Aber nicht allein aus Freude an glänzenden Oberflächen werden Gegenstände galvanisiert. Meist geht es darum, Metalle durch eine Schicht aus einem widerstandsfähigeren Metall vor Korrosion zu schützen.

Eine wesentliche Voraussetzung für gut haftende galvanische Überzüge ist die sorgfältige Vorbehandlung der Grundmetalle. Zunächst wird die Oberfläche durch Säuren wie Salzsäure oder Schwefelsäure von Oxidschichten befreit. Anschließend wird das Werkstück mechanisch glatt geschliffen, poliert und dann gründlich entfettet. Dabei werden organische Lösungsmittel oder tensidhaltige Bäder auf Wasserbasis eingesetzt.
Beim Galvanisieren werden die Werkstücke in eine Salzlösung des Überzugsmaterials getaucht und als Kathode geschaltet. Als Anode dient ein Stück des Überzugmetalls, das sich bei dem Vorgang langsam auflöst. Auf diese Weise bleibt die Konzentration der Ionen im Elektrolyten konstant. Denn es gehen genauso viele Ionen in Lösung, wie an der Kathode abgeschieden werden.

Um gleichmäßige Metallüberzüge zu erhalten, darf pro Zeiteinheit nur eine kleine, möglichst gleich bleibende Menge an Metall abgeschieden werden. In galvanischen Bädern verwendet man deshalb häufig Lösungen von Cyano-Komplexen des abzuscheidenden Metalls. Zwischen den komplex gebundenen und den freien hydratisierten Metall-Ionen stellt sich ein Gleichgewicht ein.

$$[Ag(CN)_2]^- (aq) \rightleftharpoons Ag^+ (aq) + 2\ CN^- (aq)$$

Die Konzentration der hydratisierten Kationen ist dabei sehr klein. Sie wird während des Galvanisierens konstant gehalten, da die verbrauchten Metall-Ionen kontinuierlich durch den Zerfall des Cyano-Komplexes nachgebildet werden.

Abscheidung von Legierungen. Überzüge aus *Legierungen* wie beispielsweise Messing lassen sich herstellen, wenn sich zwei Metalle gemeinsam aus einer Lösung abscheiden. Durch sorgfältige Einstellung der Konzentrationsverhältnisse und der Reaktionsbedingungen wie Stromdichte, Badtemperatur und pH-Wert kann man die Abscheidungspotentiale der beiden Metalle angleichen.
Schwierigkeiten bereitet bei diesem Verfahren die gleichmäßige Nachbildung der unterschiedlichen Metall-Ionen. Man verwendet für Legierungsbäder daher unlösliche Anoden und überwacht ständig die Zusammensetzung des Bades. Die verbrauchten Anteile werden bei Bedarf ersetzt. Überzüge aus Legierungen sind in der Regel härter und häufig auch korrosionsbeständiger als die der einzelnen Metalle.

Galvanoplastik. Durch das Verfahren der Galvanoplastik lassen sich maßgetreue Nachbildungen dreidimensionaler Gegenstände herstellen. Von dem Original wird zunächst aus Silicon-Kautschuk ein Negativ-Abdruck angefertigt, eine so genannte Matrize. Dann wird Graphitpulver auf die Matrize gepinselt; die Oberfläche des Siliconabdrucks wird dadurch elektrisch leitend. In einem geeigneten Bad wird der Abdruck durch Galvanisieren mit einem Metallüberzug versehen. Nach Entfernen der Siliconschicht liegt eine Kopie des Originals vor, die noch weiter bearbeitet werden kann. Zum Schluss wird die Galvanoplastik häufig durch Eintauchen in eine Lösung von Acrylharzen mit einer Lackschicht überzogen.

Galvanisieren

Versuch 1: Versilbern von Kupfer

Materialien: Gleichspannungsquelle, Strommessgerät, Anschlussklemmen, Becherglas (500 ml), Tropfpipette, Kupferstreifen, Kohle-Elektrode;
Elektrolyt (Xi), vorher zubereitet aus: 0,6 g Silbernitrat (C), 15 g Thioharnstoff (Xn, N) und 3 Tropfen Salpetersäure (konz.; C) gelöst in 300 ml Wasser

Durchführung:
1. Die Kohle-Elektrode wird als Anode, der Kupferstreifen als Kathode geschaltet.
2. Elektrolysieren Sie etwa 5 min bei einer Spannung von etwa 1,5 Volt. Die Stromdichte sollte etwa $0{,}1\ A \cdot dm^{-2}$ betragen.

Aufgaben:
a) Berechnen Sie, wie viel Silber sich bei Ihren Versuchsbedingungen abgeschieden hat.
b) Wie dick ist die Silberschicht?

Versuch 2: Verkupfern eines Schlüssels

Materialien: Gleichspannungsquelle, Strommessgerät, Anschlussklemmen, Becherglas (500 ml), Kupferdraht zur Befestigung des Schlüssels, Kupferblech, metallischer Gegenstand (Schlüssel);
Kalilauge ($2\ mol \cdot l^{-1}$; C), Elektrolyt (Xi), vorher zubereitet aus: 10,4 g Kupfer(II)-sulfat ($CuSO_4 \cdot 5\ H_2O$; Xn), 52 g Kaliumnatriumtartrat und 16 g Natriumhydroxid (C) gelöst in 300 ml Wasser

Durchführung:
1. Reinigen Sie den Schlüssel durch kurzes Eintauchen in heiße Kalilauge (Vorsicht!) und spülen Sie mit Wasser ab.
2. Schalten Sie den Schlüssel als Kathode, das Kupferblech als Anode. Elektrolysieren Sie etwa 15 min bei einer Stromstärke von höchstens 0,2 A.

Aufgabe: Welche Bedeutung könnte das Kaliumnatriumtartrat bei diesem Versuch haben?

Versuch 3: Bildung eines Überzugs aus Messing

Materialien: Becherglas, Taschenlampenbatterie, Anschlussklemmen, Becherglas (500 ml), Eisenblech, Messingstreifen;
Elektrolyt (Xi), vorher zubereitet aus: 4 g Kupfer(II)-sulfat ($CuSO_4 \cdot 5\ H_2O$; Xn), 1,2 g Zinksulfat ($ZnSO_4 \cdot 7\ H_2O$; Xi), 32 g Kaliumnatriumtartrat und 1,6 g Natriumhydroxid (C) gelöst in 400 ml Wasser

Durchführung: Schalten Sie das gereinigte Eisenblech als Kathode, das Messingblech als Anode. Elektrolysieren Sie etwa 10 min bei einer Spannung von 4,5 V.

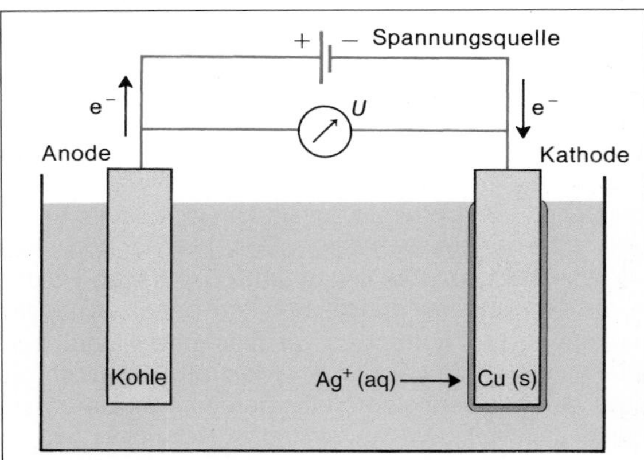

Versilbern von Kupfer

Versilbern von Bestecken

10.8 Herstellung von Zink

1. Zinkdach

Zink gehört zusammen mit Eisen, Aluminium, Kupfer und Blei zu den wichtigsten Gebrauchsmetallen. Es ist gegenüber Wasser und Luft beständig, da es sich mit einer durchsichtigen, zusammenhängenden und gut haftenden Schicht von Zinkoxid oder Zinkcarbonat überzieht. Zink ist ein sprödes Metall, das leicht aufreißt und bricht. In angewärmtem Zustand lässt es sich jedoch gut verformen.

Man stellt aus Zink vor allem Dachbedeckungen, Dachrinnen und Regenrohre her. In Trockenbatterien bildet ein Zinkzylinder den Minuspol. *Zink-Legierungen* sind fester und leichter zu bearbeiten als reines Zink. Am bekanntesten ist *Messing*, eine Legierung mit Kupfer.
Eine wichtige Rolle spielt Zink auch als Überzugsmetall: Beim *Feuerverzinken* werden Eisenbleche, Eisendraht oder Zauntore durch Eintauchen in eine Zinkschmelze vor Korrosion geschützt. Verzinkter Stahl wird zunehmend im Baugewerbe bei der Gestaltung von Häuserfassaden und auch im Kraftfahrzeugbau eingesetzt. Schrauben, Scharniere und andere Kleineisenwaren werden häufig elektrolytisch verzinkt.

A1 Stellen Sie die Reaktionsgleichungen für folgende Vorgänge auf:
a) Gewinnung von Zinkoxid aus Zinkspat ($ZnCO_3$);
b) Reduktion von Zinkoxid mit Koks (Kohlenstoff);
c) Lösen von Zinkoxid in verdünnter Schwefelsäure;
d) Reduktion von Cadmiumsulfat-Lösung mit Zinkstaub.

A2 **a)** Welche Kathoden-Reaktionen sind theoretisch denkbar, wenn man eine wässerige Zinksulfat-Lösung elektrolysiert?
b) Warum kommt es beim nassen Verfahren zur Abscheidung von Zink?
c) Warum muss beim nassen Verfahren die Salzlösung vor der Elektrolyse sorgfältig gereinigt werden?

Zink kommt in der Natur nicht elementar vor. Das wichtigste Zinkerz ist die *Zinkblende*, die im Wesentlichen aus Zinksulfid besteht. In das Gitter sind in kleineren Anteilen aber auch andere zweifach positive Kationen eingebaut, vor allem die Ionen von Eisen und Mangan sowie von Cadmium, Kupfer und Blei. Zur Gewinnung des Metalls wird das Zinksulfid zunächst durch *Rösten* in Zinkoxid überführt. Das entstehende Schwefeldioxid wird zu Schwefelsäure weiterverarbeitet.

$$2\,ZnS\,(s) + 3\,O_2\,(g) \longrightarrow 2\,ZnO\,(s) + 2\,SO_2\,(g)$$

Aus dem Zinkoxid lässt sich auf zwei Wegen durch *Reduktion* metallisches Zink herstellen. Beim *trockenen Verfahren* wird Zinkoxid mit gemahlenem Koks vermischt und bei etwa 1200 °C zu Zink reduziert. Das Metall entweicht dabei dampfförmig und kondensiert zu 97 %igem flüssigem Rohzink. Es enthält noch Blei sowie geringe Mengen an Eisen und Cadmium. In einem aufwendigen Verfahren gewinnt man dann durch fraktionierte Destillation Feinzink mit einem Gehalt von 99,99 %. Bis zu 15 % des im Erz vorhandenen Metalls gehen bei diesem Prozess verloren, weil die Reduktion nicht vollständig verläuft und weil ein Teil des Zinks als Staub in der Anlage anfällt.

Elektrolyseverfahren. Bei dem technisch bedeutsameren *nassen Verfahren* wird Zinkoxid zuerst mit Schwefelsäure umgesetzt. Dabei lösen sich auch die Oxide der anderen in der Zinkblende enthaltenen Metalle. Da diese Metalle edler als Zink sind, können ihre Ionen durch Zugabe von Zinkpulver gefällt und aus der Lösung entfernt werden.

2. Voll verzinkte Autokarosserie

Die Zinksulfat-Lösung wird in einem Bad mit mehreren parallel zueinander angeordneten Blei-Anoden und Aluminium-Kathoden bei etwa 3,5 V elektrolysiert. Trotz des negativen Elektrodenpotentials von Zink ist es möglich, das Metall aus saurer Lösung abzuscheiden. Das liegt an der hohen Überspannung von Wasserstoff an Aluminium und Zink. Wenn sich jedoch andere Metalle an der Kathode abscheiden, an denen Wasserstoff eine geringere Überspannung hat, kommt es zur Gasentwicklung. Bereits Spuren von Fremdmetallen stören den Ablauf der Elektrolyse deutlich. Auch aus diesem Grund muss die Salzlösung sorgfältig gereinigt werden. Bei der Elektrolyse scheidet sich Zink auf dem Aluminium in Schichten bis 3 mm Dicke ab. Es wird regelmäßig abgezogen und umgeschmolzen. Man erhält so 99,99 %iges Feinzink. Der Energieaufwand beträgt etwa 3,2 kWh pro Kilogramm Zink.

10.9 Raffination von Kupfer

Kupfer ist wegen seiner chemischen Stabilität und seiner ausgezeichneten elektrischen Leitfähigkeit ein wichtiger Werkstoff. Allerdings ist seine Leitfähigkeit in hohem Maße von der Reinheit des Metalls abhängig. Ein Anteil von nur 0,07 % Arsen vermindert die Leitfähigkeit bereits um etwa ein Drittel. 97 %iges Rohkupfer, wie es nach Röst- und Reduktionsprozessen bei der Kupferverhüttung anfällt, ist nicht rein genug. Es enthält noch edlere Metalle wie Silber, Gold und Platin und unedlere Metalle wie Eisen, Blei, Zink, Zinn oder Arsen, die durch eine Kupfer-Raffination weitestgehend entfernt werden müssen.

Bei der *elektrolytischen Raffination* von Kupfer wird eine Lösung von Kupfersulfat in verdünnter Schwefelsäure elektrolysiert. Die Kathode besteht aus reinem Elektrolytkupfer, die Anode wird von dem zu reinigenden Rohkupfer gebildet. An den Elektroden sind die folgenden Reaktionen denkbar:

Anode: Cu (roh) $\dashrightarrow$ Cu^{2+} (aq) + 2 e^-; $U_H^0 = 0{,}35$ V
2 H_2O (l) $\dashrightarrow$ O_2 (g) + 4 H^+ (aq) + 4 e^-; $U_H = 0{,}82$ V (pH = 7)

Kathode: Cu^{2+}(aq) + 2 e^- $\dashrightarrow$ Cu (rein); $U_H^0 = 0{,}35$ V
2 H_2O (l) + 2 e^- $\dashrightarrow$ H_2 (g) + 2 OH^- (aq); $U_H = 0{,}41$ V (pH = 7)

Die geringste Zersetzungsspannung ergibt sich, wenn Kupfer-Ionen an der Kathode reduziert werden und das Kupfer der Anode oxidiert wird. Dabei löst sich die Anode auf. Eigentlich müsste dieser Vorgang ohne Anlegen einer Spannung ablaufen. Aus mehreren Gründen ist jedoch eine geringe Spannung erforderlich. So ist die Konzentration an Kupfer-Ionen in der Umgebung der Anode größer als an der Kathode, sodass sich Unterschiede in den Elektrodenpotentialen ergeben. Auch ist das Elektrodenmaterial nicht völlig gleich. Vor allem muss aber der elektrische Widerstand der Lösung überwunden werden.

Man arbeitet mit einer Spannung von etwa 0,3 V, sodass nur Kupfer und alle unedleren Bestandteile der Rohkupfer-Anode oxidiert werden und in Lösung gehen. Die edleren Metalle fallen bei der Auflösung der Anode als unlöslicher Schlamm herab. Aus diesem *Anodenschlamm* werden die Edelmetalle Platin, Gold und Silber gewonnen und ebenfalls elektrolytisch gereinigt.
An der Kathode wird nur Kupfer abgeschieden, da es von allen hydratisierten Metall-Ionen am leichtesten reduziert wird. Man muss allerdings dafür sorgen, dass der Arsengehalt des Elektrolyten klein bleibt, um eine Abscheidung von Arsen zu vermeiden. Das Standard-Elektrodenpotential für das Redoxpaar As^{3+}/As liegt mit 0,30 V nahe dem des Redoxpaares Cu^{2+}/Cu.

Technische Durchführung. Bis zu 50 Kathoden/Anoden-Paare sind in einer Elektrolyse-Zelle im Abstand von etwa 4 mm nebeneinander angeordnet. Die Anode besteht aus einem 4 cm dicken Block aus Rohkupfer, die Kupfer-Kathode ist nur 4 mm stark. Nach etwa einem Monat ist die Anode zu 90 % aufgelöst. Eine höhere Stromdichte würde den Vorgang beschleunigen, gleichzeitig aber auch Nebenreaktionen fördern. Die Kupfer-Kathoden werden nach der Elektrolyse eingeschmolzen und zu Zylindern, Platten oder Barren gegossen. In dieser Form kommt das *Elektrolytkupfer* zur Weiterverarbeitung in den Handel. Es hat einen Gehalt von 99,98 %. Der Verbrauch an elektrischer Energie beträgt nur 0,3 kWh pro Kilogramm Kupfer. Ein großer Teil der Betriebskosten einer Kupferhütte entfällt auf den Umweltschutz: Für die Emissionen von Blei, Arsen oder Cadmium in die Umgebung gelten strenge Auflagen mit niedrigen Grenzwerten.

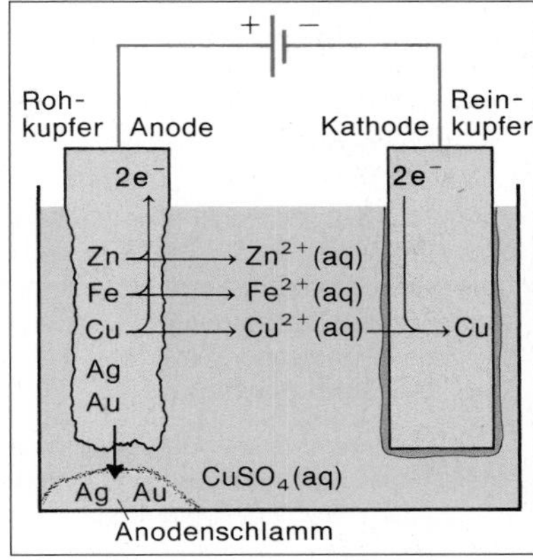

1. Elektrolytische Kupfer-Raffination

A1 Bei der Gewinnung von Rohkupfer wird Kupferglanz (Cu_2S) durch Rösten in Kupfer(I)-oxid überführt. Aus diesem roten Kupferoxid erhält man durch Umsetzung mit weiterem Kupferglanz das Rohkupfer, dabei bildet sich Schwefeldioxid.
Geben Sie die Reaktionsgleichungen für die beiden Vorgänge an.

A2 Trotz höherer Produktion an Kupfer fiel der Jahresüberschuss einer norddeutschen Kupferhütte um fünf Millionen Euro geringer aus als im Vorjahr. Ein Vorstandssprecher führte das unter anderem auf die deutlich gesunkene Nachfrage nach Schwefelsäure zurück. Inwiefern hängt der Absatz von Schwefelsäure mit der Kupferherstellung zusammen?

2. Kathoden werden aus dem Elektrolyse-Trog gezogen

EXKURS

Edelmetalle

Gold. Wie kann man Gold herstellen? Die Alchimisten glaubten an eine *materia prima*, eine eigenschaftslose Urmaterie, aus der man jeden Stoff herstellen könnte. Aus Blei wird Gold – man muss Blei dazu seiner ursprünglichen Eigenschaften entkleiden und es einem Wandlungsprozess, einer *Transmutation*, unterwerfen. Das gelingt – vorausgesetzt, man kennt die notwendigen Gleichungen, Formeln und Verfahren, um die gelbe Farbe, die große Dichte sowie die gute Dehnbarkeit von Gold zu erzeugen und sie in dem behandelten Bleiklumpen zu vereinigen. Doch halt – es fehlt noch ein magischer Stoff, der die Umwandlung beschleunigt, der *Stein der Weisen* …

Leider fehlen uns bis heute jegliche exakte Kenntnisse über den Stein der Weisen, und Gold muss sehr mühsam gewonnen werden. Man schätzt, dass in den Ozeanen acht Milliarden Tonnen Gold weit verteilt sind. Ein wirtschaftlich lohnendes Verfahren zur Gewinnung dieser Vorkommen gibt es bisher nicht. Auf dem Festland kommt Gold hauptsächlich in gediegener Form vor, und zwar fein verteilt in Gesteinen. Die älteste Methode zur Gewinnung des Metalls ist das *Goldwaschen:* Man zerkleinert die Gesteine und leitet Wasser darüber. Dabei werden die leichteren Begleitstoffe weggeschwemmt, während sich die Goldkörner wegen ihrer sehr großen Dichte absetzen.

Bei modernen Verfahren wird das zerkleinerte Erz intensiv mit Wasser und Quecksilber zu einem Schlamm vermischt. Ein großer Teil des Goldes bildet dabei mit dem Quecksilber ein *Amalgam*, das abgetrennt wird. Durch Erhitzen wird das Quecksilber aus dem Goldamalgam abdestilliert. Das zurückbleibende Rohgold wird in Tiegeln eingeschmolzen.

Der übrige goldhaltige Schlamm wird mit einer Natriumcyanid-Lösung und Luftsauerstoff behandelt. Dabei löst sich das Gold unter Bildung eines stabilen Cyano-Komplexes ($[Au(CN)_2]^-$). Zurück bleibt goldfreier Schlamm.

Aus der klaren Lösung fällt man das Gold mit Hilfe von Zinkstaub. Durch Filtration erhält man Rohgold. Es wird von Silber und anderen Verunreinigungen durch elektrolytische Raffination getrennt.

Elektrolytgold ist 99,99%ig. Aus ihm werden Kontaktdrähte für integrierte Schaltungen in der Mikroelektronik hergestellt, da es keine Oxidschicht bildet und mit anderen Metallen unter Druck kalt verschweißt werden kann. Vergoldete Kontaktflächen bleiben über Jahrzehnte funktionsfähig. Für alle anderen Anwendungen ist reines Gold zu weich. Für die Schmuckherstellung wird Gold mit Kupfer, Palladium oder Platin legiert. Goldmünzen und Goldbarren haben als Geldanlage Bedeutung.

Silber. Man findet Silber in der Natur selten elementar. Zumeist kommt es zusammen mit unedlen Metallen vor, beispielsweise in Blei- und Kupfererzen. Man erhält es bei der Verhüttung dieser Erze als Nebenprodukt. Es kann in ähnlicher Weise wie Gold durch *Cyanidlaugung* gewonnen werden. Bei der elektrolytischen Raffination von Silber fallen im Anodenschlamm Gold und Platin an.

Silber hat von allen Metallen die höchste elektrische Leitfähigkeit und wird daher in der Elektrotechnik eingesetzt. Chirurgische Instrumente aus Silber sind sehr beständig. In Legierungen mit Kupfer verwendet man Silber zur Fertigung von Münzen, Bestecken und Schmuck. *Sterlingsilber* enthält 7,5 % Kupfer. Der Edelmetallanteil wird jeweils als *Feingehalt* in Tausendsteln angegeben. Bei Sterlingsilber beträgt er 925. Gegenstände aus Kupfer und Messing werden häufig elektrolytisch oder mechanisch versilbert. Aus Silber werden auch die lichtempfindlichen Silberhalogenide für Filmmaterialien hergestellt.

Gold
Schmelztemperatur: 1036 °C
Dichte: 19,3 g · cm^{-3}
Weltproduktion: 1500 t/J
Preis 2000: 9000 €/kg
Verwendung: ca. 60 % zur Schmuckherstellung, 15 % für Münzen, der Rest für Elektronik, Zahngold, Banken

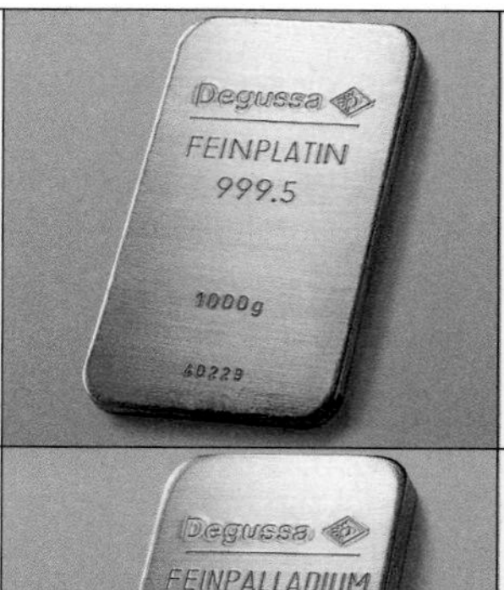

Platin
Schmelztemperatur: 1770 °C
Dichte: 21,4 g · cm^{-3}
Weltproduktion: 220 t/J
Preis 2000: 14400 €/kg
Verwendung: im Wesentlichen für Abgaskatalysatoren und Schmuck
Gewinnung: zu 50 % in der GUS, zu 40 % in Südafrika

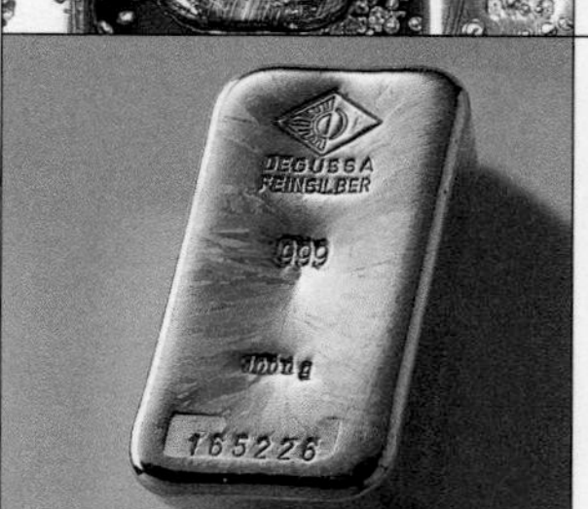

Silber
Schmelztemperatur: 961 °C
Dichte: 10,5 g · cm^{-3}
Weltproduktion: 13500 t/J
Preis 2000: 170 €/kg
Verwendung: etwa $\frac{2}{3}$ für die Fotochemie; die Recyclingrate (u. a. aus Filmen) beträgt etwa 50 %

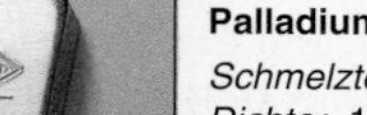

Palladium
Schmelztemperatur: 1550 °C
Dichte: 12,0 g · cm^{-3}
Preis 2000: 15300 €/kg
Verwendung: Palladium dient als Kontaktmetall in der Telefon-Industrie; Einsatz als Katalysator, absorbiert große Mengen Wasserstoff

Eigenschaften und Verwendung der wichtigsten Edelmetalle

EXKURS

Vom Roheisen zum Edelstahl

Zugfeste Stahlseile für Hängebrücken, korrosionsfester Stahl für Meerwasserentsalzungsanlagen, temperaturbeständiger Stahl für die Tragflächen von Überschallflugzeugen, Stahl für Präzisionsmessinstrumente, für Rasierklingen und für Klaviersaiten – die Vielfalt kennt keine Grenzen. Wie erhält man diese so unterschiedlichen Stahlsorten aus Eisen?

Das beim Hochofenprozess entstandene **Roheisen** enthält etwa 4 % Kohlenstoff. Es ist hart, spröde und brüchig und schmilzt plötzlich, ohne vorher zu erweichen. Deshalb kann es nicht geschmiedet werden. Verringert man den Kohlenstoffgehalt auf 0,5 % bis etwa 2 %, so erhält man ein gut zu bearbeitendes, schmiedbares Eisen, den **Stahl.** Der Vorgang, durch den der Kohlenstoff und andere Elemente dem Eisen entzogen werden, wird in der Technik als *Frischen* bezeichnet.

Es gibt unterschiedliche Frisch-Verfahren. In Deutschland wird der größte Teil des Rohstahls nach dem *LD-Verfahren* gewonnen, das in den österreichischen Stahlwerken **L**inz und **D**onawitz entwickelt wurde.

Bei diesem Verfahren wird das flüssige Roheisen zunächst in den *Konverter*, einen Behälter mit feuerfester Auskleidung, gefüllt. Dann wird Sauerstoff unter hohem Druck durch eine wassergekühlte Lanze auf das geschmolzene Roheisen geblasen. Bei der Verbrennung wird sehr viel Wärme frei, sodass man zur Kühlung Schrott hinzusetzt, der auf diese Weise wieder verarbeitet wird. Bei diesem Vorgang werden Kohlenstoff und andere noch im Roheisen enthaltene Stoffe wie Silicium, Phosphor und Mangan oxidiert. Kohlenstoffmonooxid entweicht gasförmig, die Oxide der anderen Stoffe bilden zusammen mit der Auskleidung des Konverters eine Schlacke, die auf dem Roheisen schwimmt und später abgegossen wird. Durch Zugabe von kohlenstoffhaltigem Eisen kann der Kohlenstoffgehalt des Stahls reguliert werden.

Auf diese Weise erhält man *unlegierte Kohlenstoff-Stähle*, deren Gehalt an Fremdmetallen jeweils unter 1 % liegt. Sie werden vor allem in der Bauwirtschaft eingesetzt. Etwa 95 % der gesamten Produktion entfallen auf unlegierte Stähle.

Der beim Frischen gewonnene Stahl kann im *Elektrostahl-Verfahren* weiterverarbeitet werden. In einem elektrischen Ofen wird zwischen drei Graphit-Elektroden ein Lichtbogen erzeugt. Die dabei frei werdende Wärme bringt den Ofeninhalt zum Schmelzen. Dann setzt man Legierungsmetalle in bestimmten Mengen hinzu. So entstehen **Edelstähle.** Zu ihnen gehören Werkzeugstähle und nicht rostende Stähle. Sie haben einen hohen Reinheitsgrad, eignen sich zur Wärmebehandlung und sind für eng umgrenzte Verwendungszwecke zugeschnitten. Mehr als 1000 Edelstahlsorten sind im Handel.

Art, Menge und Kombination der zugesetzten Legierungsmetalle bestimmen die Eigenschaften von Edelstählen: Bei *Chrom*-Anteilen von mehr als 12 % werden Stähle rostbeständig. Es bildet sich an der Oberfläche eine dichte Schicht von Chromoxid, die den Stahl passiviert. Zusätze von *Nickel* erhöhen die Zähigkeit des Stahls. So kann eine Legierung mit 25 % Nickel auf die doppelte Länge ausgezogen werden, ohne zu zerreißen. *Chrom/Nickel-Stähle* sind besonders hart, zäh und korrosionsbeständig. Sie eignen sich als Material für Achsen und Panzerplatten, aber auch für die Herstellung von Gebrauchsgegenständen (*Nirosta*). *Vanadium* verbessert die Zähigkeit von Bau- und Werkzeugstählen. Schnelldrehstahl mit etwa 18 % *Wolfram* wird auch bei beginnender Rotglut nicht enthärtet. Werkzeuge daraus vertragen also hohe Arbeitstemperaturen.

Frischen des Roheisens

Legierungsmetalle	*Name*, Verwendung
20 % Cr 8 % Ni 0,2 % Si 0,2 % C 0,2 % Mn	*V2A-Stahl*, rostfreier Stahl, Haushaltsgegenstände, Eisenbahnwagen
0,95 % Cr 0,2 % Mo	Flugzeugteile, Raketenteile
0,95 % Cr 0,18 % V	Automobilzahnräder, Kardanwellen
36 % Ni	*Invarstahl*, Präzisionsmessinstrumente
4 % Si	Transformatoren, Generatoren
35 % Co	Permanentmagnete
18 % W 4 % Cr 1 % V	Schneidwerkzeuge

Zusammensetzung von Edelstählen

10.10 Aufgaben · Versuche · Probleme

Aufgabe 1: Gegeben ist eine wässerige Lösung (pH = 7) mit
$c(Pb^{2+}) = 0{,}1\ mol \cdot l^{-1}$ und
$c(Ni^{2+}) = 0{,}01\ mol \cdot l^{-1}$
a) Berechnen Sie die Abscheidungspotentiale für Blei und Nickel. Kann es bei Verwendung von Platin-Elektroden auch zur Abscheidung von Wasserstoff kommen? ($U^*(H_2) = -0{,}04$ V)
b) Wie weit muss die Konzentration von Blei-Ionen sinken, bis die Abscheidung von Nickel einsetzt?

Aufgabe 2: Eine wässerige Lösung enthält Zink-Ionen ($0{,}001\ mol \cdot l^{-1}$). Sie soll elektrolysiert werden.
Bei welchem pH-Wert der Lösung beginnt die Wasserstoff-Entwicklung an einer Graphit-Kathode?
($U^*(H_2) = -0{,}7$ V)

Aufgabe 3: Durch Elektrolyse von verdünnter Schwefelsäure soll ein Knallgasgemisch hergestellt werden.
a) Welche Reaktionen laufen an den Elektroden ab? In welchem Volumenverhältnis bilden sich Wasserstoff und Sauerstoff?
b) Es werden 72 ml des Knallgasgemisches benötigt. Wie lange muss man bei einer Stromstärke von 0,8 A elektrolysieren, um dieses Volumen zu erhalten?

Aufgabe 4: Kaliumperoxodisulfat ($K_2S_2O_8$) lässt sich durch Elektrolyse einer Lösung von Kaliumsulfat in Schwefelsäure herstellen.
Geben Sie die Gleichungen für die Reaktionen an Anode und Kathode an.

Aufgabe 5: Eine Metallplatte mit einer Oberfläche von 200 cm^2 soll versilbert werden, sodass eine 0,02 mm dicke Schicht entsteht.
Wie lange muss die Platte in einer Silbernitrat-Lösung bei einer Stromstärke von 0,4 A galvanisiert werden, wenn die Stromausbeute 90 % beträgt?
(ϱ (Silber) = $10{,}5\ g \cdot cm^{-3}$)

Aufgabe 6: In einer Anlage zur Gewinnung von Aluminium durch Schmelzfluss-Elektrolyse werden im Jahr an 365 Tagen insgesamt 80000 Tonnen Aluminium hergestellt. Dabei sind 200 Elektrolysezellen hintereinander geschaltet. Die Stromstärke beträgt im Durchschnitt 150 kA.
a) Berechnen Sie die Masse an Aluminium, die in einer Zelle pro Stunde erzeugt wird.
b) Berechnen Sie, wie groß in diesem Fall die Stromausbeute ist.

Aufgabe 7: Wasserstoff/Sauerstoff-Brennstoffzellen werden aus Kostengründen häufig mit Luftsauerstoff betrieben. Bei Zellen mit alkalischer Elektrolytlösung muss in diesem Fall der Kohlenstoffdioxid-Anteil der Luft entfernt werden.
a) Warum sind alkalische Zellen empfindlich gegen Kohlenstoffdioxid? Geben Sie eine Reaktionsgleichung an.
b) Wie könnte man praktisch vorgehen, um das Kohlenstoffdioxid aus der Luft zu entfernen?
c) Sind bei Zellen mit saurer Elektrolytlösung ähnliche Probleme zu erwarten?

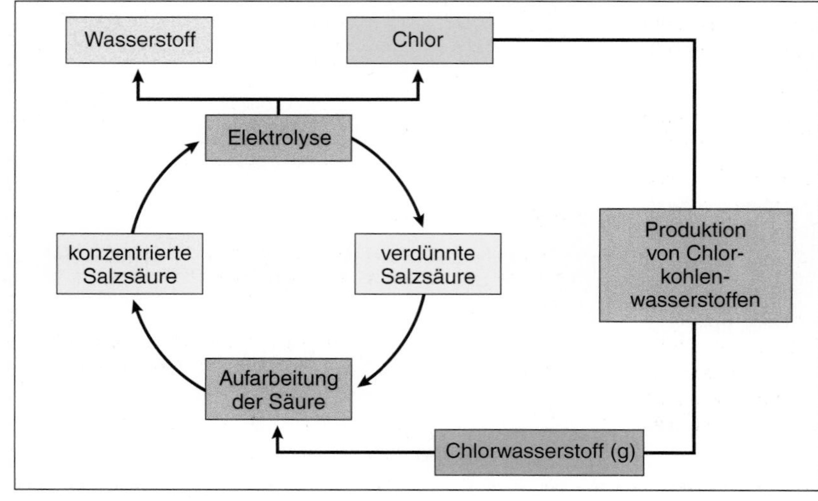

Versuch 1: FARADAYsche Gesetze
Elektrolysieren Sie verdünnte Schwefelsäure (Xi) mit Platin-Elektroden im HOFMANNschen Apparat. Führen Sie zunächst bei geöffneten Hähnen für fünf Minuten eine Vorelektrolyse durch. Schließen Sie dann die Hähne und elektrolysieren Sie 15 Minuten mit der konstanten Stromstärke von $I = 0{,}5$ A. Lesen Sie jede Minute die entstandenen Gasvolumina ab.
Aufgaben: a) Stellen Sie die Messwerte grafisch dar.
b) Berechnen Sie aus den Gasvolumina die Stoffmengen an Wasserstoff und Sauerstoff.
c) Stellen Sie in einem Diagramm dar, wie die Stoffmengen an Wasserstoff und Sauerstoff von der Ladungsmenge abhängen.
d) Welche Reaktionen laufen ab, wenn man Kohle-Elektroden verwendet?

Problem 1: Bei der Elektrolyse einer wässerigen Lösung von Natriumacetat lassen sich folgende Beobachtungen machen:
An der Kathode bildet sich Wasserstoff.
An der Anode entstehen zwei Gase: Das eine führt beim Einleiten in Kalkwasser zu einem Niederschlag, das andere brennt mit schwach leuchtender Flamme.
a) Welche Gase entstehen an der Anode? Formulieren Sie die Anodenreaktion. Gehen Sie dazu von der Strukturformel für das Acetat-Ion aus.
b) Mit der hier beschriebenen KOLBE-Synthese lassen sich durch Elektrolyse Kohlenwasserstoffe herstellen. Welche Lösung muss man elektrolysieren, wenn man Butan erhalten will?
c) Durch Elektrolyse von Dicarbonsäuren mit benachbarten Carboxyl-Gruppen erhält man ungesättigte Verbindungen. Formulieren Sie die Gleichung für die Anodenreaktion bei der Elektrolyse von Oxalsäure.
d) Von welcher Lösung muss man ausgehen, wenn man auf die in c) beschriebene Weise Ethin herstellen will?

Problem 2: In der technischen organischen Chemie fällt häufig Chlorwasserstoff als Nebenprodukt an, vor allem bei der Synthese von Chlorkohlenwasserstoffen wie Chlorbenzol oder Tetrachlormethan.
Wie könnte man dieses Abfallprodukt sinnvoll wiederverwerten?

Elektrolyse

1. Grundbegriffe

Elektrolyse wässeriger Lösungen: Umkehrung der in einer galvanischen Zelle freiwillig ablaufenden Vorgänge unter Einsatz von elektrischer Energie.

Zersetzungsspannung: Mindestspannung, die für die Elektrolyse erforderlich ist. Sie ergibt sich aus der Spannung, die die bei der Elektrolyse entstehende galvanische Zelle liefert. Sie setzt sich aus den Abscheidungspotentialen für die Reaktionen an Kathode und Anode zusammen.

Überspannung: Differenz zwischen der tatsächlichen Zersetzungsspannung und dem theoretisch zu erwartenden Wert. Sie setzt sich aus einem Anteil für die Kathodenreaktion und einem Anteil für die Anodenreaktion zusammen. Überspannungen treten vor allem auf, wenn sich bei Elektrolysen Gase an den Elektroden bilden.

Konkurrenzreaktionen: Bei der Elektrolyse werden an den Elektroden Kationen und Anionen entladen. Es kann aber auch zur Umsetzung von Wasser-Molekülen kommen. An der Kathode wird der Stoff mit dem größten Abscheidungspotential reduziert, an der Anode derjenige mit dem kleinsten Abscheidungspotential oxidiert.
Beispiel: Elektrolyse einer wässerigen Lösung von *Zinkchlorid* mit Graphit-Elektroden (Stromdichte: 0,1 A · cm^{-2}, pH = 7)

Kathode: $Zn^{2+} + 2\,e^- \dashrightarrow Zn$; $U_H^0 = -0{,}76$ V
$2\,H_2O + 2\,e^- \dashrightarrow H_2 + 2\,OH^-$; $U_H = -0{,}41\ V + U^*\ (H_2)$

Anode: $2\,Cl^- \dashrightarrow Cl_2 + 2\,e^-$; $U_H^0 = 1{,}36\ V + U^*\ (Cl_2)$
$2\,H_2O \dashrightarrow O_2 + 4\,H^+ + 4\,e^-$; $U_H = 0{,}82\ V + U^*\ (O_2)$

Aufgrund der hohen Überspannungen für Wasserstoff und Sauerstoff werden Zink und Chlor abgeschieden.

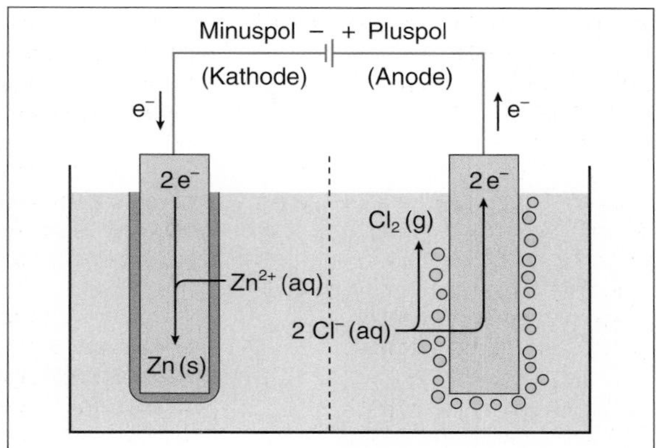

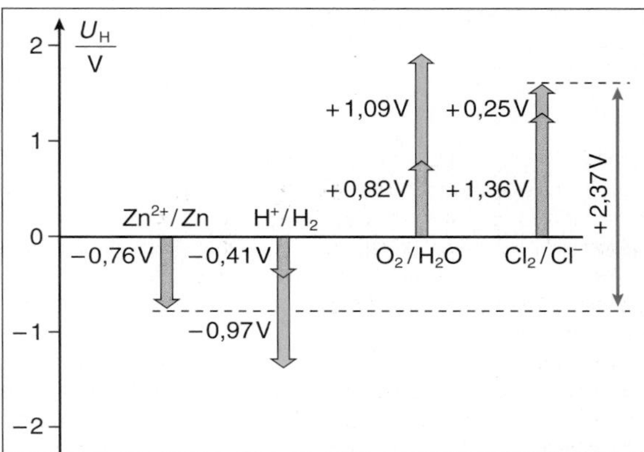

2. Anwendungen

Chloralkali-Elektrolyse: Elektrolyse einer wässerigen Lösung von Steinsalz. Man erhält Chlor, Natronlauge und Wasserstoff. Das wichtigste Verfahren ist heute das Diaphragma-Verfahren:

Kathode: $2\,H_2O\,(l) + 2\,e^- \dashrightarrow H_2\,(g) + 2\,OH^-\,(aq)$

Anode: $2\,Cl^-\,(aq) \dashrightarrow Cl_2\,(g) + 2\,e^-$

Neben dem Diaphragma-Verfahren werden in Deutschland noch das ältere Amalgam-Verfahren und das umweltfreundlichere Membran-Verfahren durchgeführt.

Schmelzfluss-Elektrolyse: *Aluminium, Natrium* und *Magnesium* erhält man durch Elektrolyse von Salzschmelzen.

Kupfer-Raffination: Anoden aus *Rohkupfer* gehen bei der Elektrolyse in Lösung. An der Kathode aus Reinkupfer werden Kupfer-Ionen zu Kupfer reduziert. Die Kathoden werden eingeschmolzen und als 99,98 %iges Elektrolyt-Kupfer in den Handel gebracht.

Galvanisieren: Überziehen von Metallen mit einer Schicht eines widerstandsfähigen Metalls zum Schutz vor Korrosion. Die Werkstücke werden als Kathode geschaltet und in eine Salzlösung eines Überzugsmetalls getaucht. Die Anode besteht aus dem Überzugsmetall, sie löst sich während der Elektrolyse auf.

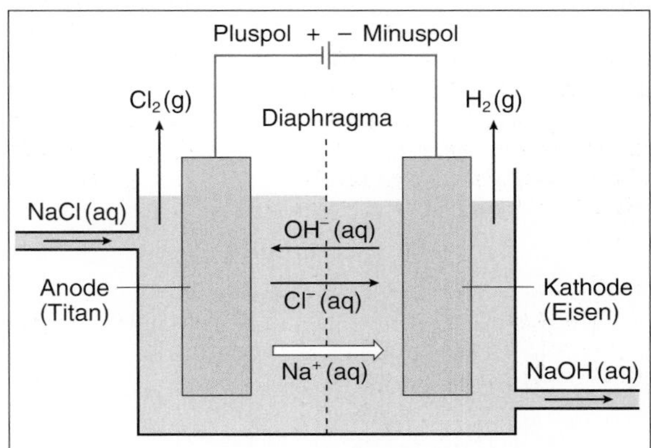

FARADAYsche Gesetze

1. Die elektrolytisch abgeschiedenen Stoffmengen sind der durch den Elektrolyten geflossenen Ladung $Q = I \cdot t$ proportional.

2. Zur elektrolytischen Abscheidung von 1 Mol Teilchen eines Stoffes ist die Ladung $Q = 1\ mol \cdot z \cdot F$ erforderlich.

FARADAY-Konstante:
$1\ F = 96\,500\ C \cdot mol^{-1}$

11 Komplexreaktionen

In der Geschichte der Chemie geschah es nur sehr selten, dass wichtige Theorien buchstäblich über Nacht gefunden wurden. Genau dies aber gelang dem sechsundzwanzigjährigen unbekannten Privatdozenten Alfred WERNER vom Eidgenössischen Polytechnikum in Zürich.

WERNER selber berichtet, dass er im Dezember 1892 eines Nachts gegen zwei Uhr morgens aufwachte, sich an den Schreibtisch setzte, und nachmittags gegen 17 Uhr war seine *Koordinationslehre*, die Vorstellung vom räumlichen Aufbau von Komplexverbindungen, niedergeschrieben.

Sie wurde erst nachträglich von WERNER und seinem Arbeitskreis durch mehr als 8000 neu hergestellte Substanzen bestätigt. Im Jahre 1913 erhielt WERNER für seine Leistungen den Nobelpreis.

Eine der bereits vor WERNER gut bekannten „Verbindungen höherer Ordnung" hat die Zusammensetzung $CoCl_3 \cdot 6\,NH_3$: Pro Formeleinheit sind in der Verbindung sechs Ammoniak-Moleküle gebunden.

Man nahm zunächst an, dass die Ammoniak-Moleküle überwiegend kettenartig aneinander gereiht seien.

$$\begin{array}{l} Cl \cdot NH_3 \cdot \\ \qquad\qquad Co \cdot NH_3 \cdot NH_3 \cdot NH_3 \cdot NH_3 \cdot Cl \\ Cl \cdot NH_3 \cdot \end{array}$$

Nach WERNERS Idee sind die sechs Ammoniak-Moleküle oktaedrisch um das Cobalt(III)-Ion angeordnet.

Der heutige Name dieser Komplexverbindung lautet: Hexaammincobalt(III)-chlorid ($[Co(NH_3)_6]Cl_3$).

$$\left[\begin{array}{ccc} H_3N\cdot & & \cdot NH_3 \\ H_3N\cdot & Co & \cdot NH_3 \\ H_3N\cdot & & \cdot NH_3 \end{array}\right] Cl_3$$

11.1 Komplexe: Zentralionen mit Liganden

In wässerigen Salzlösungen treten oft auffällige *Farbänderungen* auf, die sich weder als Säure/Base-Reaktionen noch als Redoxreaktionen beschreiben lassen. Löst man beispielsweise braunes wasserfreies Kupferchlorid in Wasser, so erhält man eine grüne Lösung, die beim Verdünnen blau wird. Bei Zugabe von konzentrierter Salzsäure oder Kochsalz wird die Lösung wieder grün.

Verdünnte wässerige Lösungen von Kupfer(II)-salzen sind durchweg blau, unabhängig vom Anion. Die blaue Farbe beruht offensichtlich auf *hydratisierten* Kupfer-Ionen. Die unterschiedlichen Grünfärbungen bei Zugabe von Chlorid-Lösungen lassen sich folgendermaßen deuten: Die negativ geladenen Chlorid-Ionen verdrängen nach und nach einen Teil der nur schwach vom Kupfer-Ion gebundenen Wasser-Moleküle der Hydrathülle. Es bilden sich unterschiedliche Teilchenaggregate. Außer der Farbänderung weist auch die Abnahme der *elektrischen Leitfähigkeit* darauf hin, dass sich Ionen zusammenlagern.

Solche Teilchenaggregate bezeichnet man als **Komplexe.** Sie bestehen aus einem **Zentralion,** das von **Liganden** umgeben ist (lat. *ligare*: binden). In den blauen Lösungen von Kupfer(II)-salzen hat das zentrale Cu^{2+}-Ion insgesamt sechs Wasser-Moleküle als Liganden. In den grünen Lösungen sind auch Chlorid-Ionen als Liganden an das Kupfer-Ion gebunden.
Allgemein spricht man auch davon, dass die Liganden an das Zentralion *koordiniert* sind. Unter der **Koordinationszahl** versteht man die Gesamtzahl der Liganden eines Komplexes. **Komplexverbindungen** bezeichnet man daher häufig auch als *Koordinationsverbindungen.*

Ligandenaustauschreaktionen. Die Komplexverbindungen von Übergangsmetallen sind häufig charakteristisch gefärbt. Farbänderungen sind ein Hinweis auf den Austausch von Liganden: In einer Gleichgewichtsreaktion bildet sich dabei ein Komplex mit anderer Farbe. Solche *Ligandenaustauschreaktionen* sind typisch für Komplexverbindungen.

$$\underset{\text{blau}}{[Cu(H_2O)_6]^{2+}\,(aq)} + Cl^-\,(aq) \rightleftharpoons \underset{\text{grün}}{[CuCl(H_2O)_5]^{+}\,(aq)} + H_2O\,(l)$$

Aus Strukturuntersuchungen mit Röntgenstrahlen weiß man heute, dass in vielen Komplexverbindungen die zentralen Metall-Ionen oktaedrisch von sechs Liganden umgeben sind. Aber auch Komplexteilchen mit vier Liganden in tetraedrischer oder planarer Anordnung kommen häufig vor. Andere geometrische Anordnungen mit den Koordinationszahlen zwei, drei, fünf oder acht sind viel seltener.

Als Liganden kommen Dipolmoleküle und Anionen in Frage. Gemeinsam ist allen Liganden, dass sie mindestens ein *freies Elektronenpaar* besitzen. Dieses Elektronenpaar wird zum Bindungselektronenpaar zwischen Zentralion und Ligand. Je nach Art des Zentralions und des Liganden ist diese Bindung mehr oder weniger polar. Im Extremfall kann es eine nahezu unpolare Elektronenpaarbindung sein oder auch nur eine elektrostatische Anziehung. Man spricht von *Ion/Ion-Komplexen*, wenn Zentralteilchen und Liganden Ionen sind, und von *Ion/Dipol-Komplexen*, wenn es sich bei den Liganden um Dipolmoleküle handelt. Es gibt jedoch auch Komplexe, bei denen an das Zentralion sowohl Ionen als auch Dipolmoleküle gebunden sind.

Formal sind Sulfat-Ionen (SO_4^{2-}) oder Ammonium-Ionen (NH_4^+) wie Komplexteilchen aufgebaut. Es ist aber nicht zweckmäßig, sie als Komplexe aufzufassen, denn sie zeigen keine Ligandenaustauschreaktionen.

1. Wetteranzeige mit blau/rosa: Cobaltchlorid als Feuchtigkeitsindikator

A1 Berechnen Sie, wie viel Mol Wasser in einem Mol Salz enthalten sind:
a) Wenn man 1 g des blauen Kupfersulfat-Hydrats erhitzt, bleiben 0,64 g des weißen wasserfreien Sulfats zurück.
b) Aus 1 g des roten Cobalt(II)-chlorid-Hydrats erhält man 0,55 g des blauen wasserfreien Chlorids.

A2 Wird verdünnte Aluminiumsulfat-Lösung tropfenweise mit Natronlauge versetzt, so bildet sich zunächst ein Niederschlag, der sich bei weiterer Zugabe wieder löst. Formulieren Sie die Reaktionsgleichungen.

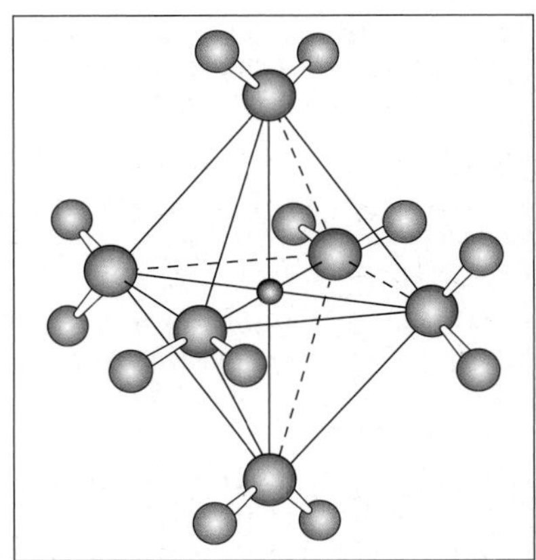

2. Umgebung des Cu^{2+}-Ions in wässeriger Lösung

Komplex	Name
$[Al(OH)_4]^-$	Tetrahydroxoaluminat(III)
$[HgI_4]^{2-}$	Tetraiodomercurat(II)
$[Fe(CN_6]^{3-}$	Hexacyanoferrat(III)
$[CuCl_4]^{2-}$	Tetrachlorocuprat(II)
$[Co(SCN)_4]^{2-}$	Tetrathiocyanatocobaltat(II)
$[Cu(NH_3)_4]^{2+}$	Tetraamminkupfer(II)
$[Fe(H_2O)_6]^{3+}$	Hexaaquaeisen(III)
$[Fe(CO)_5]$	Pentacarbonyleisen

1. Benennung von Komplexen

A1 Wie lauten die Namen der folgenden Ionen und Verbindungen?

a) $[FeCl_2(H_2O)_4]^+$, $[Al(OH)(H_2O)_5]^{2+}$
b) $[Zn(CN)_4]^{2-}$, $[NiF_6]^{2-}$
c) $K_3[CuCl_4]$, $K[AgF_4]$
d) $[Ni(NH_3)_6]Cl_2$, $[CrCl_2(H_2O)_4]Cl \cdot 2\ H_2O$
e) $[Au(CN)_2]^-$, $K_2[Hg(CN)_4]$, $K_4[Fe(CN)_6]$

A2 Welche Formeln gehören zu den folgenden Namen?

a) Diamminsilber(I)-Ion,
b) Tetraaquadichlorocobalt(III)-Ion,
c) Tetracyanozinkat(II)-Ion,
d) Hexaamminnickel(II)-chlorid,
e) Quecksilbertetrathiocyanatocobaltat(II)

Nomenklaturregeln. Im Laufe der Zeit sind weit mehr als 100000 verschiedene Komplexe beschrieben worden. Es war daher nötig, ein System von Regeln zur Benennung von Komplexverbindungen zu entwickeln.

1. In *Formeln* von Komplexteilchen wird zuerst das Zentralion angegeben. Es folgen anionische und darauf neutrale Liganden. Die Formeln werden in eckige Klammern gesetzt.

2. Im *Namen* der Komplexteilchen werden die Liganden in *alphabetischer* Reihenfolge vor dem Zentralion genannt. Häufig wird die Oxidationszahl des Zentralions hinzugefügt.

3. Die Namen anionischer Liganden erhalten die Endung **-o.** Sie wird an den Namen des Anions angehängt, wobei die Endung **-id** entfällt.

4. Wasser und Ammoniak erhalten als Liganden die Namen **aqua** und **ammin,** Kohlenstoffmonooxid erhält den Namen **carbonyl.**
Beispiel: $[CuCl(H_2O)_5]^+$ Pentaaquachlorokupfer(II)-Ion

5. Bei neutralen oder positiv geladenen Komplexteilchen bleibt der Name des Metalls des Zentralions unverändert, bei negativ geladenen Komplex-Ionen erhält der Name des Zentralions die Endung **-at.**

6. Falls das Elementsymbol wie bei den Elementen Eisen (Fe; lat. *ferrum*) oder Blei (Pb; lat. *plumbum*) nicht dem deutschen Namen entspricht, wird bei anionischen Komplexen die Endung **-at** an den Wortstamm des lateinischen Namens gehängt.
Beispiel: $Cs[PbI_3]$ Caesiumtriiodoplumbat(II)

7. In Komplexverbindungen wird das Kation zuerst genannt.
Beispiele: $K_4[Fe(CN)_6]$ Kaliumhexacyanoferrat(II)
$[CoCl(NH_3)_5]Cl_2$ Pentaamminchlorocobalt(III)-chlorid

8. Bei oktaedrischen Komplexen vom Typ MeA_2B_4 gibt es zwei Möglichkeiten: Die Liganden A können zwei benachbarte oder zwei gegenüberliegende Ecken des Oktaeders besetzen. Dies wird im Namen durch die vorangesetzten Worte ***cis-*** und ***trans-*** gekennzeichnet. Auch bei planarer Anordnung von vier Liganden ist *cis-trans*-Isomerie möglich.

EXKURS

Platin-Komplexe in der Krebstherapie

Seit mehr als 150 Jahren sind die beiden Isomeren von Diammindichloroplatin(II) bekannt. Doch erst 1964 wurde zufällig entdeckt, dass die *cis*-Verbindung das Wachstum von Krebszellen behindert.
Bei Untersuchungen über die Wirkung schwacher Wechselströme auf das Wachstum von Bakterien beobachtete man, dass die Zellteilung ausbleibt und sich stattdessen lange fadenförmige Zellen bilden.
Nach vielen Experimenten stellte sich heraus, dass das Platin der vermeintlich inerten Elektroden mit dem Ammoniumchlorid der Pufferlösung reagiert. Es bildet sich *cis*-Diammintetrachloroplatin(IV), das am Licht in *cis*-Diammindichloroplatin(II) übergeht.

Man kennt heute eine ganze Reihe wirksamer neutraler *cis*-Platin-Komplexe verschiedener Zusammensetzung: PtX_2Y_2, PtX_2YZ, PtX_2Y_4, $PtX_2Y_2Z_2$. Die entsprechenden *trans*-Komplexe zeigen keine Wirkung.

Im Handel wird *cis*-Diammindichloroplatin(II) als Cisplatin, Platinol, Neoplatin und Platinex vertrieben. Es wird bei Tumoren im Blasen- und Hodenbereich sowie bei Gehirntumoren angewendet.

Cl NH3 / Pt / Cl NH3

cis-Diammindichloroplatin(II); entdeckt 1844 als PEYRONES Salz

H3N Cl / Pt / Cl NH3

trans-Diammindichloroplatin(II); entdeckt 1844 als REISETS zweites Chlorid

H3N Cl Cl / Pt / H3N Cl Cl

cis-Diammintetrachloroplatin(IV)

H3N Cl Cl / Pt / Cl Cl NH3

trans-Diammintetrachloroplatin(IV)

Untersuchung von Komplexverbindungen

Versuch 1: Herstellung einer Komplexverbindung

Materialien: Becherglas (100 ml), Messzylinder (25 ml), Trichter mit Faltenfilter, Waage;
Nickelnitrat ($Ni(NO_3)_2 \cdot 6\ H_2O$; Xn), Ammoniak-Lösung (25 %; C, N), Ammoniumchlorid (Xn), Ethanol (F)

Durchführung:

1. 12,5 g Nickelnitrat werden in 7 ml Wasser gelöst.
2. Die Lösung wird mit Eiswasser gekühlt und tropfenweise mit 18 ml Ammoniak-Lösung versetzt. Durch Zugabe von 8 ml gesättigter Ammoniumchlorid-Lösung wird die Fällung des Niederschlages vervollständigt.
3. Der Niederschlag wird abfiltriert und nacheinander mit wenig Ammoniak-Lösung und Ethanol gewaschen.

Aufgabe: Berechnen Sie die theoretisch zu erwartende Masse der Komplexverbindung. Wiegen Sie das Produkt und berechnen Sie die Ausbeute.

Aufgabe 1: Erklären Sie die Unterschiede der elektrischen Leitfähigkeiten der folgenden Lösungen:

a) 5 ml Aluminiumchlorid-Lösung und 5 ml Wasser,
b) 5 ml Natronlauge und 5 ml Wasser,
c) 5 ml Aluminiumchlorid-Lösung und 5 ml Natronlauge.
Welche Reaktion ist bei c) abgelaufen?

Versuch 2: Stabilität von Silber-Komplexen

Materialien: Silbernitrat-Lösung ($0{,}1\ mol \cdot l^{-1}$), Natronlauge ($2\ mol \cdot l^{-1}$; C), Ammoniak-Lösung ($2\ mol \cdot l^{-1}$), verdünnte Lösungen von Kaliumbromid, Natriumthiosulfat und Kaliumiodid

1. Versetzen Sie etwa 5 ml Silbernitrat-Lösung mit einigen Tropfen Natronlauge. Fügen Sie Ammoniak-Lösung hinzu, bis sich der entstandene Niederschlag löst.
2. 2 ml dieser Lösung werden mit einigen Tropfen Kaliumbromid-Lösung versetzt.
3. Fügen Sie dann tropfenweise so viel Natriumthiosulfat-Lösung hinzu, bis sich der entstandene Niederschlag gerade wieder gelöst hat.
4. Geben Sie anschließend etwas Kaliumiodid-Lösung dazu.

Aufgaben:

a) Formulieren Sie die Reaktionsgleichungen für alle Reaktionen.
Hinweis: Für Silber(I)-Komplexe gilt allgemein die Koordinationszahl zwei.
b) Was können Sie über die Stabilitäten der Silber(I)-Komplexe aussagen?

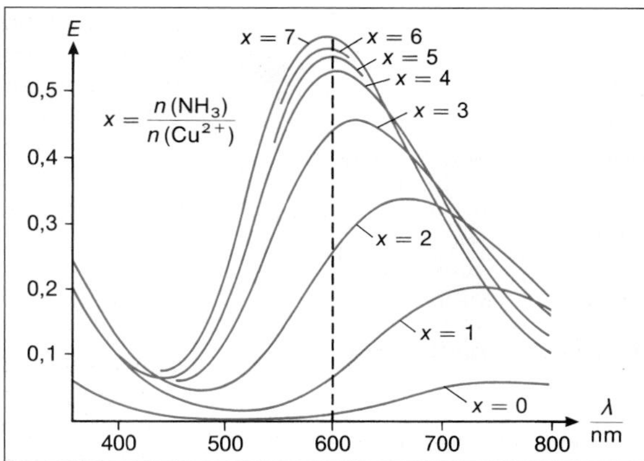

Absorptionsspektren von Kupfer(II)/Ammoniak-Lösungen in Abhängigkeit vom Stoffmengenverhältnis

Versuch 3: Ligandenaustausch bei Kupfer-Komplexen

Materialien: 8 Bechergläser (100 ml), Kunststoffspritze (10 ml), Messzylinder (50 ml), Waage;
Kupfersulfat-Lösung ($0{,}1\ mol \cdot l^{-1}$), Ammoniak-Lösung ($0{,}1\ mol \cdot l^{-1}$), Ammoniumnitrat (O)

Durchführung:

1. Stellen Sie die Mischungen A bis H her. Damit kein Kupferhydroxid ausfällt, werden jeweils 10 g Ammoniumnitrat zugesetzt.
2. Vergleichen Sie die Farbintensitäten der Lösungen.

	A	B	C	D	E	F	G	H
$V(CuSO_4$-Lösung) in ml	10	10	10	10	10	10	10	10
$V(NH_3)$-Lösung in ml	–	10	20	30	40	50	60	70
V(Wasser) in ml	70	60	50	40	30	20	10	–

Hinweise:

a) In Gegenwart von viel Ammoniumnitrat bleibt die Konzentration der OH^--Ionen so klein, dass kein Kupferhydroxid ausfällt.
b) Mit einem Photometer können Sie die Extinktionen im roten Bereich des Spektrums bei 600 nm messen und gegen das Stoffmengenverhältnis $n(NH_3) : n(Cu^{2+})$ auftragen.

Aufgaben:

a) Wie viele Liganden werden ausgetauscht?
b) Welche Voraussetzungen müssen erfüllt sein, damit beim Auftragen der Extinktion gegen das Stoffmengenverhältnis eine Gerade erhalten wird?

11.2 Ligandenaustausch-Gleichgewichte

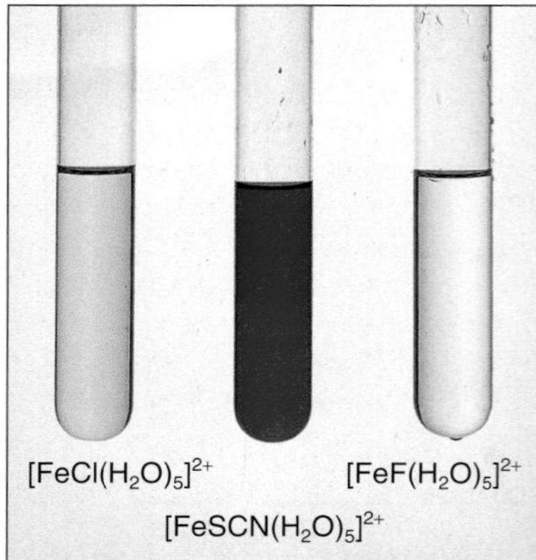

1. Lösungen von Eisen(III)-Komplexen

A1 Wie groß ist die Konzentration des Ni^{2+} (aq)-Ions in 1 l einer Lösung, die 0,1 mol Ni^{2+}-Ionen und 1 mol Ammoniak enthält?
Die Stabilitätskonstante des sich bildenden Komplexes $[Ni(NH_3)_6]^{2+}$ beträgt 10^9 mol^{-6} · l^6.

A2 Zwischen zwei Kupferhalbzellen wird eine Spannung von 392 mV gemessen. Die eine Halbzelle enthält Kupfer(II)-nitrat-Lösung (0,01 mol · l^{-1}). In der anderen liegt das $[Cu(NH_3)_4]^{2+}$-Ion (0,01 mol · l^{-1}) neben überschüssigem Ammoniak (1 mol · l^{-1}) vor. Berechnen Sie die Stabilitätkonstante für das $[Cu(NH_3)_4]^{2+}$-Ion.

Komplex-Ion	Stabilitätskonstante K
$[Co(NH_3)_6]^{2+}$	10^5 mol^{-6} · l^6
$[Ag(NH_3)_2]^+$	10^7 mol^{-2} · l^2
$[Zn(NH_3)_4]^{2+}$	10^{10} mol^{-4} · l^4
$[Cu(NH_3)_4]^{2+}$	10^{13} mol^{-4} · l^4
$[Ag(S_2O_3)_2]^{3-}$	10^{13} mol^{-2} · l^2
$[HgCl_4]^{2-}$	10^{15} mol^{-4} · l^4
$[AlF_6]^{3-}$	10^{20} mol^{-6} · l^6
$[Ag(CN)_2]^-$	10^{20} mol^{-2} · l^2
$[Zn(CN)_4]^{2-}$	10^{20} mol^{-4} · l^4
$[Au(CN)_2]^-$	10^{21} mol^{-2} · l^2
$[HgBr_4]^{2-}$	10^{21} mol^{-4} · l^4
$[HgI_4]^{2-}$	10^{30} mol^{-4} · l^4
$[Co(NH_3)_6]^{3+}$	10^{35} mol^{-6} · l^6
$[Fe(CN)_6]^{4-}$	10^{35} mol^{-6} · l^6
$[Fe(CN)_6]^{3-}$	10^{44} mol^{-6} · l^6

2. Stabilitätskonstanten einiger Komplex-Ionen

Wird eine tiefblaue, wässerige Lösung von Tetraamminkupfer(II)-Ionen mit Wasser verdünnt, bleibt der Farbton erhalten: Das Komplex-Ion ist stabil. Eine konzentrierte Kupferchlorid-Lösung ist durch Chloro-Komplexe grün gefärbt. Verdünnt man die Lösung, so tritt schließlich die hellblaue Farbe des Aqua-Komplexes auf. Chlorid-Liganden werden durch Wasser-Moleküle ausgetauscht, denn Chloro-Komplexe des Kupfers sind nicht allzu stabil. Als stabil werden Komplexverbindungen bezeichnet, bei denen ein Ligandenaustausch nur in geringem Maße stattfindet.

Eine angesäuerte Lösung von Eisen(III)-chlorid ist durch die vorhandenen $[FeCl(H_2O)_5]^{2+}$-Ionen gelb gefärbt. Bei Zugabe von etwas Thiocyanat-Lösung wird die Lösung tiefrot. Sie wird wieder gelb, wenn die Konzentration der Chlorid-Ionen stark erhöht wird. Chlorid-Ionen und Thiocyanat-Ionen können gegeneinander ausgetauscht werden. Es stellt sich jeweils das folgende Ligandenaustausch-Gleichgewicht ein:

$$\underset{\text{gelb}}{[FeCl(H_2O)_5]^{2+}}\,(aq) + SCN^-\,(aq) \rightleftharpoons \underset{\text{rot}}{[FeSCN(H_2O)_5]^{2+}}\,(aq) + Cl^-\,(aq)$$

In Lösungen mit verschiedenen Liganden bildet sich bevorzugt die stabilere Komplexverbindung. Bei gleichen Konzentrationen an Chlorid- und Thiocyanat-Ionen überwiegt der Thiocyanato-Komplex. Werden dieser Lösung Fluorid-Ionen zugesetzt, bildet sich der noch stabilere Fluoro-Komplex.

$$\underset{\text{rot}}{[FeSCN(H_2O)_5]^{2+}}\,(aq) + F^-\,(aq) \rightleftharpoons \underset{\text{farblos}}{[FeF(H_2O)_5]^{2+}}\,(aq) + SCN^-\,(aq)$$

Stabilitätskonstanten. Silber-Ionen reagieren in wässeriger Lösung mit Ammoniak-Molekülen in zwei Schritten zu Diamminsilber-Ionen:

$$Ag^+\,(aq) + NH_3\,(aq) \rightleftharpoons [Ag(NH_3)]^+\,(aq); \quad K_1 = \frac{c([Ag(NH_3)]^+)}{c(Ag^+) \cdot c(NH_3)}$$

$$[Ag(NH_3)]^+\,(aq) + NH_3\,(aq) \rightleftharpoons [Ag(NH_3)_2]^+\,(aq);$$

$$K_2 = \frac{c([Ag(NH_3)_2]^+)}{c([Ag(NH_3)]^+) \cdot c(NH_3)}$$

Die Gleichgewichtskonstanten K_1 und K_2 für die beiden Teilschritte lassen sich zu einer Konstanten K für die Gesamtreaktion zusammenfassen. Man bezeichnet diese Konstante als *Stabilitätskonstante* des Diamminsilber-Komplexes:

$$K = K_1 \cdot K_2 = \frac{c([Ag(NH_3)_2]^+)}{c(Ag^+) \cdot c^2(NH_3)}$$

Die Stabilitätskonstante lässt sich elektrochemisch relativ leicht mit einer Konzentrationszelle bestimmen. Dazu kombiniert man eine Halbzelle mit Silber-Ionen (1 mol · l^{-1}) mit einer Halbzelle, die gleiche Volumina Silbernitrat-Lösung (0,02 mol · l^{-1}) und Ammoniak-Lösung (2 mol · l^{-1}) enthält. In dieser Halbzelle bilden sich praktisch quantitativ Diamminsilber-Ionen. Aus der gemessenen Spannung von 0,531 V kann nach der NERNSTschen Gleichung die geringe Konzentration der freien hydratisierten Silber-Ionen berechnet werden:

$$U = 0{,}059\text{ V} \cdot \lg \frac{1\text{ mol} \cdot \text{l}^{-1}}{c(Ag^+)}; \quad c(Ag^+) = 10^{0{,}531:0{,}059}\text{ mol} \cdot \text{l}^{-1} = 10^{-9}\text{ mol} \cdot \text{l}^{-1}$$

Die Ammoniak-Konzentration beträgt rund 1 mol · l^{-1} und die des Komplex-Ions 0,01 mol · l^{-1}. Für die Stabilitätskonstante erhält man $K = 10^7$ mol^{-2} · l^2.

Komplexstabilität und Löslichkeit. Kennt man die Stabilitätskonstanten, so lässt sich abschätzen, ob sich schwer lösliche Salze als Komplexverbindungen in Wasser auflösen lassen.
Silberchlorid löst sich sehr schlecht in Wasser, dagegen sehr gut in Ammoniak-Lösung. In reinem Wasser wird das Löslichkeitsprodukt bereits erreicht, wenn die Konzentration der hydratisierten Silber-Ionen und der Chlorid-Ionen jeweils $1{,}4 \cdot 10^{-5}\ \mathrm{mol} \cdot \mathrm{l}^{-1}$ beträgt.

$$K_L\,(\mathrm{AgCl}) = 2 \cdot 10^{-10}\ \mathrm{mol}^2 \cdot \mathrm{l}^{-2} = c\,(\mathrm{Ag}^+) \cdot c\,(\mathrm{Cl}^-)$$

In einer Ammoniak-Lösung liegen die Silber-Ionen dagegen überwiegend als Ammin-Komplex vor. Bei einer Ammoniak-Konzentration von $1\ \mathrm{mol} \cdot \mathrm{l}^{-1}$ kommt auf rund zehn Millionen Diamminsilber-Ionen nur ein hydratisiertes Silber-Ion.

Durch Zusatz von Thiosulfat-Ionen ($S_2O_3^{2-}$) lässt sich sogar das wesentlich schwerer lösliche Silberbromid auflösen ($K_L\,(\mathrm{AgBr}) = 5 \cdot 10^{-13}\ \mathrm{mol}^2 \cdot \mathrm{l}^{-2}$). Man nutzt diese Reaktion beim *Fixieren* in der Schwarzweiß-Fotografie: Durch Belichten und Entwickeln erhält man ein Bild aus fein verteiltem Silber. An den unbelichteten Stellen liegt aber noch unverändertes Silberbromid vor, sodass bei weiterer Lichteinwirkung das ganze Bild schwarz würde. Durch Fixieren mit Natriumthiosulfat-Lösung wird das Bild haltbar. Das restliche Silberbromid wird dabei unter Komplexbildung herausgelöst:

$$\mathrm{AgBr\,(s)} + 2\,S_2O_3^{2-}\,\mathrm{(aq)} \longrightarrow [\mathrm{Ag}(S_2O_3)_2]^{3-}\,\mathrm{(aq)} + \mathrm{Br}^-\,\mathrm{(aq)}$$

Maskierung. Bei Nachweisreaktionen in wässeriger Lösung setzt man oft Komplexbildner ein, um die Bildung störender Niederschläge zu verhindern. Man spricht dann von *Maskierung,* da aufgrund der Komplexbildung eine sonst zu erwartende Reaktion ausbleibt. So bilden Silber-Ionen mit Hydroxid-Ionen schwer lösliches Silberoxid. Enthält die Lösung jedoch genügend Ammoniak, so entstehen Diamminsilber-Ionen und die Lösung bleibt klar. Das TOLLENS-Reagenz für die Silberspiegel-Probe auf Aldehyde oder andere reduzierende Stoffe enthält daher Ammoniak:

$$2\,[\mathrm{Ag(NH_3)_2}]^+\,\mathrm{(aq)} + 2\,\mathrm{OH}^-\,\mathrm{(aq)} + \mathrm{R{-}CHO\,(aq)} \longrightarrow 2\,\mathrm{Ag\,(s)} + 4\,\mathrm{NH_3\,(aq)} + \mathrm{H_2O\,(l)} + \mathrm{R{-}COOH\,(aq)}$$

Ein weiteres Beispiel ist der Nachweis von Cadmium-Ionen in einer ammoniakalischen Lösung, die durch $[\mathrm{Cu(NH_3)_4}]^{2+}$-Ionen blau gefärbt ist. Zur Maskierung der Kupfer-Ionen versetzt man die Probe tropfenweise mit Natriumcyanid-Lösung, bis sich die Lösung entfärbt. Dabei bildet sich ein sehr stabiler Cyano-Komplex mit Kupfer(I) als Zentralion:

$$2\,[\mathrm{Cu(NH_3)_4}]^{2+}\,\mathrm{(aq)} + 6\,\mathrm{CN}^-\,\mathrm{(aq)} \longrightarrow 2\,[\mathrm{Cu(CN)_2}]^-\,\mathrm{(aq)} + 8\,\mathrm{NH_3\,(aq)} + \mathrm{(CN)_2\,(aq)}$$

Gibt man dann Schwefelwasserstoff-Lösung zu der Probelösung, so können Cadmium-Ionen als charakteristisch gelbes Cadmiumsulfid gefällt werden. Ohne den Cyanid-Zusatz erhielte man eine durch Kupfersulfid braun gefärbte Fällung, unabhängig davon, ob die Probe Cadmium-Ionen enthält oder nicht.

PRAKTIKUM

Komplexstabilität

Versuch 1: **Eisen (III)-Komplexe**

Materialien: Tropfpipette; Eisen(III)-nitrat-Lösung ($0{,}1\ \mathrm{mol} \cdot \mathrm{l}^{-1}$), Salpetersäure (verd.; C), gesättigte Lösungen von Kochsalz und Natriumfluorid (etwa $1\ \mathrm{mol} \cdot \mathrm{l}^{-1}$; Xn) und Ammoniumthiocyanat-Lösung ($0{,}1\ \mathrm{mol} \cdot \mathrm{l}^{-1}$)

Durchführung:

1. Eisen(III)-nitrat-Lösung ($0{,}1\ \mathrm{mol} \cdot \mathrm{l}^{-1}$) wird tropfenweise bis zur Entfärbung mit Salpetersäure versetzt. Zu jeweils etwa 5 ml dieser Lösung gibt man tropfenweise die folgenden Lösungen:
   a) Kochsalz-Lösung,
   b) Ammoniumthiocyanat-Lösung,
   c) Natriumfluorid-Lösung.
2. Wiederholen Sie den Versuch, indem Sie die drei Lösungen nacheinander in 5 ml Eisennitrat-Lösung geben.

Aufgabe: Formulieren Sie Reaktionsgleichungen für die beobachteten Reaktionen.

Versuch 2: **Bestimmung einer Stabilitätskonstanten**

Materialien: 2 Bechergläser (100 ml), 2 Silber-Elektroden, Filtrierpapier, Spannungsmessgerät; Kaliumnitrat-Lösung ($1\ \mathrm{mol} \cdot \mathrm{l}^{-1}$), Silbernitrat-Lösung ($0{,}02\ \mathrm{mol} \cdot \mathrm{l}^{-1}$), Natriumthiosulfat-Lösung ($2\ \mathrm{mol} \cdot \mathrm{l}^{-1}$)

Durchführung:

1. In ein Becherglas werden je 40 ml Silbernitrat-Lösung und Wasser gefüllt, in das andere je 40 ml Silbernitrat-Lösung und Natriumthiosulfat-Lösung.
2. Tauchen Sie die Silber-Elektroden ein und verbinden Sie die Halbzellen mit einem mit Kaliumnitrat-Lösung getränkten Filtrierpapierstreifen. Messen Sie die Zellspannung.

Aufgaben:

a) Berechnen Sie die Stabilitätskonstante für $[\mathrm{Ag}(S_2O_3)_2]^{3-}$.
b) Bei dem entsprechenden Versuch mit Kaliumcyanid-Lösung misst man eine Zellspannung von 1,18 V. Berechnen Sie die Stabilitätskonstante für $[\mathrm{Ag(CN)_2}]^-$.

11.3 Chelatkomplexe

HOOC–CH₂ N–CH₂–CH₂–N CH₂–COOH / HOOC–CH₂ CH₂–COOH

Ethylendiamintetraessigsäure (EDTA, H_4edta)

HOOC–CH₂ N–(CH₂)₂–N–(CH₂)₂–N CH₂–COOH / HOOC–CH₂ CH₂ COOH CH₂–COOH

Diethylentriaminpentaessigsäure (DTPA, H_5dtpa)

N(–CH₂–COOH)₃

Nitrilotriessigsäure (NTA, H_3nta)

H_3C–C=N–O–H / H_3C–C=N–O–H

Diacetyldioxim (Dimethylglyoxim, H_2dmg)

2,2'-Bipyridin (bipy)

8-Hydroxychinolin (Oxin)

1. Strukturformeln einiger Chelatbildner

A1 Erklären Sie die folgenden Beobachtungen und formulieren Sie Reaktionsgleichungen:

a) Gibt man Kupfersulfat-Lösung zu einer Glycin-Lösung, so färbt sich die Lösung kräftig blau. Die Farbe vertieft sich, wenn man Natronlauge zutropft.

b) Eine Nickel(II)-hydroxid-Fällung löst sich bei Zusatz von Ammoniak. Versetzt man diese blaue Lösung mit 1,2-Diaminoethan, so färbt sich die Mischung rotviolett.

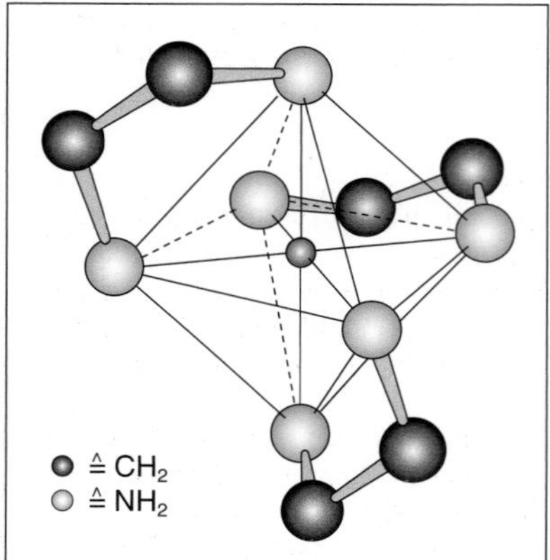

2. Nickel-Ion mit 1,2-Diaminoethan-Molekülen als zweizähnigen Liganden

Nickel(II)-sulfat löst sich in Wasser mit grüner Farbe. Gibt man dazu eine wässerige Lösung von **1,2-Diaminoethan** (Ethylendiamin, Kurzzeichen **en**), so färbt sich die Mischung rotviolett. Die Wasser-Liganden des $[Ni(H_2O)_6]^{2+}$-Ions werden dabei vollständig gegen 1,2-Diaminoethan-Moleküle ausgetauscht.

Ein 1,2-Diaminoethan-Molekül besitzt zwei Stickstoff-Atome mit freien Elektronenpaaren, die mit dem Nickel-Ion in Wechselwirkung treten können. Die photometrische Untersuchung der Lösung zeigt, dass von einem Nickel-Ion maximal drei Moleküle 1,2-Diaminoethan gebunden werden. Geht man davon aus, dass das Nickel-Ion auch hier die Koordinationszahl sechs hat, muss jeder Ligand zwei Bindungen eingehen. Die drei Liganden greifen dabei ähnlich einer Krebsschere nach dem Zentralion. Solche Liganden mit mehreren Bindungsstellen nennt man *mehrzähnige Liganden.* Ihre Komplexe heißen **Chelatkomplexe** oder kurz *Chelate* (griech. *chele:* Schere).

Im Labor verwendet man besonders häufig zweizähnige und sechszähnige Liganden. Ein bekanntes Beispiel für einen zweizähnigen Liganden ist die **Aminoethansäure** (Glycin, Kurzzeichen **Hgly**). Die Ligandenaustauschreaktion ist hier wie in vielen anderen Fällen mit einer Protolyse verbunden. Der eigentliche Ligand ist das Anion gly^-. Die Anzahl solcher Liganden wird durch griechische Zahlsilben wie *bis, tris* und *tetrakis* angegeben. Es entsteht Bis(glycinato)kupfer(II):

$$\underset{\text{hellblau}}{[Cu(H_2O)_4]^{2+}}\,(aq) + 2\,Hgly\,(aq) \rightleftharpoons \underset{\text{dunkelblau}}{[Cu(gly)_2]}\,(aq) + 2\,H_3O^+\,(aq) + 2\,H_2O\,(l)$$

Nicht nur Aminosäuren bilden Chelatkomplexe, sondern auch Hydroxycarbonsäuren und Carbonsäuren mit mehreren Carboxyl-Gruppen. Derartige Komplexe nutzt man beispielsweise bei der FEHLINGschen Probe: Tartrat, das Anion der **Weinsäure,** wirkt hier als dreizähniger Ligand. Das Kupfer-Ion bindet in diesem Fall zwei Tartrat-Ionen, jeweils über die Sauerstoff-Atome der Hydroxyl-Gruppen und eine Carboxylat-Gruppe. Deswegen fällt in alkalischer Lösung kein Kupferhydroxid aus und die Kupfer-Ionen können durch Zucker oder Aldehyde reduziert werden.

Metallindikatoren. Die Bildung intensiv gefärbter Komplexe ist eine wichtige Voraussetzung für die Anwendung einiger Chelatbildner als *Metallindikatoren* bei der komplexometrischen Titration von Metall-Ionen. So bildet *Sulfosalicylsäure* mit Eisen(III)-Ionen eine kräftig rote, nicht allzu stabile Komplexverbindung. Diese Färbung bleibt bei einer Titration erhalten, solange noch ein Überschuss an Eisen(III)-Ionen vorhanden ist. Gegen Ende der Titration setzen sich aber auch die Eisen(III)-Ionen in dem roten Komplex mit dem Chelatbildner in der Maßlösung um, da dessen Eisen(III)-Komplex wesentlich stabiler ist. Der Endpunkt der Titration ist erreicht, sobald die rote Färbung verschwunden ist.

Chelateffekt. Chelatkomplexe sind stabiler als Komplexe mit chemisch ähnlichen einzähnigen Liganden. Das lässt sich anschaulich leicht erklären: Nachdem das erste Atom des Liganden an das Zentralion gebunden ist, wird die Ausbildung von weiteren Bindungen zum Liganden begünstigt, da sich die weiteren Bindungsstellen schon nahe am Zentralion befinden. Fünf- und sechsgliedrige Ringe sind dabei aus sterischen Gründen besonders stabil.

Begünstigt wird die Chelatbildung durch einen *Entropieeffekt*: Der Austausch von Wasser-Molekülen oder andere einzähnige Liganden gegen einen Chelatbildner führt zu einer größeren Anzahl von freien Teilchen. Der Vergrößerung der Teilchenzahl entspricht eine Zunahme der Entropie: Das Gleichgewicht verschiebt sich zugunsten der Bildung des Chelatkomplexes.

Komplexone. Vergrößert man das 1,2-Diaminoethan-Molekül um vier Essigsäure-Reste, so erhält man das Molekül der *Ethylendiamintetraessigsäure*. Als Kurzzeichen wird oft **EDTA** verwendet, korrekter ist jedoch H_4edta. Dies ist der bei weitem wichtigste Vertreter einer Gruppe mehrzähniger Chelatbildner, die als *Komplexone* bezeichnet werden. Mit vielen Metall-Ionen bilden sich Komplexe im Stoffmengenverhältnis 1:1.

Komplexone werden vielfach für die maßanalytische Bestimmung von Metall-Ionen eingesetzt. Ein Beispiel ist die komplexometrische Bestimmung der Wasserhärte: Die Calcium- und Magnesium-Ionen einer Wasserprobe reagieren dabei unter Bildung der EDTA-Komplexe. Als Reagenz für die Herstellung der Maßlösungen verwendet man meist das gut wasserlösliche Dinatriumsalz Na_2H_2edta. Bei der Komplexbildung gibt das Anion H_2edta^{2-} zwei Protonen ab:

$$Ca^{2+}\,(aq) + H_2edta^{2-}\,(aq) \rightleftharpoons Ca(edta)^{2-} + 2\,H^+\,(aq)$$

Der eigentliche Ligand ist also das $edta^{4-}$-Ion. Es wirkt in den meisten Fällen als sechszähniger Ligand. Das Metall-Ion ist dann oktaedrisch von den beiden Stickstoff-Atomen und je einem Sauerstoff-Atom der vier Carboxylat-Gruppen umgeben.

Komplexone werden nicht nur in der Analytik, sondern auch vielfältig in Medizin und Technik verwendet: Bei der Herstellung von Arzneimitteln und Kosmetika sind Spuren von Eisen- oder Kupfer-Ionen oft nicht auszuschließen. Um ihre unerwünschte Wirkung als Redox-Katalysatoren zu verhindern, werden Komplexone zugesetzt. Bis 1990 enthielten auch Vollwaschmittel EDTA-Salze als Bleichmittelstabilisator. Diese Anwendung wurde aufgegeben, weil EDTA biologisch nur schwer abbaubar ist.

In der Medizin werden Komplexone bei Vergiftungen durch Schwermetall-Ionen eingesetzt. Hierbei nutzt man die gute Wasserlöslichkeit der Metallchelate. Zur Behandlung von Bleivergiftungen wird eine Na_2Ca(edta)-Lösung injiziert. Man verwendet den Calcium-Komplex, damit der Calcium-Stoffwechsel nicht gestört wird. Es bildet sich dann der stabilere Blei-Komplex, der über den Urin ausgeschieden wird. Bei der Behandlung ist zu berücksichtigen, dass Komplexone giftig sind, da sie dem Organismus nicht nur die unerwünschten giftigen Schwermetall-Ionen entziehen, sondern auch lebenswichtige Spurenelemente wie Zink-Ionen und Mangan-Ionen aus den Enzymen komplexieren.

Mit Diethylentriaminpentaessigsäure (DTPA) lassen sich auch Vergiftungen durch Uran- und Plutoniumsalze behandeln. Um die Nebenwirkungen zu verringern, wird der Zink-Komplex von DTPA eingesetzt. Der Zink-Komplex reagiert nicht mit den für den Stoffwechsel wichtigen Calcium- und Magnesium-Ionen. Auch der Zink-Stoffwechsel kann nicht gestört werden.

PRAKTIKUM

Chelatkomplexe

Versuch 1: **Reaktion von Nickel-Ionen mit 1,2-Diaminoethan**

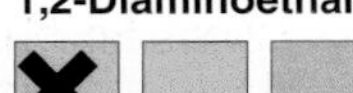

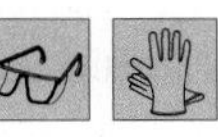
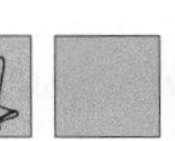

Materialien: große Reagenzgläser, Messzylinder (25 ml), Kunststoffspritze (10 ml);
Nickelsulfat-Lösung (0,1 mol · l^{-1}),
1,2-Diaminoethan-Lösung (1 mol · l^{-1}; Xn)

Durchführung:

1. In fünf Reagenzgläser gibt man je 20 ml einer Nickelsulfat-Lösung (0,1 mol · l^{-1}) und dazu ab der zweiten Probe 2 ml, 4 ml, 6 ml, 8 ml 1,2-Diaminoethan-Lösung (1 mol · l^{-1}).
2. Dann wird mit Wasser jeweils auf 40 ml ergänzt.

Aufgaben:

a) Vergleichen Sie die Färbungen.

b) Wie viele Moleküle 1,2-Diaminoethan können durch ein Nickel-Ion maximal gebunden werden?

c) Ist eine Reaktion zu erwarten, wenn man die Mischungen mit Ammoniak-Lösung versetzt?

Versuch 2: **Komplexbildung mit EDTA**

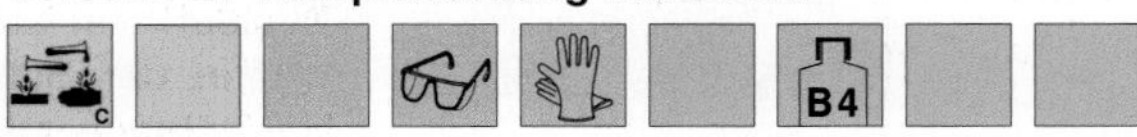

Materialien: Glasrohr
Na_2H_2edta-Lösung (0,1 mol · l^{-1}), Ammoniak-Lösung (verd.), Natronlauge (verd.; C), Lösungen von Kupfersulfat und Nickelsulfat (0,1 mol · l^{-1}), Kalkwasser

Durchführung:

1. Versetzen Sie Nickelsulfat-Lösung mit der gleichen Menge Na_2H_2edta-Lösung. Versuchen Sie, mit Natronlauge das Hydroxid zu fällen.
2. Tropfen Sie Ammoniak-Lösung zu Kupfersulfat-Lösung. Teilen Sie die tiefblaue Lösung und geben Sie zu der einen Probe Na_2H_2edta-Lösung, zu der anderen die gleiche Menge Wasser.
3. Versetzen Sie Kalkwasser mit dem gleichen Volumen Na_2H_2edta-Lösung. Versuchen Sie, durch Einblasen von ausgeatmeter Luft Calciumcarbonat zu fällen.
4. Fällen Sie zuerst Calciumcarbonat und geben Sie dann Na_2H_2edta-Lösung hinzu.

Aufgabe: Erklären Sie die beobachteten Effekte.

11.4 Wasserenthärtung

1. Schnellentkalker. Ein Mischbett-Ionenaustauscher liefert voll entsalztes Wasser für Dampfbügeleisen.

A1 Warum verwendet man bei Geschirrspülern einen Kationenaustauscher in der Na^+-Form, bei der Wasseraufbereitung für Dampfbügeleisen dagegen einen Mischbettaustauscher in der H^+-Form und OH^--Form?

A2 Zeichnen Sie die räumliche Struktur eines Calcium-Komplexes mit dem Anion der Nitrilotriessigsäure.

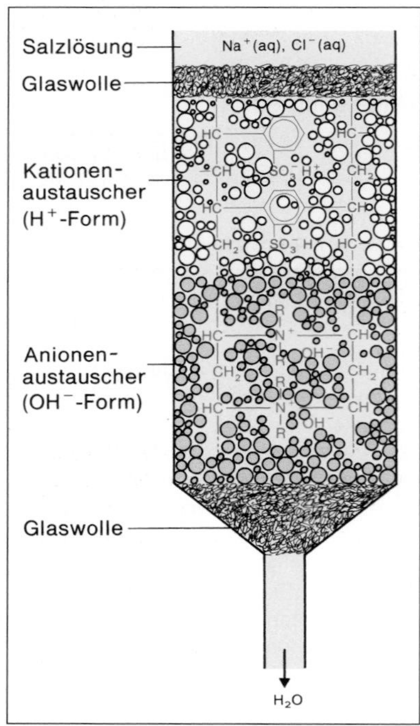

2. Ionenaustauscher (Schema)

Unser Trinkwasser enthält regional unterschiedliche Mengen an gelösten Salzen. Grundwasser kann dabei je nach geologischem Untergrund viel Calciumhydrogencarbonat und Calciumsulfat enthalten und damit sehr hart sein. Oberflächenwasser aus Talsperren enthält dagegen nur geringe Konzentrationen an Erdalkali-Ionen, Hydrogencarbonat-Ionen und Sulfat-Ionen.
In Deutschland wird die **Wasserhärte** noch häufig in der traditionellen Einheit des *Deutschen Härtegrades* (°d) angegeben. Hierbei entspricht 1 mmol · l^{-1} Erdalkali-Ionen 5,6 °d. In Gebieten mit Sandstein oder Granit beträgt die Gesamthärte manchmal nur 1 °d, während in Böden mit Gips und Kalkgestein die Wasserhärte bis zu 100 °d betragen kann.
Man vermutet, dass zu weiches Wasser Herz- und Kreislauferkrankungen fördert. Mittelhartes Wasser ist also gesünder, außerdem schmeckt es besser. Ist das Wasser sehr hart, wird allerdings der Geschmack von Tee und Kaffee beeinträchtigt. Nützlich ist dann ein „Wasserfilter“, um die Härte zu verringern. Auch für das Dampfbügeleisen wird sehr weiches oder vollentsalztes Wasser benötigt.
In Brauereien und Papierfabriken, in Kraftwerken und Druckereien und in vielen weiteren Industrie- und Gewerbebetrieben wird Wasser enthärtet oder teilenthärtet, um Ablagerungen von Kesselstein und störende chemische Reaktionen auszuschließen.

Ionenaustauscher. Zur Wasserenthärtung werden vielfach *Ionenaustauscher* eingesetzt. Man unterscheidet Kationenaustauscher und Anionenaustauscher. *Kationenaustauscher* sind Polystyrol-Harze mit Sulfonsäure-Resten. Die Wasserstoff-Ionen können gegen Natrium-Ionen oder Erdalkali-Ionen ausgetauscht werden. Durch Salzsäure oder Kochsalz-Lösung lassen sich die Harze wieder regenerieren.
Anionenaustauscher sind Polystrol-Harze mit positiven Ladungen an tertiären oder quartären Ammonium-Gruppen. Als Anionen enthalten sie meist Hydroxid-Ionen. Die OH^--Ionen können durch andere Anionen wie Sulfat-Ionen oder Carbonat-Ionen ausgetauscht werden.
Durch die Kombination beider Arten von Ionenaustauschern in einem so genannten *Mischbett-Ionenaustauscher* lässt sich Wasser vollständig entsalzen. Die vom Kationenaustauscher abgegebenen Hydronium-Ionen reagieren mit den vom Anionenaustauscher freigesetzten Hydroxid-Ionen zu Wasser. Auf diese Weise wird auch **demineralisiertes Wasser** im Labor und in der Schule gewonnen. Vor der Regeneration mit Salzsäure und Natronlauge müssen die beiden Harze getrennt werden.

Natriumtriphosphat. Auch zum Wäschewaschen muss Wasser enthärtet werden, damit keine Kalkfällungen auftreten. Als geeignete Substanz hat sich Pentanatriumtriphosphat ($Na_5P_3O_{10}$) bewährt. Es ist toxikologisch unbedenklich und besitzt ein sehr gutes Komplexierungsvermögen für Calcium-Ionen und Magnesium-Ionen. In der Kläranlage zerfallen die Komplexe durch Hydrolyse jedoch nur teilweise zu schwer löslichem Calciumphosphat. Die gelösten Phosphate können zur Eutrophierung von Gewässern beitragen. Solange Phosphate nicht in allen Kläranlagen aus dem Abwasser ausgefällt werden, leisten heute phosphatfreie Waschmittel einen wichtigen Beitrag zur Entlastung unserer Flüsse und Seen. Es gibt aber bisher keinen Stoff, der die Phosphate in Waschmitteln völlig ersetzen kann. Nur eine Kombination verschiedener Zusatzstoffe und ein erhöhter Gehalt an waschaktiven Substanzen bringen zufrieden stellende Waschergebnisse.

Citronensäure. Auch mit dem Natriumsalz der Citronensäure lässt sich Wasser enthärten. Citronensäure ist ökologisch unbedenklich. Leider sind ihre Calcium- und Magnesium-Komplexe bei höheren Temperaturen weniger stabil.

Nitrilotriacetat (NTA). Ohne Beeinträchtigung der Waschwirkung lässt sich ein großer Teil des Natriumtriphosphates in Waschmitteln durch das Natriumsalz der Nitrilotriessigsäure ($N(CH_2COONa)_3$) ersetzen. Mit zweifach geladenen Metall-Ionen bildet das Anion 1:1-Chelatkomplexe. Dabei bindet das Metall-Ion die drei Carboxylat-Gruppen, das Stickstoff-Atom und zwei Wasser-Moleküle.
Dass NTA in deutschen Waschmitteln keine Rolle spielt, hat folgenden Grund: Man befürchtete, dass dieser Chelatbildner Schwermetall-Ionen (Cd^{2+}, Hg^{2+}) aus den Sedimenten der Flüsse herauslösen würde. Diese giftigen Stoffe hätten sich so in der Nahrungskette anreichern können. Umfangreiche Untersuchungen zeigten zwar, dass wegen der guten biologischen Abbaubarkeit von NTA kaum Gefahr besteht, trotzdem behielt NTA seinen schlechten Ruf.

Zeolith A. Zeolithe sind kristalline, wasserhaltige Alumosilicate mit einer Gerüststruktur, die Alkali- und Erdalkali-Ionen enthält. Einige der etwa vierzig verschiedenen natürlich vorkommenden Zeolithe werden seit vielen Jahren als Füllstoffe in der Papierindustrie eingesetzt, ihre typischen Eigenschaften blieben dabei ungenutzt.
Die Natrium-Ionen im synthetisch hergestellten Zeolith A (*Sasil*; $Na_{12}[AlO_2)_{12}(SiO_2)_{12}] \cdot 27\ H_2O)$ lassen sich leicht gegen andere Ionen austauschen. Sie sind in dem Silicium-Aluminium-Sauerstoff-Gerüst mit seinen $4{,}1 \cdot 10^{-10}$ m weiten Poren leicht beweglich und werden vorzugsweise durch Calcium-Ionen und weniger gut durch Magnesium-Ionen ersetzt. Zeolith A hat inzwischen Natriumtriphosphat als Enthärter in Waschmitteln verdrängt. Gegenüber anderen Enthärtern hat Zeolith A einen weiteren wichtigen Vorteil: Der Ionenaustausch nimmt mit steigender Temperatur zu. Leider unterstützt Zeolith A nicht wie Triphosphat die Schmutzablösung. Phosphatfreie Waschmittel enthalten daher auch Polycarboxylate oder andere Zusatzstoffe.
Polycarboxylate werden biologisch nur sehr langsam abgebaut. Es ist daher mehrfach über die Umweltverträglichkeit der phosphatfreien Waschmittel diskutiert worden. Konkrete Hinweise auf schädliche Wirkungen haben sich aber nicht ergeben.

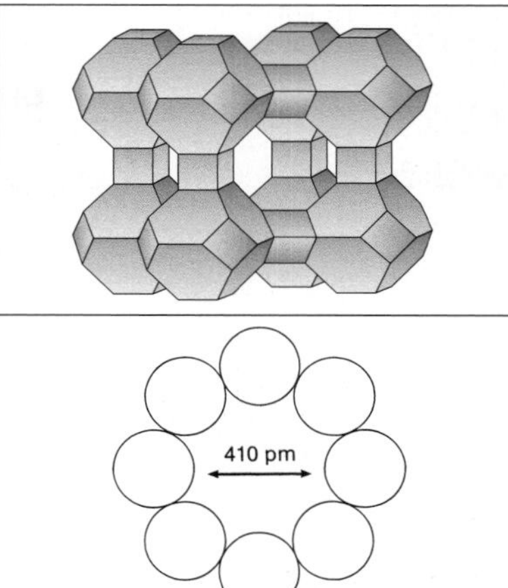

1. Zeolith A

PRAKTIKUM

Wasserhärte

Versuch 1: **Ionenaustausch**

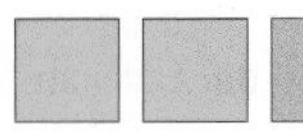  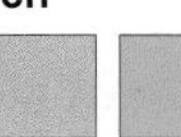     

Material: Ionenaustauschersäulen (mit Austauschern in H^+-Form bzw. OH^--Form), Rowenta-Schnellentkalker, Brita-Wasserfilter, Leitfähigkeitsmessgerät; Universalindikator-Papier

Durchführung:

1. Lassen Sie 100 ml Leitungswasser nacheinander durch die beiden Ionenaustauschersäulen laufen. Prüfen Sie dabei den pH-Wert und die Leitfähigkeit nach jedem Austauschschritt.
2. Untersuchen Sie entsprechend die Wirkung eines Schnellentkalkers und eines Wasserfilters.

Aufgabe: Erläutern Sie jeweils die Ursachen für die beobachteten Effekte.

Versuch 2: **Calciumhydrogencarbonat**

Material: Waschflasche mit Fritte; Kohlenstoffdioxid (Gasflasche), Kalkwasser

Durchführung:

1. Verdünnen Sie gesättigtes Kalkwasser mit der gleichen Menge Wasser und füllen Sie die Waschflasche zu einem Drittel mit dieser Lösung. Leiten Sie so lange Kohlenstoffdioxid ein, bis der entstandene Niederschlag sich wieder löst.
2. Erhitzen Sie einen Teil dieser Lösung in einem Reagenzglas.

Aufgabe: Formulieren Sie Reaktionsgleichungen für die einzelnen Reaktionsschritte.

Komplexometrische Titration und Wasseranalyse

Versuch 1: Bestimmung der Gesamthärte mit Teststäbchen

Materialien: handelsübliche Teststäbchen

Durchführung:

1. Tauchen Sie das Teststäbchen für etwa eine Sekunde in die Wasserprobe und schütteln Sie danach das Wasser ab.

2. Vergleichen Sie nach ungefähr einer Minute die Farbe des Teststäbchens mit der Farbskala.

Hinweise:

a) Das Teststäbchen enthält in den Messzonen bestimmte Mengen des Dinatriumsalzes der Ethylendiamintetraessigsäure (Na_2H_2edta), das mit den Calcium-Ionen und den Magnesium-Ionen reagiert. Als Indikator dient eine farbige Komplexverbindung, aus der überschüssige Erdalkali-Ionen den Liganden freisetzen. Dabei ändert sich die Farbe von Rot nach Grün.

b) Die Härtebereiche der Teststäbchen entsprechen den Härtebereichen nach dem Waschmittelgesetz. Diese müssen angegeben werden, um eine genaue Waschmitteldosierung zu ermöglichen.
Nach dem Gesetz über Einheiten im Messwesen vom 2. 7. 1969 darf von den vielen früher gebräuchlichen Einheiten eigentlich nur noch die Einheit mmol · l^{-1} verwendet werden. Auf den Waschmittelpackungen wird neben dem Härtebereich oft noch der *Deutsche Härtegrad* angegeben:
1 °d ≙ 10 mg · l^{-1} CaO ≙ 0,18 mmol · l^{-1} Erdalkali-Ionen.

	Härtebereich	mmol · l^{-1}	°d
	1 (weich)	0–1,3	0–7
	2 (mittelhart)	1,3–2,5	7–14
	3 (hart)	2,5–3,8	14–21
	4 (sehr hart)	>3,8	>21

Versuch 2: Bestimmung der Wasserhärte mit genormter Seifenlösung

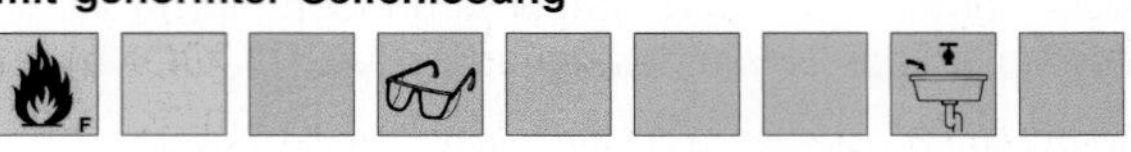

Materialien: Bürette, Messzylinder (100 ml), Erlenmeyerkolben mit Stopfen (100 ml);
Seifenlösung (alkoholisch nach BOUTRON-BOUDET; F)

Durchführung: In dem Erlenmeyerkolben werden 40 ml Leitungswasser tropfenweise mit Seifenlösung versetzt. Nach jeder Zugabe wird der Erlenmeyerkolben verschlossen und kräftig geschüttelt.
Die Titration ist beendet, wenn sich eine etwa 5 mm dicke Schaumschicht bildet und bestehen bleibt.

Aufgabe: Ein Verbrauch von 2,4 ml Seifenlösung entspricht einer Gesamthärte von 12,3 °d. Berechnen Sie die Gesamthärte des untersuchten Wassers.

Versuch 3: Komplexometrische Bestimmung der Wasserhärte

Materialien: Bürette, Erlenmeyerkolben (500 ml), Messzylinder (250 ml), Kunststoffspritze (1 ml);
Na_2H_2edta-Lösung (0,01 mol · l^{-1}), Universalindikator-Papier, Indikator-Puffertablette, Murexid, Ammoniak-Lösung (konz.; C, N), Natronlauge (verd.; C)

Durchführung:

1. *Titration der Summe von Calcium- und Magnesium-Ionen:* Zu 200 ml Leitungswasser werden eine Indikator-Puffertablette und 1 ml Ammoniak-Lösung gegeben (pH-Wert ≈ 10). Dann wird sofort mit Na_2H_2edta-Lösung bis zum Farbumschlag von Rot nach Grün titriert.

2. *Titration der Calcium-Ionen:* Eine weitere Probe von 200 ml Leitungswasser wird tropfenweise mit Natronlauge bis zum pH-Wert 12 versetzt.

3. Nach Zugabe von 1 ml frisch zubereiteter, gesättigter, wässeriger Murexid-Lösung wird sofort mit Na_2H_2edta-Lösung titriert, bis die Färbung von Rot nach Blauviolett umschlägt.

Aufgabe: Berechnen Sie die Konzentrationen der Calcium-Ionen und der Magnesium-Ionen sowie die Gesamthärte.

Teilchenart	mg · l^{-1}	Teilchenart	mg · l^{-1}	Teilchenart	mg · l^{-1}	Teilchenart	mg · l^{-1}
Aluminium	0,2	Chrom (Cr^{3+})	0,05	Nickel (Ni^{2+})	0,05	Quecksilber (Hg, Hg^{I}, Hg^{II})	0,001
Ammonium (NH_4^+)	0,5	Cyanid (CN^-)	0,05	Nitrat (NO_3^-)	50	Selen	0,01
Antimon	0,01	Eisen (Fe^{2+}, Fe^{3+})	0,2	Nitrit (NO_2^-)	0,1	Sulfat (SO_4^{2-})	240
Arsen (As^{III})	0,01	Fluorid (F^-)	1,5	organische Stoffe zur Pflanzenbehandlung (insgesamt)	0,0005	Tetrachlormethan	0,003
Blei (Pb^{2+})	0,04	Kalium (K^+)	12	Phosphat (PO_4^{3-})	6,7		
Cadmium (Cd^{2+})	0,005	Magnesium (Mg^{2+})	50				
Calcium (Ca^{2+})	400	Mangan (Mn^{2+})	0,05				
Chlorid (Cl^-)	250	Natrium (Na^+)	150				

Einige Grenzwerte aus der Trinkwasserverordnung 1991

Versuch 4: Bestimmung von Eisen-Ionen

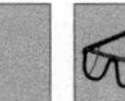

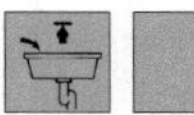

Materialien: Bürette, Pipetten, Erlenmeyerkolben; Na_2H_2edta-Lösung (0,02 mol · l^{-1}), Sulfosalicylsäure (Xi), Universalindikator-Stäbchen, Salzsäure (konz.; C), Salpetersäure (konz.; C)

Durchführung:

1. Die Probelösung, die nicht mehr als 20 mg Eisen enthalten sollte, wird mit demineralisiertem Wasser auf etwa 100 ml verdünnt. Mit Salzsäure wird die Lösung dann auf einen pH-Wert von annähernd 2,5 eingestellt. Kontrollieren Sie den pH-Wert mit Universalindikator-Stäbchen.

2. Als Metall-Indikator wird eine Spatelspitze Sulfosalicylsäure zugesetzt.

3. Nun wird mit Na_2H_2edta-Lösung titriert, bis die Rotfärbung verschwindet. Es ist oft nötig, gegen Ende der Titration eine weitere Spatelspitze Indikator hinzuzugeben.

Hinweis: Bei dieser Titration werden Eisen(II)-Ionen nicht erfasst. Zur Bestimmung der Eisen(II)-Ionen wird eine neue Probe mit 2 ml Salpetersäure aufgekocht und nach dem Abkühlen wie oben beschrieben titriert. Die Differenz der beiden Werte entspricht dem Gehalt an Eisen(II)-Ionen.

Versuch 5: Schnelltest zur Bestimmung von Chlorid-Ionen

Materialien: handelsüblicher Schnelltest: Diphenylcarbazon-Indikatorlösung, Salpetersäure (C), Quecksilber(II)-nitrat-Lösung (T)

Durchführung:

1. 5 ml einer Wasserprobe werden mit zwei Tropfen Indikatorlösung versetzt, dabei färbt sich die Lösung violett.

2. Nun wird ein Tropfen Salpetersäure unter Schütteln zugegeben, sodass die Farbe von Violett nach Gelb umschlägt.

3. Aus einer Tropfflasche wird dann tropfenweise Quecksilber(II)-nitrat-Lösung hinzugefügt und nach jedem Tropfen umgeschwenkt, bis die Farbe der Wasserprobe von Gelb nach Violett umschlägt.
Ein Tropfen entspricht 25 mg · l^{-1} Chlorid-Ionen.

Hinweise:

a) Chlorid-Ionen bilden mit Quecksilber(II)-Ionen praktisch undissoziiertes, farbloses Quecksilber(II)-chlorid. Überschüssige Quecksilber-Ionen bilden mit Diphenylcarbazon in salpetersaurer Lösung eine blauviolette Komplexverbindung.

b) Grundwasser enthält bis zu 30 mg · l^{-1} Chlorid-Ionen, Regen und Schnee bis zu 10 mg · l^{-1}.

Versuch 6: Nitrat-Bestimmung mit Teststäbchen

Materialien: handelsübliche Teststäbchen

Durchführung: Das Teststäbchen wird etwa eine Sekunde lang in die Wasserprobe getaucht und nach einer Minute mit der Farbskala verglichen.

Hinweise:

a) Die Messung beruht auf der Reduktion von Nitrat zu Nitrit und der Bildung von salpetriger Säure in der Testzone des Stäbchens. Die salpetrige Säure diazotiert Sulfanilsäure, und durch Kupplung entsteht dann ein Azofarbstoff.

b) Außer der Nitrat-Reduktionszone enthalten die Teststäbchen auch eine Nitrit-Warnzone. Nitrit-Ionen stören den Nitrat-Test. Trinkwasser muss praktisch frei von gesundheitsschädlichem Nitrit sein.

Versuch 7: Bestimmung des Säurebindungsvermögens

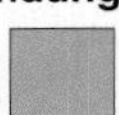
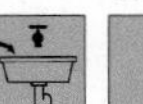

Materialien: Bürette, Erlenmeyerkolben (300 ml), Pipette (100 ml), Pipettierhilfe;
Salzsäure (0,1 mol · l^{-1}), Methylorange-Lösung (0,1 %), Kaliumhydrogencarbonat

Durchführung: 100 ml Wasser werden mit zwei Tropfen Methylorange-Lösung versetzt und mit Salzsäure bis zum Farbumschlag von Gelb nach Orange titriert. Als Farbvergleich dienen 100 ml demineralisiertes Wasser, dem zwei Tropfen Methylorange-Lösung und eine Spatelspitze Kaliumhydrogencarbonat zugesetzt wurden.

Aufgaben:

a) Berechnen Sie das Säurebindungsvermögen in mmol · l^{-1}. Welchem HCO_3^--Gehalt in mmol · l^{-1} entspricht es?

b) Geben Sie die Carbonathärte in °d an.

Hinweis: In der neueren Literatur spricht man genauer von der *Säurekapazität bis pH 4,3*: Man titriert mit Salzsäure-Maßlösung bis zum pH-Wert 4,3. Gute Näherungswerte erhält man bei der Verwendung eines speziellen Mischindikators oder von Methylorange. Bei dieser Titration werden in den meisten Fällen nahezu ausschließlich Hydrogencarbonat-Ionen erfasst. Man sprach deshalb auch von der **Carbonathärte** einer Wasserprobe. Um den Vergleich mit der Gesamthärte zu erleichtern, wurde dann ein Wert in °d angegeben. Ein Säurebindungsvermögen von 1 mmol · l^{-1} entspricht einer Carbonathärte von 2,8 °d.

Aufgabe 1: Bei einer genauen Untersuchung von Trinkwasser wurden folgende Werte ermittelt:
$c(Ca^{2+})$ = 2,46 mmol · l^{-1} und
$c(Mg^{2+})$ = 0,40 mmol · l^{-1}.
Berechnen Sie die Gesamthärte in °d.
(1 mg · l^{-1} Ca^{2+}-Ionen entsprechen 0,14 °d.
1 mg · l^{-1} Mg^{2+}-Ionen entsprechen 0,23 °d.)

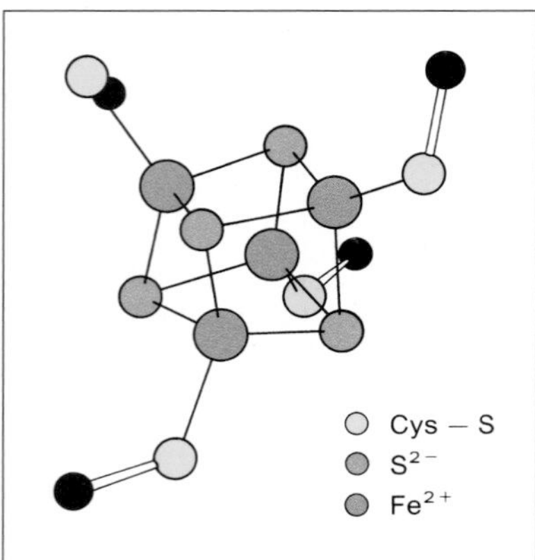

1. Aktives Zentrum eines Ferredoxins

Pflanzen, Tiere und Menschen benötigen zur Erhaltung der Lebensfunktionen viele Spurenelemente. Im Blut von Wirbeltieren sind bisher insgesamt 78 Elemente nachgewiesen worden; die biologische Wirksamkeit von 18 Spurenelementen ist bisher gesichert. Lebenswichtig für den Menschen ist die tägliche Aufnahme von etwa 15 mg Eisen und Zink, einigen Milligramm Kupfer, Mangan, Vanadium und Zinn sowie von weniger als einem Milligramm Chrom, Cobalt, Iod, Molybdän, Nickel und Selen. Benötigt werden die Metalle als Zentralionen in Komplexen, die Bestandteile von Enzymen und Hormonen sind.

Im Energiestoffwechsel aller Organismen spielen **Eisen-Schwefel-Proteine** wie das *Ferredoxin* als Elektronenübertragungs-Proteine eine Rolle. Ihre aktiven Zentren enthalten ein oder mehrere Eisen-Ionen, von denen jedes von drei Sulfid-Ionen und dem Schwefel-Atom eines Cystein-Restes umgeben ist. Man hofft, mit Hilfe von Eisen-Schwefel-Proteinen, Chlorophyll und dem Enzym Hydrogenase Sonnenenergie einfangen zu können, um Wasser in Wasserstoff und Sauerstoff zu spalten. Damit wäre ein Einstieg in die Wasserstoff-Technologie möglich.

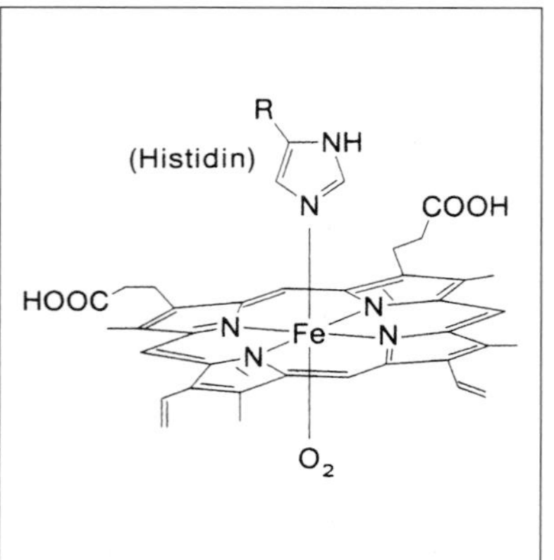

2. Häm-Scheibe mit dem Eisen(II)-Zentralion und Porphyrin als Ligand

Eine sehr interessante, physiologisch bedeutende Verbindung ist das **Hämoglobin** mit einer Molekülmasse von etwa 68 000 u. Hämoglobin enthält neben dem Eiweiß *Globin* den Farbstoff *Häm* mit einem Massenanteil von 4 %. Dieser Komplex besteht aus einem Eisen(II)-Ion als Zentralion und dem Porphyrin-Gerüst als Liganden. Das Porphyrin-Gerüst ist ein ebenes aromatisches Ringsystem mit neun konjugierten Zweifachbindungen. Das Hämoglobin selbst, das im Körper den Transport von Sauerstoff im Blut übernimmt, ist aus vier Protein-Einheiten mit jeweils einer Häm-Scheibe aufgebaut. Jedes der vier Eisen-Ionen bildet vier Bindungen zu dem Porphyrin-Ring aus, der fünfte Ligand ist ein Stickstoff-Atom der Aminosäure Histidin des Proteins. Als sechster Ligand kann ein Sauerstoff-Molekül locker gebunden werden.

Eisen-Porphyrin-Verbindungen findet man auch in anderen Enzymen wie der Katalase und verschiedenen Peroxidasen sowie beim *Cytochrom c* wieder, das in der Atmungskette eine entscheidende Rolle spielt.
Ähnlich wie das Häm sind der grüne Pflanzenfarbstoff Chlorophyll und das Vitamin B_{12} aufgebaut. Als Zentralteilchen liegt ein Magnesium-Ion bzw. ein Cobalt-Ion vor.

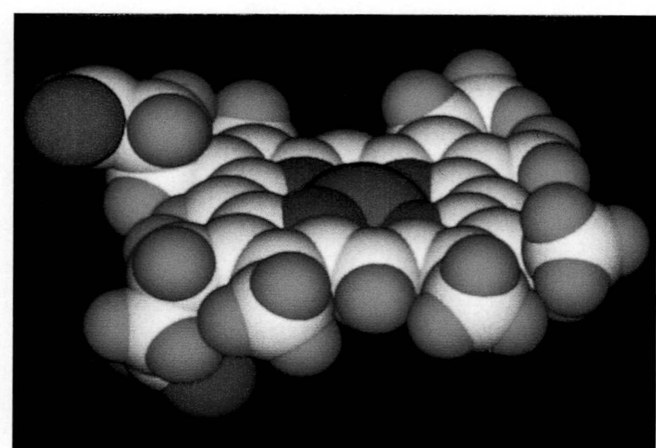

3. Kalottenmodell der Häm-Scheibe

4. Modell des Hämoglobin-Moleküls. Im Zentrum jeder der vier Untereinheiten befindet sich eine Häm-Scheibe.

Molekulare Höhlenforschung

Die Untersuchung der Wirkungsweise von Enzymen hat die Aufmerksamkeit der Chemiker von der Oberfläche großer Moleküle in das Innere von Molekülen gelenkt, oder richtiger, in die konkaven Hohlräume großer Moleküle. Nicht mehr der außen angelagerte Ligand steht heute bei manchen Forschern im Mittelpunkt des Interesses, sondern das im Molekülinneren komplexierte Ion oder Molekül.

Ein Beispiel ist das bereits 1955 entdeckte Antibiotikum **Valinomycin,** bei dem Hydroxycarbonsäuren und Aminosäuren über Amid- und Esterbindungen verknüpft sind. So bildet sich ein Ring aus 36 Atomen. Die hydrophoben Reste liegen außen und die hydrophilen innen. In den Hohlraum passt genau ein Kalium-Ion.

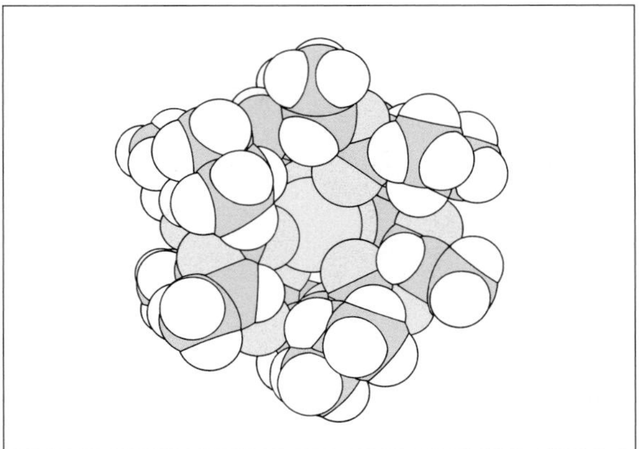

Valinomycin. Im Zentrum ist ein Kalium-Ion gebunden.

Mit den **Kronenethern** wurden von PEDERSEN 1967 erstmals Verbindungen mit ähnlicher Struktur synthetisiert. Kronenether sind ringförmige Polyether. Die Anzahl der Ringglieder wird im Namen in eckigen Klammern angegeben, die Anzahl der Sauerstoff-Atome durch eine nachgestellte Ziffer; der bekannteste Vertreter ist [18]Krone-6. Auffallend ist das Lösungsverhalten: Salze wie Kaliumpermanganat lösen sich bei Zugabe eines Kronenethers in Benzin. Dabei wird ein Kalium-Ion im Inneren des Ringes gebunden. PEDERSEN verglich diesen Vorgang anschaulich mit dem Aufsetzen einer Krone auf das Haupt eines Königs. Diese scherzhaft gemeinte Bezeichnung gab den Kronenethern ihren Namen.
Heute sind über 5 000 Kronenverbindungen bekannt, die unterschiedlich große Hohlräume besitzen. Darin können ganz verschieden große Teilchen mit unterschiedlicher Ladung komplexiert werden. Die weitere Forschung richtete sich auf die Synthese neuer Verbindungen mit unterschiedlich geformten Hohlräumen, in die nur ganz bestimmte Teilchen hineinpassen.

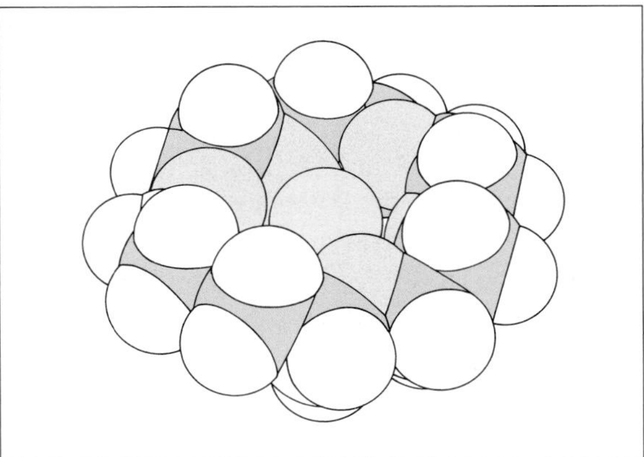

Komplex des Kronenethers [18]Krone-6 ($C_{12}H_{24}O_6$) mit einem Kalium-Ion

Auch die **Iod/Stärke-Reaktion,** bei der Iod in Stärke-Moleküle eingelagert wird, ist ein Beispiel für diese *Wirt/Gast-Chemie*. In der blau gefärbten Verbindung liegen Amylose-Moleküle als Helix vor, in deren Hohlraum Iod eingelagert ist.
Von besonderer praktischer Bedeutung sind die synthetisch hergestellten **Cyclodextrine.** Sie bestehen aus sechs bis acht ringförmig verbundenen Zucker-Molekülen. Die Hydroxyl-Gruppen sind nach außen gerichtet. Das Innere dieser Moleküle ist daher hydrophob und kann ein wenig polares Molekül als Gast in sich aufnehmen.

Für die Entwicklung der „Chemie der Hohlräume“ erhielten CRAM, LEHN und PEDERSEN 1987 den Nobelpreis. Auch heute ist noch kaum absehbar, in welchen Bereichen sich die neuen Konzepte anwenden lassen: Mit Hilfe von Kronenethern kann man optische Isomere trennen und möglicherweise auch gezielt im Hohlraum synthetisieren. Cyclodextrine verwendet man bereits allgemein in Zigarettenfiltern, um Giftstoffe aus dem Rauch zu absorbieren. In der Medizin eröffnen sie neue Möglichkeiten der Therapie, da sie wasserunlösliche Arzneimittel im Körper transportieren können.

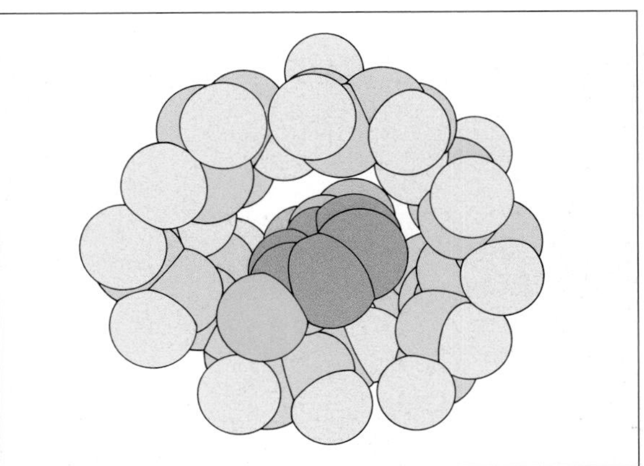

α-Cyclodextrin als Wirt mit *m*-Nitroanilin als Gast

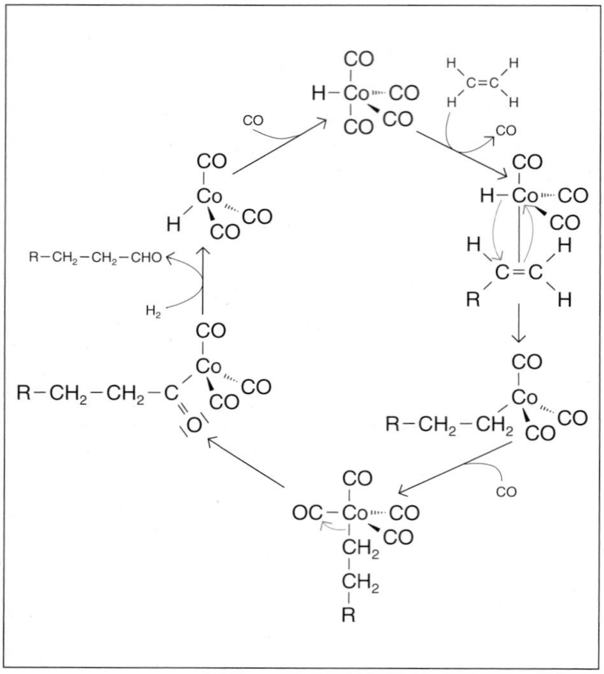

11.6 Komplexe in der Technik

Zu den neueren Anwendungsbereichen von Komplexen in der chemischen Industrie gehört ihr Einsatz als Katalysatoren. Dabei werden vor allem Komplexverbindungen verwendet, die sich im Reaktionsgemisch lösen. Solche *homogen-katalytischen* Verfahren erlauben meist mildere Reaktionsbedingungen mit geringeren Energiekosten. Ein Nachteil ist, dass sich die Katalysatoren aus den Produkten meist nur unvollständig zurückgewinnen lassen.

Oxosynthese. Eine großtechnisch angewandte, homogen-katalytische Reaktion ist die Oxosynthese. Weltweit werden in diesem Verfahren jährlich mehr als fünf Millionen Tonnen Alkene verarbeitet.
Mit Hilfe eines Cobalt-Komplexes werden dabei *Alkene* mit endständiger C=C-Zweifachbindung mit Wasserstoff und Kohlenstoffmonooxid zu *Aldehyden* umgesetzt. Aus den Aldehyden wiederum lassen sich leicht Alkanole, Säuren, Amine und Ester herstellen. Der Prozess läuft bei etwa 25 MPa (250 bar) und 160 °C; als Katalysator dient Tetracarbonylhydridocobalt(I).

$$R-CH=CH_2 \xrightarrow[CoH(CO)_4]{H_2,\ CO} RCH_2CH_2CHO \;/\; RCH(CHO)-CH_3$$

1. **Reaktionsverlauf bei der Oxosynthese**

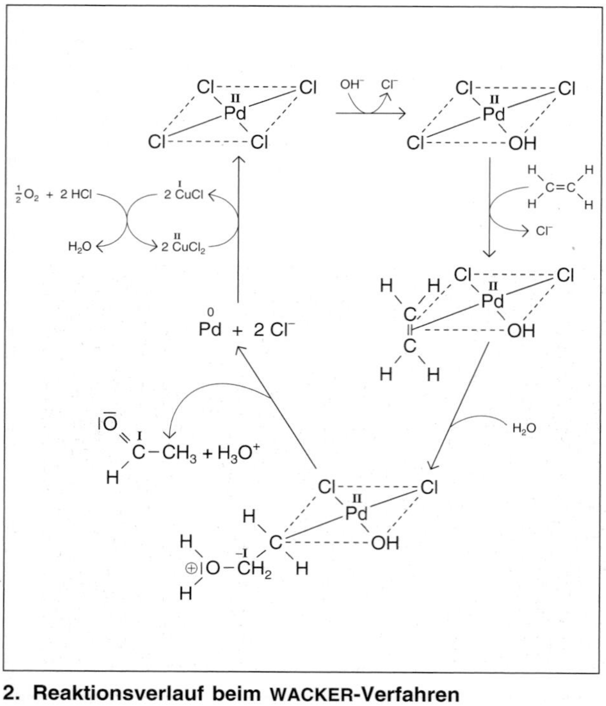

Im ersten Reaktionsschritt findet ein Ligandenaustausch statt: Ein CO-Molekül wird durch ein Alken-Molekül ersetzt. Das Hydrid-Ion wandert vom Zentralion zur C=C-Zweifachbindung, sodass ein Alkyltricarbonylcobalt-Komplex entsteht. Mit einem weiteren CO-Molekül bildet sich ein instabiler Komplex mit fünf Liganden. Der Alkyl-Rest wandert zu dem Kohlenstoff-Atom eines CO-Liganden. Es entsteht wieder ein tetraedrischer Komplex. Dieser Komplex addiert Wasserstoff und zerfällt in einen Aldehyd und Tricarbonylhydridocobalt(I). Mit der erneuten Aufnahme eines CO-Moleküls beginnt der Kreislauf von neuem.

WACKER-Verfahren. Ein weiteres Verfahren zur *Oxidation von Alkenen* ist das WACKER-Verfahren. Dabei dient ein Palladium-Komplex als Katalysator. Die Produktion nach diesem seit 1960 bekannten Verfahren beträgt jährlich mehr als drei Millionen Tonnen.
Im entscheidenden Reaktionsschritt findet ein Ligandenaustausch statt. Ein Chlorid-Ion wird durch ein Alken-Molekül ersetzt. Das Alken wird durch die Komplexbildung aktiviert und kann ein Wasser-Molekül anlagern. In einer Redoxreaktion zerfällt der Komplex. Das Palladium-Ion wird zu metallischem Palladium reduziert, gleichzeitig bildet sich der *Aldehyd*. Das Palladium wird mit Hilfe von Kupfer(II)-chlorid wieder zu Palladium(II)-chlorid oxidiert, dabei ist Sauerstoff das eigentliche Oxidationsmittel:

$$H_2C=CH_2 + PdCl_2 + H_2O \longrightarrow CH_3-CHO + 2\,HCl + Pd$$

$$2\,Pd + 4\,HCl + O_2 \xrightarrow{CuCl_2} 2\,PdCl_2 + 2\,H_2O$$

2. **Reaktionsverlauf beim WACKER-Verfahren**

Bindungsmodelle in der Komplexchemie

Bindungsmodelle sollen Ordnung in die zunächst verwirrende Vielfalt der Komplexverbindungen bringen und überdies viele Fragen beantworten: Welche und wie viele Liganden kann ein bestimmtes Metall-Ion binden? Warum sind manche Komplexe tetraedrisch, andere quadratisch-planar, wieder andere oktaedrisch? Was bestimmt die Stabilität, die Farbe und die magnetischen Eigenschaften von Komplexen?

In vielen Fällen erklärt bereits die **Edelgasregel** die *Anzahl der Liganden*: Jeder Ligand stellt ein freies Elektronenpaar für eine kovalente Bindung zum Metallatom zur Verfügung ($-\underline{\overline{Cl}}|^-$, $-C{\equiv}N|^-$, $-C{\equiv}O|$, $-\overline{O}H_2$, $-NH_3$). Die Elektronen des Zentralions ergeben zusammen mit den Bindungselektronenpaaren häufig eine Edelgaskonfiguration.
Beispiele: Im $[AlCl_4]^-$-Ion liegen 18 Elektronen vor, zehn vom Al^{3+}-Ion und vier Elektronenpaare der vier Liganden. Dies entspricht der Elektronenkonfiguration des Edelgases Argon. Die Edelgasregel versagt aber bei Aluminium-Komplexen mit sechs Liganden wie $[AlF_6]^{3-}$ oder $[Al(H_2O)_6]^{3+}$. Ein Nickel-Atom hat 28 Elektronen; im $[Ni(CO)_4]$-Komplex ist die Edelgaskonfiguration von Krypton mit 36 Elektronen erreicht. Es gibt aber auch die Komplexe $[Ni(NH_3)_6]^{2+}$ mit 38 Elektronen oder $[Ni(CN)_4]^{2-}$ mit 34 Elektronen.

Kupfer(I)-Ionen besitzen 28 Elektronen. Komplexe mit vier Liganden wie $[Cu(NH_3)_4]^+$ oder $[Cu(CN)_4]^{3-}$ erreichen also die Edelgaskonfiguration. Den zahlreichen Kupfer(II)-Komplexen mit der Koordinationszahl vier fehlt dagegen ein Elektron.
Nach der Edelgasregel sollte man erwarten, dass das Hexacyanoferrat(II)-Ion ($[Fe(CN)_6]^{4-}$) aufgrund seiner Edelgaskonfiguration stabiler ist als der Hexacyanoferrat(III)-Komplex ($[Fe(CN)_6]^{3-}$), der die Edelgasregel nicht erfüllt. Vergleicht man aber die Stabilitätskonstanten, so ist das Gegenteil der Fall.

Häufig lässt sich die *Geometrie* von Komplexen im Rahmen des **Elektronenpaarabstoßungs-Modells** verstehen. Danach sind Komplexe mit zwei Liganden linear und solche mit drei Liganden trigonal-planar; vier Liganden ordnen sich tetraedrisch und sechs Liganden oktaedrisch um das Zentralion an. Es gibt aber auch Ausnahmen. Manche Komplexe mit vier Liganden wie das $[Ni(CN)_4]^{2-}$-Ion oder das $[Cu(NH_3)_4]^{2+}$-Ion sind eben.

Viele Jahre lang hat man vor allem das Valenzbindungs-Modell von PAULING benutzt, um den Bau und die magnetischen Eigenschaften von Komplexen zu systematisieren. Die Bindungen zwischen Zentralion und Liganden werden dabei mit Hilfe geeigneter Hybridorbitale beschrieben.

Bei *ebenen* Nickel-Komplexen mit der Koordinationszahl vier geht man von einer dsp^2-Hybridisierung des Zentralions aus. Man kombiniert dazu ein 3d-Orbital mit dem 4s-Orbital und zwei 4p-Orbitalen. Die aus dieser Kombination konstruierten vier dsp^2-Hybridorbitale liegen in einer Ebene.
Tetraedrische Nickel-Komplexe können durch vier sp^3-Hybridorbitale beschrieben werden: Durch Kombination des 4s-Orbitals mit drei 4p-Orbitalen erhält man vier tetraedrisch ausgerichtete sp^3-Hybridorbitale. Für das *oktaedrische* $[Ni(NH_3)_6]^{2+}$-Ion benötigt man sp^3d^2-Hybridorbitale. Man erhält sie durch Kombination des 4s-Orbitals mit den drei 4p-Orbitalen und zwei 4d-Orbitalen. Diese Komplex-Ionen enthalten zwei ungepaarte 3d-Elektronen; sie sind für das *paramagnetische* Verhalten verantwortlich.

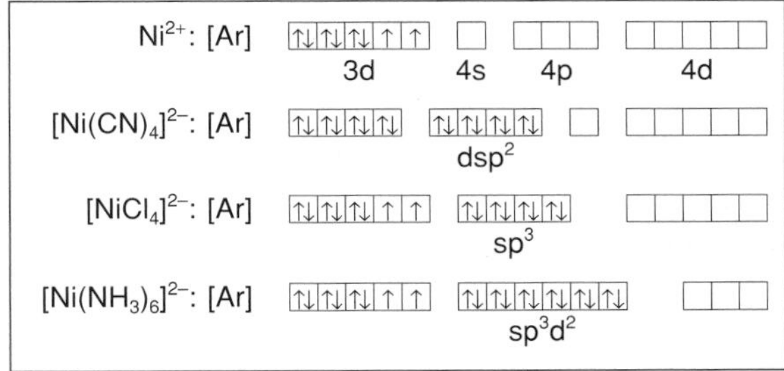

Komplexe mit der Koordinationszahl zwei wie $[Ag(NH_3)_2]^+$ und $[Au(CN)_2]^-$ sind linear gebaut. Die Bindungen lassen sich hier durch sp-Hybridorbitale beschreiben.

Grundsätzlich kann man mit Hilfe des Valenzbindungs-Modells die Bindungsverhältnisse in Komplexen nicht eindeutig voraussagen. Man erhält jeweils verschiedene Möglichkeiten. Eine Entscheidung für die beste Alternative lässt sich erst dann treffen, wenn man Ligandenzahl und Geometrie des Komplexes aus experimentellen Untersuchungen kennt.

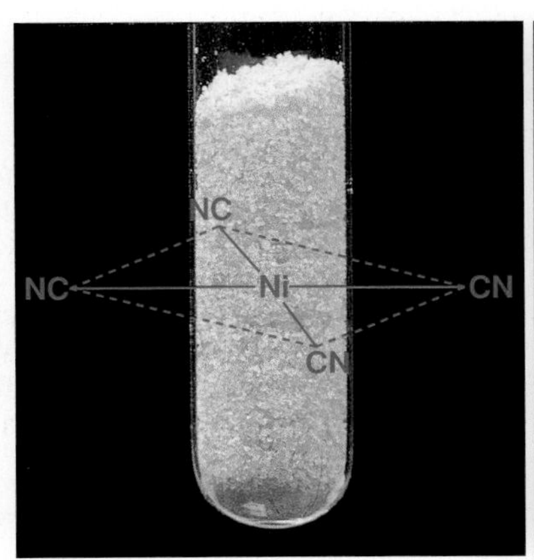

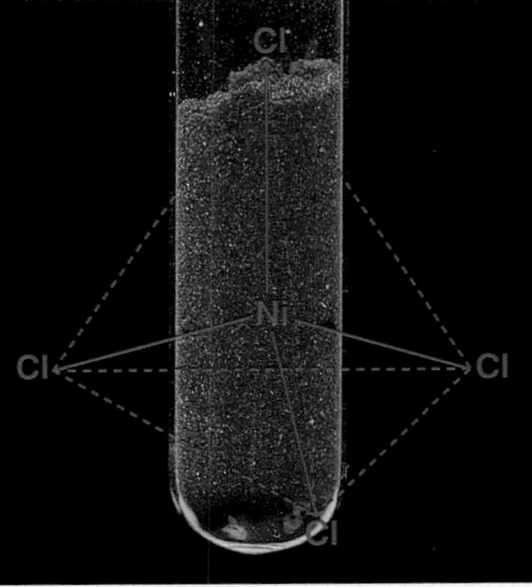

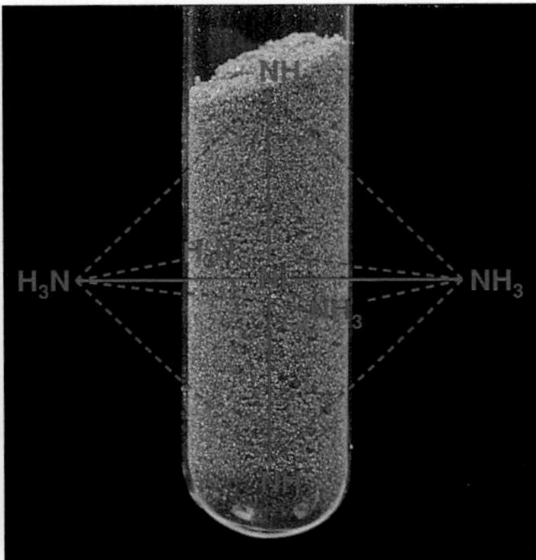

11.7 Aufgaben · Versuche · Probleme

Aufgabe 1: Nickelsalz-Lösungen bilden mit einer alkoholischen Diacetyldioxim-Lösung eine schwer lösliche, rote Komplexverbindung.
a) Geben Sie die Reaktionsgleichung an und zeichnen Sie eine Strukturformel des eben gebauten Komplexes.
b) Warum bildet sich diese Verbindung in stark saurer Lösung nicht?

Aufgabe 2: Aluminium ist ein unedles Metall. Es reagiert trotzdem nicht mit Wasser.
Warum reagiert es aber mit Salzsäure und mit Natronlauge? Geben Sie die Reaktionsgleichungen an.

Aufgabe 3: Wie lässt sich ein Gemisch von Silberchlorid und Silberbromid mit Hilfe von verdünnter Ammoniak-Lösung und verdünnter Salzsäure trennen?

Aufgabe 4: Tropft man Kaliumiodid-Lösung zu einer Lösung von Bismut(III)-nitrat, so bildet sich eine schwarzbraune Fällung, die sich bei weiterer Iodid-Zugabe wieder auflöst. Gibt man Caesiumchlorid-Lösung zu dieser gelben Lösung, entsteht ein roter Niederschlag. Beschreiben Sie die einzelnen Reaktionsschritte jeweils durch eine Gleichung.

Aufgabe 5: Die folgenden Stoffe werden als optische Thermometer verwendet, da sie ihre Farben bei einer bestimmten Temperatur schnell ändern: Die Verbindung $Cu_2[HgI_4]$ ist rot, sie färbt sich beim Erwärmen über 71 °C braun.
Das hellgelbe Salz $Ag_2[HgI_4]$ wird oberhalb von 35 °C orange.
Nennen Sie die korrekten Namen dieser Komplexverbindungen.

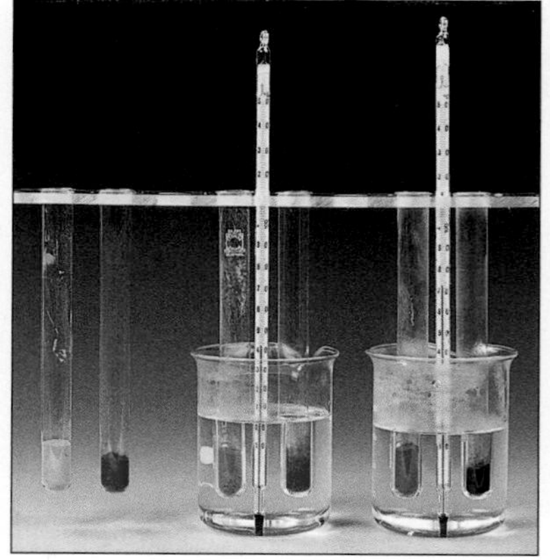

Aufgabe 6: Erklären Sie die folgenden Beobachtungen und formulieren Sie jeweils Reaktionsgleichungen:
a) Eine Fällung von Bleisulfat löst sich bei Zugabe von Natronlauge.
b) Silberchlorid löst sich in konzentrierter Salzsäure. Wenn man mit Wasser verdünnt, bildet sich eine weiße Trübung.
c) Eine Silberchlorid-Fällung wird mit Ammoniumsulfat und anschließend mit Natronlauge versetzt. Es bildet sich eine klare Lösung. Die Fällung tritt wieder auf, wenn man ansäuert.
d) Eine blassgelbe Lösung von Kaliumhexacyanoferrat(II) färbt sich rötlich, wenn man Chlorwasser hinzufügt.

Aufgabe 7: Bei der Gewinnung von Gold durch die Cyanidlaugung wird fein verteiltes Gold zunächst in einen Cyanokomplex ($[Au(CN)_2]^-$) überführt. Dabei wirkt Luftsauerstoff als Oxidationsmittel. Danach wird durch Zink reduziert, das dabei in Tetracyanozinkat übergeht. Geben Sie die Reaktionsgleichungen an.

Versuch 1: Komplexbildung mit einem Kronenether
Schütteln Sie in einem Reagenzglas einige Kriställchen Kaliumpermanganat (O, Xn) mit etwa 3 ml Heptan (F). Geben Sie einige Kristalle [18] Krone-6 (Xn) hinzu und schütteln Sie nochmals. Warum löst sich das Salz?

Versuch 2: Kristallisation von Tetraamminkupfer(II)-sulfat-Monohydrat
Geben Sie zu 12,5 g Kupfersulfat-Pentahydrat (Xn) 15 ml Wasser und so viel konzentrierte Ammoniak-Lösung (25 %, C, N) hinzu, bis der Bodensatz sich gerade auflöst.
Überschichten Sie die Lösung in einem Messzylinder (25 ml) vorsichtig mit 1 ml 50 %igem Ethanol und dann mit 1 ml reinem Ethanol (F).
Lassen Sie das zugedeckte Gefäß mehrere Tage im Kühlschrank ruhig stehen. Dann wird abgenutscht und mit Ethanol gewaschen.

Versuch 3: Bildung von $[Zn(edta)]^{2-}$-Ionen
a) Messen Sie den pH-Wert einer Zinksulfat-Lösung ($0,1\ mol \cdot l^{-1}$) und einer Na_2H_2edta-Lösung gleicher Konzentration mit Hilfe von Spezialindikator-Stäbchen (pH 2 bis 9). Wie ändert sich der pH-Wert, wenn man gleiche Volumina der Lösungen mischt?
b) Tropfen Sie Natriumhydrogencarbonat-Lösung zu etwas Zinksulfat-Lösung, bis sich ein weißer Niederschlag bildet. Fügen Sie dann Na_2H_2edta-Lösung hinzu.

Versuch 4: Eine empfindliche Farbreaktion mit Eisen(II)-Ionen
Lösen Sie 1 g Eisen(II)-sulfat in 100 ml Wasser und stellen Sie eine Konzentrationsreihe her. Lösen Sie anschließend je eine Spatelspitze 2,2′-Bipyridin (Xn) in den einzelnen Ansätzen.
Welche Konzentration an Fe^{2+}-Ionen lässt sich noch durch 2,2′-Bipyridin nachweisen?

Versuch 5: Berliner Blau
Zum Nachweis von Eisen-Ionen verwendet man die Reaktionen von Kaliumhexacyanoferrat(II) mit Eisen(III)-Ionen und von Kaliumhexacyanoferrat(III) mit Eisen(II)-Ionen.
Führen Sie beide Reaktionen mit stark verdünnten Probelösungen durch.
Warum sind die Farben in beiden Fällen gleich?

Versuch 6: Ligandenaustausch bei Chrom(III)
a) Stellen Sie Lösungen der handelsüblichen Hydrate von Chrom(III)-nitrat (O) und Chrom(III)-chlorid (Xn) her ($0,1\ mol \cdot l^{-1}$) und messen Sie die Leitfähigkeit der Lösungen.
b) Wiederholen Sie die Messung jeweils nach 15 min, 30 min, einer Stunde und einem Tag.
c) Erhitzen Sie eine Probe der Chrom(III)-chlorid-Lösung zum Sieden und messen Sie die Leitfähigkeit nach dem Abkühlen.
Aufgabe: Welche Reaktion verursacht die Änderung von Leitfähigkeit und Farbe?

Problem 1: Man kennt drei Isomere von Amminbromonitropyridin-platin(II). Ist diese Komplexverbindung eben oder tetraedrisch aufgebaut? Begründen Sie Ihre Antwort.

Problem 2: Erklären Sie die folgenden Beobachtungen: Erhitzt man eine Probe der Verbindung $CoCl_3 \cdot 5\,NH_3 \cdot H_2O$ im Trockenschrank, so nimmt die Masse um 6,7 % ab. Eine Lösung des entstandenen Produkts zeigt bei gleicher Konzentration eine um fast 40 % geringere elektrische Leitfähigkeit als der ursprüngliche Stoff.

Komplexreaktionen

1. Aufbau von Komplexen

Komplexe bestehen aus einem Zentralion, das von Liganden umgeben ist. Die Koordinationszahl gibt die Anzahl der Liganden an. Ein einfaches Beispiel ist das oktaedrische Hexaamminnickel(II)-Ion.

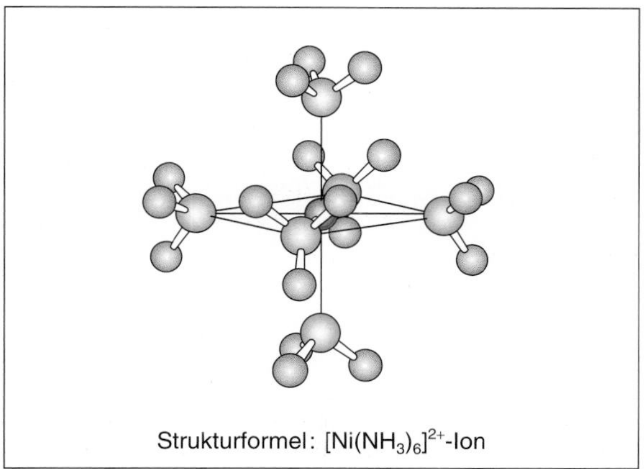

Strukturformel: $[Ni(NH_3)_6]^{2+}$-Ion

2. Chelatkomplexe

Komplexe mit mehrzähnigen Liganden bezeichnet man als Chelatkomplexe. Als *zweizähniger* Ligand kann 1,2-Diaminoethan zwei Ammoniak-Moleküle ersetzen.
Ein vielseitig genutzter *sechszähniger* Ligand ist das Anion der Ethylendiamintetraessigsäure:

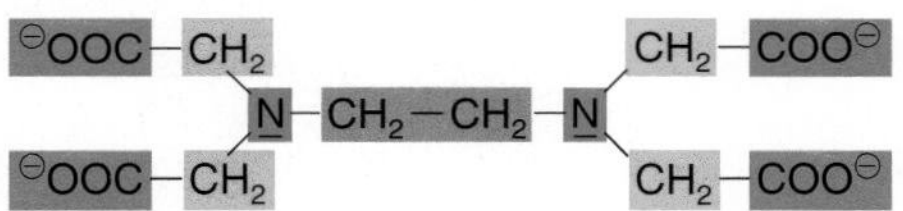

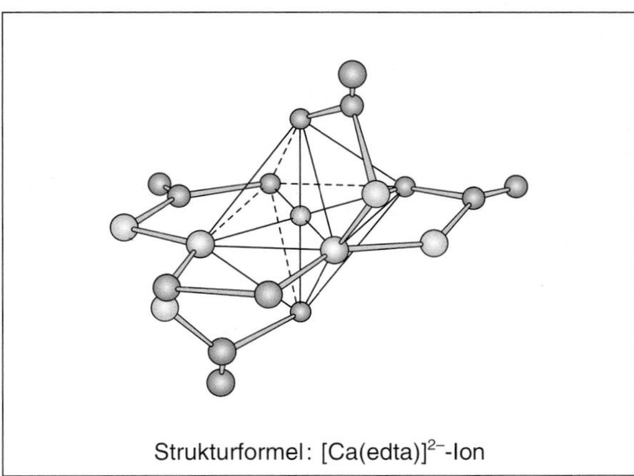

Strukturformel: $[Ca(edta)]^{2-}$-Ion

3. Ligandenaustauschreaktion

$[Ni(H_2O)_6]^{2+}$ (aq) + 3 en (aq) ⟶ $[Ni(en)_3]^{2+}$ (aq) + 6 H_2O (l)
grün rotviolett

Eine grüne wässerige Nickel(II)-sulfat-Lösung färbt sich bei Zugabe von 1,2-Diaminoethan-Lösung rotviolett. Die Wasser-Liganden des $[Ni(H_2O)_6]^{2+}$-Ions werden dabei vollständig gegen drei 1,2-Diaminoethan-Moleküle (Kurzzeichen en) ausgetauscht.
Farbänderungen sind ein Hinweis auf den Austausch von Liganden. Solche Ligandenaustauschreaktionen sind typisch für Komplexverbindungen.

4. Nomenklatur von Komplexverbindungen

$[Fe(H_2O)_6]^{3+}$	Hexaaquaeisen(III)-Ion
$[CrCl_2(H_2O)_4]Cl$	Tetraaquadichlorochrom(III)-chlorid
$K_4[Fe(CN)_6]$	Kaliumhexacyanoferrat(II)
$[FeSCN(H_2O)_5]^{2+}$	Pentaaquathiocyanatoeisen(III)-Ion
$[Ni(en)_3]Cl_2$	Tris(diaminoethan)-nickel(II)-chlorid

5. Komplexometrische Titration

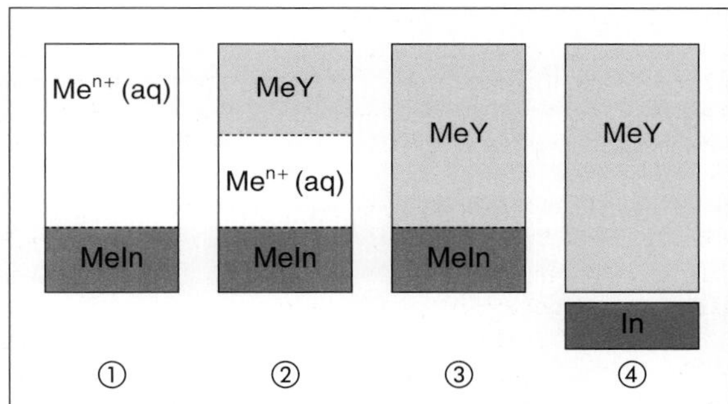

Das große Rechteck stellt jeweils die Gesamtmenge des zu bestimmenden Metall-Ions dar:
(1) nach Zugabe des Indikators vor Beginn der Titration,
(2) im Verlauf der Titration,
(3) kurz vor Erreichen des Endpunktes,
(4) der Umschlag ist erfolgt.

Zur Bestimmung von Calcium-Ionen in Wasser wird mit Na_2H_2edta-Lösung als Chelatbildner und Murexid als Metallindikator titriert:
Bei pH 12 bilden Ca^{2+}-Ionen mit Murexid einen roten Chelatkomplex (MeIn) **(1).** Bei der Titration komplexieren edta-Ionen freie Ca^{2+}-Ionen **(2).** Dann werden auch die Ca^{2+}-Ionen aus dem Ca^{2+}-Murexid-Komplex gebunden **(3)** und blauviolettes Murexid wird freigesetzt **(4).**

Die **Wasserhärte** entspricht dem Gehalt an Magnesium-Ionen und Calcium-Ionen im Wasser. Sie wird oft noch in *Deutschen Härtegraden* angegeben. Dabei entspricht ein Deutscher Grad (1 °d) 0,18 mmol · l^{-1} Erdalkalimetall-Ionen.

12 Grundlagen der organischen Chemie im Überblick

Organische Chemie ist die *Chemie der Kohlenstoffverbindungen.* Die einfachsten organischen Verbindungen bestehen nur aus den Elementen Kohlenstoff und Wasserstoff. Häufig findet man auch die Elemente Sauerstoff, Stickstoff und Schwefel sowie Elemente aus der Gruppe der Halogene. Um 1880 waren 15 000 organische Verbindungen in ihrer Struktur bekannt und in ihren Eigenschaften beschrieben. Bis heute wuchs diese Zahl auf über zwölf Millionen. Die Vielzahl organischer Verbindungen ergibt sich aus der besonderen Eigenschaft der Kohlenstoff-Atome, Ketten und Ringe unterschiedlicher Größe zu bilden.

1883 gab BEILSTEIN, ein Schüler WÖHLERS, sein berühmtes „Handbuch der organischen Chemie" heraus. Bis heute hat es sich zur umfangreichsten Sammlung von Daten über organische Verbindungen entwickelt. Die Daten sind kurz in Artikeln zusammengestellt. Die Artikel werden dann entsprechend der Struktur des organischen Moleküls eingeordnet. Vorrangig unterscheidet der „BEILSTEIN" die Molekülgerüste nach ketten- und ringförmigen Strukturen. Das zweite Ordnungskriterium ist der Molekülteil, der das Reaktionsverhalten der organischen Verbindung bestimmt, die funktionelle Gruppe. Nach diesen Ordnungsprinzipien findet man die Angaben über die verschiedenen Vertreter einer Stoffklasse in einem Band.

Inzwischen hilft die elektronische Datenverarbeitung, die Fachliteratur nach gewünschten Themen zu durchsuchen. Durch die elektronische Vernetzung aller Universitätsbibliotheken kann man einen Artikel innerhalb von Minuten aufspüren und ihn als Kurzfassung lesen. Falls der Artikel gewünscht wird, kann er dann per E-Mail direkt bezogen werden.

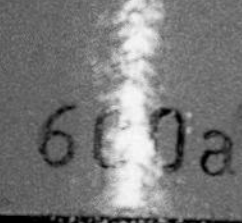

Hauptwerk H

Butanthiol-(1), prim.-Normalbutylmercaptan, n-Butylmercaptan $C_4H_{10}S = CH_3 \cdot CH_2 \cdot CH_2 \cdot CH_2 \cdot SH$. *V.* In dem Drüsensekret des Stinkdachses (BECKMANN, *P.C.H.* **37**, 557). – Kp: 97–98°; spez. Gew.: 0,858 bei 0° (SAIZEW, GRABOWSKY, *A.* **171**, 251; **175**, 351).

Ergänzungswerk E I

Butanthiol-(1), Butylmercaptan $C_4H_{10}S = CH_3 \cdot CH_2 \cdot CH_2 \cdot CH_2 \cdot SH$ (*S. 370*). *B.* Durch gärende Hefe aus dem durch Einw. von Schwefelwasserstoff auf Butyraldehyd in alkoh. Ammoniak entstehenden Prod. (NORD *B.* **52**, 1209). – Grenzen der Veresterung mit Benzoesäure bei 200°: KIMBALL, REID, *Am. Soc.* **38**, 2760.

Ergänzungswerk E III

Geschwindigkeit der Oxydation durch Sauerstoff in verd. NaOH verschiedener Konzentration bei 29°: XAN, Mitarb., *Am. Soc.* **63** [1941] 1140. Kinetik der Oxydation mit $K_2S_2O_8$ in konz. Essigsäure bei 35°: EAGER, WINKLER, *Canad. J. Res.* [B] **26** [1948] 530. Reaktion mit verd. NaOH verschiedener Konzentration bei 250–270° unter Bildung von Dibutylsulfid, Butylalkohol und Buten: BILLHEIMER, REID, *Am. Soc.* **52** [1930] 4338, 4342.

12.1 Nomenklaturregeln für Alkane

Das Grundgerüst der meisten organischen Verbindungen leitet sich von den einfachsten Kohlenwasserstoffen, den **Alkanen** ab. Entsprechend der Vierbindigkeit des Kohlenstoff-Atoms ist das einfachste Alkan das Methan (CH_4). Durch die formale Einschiebung einer CH_2-Gruppe in die Bindung zwischen dem Kohlenstoff-Atom und einem Wasserstoff-Atom ergibt sich als nächstes Alkan das Ethan (C_2H_6). Auf diese Weise erhält man die **homologe Reihe** der Alkane mit der allgemeinen Molekülformel C_nH_{2n+2}.

Für Alkane mit mehr als drei Kohlenstoff-Atomen gibt es neben den geradkettigen *n-Alkanen* auch verzweigte *Isoalkane*. Ordnet man die CH_2-Gruppen nicht zu einer Kette, sondern zu einem ringförmigen Gerüst an, so erhält man die **Cycloalkane** mit der allgemeinen Molekülformel C_nH_{2n}. Die Cycloalkane haben ähnliche Eigenschaften wie die Alkane.

IUPAC-Name	Molekülformel	IUPAC-Name	Molekülformel
Methan	CH_4	Heptan	C_7H_{16}
Ethan	C_2H_6	Octan	C_8H_{18}
Propan	C_3H_8	Nonan	C_9H_{20}
Butan	C_4H_{10}	Decan	$C_{10}H_{22}$
Pentan	C_5H_{12}	Tetradecan	$C_{14}H_{30}$
Hexan	C_6H_{14}	Eicosan	$C_{20}H_{42}$

1. Einige Alkane

A1 Es gibt neun verschiedene Alkane mit der Molekülformel C_7H_{16}. Geben Sie die Strukturformeln und die Namen dieser Verbindungen an.

A2 Welche Molekülformel hat ein Cycloalkan mit elf Kohlenstoff-Atomen?

Nomenklaturregeln der **I**nternational **U**nion of **P**ure and **A**pplied **C**hemistry **(IUPAC)** für **Alkane:**

1. Die längste Kette von verbundenen Kohlenstoff-Atomen (Hauptkette) bestimmt den *Stammnamen.* Die ersten vier Alkane tragen historische Namen. Die weiteren Alkane erhalten systematische Namen, die sich durch Anhängung der Silbe **-an** an griechische oder lateinische Zahlwörter ergeben.	– C – – C – C – C^4 – C^3 – C^2 – C^1 – – C^5 – – C – – C^7 – C^6 –	Mit sieben Kohlenstoff-Atomen in der längsten Kette ist der Stammname Heptan. 4-Ethyl-2,2-dimethylheptan
2. Dem Stammnamen werden die Namen der *Seitenketten* vorangestellt. Diese ergeben sich durch Austausch der Endung **-an** im Namen des Alkans mit gleicher Zahl an Kohlenstoff-Atomen durch die Endung **-yl.** Die allgemeine Bezeichnung für eine solche Seitenkette ist Alkyl-Gruppe. In Formeln werden Alkyl-Gruppen häufig vereinfachend mit R- dargestellt. Gleiche Seitenketten werden durch Zahlwörter (di, tri, tetra, penta) zusammengefasst.	– C – – C – C – C – C – C – C – – C – – C – – C – C –	Zwei Seitenketten enthalten nur je ein Kohlenstoff-Atom. Die weitere Seitenkette hat zwei Kohlenstoff-Atome. Das Molekül enthält somit zwei Methyl-Gruppen und eine Ethyl-Gruppe. 4-Ethyl-2,2-dimethylheptan
3. Um die Verknüpfungsstelle zwischen Haupt- und Seitenkette anzuzeigen, werden die Kohlenstoff-Atome der Hauptkette so *durchnummeriert*, dass die Verzweigungsstellen möglichst kleine Zahlen erhalten. Diese Zahlen werden den Namen der Seitenketten vorangestellt.	– C – – C – C – C^4 – C^3 – C^2 – C^1 – – C^5 – – C – – C^7 – C^6 –	Beide Methyl-Gruppen sind in der Position 2 mit der Hauptkette verknüpft. Die Verknüpfung mit der Ethyl-Gruppe liegt in der Position 4 vor. 4-Ethyl-2,2-dimethylheptan
4. Verschiedene Seitenketten werden *alphabetisch* geordnet. Die Zahlwörter als Vorsilben werden hier nicht berücksichtigt. Nur der erste Buchstabe des Namens wird großgeschrieben.	– C – – C – C – C^4 – C^3 – C^2 – C^1 – – C^5 – – C – – C^7 – C^6 –	4-Ethyl-2,2-dimethylheptan

12.2 Stoffklassen und funktionelle Gruppen

A1 Geben Sie für die folgenden Molekülformeln jeweils *eine* mögliche Strukturformel an und benennen Sie diese Verbindung nach den IUPAC-Regeln:

a) C_3H_7ClO
b) $C_3H_6O_2$
c) $C_4H_{11}NO$
d) $C_3H_6O_3$.

A2 Überprüfen und korrigieren Sie die folgenden Verbindungsnamen nach den IUPAC-Regeln:

a) 1-Chlor-2-methylethan
b) 3-Hexanon
c) 2-Methyl-3-ethylpentan-1-ol
d) Ethanon
e) Propan-2-al

A3 Aminosäuren bilden eine wichtige Stoffklasse. In einem Molekül treten mit der Amino-Gruppe und der Carboxyl-Gruppe zwei verschiedene funktionelle Gruppen auf. Die Aminosäure Serin hat den IUPAC-Namen 2-Amino-3-hydroxypropansäure.
Geben Sie die Strukturformel dieser Verbindung an.

Die chemischen Eigenschaften organischer Verbindungen werden weniger durch das Molekülgerüst bestimmt als durch die reaktiven Molekülteile, die **funktionellen Gruppen.** So reagiert Natrium weder mit Pentan noch mit anderen Alkanen. Alkohole wie Ethanol oder Pentanol reagieren dagegen aufgrund ihrer funktionellen Gruppe, der Hydroxyl-Gruppe, mit Natrium unter Entwicklung von Wasserstoff. Durch Zusammenfassen von Verbindungen mit gleicher funktioneller Gruppe zu **Stoffklassen** lässt sich die Vielzahl organischer Verbindungen übersichtlich ordnen.

Benennung von Verbindungen mit funktionellen Gruppen nach IUPAC:

1. Der Name von **Alkenen** und **Alkinen** ergibt sich durch Ersatz der Endung **-an** im Namen des Alkans durch die Buchstaben **-en** und **-in.** Die Lage der Mehrfachbindungen wird durch möglichst kleine Zahlen gekennzeichnet. *Beispiel:* Pent-2-en
2. Bei **Halogenkohlenwasserstoffen** werden die Namen der Halogen-Atome wie bei Alkyl-Gruppen dem Stammnamen vorangestellt. *Beispiel:* 2-Chlorpropan
3. Bei **Alkoholen, Aldehyden, Ketonen** und **Alkansäuren** wird an den Namen des Kohlenwasserstoffs die Endung **-ol, -al, -on** oder **-säure** angefügt. Die Lage der funktionellen Gruppe wird bei Alkoholen und Ketonen durch eine Zahl vor der Endung angegeben. *Beispiel:* Pentan-2-ol.
4. Bei **Ethern** ergibt sich der Name durch Aufreihung der Namen der Alkyl-Gruppen und Anfügen der Endung **-ether.** *Beispiel:* Ethylmethylether. In gleicher Weise verfährt man bei **Aminen** mit der Endung **-amin.** *Beispiel:* Diethylamin.
5. Bei **Alkoholen** oder **Aminen** mit mehreren funktionellen Gruppen kann die Benennung auch mit den Vorsilben **Hydroxy-** oder **Amino-** erfolgen. *Beispiel:* 2-Hydroxypropansäure

Stoffklasse	Funktionelle Gruppe	Beispiel	
		IUPAC-Name	Strukturformel
Alkene	C=C-Zweifachbindung	Prop**en**	$CH_3-\mathbf{CH}=\mathbf{CH}_2$
Alkine	C≡C-Dreifachbindung	Prop**in**	$CH_3-\mathbf{C}\equiv\mathbf{C}H$
Halogenkohlenwasserstoffe	Halogen-Atom	1-**Chlor**propan	$CH_3-CH_2-CH_2-\mathbf{Cl}$
Alkohole	Hydroxyl-Gruppe	Propan-1-**ol**	$CH_3-CH_2-CH_2-\mathbf{OH}$
Aldehyde	Aldehyd-Gruppe	Propan**al**	$CH_3-CH_2-\mathbf{C}(=\mathbf{O})-\mathbf{H}$
Ketone	Keto-Gruppe	Propan**on**	$\mathbf{O}=\mathbf{C}(CH_3)-CH_3$
Carbonsäuren	Carboxyl-Gruppe	Propan**säure**	$CH_3-CH_2-\mathbf{C}(=\mathbf{O})-\mathbf{O}-\mathbf{H}$
Ether	Alkoxyl-Gruppe	Ethylmethyl**ether**	$CH_3-CH_2-\mathbf{O}-CH_3$
Amine	Amino-Gruppe	1-Propyl**amin**	$CH_3-CH_2-CH_2-\mathbf{NH_2}$

Übersicht: Isomerien

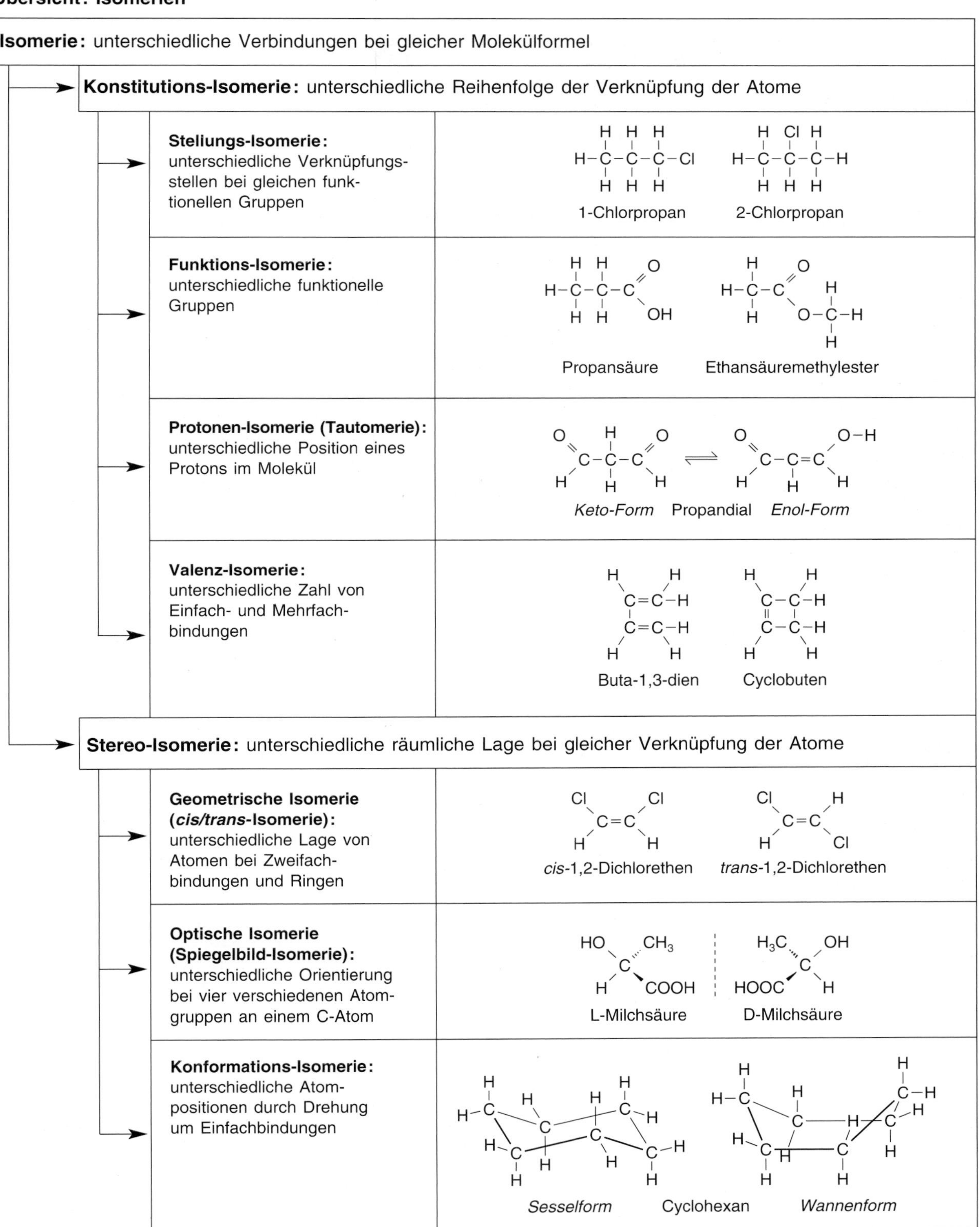

Isomerie: unterschiedliche Verbindungen bei gleicher Molekülformel
Konstitutions-Isomerie: unterschiedliche Reihenfolge der Verknüpfung der Atome
Stellungs-Isomerie: unterschiedliche Verknüpfungsstellen bei gleichen funktionellen Gruppen
1-Chlorpropan
2-Chlorpropan
Funktions-Isomerie: unterschiedliche funktionelle Gruppen
Propansäure
Ethansäuremethylester
Protonen-Isomerie (Tautomerie): unterschiedliche Position eines Protons im Molekül
Keto-Form
Propandial
Enol-Form
Valenz-Isomerie: unterschiedliche Zahl von Einfach- und Mehrfachbindungen
Buta-1,3-dien
Cyclobuten
Stereo-Isomerie: unterschiedliche räumliche Lage bei gleicher Verknüpfung der Atome
Geometrische Isomerie (*cis/trans*-Isomerie): unterschiedliche Lage von Atomen bei Zweifachbindungen und Ringen
cis-1,2-Dichlorethen
trans-1,2-Dichlorethen
Optische Isomerie (Spiegelbild-Isomerie): unterschiedliche Orientierung bei vier verschiedenen Atomgruppen an einem C-Atom
L-Milchsäure
D-Milchsäure
Konformations-Isomerie: unterschiedliche Atompositionen durch Drehung um Einfachbindungen
Sesselform
Cyclohexan
Wannenform

12.3 Isomerie

Isomerie		Verbindung	Molekülformel
Stellungs-Isomere		$H_3C-CH_2-CH_2-CH_2-CH_3$ Pentan (ϑ_b = 36 °C)	C_5H_{12}
		$H_3C-CH(CH_3)-CH_2-CH_3$ 2-Methylbutan (ϑ_b = 28 °C)	
		$H_3C-C(CH_3)_2-CH_3$ 2,2-Dimethylpropan (ϑ_b = 9,5 °C)	
Stellungs-Isomere	Funktions-Isomere	$H_3C-CH_2-CH_2-OH$ Propan-1-ol (ϑ_b = 97 °C)	C_3H_8O
		$H_3C-CH(OH)-CH_3$ Propan-2-ol (ϑ_b = 82 °C)	
		$H_3C-CH_2-O-CH_3$ Ethylmethylether (ϑ_b = 7,5 °C)	

1. Stellungs-Isomere und Funktions-Isomere

A1 Zeichnen Sie die Strukturformeln der isomeren Butendisäuren.

A2 Lindan ist ein Isomeres der Verbindung 1,2,3,4,5,6-Hexachlorcyclohexan (HCH). Es gibt noch sieben weitere *cis/trans*-Isomere.
Geben Sie die Strukturformeln an.

Lindan
(Gammexan)

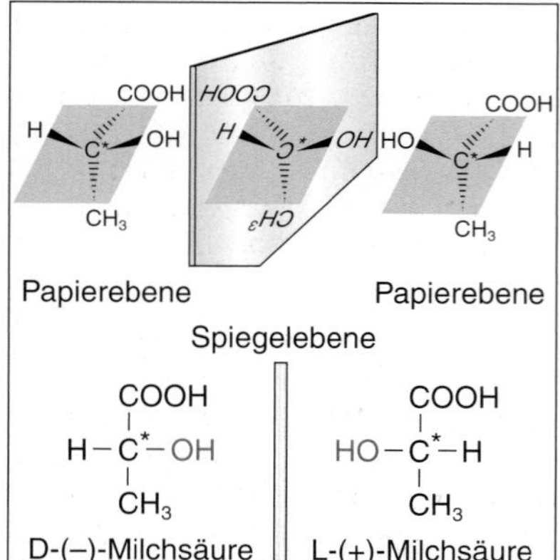

2. Spiegelbild-isomere Milchsäuren

Verbindungen mit gleicher Molekülformel, die sich in ihrer Struktur und damit in ihren Eigenschaften unterscheiden, nennt man **Isomere.** Die Isomerie ist ein Grund für die Vielzahl der organischen Verbindungen.

Konstitutions-Isomerie. Verbindungen mit gleicher Molekülformel, die sich in der Reihenfolge der Verknüpfung ihrer Atome unterscheiden, nennt man Konstitutions-Isomere (lat. *constituere:* errichten).

So gibt es drei Verbindungen mit der Molekülformel C_3H_8O. Weichen die Konstitutions-Isomere nur in der Stellung von Alkyl-Resten oder funktionellen Gruppen voneinander ab, so sind es unterschiedliche Stoffe, sie gehören jedoch zur gleichen Stoffklasse. Beispiele sind die Alkane Butan und Methylpropan oder die Alkohole Propan-1-ol und Propan-2-ol. Solche **Stellungs-Isomere** haben ähnliche Eigenschaften.

Mit dem Ethylmethylether gibt es jedoch zu den verschiedenen Propanolen ein weiteres Konstitutions-Isomer, in dem die Anordnung der gleichen Atome eine andere funktionelle Gruppe ergibt. Solche Isomere bezeichnet man als **Funktions-Isomere.** Ether und Alkohole haben als Funktions-Isomere deutlich voneinander abweichende chemische und physikalische Eigenschaften.

Protonen-Isomere wie die Cyansäure (HOCN) und die Isocyansäure (HNCO) unterscheiden sich in der Anordnung eines Protons. Die Protonen-Isomerie wird auch *Tautomerie* genannt. Bei der Umlagerung des Protons können auch Verschiebungen zwischen Einfachbindungen und Mehrfachbindungen auftreten. Häufig liegt zwischen Protonen-Isomeren ein Gleichgewicht vor. Dann tritt eine Verbindung stets als Gemisch der isomeren Formen auf. Ein Beispiel ist die Keto/Enol-Tautomerie beim Propandial.

Valenz-Isomere unterscheiden sich in Zahl und Lage von Bindungen. Beim Benzol wurde, bevor die Struktur richtig beschrieben werden konnte, eine Vielzahl von Valenz-Isomeren diskutiert. Einige dieser Isomeren, die sich in den Eigenschaften vom Benzol deutlich unterscheiden, konnten inzwischen tatsächlich hergestellt werden.

Stereo-Isomerie. Wenn in zwei Verbindungen die Verknüpfung der Atome gleich ist, aber Unterschiede bei der räumlichen Anordnung der Atome auftreten, spricht man von Stereo-Isomeren.

Bei Molekülen mit Zweifachbindungen und bei Ringen ist die Drehbarkeit von Atomgruppen behindert. Dadurch werden **geometrische Isomere** möglich. Ein Beispiel für ein solches Isomerenpaar sind die Butendisäuren Fumarsäure und Maleinsäure. Bei der Maleinsäure befinden sich mit den Carboxyl-Gruppen zwei gleiche Atomgruppen auf der gleichen Seite der Doppelbindung: Maleinsäure ist das *cis*-Isomere (lat. *cis*: diesseits). Fumarsäure hingegen ist das *trans*-Isomere (lat. *trans*: jenseits). So wird die geometrische Isomerie auch als *cis/trans*-Isomerie bezeichnet.
Bei cyclischen Verbindungen sind oft viele geometrische Isomere möglich. So gibt es beim Hexachlorcyclohexan neun Isomere, in denen jedes Kohlenstoff-Atom nur mit einem Chlor-Atom verbunden ist. Das bekannteste ist wohl das Lindan, das früher häufig als Insektizid verwendet wurde.

Optische Isomere (Spiegelbild-Isomere) sind Moleküle, die sich wie Bild und Spiegelbild verhalten, aber nicht durch Drehung ineinander überführbar sind. Optische Isomerie tritt zum Beispiel auf, wenn ein C-Atom wie im Milchsäure-Molekül vier verschiedene Liganden trägt.

Konformations-Isomerie. Die Atomgruppen eines Moleküls sind um Einfachbindungen drehbar. Die räumlichen Anordnungen von Molekülen, die durch solche Drehungen ineinander überführbar sind, werden Konformations-Isomere (lat. *conformatio:* Gestalt) oder *Konformere* genannt. Im Unterschied zur Konstitutions-Isomerie müssen keine Bindungen gelöst werden, um Konformere ineinander zu überführen.

Beim Drehen einer Methyl-Gruppe im Ethan-Molekül sind zwei Lagen besonders ausgezeichnet. Bei der **verdeckten** (ekliptischen) **Konformation** befinden sich die Atome jeweils hintereinander; sie sind sich besonders nahe und stoßen sich ab. Die ekliptische Konformation ist daher *energetisch ungünstig*. Dreht man eine Methyl-Gruppe des Ethans um 60°, so erhält man die **gestaffelte Konformation.** Jetzt liegt jedes H-Atom in der Lücke zwischen zwei H-Atomen des benachbarten C-Atoms. Da hier der Abstand zwischen den H-Atomen größer ist, ist die gestaffelte Konformation energetisch *günstiger*.
Die Energiedifferenz zwischen verdeckter und gestaffelter Konformation beträgt beim Ethan $13 \text{ kJ} \cdot \text{mol}^{-1}$. Bei Raumtemperatur besitzen die Moleküle ausreichend Bewegungsenergie, um diesen Energieunterschied zu überwinden: Die Molekülteile drehen sich ständig gegeneinander. Bei großen Substituenten ist die freie Drehbarkeit durch *sterische Hinderung* so stark eingeschränkt, dass die Konformations-Isomere isolierbar sind.

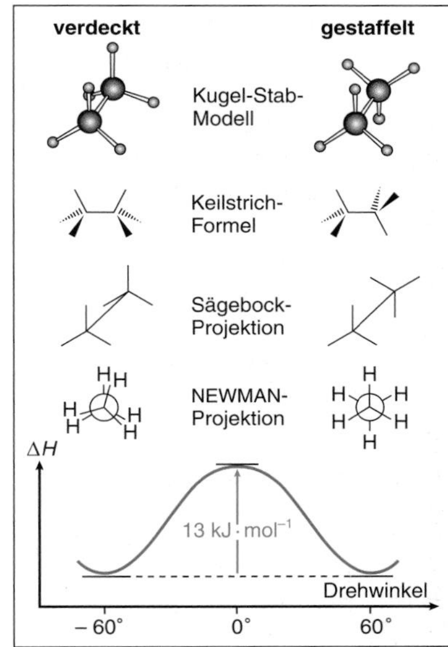

1. Konformationen im Ethan-Molekül

EXKURS

Spiegelbild-Isomere – ungleiche Zwillinge

Beim genauen Betrachten der Kristalle eines Salzes der Traubensäure fiel PASTEUR 1848 auf, dass das Salz aus einer Mischung von Kristallen besteht, die sich wie Bild und Spiegelbild zueinander verhalten. Unter der Lupe trennte PASTEUR mit Hilfe einer Pinzette die beiden Kristallformen voneinander. Er löste jede Kristallart in Wasser auf. Zu seiner Überraschung fand er, dass sich eine Lösung wie die Lösung eines Salzes der natürlichen Weinsäure verhielt. Bei linear polarisiertem Licht, das durch die Lösung fiel, wurde die Schwingungsebene nach rechts gedreht. Die andere Kristallart ergab eine linksdrehende Lösung.
Traubensäure ist ein 1:1-Gemisch aus rechtsdrehender und linksdrehender Weinsäure und daher insgesamt optisch inaktiv. Ein solches Gemisch wird *Racemat* genannt. PASTEUR vermutete richtig, dass die Moleküle der beiden Weinsäure-Formen ebenso entsprechend Bild und Spiegelbild aufgebaut sind wie die Kristalle. Solche Moleküle sind durch Drehen nicht zur Deckung zu bringen. Heute nennt man derartige Strukturen **chiral.** Chirale Verbindungen sind **optisch aktiv.**

Im Jahre 1874 machten die beiden Chemiker VAN'T HOFF und LE BEL unabhängig voneinander eine interessante Entdeckung: Die Moleküle aller damals schon bekannten optisch aktiven Verbindungen enthalten mindestens ein C-Atom mit vier verschiedenen Substituenten. Man nennt ein solches C-Atom **asymmetrisch** und kennzeichnet es meist mit einem Sternchen C*. VAN'T HOFF und LE BEL entwickelten eine Theorie über den chiralen Bau optisch aktiver Moleküle. Sie gingen dabei von einer tetraedrischen Anordnung der vier Bindungen eines C-Atoms aus.

Chiral gebaute Moleküle sind unter den Naturstoffen häufig. So enthält das Milchsäure-Molekül ein asymmetrisches Kohlenstoff-Atom: Das C*-2-Atom des Milchsäure-Moleküls trägt eine COOH-Gruppe, eine OH-Gruppe, eine CH_3-Gruppe und ein H-Atom. Der Tetraeder besitzt daher vier verschiedene Ecken. Bild und Spiegelbild dieses Moleküls sind nicht zur Deckung zu bringen. Es gibt zwei Raumstrukturen der Milchsäure: D-Milchsäure und L-Milchsäure. Die beiden Strukturen sind **Spiegelbild-Isomere** oder **optische Isomere.**

Um die unterschiedliche Raumstruktur spiegelbild-isomerer Moleküle auch in der Strukturformel zu erfassen, verwendet man **Projektionsformeln nach FISCHER.** Dazu wird das Molekül so gehalten, dass die C – C-Kette senkrecht steht und das am höchsten oxidierte C-Atom oben ist. Die C – C-Bindungen am asymmetrischen C*-Atom werden nach hinten ausgerichtet. Die horizontalen Bindungen zeigen dann nach vorn. Jetzt projiziert man auf die Ebene. Steht die funktionelle Gruppe am asymmetrischen C*-Atom rechts, so liegt die D-Form vor (lat. *dexter:* rechts). Steht die funktionelle Gruppe links, so handelt es sich um die L-Form (lat. *laevus:* links).

Eine Lösung von L-Milchsäure dreht die Schwingungsebene eines polarisierten Lichtstrahls im Uhrzeigersinn nach rechts. Sie wird daher auch als L(+)-Milchsäure bezeichnet. Linksdrehende Verbindungen werden entsprechend mit dem Vorzeichen (–) ausgestattet. D- und L-Form einer Verbindung drehen unter gleichen Bedingungen um den gleichen Betrag, die Drehrichtung ist aber entgegengesetzt.

12.4 Strukturaufklärung organischer Verbindungen

A1 Eine Porzellanschale wird in die Flamme von brennendem Benzin gehalten. Welches in Benzin gebundene chemische Element kann damit nachgewiesen werden?

A2 Etwas Zucker wird in einem Reagenzglas kräftig erhitzt. Wie könnte man in den aufsteigenden Dämpfen Wasser nachweisen?

A3 Geben Sie einen Versuch an, mit dem man nachweisen kann, dass Alkohol eine Kohlenstoffverbindung ist.

A4 Ein Stück Kupferblech wird in der Brennerflamme so lange geglüht, bis diese keine Färbung mehr zeigt. Dann gibt man etwas PVC-Pulver auf das Blech und hält es erneut in die Flamme.
a) Was ist zu beobachten?
b) Welches chemische Element wird durch diesen Versuch nachgewiesen?
c) Gegen diesen Versuch gibt es sicherheitstechnische Bedenken. Geben Sie dafür eine Begründung an und werten Sie die Bedenken.

In früheren Zeiten war der Weg der Strukturaufklärung einer organischen Substanz bis hin zu ihrer Synthese oft das Lebenswerk eines Chemikers. So arbeitete Adolf von BAEYER von 1865 bis 1885 an der Strukturaufklärung des Farbstoffes Indigo und ihrer Bestätigung durch die Synthese.

Auf dem klassischen Weg zur Aufklärung der Struktur einer chemischen Verbindung lassen sich mehrere Schritte unterscheiden. Der erste Schritt besteht in der *Reindarstellung* der Substanz. Danach folgt die *qualitative Elementaranalyse*, in der die Elemente ermittelt werden, aus der die Verbindung besteht. In einer *quantitativen Elementaranalyse* wird dann das Atomanzahlverhältnis der Elemente in der Verbindung bestimmt. Als Ergebnis erhält man die **Verhältnisformel.** Die Ermittlung der molaren Masse führt schließlich zur **Molekülformel** (Summenformel) der Verbindung.
Im weiteren Verlauf der Strukturaufklärung werden die funktionellen Gruppen des Moleküls nachgewiesen. Über die Untersuchung größerer Untereinheiten im Molekül gelangt der Chemiker schließlich zu einer Vorstellung von der **Gesamtstruktur** des Moleküls. Diese zunächst hypothetische Molekülstruktur muss schließlich durch eine *Synthese* verifiziert werden.

Während früher vorwiegend chemische Methoden zur Strukturermittlung herangezogen wurden, stehen heute zahlreiche Verfahren zur Verfügung, die sich physikalischer Methoden bedienen. Chromatografische Trennungen und spektroskopische Analysenmethoden haben traditionelle Arbeitsweisen weitgehend verdrängt. Mit diesen Methoden der *instrumentellen Analytik* ist die Aufklärung der Struktur einer neuen Verbindung wesentlich einfacher geworden.

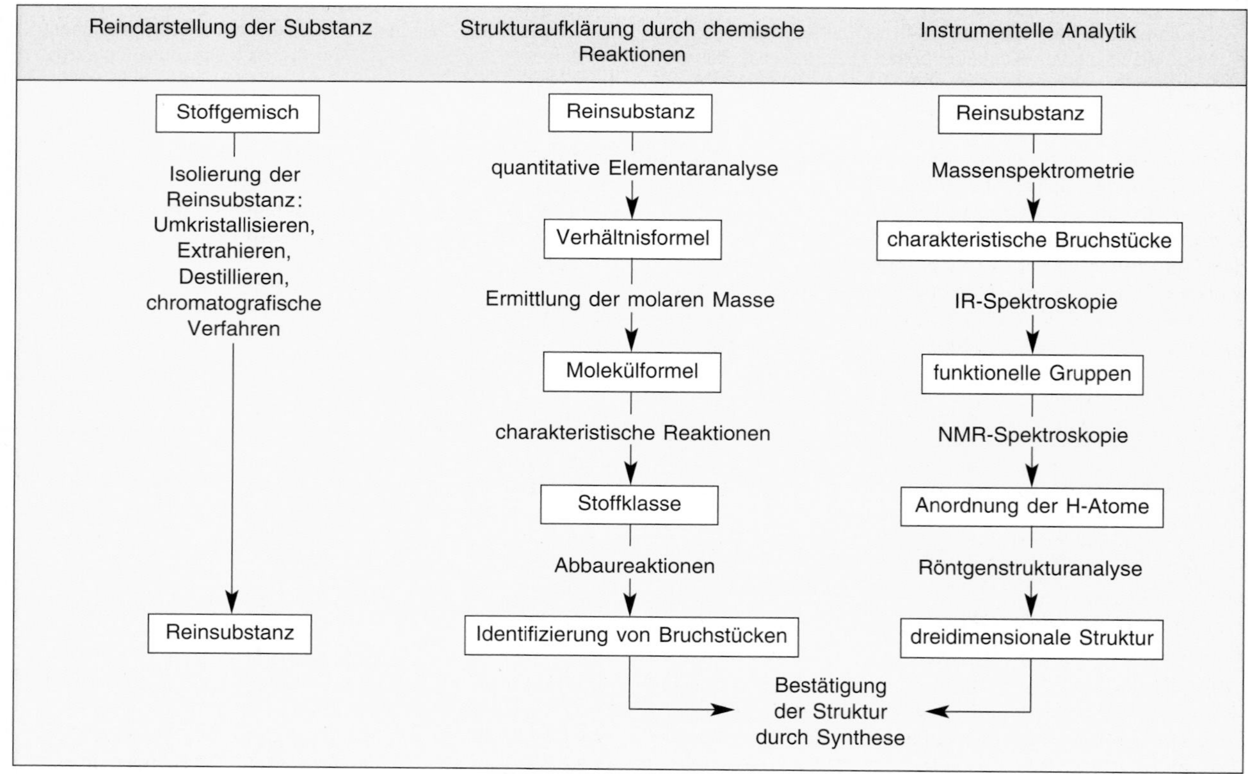

1. Aufklärung der Struktur einer organischen Verbindung

12.5 Chromatografie

Voraussetzung für die Strukturaufklärung einer organischen Verbindung ist ihre Reindarstellung. In der Natur kommen Verbindungen jedoch meistens als Stoffgemische vor und bei chemischen Reaktionen bilden sich in der Regel außer dem gewünschten Stoff noch Nebenprodukte. Bevor die Struktur einer Verbindung aufgeklärt werden kann, muss sie daher durch geeignete Trennmethoden als Reinstoff isoliert werden.

Ein häufig angewandtes, modernes Trennverfahren ist die Chromatografie (gr. *chroma:* Farbe, *graphein:* schreiben). Der Name ist historisch bedingt, da zunächst nur farbige Substanzen getrennt wurden. Die Chromatografie eignet sich besonders zur Trennung chemisch ähnlicher Substanzen. Bei einer chromatografischen Trennung werden Stoffgemische aufgrund unterschiedlicher Wechselwirkungen ihrer Einzelkomponenten mit einer nichtbeweglichen, **stationären Phase** und einer beweglichen, **mobilen Phase** getrennt. Die stationäre Phase kann bei einer Chromatografie fest oder flüssig sein, die mobile Phase ist entweder flüssig oder gasförmig.

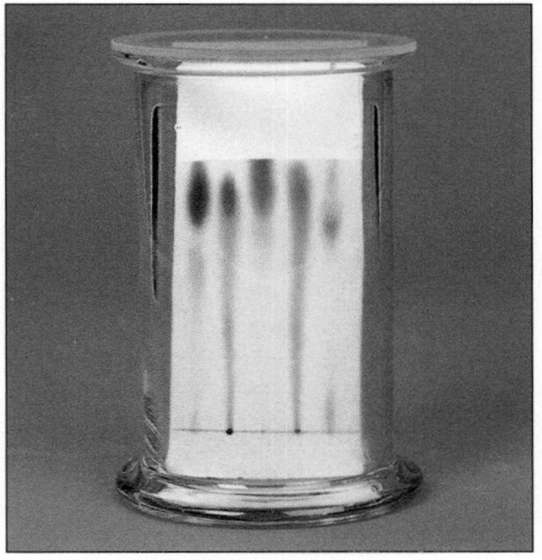

1. Papier-Chromatografie von Filzschreiberfarben

Ein Beispiel ist die Trennung der verschiedenen Farbstoffe eines schwarzen Filzschreibers. Man schneidet dazu aus Filtrierpapier einen Streifen, setzt die schwarze Farbe 2 cm vom unteren Rand punktförmig auf und hängt den Streifen dann 1 cm tief in Ethanol. Das Ethanol steigt am Papier hoch und nimmt die Substanzen mit. Nach einiger Zeit erkennt man verschiedenfarbige Flecken: Die einzelnen Farbstoffe werden chromatografisch getrennt.

Bei dieser **Papier-Chromatografie** lösen sich die Farbstoffe einerseits in Ethanol und steigen mit der Flüssigkeit auf. Ethanol ist deshalb hier die mobile Phase, man bezeichnet es auch als *Fließmittel.* Andererseits werden die Farbstoffe auf dem Papier zurückgehalten. Die Trennung beruht darauf, dass sich die Farbstoffe bei der Chromatografie unterschiedlich verhalten: Manche lösen sich besser in Ethanol und werden weniger stark zurückgehalten. Solche Farbstoffe steigen schnell hoch, ihre *Wanderungsgeschwindigkeit* ist groß. Wenn sich ein Farbstoff in Ethanol weniger gut löst und/oder stärker zurückgehalten wird, ist seine Wanderungsgeschwindigkeit dagegen gering.

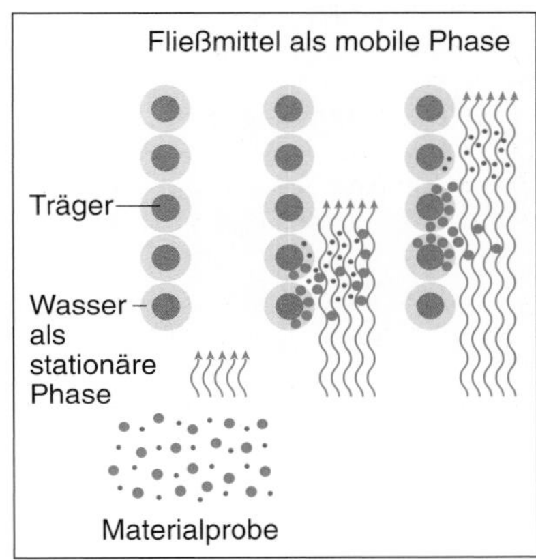

2. Schema einer Verteilungs-Chromatografie

Adsorptions-Chromatografie und Verteilungs-Chromatografie. Bei einer Chromatografie kann die Bindung eines Stoffgemisches an die stationäre Phase auf verschiedenen Effekten beruhen: Bei der *Adsorptions-Chromatografie* ist die stationäre Phase fest und die Substanzen werden an der Oberfläche adsorbiert. Zwischen fester stationärer Phase und flüssiger mobiler Phase stellt sich für jede Verbindung ein Adsorptionsgleichgewicht ein. Bei der *Verteilungs-Chromatografie* ist die stationäre Phase ein Flüssigkeitsfilm, der auf der Oberfläche eines festen Trägermaterials haftet. Zwischen flüssiger stationärer und flüssiger mobiler Phase stellt sich für jeden Reinstoff ein Verteilungsgleichgewicht ein.

Adsorption und Verteilung können auch gleichzeitig eine Rolle spielen. Bei der Papier-Chromatografie handelt es sich um eine Verteilungs-Chromatografie, weil Papier an seiner Oberfläche stets einen dünnen Wasserfilm hat (Massenanteil bis 8 %).

Die Lage der Adsorptions- und Verteilungsgleichgewichte ist entscheidend für den Verlauf chromatografischer Trennungen. Durch die Wahl der stationären Phase und durch die Art des Fließmittels lassen sich die Trennungen beeinflussen. Unter konstanten Bedingungen (gleiche stationäre Phase, gleiches Fließmittel, gleiche Temperatur) sind die Trennungen reproduzierbar. Wie weit ein Reinstoff relativ zur Fließmittelfront wandert, ist daher charakteristisch. Für viele Stoffe wird dieses Verhältnis als **R_f-Wert** (retention factor) angegeben. Um bei der Papier-Chromatografie konstante Bedingungen zu haben, verwendet man Spezialpapiere besonders gleichmäßiger Stärke.

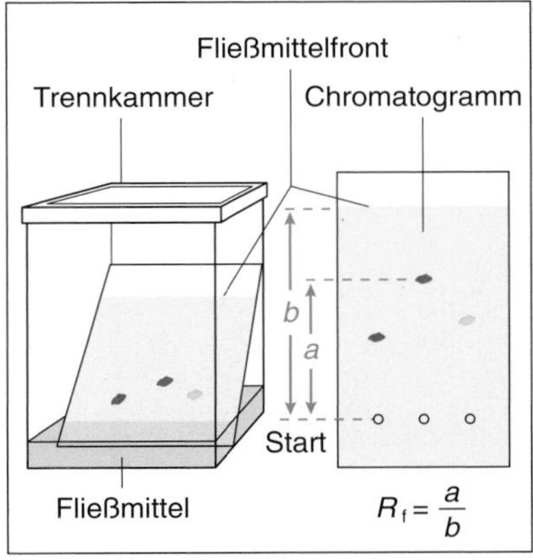

3. R_f-Wert bei einer Dünnschicht-Chromatografie

12.6 Chromatografische Verfahren

stationäre/mobile Phase	Verfahren	Trennprinzip
flüssig/flüssig	PC DC SC	Verteilung Verteilung Verteilung
fest/flüssig	SC DC	Adsorption Adsorption
flüssig/gasförmig	GC	Verteilung
fest/gasförmig	GC	Adsorption

1. Chromatografische Verfahren
PC = Papier-Chromatografie,
GC = Gas-Chromatografie,
DC = Dünnschicht-Chromatografie,
SC = Säulen-Chromatografie.

2. Säulen-Chromatografie von Methylenblau und Methylrot

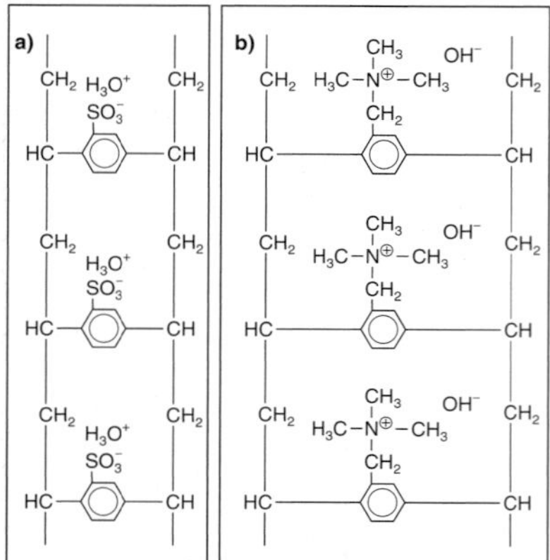

3. Ionenaustauscher
a) Kationenaustauscher (Polystyrolsulfonsäure-Harz in der H^+-Form),
b) Anionenaustauscher (Polystyrolammonium-Harz in der OH^--Form).

Dünnschicht-Chromatografie. Die Dünnschicht-Chromatografie basiert auf den gleichen Grundlagen wie die Papier-Chromatografie. Anstelle des Papiers verwendet man Kieselgel, Cellulose oder Aluminiumoxid. Die fein pulverisierten Materialien werden mit etwas Wasser und Gips als Bindemittel zu einer Suspension angerührt und in einer 0,25 mm dünnen Schicht auf eine Glasplatte oder eine Kunststofffolie aufgetragen. Die Dünnschicht-Chromatografie zeichnet sich durch kurze Laufzeiten und eine hohe Nachweisempfindlichkeit von bis zu 10^{-7} g einer Substanz aus. Man arbeitet heute ausschließlich mit industriell beschichteten Fertigfolien, die im Fachhandel in gleich bleibender Qualität bezogen werden können.
Papier- und Dünnschicht-Chromatografie beruhen vornehmlich auf dem Verteilungsprinzip. Allerdings kann, je nach Trägermaterial, auch Adsorption eine größere Rolle spielen, insbesondere bei Aluminiumoxid. Farblose Substanzen lassen sich durch geeignete Reagenzien nachweisen. Oft sind sie auch im UV-Licht sichtbar.

Säulen-Chromatografie. Der russische Botaniker TSWETT entwickelte bereits 1903 ein Analysenverfahren zur Trennung von Blattfarbstoffen. Als Trennsäule diente ein Glasrohr mit pulverisiertem Calciumcarbonat, das in Petrolether aufgeschlämmt war. Auf diese Säule gab er einen Petrolether-Extrakt aus grünen Blättern. Die einzelnen Bestandteile der Lösung wurden in der Säule getrennt, als er reines Fließmittel nachlaufen ließ.
Die Säulen-Chromatografie eignet sich besonders zur Reinigung und Isolierung größerer Stoffmengen. Anstelle von Kalk verwendet man heute Kieselgel, Cellulose, Stärke und Aluminiumoxid als Trägermaterialien. In der Trennsäule stellen sich für die einzelnen Komponenten unterschiedliche Gleichgewichte ein. Je weniger sich eine Substanz in der stationären flüssigen Phase löst (bzw. je weniger sie am Füllmaterial adsorbiert wird) und je leichter sie sich im Fließmittel löst, umso schneller fließt sie mit der mobilen Phase durch die Säule.

Ionenaustausch-Chromatografie. Organische Ionenaustauscher sind makromolekulare Feststoffe mit besonderen funktionellen Gruppen. Ionenaustauscher werden oft verwendet, um Wasser zu demineralisieren.
Kationenaustauscher enthalten meistens Sulfonsäure-Gruppen ($-SO_3H$) oder Carboxyl-Gruppen (–COOH), die an ein makromolekulares Gerüst gebunden sind. Der polare Wasserstoff dieser Säuren reagiert in einer Säure/Base-Reaktion mit Wasser zu Säureanionen und Hydronium-Ionen. Der Kationenaustauscher liegt dann in der *H^+-Form* vor. Die elektrostatisch an die Säureanionen gebundenen Hydronium-Ionen können in einer Gleichgewichtsreaktion gegen Kationen der Lösung ausgetauscht werden.
Anionenaustauscher enthalten quartäre Ammonium-Gruppen ($-NR_3^+$). In der *OH^--Form* sind die positiven Ladungen der Ammonium-Gruppen durch Hydroxid-Ionen neutralisiert. Die Hydroxid-Ionen können gegen Anionen einer Lösung ausgetauscht werden.

Die *Ionenaustausch-Chromatografie* beruht darauf, dass die Austauschgleichgewichte von der Ladung und der Größe der Ionen abhängig sind. Lässt man beispielsweise ein zu trennendes Gemisch durch eine Trennsäule laufen, die mit einem Kationenaustauscher gefüllt ist, so werden die Kationen der Mischung gebunden, während die Anionen und ungeladene Komponenten ungehindert durch die Säule laufen. Durch Zugabe einer Salzlösung werden die Kationen anschließend in Abhängigkeit von ihrer *Ionenstärke* verdrängt und in Fraktionen eluiert. Die Ionenaustausch-Chromatografie eignet sich besonders zur Trennung von Aminosäuren. In der Umweltanalytik lassen sich Schwermetall-Ionen durch Ionenaustausch-Chromatografie aus wässerigen Lösungen abtrennen.

Gas-Chromatografie. Um 1950 begannen Grundlagenversuche zur Gas-Chromatografie, bei der inerte Gase als mobile Phase genutzt werden. Auf diese Weise lassen sich gasförmige und verdampfbare Substanzen trennen. Im Vergleich zur *Gas-Adsorptions-Chromatografie* hat heute die *Gas-Verteilungs-Chromatografie* weitaus größere Bedeutung. Hier dient Kieselgur als Trägermaterial für eine hochsiedende Flüssigkeit wie Siliconöl, Polyglykol oder Trikresylphosphat als stationäre Phase.

In einem Gas-Chromatografen wird ein *Trägergas* mit gleichmäßiger Gasflussrate durch eine mit der stationären Phase gefüllte *Trennsäule* geleitet. Häufig verwendete Trägergase sind Helium, Argon und Stickstoff. Die Säulen sind spiralförmige Rohre mit einem Durchmesser von wenigen Millimetern und einer Länge von mehreren Metern. Die Analysenprobe wird zusammen mit etwas Luft mit einer Mikroliter-Spritze vor der Trennsäule in den Gasstrom injiziert. Ein Thermostat ermöglicht es, die Betriebstemperatur der Säule auf den gewünschten Wert von bis zu 400 °C einzustellen, sodass auch schwerflüchtige Stoffe untersucht werden können.
Die mit dem Trägergas durch die Säule transportierten Substanzen verteilen sich aufgrund ihres verschiedenen Löslichkeits- oder Adsorptionsverhaltens unterschiedlich zwischen der stationären Phase und dem Trägergas. Nach unterschiedlicher **Retentionszeit** treten sie am Säulenende wieder aus und werden in einem Wärmeleitfähigkeits-Detektor nachgewiesen. Die *Wärmeleitfähigkeit* eignet sich deshalb als Messgröße, weil sich die Wärmeleitfähigkeit der kleinen Moleküle des Trägergases stark von der Wärmeleitfähigkeit größerer Moleküle unterscheidet. Wenn eine Komponente aus der Säule austritt, ändert sich daher die Wärmeleitfähigkeit. Dies führt zu einer Temperaturerhöhung und damit zu einer Zunahme des elektrischen Widerstands in der Messzelle. Diese Änderung wird gemessen und mit einem Schreiber als **Peak** aufgezeichnet.

Bei gleich bleibenden Versuchsparametern, wie Gasflussrate, Temperatur, stationäre und mobile Phase, Länge und Querschnitt der Säule und Geräteaufbau, lassen sich für alle gasförmigen und verdampfbaren Substanzen reproduzierbare Retentionszeiten und Flächenmaße der Peaks erzielen.

Mit modernen Gas-Chromatografen können Stoffe noch in Konzentrationen von weniger als 10^{-6} ppm nachgewiesen werden. Häufig sind Massenspektrometer nachgeschaltet, sodass man auch Aussagen über die Struktur der einzelnen Bestandteile einer Probe machen kann. Umweltanalytik, Luft- und Gewässeruntersuchungen, Dopinganalysen, Reinheitsbestimmungen und die Identifizierung von Stoffen sind vornehmliche Anwendungsbereiche der Gas-Chromatografie.

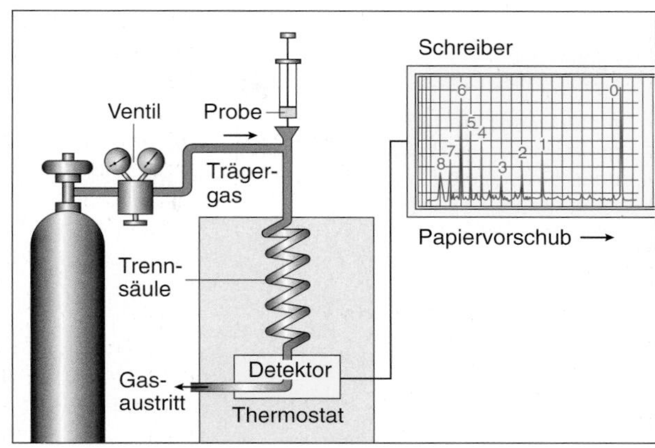

1. Bau eines Gas-Chromatografen

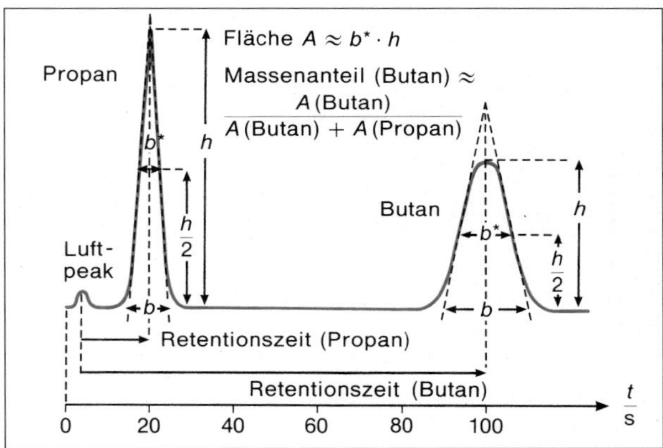

2. Auswertung eines Gas-Chromatogramms

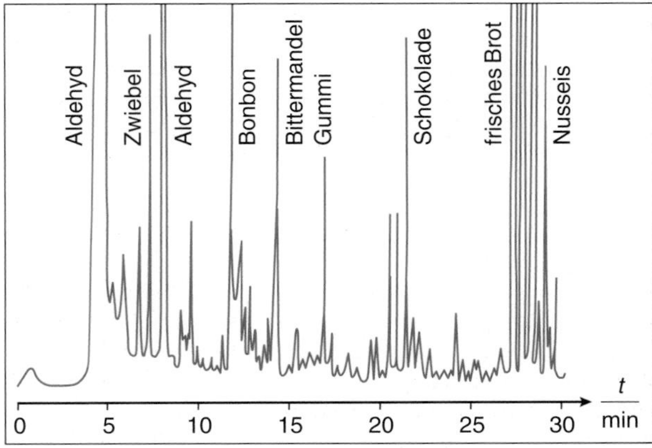

3. Gas-Chromatogramm von Kaffeearoma (Ausschnitt). Den Peaks sind Geruchsbezeichnungen zugeordnet.

Chromatografie

Versuch 1: Trennung von Filzschreiberfarben

Materialien: große Reagenzgläser mit Stopfen, Chromatografie-Papier (z. B. Schleicher u. Schüll 2043b), verschiedene Filzschreiber (wasserlöslich, bevorzugt dunkle Farben), Messzylinder (100 ml);
Ethanol (F), Aceton (F)

Durchführung:
1. Füllen Sie vier Reagenzgläser etwa 1 cm hoch mit folgenden Mischungen: Ethanol/Wasser und Aceton/Wasser jeweils 3:1 und 1:3. Verschließen Sie mit den Stopfen.
2. Schneiden Sie das Chromatografie-Papier in vier passende Streifen. Markieren Sie mit einem Bleistift etwa 2 cm vom unteren Rand entfernt eine waagerechte Linie, und tragen Sie dort die Farbprobe eines Filzschreibers auf.
3. Stellen Sie die Papiere in die Reagenzgläser und verschließen Sie diese wieder.
4. Wenn das Fließmittel etwa 3 cm vom oberen Papierrand angelangt ist, wird die Chromatografie beendet.

Versuch 2: Dünnschicht-Chromatografie mit Lebensmittelfarbstoffen

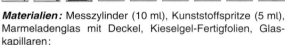

Materialien: Messzylinder (10 ml), Kunststoffspritze (5 ml), Marmeladenglas mit Deckel, Kieselgel-Fertigfolien, Glaskapillaren;
Natriumcitrat-Lösung (2,5 %), Ethanol (F), Ammoniak-Lösung (25 %; C, N), Lösungen (0,025 %) in einer Ethanol/Wasser-Mischung (1:1) von folgenden Farbstoffen: Tartrazin (E 102), Gelborange S (E 110), Echtes Karmin (E 120), Brilliantschwarz (E 151), Erythrosin (E 127), Farbstoffgemisch

Durchführung:
1. Füllen Sie 10 ml Natriumcitrat-Lösung, 2,5 ml Ammoniak-Lösung und 1,5 ml Ethanol in das Marmeladenglas und verschließen Sie das Glas.
2. Ziehen Sie 1 cm vom unteren Rand der Fertigfolie einen Bleistiftstrich, und tragen Sie mit einer Kapillare 1 cm vom rechten und vom linken Rand der Folie entfernt je einen Tropfen des Farbstoffgemisches auf. Zwischen diesen beiden Punkten wird jeweils ein Tropfen der Lösungen der einzelnen Farbstoffe als Vergleichssubstanz aufgetragen.
3. Lassen Sie die Folie etwa drei Minuten an der Luft trocknen, und stellen Sie sie dann in die Trennkammer.
4. Nehmen Sie die Folie aus der Trennkammer, wenn die Fließmittelfront eine Höhe von etwa 7 cm erreicht hat.

Versuch 3: Säulen-Chromatografie

Materialien: 2 Bechergläser (250 ml), Glasrohr (Durchmesser 1 cm, Länge etwa 80 cm), Stopfen mit Glasröhrchen, Kieselgel S (Merck), Glaswolle, Gummischlauch (5 cm), Quetschhahn, kleiner Trichter, Tropfpipette, Messzylinder (100 ml);
Fließmittel: 100 ml Ethanol (F) und 2 ml Essigsäure (2 mol · l^{-1}; Xi), Farbstoffgemisch: 0,1 %ige Lösung von Methylrot und Methylenblau in Ethanol (F)

Durchführung:
1. Schieben Sie etwas Glaswolle in die Säule und setzen Sie den Stopfen mit Glasröhrchen und Gummischlauch auf. Verschließen Sie mit dem Quetschhahn.
2. Befestigen Sie die Säule an einem Stativ und füllen Sie sie zur Hälfte mit Fließmittel.
3. Suspendieren Sie in einem Becherglas Kieselgel in Fließmittel. Füllen Sie diese Suspension mit Hilfe eines kleinen Trichters blasenfrei etwa 70 cm hoch in die Säule.
4. Lassen Sie das Fließmittel mit Hilfe des Quetschhahns bis zum Rand des Kieselgels in das zweite Becherglas ablaufen und geben Sie dann fünf Tropfen des Farbstoffgemisches auf die Säule.
5. Lassen Sie ablaufen, bis das Gemisch eingezogen ist. Geben Sie nun vorsichtig zweimal 0,5 cm hoch Fließmittel über das Kieselgel und ziehen Sie es in die Säule ein.
6. Füllen Sie die Säule vorsichtig mit Fließmittel und eluieren Sie dann tropfenweise.

Versuch 4: Gas-Chromatografie

Materialien: GC-Trennsäule aus Glas mit 10 % APL (Apiezonfett L) auf Chromosorb (Fa. Robert Kind), Druckschlauch (50 cm), Kupferdraht (10 cm), Kunststoffspritze (1 ml);
Pentan (F), Bromethan (Xn), Toluol (Xn, F), Wasserstoff (F+)

Durchführung:
1. Verbinden Sie den Anfang der Säule über den Druckschlauch mit dem Reduzierventil der Wasserstoffflasche.
2. Stecken Sie auf das zu einer Spitze ausgezogene Ende der Säule eine Kupferdrahtspirale.
3. Lassen Sie langsam Wasserstoff durch die Apparatur strömen, und machen Sie die Knallgasprobe.
4. Entzünden Sie nach negativ verlaufender Knallgasprobe am Ende der Säule den Wasserstoff.
5. Injizieren Sie mit der Spritze 0,5 ml eines Gemisches aus gleichen Anteilen Pentan, Bromethan und Toluol durch das Septum am Anfang der Säule.
6. Beobachten Sie die Veränderungen der Flamme, und messen Sie die Retentionszeiten.

EXKURS

Quantitative Elementaranalyse

An die qualitative Elementaranalyse schließt sich die quantitative Analyse an. Für eine Verbindung, die nur aus den Elementen Kohlenstoff, Wasserstoff und Sauerstoff besteht, müssen in der Verhältnisformel $C_xH_yO_z$ die Werte für x, y und z ermittelt werden. In der Verhältnisformel sind dies möglichst kleine natürliche Zahlen.

Nach LIEBIG erfolgt die quantitative Bestimmung von Kohlenstoff und Wasserstoff durch **Verbrennungsanalyse.** Dabei wird eine genau gewogene Probe der zu untersuchenden Substanz vollständig zu Kohlenstoffdioxid und Wasser verbrannt. Aus den Versuchsergebnissen können die Massen von Kohlenstoff und Wasserstoff in der analysierten Probe berechnet werden:

$$m\,(\mathrm{C}) = \frac{12}{44} \cdot m(\mathrm{CO_2}) \qquad m(\mathrm{H}) = \frac{2}{18} \cdot m(\mathrm{H_2O})$$

Die Masse des Sauerstoffs ergibt sich als Differenz aus der Masse der Probe und der Summe der Massen von Kohlenstoff und Wasserstoff.

Aus den berechneten Massen kann man dann die Stoffmengen der einzelnen Atomarten in der Probe berechnen:

$$n\,(\mathrm{C}) = \frac{m\,(\mathrm{C})}{M\,(\mathrm{C})} = \frac{m\,(\mathrm{C})}{12\ \mathrm{g \cdot mol^{-1}}} \qquad n\,(\mathrm{H}) = \frac{m\,(\mathrm{H})}{M\,(\mathrm{H})} = \frac{m\,(\mathrm{H})}{1\ \mathrm{g \cdot mol^{-1}}}$$

$$n\,(\mathrm{O}) = \frac{m\,(\mathrm{O})}{M\,(\mathrm{O})} = \frac{m\,(\mathrm{O})}{16\ \mathrm{g \cdot mol^{-1}}}$$

Das Stoffmengenverhältnis der Elemente in der Probe entspricht dem Anzahlverhältnis der Atome in dem entsprechenden Molekül. Daher lassen sich die Werte für x, y und z in der Verhältnisformel berechnen. Dazu dividiert man die ermittelten Stoffmengen *n* durch die kleinste dieser Stoffmengen. Damit wird der kleinste Quotient 1. Durch sinnvolles Runden der übrigen Ergebnisse erhält man dann die beiden anderen Werte.

Beispiel: In einer unbekannten organischen Substanz lassen sich die Elemente Kohlenstoff und Wasserstoff nachweisen. Außerdem reagiert die Substanz in der Gasphase mit Magnesium unter Bildung von weißem Magnesiumoxid. Die unbekannte Substanz enthält also auch Sauerstoff.

Aus einer Probe der Substanz mit der Masse 203 mg erhält man 382 mg Kohlenstoffdioxid und 244 mg Wasser:

m (Probe) = 203 mg; $m\,(\mathrm{CO_2})$ = 382 mg; $m\,(\mathrm{H_2O})$ = 244 mg

Berechnung der Massen:

$$m\,(\mathrm{C}) = \frac{12}{44} \cdot m(\mathrm{CO_2}) = \frac{12}{44} \cdot 382\ \mathrm{mg} = 104\ \mathrm{mg} = 0{,}104\ \mathrm{g}$$

$$m\,(\mathrm{H}) = \frac{2}{18} \cdot m(\mathrm{H_2O}) = \frac{2}{18} \cdot 244\ \mathrm{mg} = 27\ \mathrm{mg} = 0{,}027\ \mathrm{g}$$

$$m\,(\mathrm{O}) = m\,(\mathrm{Probe}) - [(m\,(\mathrm{C}) + \mathrm{m}\,(\mathrm{H})] = 72\ \mathrm{mg} = 0{,}072\ \mathrm{g}$$

Berechnung der Stoffmengen:

$$n\,(\mathrm{C}) = n(\mathrm{C}) = \frac{m(\mathrm{C})}{M(\mathrm{C})} = \frac{m(\mathrm{C})}{12\ \mathrm{g \cdot mol^{-1}}} = \frac{0{,}104\ \mathrm{g}}{12\ \mathrm{g \cdot mol^{-1}}} = 0{,}0087\ \mathrm{mol} = 8{,}7\ \mathrm{mmol}$$

$$n\,(\mathrm{H}) = \frac{m(\mathrm{H})}{M(\mathrm{H})} = \frac{0{,}027\ \mathrm{g}}{1\ \mathrm{g \cdot mol^{-1}}} = 0{,}027\ \mathrm{mol} = 27\ \mathrm{mmol}$$

$$n\,(\mathrm{O}) = \frac{m(\mathrm{O})}{M(\mathrm{O})} = \frac{0{,}027\ \mathrm{g}}{16\ \mathrm{g \cdot mol^{-1}}} = 0{,}0045\ \mathrm{mol} = 4{,}5\ \mathrm{mmol}$$

Ermittlung der Verhältnisformel:
Die kleinste ermittelte Stoffmenge ist n (O).

$$\mathrm{x} = \frac{n(\mathrm{C})}{n(\mathrm{O})} = \frac{8{,}7\ \mathrm{mmol}}{4{,}5\ \mathrm{mmol}} = 1{,}9 \approx 2$$

$$\mathrm{y} = \frac{n(\mathrm{H})}{n(\mathrm{O})} = \frac{27\ \mathrm{mmol}}{4{,}5\ \mathrm{mmol}} = 6 \qquad \mathrm{z} = \frac{n(\mathrm{O})}{n(\mathrm{O})} = \frac{4{,}5\ \mathrm{mmol}}{4{,}5\ \mathrm{mmol}} = 1$$

Die Verhältnisformel der unbekannten Substanz ist $C_2H_6O_1$.

A1 Zur Ermittlung der Formel von Diethylether wird eine Probe mit dem Volumen 1,05 ml oxidiert. Die Dichte von Diethylether beträgt 0,71 g · $\mathrm{ml^{-1}}$. Bei der Reaktion entstehen 900 mg Wasser und 1,76 g Kohlenstoffdioxid. Berechnen Sie die Verhältnisformel.

A2 Bei der Verbrennungsanalyse von 0,73 g einer organischen Verbindung ermittelte man 1,76 g Kohlenstoffdioxid und 0,99 g Wasser. Die Verbindung enthält außer Kohlenstoff und Wasserstoff noch das Element Stickstoff. Berechnen Sie die Verhältnisformel.

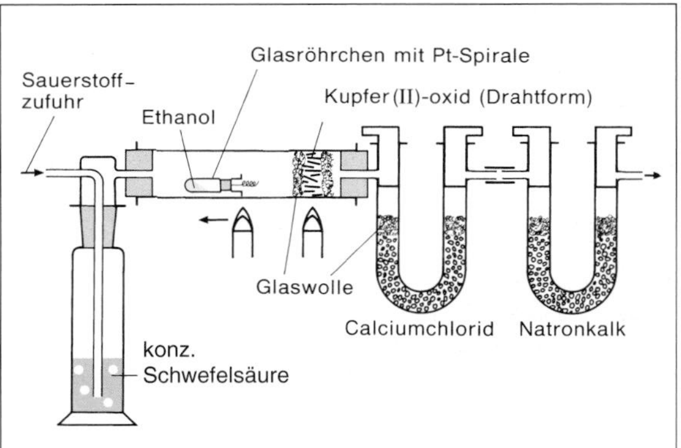

Quantitative Elementaranalyse von Ethanol. Eine Probe der zu untersuchenden Substanz wird genau gewogen und in ein mit Glaswolle verschlossenes Röhrchen gegeben. Als Oxidationsmittel dienen Sauerstoff und Kupfer(II)-oxid in Gegenwart von Platin als Katalysator. Bei der Reaktion entstehen Kohlenstoffdioxid und Wasserdampf. Diese Verbrennungsprodukte werden im Sauerstoffstrom in die Absorptionsrohre transportiert. Der Wasserdampf wird an wasserfreies Calciumchlorid gebunden, das Kohlenstoffdioxid wird von Natronkalk absorbiert. Da Natronkalk außer Kohlenstoffdioxid auch Wasser bindet, muss zunächst das Wasser vollständig absorbiert werden. Die Massen der bei der Verbrennung der Probe entstehenden Produkte erhält man durch Wägung der Absorptionsrohre vor der Versuchsdurchführung und am Ende des Versuchs.

Die allgemeine Gasgleichung

Um von der Verhältnisformel einer Verbindung zu ihrer Molekülformel zu gelangen, muss man die molare Masse eines Stoffes bestimmen. Die molare Masse M ist gleich dem Quotienten aus der Masse m einer Stoffportion und der jeweiligen Stoffmenge n. Bei gasförmigen Stoffen lässt sich die Stoffmenge auf recht einfache Weise mit Hilfe der *allgemeinen Gasgleichung* ermitteln. Die allgemeine Gasgleichung selbst kann aus der Druckabhängigkeit und der Temperaturabhängigkeit des Volumens von Gasen hergeleitet werden.

Druckabhängigkeit des Gasvolumens. In einem einseitig zugeschmolzenen Glasrohr sitzt eine Stahlkugel, die eine bestimmte Luftportion dicht einschließt. Die Stahlkugel ist so eingepasst, dass sie wie der Kolben eines Kolbenprobers in dem Glasrohr beweglich ist. An der offenen Seite des Glasrohres befinden sich ein Manometer und ein Hahn. Bei geöffnetem Hahn herrscht in dem Glasrohr der äußere Luftdruck: $p \approx 1000$ hPa. Das Volumen der durch die Stahlkugel eingeschlossenen Luftportion ergibt sich aus der Querschnittsfläche des Glasrohres und der Länge des abgeschlossenen Volumens. Mit Hilfe einer Pumpe kann nun in dem Glasrohr ein niedrigerer oder ein höherer Druck erzeugt werden. In einer Versuchsreihe wurden folgende Werte gemessen:

$\frac{p}{\text{hPa}}$	800	1000	1200	1400	1600	1800	2000
$\frac{V}{\text{ml}}$	30	24	20	17	15	13	12
$\frac{p \cdot V}{\text{hPa} \cdot \text{ml}}$	24000	24000	24000	23800	24000	23400	24000

Ergebnis: Bei konstanter Temperatur ist das Produkt aus Volumen und Druck einer Gasportion konstant. Es gilt:

$$V \sim \frac{1}{p} \quad \text{und} \quad p \cdot V = k_1 \quad (T = \text{const.})$$

Diese Gesetzmäßigkeit heißt nach dem englischen Chemiker BOYLE (1627–1691) und dem französischen Physiker MARIOTTE (1620–1684) **BOYLE-MARIOTTEsches Gesetz.**

Temperaturabhängigkeit des Gasvolumens. Der Einfluss der Temperatur auf das Volumen einer Gasportion lässt sich mit einem einfachen Gasthermometer untersuchen. Es besteht aus einer etwa 30 cm langen, einseitig zugeschmolzenen Glaskapillare, in der eine Luftportion durch einen Quecksilbertropfen abgeschlossen wird. Durch Abkühlen und Erhitzen des Gasthermometers im Wasserbad lässt sich die Temperaturabhängigkeit des Gasvolumens ermitteln.

Ergebnis: Mit abnehmender Temperatur wird das Volumen kleiner. Trägt man die Messwerte in einem *V/T*-Diagramm auf, so erhält man eine Gerade. Extrapoliert man die Gerade, so zeigt sich, dass das Volumen bei –273 °C den Wert Null annähme. Diese Temperatur ist der Nullpunkt der *absoluten Temperaturskala.*

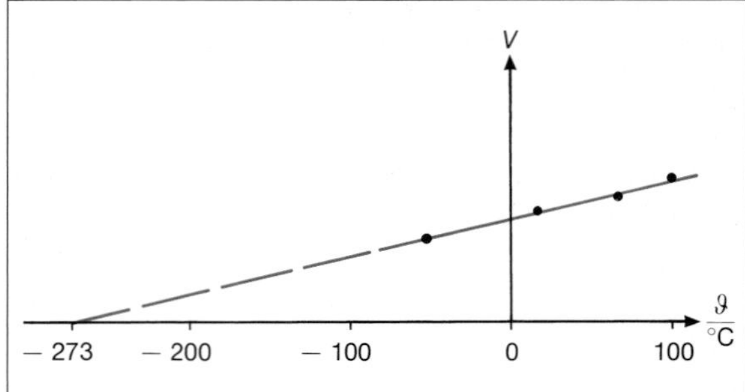

Bei konstantem Druck ist das Volumen einer Gasportion der Temperatur in Kelvin proportional. Es gilt:

$$V \sim T \quad \text{und} \quad V = k_2 \cdot T \quad (p = \text{const.})$$

Diese Gesetzmäßigkeit bezeichnet man nach dem französischen Chemiker und Physiker GAY-LUSSAC (1778–1850) als **GAY-LUSSACsches Gesetz.**

Das Volumen einer Gasportion ist also dem Druck umgekehrt und der absoluten Temperatur direkt proportional. Mit Hilfe der beiden Abhängigkeiten lässt sich folgende *Gasgleichung* ableiten:

$$p \cdot V = k_3 \cdot T$$

Satz von AVOGADRO. Der Wert der Konstanten k_3 hängt von der Größe der untersuchten Gasportion ab. Um zu einer *universellen* Konstante zu gelangen, muss die Größe der Gasportion standardisiert werden.
Der italienische Physiker AVOGADRO (1776–1856) postulierte, dass *gleiche Volumina verschiedener Gase bei gleichem Druck und gleicher Temperatur gleich viele Teilchen enthalten.* Ein Mol eines jeden Gases muss daher bei gleichem Druck und gleicher Temperatur das gleiche Volumen einnehmen. Bei *Normbedingungen* ($T_0 = 273$ K; $p_0 = 1013$ hPa) ergibt sich für das **molare Volumen** der Gase: $V_m^0 = 22{,}4 \text{ l} \cdot \text{mol}^{-1}$.

Geht man von einem Mol eines Gases bei Normbedingungen aus, so nimmt die Gasgleichung folgende Form an:

$$p_0 \cdot V_m^0 = R \cdot T_0$$

Die Konstante R wird als **Gaskonstante** bezeichnet. Sie ist eine universelle Konstante, die für alle Gase gilt.

$$R = 83{,}144 \text{ hPa} \cdot \text{l} \cdot \text{K}^{-1} \cdot \text{mol}^{-1} = 8{,}3144 \text{ J} \cdot \text{K}^{-1} \cdot \text{mol}^{-1}$$

Die allgemeine Gasgleichung. Betrachtet man das Volumen einer Gasportion, deren Stoffmenge größer oder kleiner als ein Mol ist, so muss dies in der Gasgleichung berücksichtigt werden. Die *allgemeine Gasgleichung* nimmt dann folgende Form an:

$$\boldsymbol{p \cdot V = n \cdot R \cdot T}$$

Gase, die diese Gesetzmäßigkeiten erfüllen, heißen **ideale Gase.** Bei realen Gasen kommt es durch Anziehung oder Abstoßung der Teilchen untereinander zu geringfügigen Abweichungen.

Ermittlung der molaren Masse

Versuch 1: Ermittlung der molaren Masse einer leicht flüchtigen organischen Verbindung

Materialien: Becherglas (2000 ml, hoch) als Wasserbad, Kolbenprober (100 ml), einseitig zugeschmolzenes Glasröhrchen, Siliconschlauch, Thermometer, Barometer, Messpipette (0,2 ml);
leicht flüchtige organische Flüssigkeit (Ethanol (F) oder Aceton (F))

Durchführung:

1. Mit der Pipette werden 0,2 ml der Probe abgemessen und in das Glasröhrchen gefüllt. Verbinden Sie das Glasröhrchen und den Kolbenprober mit Hilfe des Siliconschlauchs.
2. Der Kolbenprober wird nun in das auf etwa 90 °C erhitzte Wasserbad getaucht und mit einem Stativ befestigt.
3. Nachdem die Flüssigkeit vollständig verdampft ist, wird das Gasvolumen im Kolbenprober abgelesen. Ermitteln Sie außerdem die Temperatur des Wasserbades und den Luftdruck.

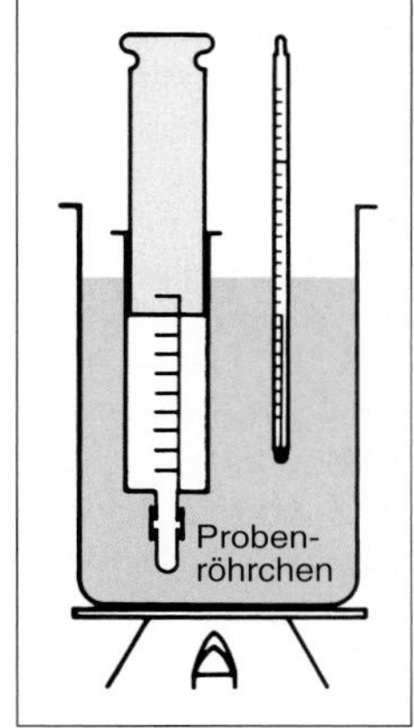

Auswertungsbeispiel: Es wurden 0,19 ml Ethanol verdampft. Bei einer Temperatur von 89 °C ergab sich ein Gasvolumen von 90 ml. Der Luftdruck betrug 1010 hPa.

Masse der Probe:

$$m = \varrho \cdot V = 0{,}782 \text{ g} \cdot \text{ml}^{-1} \cdot 0{,}19 \text{ ml} = 0{,}149 \text{ g}$$

Auswertung mit Hilfe der allgemeinen Gasgleichung:

$$p \cdot V = n \cdot R \cdot T = \frac{m}{M} \cdot R \cdot T \Leftrightarrow M = \frac{m \cdot R \cdot T}{p \cdot V}$$

$$M = \frac{0{,}149 \text{ g} \cdot 83{,}144 \text{ hPa} \cdot \text{l} \cdot \text{K}^{-1} \cdot \text{mol}^{-1} \cdot 362 \text{ K}}{1010 \text{ hPa} \cdot 0{,}09 \text{ l}}$$

$$= 49{,}3 \text{ g} \cdot \text{mol}^{-1}$$

Fehlerbetrachtung: Das Ergebnis weicht von dem korrekten Wert von 46 g · mol^{-1} ab. Die bei dem Versuch durchgeführten Volumenmessungen sind mit einer Messungenauigkeit von etwa 2 % behaftet.
Daneben gibt es noch weitere Fehlerquellen. So kann die Temperatur nicht in dem Dampf selbst, sondern lediglich in dem umgebenden Wasserbad gemessen werden. Zusätzlich gibt es im Wasserbad selbst einen Temperaturgradienten. Das Versuchsergebnis verschiebt sich je Kelvin Temperaturdifferenz um etwa 0,1 g · mol^{-1}.
Die Druckverhältnisse in dem Kolbenprober sind nicht kontrollierbar. Der Schluss „Außendruck gleich Innendruck" ist nicht ganz korrekt. Auf dem Gas lastet zusätzlich der Druck des Kolbens. Eventuell ist auch die Probe nicht vollständig verdampft oder ein Teil des Gases ist entwichen.

Aufgaben:

a) Wie wird das Versuchsergebnis verfälscht, wenn die Probe nur unvollständig verdampft?
b) Wie wirken sich die in der Fehlerbetrachtung beschriebenen Fehler bei der Ermittlung des Druckes im Kolbenprober auf das Versuchsergebnis aus?
c) In welche Richtung verschiebt sich das Versuchsergebnis, wenn der Dampf der Probe teilweise aus dem Kolbenprober entweicht?

Versuch 2: Ermittlung der molaren Masse eines Gases

    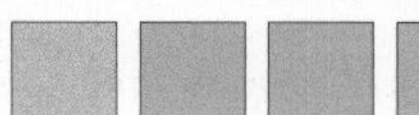

Materialien: Gaswägekugel (1 l), Messzylinder (50 ml), Waage;
Feuerzeuggas (F+), Nachfüllpatrone mit Schlauch

Durchführung:

1. Verschließen Sie die Gaswägekugel und bestimmen Sie die Masse der mit Luft gefüllten Kugel.
2. Anschließend lässt man das Gas so lange einströmen, bis alle Luft verdrängt ist.
3. Danach wird die Kugel wieder verschlossen und erneut gewogen.
4. Bestimmen Sie mit Wasser das genaue Volumen der gesamten Gaswägekugel.

Auswertungsbeispiel: Für ein gasförmiges Alkan ergab sich eine Massendifferenz von 0,6 g. Ein Liter Luft hat bei Raumtemperatur die Masse 1,20 g. Ein Liter des Gases hat daher die Masse 1,8 g. Bei Raumtemperatur beträgt das molare Volumen etwa 24 l · mol^{-1}.

$$n(\text{Gas}) = \frac{V(\text{Gas})}{V_m} = \frac{1 \text{ l}}{24 \text{ l} \cdot \text{mol}^{-1}} = 0{,}0417 \text{ mol}$$

$$M(\text{Gas}) = \frac{m(\text{Gas})}{n(\text{Gas})} = \frac{1{,}8 \text{ g}}{0{,}0417 \text{ mol}} = 43{,}2 \text{ g} \cdot \text{mol}^{-1}$$

Aufgabe: Um welches Alkan könnte es sich handeln?

Aufgabe 1: **a)** Berechnen Sie die Dichte von Kohlenstoffmonooxid bei Normbedingungen mit Hilfe der molaren Masse des Stoffes.
b) Vergleichen Sie die Dichte von Kohlenstoffmonooxid mit der Dichte von Stickstoff. Wie erklären Sie sich die Übereinstimmung?

Aufgabe 2: Für eine organische Verbindung wurde die Verhältnisformel C_1H_1 ermittelt. 800 mg der Substanz wurden verdampft. Bei 95 °C ergab sich ein Volumen von 300 ml. Der Druck betrug 1013 hPa. Berechnen Sie die molare Masse und ermitteln Sie die Molekülformel.

12.7 Strukturaufklärung durch chemische Methoden

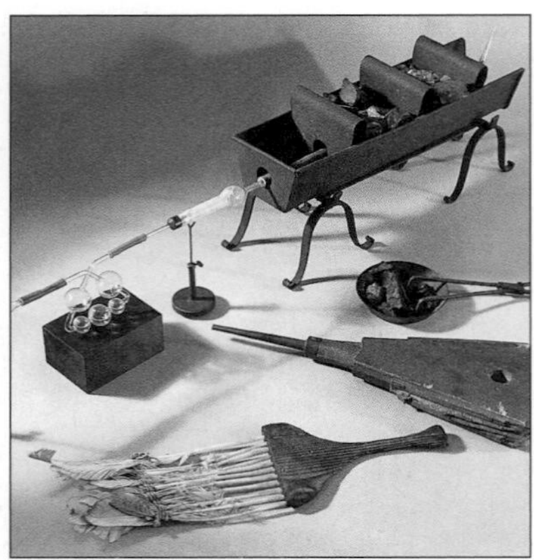

1. LIEBIGS Apparatur zur quantitativen Elementaranalyse

A1 Zeichnen Sie für alle Isomere mit der Molekülformel $C_4H_{10}O$ die Strukturformeln.

A2 Die Molekülformel einer noch nicht näher identifizierten Verbindung lautet C_3H_8O.
a) Geben Sie drei mögliche Strukturformeln der Verbindung an.
b) Die Verbindung ist wasserlöslich. Welche der möglichen Strukturformeln scheidet dadurch aus?
c) Für die weitere Untersuchung steht lediglich eine saure Kaliumdichromat-Lösung zur Verfügung. Geben Sie an, durch welche chemische Reaktion man die beiden verbliebenen Alternativen unterscheiden kann.

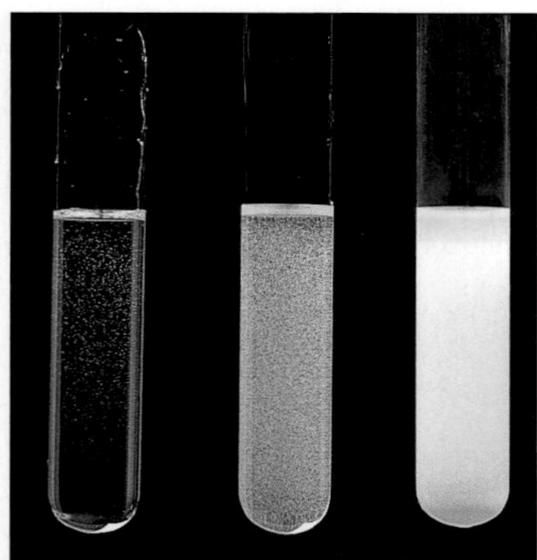

2. Unterscheidung von primären, sekundären und tertiären Alkoholen

Für eine unbekannte Substanz kann die Molekülformel über die qualitative und die quantitative Elementaranalyse sowie die Ermittlung der molaren Masse bestimmt werden.

Die Erforschung der Konstitution vieler einfacher organischer Verbindungen wie Ethanol, Essigsäure oder Milchsäure erfolgte im vorigen Jahrhundert ausschließlich mit chemischen Methoden. Aus einer durch Elementaranalyse gewonnenen Molekülformel auf den Aufbau eines Moleküls zu schließen war damals sehr schwierig, denn es gab nur unklare Vorstellungen von der Verknüpfung der Atome.

Alkohol oder Ether? Mit unseren heutigen Modellvorstellungen von den Bindungsverhältnissen in Molekülen ist der Weg von der Molekülformel zur Strukturformel einer Verbindung sehr viel einfacher. Hat man beispielsweise für eine unbekannte Verbindung als Molekülformel $C_4H_{10}O$ ermittelt, so ergeben sich nur relativ wenige sinnvolle Verknüpfungsmöglichkeiten der Atome: Es kann sich nur um einen Alkohol oder um einen Ether handeln. Eine Entscheidung lässt sich beispielsweise über die Bestimmung der Siedetemperatur oder über die Reaktion mit Natrium herbeiführen.

Wenn ein **Alkohol** vorliegt, so enthält jedes Molekül eine Hydroxyl-Gruppe. Aufgrund der OH-Gruppen können zwischen den Alkohol-Molekülen stabile Wasserstoffbrückenbindungen ausgebildet werden. Die unbekannte Verbindung müsste dann eine höhere Siedetemperatur als Ethanol haben.
Chemisch lassen sich Hydroxyl-Gruppen durch die Reaktion mit Natrium nachweisen. Dabei wird das polar gebundene Wasserstoff-Atom der Hydroxyl-Gruppe reduziert, das Natrium wird oxidiert. Es entstehen Natriumalkoholat und Wasserstoff.

Verlaufen die Untersuchungen auf die OH-Gruppe positiv, so kommen vier *isomere Alkohole* in Frage: Butan-1-ol, Butan-2-ol, 2-Methylpropan-1-ol und 2-Methylpropan-2-ol. Die Entscheidung zwischen den primären Alkoholen Butan-1-ol und 2-Methylpropan-1-ol, dem sekundären Alkohol Butan-2-ol und dem tertiären Alkohol 2-Methylpropan-2-ol erfolgt durch nucleophile Substitution mit Zinkchlorid in saurer Lösung. Primäre Alkohole reagieren nicht. Beim sekundären Alkohol bleibt die Lösung zunächst klar und trübt sich dann ganz allmählich. Liegt ein tertiärer Alkohol vor, so bilden sich sehr schnell zwei Phasen, von denen die eine das tertiäre Alkylchlorid enthält. Dort lässt es sich durch Reaktion mit Silbernitrat nachweisen.

Wenn es sich bei der Verbindung um einen **Ether** handelt, so liegt die Siedetemperatur aufgrund der schwachen VAN-DER-WAALS-Bindungen niedriger als die Siedetemperatur der Vergleichssubstanz Ethanol. Da Ether-Moleküle keine polar gebundenen Wasserstoff-Atome besitzen, tritt mit Natrium keine Reaktion ein.

Es kommen hier *drei isomere Ether* in Betracht: Diethylether, Methylpropylether und Methylisopropylether. Um die tatsächlich vorliegende Struktur zu ermitteln, muss der Ether durch Erhitzen mit Iodwasserstoffsäure gespalten werden. Dabei bilden sich Alkyliodide, die beispielsweise durch Bestimmung ihrer Siedetemperatur identifiziert werden können.

Die so erschlossene Struktur müsste dann noch durch eine Synthese bestätigt werden: Handelte es sich bei der Probe beispielsweise um Butan-2-ol, so muss die Substanz aus Ethylmethylketon durch Reduktion mit Natriumborhydrid herstellbar sein. Handelte es sich um Methylpropylether, so ist die Substanz aus Natriummethylat und Chlorpropan erhältlich.

12.8 Grundlagen der Spektroskopie

Zu den wichtigsten Verfahren der instrumentellen Analytik gehören die *spektroskopischen Verfahren.* Diese Methoden beruhen darauf, dass Moleküle elektromagnetische Strahlung absorbieren. Je nach der Energie der Strahlung werden dabei *Elektronen* auf ein energetisch höheres Niveau angehoben oder es werden *Schwingungen* und *Rotationen* von Atomen oder Atomgruppen im Molekül ausgelöst. Mit niedriger Energie kann auch der *Spin* von Elektronen oder von Atomkernen verändert werden.

Die ältesten spektroskopischen Verfahren beruhen auf der Wechselwirkung von Stoffen mit Licht. Neben dem Absorptionsverhalten im sichtbaren (*vis*uellen) Bereich des Lichtes (VIS-Spektroskopie) wird häufig auch die Wechselwirkung der Stoffe mit Ultraviolett-Strahlung (UV-Spektroskopie) oder Infrarot-Strahlung (IR-Spektroskopie) untersucht.

LAMBERT-BEERsches Gesetz. Die Wechselwirkung mit elektromagnetischer Strahlung ist *stoffspezifisch.* Strahlt man beispielsweise Licht der Wellenlänge 590 nm in eine Lösung von Kristallviolett, so wird ein Teil des eingestrahlten Lichtes absorbiert. Im Photometer vergleicht man mit Hilfe einer Photozelle die ursprüngliche Intensität I_0 mit der Lichtintensität I, die durch die Probe hindurchtritt. Als Maß für die Absorption verwendet man eine logarithmische Größe, die ***Extinktion E.*** Dabei gilt:

$$E = \lg \frac{I_0}{I}$$

In verdünnter Lösung stellt man fest, dass die Extinktion der Konzentration c des Stoffes und der Schichtdicke d der Probe proportional ist. Diese Beziehung wird als *LAMBERT-BEERsches Gesetz* bezeichnet:

$$E(\lambda) \sim c \cdot d \Leftrightarrow E(\lambda) = \varepsilon_\lambda \cdot c \cdot d$$

Der Proportionalitätsfaktor ε_λ heißt *molarer Extinktionskoeffizient.* Er ist eine stoffspezifische Größe, die sehr stark von der Wellenlänge λ abhängt. Über die Extinktion einer Lösung lässt sich die Konzentration des gelösten Stoffes ermitteln.

Oft interessiert das Absorptionsverhalten in einem größeren Spektralbereich. Dazu misst man mit einem *Spektralphotometer* die Extinktion einer Probe bei unterschiedlichen Wellenlängen. Trägt man in einem Diagramm die Extinktion in Abhängigkeit von der Wellenlänge auf, so erhält man das **Absorptionsspektrum** des Stoffes.

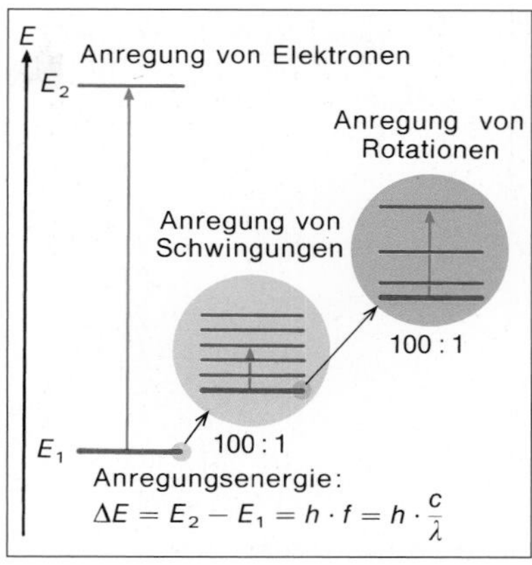

1. Anregung durch Wechselwirkung mit elektromagnetischer Strahlung

A1 a) Stoffe absorbieren elektromagnetische Strahlung. In welcher Form kann die Energie in den Teilchen des Stoffes gespeichert werden?
b) Entnehmen Sie den Abbildungen 1 und 2, wie sich die Energien für die Anregung von Elektronen, Schwingungen und Rotationen in Molekülen unterscheiden.

A2 In einem Schülerpraktikum soll die Konzentration einer farbigen Lösung mittels VIS-Spektroskopie bestimmt werden. Dazu wird zunächst die Extinktion der Probe ermittelt.
a) Ein erstes schnelles Ergebnis: $E = -0{,}025$. Wieso kann dieses Ergebnis nicht stimmen?
b) Wie ändert sich die Extinktion, wenn man die Konzentration einer zu untersuchenden Lösung auf ein Zehntel verringert?

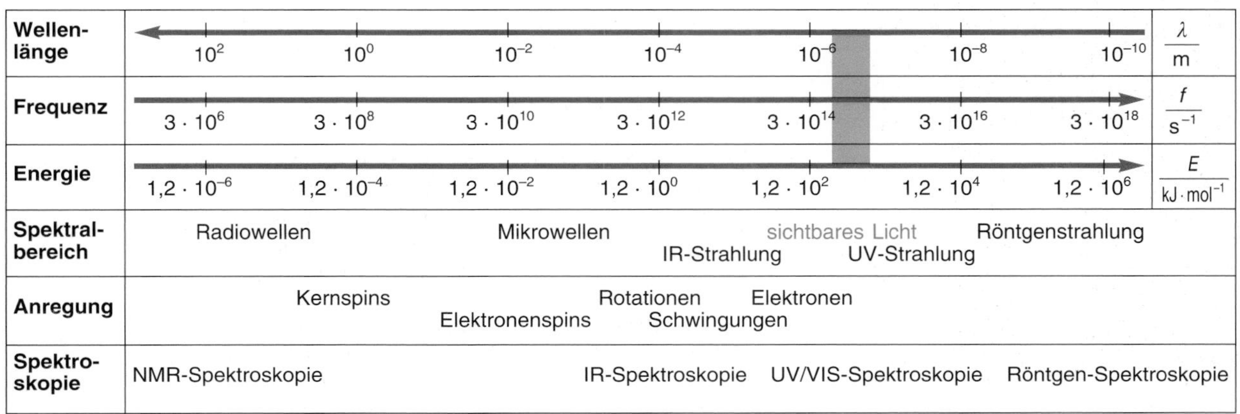

2. Spektroskopie – Wechselwirkung von Licht und Materie

12.9 Spektroskopie im sichtbaren und im UV-Bereich

1. UV-Absorption von Aceton. Die UV-Strahlung wird mit Hilfe eines Fluoreszenzfarbstoffes sichtbar gemacht, der auf eine Dünnschichtplatte aufgetragen ist. Durch Absorption der UV-Strahlung erscheinen auf der hellgrün fluoreszierenden Platte Schatten.

A1 Gegeben ist eine Verbindung mit der Strukturformel

$$\overline{\underline{O}}=C\begin{matrix}H \\ H\end{matrix}$$

a) Welche Farbe vermuten sie für diese Verbindung? Begründen Sie Ihre Aussage.
b) Man bestrahlt den angegebenen Stoff mit elektromagnetischer Strahlung zunehmender Energie. Welche Elektronen werden als erste, welche als letzte angeregt? Begründen Sie ihre Aussage.

Manche organische Verbindungen sind farbig. Ihre Moleküle absorbieren sichtbares Licht. Durch die Energie der absorbierten Strahlung werden die Moleküle angeregt. Dabei werden die Elektronen auf ein energetisch höheres Niveau angehoben.
Bei der Betrachtung der Molekülstruktur farbiger organischer Verbindungen wie Chlorophyll, Carotin oder Indigo fällt auf, dass diese Moleküle ein ausgedehntes System *delokalisierter* π-Elektronen besitzen. Diese Elektronen sind nicht fest gebunden und können daher leicht angeregt werden. Dazu genügt bereits die Energie des sichtbaren Lichts. Im Gegensatz zu den Absorptionsspektren von Atomen erhält man bei Molekülen keine Linienspektren, sondern *Bandenspektren,* weil nicht nur Elektronen, sondern auch Schwingungen und Rotationen des Moleküls angeregt werden.

Die meisten organischen Verbindungen sind farblos. Die Energie des sichtbaren Lichtes reicht nicht aus, um ihre Elektronen anzuregen. Mit energiereicherer UV-Strahlung ist eine Anregung allerdings möglich. Besonders hoch ist die Anregungsenergie für *σ-Elektronen.* So absorbieren gesättigte Kohlenwasserstoffe erst unterhalb einer Wellenlänge von 140 nm. Das UV-Spektrum von Methan hat zum Beispiel ein Absorptionsmaximum bei 125 nm. *Freie Elektronenpaare* und *Elektronen* in *Mehrfachbindungen* sind leichter anzuregen. Im UV-Spektrum des Acetons beruht das Absorptionsmaximum bei 190 nm auf der Anregung der *π-Elektronen* der C = O-Zweifachbindung, die Bande bei 280 nm ist bedingt durch die Anregung der freien Elektronenpaare des Sauerstoff-Atoms.

Spektralphotometer. Die wesentlichen Bauteile eines Spektralphotometers sind eine *Strahlungsquelle*, ein *Prisma* und eine *Photozelle*. Mit Hilfe des Prismas wird monochromatische Strahlung, also Strahlung einer bestimmten Wellenlänge, hergestellt. Die Photozelle dient zur Messung der Lichtintensität. Die Spektralphotometer sind meistens *Zweistrahlgeräte*. Dabei wird die monochromatische Strahlung in zwei gleichartige Strahlen zerlegt. Der eine Strahl wird durch die Probe geführt, der zweite durch eine *Vergleichszelle* mit dem reinen Lösungsmittel. Mit lichtempfindlichen Halbleitern als Detektoren wird die Intensität der beiden Strahlen gemessen und dann elektronisch verglichen. Die Extinktion kann dann in Abhängigkeit von der Wellenlänge als Zahlenwert angegeben werden. Moderne Geräte drucken das gesamte Absorptionsspektrum auf einem Schreiber aus oder zeigen es auf einem Monitor an.

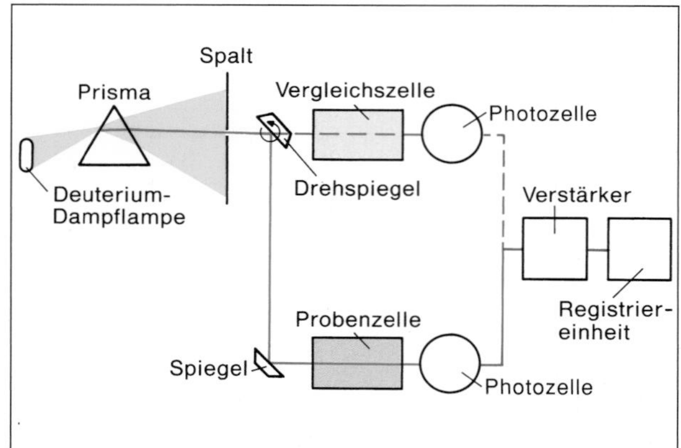

2. Aufbau eines Spektralphotometers

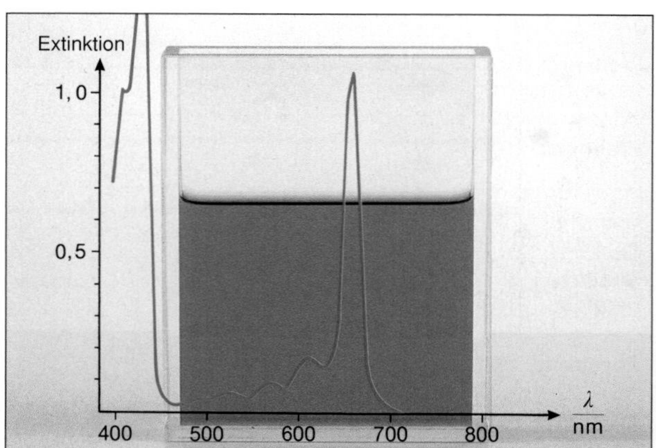

3. Absorptionsspektrum von Chlorophyll

12.10 IR-Spektroskopie

Molekülschwingungen. Infrarot-Strahlung kann in Molekülen Schwingungen und Rotationen anregen. Man kann sich die Schwingungen der Atome eines Moleküls anschaulich wie die Schwingungen von Kugeln vorstellen, die über Federn miteinander verbunden sind. In einem Molekül können einerseits *Valenzschwingungen* auftreten, bei denen die Bindungslängen während des Schwingens periodisch verkürzt und verlängert werden. Daneben gibt es *Deformationsschwingungen:* Das Molekül schwingt unter periodischer Verkleinerung und Vergrößerung von Bindungswinkeln. Außer Schwingungen können auch Rotationen angeregt werden.

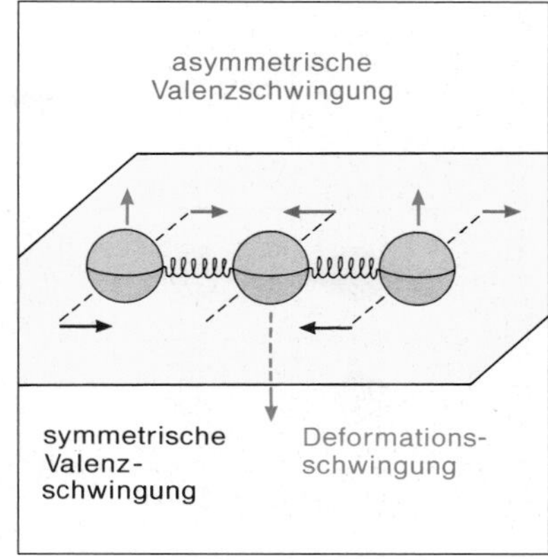

1. Valenzschwingung und Deformationsschwingung in Molekülen

Anwendung. Ein Vergleich zahlreicher IR-Spektren zeigt, dass bestimmte Atomgruppierungen weitgehend unabhängig von benachbarten Atomen immer IR-Strahlung im gleichen Wellenlängenbereich absorbieren. Vor allem funktionelle Gruppen haben häufig charakteristische *Absorptionsbanden* (Schlüsselbanden). Mit Hilfe der IR-Spektroskopie ist es daher möglich, in einem Molekül bestimmte funktionelle Gruppen zu erkennen. Die IR-Spektroskopie ist damit ein wichtiges Hilfsmittel bei der Strukturaufklärung organischer Verbindungen.

Strukturaufklärung. Die Lage einer Absorptionsbande im IR-Spektrum wird von drei Faktoren bestimmt:

1. Die Frequenz der Schwingung und damit auch die zur Anregung der Schwingung notwendige Energie ist umso größer, je fester die betreffende Bindung ist. Man kann diesen Zusammenhang im Kugel/Feder-Modell veranschaulichen: Je stärker die Feder zwischen den beiden Kugeln ist, desto mehr Energie muss zugeführt werden, um die Schwingung auszulösen. So schwingt die festere C=C-Zweifachbindung mit einer höheren Frequenz als die C–C-Einfachbindung. Die Absorptionsbande der C=C-Zweifachbindung liegt dementsprechend bei höherer Wellenzahl als die Absorptionsbande der C–C-Einfachbindung.
2. Die Frequenz der Schwingung ist bei ähnlicher Bindungsenergie umso größer, je kleiner die Massen der schwingenden Atome sind. Dem entspricht die Beobachtung, dass mit derselben Feder leichte Kugeln viel schneller schwingen als schwere Kugeln. Um beispielsweise eine C–H-Valenzschwingung anzuregen, muss daher viel mehr Energie aufgewendet werden als für eine C–Cl-Valenzschwingung.
3. Deformationsschwingungen sind leichter anzuregen als Valenzschwingungen.

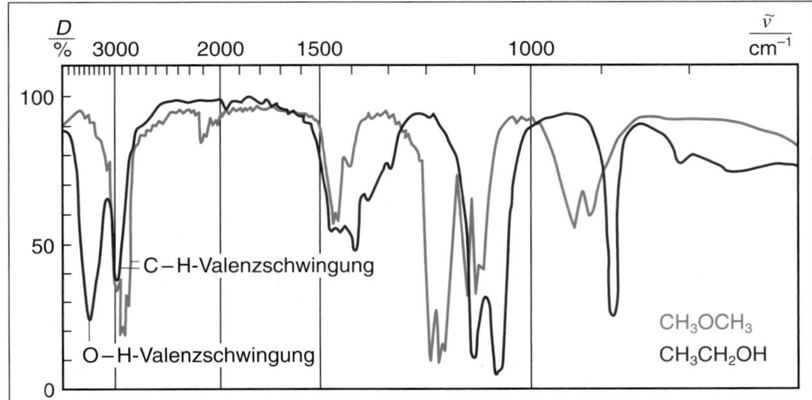

2. IR-Spektren von Ethanol und Dimethylether. In IR-Spektren trägt man die Durchlässigkeit $D = \frac{I}{I_0}$ gegen die Wellenzahl $\tilde{\nu} = \frac{1}{\lambda}$ auf.

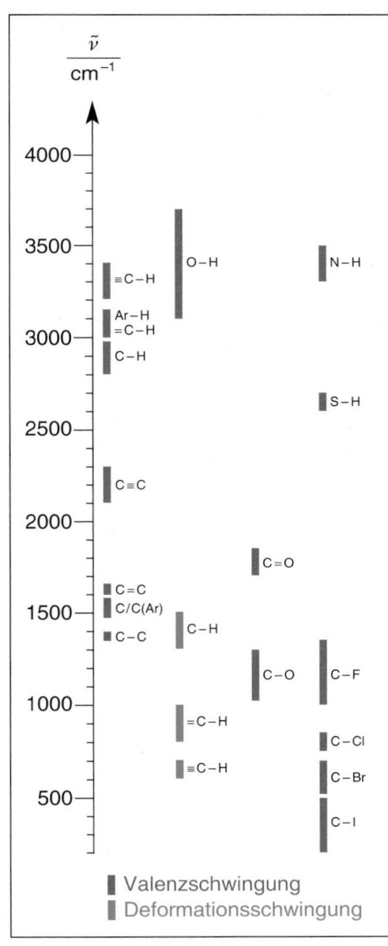

3. Spektrale Lage von IR-Banden (Schlüsselbanden)

12.11 NMR-Spektroskopie

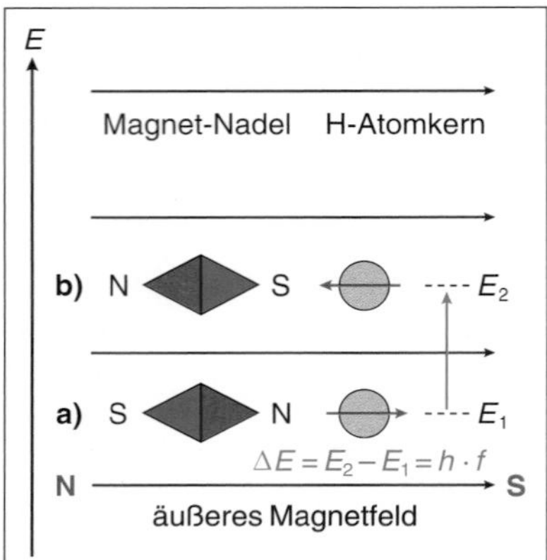

1. Kernspin und Magnetnadel im homogenen Magnetfeld.
a) parallel zum äußeren Feld,
b) antiparallel zum äußeren Feld

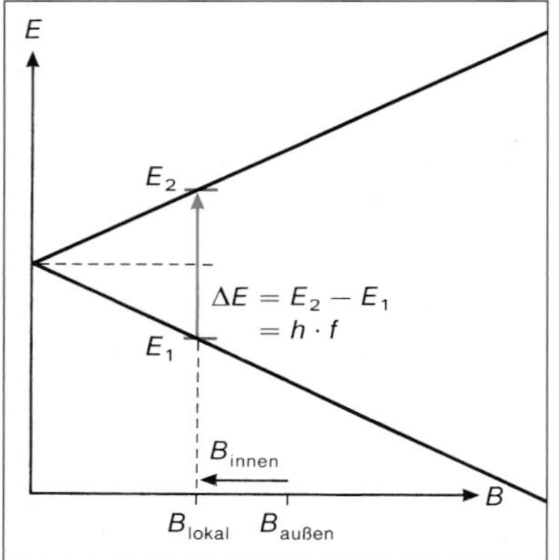

2. Chemische Verschiebung durch Abschirmung. Die magnetische Flussdichte *B* gibt die Stärke des Magnetfeldes an.

Der Name NMR-Spektroskopie leitet sich ab von der englischen Bezeichnung **n**uclear **m**agnetic **r**esonance (magnetische Kernresonanz). Bei der ^{1}H-NMR-Spektroskopie wird die Absorption von Radiowellen durch Wasserstoffverbindungen untersucht, die sich in einem starken homogenen Magnetfeld befinden.

Ähnlich wie Elektronen kann man auch Wasserstoff-Atomkernen (Protonen) einen **Spin** zuordnen, den man sich anschaulich als Rotation um die eigene Achse vorstellen kann. Mit dieser Rotation ist eine Bewegung elektrischer Ladung verbunden; dabei bildet sich ein Magnetfeld aus. Protonen können daher modellhaft als winzige Magnete betrachtet werden, die sich wie Magnetnadeln parallel zu den Feldlinien eines äußeren Magnetfeldes ausrichten.

Durch Absorption elektromagnetischer Strahlung einer bestimmten Frequenz werden die Protonen angeregt, es kommt zur Kernresonanz. Dabei wird der Kernspin umgekehrt und die Elementarmagnete orientieren sich antiparallel zu den Feldlinien des äußeren Feldes. Die erforderliche Anregungsenergie ist umso größer, je stärker das angelegte Magnetfeld ist. Aus praktischen Gründen wird bei der Kernresonanz-Spektroskopie elektromagnetische Strahlung einer *konstanten* Wellenlänge in die Probe eingestrahlt. Um ein NMR-Spektrum zu erhalten, wird die Stärke des äußeren Magnetfeldes kontinuierlich geändert.

Chemische Verschiebung. Die Elektronenhülle des H-Atoms schirmt den Kern gegen das angelegte Magnetfeld ab. Das am Atomkern wirksame *lokale* Magnetfeld ist daher geringfügig schwächer als das angelegte Feld. Um eine Kernresonanz zu erreichen, muss die Stärke des äußeren Magnetfeldes entsprechend erhöht werden. Das Absorptionsverhalten ist also von der Elektronendichte und damit vom Bindungspartner des H-Atoms abhängig. Dieser als *chemische Verschiebung* bezeichnete Effekt macht die NMR-Spektroskopie für den Chemiker interessant: H-Atome mit unterschiedlichen Bindungspartnern geben sich im NMR-Spektrum durch verschiedene Signale zu erkennen, man spricht in diesem Zusammenhang auch von H-Atomen mit unterschiedlicher chemischer Umgebung.

Die chemische Verschiebung wird relativ zu Tetramethylsilan ($(CH_3)_4Si$, TMS) als Vergleichssubstanz gemessen und in ppm angegeben. Aufgrund der im Vergleich zum Kohlenstoff-Atom geringeren Elektronegativität des Silicium-Atoms ist die Abschirmung der Protonen im Tetramethylsilan größer als in den meisten organischen Verbindungen.

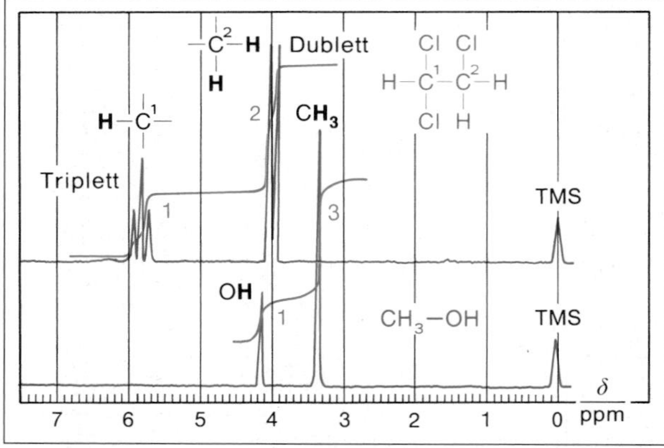

3. NMR-Spektren von Methanol und 1,1,2-Trichlorethan

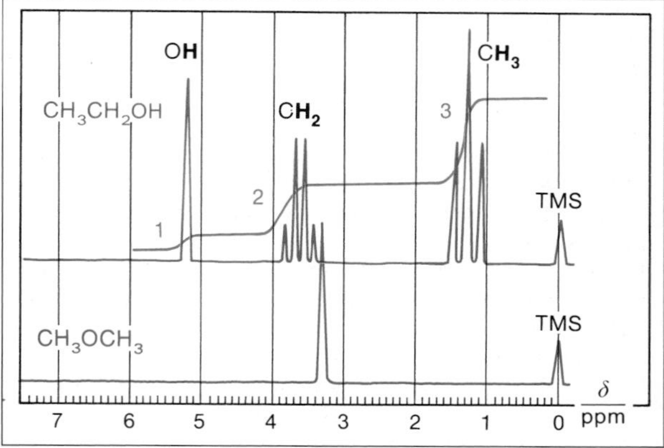

4. NMR-Spektren von Ethanol und Dimethylether

Spin/Spin-Kopplung. Das NMR-Spektrum des Methanols zeigt zwei verschiedene Signale. Dem Proton der OH-Gruppe entspricht ein kleines Signal bei größerer Verschiebung (höherem δ-Wert). Die drei Protonen der CH_3-Gruppe haben dieselbe chemische Umgebung und addieren sich daher zu einem größeren Signal; man sagt, die drei Protonen sind *äquivalent*.

Im NMR-Spektrum des 1,1,2-Trichlorethans wären demnach ebenfalls zwei Signale zu vermuten: eines für das Proton am C-1-Atom und eines für die beiden Protonen am C-2-Atom. Mit empfindlichen NMR-Geräten erhält man jedoch Spektren, in denen das Signal des Protons am C-1-Atom zu einem **Triplett** von drei Linien aufgespalten ist. Die Protonen am C-2-Atom erscheinen als **Dublett** von zwei Linien. Diese zusätzliche Linienaufspaltung bezeichnet man als *Spin/Spin-Kopplung*.

Das lokale Magnetfeld am Atomkern wird offensichtlich nicht nur durch seine eigene Elektronenhülle beeinflusst, sondern auch von dem Magnetfeld direkt benachbarter, nicht äquivalenter Protonen.

Befindet sich im 1,1,2-Trichlorethan das Proton am C-1-Atom in paralleler Orientierung zu dem angelegten Magnetfeld, so wird das äußere Feld bei den benachbarten Protonen lokal verstärkt. Ist das Proton am C-1-Atom dagegen antiparallel orientiert, so wird das äußere Feld geschwächt. Die Protonen am C-2-Atom reagieren auf das veränderte Feld: Die Resonanz erfolgt bei einer etwas höheren oder bei einer etwas niedrigeren Stärke des Magnetfeldes als erwartet. Da sich bei der Aufnahme des Spektrums immer ein Teil der Wasserstoff-Atomkerne in paralleler Orientierung, ein anderer Teil in antiparalleler Orientierung befinden, wird das Signal der Protonen am C-2-Atom zu einem *Dublett* aufgespalten. Die beiden Protonen am C-2-Atom spalten ihrerseits aufgrund der verschiedenen Einstellungsmöglichkeiten ihrer Kernspins das Signal des Protons am C-1-Atom zu einem *Triplett* auf.

Spineinstellung zum äußeren Magnetfeld	NMR-Signale
↑H–C¹– ↓H–C¹–	Dublett –C²–H H
–C²–H↑ H↑ –C²–H↓ H↑ –C²–H↑ H↓ –C²–H↓ H↓	Triplett H–C¹–

1. Spin/Spin-Wechselwirkung beim 1,1,2-Trichlorethan

A1 Erklären Sie das NMR-Spektrum von Ethanol.

EXKURS

Kernspin-Tomografie

Seit den 1980er Jahren verfügt die Medizin über eine neue Diagnosetechnik, die Kernspin-Tomografie. Sie arbeitet nach dem gleichen Prinzip wie die NMR-Spektroskopie. Anstelle einer kleinen Stoffprobe wird hier der Patient in ein Magnetfeld mit entsprechender Stärke gebracht. Um geeignete Magnetfelder zu erzeugen, benötigt man Spulen mit einem Innendurchmesser von etwa 60 cm und einer elektrischen Leistung von bis zu 70 kW. Das ganze Gerät muss vollkommen gegen magnetische Störfelder abgeschirmt werden.

Die Kernspin-Tomografie beruht darauf, dass sich verschiedene Gewebe in ihrem Wasserstoffanteil unterscheiden. Durch die Verwendung eines Magnetfeldes, das nicht homogen ist, sondern dessen Stärke sich linear mit einer Raumrichtung ändert, werden Querschnitte durch den menschlichen Körper aufgenommen. Mit Hilfe modernster Computertechnologie lassen sich aus den Querschnitten Ganzkörperabbildungen rekonstruieren.

Der Traum vom gläsernen Menschen ist damit wahr geworden. Die Kernspin-Tomografie wird beispielsweise zur Früherkennung von Tumoren eingesetzt.

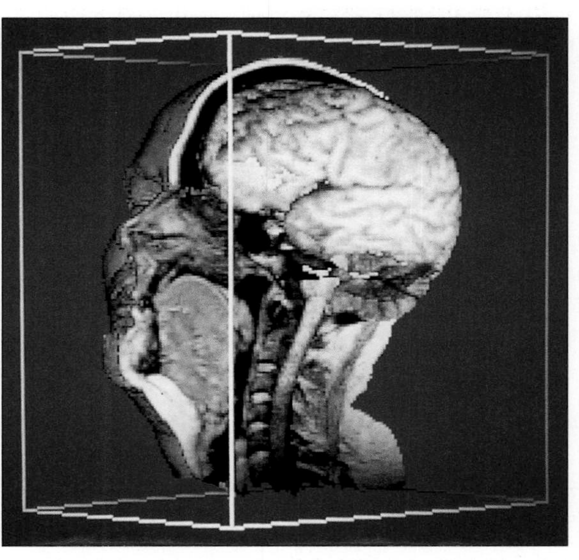

12.12 Aufgaben · Versuche · Probleme

Aufgabe 1: Eine Verbindung, die nur aus den Elementen Kohlenstoff, Wasserstoff und Sauerstoff besteht, wird quantitativ oxidiert. Der entstehende Wasser-Dampf wird von Calciumchlorid absorbiert, das Kohlenstoffdioxid wird von Natronkalk gebunden.

a) Weshalb muss zuerst das Wasser und dann erst das Kohlenstoffdioxid absorbiert werden?

b) Bei der Oxidation von 0,310 g Substanz entstehen 0,435 g Kohlenstoffdioxid und 0,260 g Wasser. Berechnen Sie das Atomanzahlverhältnis.

c) Zur Bestimmung der molaren Masse werden 0,210 g der Substanz verdampft. Bei 200 °C und 1013 hPa nimmt der Dampf ein Volumen von 0,133 l ein.
Bestimmen Sie die Molekülformel der Verbindung.

d) Um die Struktur genauer aufzuklären, wird die Substanz in Gegenwart von Schwefelsäure mit Essigsäure unter Rückfluss gekocht. Es bildet sich eine zweite flüssige Phase.
Diese wird abgetrennt und getrocknet. Die molare Masse dieser Flüssigkeit beträgt $146\ g \cdot mol^{-1}$.
Geben Sie die Strukturformeln der Ausgangsverbindung und der gebildeten Flüssigkeit an.

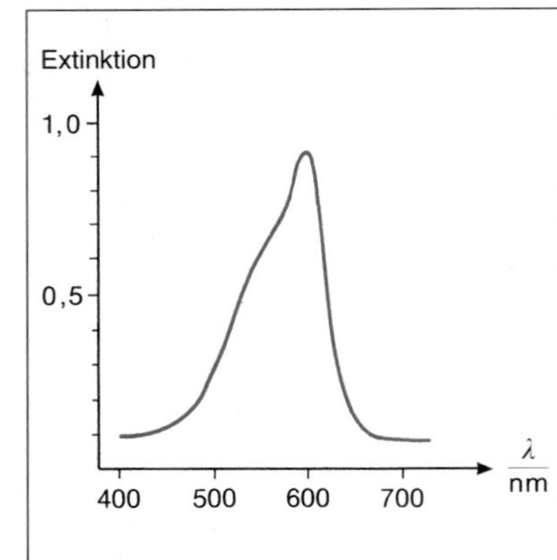

Aufgabe 2: Erläutern Sie anhand des Absorptionsspektrums von Kristallviolett, weshalb es sinnvoll ist, Extinktionsmessungen von Kristallviolett-Lösungen bei 590 nm und nicht etwa bei 490 nm oder bei 690 nm durchzuführen.

Aufgabe 3: **a)** Ordnen Sie in den unten abgebildeten IR-Spektren von Essigsäure und von Essigsäureethylester einige der Banden bestimmten Atomgruppierungen zu.

b) Welche Banden stimmen überein?

c) Erklären Sie die Unterschiede in den beiden IR-Spektren.

Versuch 1: Analyse eines Türschloss-Enteisers

Türschloss-Enteiser enthalten häufig reines Aceton (F).

a) Führen Sie eine qualitative Elementaranalyse durch.

b) Ermitteln Sie die molare Masse der Flüssigkeit.

c) Worauf beruht die Wirkung des Türschloss-Enteisers?

Problem 1: Eine unbekannte organische Verbindung soll analysiert werden. Mit den üblichen Methoden kommt man zu folgenden Atomanzahlverhältnissen: $N(C) : N(H) = N(C) : N(O) = 1 : 1$

a) Die Substanz lässt sich nicht unzersetzt verdampfen. Klären Sie, welche anderen Methoden zur Ermittlung der molaren Masse in Frage kommen.

b) Eine Bestimmung der molaren Masse der Verbindung ergibt rund $115\ g \cdot mol^{-1}$. Geben Sie die Molekülformel an.

c) Die Struktur der Verbindung soll mit Hilfe des IR-Spektrums und des Kernresonanz-Spektrums aufgeklärt werden (siehe unten). Entwickeln Sie die Strukturformel der unbekannten Verbindung.

d) Mit Hilfe welcher chemischer Reaktion lässt sich die ermittelte Struktur experimentell bestätigen?

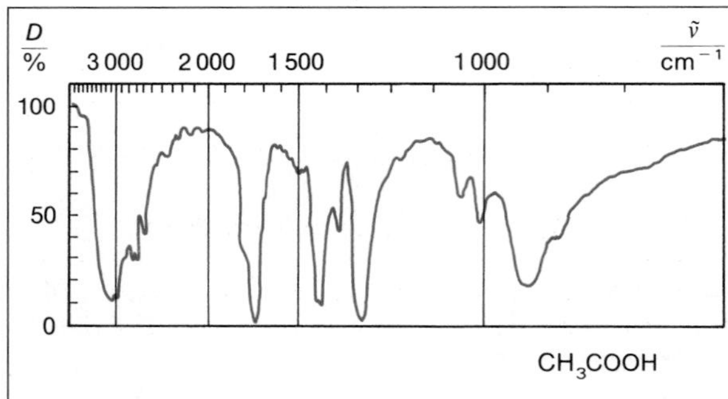

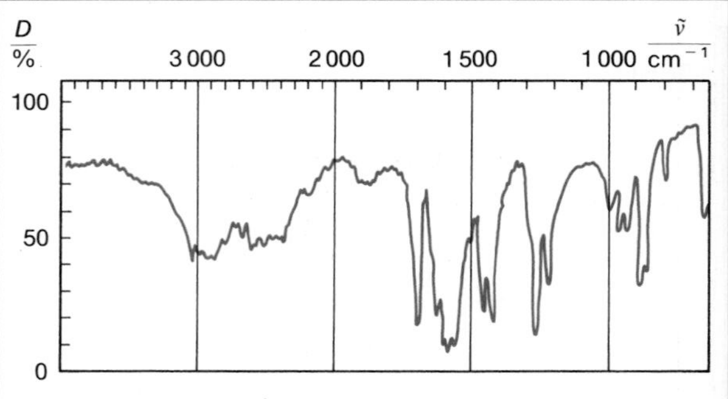

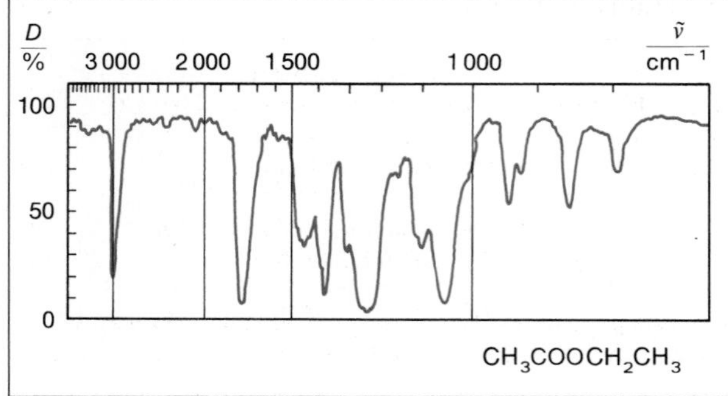

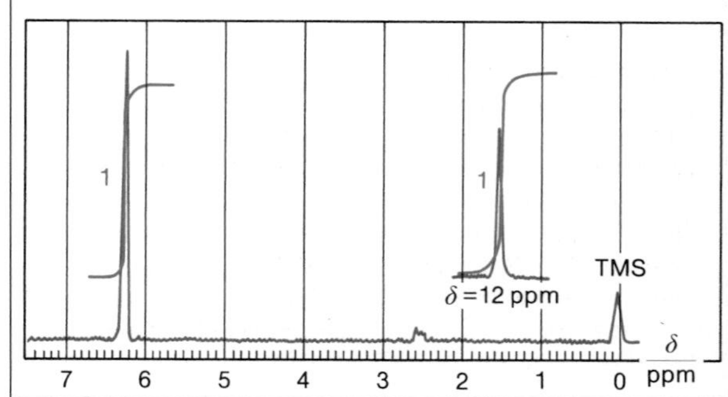

Grundlagen der organischen Chemie

1. Stoffklassen

	Funktionelle Gruppe	Stoffklasse
Kohlenwasserstoffe	–	Alkane, Alkene, Alkine, Aromaten
Hydroxyverbindungen	–OH	Alkohole, Phenole
Carbonylverbindungen	C=O	Aldehyde, Ketone, Carbonsäuren und Derivate

2. Isomerie

Konstitutions-Isomerie	Stereo-Isomerie
Stellungs-Isomerie	*Cis/trans*-Isomerie (Geometrische Isomerie)
Funktions-Isomerie	Optische Isomerie (Spiegelbild-Isomerie)
Protonen-Isomerie	Konformations-Isomerie
Valenz-Isomerie	

3. Formelermittlung

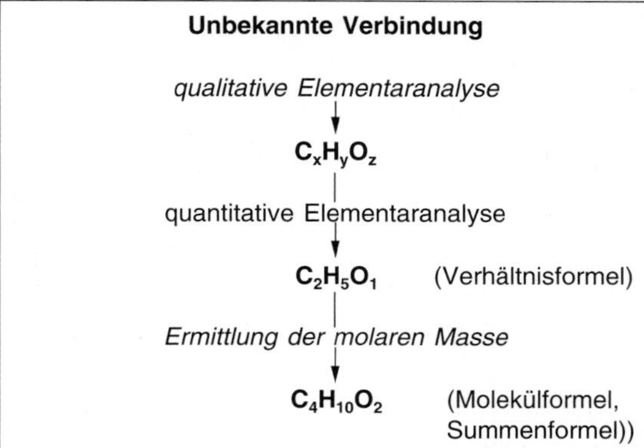

Unbekannte Verbindung
qualitative Elementaranalyse
$C_xH_yO_z$
quantitative Elementaranalyse
$C_2H_5O_1$ (Verhältnisformel)
Ermittlung der molaren Masse
$C_4H_{10}O_2$ (Molekülformel, Summenformel))

4. Strukturaufklärung

mit chemischen Methoden	mit Methoden der instrumentellen Analytik
Identifizierung von funktionellen Gruppen durch charakteristische Reaktionen	Massenspektroskopie UV-Spektroskopie IR-Spektroskopie NMR-Spektroskopie

5. Wechselwirkung mit elektromagnetischer Strahlung

Bei der Absorption von elektromagnetischer Strahlung wird die Strahlungsenergie auf die Moleküle der Stoffprobe übertragen.
Dabei werden – je nach Energie – Elektronen angeregt, es werden Schwingungen oder Rotationen von Atomen oder Atomgruppen im Molekül ausgelöst, oder es kommt zu einer Kernspinresonanz.

6. LAMBERT-BEERsches Gesetz

$$E(\lambda) = \lg \frac{I_0}{I} \varepsilon(\lambda) \cdot c \cdot d$$

Die Extinktion E ist ein Maß für die Verringerung der Intensität I eines Lichtstrahls durch eine Stoffprobe. Bei einer bestimmten Wellenlänge ist sie proportional der Konzentration c des Stoffes und der Schichtdicke d der Probe. Der Proportionalitätsfaktor ist der stoffspezifische Extinktionskoeffizient $\varepsilon(\lambda)$.

7. IR-Spektroskopie

Absorption von IR-Strahlung ⇓ Anregung von Schwingungen und Rotationen von Molekülen

Valenzschwingungen: periodische Veränderung der Bindungslängen.
Deformationsschwingungen: periodische Veränderung der Bindungswinkel.
Die Anregungsenergie der Schwingungen ist spezifisch für bestimmte Atomgruppen. Das Auftreten von solchen *Schlüsselbanden* in einem IR-Spektrum erlaubt Rückschlüsse auf die funktionellen Gruppen.

8. NMR-Spektroskopie

Absorption elektromagnetischer Strahlung in einem Magnetfeld ⇓ Spin-Umkehr von Wasserstoff-Atomkernen

Die Anregungsenergie ist abhängig von der Feldstärke des angelegten Magnetfeldes und der chemischen Umgebung des jeweiligen Protons.

Die Messung der chemischen Verschiebung erfolgt relativ zu TMS (Tetramethylsilan).

äquivalente Protonen (Protonen mit gleicher chemischer Umgebung) ⇓ Verstärkung des Signals
benachbarte nichtäquivalente Protonen (Spin/Spin-Kopplung) ⇓ Aufspaltung des Signals in Dubletts oder Multipletts

13 Gesättigte Kohlenstoffverbindungen

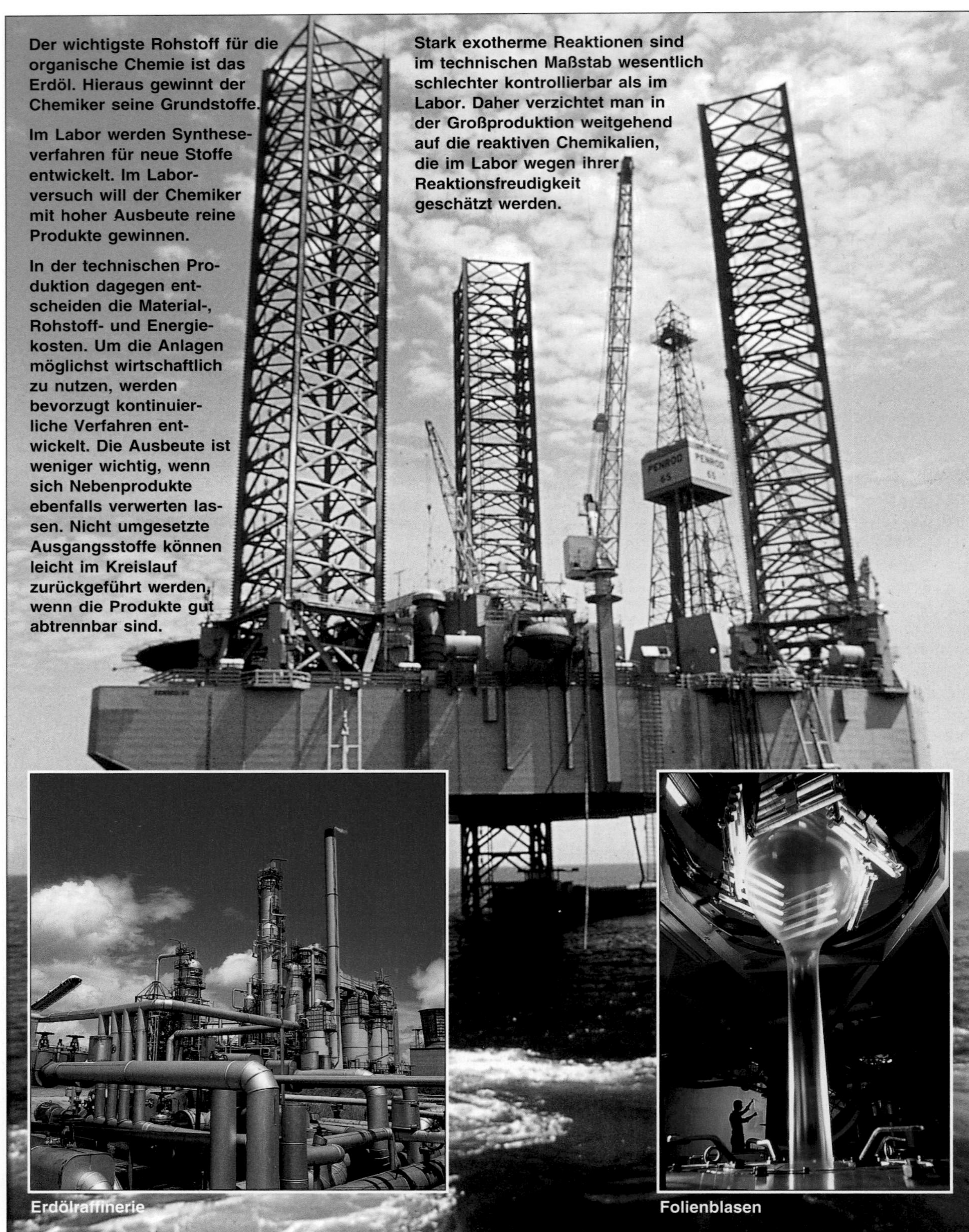

Der wichtigste Rohstoff für die organische Chemie ist das Erdöl. Hieraus gewinnt der Chemiker seine Grundstoffe.

Im Labor werden Syntheseverfahren für neue Stoffe entwickelt. Im Laborversuch will der Chemiker mit hoher Ausbeute reine Produkte gewinnen.

In der technischen Produktion dagegen entscheiden die Material-, Rohstoff- und Energiekosten. Um die Anlagen möglichst wirtschaftlich zu nutzen, werden bevorzugt kontinuierliche Verfahren entwickelt. Die Ausbeute ist weniger wichtig, wenn sich Nebenprodukte ebenfalls verwerten lassen. Nicht umgesetzte Ausgangsstoffe können leicht im Kreislauf zurückgeführt werden, wenn die Produkte gut abtrennbar sind.

Stark exotherme Reaktionen sind im technischen Maßstab wesentlich schlechter kontrollierbar als im Labor. Daher verzichtet man in der Großproduktion weitgehend auf die reaktiven Chemikalien, die im Labor wegen ihrer Reaktionsfreudigkeit geschätzt werden.

Erdölraffinerie

Folienblasen

13.1 Petrochemie – aus der Erbschaft von Jahrmillionen

Die wichtigsten Rohstoffe für die industrielle organische Chemie sind Erdöl und Erdgas. Gebildet wurden sie vor mehr als hundert Millionen Jahren beim Abbau von biologischen Materialien unter Ausschluss von Sauerstoff. *Erdgas* besteht überwiegend aus Methan mit unterschiedlichen Gehalten von Schwefelwasserstoff. *Erdöl* ist ein Gemisch aus einer Vielzahl von Kohlenstoffverbindungen.

Paraffinisches Erdöl besteht zum größten Teil aus Alkanen. Überwiegt der Anteil an Cycloalkanen, so spricht man von *naphthenischem* Öl. In der **Petrochemie** wird das komplexe Gemisch der fossilen Rohstoffe aufgearbeitet. Kraftstoffe und Schmiermittel sind die wichtigsten Produkte. Nur ein geringer Anteil des Erdöls wird bisher in höherwertige Grundstoffe für die chemische Industrie umgewandelt.

Alter in 10^6 Jahren	Formationen	Erdölfelder · kleine • große ▲ Erdgasfelder
	Quartär	
65	Tertiär	·
135	Kreide	:
190	Jura	•
	Trias	•
	Buntsandstein	▲
225	Zechstein	▲
	Rotliegendes	▲
280	Karbon	▲
345		

1. Entstehung der fossilen Rohstoffe in der Erdgeschichte

Historische Entwicklung. Durch den Aufschwung der Textilindustrie im 18. Jahrhundert nahm der Bedarf an Chemikalien für die Färberei erheblich zu. Ähnlich wie bei den Arzneimitteln standen damals nur sehr teure *Naturprodukte* für diesen Zweck zur Verfügung. Die ersten chemischen Betriebe beschäftigten sich mit der Gewinnung und Reinigung von Farbstoffen wie Krapp oder Indigo.

In der Mitte des 19. Jahrhunderts gelang es, industrielle Synthesen auf der Basis von *Steinkohlenteer* zu entwickeln. Dieser Rohstoff, der bei der Herstellung von Koks anfiel, bestimmte die organische Chemie für fast hundert Jahre. Viele noch heute aktuelle Farbstoffe wie Indigo wurden aus Teer hergestellt. Auch für Arzneimittel wie Acetylsalicylsäure (Aspirin) diente Teer als Rohstoff.

Neue Synthesewege wurden seit 1910 durch die Produktion von Ethin (Acetylen) aus *Carbid* (CaC_2) erschlossen. Da Calciumcarbid aus Kohle und Kalk gewonnen wurde, blieb die *Kohle* der entscheidende Rohstoff für die organische Chemie.

In den USA entwickelte sich zwischen den Weltkriegen eine industrielle Chemie auf der Basis von *Erdöl* und *Erdgas*, da diese Rohstoffe preiswert zur Verfügung standen. Als ab 1950 die riesigen Ölfelder am Persischen Golf erschlossen wurden, schwenkte auch die europäische Chemieindustrie auf diesen Rohstoff um. Inzwischen stammen etwa 90 % aller organischen Produkte aus Erdöl und Erdgas. Diese Rohstoffe sind billig, sie lassen sich mit geringem Aufwand transportieren und leicht verarbeiten. So ist es verständlich, dass die chemische Industrie heute weitgehend von diesen Rohstoffen abhängt.

2. Teerfabrik um 1900

Erdgas und Erdöl stehen in kommenden Jahrzehnten nur noch begrenzt als Rohstoffe zur Verfügung. *Nachwachsende Rohstoffe* wie Rapsöl werden das Erdöl nur als Energieträger ersetzen können. In der chemischen Industrie wird ein anderer Weg erprobt: Die Vorräte an Kohle übersteigen die Erdölreserven um ein Vielfaches. Durch *Kohleveredelung* lassen sich erdölähnliche Produkte gewinnen. Die chemische Industrie könnte dann weiterhin ihre bewährten Verfahren einsetzen, die auf petrochemischen Grundstoffen basieren.

Kohleveredelung. Das technisch ausgereifteste Verfahren zur Kohleveredelung ist die *Kohlevergasung*. Dabei wird Kohle bei hoher Temperatur mit Sauerstoff und Wasser zu Gemischen aus Wasserstoff, Methan und Kohlenstoffoxiden umgesetzt. In Folgereaktionen kann man Methanol oder auch Benzine herstellen. Bei der *Kohlehydrierung* wird die Kohle in Gegenwart von Wasserstoff katalytisch aufgearbeitet. Dabei erhält man Stoffgemische, die den Erdölfraktionen ähnlich sind. Wirtschaftlich sind Kohlevergasung und Kohlehydrierung gegenüber der Erdölverarbeitung noch nicht konkurrenzfähig.

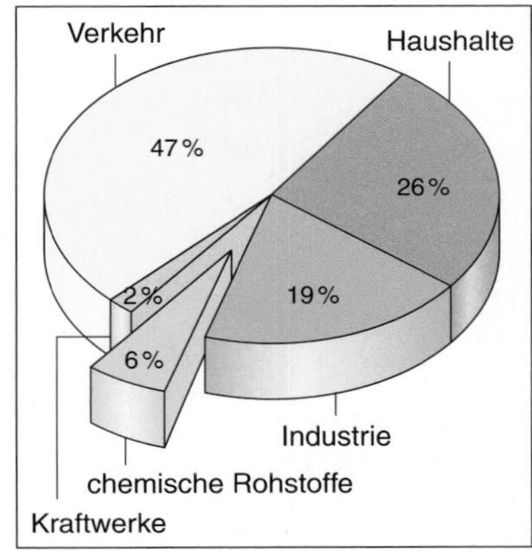

3. Verbrauch an Erdölprodukten (1997)

13.2 Erdölaufbereitung – ein raffiniertes Verfahren

	Nordsee	Venezuela
Schwefel	0,3 %	2,7 %
Gase	3 %	< 1 %
Leichtbenzin (leichtes Naphtha)	10 %	1 %
Schwerbenzin (schweres Naphtha)	9 %	1 %
leichtes Heizöl und Petroleum	27 %	12 %
leichtes Gasöl	10 %	12%
Rückstand der fraktionierten Destillation	41 %	74%

1. Zusammensetzung von Erdölen aus verschiedenen Quellen

A1 **a)** Welche Reinigungsschritte beim Erdöl müssen bereits im Herkunftsland durchgeführt werden? Begründen Sie Ihre Antwort.
b) Welche Vor- und Nachteile sind mit der vollständigen Aufbereitung des Erdöls im Herkunftsland verbunden?

Bevor das Erdöl zu einer Raffinerie kommt, werden die leicht siedenden Stoffe unter vermindertem Druck in einer Sprühkammer entzogen. Das *Rohöl* enthält aber noch Salzwasser, das erhebliche Korrosionsschäden verursachen kann. Das Salzwasser wird daher bei erhöhter Temperatur abgetrennt. Danach wird das Öl mit Süßwasser gewaschen und kommt als *Reinöl* mit Schiffen oder durch Pipelines zur Raffinerie.

Das wichtigste Trennverfahren für Erdöl ist die **fraktionierte Destillation** oder *Rektifikation.* Das Reinöl wird kontinuierlich bei 300 °C in den unteren Teil einer Destillierkolonne eingespritzt. Die flüssigen Bestandteile sammeln sich am Boden der Kolonne, während die Dämpfe aufsteigen. Ein dosierter Rückfluss sorgt für ein Temperaturgefälle in der Kolonne. So reichern sich *Fraktionen* entsprechend ihren Siedebereichen in verschiedenen Höhen an. Böden mit glockenförmigen Einsätzen in der Kolonne ermöglichen eine verbesserte Trennung der Fraktionen.

In einer modernen Anlage werden etwa 250 Tonnen Erdöl in einer Stunde aufgetrennt. Aus Sicherheitsgründen errichtet man die Kolonnen als freistehende Anlagen. Bei der *Destillation unter Normaldruck* werden Leichtbenzin, Schwerbenzin, Heizöle und Gasöle in verschiedenen Höhen als Fraktionen seitlich entnommen. Der Rückstand wird einer *Vakuumdestillation* unterworfen. Hier erhält man als Fraktionen Spindelöl, Schmieröl und Zylinderöl. Der Rückstand kann als Bitumen oder als Brennstoff verkauft werden.

Mit der **Lösungsmittelextraktion** erfolgt eine weitere Auftrennung von Erdölfraktionen. So werden die Aromaten mit Lösungsmitteln wie Furfurol aus den Benzinen abgetrennt. Andererseits kann man geradkettige Paraffine aus Schmierölen durch Abkühlen auskristallisieren lassen. Dabei halten Lösungsmittel wie Toluol die anderen Bestandteile in Lösung.

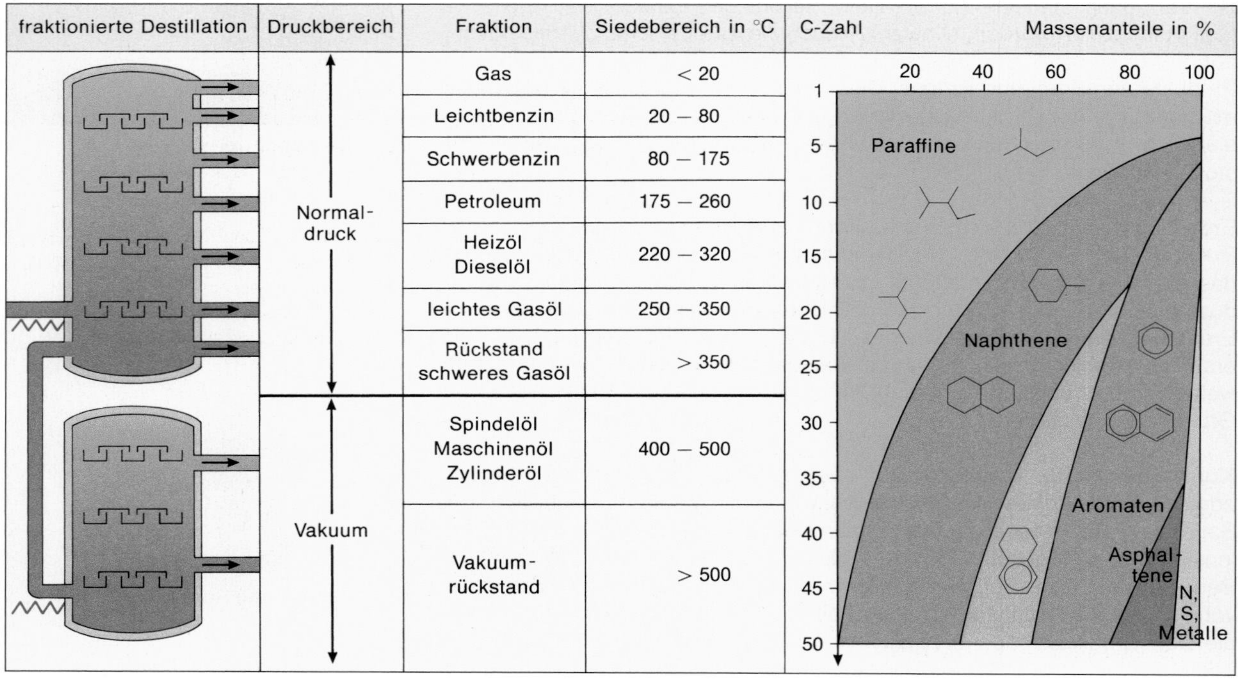

Druckbereich	Fraktion	Siedebereich in °C
Normaldruck	Gas	< 20
	Leichtbenzin	20 – 80
	Schwerbenzin	80 – 175
	Petroleum	175 – 260
	Heizöl Dieselöl	220 – 320
	leichtes Gasöl	250 – 350
	Rückstand schweres Gasöl	> 350
Vakuum	Spindelöl Maschinenöl Zylinderöl	400 – 500
	Vakuumrückstand	> 500

2. Fraktionen des Erdöls

13.3 Erdölveredelung – jeder Tropfen wird genutzt

Die Produktverteilung der Erdöldestillate entspricht nicht der Nachfrage der Verbraucher. So besteht ein erheblicher Überschuss an hoch siedenden Ölen. Dagegen reichen die Benzinfraktionen bei weitem nicht aus, um den Bedarf an Kraftstoffen zu decken. Auch wichtige Grundstoffe für die chemische Industrie wie Ethen oder Buten können nicht ausreichend zur Verfügung gestellt werden. Oft haben auch die einzelnen Fraktionen nicht die gewünschte Qualität. Chemische Umwandlungen müssen daher helfen, um Angebot und Nachfrage zur Deckung zu bringen.

Cracken. In Crackanlagen werden längere Kohlenwasserstoff-Moleküle in kürzere zerlegt (engl. *to crack:* zerbrechen). Dabei entstehen sowohl gesättigte als auch ungesättigte Kohlenwasserstoffe. Durch *thermisches Cracken* (Pyrolyse) von Leichtbenzin bei Temperaturen um 800 °C und bei hohen Drucken erhält man Grundstoffe wie Ethen und Propen. Diese Reaktion verläuft über Radikale.
Beim *katalytischen Cracken* zerlegt man Gasöle im Temperaturbereich zwischen 400 °C und 500 °C in Gegenwart eines sauren Katalysators. Diese Reaktion verläuft über ionische Zwischenstufen, sie liefert in weit höherem Maße auch verzweigte Alkane und Alkene. Die verzweigten Kohlenwasserstoffe werden besonders als klopffeste Komponenten für Ottokraftstoffe benötigt.
Beim *Hydrocracken* verläuft die katalytische Reaktion unter Zusatz von Wasserstoff zu gesättigten Verbindungen. In einer erwünschten Nebenreaktion wird der Schwefel als Schwefelwasserstoff abgespalten.

Reformieren. Erhitzt man Schwerbenzin an Katalysatoren auf 500 °C, so bilden sich ohne wesentliche Verkleinerung der Moleküle Isoalkane und Cycloalkane. Unter Abspaltung von Wasserstoff entstehen daraus auch Alkene und Aromaten. Durch dieses *Reformieren* erhält man Benzine mit hoher Octanzahl.

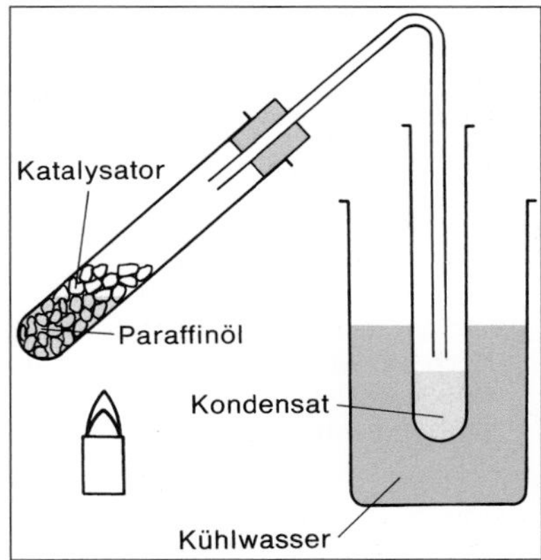

1. Versuchsaufbau zum Cracken von Paraffinöl. In einem Reagenzglas wird ein Gemisch aus Paraffinöl und Perlkatalysator mit dem Gasbrenner erhitzt. Die entstehenden Gase werden in einer gut gekühlten Vorlage kondensiert.

A1 Heptan wird thermisch gecrackt.
a) Zeichnen Sie die Zerfallsmöglichkeiten in die Strukturformel des Moleküls ein.
b) Geben Sie die Struktur der Teilchen direkt nach dem Zerfall an.
c) Welche Kohlenwasserstoffe können als Zerfallsprodukte auftreten?

EXKURS

Reines Benzin – schmutzige Ventile

Die Benzinfraktion aus der Erdöldestillation ist nicht direkt als **Ottokraftstoff** verwertbar, da sie zu Frühzündungen neigt. Die Klopffestigkeit lässt sich durch Zumischungen von Reformat-Benzin und Crack-Benzin nicht ausreichend erhöhen. Die geforderte Octanzahl erreichte man früher durch *Antiklopfmittel* wie Bleitetraethyl. Heute wird Methyl-*tert.*-butylether in Anteilen bis zu 10 % zugesetzt.

Bleirückstände werden mit *Halogenalkanen* in flüchtige Bleihalogenide umgewandelt und so aus dem Brennraum entfernt. Ablagerungen von Kohlenstoff werden zum Teil mit dem Schmieröl entfernt, der Rest wird durch *Rückstandsumwandler* schmelzfähig gemacht.

Aus **Dieselkraftstoff** scheiden sich bei tiefer Temperatur feste Paraffine ab. Beim Unterschreiten dieser Stocktemperatur setzt sich der Kraftstofffilter zu und das Auto wird fahruntüchtig. *Fließverbesserer* wie Petroleum oder Ottokraftstoff senken die Stocktemperatur im Dieselkraftstoff unter –22 °C.

Durch *Zündbeschleuniger* wie Salpetersäureester wird die Zündfähigkeit des Dieselkraftstoffs erhöht. Dies verbessert vor allem die Kaltstarteigenschaften.

Durch *Antioxidantien* wie Phenole unterbindet man Verharzungen in Kraftstoffen und vermeidet so gummiartige Ablagerungen im Tank und in Leitungen. Gleichzeitig müssen katalytisch wirkende Metallspuren durch *Deaktivatoren* (Komplexbildner) unschädlich gemacht werden.

Als *Korrosionsinhibitoren* dienen Tenside. Die Moleküle werden mit der polaren Gruppe an der Metalloberfläche adsorbiert. Die unpolaren Reste bilden dann einen Schutzfilm. Ähnlich verhindern oberflächenaktive Stoffe die Vereisung und die Verunreinigung des Vergasers.

EXKURS

Chemie der Kraftstoffe

Im Kraftfahrzeugmotor sollen gasförmige Gemische aus geeigneten Kohlenwasserstoffen mit Luftsauerstoff möglichst vollständig verbrannt werden. Da die Kohlenwasserstoffe reaktionsträge sind, bedarf es hierzu hoher Zündtemperaturen.

Im **Dieselmotor** wird das Gemisch stark komprimiert. Die dabei erreichte Temperatur reicht zur *Selbstzündung.* Die Wirksamkeit eines Dieselmotors hängt von der Zündwilligkeit der eingesetzten Kohlenwasserstoffe ab. Zum Vergleich verwendet man Cetan (n-Hexadecan), das besonders zündfähig ist.
Die **Cetanzahl** (CZ) gibt den prozentualen Anteil an Cetan (CZ = 100) in einem Gemisch mit 1-Methylnaphthalin (CZ = 0) an, das mit dem untersuchten Dieselkraftstoff prüfgleich ist. Dieselkraftstoff soll eine Cetanzahl von mehr als 45 aufweisen. Die Erdöldestillate erreichen diesen Wert in der Regel ohne Zusätze.

Beim **Ottomotor** wird die Zündung nach dem Verdichten durch einen Zündfunken herbeigeführt. Die Wirksamkeit sinkt wesentlich, wenn das Benzin/Luft-Gemisch nicht durch den Zündfunken zur Explosion kommt, sondern bereits vorher von selbst zündet. Solche spontanen *Frühzündungen* erhöhen den Druck im Kolben stark und sind als *Klopfen* hörbar. Dieses Klopfen vermindert die Energieausbeute und führt zur Schädigung oder Zerstörung des Motors.

Die *Klopffestigkeit* zählt daher zu den wichtigsten Eigenschaften der Kraftstoffe für Ottomotoren. Zum Vergleich nimmt man das klopffeste Isooctan (2,2,4-Trimethylpentan), dem man die **Octanzahl** (OZ) 100 zuordnet.
Die Octanzahl gibt den prozentualen Anteil an Isooctan in dem Gemisch mit n-Heptan (OZ = 0) an, das die gleiche Klopfcharakteristik aufweist wie das zu prüfende Benzin. Um den Anforderungen zu genügen, muss *Superbenzin* die Octanzahl von 98 übersteigen, bei *Normalbenzin* liegt die Grenze bei 92.

Verbesserung der Benzinqualität. Die Erdöldestillate weichen mit Octanzahlen von 55 bis 72 erheblich von den Erfordernissen ab. Durch folgende Methoden wird die Octanzahl in Raffinerien erhöht:
1. Vermehrung des Anteils an klopffesten Benzinkomponenten durch *Isomerisierung* oder *Dehydrierung.* Hierbei erhält man verzweigte Alkane, Cycloalkane, Benzol und andere Aromaten, die besonders hohe Octanzahlen aufweisen. Wegen ihres Krebs erzeugenden Potentials musste der Anteil an Benzol und anderen Aromaten im Benzin allerdings wieder zurückgedrängt werden. 1997 enthielt Ottokraftstoff in Deutschland 2 % Benzol.
2. Zusatz von Stoffen mit hohen Octanzahlen wie *Methanol, Ethanol* oder neuerdings *Methyl-tert.-butylether* (MTBE). Methanol und Ethanol führen jedoch zur Aufnahme von Wasser in den Kraftstoff und so zu Korrosion. Die Alkohole haben einen geringeren Brennwert. Bei ihrem hohen Preis sind sie wirtschaftlich noch nicht interessant. Produktion und Verwendung des Methylbutylethers sind dagegen in letzter Zeit stark angestiegen.

Klopfen des Motors. Der erste Schritt zur Selbstzündung ist die Ablösung eines Wasserstoff-Atoms vom Kohlenwasserstoff durch Sauerstoff. Dabei bilden sich zwei Teilchen mit je einem ungepaarten Elektron, ein Hydroperoxid-Radikal (H–O–O•) und ein Alkyl-Radikal ($R-CH_2\cdot$). Diese reaktiven Teilchen starten eine radikalische Kettenreaktion. Dabei kann so viel Energie frei werden, dass es bei lokaler Überhitzung zur Frühzündung kommt.
Früher wurde dem Kraftstoff **Bleitetraethyl** $Pb(C_2H_5)_4$ zugesetzt. Diese Bleiverbindung reagiert mit den Radikalen zu reaktionsträgen Produkten. So wird die Selbstzündung unterdrückt. Da verbleites Benzin in mehrfacher Hinsicht nicht umweltverträglich ist, wurde die Verwendung von Bleitetraethyl durch eine erhöhte Mineralölsteuer zurückgedrängt. Bereits seit Ende 1996 gibt es in Deutschland an den Tankstellen der großen Mineralölkonzerne kein verbleites Superbenzin mehr zu kaufen.

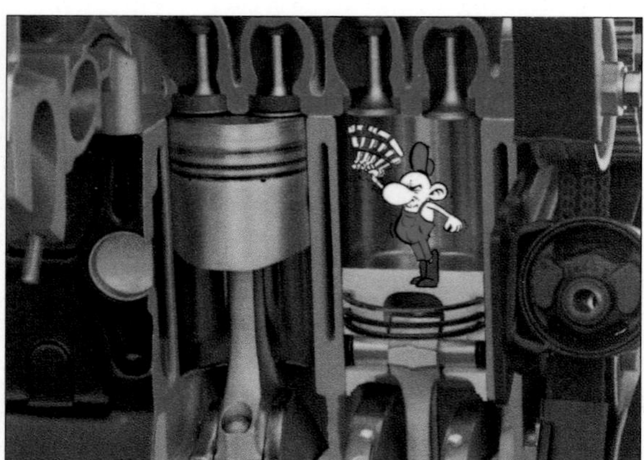
Der Klopfvorgang im Motor

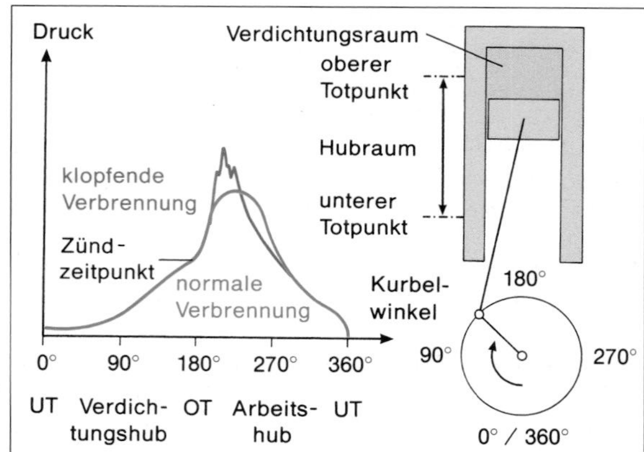

Druckänderungen bei der Verbrennung in einem Ottomotor

13.4 Alkane – häufig nur Brennstoffe

Alkane weisen C–H-Einfachbindungen und C–C-Einfachbindungen auf. Diese Atomgruppierungen werden im Allgemeinen wegen ihrer Reaktionsträgheit nicht zu den funktionellen Gruppen gerechnet. Dennoch bestimmen sie das Reaktionsverhalten der Alkane gegenüber Sauerstoff oder Halogenen.

Die bedeutendste Reaktion der Alkane ist die **Verbrennung.** So werden etwa 60 % des Energiebedarfs in Deutschland durch die Verbrennung von Erdgas und Erdöl gedeckt. *Erdgas* enthält als Hauptbestandteil das einfachste Alkan, das Methan. *Erdöl* ist ein Gemisch aus mehreren tausend Kohlenwasserstoffen, die meisten davon sind Alkane und Cycloalkane. Bei vollständiger Verbrennung mit Luftsauerstoff reagieren Alkane zu Kohlenstoffdioxid und Wasser. Die Reaktionsenthalpie wird als Wärme genutzt. Ein Beispiel ist die Verbrennung von Methan:

$$CH_4\ (g) + 2\ O_2\ (g) \longrightarrow CO_2\ (g) + 2\ H_2O\ (g); \quad \Delta_R H_m^0 = -802\ kJ \cdot mol^{-1}$$

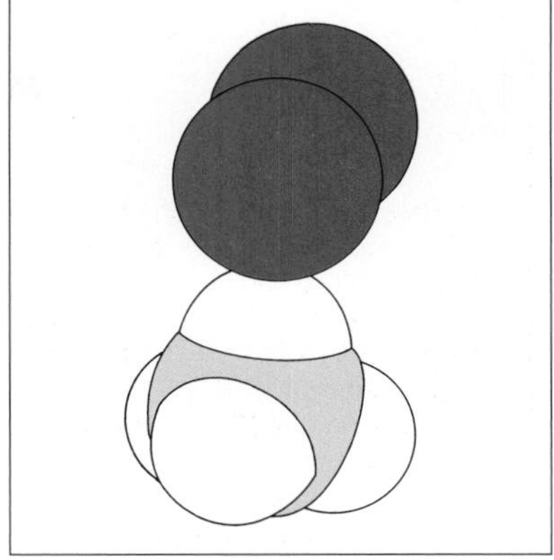

1. Verbrennung von Methan. Das Sauerstoff-Molekül greift am Wasserstoff-Atom an.

Die molare Reaktionsenthalpie kann auch aus den molaren Bindungsenthalpien berechnet werden. Bei Verwendung der tabellierten Mittelwerte treten allerdings Abweichungen auf:

$$\Delta_R H_m^0 = 4 \cdot \Delta_B H_m^0\ (C-H) + 2 \cdot \Delta_B H_m^0\ (O=O) - 2 \cdot \Delta_B H_m^0\ (C=O) - 4 \cdot \Delta_B H_m^0\ (H-O)$$

$$= 4 \cdot 413\ kJ \cdot mol^{-1} + 2 \cdot 498\ kJ \cdot mol^{-1} - 2 \cdot 803\ kJ \cdot mol^{-1} - 4 \cdot 463\ kJ \cdot mol^{-1}$$

$$\Delta_R H_m^0 = -810\ kJ \cdot mol^{-1}$$

Aus der Sicht des Chemikers ist die Verbrennung der Alkane eine nutzlose Reaktion, da keine verwertbaren Reaktionsprodukte erhalten werden. Bei dem Versuch, Alkane mit Säuren, Laugen oder unedlen Metallen umzusetzen, erweisen sie sich als sehr reaktionsträge. Alkane nennt man daher auch *Paraffine* (lat. *parum affinis:* wenig teilnehmend).

Die **Reaktionsträgheit** der Alkane lässt sich durch ihre Struktur erklären: Alle Atome weisen die maximale Zahl an Bindungspartnern auf. Die Alkane sind *gesättigte Kohlenwasserstoffe.* Bevor eine neue Bindung geknüpft werden kann, muss eine andere Bindung gelöst werden. C–H-Bindungen sind sehr stabile Einfachbindungen. Die etwas schwächeren C–C-Bindungen sind durch die Wasserstoff-Atome gegen Angriffe *abgeschirmt.* Die C–H-Bindung ist wegen des geringen Unterschieds in den Elektronegativitäten der Bindungspartner nahezu unpolar. Ohne Teilladungen im Molekül werden auch keine starken Anziehungskräfte auf angreifende polare Teilchen ausgeübt.

Eine chemische Reaktion kann nur dann ablaufen, wenn die Teilchen zusammenstoßen. Dabei muss die *Bewegungsenergie* der Teilchen mindestens so groß sein wie die *Aktivierungsenergie* der Reaktion. Bei der Reaktion der Alkane wird eine hohe Aktivierungsenergie benötigt, um die festen C–H-Bindungen zu lösen; sie kann nur von energiereichen Teilchen erbracht werden. Dafür bedarf es in der Regel hoher Temperaturen, wie bei der **thermischen Verbrennung.**

Es gibt noch eine weitere Möglichkeit, die reaktionsträgen Alkane zur Reaktion zu bringen: die **katalytische Verbrennung.** Der eingesetzte Katalysator tritt mit den Ausgangsstoffen in Wechselwirkung. Dabei wird die zu lösende Bindung gelockert und somit die Aktivierungsenergie gesenkt. Daher kann die Reaktion bereits bei relativ niedriger Temperatur stattfinden. Geeignete Katalysatoren für Reaktionen, an denen Wasserstoff beteiligt ist, enthalten oftmals Platin.

A1 Flüssiggas (Butan) hat einen geringeren Heizwert als Benzin (Hexan).

a) Formulieren Sie die Reaktionsgleichungen für die Verbrennung dieser Alkane.

b) Bestimmen Sie die molaren Reaktionsenthalpien aus den molaren Standard-Bildungsenthalpien.

$\Delta_f H_m^0\ (C_4H_{10}\ (l)) = -148\ kJ \cdot mol^{-1}$

$\Delta_f H_m^0\ (C_6H_{14}\ (l)) = -199\ kJ \cdot mol^{-1}$

c) Bestimmen Sie die Stoffmengen in je 1 kg Hexan und Butan.

d) Bestimmen und vergleichen Sie die Heizwerte (Einheit: $kJ \cdot kg^{-1}$) von Hexan und Butan.

A2 *Gasfeuerzeuge* werden durch Feuerstein und Zündrad oder durch einen Piezo-Funken gezündet. Beim *Glühfeuerzeug* strömt das Gas an einem Katalysator vorbei. Erklären Sie die drei Zündverfahren.

13.5 Vom Alkan zum Halogenalkan – eine radikalische Substitution

1. Bromierung von Hexan

A1 Erläutern Sie das in der Abbildung dargestellte Experiment.

A2 Formulieren Sie die denkbaren Reaktionen, die zwischen *einem* Molekül Brom und *einem* Molekül Ethan stattfinden können.

A3 Die Bromierung von Methan soll qualitativ und quantitativ ausgewertet werden.
a) Wie lässt sich nachweisen, dass es sich bei den Reaktionsprodukten um Bromwasserstoff und Halogenalkane handelt?
b) Skizzieren Sie eine Apparatur, mit der man Bromwasserstoff während der Reaktion auffangen kann.
c) Wie kann man nach der Reaktion die entstandene Menge an Bromwasserstoff bestimmen?

A4 **a)** Vergleichen Sie die molaren Reaktionsenthalpien der Reaktionen von Methan mit den Halogenen Fluor, Chlor, Brom und Iod.
b) Ist eine Synthese von Fluormethan und Iodmethan danach möglich?

A5 Die Lösungsmittel Dichlormethan, Trichlormethan (Chloroform) und Tetrachlormethan werden durch Chlorierung von Methan hergestellt.
a) Formulieren Sie für die Bildung von Tetrachlormethan den Reaktionsmechanismus.
b) Wie lässt sich das Produktgemisch trennen?
c) Durch welche Reaktionsbedingungen lässt sich bevorzugt eine Mehrfachhalogenierung erreichen?

Die Reaktion mit den reaktionsfreudigen Halogenen Chlor und Brom stellt eine der wenigen Möglichkeiten dar, um aus den reaktionsträgen Alkanen verwertbare Produkte zu synthetisieren. Ein Methan/Chlor-Gemisch reagiert schon in diffusem Tageslicht. Die gleiche Reaktion verläuft in direktem Sonnenlicht explosionsartig.
Im Methan-Molekül wird dabei ein Wasserstoff-Atom durch ein Chlor-Atom ersetzt. Es entstehen Chlormethan und Chlorwasserstoff. Allgemein bezeichnet man Reaktionen, bei denen in einem Molekül ein Bindungspartner durch einen anderen Bindungspartner ersetzt wird, als **Substitutionsreaktionen** (lat. *substituere:* an die Stelle setzen).

Mechanismus der radikalischen Substitution. Im Vergleich zur Chlorierung ist die Bromierung von Methan leichter zu beobachten und erlaubt gute Rückschlüsse auf den Reaktionsmechanismus.

1. Startreaktion: Methan reagiert mit Brom nur, wenn Licht eingestrahlt wird, das energiereicher als rotes Licht ist. Durch die Absorption des Lichts werden die Br–Br-Bindungen der Brom-Moleküle gespalten. Bei dieser *Homolyse* (gr. *homos:* gleich, *lysis:* Auflösung) entstehen zwei Brom-Atome mit je einem ungepaarten Elektron. Teilchen mit ungepaarten Elektronen sind sehr reaktiv, man bezeichnet sie als **Radikale.**

Die Startreaktion kann nur ablaufen, wenn die Energie des eingestrahlten Lichts ausreicht, die Bindungen im Br_2-Molekül zu spalten:

$$Br{-}Br \xrightarrow{\text{Licht}} 2\ Br\cdot$$

2. Kettenreaktion: Das Brom-Radikal greift das Methan-Molekül an und löst ein Wasserstoff-Atom ab. Dabei entsteht als erstes Reaktionsprodukt Bromwasserstoff. Daneben bildet sich ein Methyl-Radikal als reaktive Zwischenstufe:

$$CH_4 + \cdot Br \longrightarrow \cdot CH_3 + HBr$$

Das zweite Reaktionsprodukt, Brommethan, bildet sich beim Zusammenstoß des Methyl-Radikals mit einem Brom-Molekül:

$$\cdot CH_3 + Br_2 \longrightarrow CH_3Br + \cdot Br$$

Das dabei entstandene Brom-Radikal steht wieder für die erste Teilreaktion zur Verfügung. Insgesamt kommt es so zu einer *radikalischen Kettenreaktion.*

3. Abbruchreaktion: Beendet man bei der Bromierung eines Alkans die Belichtung, so bricht die Reaktion nach kurzer Zeit ab. Beim Zusammenstoß zweier Radikale vereinigen sich diese und können daher die Kettenreaktion nicht mehr weitertragen. So bildet sich aus zwei Methyl-Radikalen Ethan, mit Brom-Radikalen reagieren Methyl-Radikale zu Brommethan:

$$H_3C\cdot + \cdot CH_3 \longrightarrow H_3C{-}CH_3$$

$$H_3C\cdot + \cdot Br \longrightarrow H_3C{-}Br$$

Die **Gesamtreaktion** ist eine Substitution, bei der die angreifenden Teilchen Radikale sind. Der zugehörige Reaktionsmechanismus wird daher *radikalische Substitution* genannt; als Abkürzung benutzt man die Bezeichnung S_R. Dieser Reaktionsmechanismus gilt allgemein für die Halogenierung von Alkanen. Die Gesamtreaktion für die Bromierung von Methan ergibt sich aus den beiden Teilschritten der Kettenreaktion:

$$CH_4 + Br_2 \longrightarrow CH_3Br + HBr$$

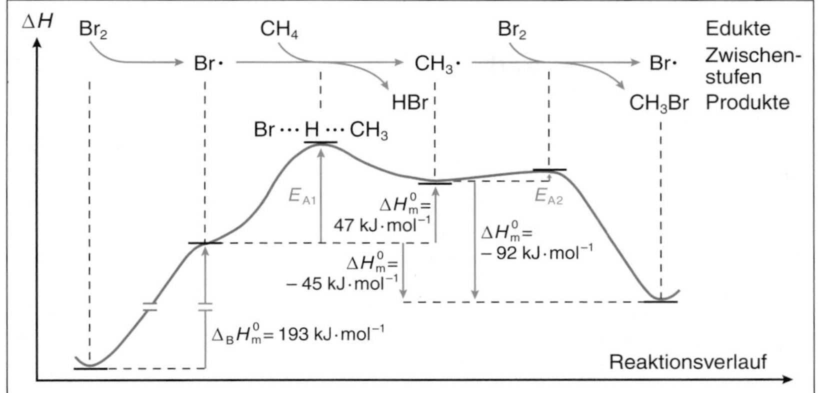

1. Energiediagramm der Reaktion von Methan mit Brom

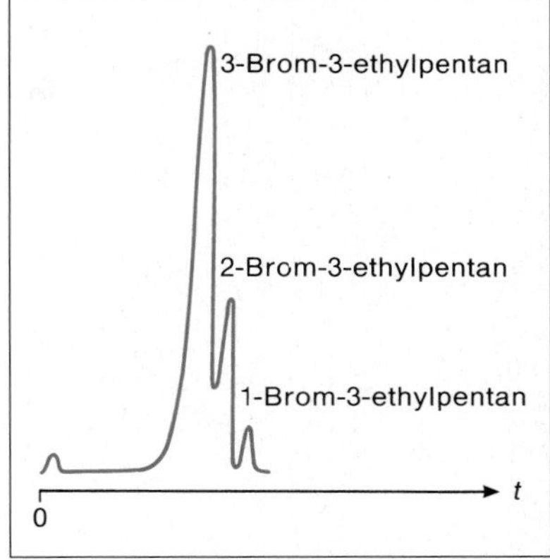

2. Gas-Chromatogramm der Monobromierung von 3-Ethylpentan

Mehrfachsubstitution. Bei der Bromierung von Methan findet man neben Brommethan auch Dibrommethan, Tribrommethan und Tetrabrommethan. Diese Verbindungen entstehen durch wiederholte Reaktion am gleichen Molekül. Über das Mischungsverhältnis Methan und Brom lässt sich die Ausbeute des gewünschten Produktes steuern.

Die radikalische Substitution wird in der chemischen Industrie vor allem bei der **Chlorierung von Methan** genutzt. Die Reaktion wird bei 700 °C durchgeführt; teure Strahlungsquellen sind somit überflüssig.

Inhibitoren. Häufig sind Radikalreaktionen unerwünscht und sollen unterdrückt werden. Hierzu verwendet man *Inhibitoren* (lat. *inhibere:* hemmen). Diese fangen Radikale ab und verhindern die Kettenreaktion. So werden viele Stoffe mit *Antioxidantien* als Inhibitoren gegen radikalische Reaktionen mit Sauerstoff geschützt.

A1 **a)** Vergleichen Sie die gas-chromatografisch ermittelten Ausbeuten der Monobromierungsprodukte von 3-Ethylpentan.
b) Welches Ausbeutenverhältnis ist nach der statistischen Wahrscheinlichkeit zu erwarten?
c) Welche Aussage ergibt sich für die Stabilität unterschiedlicher C–H-Bindungen?

A2 Welche Reaktionsschritte laufen ab, wenn man bei der Monobromierung von Methan Iod als Inhibitor zusetzt?

EXKURS

Reaktionsmechanismus

Während der *Reaktionstyp* nur formal den Unterschied zwischen dem Ausgangsmolekül und dem Produkt angibt, beschreibt der *Reaktionsmechanismus* die Veränderungen der beteiligten Teilchen während der Reaktion. Da ein Reaktionsmechanismus auf Atom- und Bindungsmodellen beruht, besitzt er ebenfalls Modellcharakter. Der Reaktionsmechanismus schafft das Verständnis, warum und wie eine Reaktion abläuft. So können Hypothesen für den Ablauf ähnlicher Reaktionen aufgestellt werden. Außerdem werden Vorhersagen über den Einfluss von Reaktionsbedingungen ermöglicht.
Eine kontinuierliche Beschreibung der Veränderungen während einer Reaktion ist in der Regel nicht möglich, man beschränkt sich auf die entscheidenden Stadien des Reaktionsablaufs. Neben den Ausgangs- und den Endstoffen werden die Übergangszustände und gegebenenfalls auch die Zwischenstufen angegeben.

Unter einer *Zwischenstufe* versteht man ein Teilchen, das zwar kurzlebig, aber dennoch nachweisbar ist. Dagegen stellt die Formulierung eines *Übergangszustandes* oder *aktivierten Komplexes* nur die wahrscheinlichste Hypothese für den Zustand dar, in dem eine Neuordnung von Bindungen erst teilweise stattgefunden hat.
Die Aufstellung eines Reaktionsmechanismus stützt sich auf die exakte Beobachtung der Reaktion. Besonders wichtig sind dabei die Reaktionsbedingungen und eventuell auftretende Nebenprodukte. Weitere Aussagen zu Zwischenstufen und Übergangszuständen erhält man durch gezielte Experimente.
Man ermittelt beispielsweise den zeitlichen Verlauf der Reaktion, setzt isotopenmarkierte Edukte ein oder wertet stereochemische Untersuchungen aus. Zwischenstufen lassen sich oft spektroskopisch nachweisen oder durch geeignete Reagenzien abfangen.

13.6 Struktur und Eigenschaft polarer Kohlenstoffverbindungen

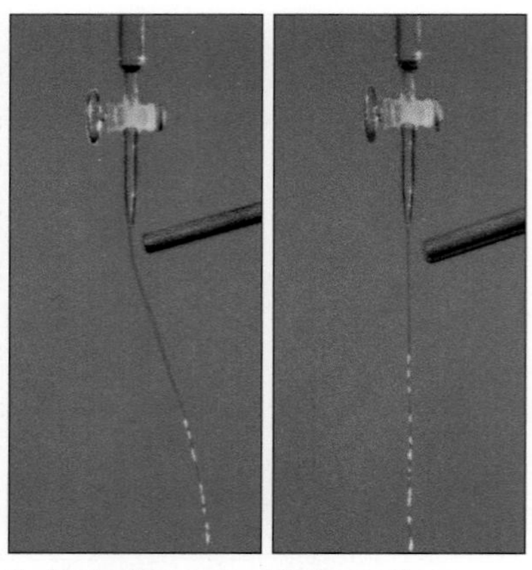

1. Verhalten verschieden polarer Stoffe in einem inhomogenen elektrischen Feld

A1 Welche der folgenden Verbindungen sind Dipole:
Dibromdifluormethan, Methanol, Tetraiodmethan, Diethylether, Trimethylamin?

A2 **a)** Zeichnen Sie die Strukturformel eines Wasser-Moleküls mit Partialladungen.
b) Was geschieht mit dem Wasser-Molekül, wenn man eine elektrische Ladung in seine Nähe bringt? Stellen Sie die Vorgänge zeichnerisch dar.
c) Was geschieht mit dem Wasser-Molekül, wenn es sich gleich weit von zwei gleich starken entgegengesetzten Ladungen befindet?

Kohlenstoff und Wasserstoff weisen nahezu gleiche Elektronegativitäten auf. Die C–H-Bindung ist daher praktisch *unpolar.* In vielen Stoffen sind Kohlenstoff-Atome jedoch mit Atomen höherer Elektronegativität verbunden. Hier liegen *polare* Bindungen vor, in denen das C-Atom eine positive Partialladung hat.

Das Ausmaß der Ladungstrennung in einem Molekül lässt sich durch sein *Dipolmoment* angeben. Treten mehrere polare Bindungen auf, so erhält man das Dipolmoment durch vektorielle Addition der einzelnen Bindungsmomente. Dipole richten sich in einem elektrischen Feld aus. Polare Flüssigkeiten werden daher durch einen elektrisch aufgeladenen Stab angezogen. Tetrachlormethan ist trotz polarer Bindungen kein Dipol, da sich die Bindungsmomente aufgrund der Molekülgeometrie aufheben.

Die **Siedetemperatur** eines Stoffes wird durch die Anziehungskräfte zwischen den Teilchen bestimmt. Zwischen unpolaren Molekülen wirken schwache *VAN-DER-WAALS-Bindungen*, deren Stärke mit der Berührungsfläche der Moleküle zunimmt. So steigt die Siedetemperatur der Alkane mit der Molekülgröße an. Auch bei Stoffen mit gleicher Molekülgröße gibt es auffällige Unterschiede in den Siedetemperaturen. So siedet Propan bei –42 °C, Dimethylether bei –23 °C und Ethanol bei +78 °C. Die Erhöhung der Siedetemperatur vom Propan zum Ether beruht auf der Anziehung der Dipole, die VAN-DER-WAALS-Bindung wird fester. Deutlich höher liegt die Siedetemperatur beim Ethanol, da zwischen Ethanol-Molekülen *Wasserstoffbrückenbindungen* vorliegen.

Zwischenmolekulare Wechselwirkungen bestimmen auch die **Löslichkeit** und die **Mischbarkeit** von Verbindungen. Unpolare und polare Stoffe, die *VAN-DER-WAALS-Bindungen*, aber keine Wasserstoffbrücken eingehen, sind miteinander mischbar. So ist Hexan ein gutes Lösungsmittel für Paraffin und es mischt sich mit Chloroform. Polare Stoffe, die untereinander *Wasserstoffbrückenbindungen* eingehen können, sind ebenfalls mischbar: Aceton und Wasser mischen sich, auch Zucker löst sich in Wasser. Dagegen ist Wasser mit Chloroform nicht mischbar und Zucker löst sich nicht in Hexan: Die festen Wasserstoffbrücken zwischen Wasser-Molekülen bzw. zwischen Zucker-Molekülen können nicht durch die schwächeren VAN-DER-WAALS-Bindungen mit den unpolaren Hexan-Molekülen ersetzt werden.

EXKURS

Wie entfernt man Flecken?

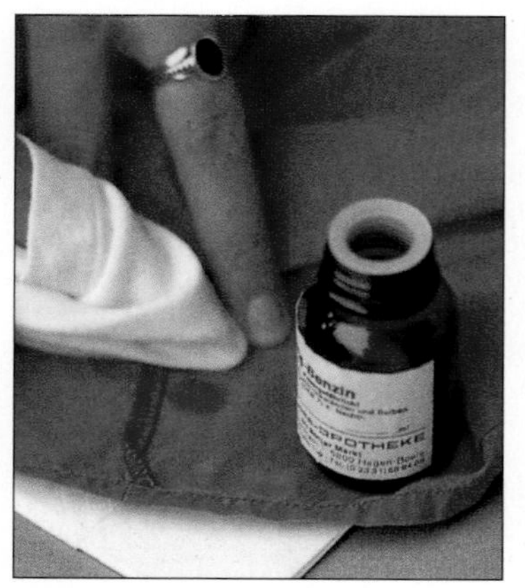

Flecken werden durch sehr verschiedene Stoffe verursacht, daher kann es ein universelles Fleckenentfernungsmittel nicht geben. Mit haushaltsüblichen Mitteln lassen sich verschiedene Flecken entfernen: Brennspiritus hilft bei Harz-, Farbband- oder Kugelschreiberflecken. Für Fettflecken nimmt man Waschbenzin. Ruß lässt sich am besten mit Seife entfernen. Für Rostflecken eignet sich eine Lösung von Citronensäure.
Ein Fleck sollte möglichst früh und von der Rückseite her behandelt werden. Die Verschmutzung muss jedoch nicht nur gelöst, sondern auch entfernt werden. Um dies zu erreichen, saugt man am besten das Lösungsmittel mit Papiertüchern vom frisch behandelten Material ab. Reinigt man Flecken vom Rand zur Mitte, so vermeidet man Schmutzränder.
Lösungsmittel greifen die verschmutzten Materialien unterschiedlich stark an. Bei empfindlichen Stoffen empfiehlt sich daher ein Test an einer unauffälligen Stelle. Bei Spezialmitteln sollte die Gebrauchsanweisung genau beachtet werden.

13.7 Halogenalkane – eine Stoffklasse mit vielen Gesichtern

Halogenalkane sind für den Chemiker wichtige Zwischenprodukte auf dem Weg vom Rohstoff Erdöl zu neuen Stoffen. Auch in vielen Bereichen des täglichen Lebens haben die Halogenalkane Einzug gehalten.

Werkstoffe. Der Kunststoff PVC (**P**oly**v**inyl**c**hlorid) wird zur Fertigung von Schläuchen, Fußbodenbelägen oder Haushaltsgegenständen eingesetzt. Vielseitige Verwendung findet Teflon (Polytetrafluorethen). Dieser Kunststoff ist thermisch und chemisch sehr beständig. Daher wird er bei der Herstellung von Laborgeräten, im Fahrzeugbau und in der Elektrotechnik verwendet. Teflon besitzt zudem Antihafteigenschaften und dient daher als Pfannenbeschichtung.

Wirkstoffe. Als Narkosemittel wird Halothan (2-Brom-2-chlor-1,1,1-trifluorethan) genutzt. Das früher gebräuchliche Chloroform (Trichlormethan) steht im Verdacht, Krebs zu erregen. Auch viele Pflanzenschutzmittel (Pestizide) sind organische Halogenverbindungen. Bekannte Beispiele sind Lindan (γ-**H**exachlor**c**yclo**h**exan, HCH) und DDT (**D**ichlor**d**iphenyl**t**richlorethan), deren Einsatz jedoch wegen der Umweltgefahren verboten wurde.

Lösungsmittel. Dichlormethan (Methylenchlorid) ist ein gutes Lösungsmittel für alle Fette und Öle. Selbst Harze, Kunststoffe und Lacke können darin gelöst werden. Wegen der niedrigen Siedetemperatur ist Dichlormethan auch als Extraktionsmittel sehr gut geeignet. Andere Halogenalkane wie Trichlorfluormethan haben ein geringeres Lösungsvermögen, sie werden zur schonenden Reinigung von Leder und Pelzen eingesetzt. Das wichtigste Lösungsmittel für die chemische Reinigung ist Tetrachlorethen (Per), ein ungesättigter chlorierter Kohlenwasserstoff.

Treibgase und Kältemittel. In Spraydosen wurden Chlorfluoralkane (FCKW) lange Zeit als Treibgase benutzt. Die gleichen Substanzen findet man als Kältemittel in Kühl- und Gefrierschränken sowie in Klimaanlagen. Die Chlorfluoralkane gefährden die Ozonschicht in der Stratosphäre. Bei einem Abbau der Ozonschicht gelangt die ultraviolette Strahlung der Sonne verstärkt bis zur Erdoberfläche und schädigt Menschen, Tiere und Pflanzen. Die meisten Chlorfluorkohlenwasserstoffe sind seit 1991 verboten. Fluorkohlenwasserstoffe (H-FKW), deren Moleküle keine Chlor-Atome enthalten, sind zwar weniger haltbar, schädigen die Umwelt aber deutlich weniger.

Lindan

DDT

1. Halogenhaltige Insektizide

Verbindung	Kurzbezeichnung	Siedetemperatur in °C
CCl_2F_2	R 12	−30
CCl_3F	R 11	−24
$CClF_2{-}CCl_2F$	R 113	48
$CF_3{-}CFH_2$	R 134a	−23
$CF_3{-}CF_2H$	R 125	−49
CF_3H	R 23	−83
$CF_3{-}CCl_2H$	R 123	29
$CH_3{-}CCl_2F$	R 141b	32
CF_2HCl	R 22	−41

A1 Ordnen Sie die in der Tabelle aufgeführten Stoffe nach H-FCKW, FCKW und H-FKW, und benennen Sie die Verbindungen.

EXKURS

Giftigkeit von Halogenalkanen

Ähnlich wie das in der Medizin gebräuchliche Halothan wirken viele andere Halogenalkane *narkotisch*. Das Einatmen dieser Stoffe kann durch Atem- oder Kreislauflähmung zum Tode führen. Diese Gefahr ist vor allem beim Umgang mit leicht verdampfbaren Stoffen zu beachten. Zudem beeinflussen Halogenalkane auch den *Herzrhythmus*. Herzstillstand ist daher eine häufige Todesursache bei der Vergiftung mit Halogenalkanen. Die hohe Sterblichkeit bei der veralteten Narkose mit Chloroform ist so zu erklären. Bei Leber- und Nierenschäden sind es Abbauprodukte (Metaboliten) der Halogenalkane, die Membranen in Leber und Niere zerstören. Auch reaktionsträge Halogenalkane können im Körper zu hochgiftigen Stoffen abgebaut werden.

Reaktionsträge Halogenalkane werden in der Umwelt gespeichert. Über die *Nahrungskette* werden diese Stoffe dann im Fettgewebe angereichert. Eine Gefährdung tritt ein, wenn Fettpolster abgebaut werden und es zu hoher Konzentration an Halogenalkanen im Blut kommt. Aufsehen erregten Berichte über den Gehalt von Pestiziden in der Muttermilch.

Einige Halogenalkane oder ihre Metaboliten reagieren mit Aminen und übertragen Alkyl-Reste. Diese *Alkylierung* kann auch an den Amino-Gruppen der Nucleinsäuren ablaufen. Diese Veränderung der Zellinformation in Körperzellen kann *Krebs* auslösen. Bei Keim- oder Embryozellen sind *mutagene* oder *teratogene* Wirkungen zu befürchten.

13.8 Vom Halogenalkan zum Alkanol – eine nucleophile Substitution

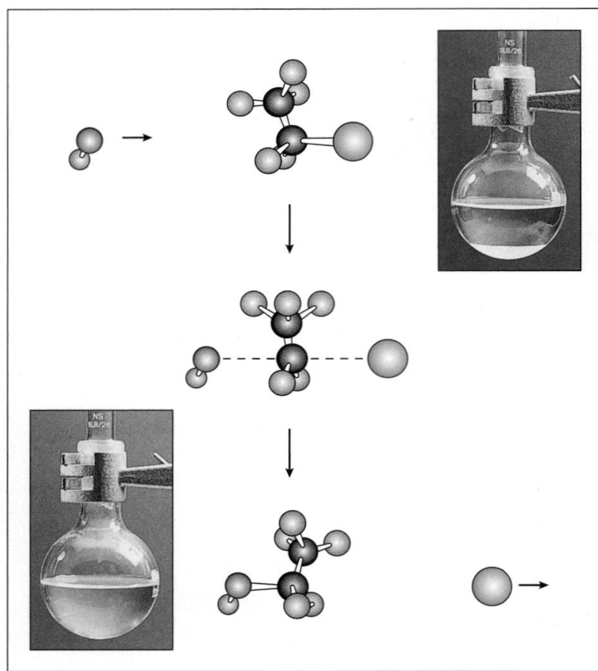

1. Reaktionsablauf der nucleophilen Substitution am Bromethan

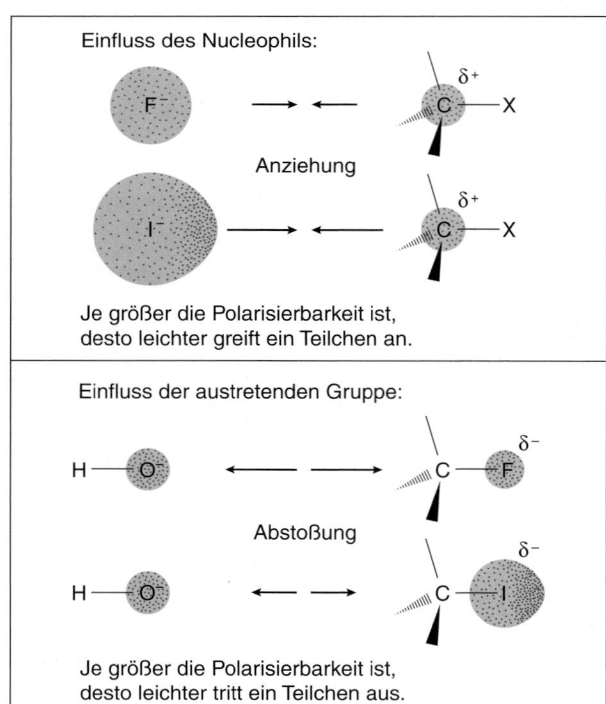

2. Polarisierbarkeit und Reaktivität

Erhitzt man die heterogene Mischung aus Bromethan und Kalilauge, so wird das Gemisch homogen. Es entsteht das wasserlösliche Ethanol. Prüft man die Lösung mit Silbernitrat, so findet man Bromid-Ionen. Beim Bromethan wurde in einer *Substitutionsreaktion* ein Brom-Atom durch die Hydroxyl-Gruppe ersetzt:

$$CH_3CH_2Br + OH^- \longrightarrow CH_3CH_2OH + Br^-$$

Mechanismus der nucleophilen Substitution. Im Bromethan trägt das Kohlenstoff-Atom wegen der geringeren Elektronegativität gegenüber dem Brom-Atom eine positive Partialladung, die bei der Annäherung des Hydroxid-Ions verstärkt wird. Das negativ geladene Hydroxid-Ion wird von dem positivierten C-Atom angezogen, es entsteht eine Bindung zum C-Atom und gleichzeitig löst sich die C–Br-Bindung. Teilchen, die wie das Hydroxid-Ion positivierte C-Atome angreifen, nennt man *Nucleophile* (lat. *nucleus:* Kern, gr. *philos:* Freund). Den Mechanismus dieser Reaktion bezeichnet man daher als nucleophile Substitution. Als Abkürzung wird die Bezeichnung S_N verwandt. Auch neutrale Moleküle wie Wasser, Schwefelwasserstoff oder Ammoniak sind Nucleophile. Das gemeinsame Strukturmerkmal von Nucleophilen ist ein Atom mit einem freien Elektronenpaar.

Die *Reaktionsgeschwindigkeit* der nucleophilen Substitution wird bestimmt durch die Art der angreifenden und austretenden Teilchen und durch die Struktur des angegriffenen Moleküls, des *Substrats.* Durch die Auswahl entsprechender Reaktionsbedingungen, geeigneter Lösungsmittel oder durch Zusatz von Salzen kann der Chemiker Einfluss auf den Reaktionsablauf und die Reaktionsgeschwindigkeit nehmen.

Einfluss des Nucleophils. Die Reaktivität eines nucleophilen Teilchens hängt von der Bereitschaft ab, das freie Elektronenpaar für eine neue Bindung zur Verfügung zu stellen. Die **Nucleophilie** wird einerseits durch die *Elektronendichte* am betreffenden Atom bestimmt. So ist das Sauerstoff-Atom im Hydroxid-Ion stärker nucleophil als im Wasser-Molekül. Andererseits hängt die Nucleophilie eines Teilchens aber auch von seiner *Polarisierbarkeit* ab. Diese ist ein Maß für die Verformbarkeit der Elektronenhülle in einem elektrischen Feld. Je größer ein Atom ist, desto leichter lässt es sich polarisieren. Das Elektronenpaar wird dann leichter für eine Bindung zur Verfügung gestellt; die Nucleophilie wird verstärkt. Die Reaktionsfähigkeit bei den Halogenid-Ionen sinkt daher vom großen Iodid-Ion zum kleinen Fluorid-Ion. Die Nucleophilie eines Teilchens kann aber auch durch das Lösungsmittel beeinflusst werden, weil Wasserstoffbrücken das nucleophile Zentrum blockieren können. Bei Reaktionen in Ethanol findet man folgende Abstufung der Nucleophilie:

$$HS^- > I^- > OH^- > NH_3 > Br^- > Cl^- > F^- > H_2O$$

Einfluss des austretenden Teilchens. Die Reaktionsgeschwindigkeit der Halogenalkane nimmt vom Fluoralkan zum Iodalkan zu. Eine Ursache liegt in der abnehmenden *Bindungsstärke*. So lässt sich die C–I-Bindung mit einer Bindungsenergie von 218 $kJ \cdot mol^{-1}$ viel leichter spalten als eine C–F-Bindung mit 489 $kJ \cdot mol^{-1}$. Der zweite Grund für die steigende Reaktionsbereitschaft ist die unterschiedliche *Polarisierbarkeit* der Halogen-Atome. Das angreifende Hydroxid-Ion verschiebt die Elektronenhülle beim Iod-Atom stärker als beim Fluor-Atom. Somit ist der Abstand zwischen den Elektronen des Hydroxid-Ions und des Halogen-Atoms bei Reaktionen an Iodalkanen größer und deren gegenseitige Abstoßung geringer. Da das Nucleophil leichter angreifen kann, reagieren Iodalkane schneller als Fluoralkane.

Einfluss der Substratstruktur. Bromethan reagiert mit Nucleophilen wesentlich langsamer als Brommethan. Die beiden Moleküle unterscheiden sich durch eine Methyl-Gruppe. Sie behindert den Angriff des Nucleophils. Bei größeren Alkyl-Gruppen nimmt diese *sterische Hinderung* noch zu, wie die Reaktionsträgheit von 1-Brompropan zeigt.
Obwohl der Angriff des Nucleophils auf das 2-Brom-2-methylpropan stärker sterisch gehindert ist als beim 1-Brombutan, reagiert die erste Verbindung schneller. Hier wird die C–Br-Bindung leichter gelöst, die Methyl-Gruppen „drängen" das Bromid-Ion hinaus.

Einfluss der Reaktionsbedingungen. Nucleophile Substitutionen werden meist in polaren Lösungsmitteln durchgeführt. Diese Lösungsmittel sind nötig, da nur hier hinreichende Konzentrationen an Nucleophilen wie etwa Hydroxid-Ionen erreicht werden können. Zusätzlich beschleunigen sie die Reaktion, da die Lösungsmittel-Dipole auf das austretende Teilchen eine Anziehungskraft ausüben. So wird der Austritt erleichtert. Auch in Gegenwart von Silber-Ionen verläuft die Reaktion von Iodmethan mit einem Nucleophil wesentlich schneller. Die Silber-Ionen erleichtern die Spaltung der C–I-Bindung, da sie das Iodid-Ion stark anziehen, sodass sich schwer lösliches Silberiodid bildet.

Nucleophile Substitutionen sind umkehrbar. Eine gewünschte Substitution wird durch hohe Konzentration des Nucleophils begünstigt. Außerdem lässt sich das Gleichgewicht in die gewünschte Richtung verschieben, indem man ein Produkt entzieht. Fluoralkane reagieren mit Natriumiodid in Propanon zu Iodalkanen, da das schlecht lösliche Natriumfluorid dem Gleichgewicht entzogen wird. Die andere Reaktionsrichtung ergibt sich, wenn das niedriger siedende Fluoralkan durch Destillation entfernt wird.
Auch die Reaktion vom Halogenalkan zum Alkohol kann umgekehrt werden. Hierzu wird der Alkohol mit Säure versetzt. Die austretende Gruppe ist nun nicht mehr das Hydroxid-Ion, sondern ein Wasser-Molekül, das leichter abzuspalten ist. Die Rückreaktion wird unterdrückt, da das Wasser protoniert wird und so als Nucleophil ausscheidet:

$$H_3C{-}CH_2{-}\overline{\underline{O}}{-}H \xrightarrow{H^+} H_3C{-}CH_2{-}\overset{\oplus}{\underline{O}}H_2 \xrightarrow[-H_2O]{X^-} H_3C{-}CH_2{-}X$$

Interessanterweise ist das Iodid-Ion sowohl ein sehr starkes Nucleophil als auch ein sehr leicht austretendes Ion. Langsame nucleophile Substitutionen lassen sich daher durch den Zusatz einer kleinen Menge Iodid *katalytisch beschleunigen*. Auch Schwefel-Atome in *SH-Gruppen* besitzen eine hohe Nucleophilie. Gleichzeitig sind SH-Gruppen gute Abgangsgruppen. Darauf beruht der katalytische Effekt schwefelhaltiger Enzyme wie Coenzym A.

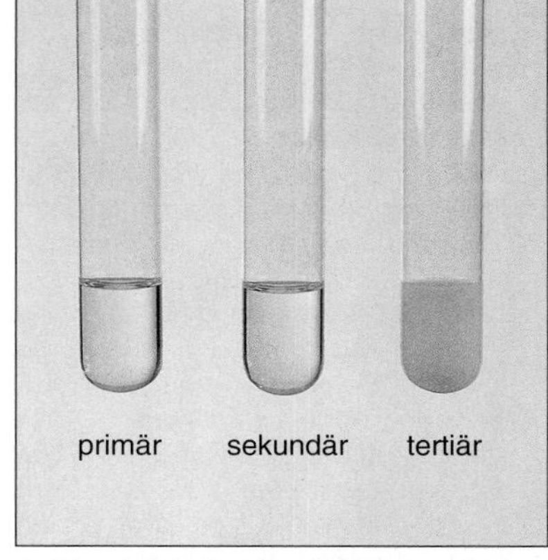

1. Vergleich der Reaktionsgeschwindigkeiten verschiedener Brombutane mit Kalilauge

A1 Zeichnen Sie die Strukturformel von Dichlormethan und geben Sie die Ladungsverteilung an.

A2 Formulieren Sie die Reaktionsgleichungen für die Reaktionen von Brommethan mit Ammoniak und mit Natriumhydrogensulfid.

A3 Geben Sie an, welches Halogenalkan schneller mit Kalilauge reagiert. Begründen Sie Ihre Aussagen.
a) 2-Chlor-2-methylbutan und 3-Chlorpentan;
b) Iodmethan und Chlormethan.

A4 Pentan-2-ol soll hergestellt werden. Geben Sie geeignete Edukte und optimale Reaktionsbedingungen für diese Synthese an. Begründen Sie Ihre Angaben.

A5 Alkohole können leichter in Halogenalkane umgewandelt werden, wenn man als Katalysator das hygroskopische Zinkchlorid zugibt.
a) Geben Sie einen Reaktionspartner für Ethanol an und formulieren Sie die Reaktionsgleichung.
b) Erläutern Sie die Wirkung des Zinkchlorids. Welche Bedeutung hat die hygroskopische Eigenschaft von Zinkchlorid?
c) Auch Silber-Ionen können bei nucleophilen Substitutionen als Katalysator wirken. Warum ist hier die Zugabe von Silber-Ionen in diesem Fall ungeeignet?

Metallorganische Verbindungen – Spezialwerkzeuge des Chemikers

Ersetzt man in einem Alkan ein Wasserstoff-Atom durch ein Metall-Atom, so erhält man eine metallorganische Verbindung. Eine bekannte Verbindung aus dieser Stoffklasse ist Bleitetraethyl. Es wurde bis vor einigen Jahren als Antiklopfmittel Kraftstoffen für Ottomotoren zugemischt, findet aber keine weitere Verwendung in organischen Synthesen. Zinnorganische Verbindungen dienen als Stabilisatoren von PVC und als Pestizide.

GRIGNARD-Verbindungen. Die wichtigsten metallorganischen Reagenzien für Synthesen sind *Magnesiumverbindungen.* Sie wurden von GRIGNARD entdeckt, der dafür 1992 den Nobelpreis erhielt. GRIGNARD-Verbindungen entstehen durch die Reaktion eines Halogenalkans mit metallischem Magnesium unter Ausschluss von Sauerstoff und Feuchtigkeit. Beim Bromethan schiebt sich ein Magnesium-Atom zwischen das Brom-Atom und die Ethyl-Gruppe. Dabei entsteht Ethylmagnesiumbromid.

Die Kohlenstoff-Magnesium-Bindung ist polar, wobei das C-Atom eine hohe negative Partialladung trägt. In Reaktionen verhalten sich solche C-Atome wie die entsprechenden **Carbanionen.** Für Synthesen werden anstelle der GRIGNARD-Verbindungen oft auch *Lithiumverbindungen* eingesetzt. Sie weisen die gleiche polare Struktur auf.

Durch ihre stark negativierten C-Atome wirken metallorganische Verbindungen als *starke Basen* oder als *Nucleophile.* Sie müssen vor Feuchtigkeit geschützt werden, da sie heftig mit Wasser reagieren.

Die Reaktion einer GRIGNARD-Verbindung mit einem Halogenalkan bietet dem Chemiker eine der wenigen Möglichkeiten zur *Neuknüpfung einer C–C-Bindung.* Hierbei wird das Halogen-Atom in einer nucleophilen Substitution durch einen Alkyl-Rest ersetzt.
Auch polare Zweifachbindungen werden von GRIGNARD-Verbindungen angegriffen. Hier wird ebenfalls eine neue C–C-Bindung geknüpft. So entsteht aus Ethylmagnesiumbromid und Propanon nach Hydrolyse 2-Methylbutan-2-ol.

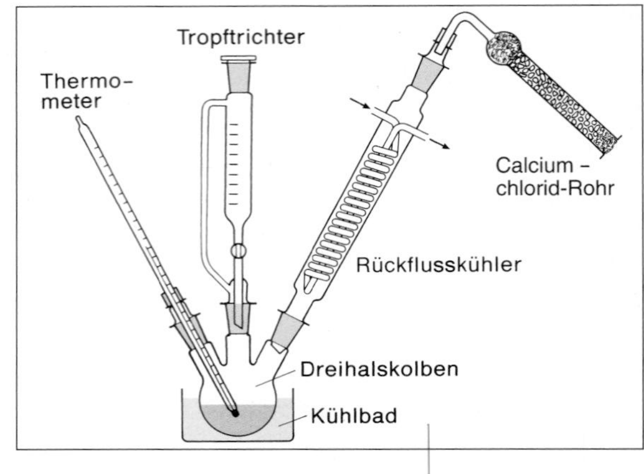

Herstellung einer GRIGNARD-Verbindung. *Abzug, Brille.* In einer Apparatur mit Tropftrichter, Rückflusskühler und Calciumchlorid-Rohr gibt man zu 10 ml getrocknetem Diethylether (F+) und 1 g Magnesiumspänen (F) einige Tropfen Bromethan (Xn). Eine Spur Iod (Xn) setzt die Reaktion in Gang. Danach wird eine Mischung von 4 g Bromethan und 10 ml Ether langsam zugetropft. Die Reaktion ist beendet, wenn sich das Magnesium weitgehend aufgelöst hat.

ZIEGLER-Katalysatoren. Hohe industrielle Bedeutung besitzt Aluminiumtriethyl. Es wird in Kombination mit Titanchloriden als Katalysator für die *Polymerisation von Alkenen* verwandt. Die Möglichkeit, Alkene bei niedriger Temperatur und niedrigem Druck zu polymerisieren, wurde von ZIEGLER entdeckt, der dafür 1963 mit dem Nobelpreis ausgezeichnet wurde. Bei dieser Polymerisation lagert sich in einem ersten Schritt ein Alken-Molekül an das Titan-Atom an. Im zweiten Schritt schiebt sich das Alken-Molekül zwischen das Titan-Atom und die Alkyl-Gruppe. Je nach Reaktionsbedingungen erhält man Polymere mit bis zu 100 000 Kohlenstoff-Atomen.

$$CH_3-CH_2-Br + Mg \longrightarrow CH_3-\overset{\delta-}{CH_2}-\overset{\delta+}{Mg}-Br$$

$$CH_3-\overset{\delta-}{CH_2}-\overset{\delta+}{Mg}-Br \xrightarrow{CH_3-CH(Br)-CH_3} CH_3-CH(CH_2-CH_3)-CH_3 + MgBr_2$$

$$(CH_3)_2\overset{\delta+}{C}=\overset{\delta-}{O} + \overset{\delta+}{MgBr}-\overset{\delta-}{CH_2}-CH_3 \longrightarrow H_3C-C(O-MgBr)(CH_3)-CH_2-CH_3 \xrightarrow{H^+} H_3C-C(OH)(CH_3)-CH_2-CH_3$$

$$(H_5C_2)_2Al(Cl)_2Ti(R)_2-CH_2-CH_3 + CH_2=CH_2 \text{ (angelagert)}$$

$$\downarrow$$

$$(H_5C_2)_2Al(Cl)_2Ti(R)_2-CH_2-CH_2-CH_2-CH_3$$

13.9 Alkohole – organische Brüder des Wassers

Alkohol-Moleküle haben als funktionelle Gruppe eine **Hydroxyl-Gruppe.** Stellt der Molekülrest eine Alkyl-Gruppe dar, so spricht man von einem **Alkanol.** Der einfachste Vertreter dieser Stoffklasse ist Methanol (CH_3OH). Neben den unpolaren C–H-Bindungen treten im Methanol-Molekül eine polare C–O-Bindung und eine polare O–H-Bindung auf. Wegen der Hydroxyl-Gruppe gehen Alkohole und Wasser ähnliche Reaktionen ein. So reagieren Methanol und Wasser mit unedlen Metallen wie Lithium unter Wasserstoffentwicklung. Beim Wasser entsteht ein Hydroxid, beim Alkohol ein *Alkoholat:*

$$2\ HOH + 2\ Li \longrightarrow 2\ HO^- + 2\ Li^+ + H_2$$

$$2\ CH_3OH + 2\ Li \longrightarrow 2\ CH_3O^- + 2\ Li^+ + H_2$$

Auch auf die Siedetemperaturen wirkt sich die Hydroxyl-Gruppe beim Wasser und bei Alkoholen gleich aus. In beiden Fällen liegt die Siedetemperatur höher als bei vergleichbaren Verbindungen. Ursache ist die Bildung von Wasserstoffbrückenbindungen zwischen den OH-Gruppen. Wasserstoffbrücken können sich auch zwischen Methanol- und Wasser-Molekülen ausbilden. Methanol und Wasser sind daher vollständig mischbar. Mit steigender Größe des Alkyl-Restes nehmen die VAN-DER-WAALS-Bindungen zu, die Stoffeigenschaften werden dann weniger von der funktionellen Gruppe bestimmt. Butanol ist nur noch begrenzt mit Wasser mischbar. Langkettige Alkanole ähneln den entsprechenden Alkanen, sie sind in Wasser unlöslich.

1. Destillation von Branntwein

Gewinnung von Alkoholen. Das älteste Verfahren ist die Herstellung von *Ethanol* (C_2H_5OH) durch Vergären zuckerreicher Fruchtsäfte. Das Destillat ist der *Weingeist.* Synthetisch lässt sich Ethanol durch Anlagerung von Wasser an Ethen wesentlich preiswerter herstellen. Für Genusszwecke darf nur Ethanol verwandt werden, das biologisch gewonnen wurde.
Methanol wird schon seit dem 17. Jahrhundert durch trockene Destillation von Holz als *Holzgeist* gewonnen. Heute wird Methanol ausschließlich aus Synthesegas, einem Gemisch von Kohlenstoffmonooxid und Wasserstoff, in einer katalytischen Reaktion produziert.
Langkettige Alkohole können aus natürlichen Fetten oder durch Oxosynthese erhalten werden. Bei der Oxosynthese bringt man ein Alken mit Kohlenstoffmonooxid und Wasserstoff an Katalysatoren zur Reaktion.

Isomerie bei Alkanolen. Die Isomeren Propan-1-ol und Propan-2-ol unterscheiden sich in chemischen Reaktionen teilweise erheblich. Das Reaktionsverhalten der Alkanole wird offensichtlich durch die Stellung der Hydroxyl-Gruppe bestimmt. Man unterscheidet daher drei Klassen von Alkanolen: Bei *primären Alkanolen* ist das Kohlenstoff-Atom, das die Hydroxyl-Gruppe trägt, nur mit einem weiteren C-Atom verbunden. Ethanol und Propan-1-ol sind Beispiele hierfür. Bei *sekundären Alkanolen* wie Propan-2-ol oder Pentan-3-ol weisen die entsprechenden C-Atome zwei Bindungen zu C-Atomen auf. In *tertiären Alkanolen* ist das C-Atom, das die OH-Gruppe trägt, mit drei weiteren C-Atomen verbunden. Zu den tertiären Alkoholen gehört 2-Methylpropan-2-ol, auch *tert.*-Butanol genannt.

Mehrwertige Alkanole. Alkohole, die mehr als eine Hydroxyl-Gruppe im Molekül aufweisen, nennt man mehrwertig. Dabei befinden sich die Hydroxyl-Gruppen an verschiedenen C-Atomen. Nach der ERLENMEYER-Regel sind Verbindungen mit *zwei* Hydroxyl-Gruppen an *einem* C-Atom im Allgemeinen nicht stabil. Wichtige mehrwertige Alkanole sind *Ethylenglykol* (Ethan-1,2-diol) und *Glycerin* (Propan-1,2,3-triol). Bei dem als Zuckeraustauschstoff für Diabetiker verwendeten Sorbit handelt es sich um einen sechswertigen Alkohol ($C_6H_{14}O_6$).

A1 Bei einem Alkohol mit der Molekülformel $C_3H_8O_2$ soll die Anzahl an Hydroxyl-Gruppen in einem Molekül bestimmt werden. Dazu wurden 100 mg des Alkohols in einem trockenen Lösungsmittel gelöst und ein Überschuss an Natrium zugegeben. Das Volumen an entstandenem Wasserstoff betrug bei Raumtemperatur etwa 16 ml.
a) Entwerfen Sie einen Versuchsaufbau zum beschriebenen Versuch.
b) Formulieren Sie eine Reaktionsgleichung.
c) Berechnen Sie die Stoffmengen an Alkohol und Wasserstoff und geben Sie die Zahl der Hydroxyl-Gruppen in einem Alkohol-Molekül an.
d) Zeichnen Sie die Strukturformel des Alkohols.

A2 Geben Sie von den folgenden Stoffen die Strukturformeln an und ordnen Sie die Siedetemperaturen zu. Begründen Sie Ihre Zuordnung.
a) Butan-2-ol, 2-Methylpropan-2-ol; 83 °C, 100 °C;
b) Propan-1,2,3-triol, Butan-1,2-diol; 192 °C, 290 °C;
c) Propan-2-ol, Propanon; 56 °C, 82 °C.

A3 Wie wird Ethanol technisch gewonnen? Formulieren Sie die Reaktionsgleichung mit Stukturformeln.

A4 Geben Sie die Stukturformeln von Ethylenglykol, Glycerin und Sorbit an.

13.10 Verwendung von Alkoholen

Autos auf neuen Wegen

Hannover, Januar 97 (SV). Brasilien wird schon seit längerer Zeit zu den Schwellenländern gerechnet, die sich um den Anschluss an die führenden Industrienationen bemühen. Als größtes Hindernis für den Sprung nach vorn erwies sich die Abhängigkeit von ausländischem Erdöl. Der Bedarf an Kraftstoffen sorgte immer wieder für überhöhte Auslandsschulden. So wurden erhebliche Anstrengungen unternommen, andere Kraftstoffquellen zu erschließen.
Die geografischen Bedingungen Brasiliens bieten hervorragende Voraussetzungen für die Landwirtschaft. Zucker, das wichtigste Exportgut Brasiliens, lässt sich leicht zu Ethanol vergären. So soll Ethanol in Zukunft einen Großteil des brasilianischen Kraftstoffbedarfs decken.
In Versuchsprojekten in Europa und den Vereinigten Staaten wurde die Herstellung und Destillation von Ethanol optimiert. Doch Brasilien ist das erste Land, in dem die Erzeugung von Kraftstoffen aus landwirtschaftlichen Produkten den Durchbruch geschafft hat. In Brasilien fahren inzwischen mehr als vier Millionen Kraftfahrzeuge mit Ethanol. Damit ist ein Viertel des Straßenverkehrs versorgt.

1. Pressenotiz

A1 In Motorkühlern und in Scheibenwaschanlagen werden Ethanol, Propan-2-ol und Ethan-1,2-diol verwendet. Für welchen Zweck ist der jeweilige Alkohol besonders geeignet? Geben Sie die Vorteile und die Nachteile an.

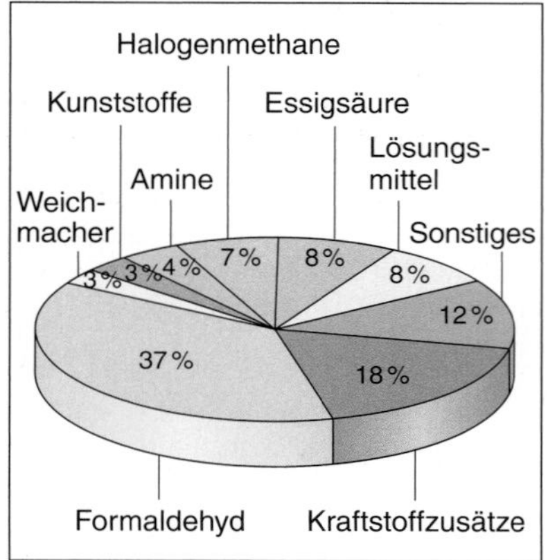

2. Verwendung von Methanol

Methanol. In Deutschland ist Methanol mit einer Jahresproduktion von mehr als einer Milliarde Litern das bedeutendste organische Zwischenprodukt. Die direkte Verwendung des giftigen Methanols als Lösungsmittel ist weniger wichtig. Der größte Teil wird zu Formaldehyd oxidiert. Bedeutend ist auch die Umwandlung in Methylester und Methylamine. Etwa 10 % der Methanol-Produktion werden durch Reaktion mit Kohlenstoffmonooxid in Essigsäure überführt.
Seit den achtziger Jahren hat Methyl-*tert.*-butylether (MTBE) erhebliche Bedeutung als Zusatz zu Vergaserkraftstoffen erlangt. MTBE erhöht die Klopffestigkeit und konnte das zuvor verwandte Bleitetraethyl ersetzen. Da Bleiverbindungen als Katalysatorgifte wirken, machte MTBE auch den Weg für die neue Katalysatortechnik frei. In der Industrie wird MTBE durch Anlagerung von Methanol an Isobuten (Methylpropen) hergestellt.
Eine viel versprechende neue Einsatzmöglichkeit für Methanol ist die Gewinnung von Eiweiß. Mikroorganismen können aus Methanol in Gegenwart von Nährsalzen Proteine bilden. Zur Zeit dienen diese Eiweißstoffe lediglich als Viehfutter, langfristig ist aber auch eine Verwendung als Nahrungsmittel denkbar.

Ethanol. Der weitaus größte Teil des in Deutschland hergestellten Ethanols wird nicht als Reinstoff gewonnen, sondern in alkoholischen Getränken konsumiert. Dies entspricht jährlich etwa 700 Millionen Liter reinen Ethanols. Für andere Zwecke stehen etwa 300 Millionen Liter Ethanol zur Verfügung, je zur Hälfte aus biologischer und industrieller Produktion.
Im Alltag wird Ethanol vielfältig verwendet. Als Brennstoff für Spirituskocher und als Reinigungsmittel im Haushalt benutzt man *Brennspiritus*, der durch übel riechende und gesundheitsschädliche Zusätze ungenießbar gemacht wurde. Als Lösungsmittel und zur Desinfektion dient Ethanol in Gesichts- und Rasierwässern sowie in Parfums.
Auch in Labor und Industrie verwendet der Chemiker Ethanol als vielseitiges Lösungsmittel. Ethanol ist darüber hinaus ein wichtiger Ausgangsstoff für Synthesen. Durch Umsetzung mit Salzsäure erhält man Chlorethan. Die Oxidation von Ethanol führt über die Zwischenstufe Acetaldehyd zur Essigsäure. Die Reaktion mit Säuren liefert Ethylester.
Aufgrund der steigenden Erdölpreise wird Ethanol aus der Agrarproduktion auch als Kraftstoffzusatz verwandt. In den USA wird die überschüssige Maisproduktion zu Ethanol verarbeitet und im Gasohol (Kurzwort aus engl. *gasoline:* Benzin und Alkohol) als Kraftstoff genutzt. Allerdings benötigte man, um nur 10 % des deutschen Bedarfs an Vergaserkraftstoffen zu decken, schon eine Anbaufläche von der Größe Hessens.

Weitere Alkohole. *Propan-2-ol (Isopropanol)* wird als Lösungsmittel in kosmetischen Präparaten und als Desinfektionsmittel verwandt. In Scheibenreinigungsmitteln für Autos und im Kraftstoff dient es als Frostschutzmittel. Der größte Anteil an Isopropanol wird aber für die Synthese des wichtigen Lösungsmittels Aceton (Propanon) verbraucht.
Langkettige Alkohole sind wichtige Lösungsmittel oder werden zu Weichmachern und Detergentien weiterverarbeitet.
Jährlich werden in Deutschland nahezu 200000 Tonnen *Ethylenglykol* hergestellt. Davon wird etwa die Hälfte zu Polyester weiterverarbeitet. Es wird auch in großen Mengen als Frostschutzmittel verwandt. Eine Mischung aus gleichen Teilen von Ethylenglykol und Wasser gefriert erst bei −40 °C.
Glycerin wurde als Ausgangsstoff für Nitroglycerin berühmt. Wichtiger ist jedoch die Verwendung als Salbengrundlage. Da Glycerin sehr hygroskopisch ist, wird es auch verwandt, um Stoffe wie Seife, Tabak oder Druckerschwärze feucht zu halten. Größere Mengen Glycerin werden bei der Produktion von Kunststoffen eingesetzt.

EXKURS

Physiologische Wirkung von Alkohol

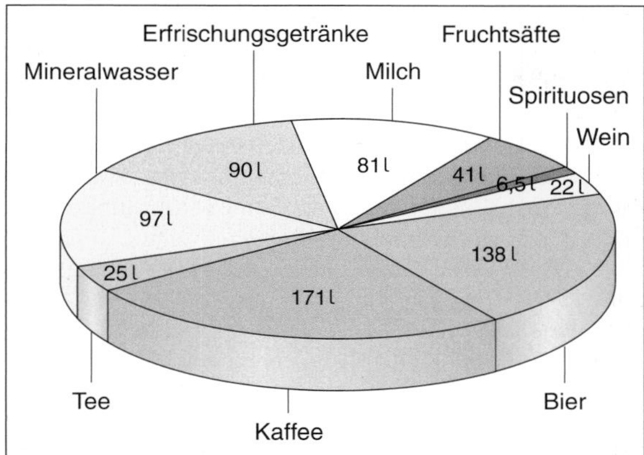

Der Durst der Deutschen (Pro-Kopf-Verbrauch 1995)

In der Umgangssprache wird Ethanol mit Alkohol gleichgesetzt. Ethanol erfreut sich besonderer Wertschätzung als Genussmittel. Zugleich ist es jedoch auch die am weitesten verbreitete Droge.

Wirkung. Pharmakologisch gehört der Alkohol in erster Linie zur Gruppe der *Narkotika*; seine Wirkung betrifft vorrangig das zentrale Nervensystem. Narkotika dringen in Nervenmembranen ein und stören dort die Übertragung von Nervenimpulsen.
Bei der Aufnahme geringer Alkoholmengen werden Hemmungen abgebaut, es tritt eine euphorische Stimmung ein. Unter stärkerem Alkoholeinfluss treten erhebliche Konzentrations- und Koordinationsschwächen auf. Bei häufigem Alkoholgenuss lernt der Betrunkene sein Verhalten in gewissem Umfang zu korrigieren. Die Schmerzempfindung wird herabgesetzt und der Gleichgewichtssinn gestört. Bei noch höheren Alkoholdosen kann eine Lähmung des Atemzentrums zum Tod führen.

Alkohol wirkt sich auf den *Kreislauf* aus. Der Blutdruck wird erhöht und die äußeren Körperpartien werden stärker durchblutet. Mit der besseren Hautdurchblutung ist der Alkoholisierte zwar kurzfristig gegen Kälteeinwirkung geschützt, andererseits droht ihm wegen der verstärkten Wärmeabgabe der Erfrierungstod.

Chronische Schäden. Häufiger Alkoholgenuss kann zur Gewöhnung führen. Der Stoffwechsel reagiert durch eine erhöhte Abbaurate, wobei die Giftwirkung des Alkohols jedoch nicht vermindert wird. Der häufigste chronische Schaden ist die *Magenentzündung*, oft mit morgendlichem Erbrechen. Äußerlich auffällig ist insbesondere die Hautrötung der Nase (Schnapsnase), die von einer Gefäßaufweitung herrührt. Der Energieüberschuss in der Ernährung führt zu Fettablagerungen in der Leber und später zu *Leberzirrhose.* Dabei entwickelt der Körper einen Mangel an Vitamin B, da die Verwertung in der Leber gestört ist. Dadurch werden Gehirnschäden verursacht, die sich als Wahnvorstellungen (Halluzinationen) bemerkbar machen. Im Endstadium des Alkoholismus oder bei plötzlichem Entzug kann das *Delirium tremens* (Säuferwahn) auftreten. Dabei kommt es zu Halluzinationen sowie zu Herz- und Kreislaufversagen.

Alkoholismus. Alkohol ist die einzige Droge, die suchtauslösend wirken kann und dennoch in vielen Ländern keiner staatlichen Kontrolle unterliegt. So liegt der Alkoholismus unter den Drogenabhängigkeiten zumindest in der Häufigkeit an erster Stelle. Für Deutschland wird die Anzahl der Alkoholabhängigen auf etwa 2,5 Millionen geschätzt. Oftmals kommt zum Alkoholismus noch der Arzneimittelmissbrauch.

Abbau. Alkohol wird im Magen und im Darm resorbiert. Innerhalb etwa einer Stunde verteilt er sich gleichmäßig in der Körperflüssigkeit. Ein reichlicher Mageninhalt verlangsamt die Resorption von Alkohol etwas, Coffein und Kohlensäure beschleunigen sie dagegen. Mit dem Blut gelangt der Alkohol zur Leber. Dort stellt sich mit Hilfe des Enzyms *Alkoholdehydrogenase* ein Redoxgleichgewicht zwischen Ethanol und Acetaldehyd ein. Viele negative Auswirkungen beim Alkoholgenuss sind auf das Oxidationsprodukt Acetaldehyd zurückzuführen. In einem weiteren Oxidationsschritt wird Acetaldehyd dann durch das Enzym *Aldehyddehydrogenase* in Essigsäure überführt.
Anders als bei den meisten Wirkstoffen ist die Abbaugeschwindigkeit beim Blutalkohol nicht von der Alkoholkonzentration abhängig. Aufgrund unterschiedlicher Leberaktivität wird der Alkohol je nach Geschlecht unterschiedlich schnell abgebaut. Pro Stunde sinkt der Alkoholspiegel bei Männern um etwa 0,15 ‰, bei Frauen nimmt er hingegen pro Stunde nur um durchschnittlich 0,1 ‰ ab.

Blutalkoholgehalt in ‰	Erscheinungen
0,3	erste Gehstörungen
0,5	Gesichtsfeld eingeschränkt
0,6	leichte Sprachstörungen
0,8	Grenze der Fahrtüchtigkeit
1,0	mittlerer Rauschzustand
1,4	Grenze für koordinierte Reaktionen
2,0	Erinnerungsvermögen aufgehoben
4,0–5,0	tödliche Grenzkonzentration

Beispiel zur Berechnung des Blutalkoholgehalts:

Ein Mann (Gewicht 80 kg) trinkt 1 l Bier mit 4 % Alkohol (5 % Vol).
Die Alkoholmenge von 40 g verteilt sich auf die Körperflüssigkeit (70 % der Körpermasse).

$$\text{Blutalkoholgehalt} = \frac{40\text{ g}}{80 \cdot 10^3\text{ g} \cdot 0{,}7} \approx \frac{0{,}7}{10^3} \mathrel{\hat{=}} 0{,}7\,‰$$

$$\text{Blutalkoholgehalt nach 2 Stunden} \approx 0{,}7\,‰ - 2 \cdot 0{,}15\,‰ \approx 0{,}4\,‰$$

13.11 Vom Alkanol zum Alken – eine Eliminierung

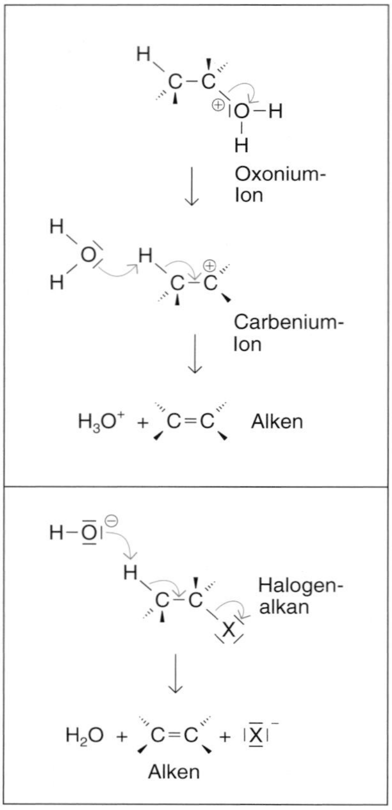

Erhitzt man 2-Methylpropan-2-ol (*tert.* Butanol) in Gegenwart einer starken Säure wie Schwefelsäure, so entweicht ein farbloses, süßlich riechendes Gas. Bromwasser wird durch dieses Gas entfärbt. Es handelt sich dabei um 2-Methylpropen. Durch die Abspaltung der Hydroxyl-Gruppe und eines Wasserstoff-Atoms vom benachbarten Kohlenstoff-Atom bildet sich bei dieser Reaktion eine C=C-Zweifachbindung aus. Diesen Reaktionstyp nennt man **Eliminierung.** Wird Wasser bei einer Eliminierung abgespalten, so spricht man von einer *Dehydratisierung.*

$$H_3C-C(CH_3)_2-OH + H_2SO_4 \longrightarrow (H_3C)_2C=CH_2 + H_3O^+ + HSO_4^-$$

$$-\overset{H}{C}-C-\overset{\oplus}{O}H_2 \;(\text{Oxonium-Ion}) \longrightarrow H_2O + -\overset{H}{C}-\overset{\oplus}{C} \;(\text{Carbenium-Ion}) \longrightarrow H_3O^+ + C=C \;(\text{Alken})$$

$$H-\overline{O}|^{\ominus} + -\overset{H}{C}-C-X \;(\text{Halogenalkan}) \longrightarrow H_2O + C=C + |X|^- \;(\text{Alken})$$

1. Vergleich der Eliminierung an Alkoholen und Halogenalkanen

Mechanismus der Eliminierung. Alkohole verhalten sich ähnlich wie Wasser gegenüber starken Säuren als Basen. Das Alkohol-Molekül übernimmt ein Proton, es bildet sich ein *Oxonium-Ion.* Wird nun der protonierte Alkohol erwärmt, so kann sich die C–O-Bindung lösen. Da das Sauerstoff-Atom stark elektronegativ ist, übernimmt es das Elektronenpaar ganz. Eine derartige Bindungstrennung wird *Heterolyse* genannt. Unter Abspaltung des Wasser-Moleküls entsteht als Zwischenstufe ein *Carbenium-Ion*, ein Teilchen mit einem positiv geladenen C-Atom. Carbenium-Ionen sind sehr reaktionsfreudig und reagieren daher schnell weiter. Bei der Eliminierung wird ein Proton vom benachbarten C-Atom abgelöst. Gleichzeitig bildet sich eine C=C-Zweifachbindung.
Während im ersten Reaktionsschritt das Alkohol-Molekül ein Proton aufnimmt, liefert das Carbenium-Ion im letzten Reaktionsschritt ein Proton zurück. Die Säure wirkt also bei dieser Reaktion als Katalysator. Das neutrale Wasser-Molekül wird leicht abgespalten.
Die Dehydratisierung eines Alkohols kann auch ohne Säureeinwirkung erfolgen. Dazu sind jedoch erheblich höhere Temperaturen notwendig, weil die Abspaltung eines negativ geladenen Hydroxid-Ions wegen der erforderlichen Ladungstrennung wesentlich energieaufwendiger ist als die Eliminierung eines neutralen Wasser-Moleküls.

Reaktivität. Die Geschwindigkeit der Eliminierung hängt von der Struktur der Alkohol-Moleküle ab. Besonders gut verläuft die Reaktion mit tertiären Alkoholen. Bei der Reaktion von 2-Methylpropan-2-ol mit Phosphorsäure (85 %) reicht die Siedetemperatur von 80 °C für die Eliminierung aus. Bei sekundären Alkoholen benötigt man dafür schon Reaktionstemperaturen oberhalb von 140 °C. Bei primären Alkoholen sind sogar Temperaturen von über 200 °C erforderlich. Bei diesen Temperaturen wird oft ein erheblicher Anteil an Nebenprodukten gebildet.

Die unterschiedliche Reaktivität isomerer Alkanole beruht unter anderem auf sterischen Effekten. Bei der Abspaltung des Wasser-Moleküls erhöht sich der Bindungswinkel von etwa 109° im Alkohol auf 120° im Carbenium-Ion. Dadurch entfernen sich die Substituenten voneinander, die *sterische Hinderung* wird geringer. Bei primären Alkanolen mit nur einer Alkyl-Gruppe ist dies unbedeutend. Bei tertiären Alkanolen mit drei raumerfüllenden Substituenten bringt die Herabsetzung der sterischen Hinderung jedoch einen erheblichen Energiegewinn mit sich.

Die Dehydratisierung verläuft bei mehrwertigen Alkoholen besonders leicht. Ein bekanntes Beispiel dafür ist das Karamelisieren von Zucker, einer Verbindung mit vielen Hydroxyl-Gruppen. Die Wasserabspaltung erfolgt hier bereits bei relativ niedrigen Temperaturen.

A1 Bei der Dehydratisierung von 3-Methylhexan-3-ol können sich verschiedene Alkene bilden.
Geben Sie die möglichen Strukturformeln an und benennen Sie die entsprechenden Verbindungen.

A2 Als Teilchen mit einer positiven Ladung am Kohlenstoff-Atom tritt das Carbenium-Ion auf. Sauerstoff bildet Oxonium-Ionen.
a) Geben Sie die Strukturen der Ionen an, in denen neben den Atomen Kohlenstoff oder Sauerstoff nur noch Wasserstoff-Atome enthalten sind.
b) Die Ionen unterscheiden sich in den Endungen -enium und -onium. Zeigen Sie den entsprechenden Unterschied in den Strukturen dieser Ionen auf.
c) Welche Endung sollte das NH_4^+-Ion erhalten?

13.12 Ether oder Alken – der Chemiker stellt die Weichen

Ether sind Verbindungen, in denen zwei organische Reste über ein Sauerstoff-Atom verbunden sind. Bei identischen Resten spricht man von symmetrischen Ethern. In der Alltagssprache ist mit Ether meist der *Diethylether* gemeint, der als Narkosemittel besonders bekannt wurde. Viele heute verwendete Narkosemittel sind ebenfalls Ether, bei denen aber durch Halogensubstitution die Brennbarkeit herabgesetzt wurde. Weit verbreitet ist der Einsatz von Ethern als Lösungsmittel. So findet man sie in Arzneien und kosmetischen Präparaten. In der Industrie haben sich zwei cyclische Ether als Lösungsmittel besonders bewährt: *Tetrahydrofuran* und *Dioxan*. Der industriell wichtigste Ether ist das sehr reaktionsfähige *Ethylenoxid*, das für die Synthese von Polyethern und Polyestern benötigt wird. Auch das zur Enteisung von Flugzeugtragflächen verwendete Diethylenglykol wird aus Ethylenoxid hergestellt.
Ether können aus Halogenalkanen durch nucleophile Substitution mit einem Alkoholat erhalten werden. Billiger ist jedoch die Synthese aus Alkoholen durch Säurekatalyse. Da die Substitution über das gleiche Carbenium-Ion läuft wie die Eliminierung, treten *Alkene* als Nebenprodukte auf. Auch durch Anlagerung von Alkoholen an Alkene lassen sich Ether herstellen. So gewinnt man aus Methanol und Methylpropen *Methyl-tert.-butylether* (MTBE), der für die Klopffestigkeit moderner Kraftstoffe sorgt.

Reaktionssteuerung. Durch eine geschickte Wahl der Reaktionsbedingungen lässt sich die Reaktion in die gewünschte Richtung lenken. Der einflussreichste Steuerungsfaktor ist die *Reaktionstemperatur.* Die Spaltung von Molekülen wie bei der Dehydratisierung wird immer durch hohe Temperaturen begünstigt. Daher führt man die Synthese von Ethern bei tieferen Temperaturen durch. Die Konkurrenzreaktion kann auch über die *Konzentration des Alkohols* beeinflusst werden. Bei hohen Konzentrationen ist der Zusammenstoß zweier Alkohol-Moleküle unter Bildung des Ethers wahrscheinlich. Für die Eliminierung dagegen hält man die Konzentration an Alkohol niedrig. Dies erreicht man durch Zusatz einer starken Säure oder durch Zutropfen des Alkohols zu einem erhitzten, inerten (reaktionsträgen) Lösungsmittel.

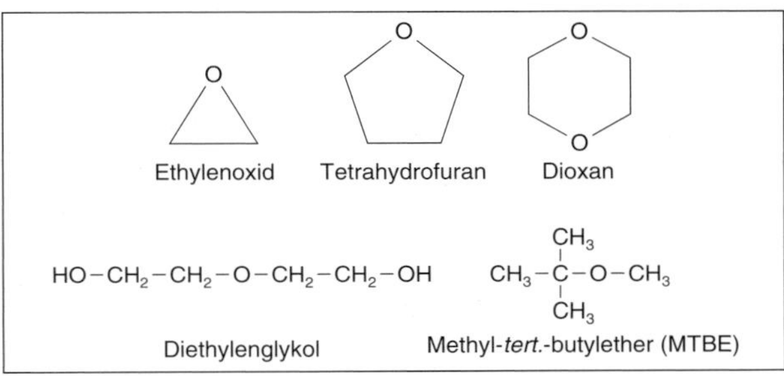

1. Wichtige Ether

PRAKTIKUM

Eliminierungen

Versuch 1: **Herstellung von Diethylether (F+)**

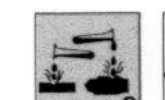    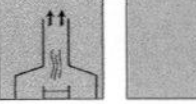   

Materialien: Zweihalskolben (100 ml), Innenthermometer, Destillationsbrücke, Thermometer, Heizhaube, Schliffkolben (50 ml), Trichter, Messzylinder (50 ml), Eisbad;
Schwefelsäure (konz.; C), Ethanol (F)

Durchführung:

1. Bauen Sie die Destillationsapparatur auf und füllen Sie den Zweihalskolben mit 15 ml Schwefelsäure.
2. Geben Sie langsam und portionsweise 40 ml Ethanol zur Schwefelsäure.
3. Heizen Sie den Zweihalskolben auf, bis eine Innentemperatur von 140 °C erreicht ist.
4. Fangen Sie das Destillat unter Eiskühlung auf.
5. Untersuchen Sie die Mischbarkeit des Destillats mit Wasser.

Hinweis: Der Destillationsrückstand enthält giftiges Diethylsulfat (T) und darf nicht in das Abwasser gelangen.

Aufgaben:

a) Formulieren Sie Reaktionsgleichung und Reaktionsablauf für die säurekatalysierte Veretherung von Ethanol.
b) Erläutern Sie die unterschiedliche Mischbarkeit von Ethanol und Diethylether mit Wasser.

Versuch 2: **Herstellung von Cyclohexen (F, Xn)**

   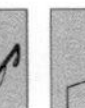 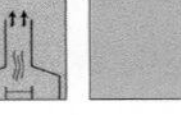 

Materialien: Destillationsapparatur mit Dreihalskolben (100 ml), Tropftrichter, Stopfen, Innenthermometer, Heizbad, Eisbad, Messzylinder (50 ml), Scheidetrichter, 2 Kolben (50 ml), Trichter;
Phosphorsäure (konz.; C), Cyclohexanol (Xn), Calciumchlorid (wasserfrei; Xi), Paraffinöl

Durchführung:

1. Bauen Sie die Destillationsapparatur auf und füllen Sie den Dreihalskolben mit 8 ml Phosphorsäure und 40 ml Paraffinöl.
2. Heizen Sie den Dreihalskolben auf, bis eine Innentemperatur von 200 °C erreicht ist.
3. Tropfen Sie 20 ml Cyclohexanol zu und fangen Sie das Destillat in einem eisgekühlten Kolben auf.
4. Trennen Sie die organische Phase des Destillats und trocknen Sie mit Calciumchlorid.
5. Filtrieren Sie das Produkt in einen Kolben, der vorher gewogen wurde, und wiegen Sie erneut.

Aufgabe: Bestimmen Sie die Massen und die Stoffmengen von Cyclohexanol ($\varrho = 0{,}96\ g \cdot cm^{-3}$) und Cyclohexen ($\varrho = 0{,}81\ g \cdot cm^{-3}$) und berechnen Sie die Ausbeute.

13.13 Vom Alkohol zum Aldehyd oder Keton – eine Oxidation

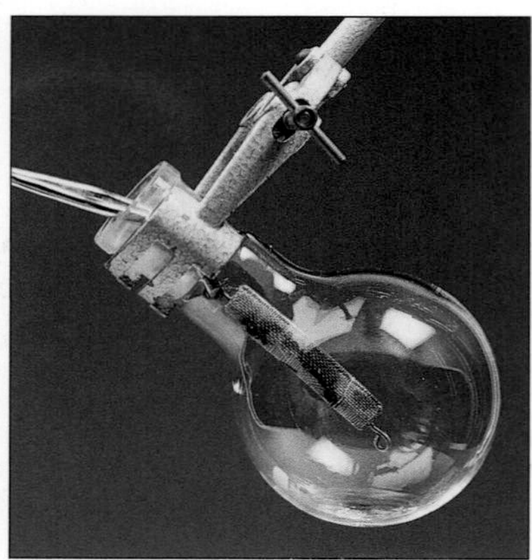

1. Ethanol wird durch Kupferoxid oxidiert

A1 Oxidiert man Propan-2-ol mit Kaliumpermanganat, so entsteht Propanon. In Gegenwart von Säuren reagieren die Permanganat-Ionen (MnO_4^-) zu Mangan(II)-Ionen (Mn^{2+}); in alkalischer Lösung hingegen entsteht Mangandioxid (MnO_2).
a) Entwickeln Sie die Reaktionsgleichung sowohl für die Reaktion in saurer Lösung als auch für die Reaktion in alkalischer Lösung.
b) Erklären Sie mit Hilfe der Reaktionsgleichungen den unterschiedlichen Reaktionsablauf.

A2 Wie viel Kaliumdichromat wird zur Oxidation von 10 g Butan-2-ol benötigt?

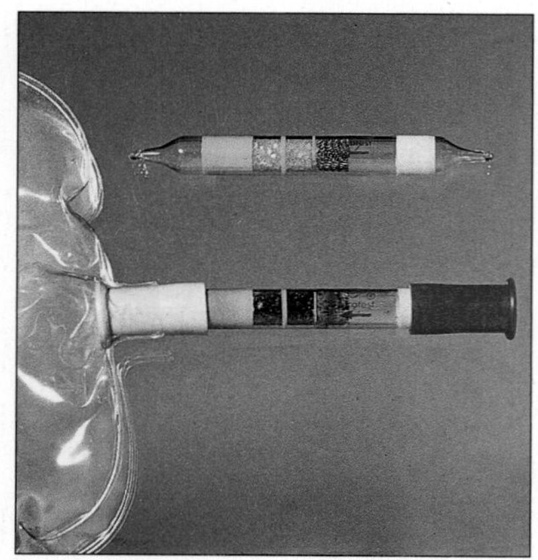

2. Prüfröhrchen zum Nachweis von Alkohol im Atem

Erhitzt man ein Kupferblech bis zur Bildung von schwarzem Kupferoxid und taucht es dann in Ethanol, so wird das Stück rot glänzend. Es hat sich metallisches Kupfer zurückgebildet. Zudem kann man einen süßlichen Geruch bemerken, der ein leicht flüchtiges Reaktionsprodukt anzeigt, das allerdings giftig ist. Da das Kupferoxid reduziert wurde, muss der Alkohol oxidiert worden sein. Es hat sich *Acetaldehyd* (Ethanal) gebildet.

$$CH_3-\overset{-I}{C}H_2OH + \overset{II}{Cu}O \longrightarrow CH_3-\overset{I}{C}(H)=O + \overset{0}{Cu} + H_2O$$

Acetaldehyd

Allgemein lassen sich *primäre* Alkohole mit geeigneten Oxidationsmitteln in **Aldehyde** überführen. Besonders bekannt ist die Oxidation mit Kaliumdichromat. Unter dem Namen *Alcotest* fand dieses Verfahren bei Verkehrskontrollen zum Nachweis von Alkoholkonsum Verwendung. Dabei musste der Autofahrer durch ein mit dem Oxidationsmittel gefülltes Röhrchen pusten. Durch Alkohol in der Atemluft wird gelbes Chromat zu grünen Chrom(III)-Verbindungen reduziert. Inzwischen wurde dieses Verfahren durch genauere Messmethoden verdrängt.

Zur präparativen Darstellung von Aldehyden ist die Oxidation mit Alkalichromaten gut geeignet. Beim Arbeiten mit Chromaten sind jedoch Vorsichtsmaßnahmen zu treffen, da das Einatmen von Chromat-Stäuben Krebs erregen kann. Die Oxidation läuft nur in Gegenwart einer Säure ab.

Oxidation: $CH_3\overset{-I}{C}H_2OH\,(aq) \longrightarrow CH_3\overset{I}{C}HO\,(aq) + 2\,e^- + 2\,H^+\,(aq) \qquad (\cdot\,3)$

Reduktion: $\overset{VI}{Cr_2}O_7^{2-}\,(aq) + 6\,e^- + 14\,H^+\,(aq) \longrightarrow 2\,\overset{III}{Cr^{3+}}\,(aq) + 7\,H_2O\,(l) \qquad (\cdot\,1)$

Redoxreaktion:
$3\,CH_3CH_2OH\,(aq) + Cr_2O_7^{2-}\,(aq) + 8\,H^+\,(aq) \longrightarrow$
$3\,CH_3CHO\,(aq) + 2\,Cr^{3+}\,(aq) + 7\,H_2O\,(l)$

Oxidation und Dehydrierung. Alkohole lassen sich auch ohne besondere Oxidationsmittel in Aldehyde überführen. Man leitet dazu reinen Alkoholdampf über erhitztes Kupferpulver als Katalysator. Dabei wird aus dem Alkohol-Molekül ein Wasserstoff-Molekül abgespalten. Die Abspaltung von Wasserstoff wird *Dehydrierung* genannt. Die Dehydrierung ist eine Eliminierung; die Änderungen der Oxidationszahlen zeigen aber gleichzeitig eine Redoxreaktion an. Die Dehydrierung kann daher beiden Reaktionstypen zugeordnet werden.

Unterscheidung primärer, sekundärer und tertiärer Alkohole. Auch *sekundäre Alkohole* lassen sich unter den gleichen Bedingungen wie primäre Alkohole oxidieren. Hierbei werden **Ketone** gebildet. So führt die Oxidation von Propan-2-ol zum Propanon (Aceton). Ähnlich wie die Dehydratisierung verläuft auch die Oxidation sekundärer Alkohole schneller als die Oxidation primärer Alkohole. *Tertiäre Alkohole* hingegen können mit Kaliumdichromat oder Kaliumpermanganat nicht oxidiert werden, weil am tertiären C-Atom kein Wasserstoff-Atom gebunden ist.
Da sich Aldehyde leicht weiter oxidieren lassen, kann man durch Oxidationsversuche primäre, sekundäre und tertiäre Alkohole unterscheiden. So reagiert eine ammoniakalische Silbersalz-Lösung (TOLLENS-Reagenz) mit Aldehyden zu metallischem Silber, das sich an der Gefäßwand als Silberspiegel niederschlägt.

Versuche mit Alkoholen

Versuch 1: Bestimmung des Ethanolgehaltes in Wein

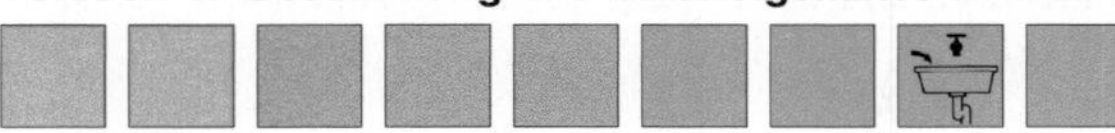

Materialien: Destillationsapparatur mit Kolben (100 ml) und Heizhaube, Waage, Messzylinder (50 ml);
Wein

Durchführung:

1. Bauen Sie die Destillationsapparatur auf und erhitzen Sie 50 ml Wein zum Sieden.
2. Beenden Sie die Destillation, wenn etwa ein Drittel der Flüssigkeit überdestilliert ist.
3. Bestimmen Sie die Masse und das Volumen des Destillats.

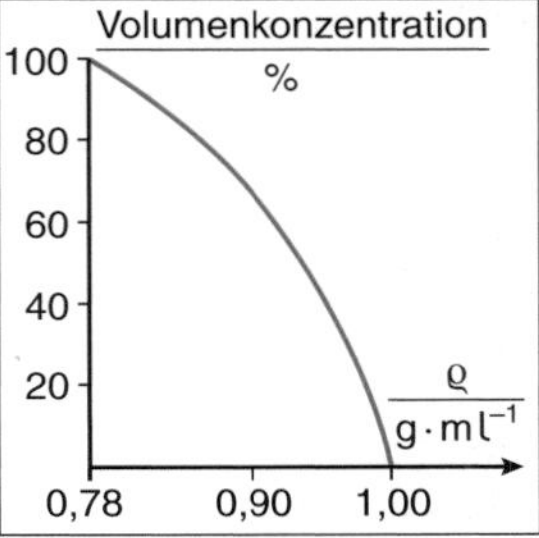

Aufgaben:

a) Berechnen Sie die Dichte des Destillats.
b) Ermitteln Sie anhand des Dichtediagramms die Volumenkonzentration an Ethanol im Destillat.
c) Berechnen Sie die Volumenkonzentration des Alkohols im Wein.

Versuch 2: Bildung von Borsäureestern (Xn)

Materialien: 3 Porzellanschalen, Glasstab, Messzylinder (10 ml);
Methanol (T, F), Ethanol (F), Schwefelsäure (konz.; C), Borsäure, Spirituosenprobe

Durchführung:

1. In den drei Porzellanschalen wird jeweils eine Spatelspitze Borsäure vorgelegt.
2. Geben Sie zur ersten Schale 10 ml Methanol, zur zweiten 10 ml Ethanol und zur dritten 10 ml Ethanol und einige Tropfen Schwefelsäure.
3. Die Proben werden gerührt und entzündet.
4. Wiederholen Sie den Versuch mit einer Spirituosenprobe.

Hinweis: Durch Borsäureester wie $B(OCH_3)_3$ wird die Flamme grün gefärbt.

Aufgaben:

a) Formulieren Sie für die Synthese der Borsäureester die Reaktionsgleichungen.
b) Was bewirkt die zugesetzte Schwefelsäure?
c) Welches Ergebnis zeigt die Untersuchung der Spirituosenprobe?

Versuch 3: Synthese von 2-Chlor-2-methylpropan (F)

Materialien: Scheidetrichter, Messzylinder (25 ml);
2-Methylpropan-2-ol (Xn, F), Salzsäure (konz.; C), Calciumchlorid (wasserfrei; Xi)

Durchführung:

1. Im Scheidetrichter werden 2 ml 2-Methylpropan-2-ol mit 20 ml Salzsäure geschüttelt. Der Scheidetrichter wird zwischendurch öfter vorsichtig belüftet.
2. Nach der Phasentrennung trocknet man die organische Phase durch Zugabe von etwas Calciumchlorid.

Aufgaben:

a) Wie lässt sich auf einfache Weise feststellen, welche Phase die organische Phase ist?
b) Formulieren Sie die Reaktionsgleichung und beschreiben Sie den Reaktionsmechanismus.

Versuch 4: Vergleich der Reaktivität von Alkoholen

Materialien: Wasserbad, Messzylinder (10 ml, 25 ml);
Kaliumpermanganat-Lösung (verd.), Schwefelsäure (verd.; Xi), Propan-1-ol (F), Propan-2-ol (F), 2-Methylpropan-2-ol (F, Xn)

Durchführung:

1. 20 ml der gerade noch durchsichtigen Kaliumpermanganat-Lösung werden mit 10 ml Schwefelsäure angesäuert und auf drei Reagenzgläser verteilt.
2. Geben Sie in jedes Reagenzglas einen der Alkohole (2 ml).
3. Erwärmen Sie die Proben langsam gleichzeitig im siedenden Wasserbad und messen Sie die Zeit bis zur Entfärbung der einzelnen Proben.

Versuch 5: Synthese eines Ethers

Materialien: Rundkolben (10 ml), Heizhaube, Rückflusskühler, Calciumchlorid-Rohr, Messzylinder (100 ml, 10 ml), Scheidetrichter, Destillationsapparatur;
Methanol (T, F), 1-Brombutan (F), Lithium (F, C)

Durchführung:

1. Lösen Sie 0,7 g Lithium in 20 ml Methanol auf.
2. Danach gibt man 5 ml Brombutan zu und erhitzt fünf Stunden unter Feuchtigkeitsausschluss.
3. Geben Sie das Gemisch mit 100 ml Wasser in den Scheidetrichter und trennen Sie den Ether ab.
4. Der Ether wird zur weiteren Reinigung destilliert und anhand seiner Siedetemperatur identifiziert.

13.14 Aufgaben · Versuche · Probleme

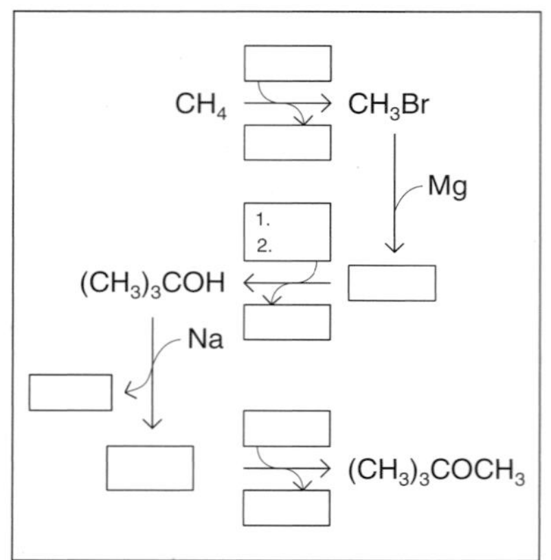

Aufgabe 1: Vervollständigen Sie das Schema mit Angaben zu Reaktionsprodukten, Reaktionspartnern, Reaktionsbedingungen und Reaktionstyp.

Aufgabe 2: Butan-2-ol kann durch Kaliumpermanganat zum Keton oxidiert werden, wobei Mangandioxid als zweites Reaktionsprodukt anfällt.
a) Stellen Sie mit Hilfe von Oxidationszahlen die Reaktionsgleichung auf.
b) Wie viel Kaliumpermanganat wird zur Oxidation von 1 g Butan-2-ol benötigt?

Aufgabe 3: Eine organische Substanz mit der Molekülmasse 74 u enthält die Elemente C, H und O. Eine Zweifachbindung lässt sich nicht nachweisen.
a) Formulieren Sie mögliche Strukturformeln.
b) Wählen Sie unter den Möglichkeiten die wasserlöslichen Verbindungen aus.
c) Geben Sie ein chemisches Verfahren an, mit dem sich die Verbindung endgültig identifizieren lässt.

Versuch 1: Unterscheidung primärer, sekundärer und tertiärer Alkohole
In 6 ml Salzsäure (konz.; C) wird unter Kühlung 9 g wasserfreies Zinkchlorid (C) gelöst. Dann fügt man 1 ml des Alkohols zu und schüttelt um.
Primäre Alkohole lösen sich. Die Lösung wird manchmal dunkel, bleibt jedoch klar.
Bei *sekundären* Alkoholen findet eine Substitution statt. Das entstandene Halogenalkan trübt die Lösung und scheidet sich langsam in öligen Tropfen ab.
Bei *tertiären* Alkoholen bildet sich schnell eine zweite Phase.
Aufgabe: Formulieren Sie für den sekundären Alkohol die entsprechende Reaktionsgleichung.

Versuch 2: Oxidation von Propan-2-ol mit Natriumhypochlorit
Ein Zweihalskolben (250 ml) mit Innenthermometer und Tropftrichter wird mit 50 ml Eisessig (C) und 15,3 ml Propan-2-ol (F) gefüllt. Dazu tropft man langsam 140 ml einer Natriumhypochlorit-Lösung (etwa 12%; C). Durch Kühlen mit einem Eis/Kochsalz-Gemisch hält man die Temperatur unter 25 °C. Nach dem Zutropfen muss ein Überschuss an Natriumhypochlorit mit Kaliumiodid/Stärke-Papier nachweisbar sein. Nach weiteren 10 min bei Raumtemperatur kann das Reaktionsgemisch aufgearbeitet werden. Um überschüssiges Natriumhypochlorit zu zerstören, wird Natriumhydrogensulfit-Lösung (gesättigt; Xn) so lange zugetropft, bis der Test mit Kaliumiodid/Stärke-Papier negativ ausfällt. Das Produktgemisch wird destilliert. Die Fraktion im Siedebereich von 50 °C bis 80 °C wird über Natriumcarbonat (Xi) getrocknet und nochmals destilliert.

Versuch 3: Komplexbildung mit Diolen
Füllen Sie fünf Reagenzgläser je mit 1 ml Kupfersulfat-Lösung (verd.). Vier Gläser werden jeweils mit einigen Tropfen bzw. einer Spatelspitze von Hydroxy-Verbindungen wie Ethylenglykol (Xn), Glycerin, Zucker oder Weinsäure versetzt. Zu allen Proben gibt man nun Natronlauge (verd.; C) bis zur deutlich alkalischen Reaktion und schüttet vorsichtig um.
Hinweis: Die intensive Blaufärbung wird durch wasserlösliche Kupfer-Komplexe hervorgerufen. Derartige Komplexe verhindern bei der FEHLINGschen Probe das Ausfällen von Kupferhydroxid im alkalischen Medium.

Problem 1: Zum Abbruch radikalischer Kettenreaktionen wie etwa der Bromierung von Methan kann man Iod als Inhibitor zusetzen.
a) Weshalb wird die Kettenreaktion unterbrochen?
b) Formulieren Sie die Reaktionsgleichungen für die möglichen Teilreaktionen und berechnen Sie die Reaktionsenthalpien.

Problem 2: Auf Originalgefäßen für Bromalkane findet man den Hinweis „Vor Licht schützen". Warum ist dieser Hinweis bei Fluoralkanen nicht notwendig?

Problem 3: Die elektromagnetische Strahlung eines Mikrowellenherdes wird durch Speisen absorbiert. Durch die aufgenommene Energie werden polare Molekülteile in Drehung versetzt. Infolge der Zunahme der kinetischen Energie der Moleküle werden die Speisen heiß.
a) Warum verbrennt tiefgefrorenes Fleisch beim Auftauen im Mikrowellenherd nicht?
b) Warum siedet Wasser im Mikrowellenherd, Tetrachlormethan dagegen nicht?
c) Warum ist es gefährlich, alkoholische Getränke im Mikrowellenherd zu erhitzen?

Problem 4: Trinkt man statt Ethanol das billigere Methanol, so kommt es durch die Abbauprodukte des Methanols zur Vergiftung.
a) Welches Abbauprodukt des Methanols ruft die Vergiftung hervor?
b) Welche chemische Eigenschaft lässt bei Methanol-Vergiftungen Ethanol als Medikament wirken?

Giftwein zum Hochzeitsfest

Hannover, Juli 97 (SV). Für 19 Gäste endete eine Hochzeitsfeier im nordindischen Jaipur tödlich. Die Gastgeber hatten die alkoholischen Getränke mit Methanol verlängert, ohne um die Giftigkeit dieses Alkohols zu wissen. Weitere elf Gäste, unter ihnen der Bruder der Braut, liegen mit schweren Vergiftungssymptomen wie Blindheit im Hospital. Die Kranken müssen zur Zeit noch Alkohol zu sich nehmen. So wird das Methanol aus dem Körper gespült, ohne seine Giftwirkung entfalten zu können.

BASISWISSEN

Gesättigte Kohlenstoffverbindungen

1. Stoffklassen und Synthesewege

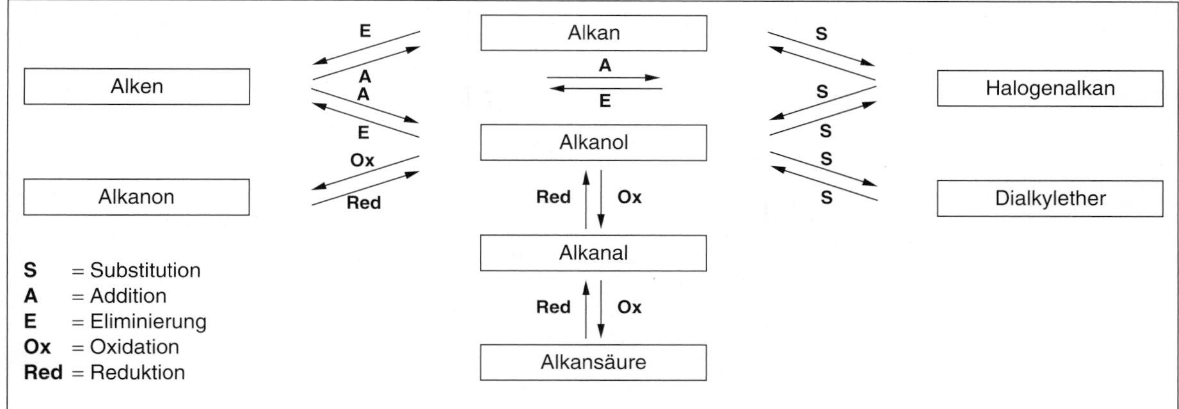

S = Substitution
A = Addition
E = Eliminierung
Ox = Oxidation
Red = Reduktion

2. Charakterisierung organischer Reaktionen

Reaktionstypen		
Substitution	Austausch eines Bindungspartners	$H_3C-Cl + OH^- \longrightarrow H_3C-OH + Cl^-$
Eliminierung	Abspaltung von Bindungspartnern	$H-CH_2-CH_2-Br \longrightarrow CH_2=CH_2 + HBr$
Addition	Anlagerung von Bindungspartnern	$CH_2=CH_2 + HBr \longrightarrow H-CH_2-CH_2-Br$
Oxidation	Abgabe von Elektronen, die Oxidationszahl wird größer	$H_3C-\overset{I}{C}HO \longrightarrow H_3C-\overset{III}{C}OOH$
Reduktion	Aufnahme von Elektronen, die Oxidationszahl wird kleiner	$H_3C-\overset{-I}{C}H_2OH \longrightarrow H_3C-\overset{I}{C}HO$
Reaktive Teilchen		
Radikal	Teilchen mit ungepaartem Elektron	$CH_3\cdot$ oder $Cl\cdot$
Nucleophil	Teilchen mit negativer Ladung oder negativer Partialladung und freiem Elektronenpaar	$H-\overline{\underline{O}}|^{\ominus}$ oder $|\overset{\delta-}{N}H_3$
Elektrophil	Teilchen mit positiver Ladung oder positiver Partialladung	H^+ oder $\overset{\delta+}{H}-Br$
Bindungsspaltung		
Homolyse	Spaltung einer Bindung in ungeladene Teilchen (Radikale)	$H_3C-Br \longrightarrow H_3C\cdot + Br\cdot$
Heterolyse	Spaltung einer Bindung unter Bildung von Ionen	$H_3C-Br \longrightarrow H_3C^+ + Br^-$

3. Reaktionsmechanismus

Ein Reaktionsmechanismus ist ein Modell, das für eine chemische Reaktion die Veränderung der Teilchen auf ihrem Weg vom Ausgangszustand zum Endzustand beschreibt.

Chemische Reaktionen verlaufen über *Übergangszustände:* Alte Bindungen sind erst teilweise gespalten, neue Bindungen sind erst teilweise gebildet.

Häufig entstehen Produkte nicht direkt, die Reaktionen verlaufen dann über *kurzlebige Zwischenstufen.*

Beispiel: **Mechanismus der Chlorierung von Methan**

Startreaktion: $|\overline{\underline{Cl}}-\overline{\underline{Cl}}| \xrightarrow{\text{UV-Licht}} 2\,|\overline{\underline{Cl}}\cdot$

Kettenreaktion:

$|\overline{\underline{Cl}}\cdot + H-CH_3 \longrightarrow H-\overline{\underline{Cl}}| + H_3C\cdot$

$H_3C\cdot + |\overline{\underline{Cl}}-\overline{\underline{Cl}}| \longrightarrow CH_3-\overline{\underline{Cl}}| + |\overline{\underline{Cl}}\cdot$

Kettenabbruch:

$|\overline{\underline{Cl}}\cdot + \cdot\overline{\underline{Cl}}| \longrightarrow |\overline{\underline{Cl}}-\overline{\underline{Cl}}|$ $\quad H_3C\cdot + \cdot\overline{\underline{Cl}}| \longrightarrow H_3C-\overline{\underline{Cl}}|$

Gesamtreaktion:

$CH_4 + Cl_2 \longrightarrow CH_3Cl + HCl$

14 Funktionelle Gruppen mit Mehrfachbindungen

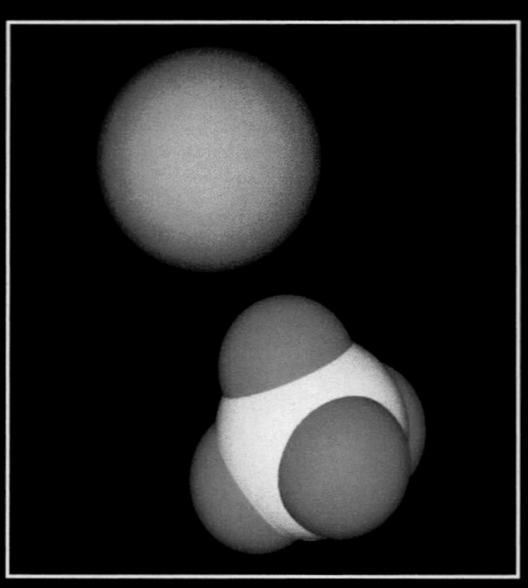

Substitution am Kohlenstoff-Atom mit tetraedrischer Geometrie

Gesättigte Kohlenwasserstoffe besitzen tetraedrisch substituierte Kohlenstoff-Atome mit vier Bindungspartnern. Die Kohlenstoff-Atome sind dadurch relativ gut abgeschirmt. Die Stoffe sind daher reaktionsträge. Weil alle Bindungen gesättigt sind, kommen nur *Substitutionsreaktionen* in Frage.

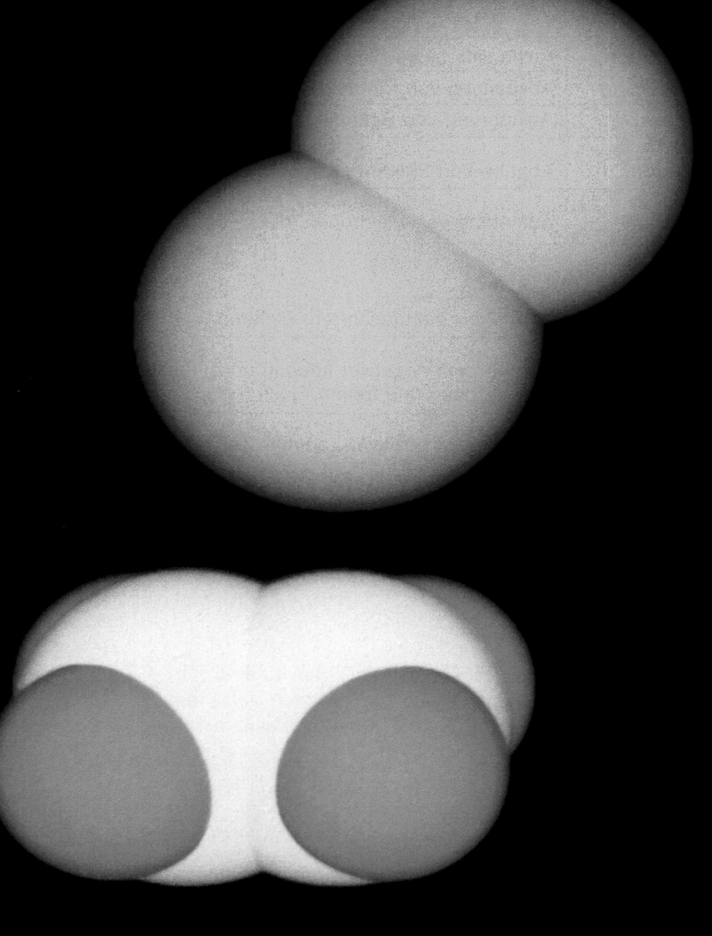

Addition am Kohlenstoff-Atom mit planarer Geometrie

Ungesättigte Kohlenwasserstoffe enthalten Kohlenstoff-Atome, die weniger als vier Bindungspartner haben. Die Moleküle weisen an solchen Zentren eine planare Anordnung auf. Angreifende Teilchen finden leicht Zugang. Weil ungesättigte Bindungen vorliegen, werden *Additionsreaktionen* bevorzugt.

Reaktionstyp und reaktive Teilchen

Reaktionstyp. Die bisher behandelten organischen Verbindungen besitzen in ihren Molekülen ausschließlich Einfachbindungen. Es sind *gesättigte Verbindungen.* Der für gesättigte Verbindungen charakteristische Reaktionstyp ist die **Substitution.** Hierbei wird im Substrat-Molekül ein Atom oder eine Atomgruppe durch ein anderes Atom oder eine andere Atomgruppe ersetzt.
Eliminierungen an gesättigten Molekülen führen durch Abspaltung von Atomen zu *ungesättigten Molekülen.* Ungesättigte Moleküle sind dadurch charakterisiert, dass sie Zweifach- oder Dreifachbindungen enthalten.

Ungesättigte Verbindungen sind oft sehr reaktionsfähig, weil die Mehrfachbindungen stets eine erhöhte Elektronendichte aufweisen und weil dieser Bereich des Moleküls nicht durch tetraedrisch angeordnete Substituenten abgeschirmt wird. Der für ungesättigte Verbindungen charakteristische Reaktionstyp ist die **Addition.** Hierbei werden Atome oder Atomgruppen an das ungesättigte Molekül angelagert. Eine Additionsreaktion kann als Umkehrung der Eliminierung angesehen werden.

Umlagerungsreaktionen können sowohl an gesättigten als auch an ungesättigten Molekülen erfolgen. Bei einer Umlagerung kommt es zu einer intramolekularen Wanderung von Atomen oder Atomgruppen.
Organische Verbindungen können auch die aus der anorganischen Chemie bekannten *Säure/Base-Reaktionen, Redoxreaktionen* oder *Komplexreaktionen* eingehen.

Reaktive Teilchen. Neben der Klassifizierung von Reaktionen nach Reaktionstypen ist die Einteilung nach der Natur der angreifenden Teilchen gebräuchlich. Dabei unterscheidet man Radikale, Nucleophile und Elektrophile.
Radikale entstehen, wenn Elektronenpaarbindungen symmetrisch gespalten werden. Diese Art der Spaltung, bei der jedes der gebildeten Teilchen ein ungepaartes Elektron besitzt, bezeichnet man als *homolytische* Spaltung. Wegen ihres einfach besetzten Orbitals sind Radikale besonders reaktiv. Radikalisch eingeleitete Reaktionen findet man vornehmlich bei unpolaren Substraten wie gesättigten Kohlenwasserstoffen.
Die meisten organischen Reaktionen werden jedoch nicht durch einen radikalischen Schritt, sondern durch einen nucleophilen oder einen elektrophilen Angriff eingeleitet.
Nucleophile sind negativ geladene Ionen oder polare beziehungsweise polarisierte Teilchen, die mit ihrer partiell negativ geladenen Seite das Substrat-Molekül angreifen. Nucleophile Angriffe erfolgen stets an positiven Ladungszentren, wie sie an Kohlenstoff-Atomen auftreten, die einen elektronegativeren Bindungspartner (Halogen-Atom, OH-Gruppe) besitzen.
Elektrophile sind positiv geladene Ionen oder polare beziehungweise polarisierte Teilchen, die das Substrat-Molekül mit ihrer partiell positiv geladenen Seite angreifen. Elektrophile Angriffe erfolgen stets dort, wo Zentren mit erhöhter negativer Ladung auftreten, beispielsweise im Bereich von Mehrfachbindungen. Bei ungesättigten Verbindungen können daher Reaktionen erwartet werden, deren erster Schritt ein elektrophiler Angriff ist.

Bei der *Benennung von Reaktionsmechanismen* gibt man sowohl die Art der angreifenden Teilchen als auch den Reaktionstyp an. Eine radikalisch eingeleitete Substitutionsreaktion heißt demnach radikalische Substitution. Daneben sind noch elektrophile und nucleophile Substitutionsreaktionen denkbar. Vergleichbares gilt für die übrigen Reaktionstypen.

Aufgabe 1: Von welchen der genannten Teilchen erwarten Sie Additionsreaktionen, von welchen Substitutionsreaktionen?
a) Ethanol, **b)** Propadien, **c)** Acetaldehyd, **d)** Ethan. Begründen Sie Ihre Aussagen.

Aufgabe 2: Erklären Sie, wie folgende Teilchen organische Moleküle angreifen können:

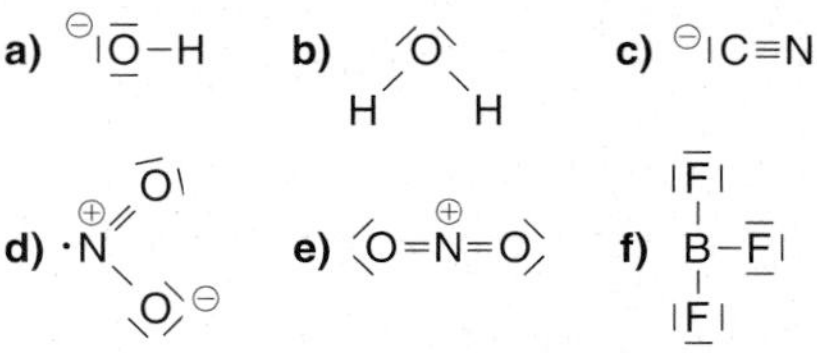

a) $^{\ominus}|\overline{O}-H$ **b)** $H_2\overline{O}|$ (gewinkelt) **c)** $^{\ominus}|C\equiv N|$

d) $\cdot\overset{\oplus}{N}$ mit $=\overline{O}\backslash$ und $-\overline{O}|^{\ominus}$ **e)** $\langle O=\overset{\oplus}{N}=O\rangle$ **f)** B mit drei $|\overline{F}|$

Aufgabe 3: Formulieren Sie für folgende Reaktionsmechanismen jeweils ein Beispiel:
a) Radikalische Substitution,
b) Nucleophile Substitution.

Reaktionstypen

Substitution	Addition	Eliminierung
$CH_4 + Cl_2 \longrightarrow CH_3Cl + HCl$	$H_2C=CH_2 + H_2O \longrightarrow H_3C-CH_2OH$	$H_3C-CH_2OH \longrightarrow H_2C=CH_2 + H_2O$

Reaktive Teilchen

radikalischer Angriff	nucleophiler Angriff	elektrophiler Angriff
$|\overline{Cl}\cdot$ + $H-CH_3$ (Methan)	$|\overline{Cl}|^{\ominus}$ + $\overset{\delta+}{C}H(CH_3)_2-\overline{O}-H$	$H_3\overset{\oplus}{O}$ + $H_2C=CH_2$

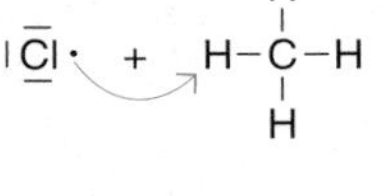

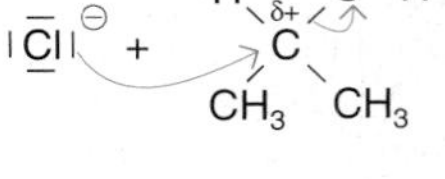

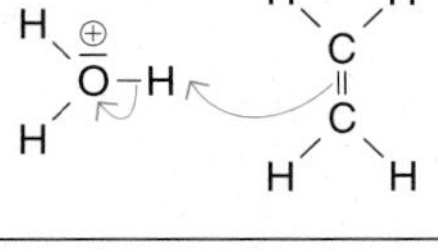

14.1 Alkene – Kohlenwasserstoffe mit C=C-Zweifachbindungen

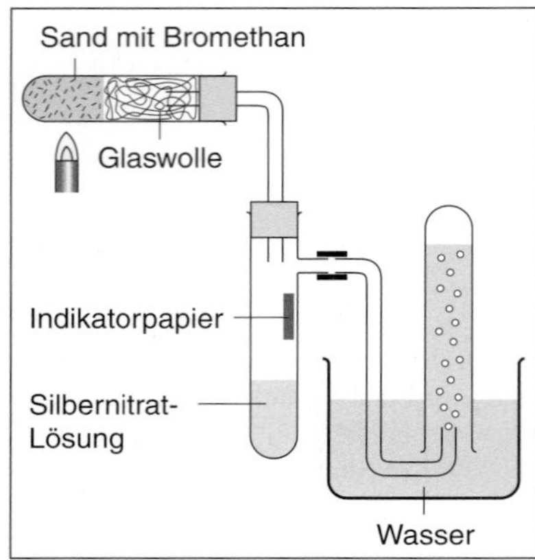

1. Synthese von Ethen aus Bromethan

A1 **a)** Geben Sie die Reaktionsgleichung der Reaktion von Bromethan zu Ethen an.
b) Um welchen Reaktionstyp handelt es sich dabei?
c) Wie kann man den entstehenden Bromwasserstoff nachweisen?

A2 Beschreiben Sie mit Hilfe der Kästchen-Schreibweise ausgehend von der Elektronenverteilung des Kohlenstoff-Atoms im Grundzustand die Elektronenkonfiguration im sp^2-Hybridzustand.

A3 Beschreiben Sie die Vorgänge bei der Umwandlung von *trans*-Buten in *cis*-Buten auf der Ebene der Bindungen. Begründen Sie die unterschiedliche energetische Lage von Ausgangsstoff, Übergangszustand und Produkt.

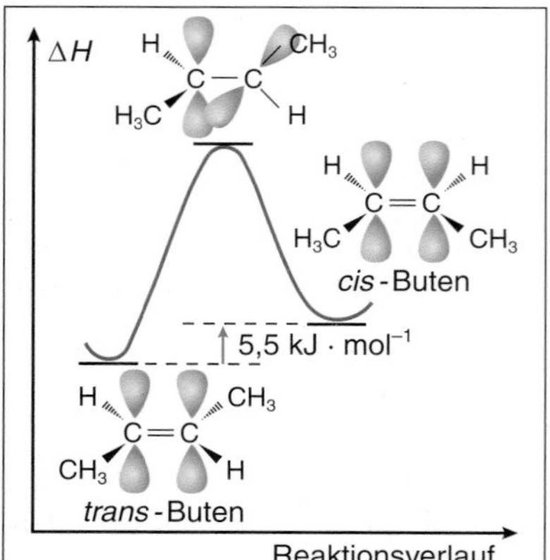

2. *cis/trans*-Isomerisierung

Wird Bromethan stark erhitzt, so zerfallen die Moleküle dieses Stoffes. Neben Bromwasserstoff bildet sich ein weiteres farbloses Gas, das sich in Wasser jedoch nicht löst. Bei der Verbrennung dieses Gases entstehen nur Kohlenstoffdioxid und Wasser. Die quantitative Elementaranalyse ergibt als Verhältnisformel CH_2. Die molare Masse lässt sich über die Gasdichte bestimmen; man erhält $M = 28\ g \cdot mol^{-1}$. Hier liegen demnach C_2H_4-Moleküle vor. Es handelt sich um **Ethen.**

Ethen ist der einfachste Vertreter einer ganzen Reihe von Kohlenwasserstoffen, deren Moleküle nicht die maximal mögliche Anzahl an Wasserstoff-Atomen enthalten, die also ungesättigt sind. Ungesättigte Kohlenwasserstoffe mit einer C=C-Zweifachbindung im Molekül heißen **Alkene.** Die allgemeine Formel für die Vertreter dieser homologen Reihe ist C_nH_{2n}.

Die Bindungen im Ethen-Molekül. Die Bindungslänge der C=C-Zweifachbindung im Ethen-Molekül beträgt 134 pm; sie ist damit um 20 pm kürzer als die C–C-Einfachbindung im Ethan-Molekül. Die Bindungsenthalpie der C=C-Zweifachbindung ist mit 614 kJ · mol^{-1} nicht ganz doppelt so groß wie die der C–C-Einfachbindung im Ethan-Molekül. Beim Ethen-Molekül liegen alle Atome in einer Ebene; die Bindungswinkel betragen etwa 120°.
Diesen Befunden entsprechend geht man bei der Beschreibung der Bindungsverhältnisse nach dem Orbital-Modell davon aus, dass die beiden Kohlenstoff-Atome sp^2-hybridisiert sind. Je eines der sp^2-Hybridorbitale der Kohlenstoff-Atome bildet die C–C-σ-Bindung. Die übrigen sp^2-Orbitale überlappen mit den s-Orbitalen der Wasserstoff-Atome zu C–H-σ-Bindungen. Hinzu kommt schließlich die π-Bindung, die von den nicht an der Hybridisierung beteiligten p_z-Orbitalen der beiden Kohlenstoff-Atome gebildet wird. Das π-Orbital liegt oberhalb und unterhalb der Ebene des σ-Bindungsgerüsts. Die erhöhte Elektronendichte zwischen den beiden C-Atomen führt zu einer im Vergleich mit der C–C-Einfachbindung geringeren Bindungslänge.
Alken-Moleküle sind im Gegensatz zu Alkan-Molekülen leichter polarisierbar: Lässt man Hexen aus einer Bürette auslaufen, so wird der Strahl durch einen elektrisch geladenen Stab abgelenkt. Als Ursache kann man die leichte Verschiebbarkeit der π-Elektronen ansehen.

***Cis/trans*-Isomerie.** Die π-Bindung verhindert die freie Drehbarkeit um die C/C-Bindungsachse. Deshalb gibt es für Substituenten an einer C=C-Gruppe zwei unterschiedliche geometrische Anordnungen; es existieren damit zwei isomere Moleküle.
Im But-2-en-Molekül trägt jedes der Kohlenstoff-Atome der C=C-Zweifachbindung eine CH_3-Gruppe. Diese befinden sich entweder auf der gleichen Seite der Zweifachbindung oder sie stehen einander diagonal gegenüber. Man bezeichnet die entsprechenden Verbindungen als *cis*-But-2-en und *trans*-But-2-en (lat. *cis:* diesseits, *trans:* jenseits). *Cis/trans*-Isomere unterscheiden sich nicht in der Reihenfolge der Verknüpfung ihrer Atome, sie sind daher keine Konstitutions-Isomere. Der Unterschied liegt nur in der räumlichen Anordnung der Atomgruppen. Aus diesem Grund nennt man diese Isomerieart auch *geometrische Isomerie.*

Im Allgemeinen ist das *trans*-Isomere sterisch günstiger und deshalb energieärmer als das *cis*-Isomere. Die Energiedifferenzen sind aber nur gering. *trans*-But-2-en beispielsweise ist um 5,5 kJ · mol^{-1} energieärmer und damit stabiler als *cis*-But-2-en.
Cis/trans-Isomere unterscheiden sich in ihren Eigenschaften. Die Siedetemperatur von *cis*-1,2-Dichlorethen liegt mit 60,3 °C um 12,6 K höher als die Siedetemperatur von *trans*-1,2-Dichlorethen. Dies kann mit dem unterschiedlichen Dipolmoment der beiden Moleküle erklärt werden.

14.2 Ethen – der Schlüssel zur Vielfalt

Der am häufigsten verwendete Grundstoff für organische Synthesen in der chemischen Industrie ist Ethen (Ethylen). Ethen ist als Grundstoff so wichtig geworden, dass die kontinuierliche Versorgung über ein europäisches Pipeline-Verbundnetz erfolgt.

Herstellung. Ethen kommt in Erdöl und Erdgas nur in geringen Mengen vor. Hergestellt wird es vor allem durch thermisches Cracken von Leichtbenzin. Auch die bei der Erdöldestillation im Überschuss anfallenden Gasöle werden zunehmend durch Cracken in Ethen überführt.

Beim Cracken fällt ein komplexes Stoffgemisch an, das sich durch Destillation trennen lässt. Dabei bereitet lediglich die Trennung von Ethen und Ethan Schwierigkeiten, da sich die Siedetemperaturen nur um 15 K unterscheiden. Mit einer speziellen Destillationskolonne wird Ethen in einer Reinheit von 99,9 % gewonnen, das abgetrennte Ethan wird in den Cracker zurückgeführt.

Verarbeitung. Als ungesättigte Verbindung ist Ethen ein geeigneter Reaktionspartner für Additionsreaktionen. Da Ethen-Moleküle symmetrisch gebaut sind, ergeben sich bei der Addition keine isomeren Nebenprodukte. Die hohe Reaktivität und die Eindeutigkeit der Reaktionen sind besondere Vorteile von Ethen als Grundstoff.

Etwa die Hälfte des hergestellten Ethens wird zu dem Massenkunststoff Polyethylen umgesetzt. Die Anlagerung von Sauerstoff führt je nach Reaktionsbedingungen zu Ethylenoxid oder zu Acetaldehyd. Bei der Überführung von Ethen in Vinylchlorid folgt nach der Addition von Chlor eine Eliminierung von Chlorwasserstoff. Bei der Produktion von Styrol wird die C=C-Zweifachbindung durch Dehydrierung zurückgebildet.

A1 Die Ablösung von Ethin durch Ethen als wichtigstem organischem Grundstoff erfolgte in Deutschland besonders spät.
Nennen Sie einige Gründe.

A2 Die Alkene Buten und Ethen lassen sich ähnlich leicht herstellen. Auch die Reaktivität beider Stoffe ist vergleichbar. Dennoch besitzt nur Ethen entscheidende Bedeutung als Grundstoff.
a) Warum ist die Isolierung der Produkte beim Buten wesentlich schwieriger als beim Ethen?
b) Formulieren Sie die Reaktionsprodukte für eine Anlagerung von Chlorwasserstoff an Buten und an Ethen.
c) Zeigen Sie die Vorteile von Ethen als Grundstoff auf.

A3 Alkane lassen sich an geeigneten Katalysatoren zerlegen. Bei dieser Crackreaktion entstehen kürzerkettige Alkane und Alkene.
a) Geben Sie die Strukturformeln der möglichen Reaktionsprodukte beim Cracken von Pentan an.
b) Benennen Sie die Crackprodukte.

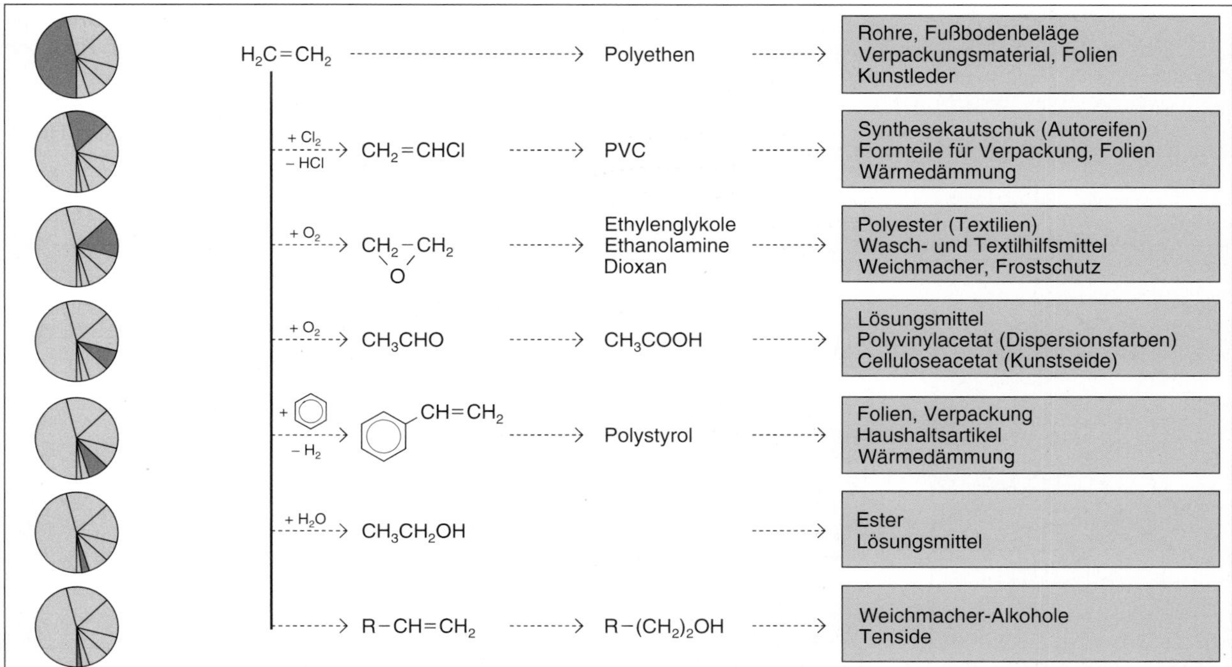

1. Ethen und Folgeprodukte

14.3 Vom Hexen zum Dibromhexan – eine elektrophile Addition

A1 Geben Sie Reaktionsgleichungen für die Reaktion von Ethan mit Brom und für die Reaktion von Ethen mit Brom an. Welche Unterschiede im Reaktionsverlauf kann man bei den beiden Reaktionen feststellen?

A2 Wodurch unterscheiden sich die homolytische und die heterolytische Spaltung einer Bindung? Welche Teilchen entstehen dabei jeweils?

A3 **a)** Begründen Sie, weshalb C–C-π-Bindungen leichter polarisierbar sind als C–C-σ-Bindungen.
b) Vergleichen Sie die Polarisierbarkeiten der Halogen-Moleküle.

A4 Begründen Sie die besondere Reaktivität des Carbenium-Ions.

A5 1,2-Dichlorbuta-1,3-dien wird mit Chlor umgesetzt.
a) Formulieren Sie die Reaktionsgleichung.
b) Welche der beiden C=C-Zweifachbindungen wird bei der Reaktion bevorzugt chloriert? Begründen Sie Ihre Aussage.

Versetzt man Hex-1-en oder ein anderes Alken bei Raumtemperatur mit Brom, so entfärbt sich die Mischung sofort. Die Reaktion läuft im Gegensatz zur Umsetzung von Alkanen mit Brom auch im Dunkeln ab. Radikale sind also nicht beteiligt. Außerdem entsteht bei der Reaktion kein Bromwasserstoff. Aus diesen Beobachtungen kann man den Schluss ziehen, dass bei der Reaktion von Hexen mit Brom keine Substitutionsreaktion, sondern eine Additionsreaktion abläuft:

$$C_6H_{12} + Br_2 \longrightarrow C_6H_{12}Br_2$$

Mechanismus der elektrophilen Addition. Das reaktive Zentrum am Hexen-Molekül ist die leicht polarisierbare π-Bindung. Ein Angriff an diesen Bereich erhöhter negativer Ladung erfolgt durch *elektrophile* Teilchen.
Nähert sich ein Brom-Molekül einem Hexen-Molekül, so kann es zu einer Polarisierung des Brom-Moleküls kommen: Durch die erhöhte Ladungsdichte im Bereich der π-Bindung werden die Elektronen des Brom-Moleküls abgestoßen. Gleichzeitig werden die π-Elektronen der C=C-Zweifachbindung in Richtung auf die nun positivierte Seite des Brom-Moleküls verschoben. Diese Elektronenverschiebung führt schließlich zur Ausbildung einer Bindung zwischen einem Kohlenstoff-Atom und dem positivierten Brom-Atom; gleichzeitig bildet sich ein Bromid-Ion. Die Elektronenpaarbindung des Brom-Moleküls wird hier also asymmetrisch gespalten. Eines der entstehenden Teilchen erhält beide Elektronen; man spricht von einer *heterolytischen* Bindungsspaltung.
Nach diesem ersten Reaktionsschritt liegt neben dem negativ geladenen Bromid-Ion ein **Carbenium-Ion** als Zwischenstufe vor. Carbenium-Ionen sind reaktive organische Ionen mit positiv geladenem Kohlenstoff-Atom. Sie treten auch bei anderen Additionsreaktionen auf. Im Falle der Bromierung formuliert man häufig ein **Bromonium-Ion** als Zwischenstufe. Der große Atomradius des Broms begünstigt die Bildung des Bromonium-Ions.
In einem zweiten schnellen Reaktionsschritt greift das Bromid-Ion dann das Carbenium-Ion bzw. das Bromonium-Ion von der Rückseite her *nucleophil* an. Ein Vorderseitenangriff ist aus sterischen Gründen behindert. Unter Bildung einer zweiten C–Br-Bindung entsteht als Endprodukt der Reaktion 1,2-Dibromhexan.
Den Mechanismus dieser Additionsreaktion bezeichnet man wegen des Angriffs des Elektrophils im ersten, geschwindigkeitsbestimmenden Reaktionsschritt als *elektrophile Addition* (A_E-Reaktion).

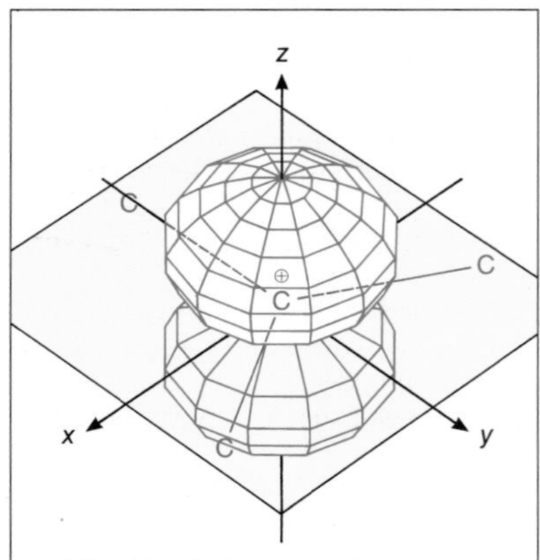

1. Struktur eines Carbenium-Ions nach dem Orbital-Modell

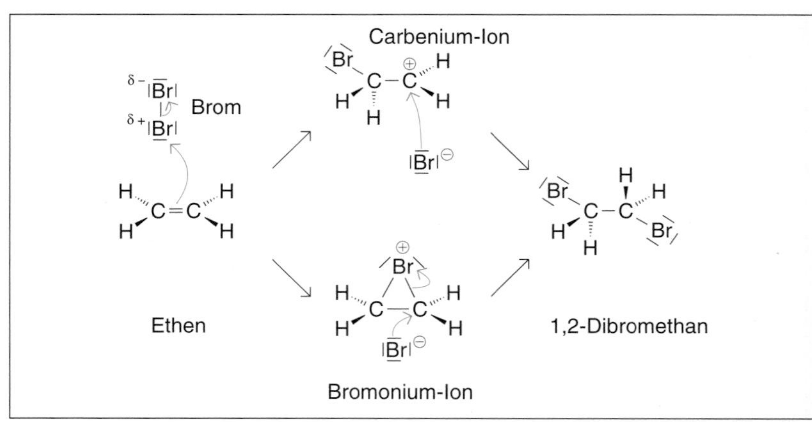

2. Mechanismus der elektrophilen Addition von Brom an Ethen. Reaktionsverlauf über ein Carbenium-Ion bzw. ein Bromonium-Ion.

Nachweis des Mechanismus. Die bei der elektrophilen Addition gebildete kationische Zwischenstufe ist sehr kurzlebig. Trotzdem lässt sich ihre Existenz indirekt belegen: Führt man die Reaktion in Gegenwart von konkurrierenden Nucleophilen wie Chlorid-Ionen durch, so entsteht neben der Dibrom-Additionsverbindung auch das entsprechende gemischte Additionsprodukt. Die Möglichkeit eines nachträglichen Austauschs des Bromid-Ions gegen das Chlorid-Ion kann durch einen Kontrollversuch ausgeschlossen werden. Hiermit ist ein experimenteller Beweis für die Richtigkeit des Reaktionsmechanismus gegeben.

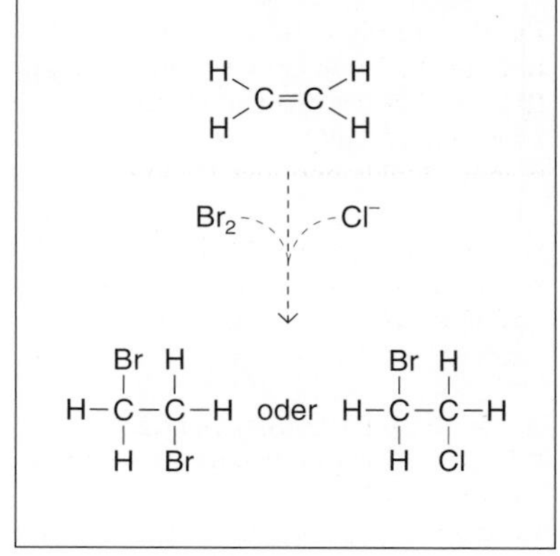

1. Nachweis einer kationischen Zwischenstufe

Reaktivität verschiedener Alkene. Die Elektronendichte im Bereich der C=C-Zweifachbindung wird durch die Substituenten an den Kohlenstoff-Atomen beeinflusst. Dies zeigt sich bei der Reaktionsgeschwindigkeit der elektrophilen Addition. Im Vergleich zur Addition von Brom an Ethen beobachtet man bei Chlorethen eine etwa 25-mal geringere Reaktionsgeschwindigkeit. 1,2-Dichlorethen reagiert noch langsamer, Tetrachlorethen reagiert praktisch nicht. Aufgrund der größeren Elektronegativität der Chlor-Atome kommt es zu einer Elektronenverschiebung in der C–Cl-Bindung. Das Kohlenstoff-Atom erhält so eine positive Partialladung, das Chlor-Atom eine negative. Diese Ladungsverschiebung wirkt über die direkt betroffene Bindung hinaus auch auf benachbarte Bindungen. Im Bereich der C/C-Bindung nimmt daher die Elektronendichte mit der Anzahl der benachbarten Chlor-Atome ab. Diesen Einfluss von elektronegativen Substituenten bezeichnet man als *negativen Induktions-Effekt* (–I-Effekt). Durch den –I-Effekt wird die Elektronendichte vermindert. Davon ist in besonderem Maße die leicht polarisierbare π-Bindung betroffen. Als Folge nimmt die Reaktivität ab.
Im Gegensatz dazu beobachtet man bei der Addition von Brom an Propen eine im Vergleich zu Ethen verdoppelte Reaktionsgeschwindigkeit. Bei der Addition an 2,3-Dimethylbut-2-en ist die Reaktionsgeschwindigkeit sogar 10-mal größer. Alkyl-Substituenten erhöhen offensichtlich die Reaktivität der C=C-Zweifachbindung. Man schreibt ihnen einen *positiven Induktions-Effekt* (+I-Effekt) zu. Durch den +I-Effekt wird die Ladungsdichte im Bereich der C=C-Zweifachbindung und damit die Reaktivität erhöht.

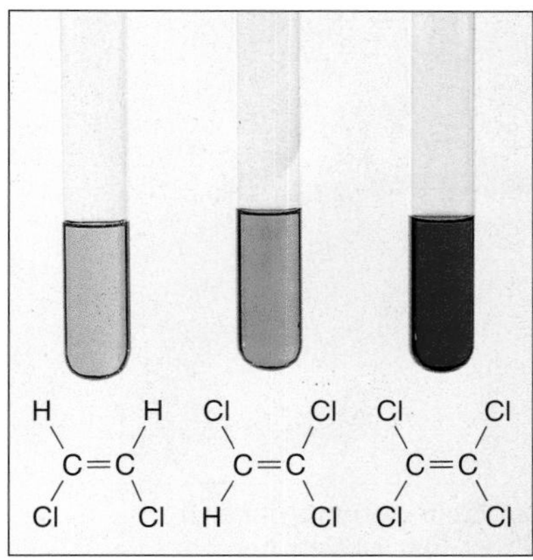

2. Reaktion von substituierten Alkenen mit Brom

Addition von Wasser. Die Addition von Wasser an Alkene führt zu Alkoholen. Diese Reaktion ist die Umkehrung der entsprechenden Eliminierungsreaktion. Sie wird durch Hydronium-Ionen katalysiert.

$$H_2O + H_2SO_4 \longrightarrow H_3O^+ + HSO_4^-$$

$$H_2C{=}CH_2 + H_3O^+ \longrightarrow H_3C{-}CH_2^{\oplus} \;(+\,H_2O) \longrightarrow H_3C{-}CH_2{-}OH_2^{\oplus}$$

$$CH_3{-}CH_2{-}\overset{+}{O}H_2 + HSO_4^- \longrightarrow CH_3{-}CH_2{-}OH + H_2SO_4$$

Ethanol

3. Mechanismus der elektrophilen Addition von Wasser an Ethen

A1 Bei der Addition von Halogenwasserstoff-Molekülen an asymmetrische Alken-Moleküle wird das Wasserstoff-Atom an das Kohlenstoff-Atom angelagert, das bereits die meisten Wasserstoff-Atome besitzt (Regel von MARKOWNIKOW).
a) Entwickeln Sie den Mechanismus der Reaktion von Bromwasserstoff mit 2-Methylpropen.
b) Welches Produkt entsteht bei der Reaktion?
c) Bei welchem Reaktionsschritt erfolgt die Entscheidung, welches der beiden möglichen Produkte gebildet wird?
d) Begründen Sie den Reaktionsverlauf und die Regel von MARKOWNIKOW.

14.4 Ethin – Kohlenstoff-Atome dreifach gebunden

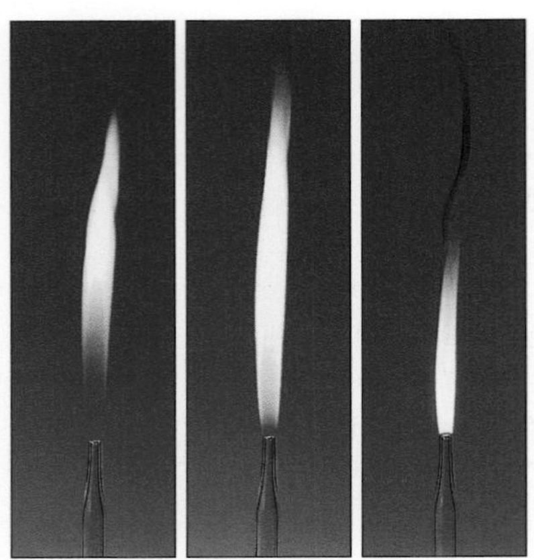

1. Die Flammen von Ethan, Ethen und Ethin im Vergleich

2. Ethin-Springbrunnen: Ethin löst sich in Aceton

A1 Warum verläuft die Addition von Brom an Ethin langsamer als die Addition von Brom an Ethen?

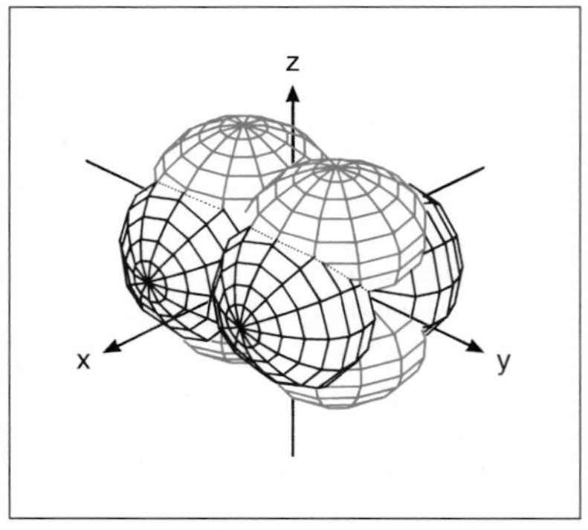

3. π-Bindungen im Ethin-Molekül

Ethin (Acetylen) ist der einfachste Kohlenwasserstoff mit einer C≡C-Dreifachbindung. Die technische Herstellung erfolgt heute hauptsächlich auf petrochemischer Basis. Am weitesten verbreitet sind Verfahren, bei denen Methan bei Temperaturen um 1500 °C mit reinem Sauerstoff zur Reaktion gebracht wird. Dabei erfolgt eine unvollständige Verbrennung des Methans unter Bildung von Ethin.

$$4\ CH_4 + 3\ O_2 \longrightarrow 2\ C_2H_2 + 6\ H_2O$$

Früher wurde Ethin auf Kohlebasis hergestellt: 1970 waren es in der Bundesrepublik Deutschland noch 34 %, 1976 nur noch 16 %. Koks und Calciumoxid reagieren dabei in Lichtbogenöfen zu Calciumcarbid (CaC_2), das anschließend mit Wasser zu Ethin und Calciumhydroxid umgesetzt wird:

$$CaC_2 + 2\ H_2O \longrightarrow C_2H_2 + Ca(OH)_2$$

Ethin ist ein farbloses Gas. Es brennt an der Luft mit einer sehr hellen und stark rußenden Flamme. Mit reinem Sauerstoff erreicht man eine Verbrennungstemperatur von 3000 °C. Ethin wird daher zum Schweißen verwendet. Der Umgang mit Ethin ist sehr gefährlich, da Ethin/Luft-Gemische mit einem Anteil an Ethin zwischen 3 % und 73 % explosionsfähig sind. Auch unter hohem Druck stehendes und flüssiges Ethin neigt – besonders bei Stoß oder beim Erhitzen – zu explosionsartigem Zerfall. Ethin ist instabil, weil beim Zerfall in die Elemente sehr viel Energie frei wird. Die dabei freigesetzte Energie ist etwa so groß wie bei der Knallgasreaktion.
Wegen seiner Explosivität steht Ethin in den zum Schweißen verwendeten Stahlflaschen nicht unter hohem Druck, sondern es ist in Aceton gelöst. Bei Raumtemperatur und unter einem Druck von 1,2 MPa (12 bar) lösen sich 300 Liter Ethin in einem Liter Aceton.

Die Bindungen im Ethin-Molekül. Die Länge der C≡C-Dreifachbindung im Ethin-Molekül beträgt 120 pm, die Bindungsenthalpie beträgt 837 kJ · mol^{-1}. Nach dem Orbital-Modell liegen die Kohlenstoff-Atome im Ethin-Molekül im sp-Hybridzustand vor. Die vier Valenzelektronen befinden sich in je zwei sp-Hybridorbitalen und in je zwei p-Orbitalen. Die sp-Orbitale sind linear angeordnet. Sie bilden die Bindungen zu den Wasserstoff-Atomen sowie die C–C-σ-Bindung. Die p-Orbitale stehen zueinander und zu den sp-Orbitalen in einem Winkel von jeweils 90°. Die p-Orbitale überlappen zu **zwei π-Bindungen** zwischen den Kohlenstoff-Atomen. Die beiden π-Bindungen überlagern sich gegenseitig, sodass die C–C-σ-Bindung von einer zylinderförmigen Ladungswolke von π-Elektronen umgeben ist.
Wegen der im Vergleich zum Ethen kleineren Bindungslänge sind die π-Elektronen fester an die Atomrümpfe gebunden. Dadurch wird die elektrophile Addition von Brom erschwert: Die Bromierung verläuft erheblich langsamer als beim Ethen.
Die C–H-Bindung im Ethin-Molekül ist kürzer als die C–H-Bindung im Ethen-Molekül und im Ethan-Molekül. Dies lässt sich durch den höheren Anteil der s-Orbitale an der Hybridisierung erklären: Im sp-Orbital beträgt der s-Anteil 50 %, im sp^2-Orbital 33 % und im sp^3-Orbital nur 25 %. Bei höherem s-Anteil ist der mittlere Abstand der Elektronen vom Atomkern kleiner und die resultierende Bindung zum H-Atom wird kürzer. Die C–H-Bindung im Ethin-Molekül ist auch polarer als die C–H-Bindung im Ethen- und im Ethan-Molekül. Ethin reagiert daher sehr schwach sauer ($pK_S = 22$).
Leitet man Ethin in ammoniakalische Silbernitrat-Lösung ein, so fällt schwer lösliches Silberacetylid (Ag_2C_2) aus. In trockenem Zustand ist Silberacetylid äußerst explosiv. Das Gleiche gilt für andere Schwermetallacetylide. Stabil ist dagegen Calciumacetylid, das in der Technik traditionell als Calciumcarbid bezeichnet wird. Die eigentlichen Carbide enthalten das C^{4-}-Ion, Acetylide dagegen das C_2^{2-}-Ion.

Versuche mit Alkenen und Alkinen

Versuch 1: **Bildung von Isobuten (F)**

 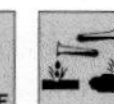     

Materialien: Waage, Tropftrichter, 2 Erlenmeyerkolben (100 ml), doppelt durchbohrter Stopfen, Glasrohre, Wasserbad, Kolbenprober oder pneumatische Wanne; *tert.*-Butanol (F, Xn), Phosphor(V)-oxid-Trockenmittel (C) mit Feuchtigkeitsindikator, Bromwasser (T, Xi)

Durchführung:
1. Erwärmen Sie 20 g *tert.*-Butanol im Wasserbad und geben Sie die Schmelze in den Tropftrichter.
2. Geben Sie etwa 10 g des Trockenmittels in einen Erlenmeyerkolben und lassen Sie den Alkohol zutropfen.
3. Fangen Sie das entstehende Gas auf.
4. Untersuchen Sie das Gas mit Bromwasser.

Aufgaben:
a) Entwickeln Sie die Reaktionsgleichung für die Bildung von Isobuten.
b) Von welchem Alkohol müsste man in einem analogen Versuch ausgehen, um 2-Methylpent-2-en zu erhalten?

Versuch 2: **Bildung von Ethin (F+)**

   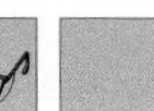 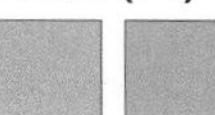  

Materialien: Waage, Tropftrichter, Erlenmeyerkolben (100 ml), doppelt durchbohrter Stopfen, Glasrohre, Kolbenprober oder pneumatische Wanne; Calciumcarbid (F+)

Durchführung:
1. Legen Sie in dem Erlenmeyerkolben etwa 10 g Calciumcarbid vor.
2. Füllen Sie den Tropftrichter mit Wasser.
3. Lassen Sie das Wasser langsam auf das Calciumcarbid tropfen und fangen Sie das entstehende Gas auf.

Versuch 3: **Nachweis ungesättigter Kohlenwasserstoffe**

      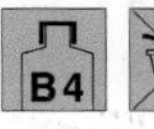 

Materialien: Gummischlauch, Glasrohr mit Spitze; BAYER-Reagenz (Kaliumpermanganat-Lösung mit Zusatz von Natriumcarbonat), Bromwasser (T, Xi), Isobuten (F) oder ein anderes Alken, Ethin (F+)

Durchführung:
1. In zwei Reagenzgläsern werden BAYER-Reagenz und Bromwasser vorgelegt.
2. Dann leitet man bis zur Entfärbung Isobuten in das Bromwasser.
3. Verfahren Sie ebenso mit dem BAYER-Reagenz, bis sich auch hier die Lösung entfärbt. Dabei entsteht ein brauner Niederschlag.
4. Wiederholen Sie die beiden Versuche mit Ethin.

Aufgaben:
a) Vergleichen Sie die Geschwindigkeit der Entfärbung des Bromwassers beim Einleiten von Isobuten mit der beim Einleiten von Ethin.
b) Geben Sie eine Begründung für die unterschiedlichen Reaktionsgeschwindigkeiten an.

Versuch 4: **Mechanismus der elektrophilen Addition**

   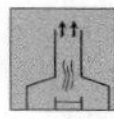    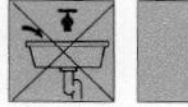

Materialien: 2 Waschflaschen mit Stopfen, Waage; Ethen (F+), Bromwasser (konz.; T, Xi), Natriumbromid

Durchführung:
1. Füllen Sie unter dem Abzug beide Waschflaschen mit je 10 ml Bromwasser. In der zweiten Waschflasche werden zusätzlich 4 g Natriumbromid gelöst.
2. Leiten Sie in beide Waschflaschen so lange Ethen ein, bis die Luft verdrängt ist. Die Öffnung des Einleitungsrohres sollte sich etwa 1 cm über der Lösung befinden.
3. Verschließen Sie die Waschflasche sorgfältig und schütteln Sie bis zur Entfärbung des Bromwassers. Unter Umständen muss dazu noch einmal Ethen nachgefüllt werden.
Vorsicht! Beim Schütteln entsteht ein Unterdruck.

Aufgaben:
a) In der ersten Waschflasche hat sich vorwiegend wasserlösliches 2-Bromethanol gebildet, in der zweiten Waschflasche überwiegend öliges, nicht wasserlösliches 1,2-Dibromethan.
Formulieren Sie für beide Reaktionen die Reaktionsgleichungen und den Reaktionsmechanismus.
b) Begründen Sie den unterschiedlichen Reaktionsverlauf.
c) Inwiefern ist der Versuch ein Hinweis auf die Existenz einer kationischen Zwischenstufe?

Explosion eines Ethin/Luft-Gemisches. Die Dose wird durch das seitliche Loch *vollständig* (!) mit Ethin gefüllt. Dann wird das Gas an der oberen Öffnung entzündet. Während des Verbrennungsvorganges wird Luft durch das seitliche Loch angesaugt. Sobald ein explosionsfähiges Ethin/Luft-Gemisch entstanden ist, kommt es zu einer Explosion und die Dose wird in die Luft geschleudert.

14.5 Die Carbonyl-Gruppe

1. Früchte enthalten zahlreiche Carbonylverbindungen

Die Umwandlung einer C–C-Einfachbindung in eine C=C-Zweifachbindung ist formal eine Oxidation. Entsprechend handelt es sich auch bei dem Übergang einer C–O-Einfachbindung in Alkoholen in eine C=O-Zweifachbindung um eine Oxidation. Die C=O-Gruppe tritt in zahlreichen organischen Verbindungen als funktionelle Gruppe auf, sie wird auch als **Carbonyl-Gruppe** bezeichnet.

Carbonyl-Verbindungen sind in der Natur als *Duftstoffe* weit verbreitet. So sind an dem typischen Erdbeeraroma unter anderem auch 28 verschiedene Carbonyl-Verbindungen beteiligt. Auch beim Duft eines Weines, der Blume, spielen Carbonyl-Verbindungen und ihre Derivate eine wichtige Rolle.

Verbindungen, die eine endständige Carbonyl-Gruppe in ihren Molekülen enthalten, heißen **Aldehyde.** Deshalb bezeichnet man die CHO-Gruppe auch als *Aldehyd-Gruppe*. Aldehyde entstehen bei der Oxidation primärer Alkohole. Von Alkanolen abgeleitete Aldehyde werden auch als **Alkanale** bezeichnet. Das erste Glied dieser homologen Reihe ist Methanal (Formaldehyd). Carbonyl-Verbindungen, bei denen die Carbonyl-Gruppe nicht endständig ist, heißen **Ketone.** Ketone entstehen durch Oxidation sekundärer Alkohole. Die von sekundären Alkanolen abgeleiteten Ketone werden als **Alkanone** bezeichnet. Der einfachste Vertreter dieser homologen Reihe ist das Propanon (Aceton).

Die Bindungen in der Carbonyl-Gruppe. Die Bindungslänge der C=O-Zweifachbindung ist mit 122 pm um 19 pm kleiner als die der C–O-Einfachbindung. Das Kohlenstoff-Atom und das Sauerstoff-Atom der Carbonyl-Gruppe liegen nach dem Orbital-Modell als sp^2-Hybride vor. Die C–O-σ-Bindung entsteht aus je einem sp^2-Orbital des Kohlenstoff-Atoms und des Sauerstoff-Atoms. Das nicht an der Hybridisierung beteiligte p_z-Orbital des Kohlenstoff-Atoms bildet mit dem p_z-Orbital des Sauerstoff-Atoms eine π-Bindung. Die beiden weiteren sp^2-Orbitale des Kohlenstoff-Atoms gehen σ-Bindungen zu anderen Atomen ein. Die beiden restlichen sp^2-Orbitale des Sauerstoff-Atoms bilden freie Elektronenpaare.
Während die C=C-Zweifachbindung unpolar ist, liegt die Besonderheit der C=O-Zweifachbindung in ihrer Polarität. Besonders die leicht polarisierbaren π-Elektronen sind in Richtung des elektronegativeren Sauerstoff-Atoms verschoben, sodass dort eine negative, am Carbonyl-C-Atom dagegen eine positive Partialladung auftritt.

Wegen der Polarität der Carbonyl-Gruppe liegen die Siedetemperaturen der Aldehyde und der Ketone deutlich über denen der Alkane mit vergleichbarer Kettenlänge. Andererseits liegen die Siedetemperaturen der Aldehyde und Ketone wesentlich niedriger als die der entsprechenden Alkohole, weil zwischen den Aldehyd-Molekülen und zwischen den Keton-Molekülen keine Wasserstoffbrückenbindungen ausgebildet werden können. Aufgrund der freien Elektronenpaare am Sauerstoff-Atom der Carbonyl-Gruppe sind jedoch Wasserstoffbrückenbindungen zu Wasser-Molekülen möglich. Deshalb sind die ersten Glieder der beiden homologen Reihen wasserlöslich.

Verwendung. Formaldehyd ist ein wichtiger Grundstoff. In Deutschland werden etwa 500 000 Tonnen pro Jahr hergestellt. Der größte Teil davon wird in der Kunststoffindustrie zu Aminoplasten und Phenoplasten weiterverarbeitet. Formaldehyd selbst wird nur in geringem Maße, und zwar als Konservierungsmittel für verderbliche Güter wie Kosmetika und als Desinfektionsmittel, genutzt. Höhere Aldehyde wie Decanal oder 7-Hydroxy-3,7-dimethyloctanal dienen in der kosmetischen Industrie als Duftstoffe. Aceton gehört zu den wichtigsten technischen Lösungsmitteln.

A1 Geben Sie die Strukturformeln folgender, im Erdbeeraroma enthaltener Carbonyl-Verbindungen an: Acetaldehyd, Propanal, Prop-2-enal, Butanal, But-2-enal, Pent-2-enal, Hexanal, *cis*-Hex-2-enal, Heptanal, Propanon, 3-Methylbutan-2-on, Butan-2,3-dion, Pentan-3-on, Hexan-2-on, Decan-2-on, Tridecan-2-on.

A2 Entwickeln Sie die Reaktionsgleichung für folgende Redoxreaktion: Synthese von 3-Methylpentan-2-on aus dem entsprechenden Alkohol unter Verwendung von Kaliumdichromat in saurer Lösung.

A3 Vergleichen Sie die C=C-Zweifachbindung mit der C=O-Zweifachbindung hinsichtlich Bindungslänge, Bindungsenergie und Polarität.

A4 Vergleichen Sie Alkane, Alkanole und Alkanale hinsichtlich ihrer Siedetemperatur und ihrer Wasserlöslichkeit. Begründen Sie Ihre Aussagen.

A5 Glycerin soll zu einer Carbonyl-Verbindung oxidiert werden. Als Oxidationsmittel dient Kupfer(II)-oxid.
a) Geben Sie die Strukturformeln möglicher Oxidationsprodukte an und benennen Sie diese.
b) Stellen Sie Reaktionsgleichungen auf.

Reaktionen der Carbonyl-Gruppe. Als ungesättigte Verbindungen neigen Aldehyde und Ketone zu Additionsreaktionen. Charakteristisch ist die **nucleophile Addition** in Gegenwart von Hydronium-Ionen. Reaktionspartner sind Alkohole, Ammoniak, Wasser und Anionen.

Die Addition von Alkoholen an Carbonyl-Verbindungen läuft in zwei Stufen ab. Zunächst wird das Sauerstoff-Atom der Carbonyl-Gruppe protoniert. Danach greift das Alkohol-Molekül mit einem freien Elektronenpaar seines Sauerstoff-Atoms das Carbonyl-C-Atom nucleophil an. Das Addukt stabilisiert sich unter Abgabe eines Protons. Aus einem Aldehyd entsteht ein **Halbacetal,** aus einem Keton bildet sich ein **Halbketal.** Diese Moleküle besitzen an *einem* C-Atom eine OH-Gruppe und zusätzlich eine Ether-Gruppe.
In einer zweiten Reaktionsstufe kann die OH-Gruppe des Halbacetals oder des Halbketals protoniert werden, wobei anschließend ein Wasser-Molekül eliminiert wird. An das so gebildete Carbenium-Ion wird ein zweites Alkohol-Molekül addiert, es entsteht ein **Acetal** oder ein **Ketal.** Acetale und Ketale haben häufig einen angenehmen Geruch.

Die Carbonyl-Gruppe im Formaldehyd-Molekül ist besonders reaktiv. In dem Molekül sind keine Alkyl-Reste, die mit ihrem +I-Effekt die positive Partialladung am Carbonyl-C-Atom herabsetzen könnten. Wegen seiner großen Reaktionsfähigkeit neigt Formaldehyd zur Selbstaddition. Lässt man Formaldehyd-Lösung längere Zeit stehen, so bildet sich ein weißer Niederschlag von *Paraformaldehyd.* Bis zu 100 Formaldehyd-Moleküle sind jeweils zu einem kettenförmigen Makromolekül verknüpft.
Auch Acetaldehyd (Ethanal) neigt zur Selbstaddition. Hier treten jeweils drei Moleküle zu einem cyclischen *Paraldehyd*-Molekül zusammen; aus vier Acetaldehyd-Molekülen können sich *Metaldehyd*-Moleküle bilden.

$$R{-}CHO + H^+ \rightleftharpoons \left[R{-}CH{=}\overset{\oplus}{O}{-}H \longleftrightarrow R{-}\overset{\oplus}{C}H{-}O{-}H \right]$$

$$R{-}\overset{\oplus}{C}H{-}OH + H{-}O{-}R' \rightleftharpoons R{-}CH(OH){-}\overset{\oplus}{O}H{-}R' \rightleftharpoons R{-}CH(OH){-}OR' + H^+$$

Halbacetal

$$R{-}CH(OH){-}OR' + H^+ \rightleftharpoons R{-}CH(\overset{\oplus}{O}H_2){-}OR' \rightleftharpoons R{-}\overset{\oplus}{C}H{-}OR' + H_2O$$

$$R{-}\overset{\oplus}{C}H{-}OR' + H{-}O{-}R'' \rightleftharpoons R{-}CH(\overset{\oplus}{O}H{-}R''){-}OR' \rightleftharpoons R{-}CH(OR''){-}OR' + H^+$$

Acetal

1. Mechanismus der nucleophilen Addition an Carbonyl-Verbindungen

EXKURS

Formaldehyd – reizende Moleküle

Formaldehyd ist der Trivialname von Methanal (lat. *formica:* Ameise). Als Reinsubstanz ist Formaldehyd ein farbloses Gas mit einer Siedetemperatur von –19 °C. In den Handel kommt *Formalin,* eine wässerige Lösung mit einem Formaldehydgehalt von 35 % bis 40 %.

Bereits seit einigen Jahren ist Formaldehyd in den Verdacht geraten, *kanzerogen* zu wirken. In Langzeitversuchen an Ratten zeigte sich, dass eine Konzentration von 25 mg · m^{-3} in der Luft zu einem frühzeitigen Tod der Tiere führt. Mit weiteren Studien ließ sich belegen, dass eine Dauerbelastung mit 7 mg · m^{-3} in der Luft krebsartige Wucherungen im Bereich der Nasenschleimhaut auslösen kann. Bei einer Kontrollgruppe mit einer Belastung von 2,5 mg · m^{-3} in der Luft wurden bei den Tieren keine derartigen Wirkungen mehr festgestellt. Zur Zeit gilt ein MAK-Wert von 0,6 mg · m^{-3}.

Es kann vermutet werden, dass die Krebs erzeugende Wirkung von Formaldehyd auf seiner hohen Reaktivität beruht. Formaldehyd-Moleküle können Eiweiß-Moleküle miteinander vernetzen und so die Funktionsfähigkeit der Proteine irreversibel stören.

Bei niedriger Konzentration wird der in der Atemluft enthaltene Formaldehyd durch Reaktion mit dem Sekret der Nasenschleimhaut verbraucht. Dabei werden die NH_2-Gruppen von Eiweiß-Molekülen nucleophil an das Carbonyl-C-Atom addiert. Bei höheren Konzentrationen können Formaldehyd-Moleküle in die Zelle oder in den Zellkern eindringen und dort mit den NH_2-Gruppen der Nucleinsäure reagieren. Auf diese Weise können sie Schäden hervorrufen, die schließlich zu einer krebsartigen Entartung führen.

14.6 Oxidation und Reduktion der Carbonyl-Gruppe

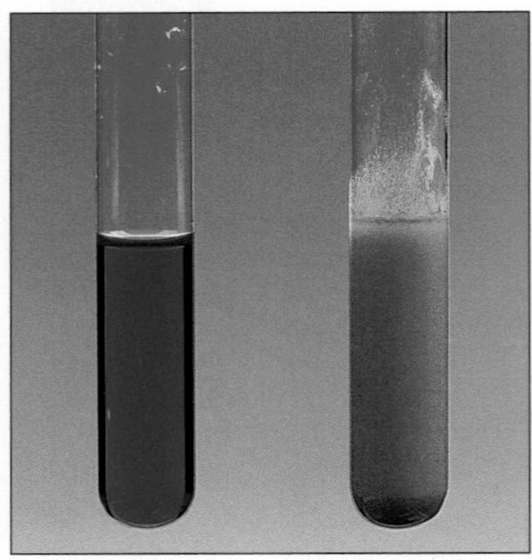

1. FEHLINGsche Probe mit Propionaldehyd (Propanal)

A1 Formulieren Sie für die Redoxreaktion von Propionaldehyd mit FEHLING-Lösung Teilgleichungen für die Oxidation und die Reduktion.

A2 Ermitteln Sie die Oxidationszahlen aller Kohlenstoff-Atome in folgenden Verbindungen:
a) 3-Methylbut-3-enal,
b) 1-Butin-3-on,
c) 2,6-Dimethylhept-2-en-4-on,
d) 4-Hydroxy-2-methylhexanal.

A3 But-2-enal wird
a) katalytisch mit Wasserstoff,
b) mit Natriumborhydrid reduziert.
Formulieren Sie die Reaktionsgleichungen für die Teilschritte und für die Gesamtreaktionen.

In Aldehyd-Molekülen hat das Carbonyl-C-Atom die Oxidationszahl I, in Keton-Molekülen beträgt die Oxidationszahl II. Ausgehend von diesen mittleren Oxidationsstufen des Kohlenstoffs kann sowohl eine Oxidation als auch eine Reduktion erfolgen.

Oxidation. Versetzt man FEHLING-Lösung, ein alkalisches, Cu^{2+}-Ionen enthaltendes Reagenz, mit etwas Propanal, so tritt beim Erhitzen ein Niederschlag von rotem Kupfer(I)-oxid auf. Bei dieser Reaktion werden die Cu^{2+}-Ionen reduziert, das Propanal wird oxidiert:

$$2\,\overset{\mathrm{II}}{Cu}^{2+} + R-\overset{\mathrm{I}}{C}(=\overline{O}|)-H + 5\,OH^- \longrightarrow \overset{\mathrm{I}}{Cu}_2O + R-\overset{\mathrm{III}}{C}(=\overline{O}|)-\overline{\underline{O}}|^{\ominus} + 3\,H_2O$$

Ketone lassen sich ohne Spaltung von Bindungen nicht oxidieren. Es ergibt sich daher eine einfache Möglichkeit, experimentell zwischen Aldehyden und Ketonen zu unterscheiden: Aldehyde reduzieren FEHLING-Lösung, Ketone dagegen nicht. Allerdings ist die Reaktion nicht für Aldehyde spezifisch, andere Verbindungen reagieren ebenfalls mit FEHLING-Reagenz.

Reduktion. Von großer technischer Bedeutung ist die Reduktion von Carbonyl-Verbindungen. Sie erfolgt als *Hydrierung* mit elementarem Wasserstoff in Gegenwart eines metallischen Katalysators wie Nickel, Palladium oder Platin. Auf diese Art sind Fettalkohole zugänglich, die für die Herstellung von Waschmitteln benötigt werden.

Die Reduktion von Carbonyl-Verbindungen im Labor erfolgt mit salzartigen Hydriden. Sie enthalten das Anion H^-, das ein sehr starkes Reduktionsmittel ist. Als Reagenzien kommen vor allem komplexe Hydride wie Natriumborhydrid ($NaBH_4$) in Frage.

$$4\,R-\overset{\mathrm{II}}{C}(=\overline{O}|)-R + \overset{\mathrm{-I}}{B}H_4^- + 3\,H_2O \longrightarrow 4\,R-\overset{0}{C}(OH)(R)-\overset{\mathrm{I}}{H} + H_2BO_3^-$$

Im Gegensatz zur Reduktion mit molekularem Wasserstoff ist diese Reaktion selektiv bezüglich der Carbonyl-Gruppe. Es können also auch Aldehyde oder Ketone mit C=C-Zweifachbindungen zu den entsprechenden ungesättigten Alkoholen reduziert werden.

primäres Alkanol	$R-\overset{\mathrm{-I}}{C}H(OH)-H$	$\underset{\text{Red.}}{\overset{\text{Ox.}}{\rightleftharpoons}}$	$[R-\overset{\mathrm{I}}{C}H(OH)-OH]$	$\underset{H_2O}{\overset{-H_2O}{\rightleftharpoons}}$	$R-\overset{\mathrm{I}}{C}(=O)-H$ Aldehyd	$\underset{\text{Red.}}{\overset{\text{Ox.}}{\rightleftharpoons}}$	$[R-\overset{\mathrm{III}}{C}(OH)(OH)-OH]$	$\underset{H_2O}{\overset{-H_2O}{\rightleftharpoons}}$	$R-\overset{\mathrm{III}}{C}(=O)-OH$ Carbonsäure
sekundäres Alkanol	$R-\overset{0}{C}R(OH)-H$	$\underset{\text{Red.}}{\overset{\text{Ox.}}{\rightleftharpoons}}$	$[R-\overset{\mathrm{II}}{C}R(OH)-OH]$	$\underset{H_2O}{\overset{-H_2O}{\rightleftharpoons}}$	$R-\overset{\mathrm{II}}{C}(=O)-R$ Keton	Ox./Red. (durchgestrichen)			
tertiäres Alkanol	$R-\overset{\mathrm{I}}{C}R(OH)-R$	Ox./Red. (durchgestrichen)							

2. Oxidation und Reduktion von Carbonyl-Verbindungen

Versuche mit Aldehyden und Ketonen

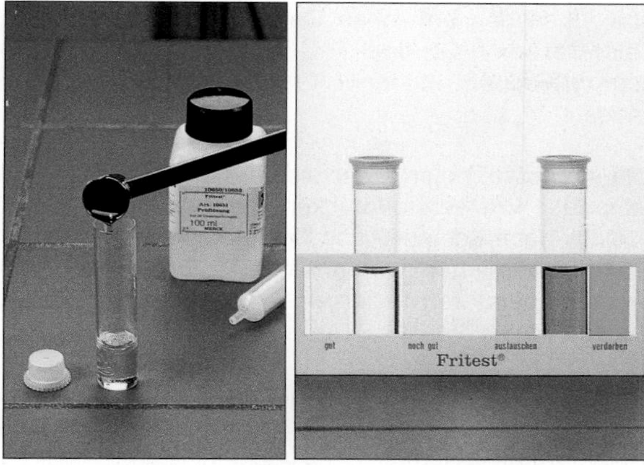

Untersuchung von Frittier-Fett. Durch thermische Zersetzung können sich gesundheitsschädliche Stoffe bilden. Zu diesen Stoffen gehört auch Propenal (Acrolein), das bei der Abspaltung von Wasser aus Glycerin entsteht.

Versuch 1: Unterscheidung von Aldehyden und Ketonen

Materialien: Becherglas (250 ml), Kunststoffspritze (5 ml); FEHLING-Lösung I, FEHLING-Lösung II (C), Silbernitrat-Lösung (2 %), Natronlauge (verd., C), Ammoniak-Lösung (verd.), Propionaldehyd (F, Xi), Glucose-Lösung, Aceton (F)

Durchführung:

a) FEHLING-Probe

1. Ein Gemisch aus je 5 ml FEHLING-Lösung I und FEHLING-Lösung II und 1 ml Propionaldehyd wird in einem Reagenzglas erhitzt.
2. Führen Sie den Versuch mit Glucose-Lösung und mit Aceton anstelle von Propionaldehyd durch.

b) TOLLENS-Probe

1. In einem Reagenzglas werden etwa 5 ml Silbernitrat-Lösung mit 0,5 ml Natronlauge vermischt und dann so lange mit Ammoniak-Lösung versetzt, bis sich der Niederschlag gerade wieder auflöst.
2. Zu dieser Lösung gibt man etwa 1 ml Propionaldehyd und erwärmt im siedenden Wasserbad.
3. Untersuchen Sie auch Glucose-Lösung und Aceton.

Aufgabe: Entwickeln Sie mit Hilfe der Teilgleichungen für die Oxidation und die Reduktion die Redoxgleichung für die FEHLING-Reaktion mit Propionaldehyd.

Versuch 2: Reduktion von Aceton zu Propan-2-ol (F)

Materialien: Becherglas (600 ml, breit), Erlenmeyerkolben (100 ml), Wasserbad, Gasbrenner; Aceton (F), Natriumborhydrid (F, T), Kaliumdichromat-Lösung (T), Schwefelsäure (verd.; Xi)

Durchführung:

1. Füllen Sie etwa 10 ml Aceton in den Erlenmeyerkolben und geben Sie etwas Natriumborhydrid dazu.
2. Verdünnen Sie das Gemisch mit dem gleichen Volumen Wasser und erwärmen Sie es im siedenden Wasserbad.
3. Nach dem Abkühlen wird überschüssiges Natriumborhydrid durch Zugabe von Schwefelsäure zersetzt.
4. Zu der sauren Lösung gibt man etwas Kaliumdichromat-Lösung und erhitzt bis zum Sieden.

Versuch 3: Bildung eines Acetals

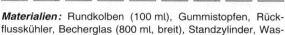

Materialien: Rundkolben (100 ml), Gummistopfen, Rückflusskühler, Becherglas (800 ml, breit), Standzylinder, Wasserbad, Messzylinder (25 ml); Schwefelsäure (konz.; C), Ethan-1,2-diol (Xn), Aceton (F), Natronlauge (0,1 ml · l^{-1})

Durchführung:

1. In einem Rundkolben gibt man zu einer Mischung aus 10 ml Aceton und 20 ml Ethandiol zwei Tropfen konzentrierte Schwefelsäure.
2. Erhitzen Sie das Gemisch unter Rückfluss eine Stunde lang im siedenden Wasserbad.
3. Geben Sie 20 ml Natronlauge hinzu und gießen Sie die Lösung in einen Standzylinder.

Aufgabe: Begründen Sie die unterschiedliche Löslichkeit von Edukten und Produkt.

Versuch 4: Addition von Hydrogensulfit

 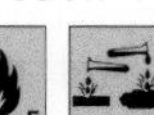     

Materialien: Becherglas (100 ml), Magnetrührer, computerunterstütztes Temperaturmessgerät, Messzylinder (25 ml), Kunststoffspritze (5 ml); Natriumhydrogensulfit-Lösung (40 %; C), Benzaldehyd (Xn), Aceton (F), Propionaldehyd (F, Xi)

Durchführung:

1. *Vorversuch:* 5 ml Natriumhydrogensulfit-Lösung werden mit 1 ml Benzaldehyd versetzt und geschüttelt.
2. Man gibt unter Rühren 20 ml Aceton und 20 ml Natriumhydrogensulfit-Lösung zusammen und misst in schneller Folge den Temperaturverlauf (etwa eine Messung pro Sekunde).
3. Wiederholen Sie den Versuch mit Propionaldehyd.

Aufgaben:

a) Entwickeln Sie den Mechanismus der Reaktion eines Aldehyds mit Hydrogensulfit.

b) Das Hydrogensulfit-Ion greift mit dem freien Elektronenpaar des Schwefel-Atoms an. Begründen Sie diesen Sachverhalt.

c) Geben Sie eine Erklärung für den unterschiedlichen Temperaturverlauf bei der Reaktion von Aceton und von Propionaldehyd mit Hydrogensulfit.

14.7 Die Carboxyl-Gruppe macht Moleküle sauer

1. Eisessig erstarrt bei 16 °C

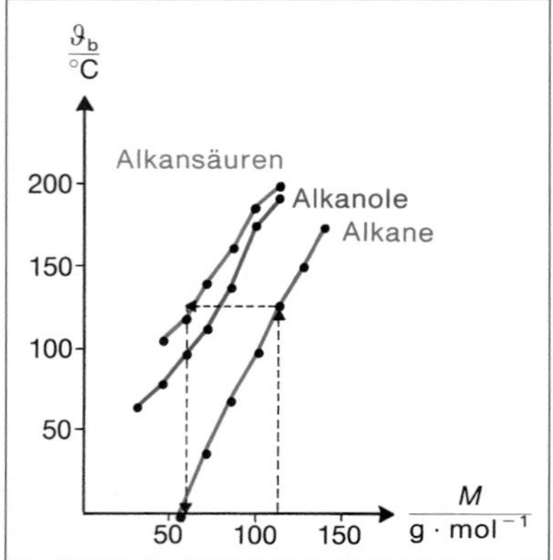

2. Siedetemperaturen von Alkanen, Alkanolen und Alkansäuren

A1 Geben Sie die Strukturformel des Essigsäure-Doppelmoleküls an. Warum bilden sich diese Doppelmoleküle?

A2 Vergleichen Sie die Acidität von Alkoholen und von Aldehyden mit der von Carbonsäuren. Begründen Sie Ihre Aussagen mit Hilfe der Bindungsverhältnisse.

A3 Ordnen Sie folgenden Säuren den pK_S-Werten zu und begründen Sie die Zuordnung:
Säuren: 2-Chlorbutansäure, Ethin, 3-Chlorbutansäure, Trifluorethansäure, Methanol, 2-Chlorpropansäure, 2-Methylpropansäure, 4-Chlorbutansäure.
pK_S-Werte: 0,3; 2,83; 2,86; 4,05; 4,52; 4,86; 16; 22.

Bei der Oxidation von Aldehyden entstehen **Carbonsäuren.** Ihre funktionelle Gruppe wird als **Carboxyl-Gruppe** (–COOH) bezeichnet. Formal kann man die Carboxyl-Gruppe in eine *Carbo*nyl-Gruppe und eine Hydro*xyl*-Gruppe zerlegen.

Carbonsäure-Moleküle sind stark polar. Über die Carboxyl-Gruppen bilden die Moleküle untereinander Wasserstoffbrückenbindungen aus. Carbonsäuren haben daher relativ hohe Schmelz- und Siedetemperaturen. Bis kurz oberhalb der Siedetemperatur liegen Carbonsäure-Moleküle als Doppelmoleküle vor. Die Siedetemperaturen liegen daher etwa so hoch wie bei Alkanen mit der doppelten Molekülmasse.

Acidität. Die Bezeichnung Carbonsäure weist darauf hin, dass wässerige Lösungen von Carboxyl-Verbindungen sauer reagieren. Als korrespondierende Basen entstehen *Carboxylat-Ionen* ($R-CO_2^-$).

$$R-C(=O)-OH + H_2O \rightleftharpoons R-C(=O)-O^{\ominus} + H_3O^{\oplus}$$

Die im Vergleich zu Alkoholen recht große Säurestärke der Carbonsäuren ist auf den negativen Induktions-Effekt (–I-Effekt) des Carbonyl-Sauerstoff-Atoms zurückzuführen. Aufgrund der Elektronegativität des Sauerstoffatoms kommt es zu einer Positivierung des Carbonyl-C-Atoms, das seinerseits die ohnehin vorhandene Polarität der O – H-Bindung verstärkt und damit die Acidität des Moleküls erhöht.

In der homologen Reihe der Alkansäuren nimmt die Säurestärke ab: Die stärkste Säure ist die Ameisensäure (Methansäure) mit einem pK_S-Wert von 3,65. Es folgen die Essigsäure (Ethansäure) mit 4,65 und die Propionsäure (Propansäure) mit 4,67.
Die Änderung des pK_S-Wertes in der homologen Reihe der Alkansäuren beruht auf dem positiven Induktions-Effekt (+I-Effekt) des Alkyl-Restes. Dadurch wird die positive Partialladung am Carbonyl-C-Atom und damit die Polarität der O – H-Bindung vermindert. Dies führt zu einer Verringerung der Säurestärke. Andererseits erhöhen Substituenten mit einem –I-Effekt die Säurestärke von Carbonsäuren. So beträgt der pK_S-Wert von Chlorethansäure 2,70, der von Fluorethansäure sogar 2,59. Die Säurestärke hängt auch von der Anzahl der –I-Substituenten ab. Als Beispiele können die Dichlorethansäure ($pK_S = 1{,}10$) und die Trichlorethansäure ($pK_S = 0{,}50$) angeführt werden.

Bedeutung. Carbonsäuren spielen in der Natur und auch im täglichen Leben eine wichtige Rolle. So ist *Methansäure* (Ameisensäure) in den Giftdrüsen der Ameisen und den Brennhaaren der Brennesseln enthalten. *Ethansäure* (Essigsäure) entsteht bei der durch Essigsäurebakterien (Acetobacter) katalysierten Oxidation von Ethanol und wird im Haushalt als Säure schlechthin verwendet.
Beim Ranzigwerden von Fetten entsteht *Butansäure* (Buttersäure), die einen besonders unangenehmen Geruch besitzt. *Palmitinsäure* und *Stearinsäure* sind Alkansäuren mit 16 bzw. 18 Kohlenstoff-Atomen. Sie kommen in Fetten an Glycerin gebunden vor. Deshalb bezeichnet man langkettige Alkansäuren auch als **Fettsäuren.** In pflanzlichen Ölen ist ein großer Anteil an ungesättigten Fettsäuren wie *Ölsäure* (*cis*-Octadeca-9-ensäure) und *Linolsäure* (*cis,cis*-Octadeca-9,12-diensäure) gebunden. Von den Alkalisalzen der Alkansäuren besitzen die Palmitate und die Stearate eine besondere Bedeutung, es sind *Seifen.*

Dicarbonsäuren. Stoffe, deren Moleküle zwei Carboxyl-Gruppen enthalten, heißen Dicarbonsäuren. Wichtige Vertreter dieser Stoffklasse sind die *Oxalsäure* (Ethandisäure), die *Malonsäure* (Propandisäure), die *Bernsteinsäure* (Butandisäure) sowie die *Maleinsäure* und die *Fumarsäure* (*cis-* und *trans-*Butendisäure).

Die Säureeigenschaften sind bei den Dicarbonsäuren deutlicher ausgeprägt als bei den Monocarbonsäuren. Die Ursache dafür liegt in dem –I-Effekt, den die beiden Carboxyl-Gruppen aufeinander ausüben. Dass dieser gegenseitige Einfluss mit dem Abstand der beiden Carboxyl-Gruppen im Molekül sehr schnell abnimmt, zeigt ein Vergleich der Säurestärke von Essigsäure ($pK_S = 4{,}65$) und Oxalsäure ($pK_{S1} = 1{,}1$; $pK_{S2} = 4{,}0$) einerseits sowie Buttersäure ($pK_S = 4{,}7$) und Bernsteinsäure ($pK_{S1} = 4{,}1$; $pK_{S2} = 5{,}3$) andererseits.

Hydroxycarbonsäuren. Der wichtigste Vertreter dieser Stoffgruppe ist die *Milchsäure* (2-Hydroxypropansäure). Milchsäure entsteht bei der Vergärung von Kohlenhydraten durch bestimmte Bakterien (z. B. Lactobacillus). Die Milchsäuregärung spielt eine wichtige Rolle bei der Herstellung von Joghurt, Sauerkraut und auch bei der Silage von Viehfutter.
Zwei Hydroxyl-Gruppen im Molekül enthält die *Weinsäure* (2,3-Dihydroxybutandisäure). Ein schwer lösliches Salz der Weinsäure, das Kaliumhydrogentartrat, ist Hauptbestandteil des Weinsteins.

Aminosäuren. Ersetzt man die Hydroxyl-Gruppe im Milchsäure-Molekül durch eine **Amino-Gruppe** ($-NH_2$), so erhält man die Aminosäure *Alanin.* Aminosäuren sind als Bausteine von Eiweiß-Molekülen von ganz besonderer biologischer Bedeutung.

$HOOC-CH_2-COOH$
Malonsäure

$HOOC-CH_2-CH_2-COOH$
Bernsteinsäure

$HO-CH(CH_3)-COOH$
Milchsäure

$H_2N-CH(CH_3)-COOH$
Alanin

$HOOC-CH(OH)-CH_2-COOH$
Äpfelsäure

$HOOC-CH(OH)-CH(OH)-COOH$
Weinsäure

$HOOC-CH_2-C(OH)(COOH)-CH_2-COOH$
Citronensäure

1. Strukturformeln verschiedener Carbonsäuren

EXKURS

Salze machen das Leben schwer

Der Patient klagt bei sonst völliger Gesundheit über kolikartige, wellenförmig an- und abschwellende Schmerzen in der Lendengegend, die bis in den Unterbauch ausstrahlen. Nach eingehender Untersuchung stellt der Arzt die Diagnose: **Nierensteine.**

Nierensteine entstehen durch die Ausfällung von sonst im Harn gelösten Stoffen. Weshalb ein Mensch Steine bekommt, ein anderer dagegen nicht, kann man nicht mit letzter Sicherheit sagen. Ein auslösender Faktor ist eine ernährungsbedingte Übersäuerung des Harns.

Nicht jeder Nierenstein macht sich durch Beschwerden bemerkbar. Kleinere Kriställchen mit glatter Oberfläche werden meist unbemerkt mit dem Urin ausgeschieden. Beschwerden treten erst dann auf, wenn ein Stein aus der Niere herausgeschwemmt wird und dann auf dem Weg zur Blase irgendwo im Harnleiter stecken bleibt.

Mehr als die Hälfte der Nierensteine sind *Oxalat-Steine*; sie bestehen im Wesentlichen aus Calciumoxalat. Etwa ein Viertel sind *Phosphat-Steine.* Die dritte Gruppe bilden die *Urat-Steine*; sie bestehen aus Harnsäure und Harnsäure-Salzen. Die Harnsäure fällt beim Abbau der Purinbasen Adenin und Guanin an, beide sind wichtige Bestandteile der Nucleinsäuren.

Als Behandlungsmethoden kommen in Frage: Auflösen der Steine durch Komplexbildung oder durch einen erhöhten Durchsatz an Flüssigkeit, Herausziehen mit Hilfe einer Kunststoffschlinge, operative Entfernung der Steine und ihre Zertrümmerung mit Ultraschall-Stoßwellen.

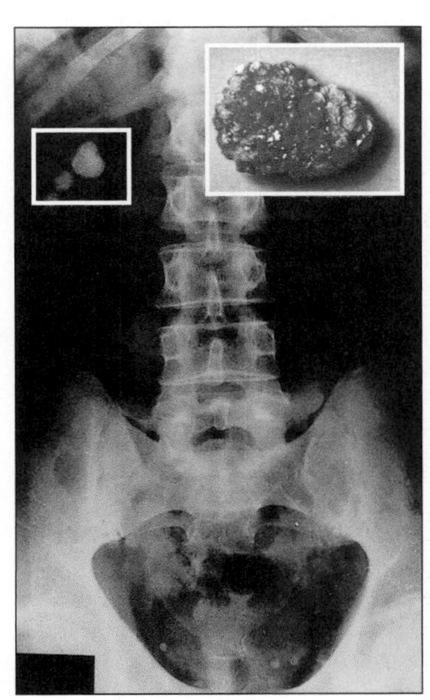

14.8 Das Carboxylat-Ion – ein mesomeres System

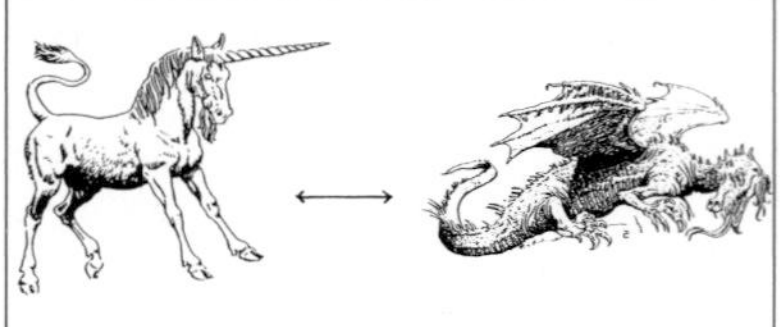

1. Gleichnis zur Mesomerie.
Im Mittelalter kehrt ein Reisender aus Afrika zurück. Neben anderen Tieren hat er in der Steppe auch Nashörner gesehen. Zu Hause beschreibt er das Nashorn als eine Kreuzung zwischen einem Einhorn und einem Drachen. Ein real existierendes Tier wird hier mangels anderer Beschreibungsmöglichkeiten als eine Kreuzung zwischen zwei wohlbekannten, aber real nicht existierenden Fabelwesen beschrieben.

In der Carboxyl-Gruppe beträgt die Bindungslänge der C–O-Einfachbindung 143 pm, die der C=O-Zweifachbindung 122 pm. Eine Untersuchung der C/O-Bindungslängen im Carboxylat-Ion bringt Überraschendes zu Tage: Die beiden C/O-Bindungen sind gleich lang. Ihre Bindungslänge beträgt jeweils 136 pm. Im Carboxylat-Ion liegt also weder eine C–O-Einfachbindung noch eine C=O-Zweifachbindung vor. Auch die negative Ladung ist gleichmäßig über beide Sauerstoff-Atome verteilt.

Nach dem Hybridisierungskonzept sind die drei Atome der Carboxylat-Gruppe sp^2-hybridisiert. Die drei p_z-Orbitale stehen senkrecht auf der σ-Bindungsebene. Sie sind insgesamt mit vier Elektronen besetzt. Zwischen zwei benachbarten p_z-Orbitalen ergibt sich *eine* C–O-π-Bindung. Die beiden übrigen Elektronen besetzen das p_z-Orbital des negativ geladenen Sauerstoff-Atoms. Im Widerspruch zum experimentellen Befund müssten nach diesem Modell unterschiedliche C/O-Bindungslängen auftreten. Mit dem Mesomerie-Modell lässt sich die Struktur des Carboxylat-Ions erklären.

Mesomerie-Modell. Man stellt sich vor, dass das p_z-Orbital des Kohlenstoff-Atoms mit den p_z-Orbitalen *beider* Sauerstoff-Atome überlappt. Es bildet sich ein π-Orbital, das sich über alle *drei* Atome erstreckt. Man spricht von einem *delokalisierten π-Elektronensystem.* Nach diesem Modell sind die beiden C/O-Bindungen im Carboxylat-Ion gleich lang.

Um Moleküle mit delokalisierten π-Elektronen formelmäßig darzustellen, sind LEWIS-Formeln nur bedingt geeignet. Man formuliert zunächst Valenzstrichformeln, in denen die π-Bindung einmal auf die eine und einmal auf die andere C/O-Bindung lokalisiert ist. Diese Formeln geben aber nicht die tatsächliche Elektronenverteilung wieder. Im Mesomerie-Modell bezeichnet man solche Formeln als *Grenzformeln.*
Jede Grenzformel beschreibt eine *fiktive* Elektronenverteilung. Die tatsächliche Elektronenverteilung wird durch die Gesamtheit der Grenzformeln umschrieben. Zur Kennzeichnung der Grenzformeln verwendet man den Mesomeriepfeil ($\longleftrightarrow$).

Mesomerieenergie. Die Delokalisierung der π-Elektronen ist energetisch günstig. Die Energiedifferenz zwischen der realen Struktur und den durch Grenzformeln dargestellten fiktiven Strukturen heißt Mesomerieenergie. Die durch die Mesomerie bedingte Stabilität der Carboxylat-Ionen ist mit ein Grund für die relativ große Säurestärke der Carbonsäuren.

A1 a) Geben Sie die Grenzformeln für die mesomeren Strukturen des Carbonat-Ions und des Hydrogencarbonat-Ions an.
b) In welchem der beiden Teilchen erfolgt die Delokalisation der π-Elektronen über einen größeren Bereich?

A2 Die Bindungsverhältnisse im Essigsäure-Molekül können durch folgende Grenzformeln beschrieben werden:

$$H_3C{-}C({=}\overline{O}|){-}\overline{O}{-}H \longleftrightarrow H_3C{-}C(|\overline{O}|^{\ominus}){=}\underline{O}^{\oplus}{-}H$$

Im Gegensatz zum Acetat-Ion ist hier der Beitrag der beiden Grenzformeln zur tatsächlichen Elektronenverteilung nicht gleich groß.
Welche der beiden Grenzformeln beschreibt die reale Elektronenverteilung besser?

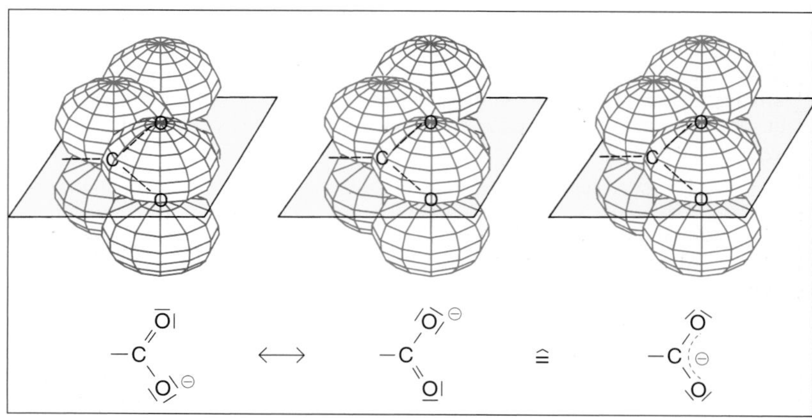

2. Bindungsverhältnisse in der Carboxylat-Gruppe

Beschreibung mesomerer Teilchen durch Grenzformeln

In Teilchen, in denen zwei oder mehrere Zweifachbindungen durch je eine Einfachbindung getrennt sind, versagen die bisherigen Bindungsmodelle: *Alle* π-Elektronen treten in Wechselwirkung. Hierbei tritt Mesomerie auf. Das Gleiche gilt, wenn eine Zweifachbindung durch eine Einfachbindung von einem freien Elektronenpaar getrennt ist, so wie das im Carboxylat-Ion der Fall ist.
Mesomere Teilchen können nicht mit *einer* LEWIS-Formel beschrieben werden. Man benutzt hier vielmehr mehrere **Grenzformeln.** Die tatsächliche Elektronenverteilung wird durch eine Überlagerung der Grenzformeln symbolisiert.

Butadien. Im Butadien-Molekül (C_4H_6) findet man folgende C/C-Bindungslängen:

135 pm 147 pm 135 pm
$H_2C=CH-CH=CH_2$

Dagegen beträgt die C–C-Bindungslänge im Ethan-Molekül 154 pm, die C=C-Bindungslänge im Ethen-Molekül 134 pm.
Im Butadien-Molekül liegt Mesomerie vor; alle vier p_z-Orbitale überlappen:

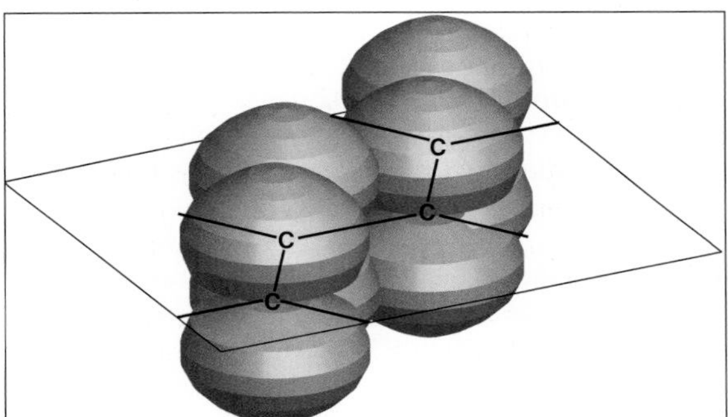

Die Bindungsverhältnisse im Butadien-Molekül lassen sich durch folgende Grenzformeln beschreiben:

I $H_2C=CH-CH=CH_2$

↕

II $H_2\overset{\oplus}{C}-CH=CH-\overset{\ominus}{C}H_2$

↕

III $H_2\overset{\ominus}{C}-CH=CH-\overset{\oplus}{C}H_2$

Die reale Elektronenverteilung kann auch durch eine nicht den LEWIS-Regeln entsprechende Formel dargestellt werden:

IV $H_2C{\cdots}CH{\cdots}CH{\cdots}CH_2$

Entwicklung von Grenzformeln. Will man von einer gegebenen Grenzformel ausgehend weitere Grenzformeln ermitteln, so müssen π-Elektronen und/oder freie Elektronenpaare verschoben werden.
Dazu wird ein π-Elektronenpaar um *eine* Bindung verschoben. Es bildet sich dann eine π-Bindung zum nächsten Bindungspartner. Unter Beachtung der maximalen Bindigkeit des Kohlenstoff-Atoms werden dann weitere Elektronenpaare verschoben: Dabei kann auch aus einem π-Elektronenpaar ein freies Elektronenpaar entstehen und umgekehrt aus einem freien Elektronenpaar ein π-Elektronenpaar.

$H_2C=CH-CH=CH_2 \longleftrightarrow H_2\overset{\oplus}{C}-CH=CH-\overset{\ominus}{C}H_2$

Bei einer derartigen Konstruktion von Grenzformeln dürfen selbstverständlich weder die Gesamtzahl der Elektronenpaare noch die Lage der σ-Bindungen verändert werden.

Mesomerieenergie. Mesomere Systeme sind besonders stabil. Der Energiegehalt der mesomeren Struktur liegt in jedem Fall niedriger als der fiktive Energiegehalt einer durch nur eine Grenzformel beschriebenen real nicht existierenden Struktur. Der tatsächlichen mesomeren Struktur eines Teilchens kommen die Grenzformeln am nächsten, die den niedrigsten – fiktiven – Energiegehalt besitzen. Je höher der – fiktive – Energiegehalt einer Grenzformel ist, desto kleiner ist ihr Anteil an der tatsächlichen Elektronenverteilung des mesomeren Teilchens.
Der Energiegehalt von Grenzformeln lässt sich nach folgenden Regeln qualitativ vergleichen:

1. Die Zahl der Elektronenpaarbindungen soll möglichst groß sein.
2. Es sollen möglichst wenig formale Ladungen auftreten.
3. Ladungen gleichen Vorzeichens sollen möglichst weit und Ladungen entgegengesetzten Vorzeichens möglichst wenig voneinander entfernt sein.
4. Wenn eine negative Ladung auftritt, dann soll sie am elektronegativsten Atom sein.

Für das Butadien ergibt sich somit folgende Stufung im fiktiven Energiegehalt der Grenzformeln:

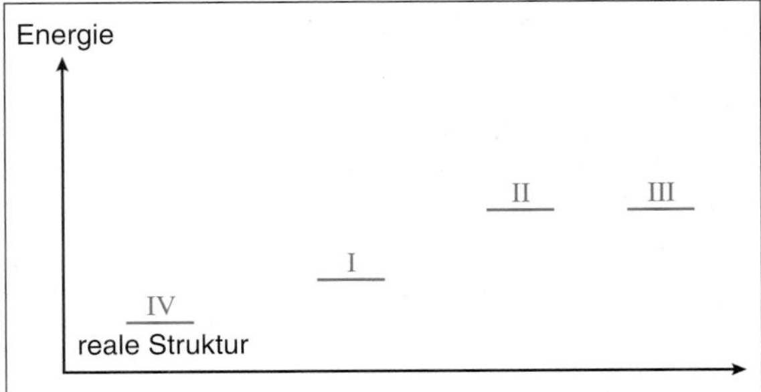

Aufgabe 1: Entwickeln Sie Grenzformeln von Acrolein (Propenal). Welche trägt am meisten, welche am wenigsten zu der realen Struktur des Acrolein-Moleküls bei?

14.9 Veresterung – ein chemisches Gleichgewicht

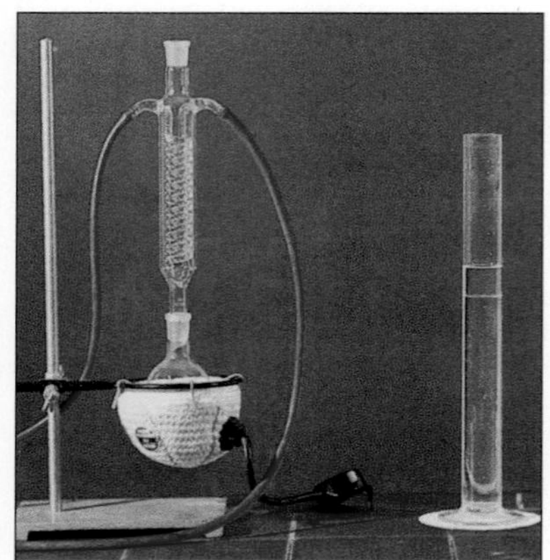

1. Versuchsaufbau zur Synthese eines Esters

A1 Vergleichen Sie die Siedetemperatur und die Löslichkeit von Estern mit der von Carbonsäuren und Alkoholen etwa gleicher Molekülmasse. Wie lassen sich die Unterschiede erklären?

A2 **a)** Formulieren Sie das Massenwirkungsgesetz für die Synthese von Essigsäureethylester.
b) Welche Möglichkeiten gibt es, das Gleichgewicht auf die Seite des Esters zu verschieben?

A3 ^{18}O-isotopenmarkiertes *tert.*-Butanol wird mit Essigsäure verestert. Massenspektrometrische Untersuchungen zeigen, dass sich die ^{18}O-Atome *nicht* in den Ester-Molekülen, sondern in den Wasser-Molekülen nachweisen lassen. Welche Schlussfolgerung ergibt sich daraus für den Mechanismus der Veresterung tertiärer Alkohole?

A4 **a)** Entwickeln Sie den Reaktionsmechanismus für die säurekatalysierte Hydrolyse von Essigsäureethylester.
b) Weshalb ist es sinnvoller, zur Gewinnung von Essigsäure aus Essigsäureethylester die alkalische Esterhydrolyse zu wählen?

A5 Fette sind Ester aus Glycerin und höheren Alkansäuren wie Palmitinsäure (Hexadecansäure) oder Stearinsäure (Octadecansäure).
Geben Sie die Strukturformel eines Fettes an.

Bringt man Carbonsäuren und Alkohole miteinander zur Reaktion, so entstehen **Carbonsäureester.** Ihre funktionelle Gruppe ist die **COOR-Gruppe.** Ester sind in Wasser schwer löslich, in unpolaren Lösungsmitteln lösen sie sich dagegen gut.

$$H_3C-C(=\overline{O}|)-\underline{O}-H + C_2H_5-\overline{\underline{O}}-H \underset{\text{Esterhydrolyse}}{\overset{\text{Veresterung}}{\rightleftharpoons}} H_3C-C(=\overline{O}|)-\underline{O}-C_2H_5 + H_2O$$

Essigsäure — Ethanol — Essigsäureethylester (Ethylacetat)

Die Veresterung ist eine typische Gleichgewichtsreaktion. Die Reaktionsgeschwindigkeit ist jedoch so gering, dass sich das Gleichgewicht bei Raumtemperatur erst nach mehreren Tagen einstellt. Durch starke Säuren wird die Reaktion katalysiert, sie verläuft dann wesentlich schneller.

Mechanismus der Veresterung. Bei der säurekatalysierten Veresterung primärer Alkohole erfolgt im ersten Reaktionsschritt eine Protonierung des Sauerstoff-Atoms der C=O-Bindung. Es entsteht ein durch Mesomerie stabilisiertes Carbenium-Ion. Das Carboxyl-C-Atom ist positiv geladen und dadurch aktiviert. Im zweiten Reaktionsschritt greift das Alkohol-Molekül das Carboxyl-C-Atom nucleophil an. In einer *Additionsreaktion* bildet sich ein Oxonium-Ion. Im dritten Schritt erfolgt zunächst eine innermolekulare Protolyse und dann die *Eliminierung* eines Wasser-Moleküls. Damit entsteht wiederum ein Carbenium-Ion. Im vierten Reaktionsschritt wird schließlich ein H^+-Ion abgespalten und damit der Katalysator zurückgebildet. Insgesamt handelt es sich bei der Veresterung um einen Additions-Eliminierungs-Mechanismus.

Alle Reaktionsschritte der säurekatalysierten Veresterung sind *reversibel.* Deshalb verläuft die Esterhydrolyse in Gegenwart von H^+-Ionen in umgekehrter Richtung nach demselben Mechanismus.

Ein Indiz für die Richtigkeit dieses Mechanismus erhielt man mit Hilfe der **Isotopenmarkierung.** Dazu wurden in den Alkohol-Molekülen die normalen Sauerstoff-Atome (^{16}O) teilweise durch das schwerere ^{18}O-Isotop ersetzt. Nach der Reaktion wurden Proben der Reaktionsprodukte massenspektrometrisch untersucht. Es zeigte sich, dass die ^{18}O-Atome im Ester, nicht aber in dem gleichzeitig entstandenen Wasser enthalten waren. Daraus muss man schließen, dass das Sauerstoff-Atom des bei der Veresterung gebildeten Wasser-Moleküls aus der OH-Gruppe der Carbonsäure stammt und nicht aus der OH-Gruppe des Alkohols. Die Reaktion wird also durch einen nucleophilen Angriff des Alkohol-Moleküls auf das Carbonyl-C-Atom eingeleitet.

Verseifung. Die säurekatalysierte Esterhydrolyse führt immer zu einem Gleichgewicht. In alkalischer Lösung lassen sich Ester dagegen quantitativ spalten. Diese Reaktion wird auch bei der Herstellung von Seife aus Fetten verwendet, man bezeichnet sie daher als Verseifung. Bei der alkalischen Esterhydrolyse greift ein OH^--Ion das Ester-Molekül nucleophil am Carbonyl-C-Atom an. Dann folgt die Eliminierung eines Alkoholat-Ions, das von dem gleichzeitig gebildeten Säure-Molekül in einem praktisch *irreversiblen* Schritt ein Proton aufnimmt.
Der Austausch des stärker nucleophilen Alkoholat-Ions gegen das weniger nucleophile Hydroxid-Ion kann nur deshalb erfolgen, weil das Alkoholat-Ion durch Aufnahme des Protons zum Alkohol-Molekül reagiert und daher praktisch vollständig aus dem Gleichgewicht entfernt wird. Die Rückreaktion läuft nicht ab, weil das Carboxylat-Ion durch Mesomerie stabilisert ist.

Veresterung

1. Schritt $R'{-}COOH + H^+ \rightleftharpoons$

$$\left[R'{-}C(=\overset{\oplus}{O}{-}H)(O{-}H) \longleftrightarrow R'{-}\overset{\oplus}{C}(O{-}H)(O{-}H) \longleftrightarrow R'{-}C(O{-}H)(=\overset{\oplus}{O}{-}H) \right]$$

Carbenium-Ion

2. Schritt

$$R'{-}\overset{\oplus}{C}(O{-}H)(O{-}H) + H{-}O{-}R'' \rightleftharpoons R'{-}C(OH)(OH){-}\overset{\oplus}{O}(H){-}R''$$

Oxonium-Ion

3. Schritt

$$R'{-}C(OH)(OH){-}\overset{\oplus}{O}(H){-}R'' \rightleftharpoons R'{-}C(\overset{\oplus}{O}H_2)(OH){-}O{-}R'' \underset{H_2O}{\overset{H_2O}{\rightleftharpoons}} R'{-}\overset{\oplus}{C}(O{-}H){-}O{-}R''$$

Carbenium-Ion

4. Schritt

$$R'{-}\overset{\oplus}{C}(H{-}O){-}O{-}R'' \rightleftharpoons R'{-}C(=O){-}O{-}R'' + H^+$$

Verseifung

$$R'{-}\overset{\delta+}{C}(=O){-}O{-}R'' + {}^{\ominus}O{-}H \rightleftharpoons R'{-}C(OH)(O^{\ominus}){-}O{-}R''$$

$$R'{-}C(OH)(O^{\ominus}){-}O{-}R'' \rightleftharpoons R'{-}C(=O){-}O{-}H + R''{-}O^{\ominus}$$

$$R''{-}O^{\ominus} + H{-}O{-}C(=O){-}R' \longrightarrow R''{-}OH + R'{-}C(=O){-}O^{\ominus}$$

EXKURS

Aromastoffe

Fruchtaromastoffe finden Verwendung bei der Herstellung von Fruchteis, sauren Fruchtbonbons, Arzneimitteln, Backwaren und Getränken.

Aromastoffe werden eingeteilt in *natürliche, naturidentische* und *künstliche* Aromastoffe.

Frucht und Fruchtaroma

Natürliches Birnenaroma ist ein sehr komplex zusammengesetztes ätherisches Öl, das aus reifen Birnen gewonnen wird. Es enthält Alkohole, Ester, Alkene sowie als aromabestimmende Bestandteile den Methyl- und Ethylester der *trans,cis*-Deca-2,4-diensäure sowie Essigsäurehexylester.

Naturidentische Aromastoffe sind synthetisch hergestellte Substanzen, die aber auch in der Natur als Aromastoff vorkommen. Ein Beispiel ist das Vanillin. Es kommt in den Schoten der *Vanilla planifolia* vor. Diese Orchideenart ist in Mexiko heimisch, wird inzwischen jedoch überall in den Tropen angebaut.

Vanillin (Strukturformel: Benzolring mit CHO, OCH_3 und OH)

Aufgabe 1: Geben Sie die Strukturformeln der aromabestimmenden Bestandteile des natürlichen Birnenaromas an.

14.10 Ester anorganischer Säuren

1. Nachweis von Boraten. Borate können als Borsäuretrimethylester nachgewiesen werden. Die Bildung des Esters ist an der grünen Flammenfärbung zu erkennen.

A1 Entwickeln Sie den Mechanismus für die Veresterung von Salpetersäure mit Methanol.

A2 Bei der Reaktion von Ethanol mit Schwefelsäure können je nach Reaktionsbedingungen unterschiedliche Reaktionsprodukte gebildet werden.
a) Geben Sie die Strukturformeln von vier verschiedenen Produkten an.
b) Geben Sie an, unter welchen Bedingungen die Produkte bevorzugt gebildet werden.

A3 Bei der Detonation von Nitroglycerin entstehen in einer sehr schnell ablaufenden Reaktion vorwiegend gasförmige Reaktionsprodukte. Formulieren Sie eine Reaktionsgleichung.

Neben Carbonsäureestern gibt es auch Ester anorganischer Säuren. Ein Beispiel sind die Halogenalkane. Sie bilden sich bei der Reaktion von Alkoholen mit Halogenwasserstoffen. Auch sauerstoffhaltige anorganische Säuren reagieren mit Alkoholen. In einer nucleophilen Substitutionsreaktion bilden sich die entsprechenden Ester. Im Gegensatz zu den Carbonsäureestern stammt bei den Estern anorganischer Säuren das Sauerstoff-Atom der Esterbindung aus dem Säure-Molekül.

Schwefelsäureester. Bei der Umsetzung von Ethanol mit konzentrierter Schwefelsäure erhält man Schwefelsäuremonoethylester, einen sauren Ester. In einem zweiten Substitutionsschritt kann dann der neutrale Diethylester (Diethylsulfat) gebildet werden.

$$HO-SO_2-OH \xrightarrow[-H_2O]{C_2H_5OH} H_5C_2-O-SO_2-OH \xrightarrow[-H_2O]{C_2H_5OH} H_5C_2-O-SO_2-O-C_2H_5$$

Schwefelsäurediethylester überträgt leicht C_2H_5-Gruppen. Wegen seiner hohen Reaktivität ist er extrem giftig. Saure Schwefelsäureester höherer Alkohole sind für die Waschmittelherstellung von Bedeutung. Bei der Synthese werden zunächst Fettsäuren zu den entsprechenden Alkoholen reduziert. Durch Veresterung mit Schwefelsäure erhält man die sauren Alkylsulfate. Ihre Natriumsalze besitzen eine Waschwirkung wie Seifen, ohne jedoch deren Nachteile aufzuweisen.

Salpetersäureester. Viele Sprengstoffe gehören zu den Salpetersäureestern. Nitroglycerin ist der Trisalpetersäureester des Glycerins. Auch die Sprengstoffe Schießbaumwolle und Methylnitrat sind Salpetersäureester.

Phosphorsäureester. Im Organismus spielen Phosphorsäureester eine wichtige Rolle. Adenosintriphosphat (ATP) ist *der* Energieüberträger im Zellstoffwechsel. Desoxyribonucleinsäure (DNA), der Träger der Erbinformation, besteht in den tragenden Teilen des Moleküls aus vielen Zucker- und Phosphorsäure-Molekülen, die über Esterbindungen miteinander verknüpft sind. Auch Insektizide wie Parathion und chemische Kampfstoffe wie Tabun und Sarin sind Phosphorsäureester.

ATP

Parathion (E 605)

Sarin

2. Phosphorsäureester

14.11 Weitere Derivate der Carbonsäuren

Carbonsäureester sind Verbindungen, bei denen die OH-Gruppe des Carbonsäure-Moleküls durch den OR-Rest ersetzt ist. Auch andere Atome oder Atomgruppen können an diese Stelle treten.

Carbonsäurehalogenide. Ersetzt man die OH-Gruppe des Carbonsäure-Moleküls durch ein Halogen-Atom, so erhält man Carbonsäurehalogenide. Bei der Reaktion von Essigsäure mit Phosphor(III)-chlorid bildet sich *Acetylchlorid.*

$$3\,CH_3{-}C{\lt}^{O}_{OH} + PCl_3 \longrightarrow 3\,CH_3{-}C{\lt}^{O}_{Cl} + H_3PO_3$$

Carbonsäurechloride sind äußerst reaktionsfähige Stoffe. Sie besitzen von allen Carbonyl-Verbindungen die größte Reaktivität. Die Ursache liegt in der Aktivierung des Carbonyl-C-Atoms durch den –I-Effekt des Chlor-Atoms. Mit Wasser reagieren Säurechloride zu den entsprechenden Carbonsäuren und Chlorwasserstoff. Durch die Umsetzung von Säurechloriden mit Alkoholen lassen sich sehr leicht Carbonsäureester herstellen.

Carbonsäureanhydride. Bei der Reaktion von Carbonsäurechloriden mit Alkalisalzen von Carbonsäuren bilden sich Carbonsäureanhydride. Aus Acetylchlorid und Natriumacetat entsteht *Essigsäureanhydrid* (Acetanhydrid). Die Carbonsäureanhydride sind nicht ganz so reaktionsfähig wie die Carbonsäurechloride, sie sind jedoch wesentlich reaktionsfähiger als Carbonsäureester.

Carbonsäureamide. Bei der Reaktion von Carbonsäurechloriden mit Ammoniak erhält man Carbonsäureamide. In einem Additions-Eliminierungs-Mechanismus wird Chlorwasserstoff abgespalten und von überschüssigem Ammoniak als Ammoniumchlorid gebunden.
Ein Säureamid ist auch der *Harnstoff;* es ist das Diamid der Kohlensäure. Harnstoff wird als Endprodukt des Eiweiß- und Aminosäure-Stoffwechsels von Säugetieren gebildet. Durch die Bildung von Harnstoff wird der giftige Ammoniak aus dem Abbau der Aminosäuren in eine ungiftige Verbindung überführt.

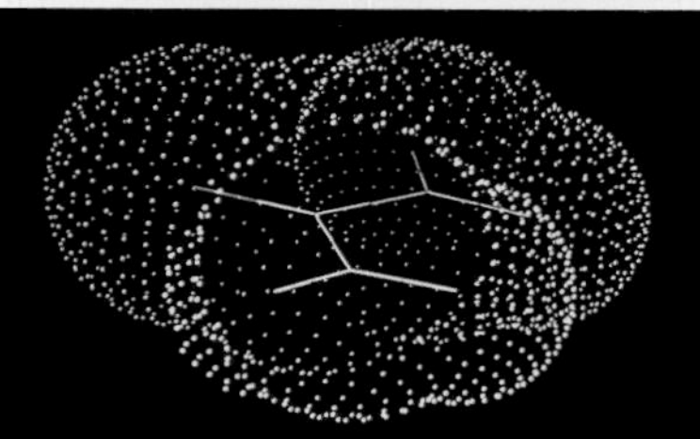

1. Harnstoff

A1 Entwickeln Sie den Mechanismus der Reaktion von Acetylchlorid (Essigsäurechlorid) mit Ammoniak.

A2 Das sehr giftige *Phosgen* (Kohlensäuredichlorid) ist ein wichtiges Zwischenprodukt der chemischen Industrie. In Deutschland werden etwa 280 000 Tonnen Phosgen pro Jahr produziert. Der größte Teil davon wird zu Isocyanaten umgesetzt. Bei der Reaktion von Phosgen mit Methylamin entstehen Methylisocyanat und Chlorwasserstoff.
Geben Sie die Reaktionsgleichung an.

EXKURS

Reaktivität von Carbonyl-Verbindungen

Carbonyl-Verbindungen sind Stoffe, deren Moleküle eine C=O-Gruppe enthalten. Aufgrund der Elektronegativität des Sauerstoff-Atoms und der leichten Verschiebbarkeit der π-Elektronen trägt das Carbonyl-C-Atom eine positive Partialladung. Hier kann ein nucleophiler Angriff erfolgen, der zu einer Addition an die C=O-Zweifachbindung führt.
Bei gleich bleibendem Alkyl-Rest R hängt die Reaktivität der Carbonyl-Gruppe davon ab, welche weiteren Atome an das Carbonyl-C-Atom gebunden sind.

Stark elektronegative Partner verstärken seine positive Partialladung und erhöhen damit die Reaktivität. Carbonsäurechloride sind dementsprechend die reaktivsten Carbonyl-Verbindungen. Dann folgen die Carbonsäureanhydride, die Aldehyde und Ketone sowie die Ester. Eine geringere Reaktivität zeigen die Carbonsäureamide und die Carbonsäuren. Wegen der hohen Elektronendichte und der Stabilisierung durch Mesomerie besitzen Carboxylat-Ionen praktisch keine Carbonyl-Reaktivität.

$$R{-}\overset{\delta+}{C}(\overset{\delta-}{=O})\overset{\delta-}{Cl} \gg (R{-}\overset{\delta+}{C}\overset{\delta-}{=O})_2\overset{\delta-}{O} > R{-}\overset{\delta+}{C}(\overset{\delta-}{=O})H > R{-}\overset{\delta+}{C}(\overset{\delta-}{=O})R' > R{-}\overset{\delta+}{C}(\overset{\delta-}{=O})OR' > R{-}\overset{\delta+}{C}(\overset{\delta-}{=O})NHR' > R{-}\overset{\delta+}{C}(\overset{\delta-}{=O})OH \gg R{-}C(=O)O^{\ominus}$$

Carbonsäurechlorid | Carbonsäureanhydrid | Aldehyd | Keton | Carbonsäureester | Carbonsäureamid | Carbonsäure | Carboxylat-Ion

Versuche mit Carbonsäuren und ihren Derivaten

Versuch 1: **Aromastoffe**

Materialien: Gummistopfen, Gasbrenner; Kunststoffspritze (2 ml), Tropfpipette;
Essigsäure (C), Propionsäure (C), Buttersäure (C), Pentansäure (C), Ethanol (F), Butan-1-ol (Xn), 2-Methylpropan-1-ol (Xn, F), Pentan-1-ol (Xn), Schwefelsäure (konz.; C)

Durchführung:
1. In ein Reagenzglas gibt man 2 ml Essigsäure und ebenso viel Ethanol.
2. Das Gemisch wird mit einigen Tropfen Schwefelsäure versetzt und kurz erhitzt.
3. Man verschließt das Reagenzglas, lässt es einige Minuten stehen und prüft dann den Geruch.
4. Verfahren Sie ebenso mit Propionsäure und Butan-1-ol, Essigsäure und 2-Methylpropan-1-ol, Buttersäure und Ethanol sowie Pentansäure und Pentan-1-ol.

Versuch 2: **Jahrmarktchemie – „brennendes Eis"**

Materialien: Waage, 2 Bechergläser (250 ml), Messzylinder (100 ml), feuerfeste Unterlage;
Brennspiritus (F), Calciumacetat

Durchführung:
1. Man löst 6 g Calciumacetat in 20 ml Wasser und gibt in einem Schwung 100 ml Brennspiritus hinzu. Überschüssiger Alkohol wird von dem sich bildenden Gel abgegossen.
2. Das Gel kann dann auf der feuerfesten Unterlage angezündet werden.

Versuch 3: **Veresterung mit Acetylchlorid**

Materialien: Becherglas mit Eis, Kunststoffspritze (5 ml), Universalindikator-Papier;
Acetylchlorid (F, C), Ethanol (F), Natronlauge (verd.; C)

Durchführung:
1. Unter Eiskühlung werden 4 ml Ethanol tropfenweise mit 2 ml Acetylchlorid versetzt.
2. Prüfen Sie das entstehende Gas (C, T) mit Indikatorpapier.
3. Neutralisieren Sie die Lösung mit Natronlauge und überprüfen Sie den Geruch.

Aufgabe 1: In einem Versuch wurden 0,2 ml Ameisensäure ($\varrho = 1{,}22\ g \cdot ml^{-1}$) in ein einseitig zugeschmolzenes Glasröhrchen pipettiert, das danach über einen Siliconschlauch mit einem Kolbenprober verbunden wurde. Im Trockenschrank wurde die Apparatur danach auf 130 °C erhitzt. Es ergab sich ein Gasvolumen von 85 ml. Berechnen Sie die molare Masse des gebildeten Gases. Wie lässt sich das Ergebnis erklären?

Versuch 4: **Harnstoff-Synthese**

 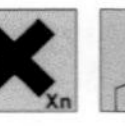 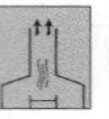    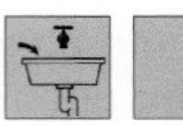

Materialien: Waage, Messzylinder (50 ml), Siedesteinchen, Abdampfschale, Gasbrenner, Dreifuß, Drahtnetz, Tropfpipette, Uhrglas, Trichter, Filtrierpapier, Nutsche, Wasserstrahlpumpe, Spannungsquelle, Strommessgerät, Leitfähigkeitsprüfer, 1 kleines und 1 großes Reagenzglas, Thermometer;
Ammoniumsulfat, Kaliumcyanat (Xn), Ethanol (F), Harnstoff

Durchführung:
1. Geben Sie 10 g Ammoniumsulfat, 10 g Kaliumcyanat und 50 ml Wasser zusammen mit einigen Siedesteinchen in eine Abdampfschale.
2. Entnehmen Sie mit der Pipette etwa 5 ml der Lösung und prüfen Sie die elektrische Leitfähigkeit.
3. Dampfen Sie die Lösung in der Abdampfschale unter ständigem Rühren ein. Wenn nur noch wenig Wasser vorhanden ist, wird die Abdampfschale mit dem Uhrglas abgedeckt und vorsichtig weiter erhitzt, bis das Gemisch *fast* trocken ist. (Das Produkt zersetzt sich bei zu starkem Erhitzen.)
4. Versetzen Sie den Rückstand nach dem Abkühlen mit 30 ml Ethanol und erhitzen Sie vorsichtig bis zum Sieden. Filtrieren Sie dann sofort die noch heiße Mischung.
5. Beim Abkühlen kristallisiert im Filtrat Harnstoff aus, der sofort abgenutscht wird.
6. Lösen Sie eine Spatelspitze des selbst hergestellten Harnstoffs in Wasser und überprüfen Sie die Leitfähigkeit der Lösung.
7. Bestimmen Sie die Schmelztemperatur des selbst hergestellten Harnstoffs.
8. Überprüfen Sie den pH-Wert der Harnstoff-Lösung.
9. Nehmen Sie Harnstoff aus der Chemikaliensammlung und vergleichen Sie die Schmelztemperatur sowie die Leitfähigkeit und den pH-Wert der Lösung mit den Eigenschaften des von Ihnen synthetisierten Harnstoffs.

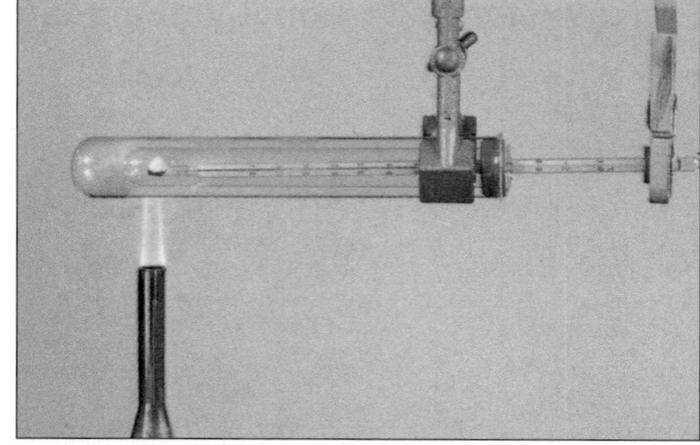

Bestimmung der Schmelztemperatur

Lebensmittelkonservierung

Schon in der frühesten Geschichte der Menschheit gab es das Problem, Lebensmittel aus Zeiten des Überschusses haltbar zu machen, damit sie in Zeiten des Mangels zur Verfügung stehen. Heute stellt sich dieses Problem noch viel deutlicher: Der Mensch ist nicht mehr Selbstversorger. Die Lebensmittel werden fern der Ballungszentren erzeugt und müssen für die Verbraucher zu jeder Jahreszeit verfügbar gehalten werden.

Lebensmittel verändern sich beim Lagern und verderben schließlich. Diese Vorgänge werden insbesondere durch *Bakterien, Hefen* und *Schimmelpilze* ausgelöst. Dabei entstehen gesundheitsschädliche Zersetzungsprodukte von Fetten, Eiweißstoffen und Kohlenhydraten oder gar giftige Stoffwechselprodukte wie die Toxine pathogener Bakterien. Lebensmittelkonservierung soll dem Verderb entgegenwirken und so die Haltbarkeit verlängern.

Konservierungsmethoden. Man unterscheidet zwischen *physikalischen* und *chemischen Konservierungsmethoden.* Am weitesten verbreitet sind die physikalischen Methoden, insbesondere die thermischen Verfahren. Auch das Entziehen von Wasser wird häufig angewandt, um Lebensmittel haltbar zu machen.

Die Behandlung von Lebensmitteln mit energiereicher Strahlung ist umstritten. Hierbei werden nicht nur die Keime abgetötet; es entstehen auch reaktive Teilchen, die beim Verzehr der so konservierten Lebensmittel möglicherweise gesundheitliche Schäden auslösen können.

Konservierungsstoffe. Seit dem Jahre 1977 gibt es in Deutschland eine Verordnung, die die Zulassung von Zusatzstoffen zu Lebensmitteln regelt. Seit 1983 müssen auf den Verpackungen von Lebensmitteln Angaben über die Inhalts- und Zusatzstoffe gemacht werden.
Oft erfolgt die Deklaration durch die Angabe der so genannten *E-Nummern*, die für alle Staaten der Europäischen Union gelten. Als Konservierungsstoffe sind nur noch solche Stoffe zugelassen, die für den Verbraucher kein gesundheitliches Risiko darstellen. Einige Konservierungsstoffe stehen allerdings in dem Verdacht, Allergien auszulösen. Um Kontrollen zu erleichtern, ist die Anzahl der zugelassenen Konservierungsstoffe sehr stark eingeschränkt worden.

Für die Anwendung von Konservierungsstoffen in Lebensmitteln sind gesetzlich Höchstmengen festgesetzt. So darf Schnittbrot bis zu 2 Gramm Sorbinsäure je Kilogramm enthalten, Flüssig-Ei dagegen bis 10 $g \cdot kg^{-1}$. Fleischsalat enthält bis 0,6 $g \cdot kg^{-1}$ PHB-Ester, Marzipan bis zu 1,5 $g \cdot kg^{-1}$.

Manchen Lebensmitteln darf Schwefeldioxid (SO_2) zugesetzt werden. Vor allem Obstprodukte können wirkungsvoll nur mit Schwefeldioxid haltbar gemacht werden. Die Anwendung ist durch das Gesetz genau festgelegt. Traubensaft darf bis zu 120 mg SO_2 je Liter enthalten, Rosinen und manche andere Trockenfrüchte gar bis zu 1 $g \cdot kg^{-1}$. Beim Wein ist die zulässige Höchstmenge u. a. vom Restzucker abhängig. Trockener Rotwein darf bis zu 175 $mg \cdot l^{-1}$ enthalten, Auslese bis zu 350 $mg \cdot l^{-1}$.

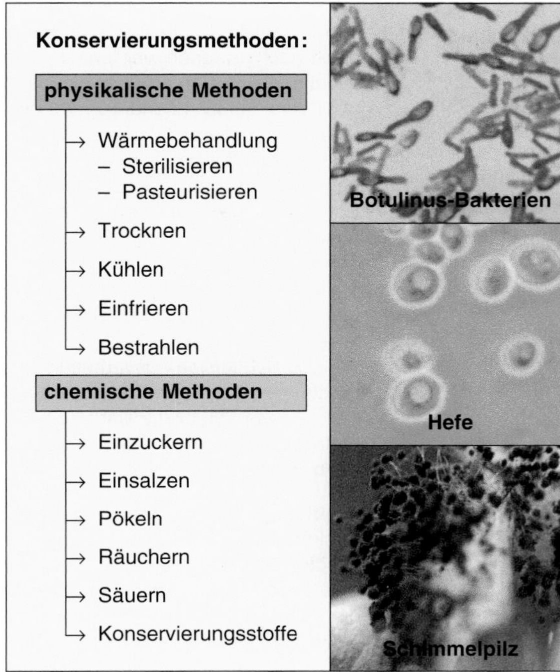

E-Nr.	Stoff	Formel
E 200	Sorbinsäure	$H_3C-CH=CH-CH=CH-COOH$ (E 200)
E 201	Na-Salz	
E 202	K-Salz	
E 203	Ca-Salz	
E 210	Benzoesäure	C_6H_5-COOH (E 210)
E 211	Na-Salz	
E 212	K-Salz	
E 213	Ca-Salz	
E 214	**p-H**ydroxy**b**enzoesäureethylester	
E 215	Na-Salz	
E 216	PHB-Propylester	
E 217	Na-Salz	
E 218	PHB-Methylester	$HO-C_6H_4-COO-CH_3$ (E 218)
E 219	Na-Salz	
E 236	Ameisensäure	
E 237	Na-Salz	
E 238	Ca-Salz	
E 260	Essigsäure	
E 261	K-Salz	
E 262	Ca-Salz	
E 270	Milchsäure	$H_3C-CH(OH)-COOH$ (E 270)
E 280	Propionsäure	
E 281	Na-Salz	
E 282	Ca-Salz	

14.12 Aufgaben · Versuche · Probleme

Aufgabe 1: Gegeben ist eine organische Verbindung A, deren wässerige Lösung sauer reagiert. Eine quantitative Elementaranalyse führt zu der Verhältnisformel CHO. Die molare Masse beträgt 116 g · mol^{-1}. Bei der Titration von 10 ml einer Lösung mit der Konzentration 0,1 mol · l^{-1} werden bis zum Umschlag des Indikators Phenolphthalein 20 ml Natronlauge gleicher Konzentration verbraucht. Die Verbindung A reagiert auch bei Dunkelheit mit Brom.

Es gibt eine zu A isomere Verbindung B, die ebenfalls die beschriebenen Eigenschaften aufweist. A und B unterscheiden sich jedoch in ihrer Verbrennungsenthalpie. Sie beträgt für A 1370 kJ · mol^{-1}, für B 1340 kJ · mol^{-1}.

a) Geben Sie die Strukturformeln von A und B an und benennen Sie die Verbindungen nach IUPAC.

b) Erläutern Sie den Mechanismus der Umsetzung von A mit Brom.

c) Wie wirkt sich die Polarität des Lösungsmittels auf die Geschwindigkeit der Reaktion aus?

d) Weshalb verläuft die Reaktion wesentlich langsamer als die zwischen Ethen und Brom?

Versuch 1: Polarisierbarkeit von Alkenen

Abzug! Füllen Sie je eine Bürette mit Cyclohexan (F) und mit Cyclohexen (F, Xn). Lassen Sie die Flüssigkeiten in eine Schale auslaufen. Halten Sie dabei einen durch Reiben elektrisch geladenen Stab in die Nähe des Strahls.

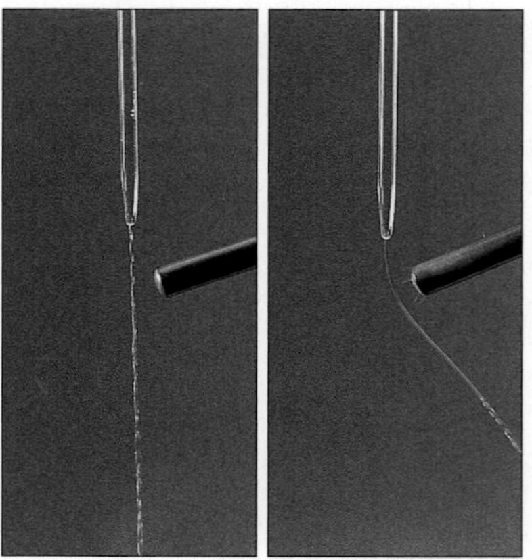

***Aufgaben:* a)** Erklären Sie das Versuchsergebnis.

b) Begründen Sie, weshalb die Ablenkung des Strahls immer zu dem elektrisch geladenen Stab *hin* erfolgt.

Versuch 2: Bestimmung des pK_S-Wertes von Sorbinsäure

Stellen Sie zwei Lösungen von jeweils 2 mmol Sorbinsäure in 100 ml Wasser her. Titrieren Sie die erste Lösung mit Natronlauge (0,1 mol · l^{-1}) als Maßlösung. Als Indikator wird Phenolphthalein verwendet. Geben Sie danach zu der zweiten Probe die Hälfte der bis zum Äquivalenzpunkt verbrauchten Natronlauge und bestimmen Sie den pH-Wert dieser Lösung.

Hinweis: Sorbinsäure ist im Handel unter dem Namen *Einmachhilfe* erhältlich.

***Aufgaben:* a)** Weshalb ist es sinnvoll, als Indikator Phenolphthalein statt Bromthymolblau oder Methylorange zu verwenden?

b) Geben Sie den pK_S-Wert der Säure an. Leiten Sie die dazu notwendige Beziehung aus dem Massenwirkungsgesetz ab.

Versuch 3: Aldoladdition

In einem Reagenzglas werden 2 ml Acetaldehyd (F+, Xn) mit der gleichen Menge Wasser verdünnt. Dann gibt man zwei Natriumhydroxid-Plätzchen (C) dazu und erwärmt kurz.

Es tritt eine gelbe bis rote Färbung auf, die auf die Bildung eines Aldehyd-Harzes zurückzuführen ist. Intermediär entsteht Crotonaldehyd (But-2-enal (F, T)), eine Verbindung mit charakteristischem Geruch.

Hinweis: In Gegenwart sehr starker Basen können Aldehyde als Protonendonatoren reagieren, indem von dem der Carbonyl-Gruppe benachbarten Kohlenstoff-Atom ein Proton abgespalten wird. Das entstehende *Carbanion* greift das Carbonyl-C-Atom eines weiteren Aldehyd-Moleküls an. Das Reaktionsprodukt ist ein *Aldol* (*Ald*ehyd-alkoh*ol*). In der Hitze wird aus dem Aldol-Molekül leicht ein Wasser-Molekül abgespalten. Bei der Aldoladdition von Acetaldehyd entsteht Crotonaldehyd.

***Aufgaben:* a)** Entwickeln Sie den Mechanismus der Bildung von Crotonaldehyd aus Acetaldehyd.

b) Begründen Sie mit Hilfe des Mesomerie-Modells, weshalb bei dieser Reaktion nicht das Wasserstoff-Atom der Aldehyd-Gruppe, sondern ein Wasserstoff-Atom des benachbarten C-Atoms als Proton abgespalten wird.

c) Warum spaltet sich aus dem Aldol leicht ein Wasser-Molekül ab?

Problem 1: Säugetiere decken ihren Bedarf an Stickstoff durch die Aufnahme von Eiweißstoffen. Bei deren Abbau werden Aminosäuren frei, die teils zum Aufbau eigener Körpersubstanz benötigt werden und teils der Energiegewinnung durch Oxidation zu Kohlenstoffdioxid dienen. Dabei stellt die Amino-Gruppe ein Problem dar: Sie muss entsorgt werden, ohne dass der pH-Wert verändert wird.

Wie wird das Problem bei Säugetieren gelöst? Wie bei Vögeln? Übertragen Sie die Problemlösungen auf die Entsorgung hochgiftiger Cyanid-Ionen, die bei technischen Prozessen anfallen.

Problem 2: Seit den dreißiger Jahren gibt es Hinweise auf die Existenz des sehr reaktiven Moleküls Carben (CH_2). Wenig später beschäftigte sich auch DONALD DUCK intensiv mit der Chemie des Carbens:

1959 konnte das Molekül spektroskopisch nachgewiesen werden. Die Untersuchungen zeigten darüber hinaus, dass zwei verschiedene Formen des Moleküls existieren. In der einen Form sind die nichtbindenden Elektronen gepaart, in der anderen ungepaart. Entwickeln Sie Modellvorstellungen über die Hybridisierung des C-Atoms in den beiden Varianten des Carben-Moleküls. Welche Konsequenzen ergeben sich für die Bindungswinkel in dem jeweiligen Molekül?

Welche Hybridisierungsverhältnisse und Bindungswinkel liegen in folgenden Teilchen vor: Methylradikal ($\cdot CH_3$), Methylcarbenium-Ion ($^{\oplus}CH_3$) und Methylcarbanion ($^{\ominus}\bar{C}H_3$)?

Problem 3: Bei der Bromierung von Cyclohexen ist die Entstehung isomerer Produkte denkbar.

a) Geben Sie Reaktionsgleichungen für die Bildung der Isomeren an und benennen Sie die Verbindungen.

b) Begründen Sie, warum eines der Isomere bevorzugt gebildet wird.

Funktionelle Gruppen mit Mehrfachbindungen

1. C=C-Zweifachbindung/Alkene

Bindungsdaten im Vergleich:

	>C=C<	–C–C–
Bindungslänge	134 pm	154 pm
Bindungsenergie	614 kJ · mol^{-1}	348 kJ · mol^{-1}
Bindungswinkel	120 °	109,5 °

C=C-Zweifachbindung im Orbitalmodell:

Grundzustand

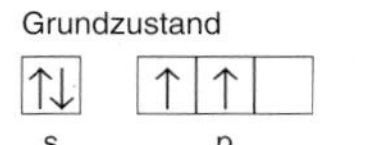

angeregter Zustand

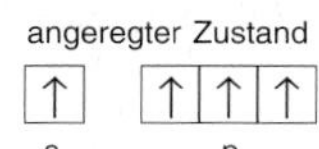

sp^2-Hybridzustand

↑ ↑ ↑ ↑

sp^2 p

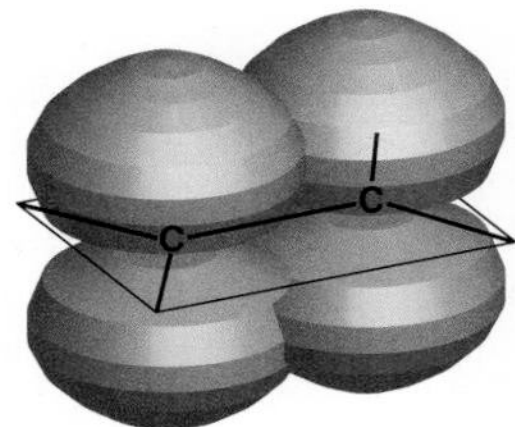

Nomenklatur:

$H_2C=CH_2$ Ethen (Ethylen)

$\overset{1}{H_2C}=\overset{2}{CH}-\overset{3}{CH_2}-\overset{4}{CH_3}$ But-1-en

$\overset{1}{H_2C}=\overset{2}{CH}-\overset{3}{CH}=\overset{4}{CH_2}$ Buta-1,3-dien

Die bevorzugte Reaktion von Alkenen ist die elektrophile Addition (A_E-Reaktion).
Dabei greifen polare und polarisierte Teilchen mit ihrem positiven Ende elektrophil an. Dann bildet sich ein Carbenium-Ion, das seinerseits von der Rückseite her nucleophil angegriffen wird.

2. C≡C-Dreifachbindung/Alkine

Bindungsdaten im Vergleich:

	–C≡C–	>C=C<
Bindungslänge	120 pm	134 pm
Bindungsenergie	837 kJ · mol^{-1}	614 kJ · mol^{-1}
Bindungswinkel	180 °	120 °

C≡C-Dreifachbindung im Orbitalmodell:

Grundzustand

↑↓ ↑ ↑

s p

angeregter Zustand

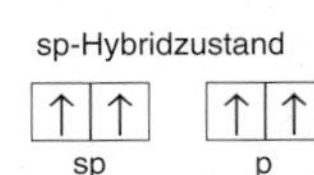

sp-Hybridzustand

↑ ↑ ↑ ↑

sp p

Nomenklatur:
Stoffe mit einer C≡C-Dreifachbindung heißen Alkine.

$H-C\equiv C-H$ Ethin (Acetylen)

$H-\overset{1}{C}\equiv\overset{2}{C}-\overset{3}{CH_2}-\overset{4}{CH_3}$ But-1-in

3. C=O-Zweifachbindung/Carbonyl-Verbindungen

Bindungsdaten im Vergleich:

	>C=O	–C–O
Bindungslänge	122 pm	143 pm
Bindungsenergie	745 kJ · mol^{-1}	358 kJ · mol^{-1}
Polarität	stärker	weniger stark

Ladungsverteilung:
Die Polarität der C=O-Gruppe ist größer als die einer C–O-Bindung, da π-Elektronen wegen ihres größeren Abstandes vom Atomrumpf leichter unter dem Einfluss der unterschiedlichen Elektronegativität verschiebbar sind als σ-Elektronen.

Wichtige Carbonyl-Verbindungen:

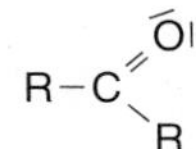

R–C(=O)–H Aldehyd (Alkanal)

R–C(=O)–R Keton (Alkanon)

R–C(=O)–O–H Carbonsäure

Carbonsäure-Derivate:

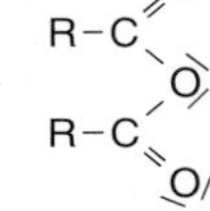

R–C(=O)–Cl Carbonsäure-chlorid

R–C(=O)–O–C(=O)–R Carbonsäure-anhydrid

R–C(=O)–O–R' Carbonsäure-ester

R–C(=O)–NH_2 Carbon-säureamid

Reaktionen von Carbonyl-Verbindungen sind Additionsreaktionen. Dabei wird das Carbonyl-C-Atom nucleophil angegriffen (A_N-Reaktion).
Aldehyde und Ketone können zu Alkoholen reduziert werden; bei der Oxidation von Aldehyden erhält man Carbonsäuren.

4. Mesomerie

In mesomeren Teilchen werden die Molekülorbitale von mehr als zwei Atomorbitalen gebildet.

Voraussetzung ist, dass in Teilchen mit Mehrfachbindungen an mehr als zwei benachbarten Atomen π-Orbitale zur Überlappung zur Verfügung stehen. Dies ist immer der Fall, wenn zwei Zweifachbindungen oder eine Zweifachbindung und ein Atom mit einem freien Elektronenpaar durch genau eine Einfachbindung getrennt sind.

Mesomere Teilchen können nicht durch *eine* LEWIS-Formel beschrieben werden. Man benutzt Grenzformeln, die real nicht existierende Strukturen beschreiben. Die tatsächliche mesomere Struktur wird von den durch Grenzformeln dargestellten fiktiven Strukturen umschrieben.

Beispiel: $CH_3-C(=O)-O^{\ominus} \longleftrightarrow CH_3-C(-O^{\ominus})=O$

Acetat-Ion

15 Aromaten – besondere Kohlenwasserstoffe?

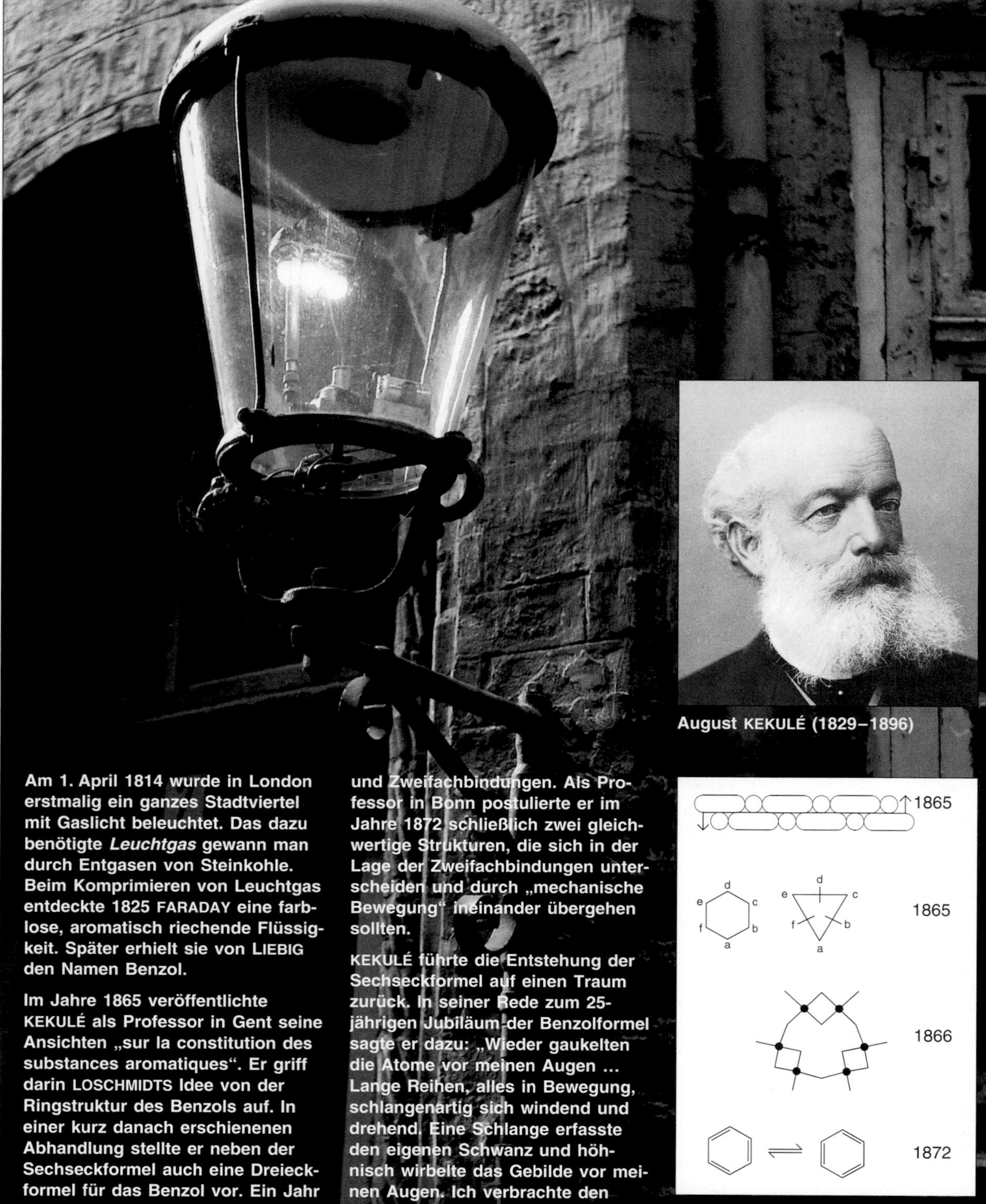

August KEKULÉ (1829–1896)

Entwicklung der Benzolformel durch KEKULÉ

Am 1. April 1814 wurde in London erstmalig ein ganzes Stadtviertel mit Gaslicht beleuchtet. Das dazu benötigte *Leuchtgas* gewann man durch Entgasen von Steinkohle. Beim Komprimieren von Leuchtgas entdeckte 1825 FARADAY eine farblose, aromatisch riechende Flüssigkeit. Später erhielt sie von LIEBIG den Namen Benzol.

Im Jahre 1865 veröffentlichte KEKULÉ als Professor in Gent seine Ansichten „sur la constitution des substances aromatiques". Er griff darin LOSCHMIDTS Idee von der Ringstruktur des Benzols auf. In einer kurz danach erschienenen Abhandlung stellte er neben der Sechseckformel auch eine Dreieckformel für das Benzol vor. Ein Jahr später versah er die Sechseckformel mit alternierenden Einfach- und Zweifachbindungen. Als Professor in Bonn postulierte er im Jahre 1872 schließlich zwei gleichwertige Strukturen, die sich in der Lage der Zweifachbindungen unterscheiden und durch „mechanische Bewegung" ineinander übergehen sollten.

KEKULÉ führte die Entstehung der Sechseckformel auf einen Traum zurück. In seiner Rede zum 25-jährigen Jubiläum der Benzolformel sagte er dazu: „Wieder gaukelten die Atome vor meinen Augen ... Lange Reihen, alles in Bewegung, schlangenartig sich windend und drehend. Eine Schlange erfasste den eigenen Schwanz und höhnisch wirbelte das Gebilde vor meinen Augen. Ich verbrachte den Rest der Nacht, um die Konsequenzen auszuarbeiten."

15.1 Benzol – gesättigt oder ungesättigt?

Benzol ist eine stark lichtbrechende, farblose Flüssigkeit, die bei 80 °C siedet und bei 5,5 °C zu Kristallen erstarrt. Benzol-Dämpfe sind giftig, sie führen zu Schwindel, Erbrechen und Bewusstlosigkeit. Chronische Vergiftungen rufen Schädigungen des Knochenmarks, der Leber und der Nieren sowie eine Abnahme der roten Blutkörperchen hervor. Benzol kann Krebs auslösen, es ist **kanzerogen** (engl. *cancer:* Krebs).

Wie alle Kohlenwasserstoffe mischt sich Benzol nicht mit Wasser, löst sich jedoch gut in Benzin und anderen organischen Lösungsmitteln. Das hydrophobe Verhalten deutet auf das Vorliegen eines unpolaren Moleküls hin. Benzol lässt sich leicht entzünden. Es verbrennt mit stark rußender Flamme, dies ist ein Hinweis auf eine Verbindung mit einem relativ hohen Kohlenstoffanteil.

FARADAY folgerte 1825 aus einer quantitativen Elementaranalyse, dass Benzol-Moleküle gleich viele Kohlenstoff-Atome und Wasserstoff-Atome enthalten. MITSCHERLICH stellte 1834 aus Benzoesäure durch trockene Destillation Benzol her und ordnete der Verbindung aufgrund von Dampfdichtemessungen die Molekülformel C_6H_6 zu. Aus dem Vergleich mit der Formel von Cyclohexan (C_6H_{12}) ergibt sich, dass das Benzol-Molekül im Gegensatz zu den gesättigten Kohlenwasserstoffen C/C-Mehrfachbindungen enthalten muss. Es verhält sich jedoch deutlich reaktionsträger als andere ungesättigte Kohlenwasserstoffe. So reagiert es nicht mit wässeriger Kaliumpermanganat-Lösung. Die für eine ungesättigte Verbindung charakteristische Additionsreaktion mit Brom bleibt aus; in Gegenwart von Eisen als Katalysator bildet sich jedoch in einer Substitutionsreaktion Brombenzol und Bromwasserstoff.

Während somit die Molekülformel des Benzols einer ungesättigten Verbindung entspricht, zeigt das Reaktionsverhalten offensichtlich Ähnlichkeiten mit dem gesättigter Kohlenwasserstoffe. Als weiterer Widerspruch zu der von KEKULÉ postulierten Ringformel mit alternierenden Zweifachbindungen existiert nur *ein* 1,2-Dibrombenzol. Außerdem müsste das Benzol-Molekül wegen der unterschiedlichen Bindungslängen von C–C-Einfach- und C=C-Zweifachbindungen die Gestalt eines unregelmäßigen Sechsecks haben. Röntgenografische Untersuchungen von Benzol-Molekülen ergaben aber als Struktur ein ebenes, regelmäßiges Sechseck mit einheitlichen Bindungslängen und Bindungswinkeln. Alle C/C-Bindungen im Benzol-Molekül müssen daher völlig gleichartig sein.

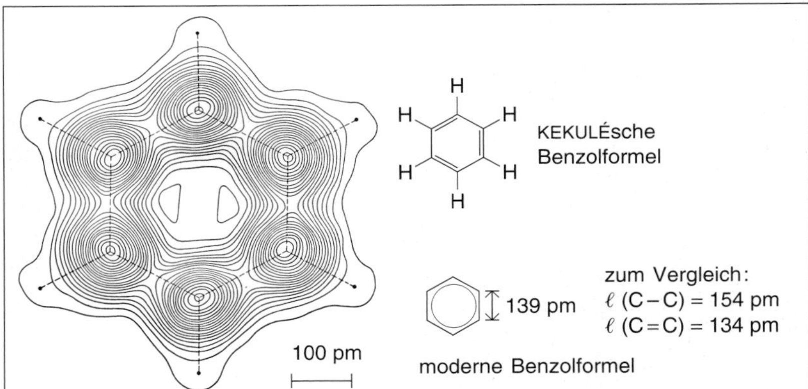

2. Elektronendichteverteilung und Strukturformeln für Benzol

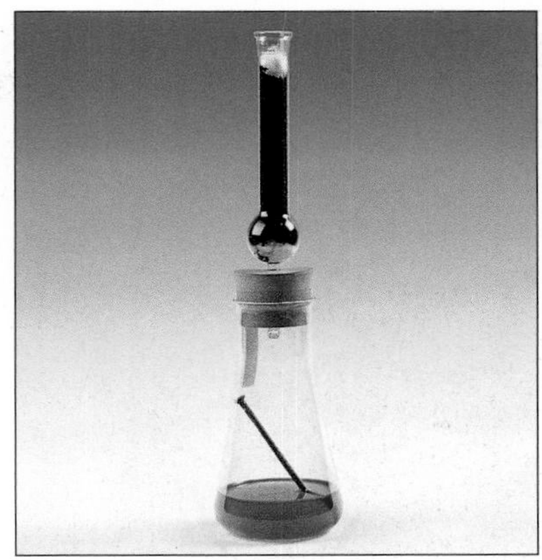

1. Reaktion von Benzol mit Brom. Das Aktivkohle-Röhrchen dient der Adsorption von Bromdämpfen.

A1 Verdampft man 0,1 ml Benzol (ϱ = 0,874 g · ml^{-1}) bei Zimmertemperatur, so erhält man 28 cm^3 Benzol-Dampf. Wird dieser anschließend thermolytisch zersetzt, so entstehen neben Kohlenstoff 81 cm^3 Wasserstoff. Leiten Sie aus diesen Versuchsergebnissen die Molekülformel von Benzol her.

A2 Bei der quantitativen Oxidation von Benzol mit Kupfer(II)-oxid entstanden aus 15 cm^3 Benzol-Dampf ungefähr 88 cm^3 Kohlenstoffdioxid. Die Bestimmung der molaren Masse ergab 78 g · mol^{-1}.
a) Ermitteln Sie aus diesen Messwerten die Molekülformel von Benzol.
b) Formulieren Sie Vorschläge für die Strukturformel von Benzol.
c) Geben Sie die Reaktionsgleichung für die Oxidation von Benzol mit Kupfer(II)-oxid an.

A3 Formulieren Sie die Reaktionsgleichungen für folgende Reaktionen:
a) Verbrennung von Benzol,
b) Addition von Brom an Cyclohexen,
c) Substitution von Benzol mit Brom.

A4 Nach der KEKULÉschen Benzolformel sollte es zwei 1,2-Dibrombenzol-Isomere geben.
a) Zeichnen Sie die beiden Strukturformeln.
b) Erklären Sie, warum es in Wirklichkeit nur ein 1,2-Dibrombenzol gibt.

15.2 Die Bindungen im Benzol-Molekül

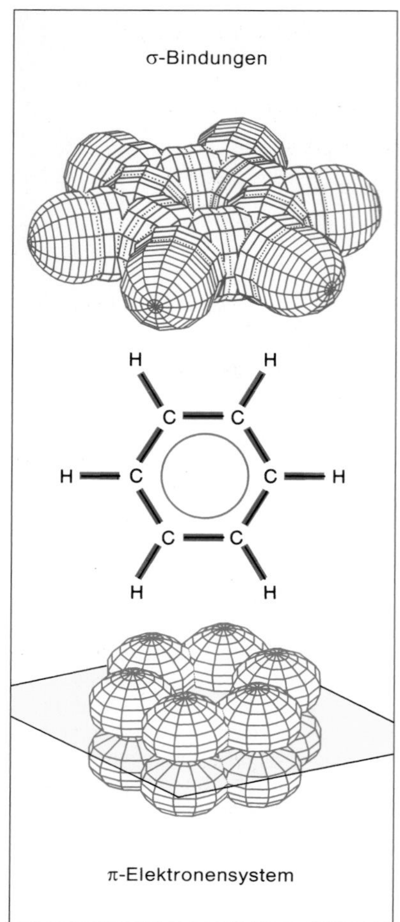

1. Die Bindungen im Benzol-Molekül

Zur Beschreibung der Bindungen im Benzol-Molekül geht man im Orbital-Modell wegen der planaren Sechseckstruktur mit Bindungswinkeln von 120° von sp^2-hybridisierten Kohlenstoff-Atomen aus. Je zwei der insgesamt drei sp^2-Hybridorbitale eines Kohlenstoff-Atoms überlappen mit sp^2-Hybrid-Orbitalen der beiden benachbarten Kohlenstoff-Atome. Mit dem dritten sp^2-Hybridorbital wird das Wasserstoff-Atom gebunden. Somit bilden die sechs Kohlenstoff-Atome und die sechs Wasserstoff-Atome das hexagonale *σ-Bindungsgerüst* des Benzol-Moleküls.

Jedes Kohlenstoff-Atom hat noch ein viertes Valenzelektron. Es befindet sich in dem nicht an der Hybridisierung beteiligten p_z-Orbital. Die p_z-Orbitale stehen senkrecht zur Molekülebene. Ihre paarweise Kombination würde zu drei alternierenden C=C-Zweifachbindungen führen. Unter der Annahme lokalisierter Elektronenpaarbindungen ergäben sich so die beiden bereits von KEKULÉ vorgeschlagenen Formeln, die aber im deutlichen Gegensatz zu den experimentellen Befunden stehen.

Mesomerie-Modell. Die Bindungsverhältnisse im Benzol-Molekül mit gleichartigen C/C-Bindungen lassen sich gut durch das Mesomerie-Modell beschreiben. Man stellt sich vor, dass sich alle sechs p_z-Orbitale überlappen. Es bildet sich ein π-Elektronensystem aus, das sich ringförmig oberhalb und unterhalb der Molekülebene verteilt. Man sagt, die sechs π-Elektronen sind über den gesamten Ring delokalisiert, und spricht deshalb auch vom **delokalisierten π-Elektronensystem.**

Delokalisierte Elektronen lassen sich durch LEWIS-Formeln nicht darstellen, die Elektronenverteilung wird deshalb mit Hilfe *hypothetischer Grenzformeln* angegeben. Bei diesen handelt es sich um die für das Teilchen formal möglichen LEWIS-Formeln, die den KEKULÉ-Formeln genau entsprechen. Beide Elektronenverteilungen sind aber *nicht real*, sondern dienen hier dazu, die tatsächliche Elektronenverteilung zu umschreiben. Um dies bei der formelmäßigen Darstellung deutlich zu machen, werden die Grenzformeln durch einen *Mesomeriepfeil* (↔) verbunden. Manchmal werden auch die Grenzformeln selbst als „mesomer“ bezeichnet.
Quantenmechanische Berechnungen für das π-Elektronensystem des Benzol-Moleküls haben π-Molekülorbitale ergeben, die sich über drei C-Atome ausdehnen. Insgesamt liegen drei solche Dreizentren-π-Bindungen vor, in denen die π-Elektronen delokalisiert sind.

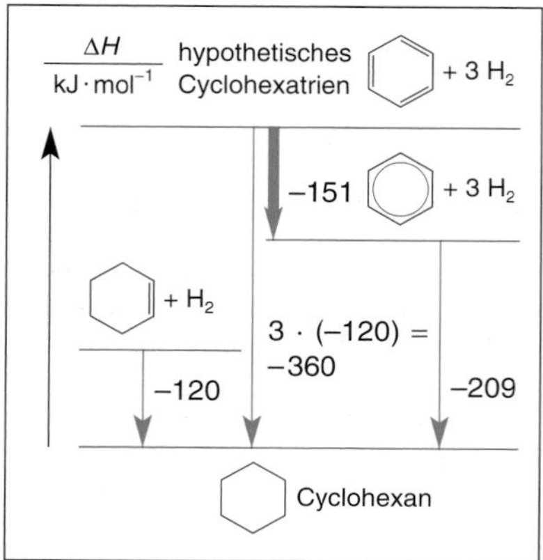

2. Ermittlung der Mesomerieenergie von Benzol

Mesomerieenergie. Verbindungen mit delokalisierten π-Elektronen sind in der Regel energetisch günstiger und damit stabiler als solche mit lokalisierten Mehrfachbindungen. Die Energiedifferenz zwischen dem tatsächlich existierenden mesomeren Teilchen und den durch die Grenzformeln beschriebenen hypothetischen Teilchen bezeichnet man als *Mesomerieenergie.*

Aromatische Verbindungen haben eine große Mesomerieenergie, sie sind daher besonders stabil. Die Mesomerieenergie des Benzols lässt sich durch Vergleich der Reaktionsenthalpien der Hydrierungen von Benzol und Cyclohexen berechnen. Man bestimmt dazu experimentell die Enthalpie der Reaktion zwischen Cyclohexen und Wasserstoff. Die Hydrierenthalpie des hypothetischen Cyclohexatriens sollte nun dem dreifachen Wert entsprechen. Der für die Hydrierung von Benzol aus Experimenten abgeleitete Wert liegt jedoch um 151 $kJ \cdot mol^{-1}$ niedriger. Um diesen Energiebetrag ist das aromatische Benzol stabiler als das hypothetische, nichtaromatische Cyclohexatrien. Bei dieser Energiedifferenz handelt es sich demnach um die Mesomerieenergie des Benzol-Moleküls.

15.3 Was heißt aromatisch?

Die Bezeichnung „aromatisch“ wurde ursprünglich ohne scharfe Abgrenzung für Stoffe verwendet, die durch ihren besonders angenehmen Geruch auffielen. Solche Verbindungen isolierte man anfangs aus wohlriechenden Harzen. Später verstand man unter den aromatischen Verbindungen Benzol und seine Derivate.
Eine Klassifizierung aufgrund des Elektronensystems versuchten ARMIT und ROBINSON mit ihrem Konzept vom aromatischen Elektronensextett. Durch quantenmechanische Berechnungen konnte HÜCKEL zeigen, dass ebene ringförmige Systeme besonders stabil sind, wenn die Anzahl der delokalisierten π-Elektronen $(4n + 2)$ beträgt. Diese **HÜCKEL-Regel** diente dann zur Kennzeichnung aromatischer Verbindungen. DEWAR definierte Aromaten als cyclische Moleküle mit großer Mesomerieenergie, bei denen sämtliche Ringatome zu einem *konjugierten* System gehören. Darunter versteht man eine Anordnung alternierender C=C-Zweifachbindungen. Zusammen mit der HÜCKEL-Regel ergibt sich somit eine brauchbare, wenn auch nicht alles umfassende *Definition des aromatischen Zustandes.*

Jahr	Kriterien für aromatische Verbindungen
1825	Wohlgeruch
1865	hoher Kohlenstoffgehalt
1870	Benzol und seine Derivate
1880	Substitutionsreaktionen
1925	Elektronensextett
1931	HÜCKEL-Regel
1970	ringförmiges, delokalisiertes π-Elektronensystem; große Mesomerieenergie

1. Der Begriff „aromatisch“ im Wandel der Zeit

Mehrkernige Aromaten und Heteroaromaten. Im Biphenyl-Molekül sind zwei Benzol-Ringe über eine Einfachbindung verknüpft. Das Molekül weist zwei getrennte Elektronensysteme mit sechs π-Elektronen auf.

In *kondensierten Aromaten* dagegen haben die Benzol-Ringe zwei gemeinsame Kohlenstoff-Atome. Naphthalin besteht aus zwei Benzol-Ringen und besitzt zehn π-Elektronen, die über das gesamte Kohlenstoff-Gerüst verteilt sind. Die Moleküle von Anthracen und Phenanthren setzen sich aus drei Benzol-Ringen zusammen, sie sind wichtige Ausgangsstoffe der Farbstoffindustrie. Zahlreiche kondensierte Aromaten sind kanzerogen. Ein Beispiel ist Benzpyren, das auch im Zigarettenrauch vorkommt.

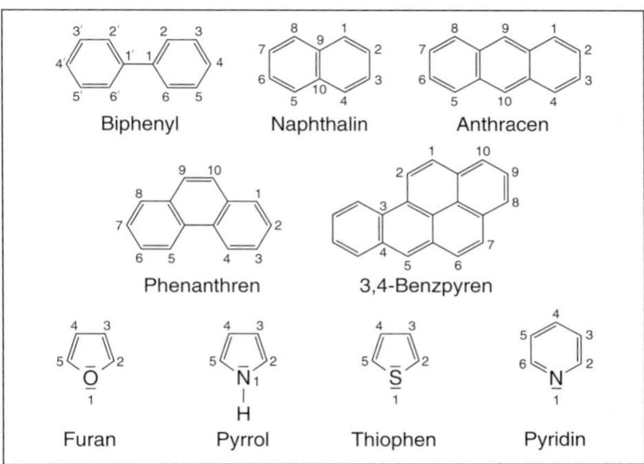

2. Grenzformeln einiger Aromaten

Die Ringsysteme von *Heteroaromaten* enthalten neben Kohlenstoff-Atomen auch noch andere Atome: Stickstoff-Atome, Sauerstoff-Atome oder Schwefel-Atome. In den Molekülen von Furan, Pyrrol und Thiophen ist ein freies Elektronenpaar des Heteroatoms am delokalisierten π-Elektronensystem beteiligt. Auch diese Verbindungen haben somit ein π-Elektronensextett und erfüllen die HÜCKEL-Regel.
Pyridin ist der wichtigste sechsgliedrige Heteroaromat. Seine Struktur gleicht der des Benzols. Im Gegensatz zum symmetrischen und unpolaren Benzol-Molekül sind Pyridin-Moleküle allerdings durch das Stickstoff-Atom polar. Zahlreiche aromatische Heterocyclen enthalten mehrere Heteroatome im Ring. Ein Beispiel ist der Sechsring des Pyrimidins mit zwei Stickstoff-Atomen in 1,3-Stellung. Das Molekül des Purins ist ein kondensiertes aromatisches System, bei dem ein fünfgliedriger Ring mit zwei Stickstoff-Atomen und ein Pyrimidin-Ring verknüpft sind.

A1 Was versteht man unter dem aromatischen Zustand?

A2 Bestimmen Sie für die in Bild 2 dargestellten Aromaten die Anzahl der π-Elektronen und geben Sie, wenn möglich, mindestens noch eine weitere Grenzformel an.

A3 Zeichnen Sie für Pyrrol und Pyridin die Strukturformel und stellen Sie die Bindungsverhältnisse jeweils mit Hilfe der an dem delokalisierten π-Elektronensystem beteiligten Orbitale dar.

A4 Formulieren Sie jeweils eine Grenzformel für die Verbindungen Pyrimidin und Purin.

15.4 Gewinnung und Verwendung von Benzol

1. Warnung vor Benzol im Benzin

A1 Bei der Isolierung von Aromaten aus Gemischen von Kohlenwasserstoffen werden verschiedene Trennverfahren benutzt. Beschreiben Sie mögliche Trennverfahren und ihre prinzipielle Wirkungsweise.

A2 Warum eignet sich Benzol als Lösungs- und Extraktionsmittel für Fette und Wachse?

A3 Über welche Zwischenstufen werden aus Benzol die Syntheseprodukte Styrol, Phenol sowie Adipinsäure hergestellt?

Benzol gehört zu den wichtigsten Grundstoffen der chemischen Industrie. Bis 1955 deckte die Produktion aus Steinkohlenteer den Bedarf in Deutschland. Der Steinkohlenteer wurde entwässert und anschließend destilliert. Neben Pech erhielt man flüssige Produkte, aus denen sich durch Extraktion Benzol gewinnen ließ. Aus 100 kg eingesetzter Steinkohle konnte so 1 kg Benzol hergestellt werden.

Der Anteil der Kohle als Rohstoffquelle für Benzol ist inzwischen auf unter 5 % gesunken. Überwiegend wird Benzol heute aus Erdöl gewonnen. Allerdings lohnt sich eine direkte Isolierung der darin enthaltenen geringen Mengen nicht. Bei der Erdölraffination entstehen jedoch aromatenreiche Fraktionen. In den USA dient bevorzugt *Reformatbenzin* als Quelle für die Gewinnung von Aromaten. Diese bilden sich beim **Reformieren** durch Isomerisierung und Dehydrierung von Alkylcycloalkanen oder durch Cyclisierung von Alkanen an Katalysatoren. In Westeuropa und Japan isoliert man die Aromaten dagegen aus *Pyrolysebenzin*, wie es beim **Cracken** zur Erzeugung von Alkenen anfällt.

Gebräuchliche Ottokraftstoffe dürfen nach geltenden EU-Bestimmungen bis zu 5 % Benzol enthalten. Mit seiner hohen Octanzahl verbessert Benzol die Klopffestigkeit. An deutschen Zapfsäulen tankt der Kraftfahrer derzeit Benzin, das maximal 1,9 % Benzol enthält. Wegen des giftigen Benzols dürfen die Dämpfe nicht eingeatmet werden und es sollte auch kein Benzin zur Reinigung von Kleidung oder Maschinenteilen verwendet werden.
Benzol wird als Extraktionsmittel für Fette und Wachse sowie als Lösungsmittel insbesondere für Kunststoffe eingesetzt. In der chemischen Industrie dient Benzol als Grundstoff zur Herstellung aromatischer Zwischenprodukte. Über 80 % des Benzols werden zu Styrol, Phenol und Adipinsäure verarbeitet, die dann wiederum als Ausgangsstoffe für die Herstellung von Kunststoffen dienen.

Reaktion	Zwischenprodukt	Produkt	Verwendung
$+ H_2C{=}CH_2$ (H_2SO_4)	$C_6H_5{-}CH_2{-}CH_3$	$C_6H_5{-}CH{=}CH_2$ Styrol	Polystyrol
$+ H_2C{=}CH{-}CH_3$ (H_2SO_4)	$C_6H_5{-}CH(CH_3)_2$	$C_6H_5{-}OH$ Phenol	Harze Phenoplaste
$+ 3\ H_2$ (Nickel)	Cyclohexan	$HOOC{-}(CH_2)_4{-}COOH$ Adipinsäure	Polyamide
$+ HNO_3$ (H_2SO_4)	$C_6H_5{-}NO_2$	$C_6H_5{-}NH_2$ Anilin	Farbstoffe Polyurethane
$+ R{-}CH{=}CH_2$ (H_2SO_4)	$C_6H_5{-}R'$	$HO_3S{-}C_6H_4{-}R'$ *p*-Alkylbenzolsulfonsäure	Waschmittel

2. Benzol, ein Grundstoff der chemischen Industrie

Gefährliche Arbeitsstoffe

Die Öffentlichkeit wird auf die Gefährlichkeit chemischer Substanzen häufig erst dann aufmerksam, wenn entsprechende Meldungen über Chemieunfälle die Schlagzeilen beherrschen. Viel wichtiger ist aber, dass man sich beim täglichen Umgang mit gefährlichen Stoffen die damit verbundenen Gefahren bewusst macht. Beispiele sind Benzol als Kraftstoffzusatz und Formaldehyd zur Herstellung von Spanplatten.

Toxikologie. Es ist Aufgabe der Toxikologie, die Wirkung chemischer Substanzen auf lebende Organismen zu untersuchen. Ein Stoff wird dann als giftig bezeichnet, wenn er beim Benutzer schädliche Wirkungen hervorruft.
Ab welcher Konzentration ein Stoff beim Menschen toxisch wirkt, ist nur schwer festzustellen. Zur Ermittlung der maximal verträglichen Konzentration ist man auf eine möglichst genaue Kenntnis der Wirkungsweise angewiesen. Dazu werden Versuche mit Bakterien- und Zellkulturen sowie Tierversuche durchgeführt.

Akut toxische Stoffe führen schon bei einmaliger Einwirkung zu einer Schädigung. Untersuchungen werden häufig an Ratten durchgeführt. Als Letaldosis (**LD_{50}**) gibt man diejenige Menge eines Stoffes an, die bei Zuführung über den Magen-Darm-Trakt oder die Haut 50 Prozent der Versuchstiere tötet.

Stoffe können aber auch langfristig zu Schädigungen führen. Die Vorhersage dieser *chronisch toxischen* Wirkung bereitet noch größere Schwierigkeiten. Dazu nimmt man epidemiologische Erhebungen vor, bei denen Krankheitsbilder statistisch ausgewertet werden. So wurde die *kanzerogene* Eigenschaft einiger Aromaten durch das gehäufte Auftreten von Krebserkrankungen bei „Anilin-Arbeitern" erkannt.
Besondere Bedeutung wird in der Toxikologie solchen chemischen Substanzen beigemessen, die Missbildungen an Embryonen verursachen (*teratogene* Wirkung) oder die das Erbgut verändern (*mutagene* Wirkung).

Grenzwerte. Die Grundlagen zur Festlegung zulässiger Höchstmengen werden in Tierversuchen ermittelt. Dazu stellt man bei mindestens zwei Säugetierarten die Dosis fest, die bei Langzeiteinwirkung noch keine nachweisbare Schädigung verursacht (**n**o **o**bserved **e**ffect **l**evel). Bei der Übertragung auf den Menschen teilt man diesen **NOEL-Wert** durch einen Sicherheitsfaktor, der meist mit 100 angesetzt wird. Dadurch ergibt sich die für den Menschen höchste duldbare Tagesdosis (**a**cceptable **d**aily **i**ntake). Diese **ADI-Werte** werden von der **W**orld **H**ealth **O**rganisation (WHO) festgelegt, sie haben den Charakter von Empfehlungen.

Die **m**aximale **A**rbeitsplatz**k**onzentration setzt die zulässige Belastung mit Schadstoffen am Arbeitsplatz fest. Seit 1965 legt eine Expertenkommission der **D**eutschen **F**orschungs**g**emeinschaft (DFG) alljährlich eine Liste der **MAK-Werte** vor. Die Kommission entscheidet, ob Stoffe neu aufgenommen oder Grenzwerte verändert werden. Dabei werden wissenschaftliche Erkenntnisse und praktische Erfahrungen berücksichtigt. Die MAK-Werte dienen der Gewerbeaufsicht als verbindliche Toleranzwerte.

Einige Krebs erregende Arbeitsstoffe wie Benzol sind derzeit technisch nicht immer leicht zu ersetzen. Für solche Stoffe werden **t**echnische **R**icht**k**onzentrationen angegeben. Diese **TRK-Werte** sind jedoch keine MAK-Werte. Selbst wenn die TRK-Werte eingehalten werden, lässt sich eine Gefährdung der Gesundheit nicht ausschließen.

Gefahrstoffverordnung. Die „Verordnung zum Schutz vor gefährlichen Stoffen" regelt den Umgang mit gefährlichen Arbeitsstoffen. Sie enthält auch Vorschriften zur Verpackung, Kennzeichnung und Lagerung von Gefahrstoffen. *Gefahrensymbole* und *Gefahrenbezeichnungen* verdeutlichen die Art der Gefährdung. *Gefahrenhinweise* (R-Sätze) und *Sicherheitsratschläge* (S-Sätze) helfen Unfälle zu vermeiden. Grundlage des deutschen Gefahrstoffrechts sind die für alle Mitglieder verbindlichen Regelungen der EU.

Toxizitätsprüfung bei Ratten

Benzol

EG-Nr.: 200-753-7
EWG-Kennzeichnung
[Hersteller]
[Hersteller-Adresse]
[Hersteller-Telefonnummer]

Kann Krebs erzeugen.
Leichtentzündlich.
Giftig: Gefahr ernster Gesundheitsschäden nach längerer Exposition auch durch Einatmen, Berührung mit der Haut und durch Verschlucken.
Exposition vermeiden – vor Gebrauch besondere Anweisungen einholen.
Bei Unfall oder Unwohlsein sofort Arzt hinzuziehen. (Wenn möglich, dieses Etikett vorzeigen.)

R 45-11-48/23/24/25
S 53-45

Kennzeichnung nach der Gefahrstoffverordnung

15.5 Die elektrophile Substitution

π-Komplex

σ-Komplex (Carbenium-Ion)

Grenzformeln für den σ-Komplex

σ-Komplex

1. Mechanismus der elektrophilen Substitution am Beispiel der Bromierung von Benzol

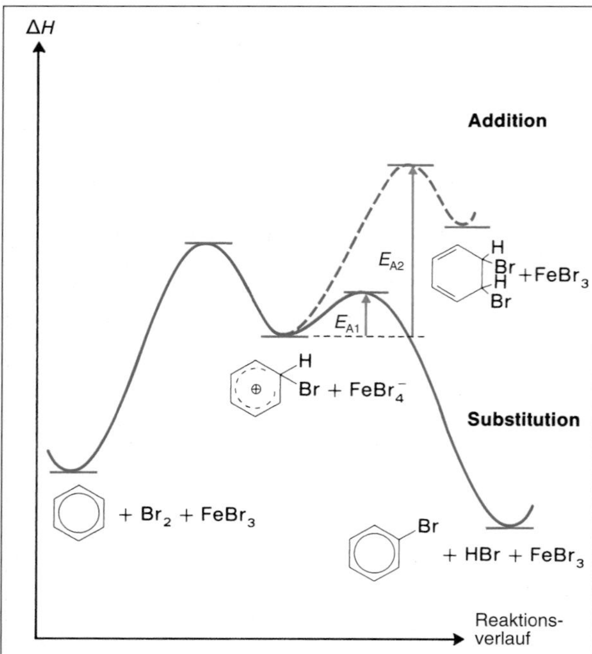

2. Energiediagramm der Bromierung von Benzol

Die Aromaten besitzen wie die Alkene π-Elektronen. Infolge der dadurch erhöhten Elektronendichte reagieren Verbindungen beider Stoffklassen mit Elektrophilen. Im Gegensatz zu den Alkenen bleibt bei der Reaktion von aromatischen Verbindungen das energetisch günstige delokalisierte π-Elektronensystem erhalten, es erfolgt also eine elektrophile Substitution (S_E-Reaktion).

Versetzt man Benzol mit einigen Tropfen Brom, so findet keine Reaktion statt. Nach Zugabe von Eisen(III)-bromid als Katalysator entfärbt sich das Gemisch. Dabei entsteht ein Gas, das feuchtes Universalindikator-Papier rot färbt und mit Ammoniak einen weißen Rauch bildet; es handelt sich um Bromwasserstoff. Als zweites Produkt ist Brombenzol entstanden.

Mechanismus der elektrophilen Substitution. Durch Wechselwirkung der π-Elektronen des Benzol-Moleküls mit dem Brom-Molekül bildet sich zunächst ein *π-Komplex*. Eisen(III)-bromid wirkt stark polarisierend auf die Br–Br-Bindung. Dadurch wird die Aktivierungsenergie für den geschwindigkeitsbestimmenden Schritt der Reaktion, die heterolytische Spaltung der Br–Br-Bindung, gesenkt. Dabei entstehen ein Carbenium-Ion und ein $FeBr_4^-$-Ion. Im Carbenium-Ion ist das Brom-Atom durch eine σ-Bindung an das Kohlenstoff-Atom gebunden, man spricht daher von einem *σ-Komplex*. Die positive Ladung ist innerhalb des Ringes über fünf C-Atome delokalisiert, der σ-Komplex wird dadurch stabilisiert.
Das Carbenium-Ion reagiert anschließend unter Abgabe eines Protons mit dem $FeBr_4^-$-Ion. Dabei entstehen Brombenzol und Bromwasserstoff, der Katalysator Eisen(III)-bromid wird zurückgebildet.

Substitution oder Addition? Der σ-Komplex könnte wie bei einer elektrophilen Addition an Alkene weiterreagieren. Energetische und kinetische Faktoren begünstigen aber die Substitution:

Die Addition des Bromid-Ions an den σ-Komplex erfordert eine größere *Aktivierungsenergie* als die Abspaltung des Protons, weil die positive Ladung im σ-Komplex delokalisiert ist und der nucleophile Angriff dadurch erschwert wird.
Auch die *Reaktionsenthalpie* spricht für den Ablauf der Substitution. Bei der Addition würde kein Aromat entstehen. Bei der Abspaltung des Protons vom σ-Komplex wird dagegen das aromatische π-Elektronensystem zurückgebildet. Die dabei frei werdende Energie liefert einen Teil der zur Spaltung der C–H-Bindung notwendigen Energie.
Die *Reaktionsentropie* nimmt bei der Substitution zu, weil bei gleich bleibender Teilchenanzahl ein gasförmiges Produkt entsteht. Bei der Addition würde die Entropie abnehmen, da die Teilchenanzahl kleiner würde und das einzige Produkt flüssig wäre.

Nitrierung. Mit einem Gemisch aus konzentrierter Schwefelsäure und rauchender Salpetersäure (Nitriersäure) reagiert Benzol zu *Nitrobenzol*. Bei dieser Nitrierung wird ein Wasserstoff-Atom des Benzol-Moleküls durch die Nitro-Gruppe ($-NO_2$) ersetzt. Auch diese Reaktion verläuft als elektrophile Substitution.
Als elektrophiles Teilchen wirkt ein Nitronium-Ion (NO_2^+). Es bildet sich durch Wasserabspaltung aus einem protonierten Salpetersäure-Molekül. Konzentrierte Schwefelsäure erleichtert die Reaktion; sie reagiert als Säure und bindet das frei werdende Wasser. Nach der Bildung des π-Komplexes zwischen dem Benzol-Molekül und dem Nitronium-Ion entsteht im geschwindigkeitsbestimmenden Schritt der σ-Komplex. Der aromatische Zustand wird wieder hergestellt, indem das Proton vom Carbenium-Ion auf ein Hydrogensulfat-Ion übergeht. Es entsteht Nitrobenzol, eine gelbliche Flüssigkeit. Nitrobenzol hat einen angenehmen Geruch nach Bittermandeln, ist aber sehr giftig.

Sulfonierung. Mit rauchender Schwefelsäure reagiert Benzol zu *Benzolsulfonsäure*. Formal wird bei dieser elektrophilen Substitution ein Wasserstoff-Atom durch die Sulfonsäure-Gruppe ($-SO_3H$) ersetzt. In rauchender Schwefelsäure sind Schwefeltrioxid-Moleküle gelöst. Durch Protolyse mit Schwefelsäure-Molekülen können sie zu HSO_3^+-Ionen reagieren. Die HSO_3^+-Ionen greifen mit ihrem positivierten Schwefel-Atom den Benzol-Kern elektrophil an. Nach Ausbildung des π-Komplexes entsteht dann ein Carbenium-Ion. Gibt dieser σ-Komplex ein Proton ab, so bildet sich das Benzolsulfonsäure-Molekül. Im Gegensatz zu Halogenierung und Nitrierung verläuft die Sulfonierung *reversibel*.

FRIEDEL-CRAFTS-Reaktionen. Mit Aluminiumchlorid als Katalysator können auch *Alkylhalogenide* mit Benzol reagieren. Aus Benzol und Chlormethan entsteht durch eine elektrophile Substitution Toluol. Bei einer solchen FRIEDEL-CRAFTS-*Alkylierung* wird die polare C–Cl-Bindung durch den Katalysator weiter polarisiert. Das positivierte C-Atom bildet dann mit dem Benzol-Molekül den π-Komplex. Der weitere Reaktionsverlauf entspricht dem der Halogenierung.
Anstelle von Alkylhalogeniden lassen sich auch *Alkene* zur Alkylierung von Benzol verwenden. Durch Protonierung mit Schwefelsäure entstehen stark elektrophile Carbenium-Ionen. Die Reaktion zwischen Benzol und Ethen führt zu Ethylbenzol, das durch Dehydrierung in Styrol überführt wird. Aus diesem stellt man durch Polymerisation Polystyrol her.

In Anwesenheit von Aluminiumchlorid reagieren aromatische Kohlenwasserstoffe auch mit *Aldehyden, Ketonen* und *Carbonsäure-Derivaten*. Diese FRIEDEL-CRAFTS-*Acylierung* ist eine wichtige Methode zur Herstellung aromatischer Ketone. So reagiert Benzol mit Acetylchlorid zu Acetophenon.

$$O_2N{-}OH + H{-}O{-}SO_2{-}OH \rightleftharpoons O_2N{-}OH_2^{+} + [O_3S{-}OH]^-$$

$$O_2N{-}OH_2^{+} \rightleftharpoons O{=}N^{+}{=}O + H_2O$$

1. Bildung des Nitronium-Ions in Nitriersäure

A1 Formulieren Sie die Reaktionsgleichung für die Bildung des Nitronium-Ions aus Salpetersäure und Perchlorsäure ($HClO_4$).

A2 Formulieren Sie die Reaktionsmechanismen für die folgenden Reaktionen:
a) Nitrierung von Benzol,
b) Sulfonierung von Benzol,
c) Bildung von Methylbenzol aus Benzol und Chlormethan in Anwesenheit von Aluminiumchlorid,
d) Bildung von Acetophenon aus Benzol und Acetylchlorid in Anwesenheit von Aluminiumchlorid.

$$C_6H_6 + HNO_3 \xrightarrow{H_2SO_4} C_6H_5{-}NO_2 + H_2O$$
Nitrobenzol

$$C_6H_6 + H_2SO_4 \rightleftharpoons C_6H_5{-}SO_3H + H_2O$$
Benzolsulfonsäure

$$C_6H_6 + CH_3Cl \overset{AlCl_3}{\rightleftharpoons} C_6H_5{-}CH_3 + HCl$$
Toluol

$$C_6H_6 + H_2C{=}CH_2 \xrightarrow{H_2SO_4} C_6H_5{-}CH_2{-}CH_3$$
Ethylbenzol

$$C_6H_6 + CH_3COCl \overset{AlCl_3}{\rightleftharpoons} C_6H_5{-}COCH_3 + HCl$$
Acetophenon

2. Substitutionsreaktionen beim Benzol

15.6 Phenol – Alkohol oder Säure?

1. Grenzformeln des Phenols (a), Protolyse des Phenols (b) und Grenzformeln des Phenolat-Anions (c)

A1 Welche Produkte entstehen, wenn Phenol beziehungsweise Cyclohexanol mit Natrium, Kalilauge, Schwefelsäure, Essigsäure oder Kaliumdichromat reagieren? Stellen Sie die Ergebnisse in einer Tabelle zusammen.

A2 Formulieren Sie für die Reaktion von Propen mit Benzol in Gegenwart von Schwefelsäure den Reaktionsmechanismus.

Die Hydroxy-Derivate des Benzols bezeichnet man als Phenole. Der Name dieser Stoffklasse leitet sich von Phen (griech. *phainein:* leuchten) ab, einer alten Bezeichnung für Benzol. Dieser Wortstamm erklärt auch den Namen *Phenyl*-Rest für die C_6H_5-Gruppe. Die Endung -ol verweist auf die Hydroxyl-Gruppe, die direkt an den Benzol-Ring gebunden ist. Die einfachste Verbindung der Stoffklasse ist **Monohydroxybenzol,** das **Phenol** selbst. Es bildet farblose, eigenartig riechende Nadeln, die sich an der Luft schnell durch Oxidation rötlich färben. Die Verbindung ist giftig und wirkt stark ätzend. Wässerige Phenol-Lösungen wurden früher unter dem Namen *Carbolsäure* als Desinfektionsmittel benutzt.
Mit seiner Hydroxyl-Gruppe ähnelt das Phenol zwar einem einwertigen Alkohol, es reagiert jedoch deutlich anders: Im Vergleich zu Cyclohexanol löst sich Phenol besser in Wasser und ist leichter oxidierbar. Die wässerige Phenol-Lösung reagiert schwach sauer und ergibt mit Eisen(III)-Ionen eine Violettfärbung. Die OH-Gruppe des Phenol-Moleküls lässt sich nicht nucleophil substituieren.

Acidität. Durch Zugabe von wässeriger Phenol-Lösung wird eine mit Phenolphthalein versetzte Ammoniak-Lösung entfärbt. Eine Ursache für die saure Reaktion liegt in der Wechselwirkung der OH-Gruppe mit dem delokalisierten π-Elektronensystem des aromatischen Kerns. Durch die Formulierung von Grenzformeln wird die Elektronenverschiebung in der OH-Gruppe deutlich. Die Elektronendichte im Benzol-Ring wird erhöht. Man spricht von einem **positiven Mesomerie-Effekt** (+M-Effekt) der OH-Gruppe. Gleichzeitig wird die Polarität der O–H-Bindung verstärkt und die Abgabe des positivierten Wasserstoff-Atoms der Hydroxyl-Gruppe als Proton erleichtert.
Eine weitere Ursache für die deutlich saure Reaktion des Phenol-Moleküls ist die Stabilität der korrespondierenden Base: Im *Phenolat-Ion* ist die negative Ladung über das ganze Molekül delokalisiert. Alkoholat-Ionen sind dagegen nicht so stabil, weil die negative Ladung am Sauerstoff-Atom lokalisiert ist, Alkoholat-Ionen sind daher wesentlich stärkere Basen.

Phenol ($pK_S = 10{,}0$) wirkt stärker sauer als Ethanol ($pK_S = 16$). Es ist jedoch eine schwächere Säure als Essigsäure ($pK_S = 4{,}65$). Elektronen ziehende Substituenten am Benzol-Ring verstärken die Polarität der O–H-Bindung und erhöhen somit die Säurestärke. Bei den Nitrophenolen steigt die Acidität mit zunehmender Zahl der NO_2-Gruppen. So ist *Pikrinsäure* (2,4,6-Trinitrophenol) eine starke Säure ($pK_S = 0{,}22$).

2. Herstellung von Phenol

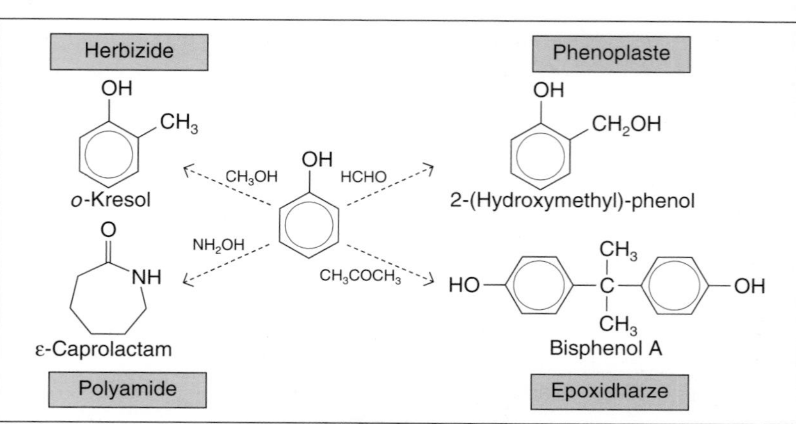

3. Verwendung von Phenol

Polyphenole und Chinone. Es gibt drei isomere Dihydroxybenzole; sie unterscheiden sich in der Stellung der beiden Hydroxyl-Gruppen zueinander. Im Gegensatz zu *Resorcin* (1,3-Dihydroxybenzol) verfärben sich *Brenzcatechin* (1,2-Dihydroxybenzol) und *Hydrochinon* (1,4-Dihydroxybenzol) an der Luft durch Oxidation rasch braunrot.
Die isomeren Diphenole lassen sich an ihrem Verhalten gegenüber Oxidationsmitteln unterscheiden. Versetzt man sie mit ammoniakalischer Silbersalz-Lösung, so tritt bei Resorcin keine Veränderung ein. Bei Brenzcatechin ist dagegen eine langsame und bei Hydrochinon eine schnelle Abscheidung von elementarem Silber zu beobachten. In der Fotografie wird daher Hydrochinon als **Entwickler** verwendet, um die Silber-Ionen an den belichteten Stellen zu reduzieren.
Auch *Pyrogallol* (1,2,3-Trihydroxybenzol) lässt sich leicht oxidieren. Es dient daher in alkalischer Lösung als Reagenz für die quantitative Bestimmung von Sauerstoff.
Als Oxidationsprodukte entstehen bei diesen Redoxreaktionen aus Brenzcatechin *ortho-Benzochinon* und aus Hydrochinon *para-Benzochinon*. Die Chinone sind farbig, sie enthalten C=O-Zweifachbindungen, die zu den C=C-Zweifachbindungen im Ring konjugiert sind. Bei Resorcin ist die Ausbildung einer solchen *chinoiden* Struktur nicht möglich. Es lässt sich daher nicht ohne Zerstörung des Molekülgerüstes oxidieren.

Chinone lassen sich auch leicht wieder reduzieren. In der Natur übernehmen sie deshalb Aufgaben als Redoxsystem bei Stoffwechselprozessen. So wirkt das Ubichinon/Ubihydrochinon-System als Wasserstoffüberträger innerhalb der Atmungskette.

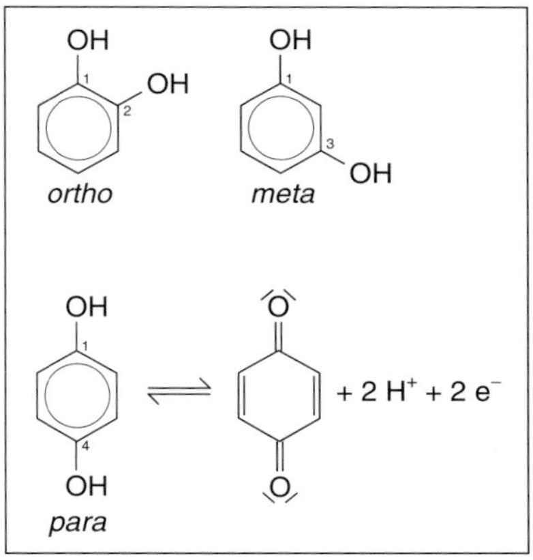

1. Diphenole und *p*-Chinon

A1 **a)** Ordnen Sie die Strukturformeln den Trivialnamen der Diphenole zu.
b) Zeichnen Sie die Strukturformel von Pyrogallol.

A2 Formulieren Sie die Reaktionsgleichung der Redoxreaktion zwischen Brenzcatechin und alkalischer Silbersalz-Lösung.

EXKURS

Chemie beim Sonnenbad

Mit gebräunter Haut verbindet man die Vorstellung von Gesundheit, Aktivität und Erfolg. Mit Hilfe von Sonne, Solarien oder Kosmetika wird versucht, die gewünschte Bräunung zu erzielen. Die im Sonnenlicht enthaltene UV-Strahlung fördert die Durchblutung und den Stoffwechsel der Haut. Übermäßige Bestrahlung führt jedoch zum Sonnenbrand. Austrocknung und vorzeitiges Altern der Haut sind die Folgen, mit einem erhöhten Hautkrebsrisiko muss gerechnet werden.

Die Haut hat verschiedene Möglichkeiten, um sich vor den Folgen verstärkter Einwirkung von ultravioletter Strahlung zu schützen. Durch Desaminierung der Aminosäure Histidin wird Urocaninsäure gebildet, die als körpereigenes Lichtschutzmittel wirkt.

Eine weitere Möglichkeit ist die Bräunung der Haut. Sonnenlicht aktiviert das Enzym Tyrosinase. Dieses katalysiert die Umwandlung von Tyrosin zu 3,4-Dihydroxyphenylalanin, das dann zu Chinon-Derivaten weiterreagiert. Aus dem Hautpigment **Melanin** entstehen so die für die Bräunung verantwortlichen Melanoidine.

Die direkte Pigmentierung der Haut erfolgt durch die *UV-A-Strahlung* (Wellenlänge 320 nm bis 400 nm). Der dabei ablaufende Oxidationsprozess ist reversibel, die Bräunung ist daher nur von kurzer Dauer.

Die kurzwelligere *UV-B-Strahlung* (Wellenlänge 280 nm bis 320 nm) führt zum Sonnenbrand. Die Zellen werden geschädigt, die Melanin-Körner wandern an die Hautoberfläche. Dadurch wird eine anhaltende und tiefe Bräunung erreicht. Gegen Sonnenbrand helfen **Lichtschutzmittel.** Dabei handelt es sich um Substanzen, die UV-B-Strahlen absorbieren. Diese Eigenschaft besitzen beispielsweise Ester der *p*-Aminobenzoesäure.

Kosmetische Mittel, die eine Hautbräunung ohne Einwirkung von UV-Strahlen hervorrufen, bezeichnet man als Hautselbstbräuner. Bislang verwendet man dazu Präparate, die Dihydroxyaceton enthalten.

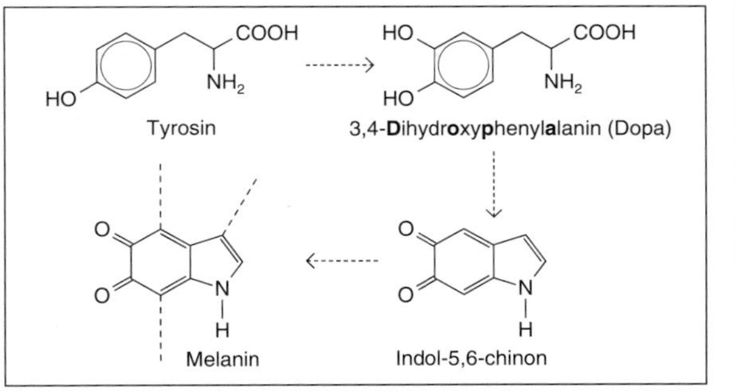

15.7 Anilin – eine organische Base

1. **Protolyse von Anilin und Grenzformeln des Anilin-Moleküls**

Das einfachste aromatische Amin ist **Aminobenzol.** Der Name Anilin weist darauf hin, dass Aminobenzol als Spaltprodukt des Indigos (port. *anil*) entsteht. Es ist eine farblose, ölige Flüssigkeit mit einem unangenehmen Geruch. Seine Siedetemperatur beträgt 184 °C. An der Luft wird Anilin leicht oxidiert und färbt sich dabei rasch dunkel.
Anilin ist ein starkes Blut- und Nervengift, es wird durch Einatmen der Dämpfe sowie durch Hautresorption aufgenommen. Anilin verändert den Blutfarbstoff und zerstört die roten Blutkörperchen. Größere Mengen führen zu Lähmungen oder zum Tod durch Atemstillstand. Anilin zählt außerdem zu den Stoffen mit begründetem Verdacht, Krebs zu erregen.

Basizität. Aufgrund des freien Elektronenpaares der Amino-Gruppe kann Anilin als BRÖNSTED-Base wirken. Mit starken Säuren bilden sich wasserlösliche Salze. Die Basenstärke der aromatischen Amine ist allerdings geringer als die der aliphatischen Amine.
Ursache ist die geringe Elektronendichte am Stickstoff-Atom. Ähnlich wie die Hydroxyl-Gruppe weist auch die Amino-Gruppe einen +M-Effekt auf. Dadurch wird das freie Elektronenpaar des Stickstoff-Atoms teilweise in das delokalisierte π-Elektronensystem des Aromaten einbezogen. Die Protonenaufnahme durch das freie Elektronenpaar der NH_2-Gruppe wird somit erschwert.
Anilin ($pK_B = 9{,}4$) ist deswegen deutlich schwächer basisch als *Ammoniak* ($pK_B = 4{,}6$). *Methylamin* ($pK_B = 3{,}4$) ist dagegen eine noch stärkere Base als Ammoniak, weil die Alkyl-Gruppe wegen ihres positiven Induktions-Effektes (+I-Effekt) die Elektronendichte am Stickstoff-Atom erhöht.

In der Praxis verwendet man statt der freien Amine ihre Salze, da diese weniger flüchtig und nicht so oxidationsempfindlich sind. Durch Zugabe von Alkalihydroxiden lassen sich die Amine bei Bedarf aus ihren Salzen wieder freisetzen.

Herstellung. Die Jahresproduktion von Anilin beläuft sich weltweit auf etwa eine Million Tonnen. Als Ausgangsstoffe zur Herstellung dienen Nitrobenzol, Chlorbenzol, Phenol oder Benzol. Nitrobenzol wird mit Eisenspänen und Salzsäure zu Anilin reduziert. Dabei fallen wertvolle Eisenoxid-Pigmente an. In der Gasphase erfolgt die Reduktion von Nitrobenzol durch katalytische Hydrierung. Chlorbenzol und Phenol werden durch Ammonolyse in Anilin überführt. Erst in der Entwicklung befindet sich die direkte Umsetzung von Benzol mit Ammoniak.

A1 Formulieren Sie die Reaktionsgleichungen für
a) die Bildung von Aniliniumchlorid,
b) die Reaktion von Aniliniumchlorid mit Natronlauge.

A2 In wässeriger Lösung erweisen sich die sekundären Amine stärker basisch als die tertiären Amine. In der Gasphase jedoch findet man die aufgrund der Induktions-Effekte erwartete Abstufung der Basizität.
Versuchen Sie diesen Unterschied zu erklären.

A3 Ordnen Sie die folgenden Siedetemperaturen den genannten Verbindungen zu.
Siedetemperaturen: –12 °C; 3,5 °C; 69 °C und 130 °C
Verbindungen: Trimethylamin, Hexan, 2-Methylpropan und Pentylamin
Begründen Sie Ihre Entscheidung.

A4 Vergleichen Sie die verschiedenen Herstellungsverfahren von Anilin. Formulieren Sie die Reaktionsgleichungen.

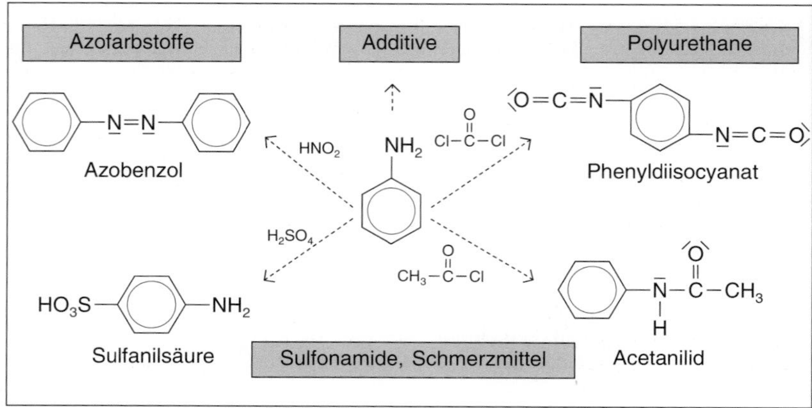

2. **Verwendung von Anilin**

Flüssigkristalle – von Käfern und LCDs

Als der österreichische Botaniker REINITZER 1888 das Schmelzverhalten des *Benzoesäureesters von Cholesterin* untersuchte, entdeckte er eine besondere Eigenschaft. Bei 145,5 °C entstand eine trübe Schmelze, die bei 178,5 °C plötzlich klar wurde. Die Substanz wurde zwar bei einer definierten Schmelztemperatur flüssig, behielt jedoch einen Teil ihrer kristallinen Eigenschaften bis zum „Klärpunkt".

Heute kennt man eine ganze Reihe solcher Stoffe. Man weiß, dass sie in der Natur vorkommen und auch für die herrlich metallisch schillernden Farben blauschwarzer Käfer verantwortlich sind. Es handelt sich um **Flüssigkristalle,** die einerseits ähnliche Eigenschaften wie Feststoffe haben und andererseits in ihrem Verhalten Flüssigkeiten gleichen. Sie nehmen eine Sonderstellung zwischen festen und flüssigen Phasen ein.

In Flüssigkristallen ist die Fernordnung der Moleküle in verschiedenen Richtungen nicht gleichwertig. Dadurch sind optische Eigenschaften wie Lichtgeschwindigkeit und Durchlässigkeit für polarisiertes Licht richtungsabhängig; polarisiertes Licht wird je nach Anordnung der Moleküle im Flüssigkristall verändert.

Die Strukturformeln von Verbindungen, die Flüssigkristalle bilden, weisen sehr häufig zwei über eine „Zentralgruppe" verbundene Benzol-Ringe auf, die ihrerseits in *para*-Stellung wiederum zwei „Flügelgruppen" tragen. Dadurch sind diese *Diphenyl-Derivate* planare, lang gestreckte Dipol-Moleküle.

LCDs. Bei **L**iquid **C**rystal **D**isplays (Flüssigkristallanzeigen) wird die Abhängigkeit der Molekülanordnung vom elektrischen Feld genutzt. Die Anzeige besteht aus Glasplatten, die außen mit Polarisationsfolien und innen mit feinen Furchen versehen sind. Dabei liegen die Furchen parallel zur Vorzugsrichtung der Polarisationsfolien. Außerdem sind innen transparente Elektroden aus Zinndioxid (SnO_2) aufgedampft.

Durch die Furchen auf den Glasplatten wird erreicht, dass sich die Molekülachsen parallel zu den Polarisationsfolien ausrichten. Bei der Montage werden die Glasplatten um 90° gegeneinander gedreht. Dadurch entsteht im Flüssigkristall eine optisch aktive spiralförmige Anordnung.

Wenn Licht durch die Polarisationsfolie tritt, wird es linear polarisiert. Es folgt dann der Helix-Struktur des Flüssigkristalls; die Polarisationsebene wird dabei ebenfalls um 90° gedreht. Das Licht kann somit den um 90° zum ersten Filter gedrehten Polarisationsfilter durchdringen. Der Betrachter sieht ein helles Feld.
Beim Anlegen einer elektrischen Spannung werden die Molekül-Dipole im elektrischen Feld ausgerichtet. Die Verdrillung des Flüssigkristalls und die damit verbundene 90°-Drehung des polarisierten Lichtes gehen verloren, die Anzeige erscheint daher dunkel.

Solche LCDs werden in Uhren, Messinstrumenten und Rechnern eingesetzt. Geringer Energieverbrauch, niedriges Gewicht und minimale Fertigungskosten sind die entscheidenden Vorteile dieser Anzeigetechnik.

Flüssigkristalle in Natur und Alltag

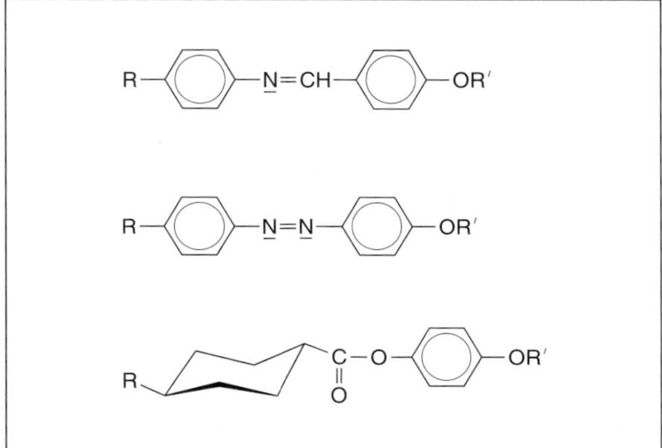

Strukturformeln von Flüssigkristall-Molekülen

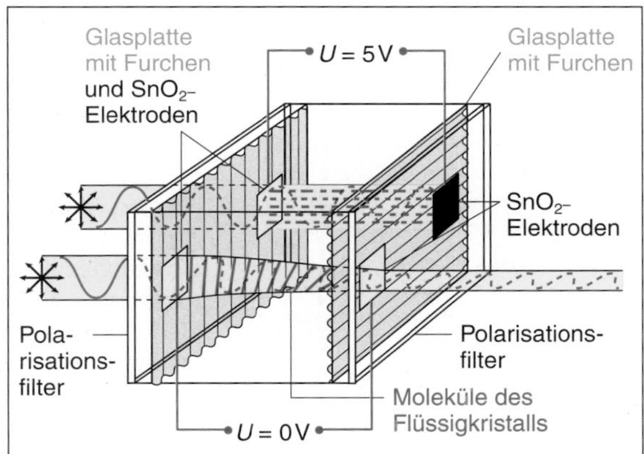

Aufbau und Funktionsweise einer Flüssigkristallanzeige

15.8 Toluol und andere Alkyl-Derivate des Benzols

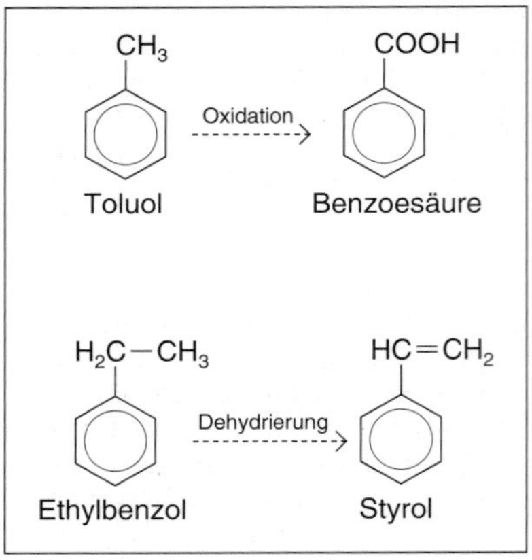

1. Verschiedene Benzol-Derivate

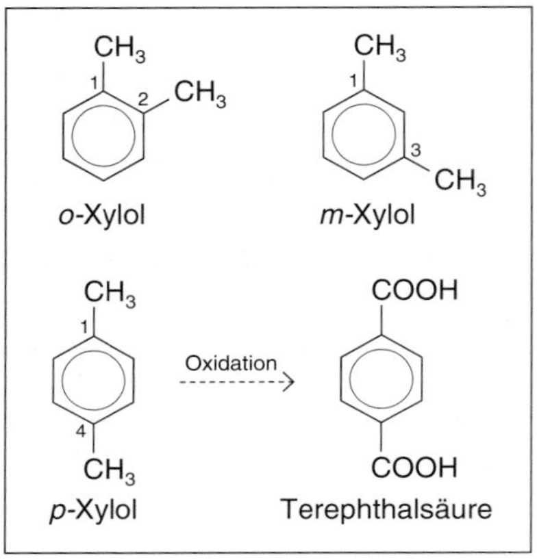

2. Xylole und Terephthalsäure

A1 Formulieren Sie die Reaktionsgleichungen für die Kern- und die Seitenkettenbromierung von Toluol. Geben Sie dabei jeweils die Reaktionsbedingungen an und benennen Sie den Reaktionstyp.

A2 Mit Phosphorsäure als Katalysator reagieren Benzol und Propen zu Isopropylbenzol (Cumol).
Formulieren Sie die Reaktionsgleichung.

A3 Geben Sie für die drei isomeren Trimethylbenzole Strukturformeln und systematische Bezeichnungen an.

A4 Durch die Reaktion von Benzoesäure mit Natriumhydroxid erhält man Natriumbenzoat.
Formulieren Sie für diese Neutralisation die Reaktionsgleichung.

Ersetzt man im Benzol-Molekül formal ein oder mehrere Wasserstoff-Atome durch andere Atome oder Atomgruppen, so erhält man **Benzol-Derivate.** Eine wichtige Stoffklasse bilden die *Alkylbenzole*, in denen nur Alkyl-Reste als Substituenten auftreten.

Der einfachste Vertreter ist **Toluol** (Methylbenzol). Dabei handelt es sich um eine farblose, leicht entzündliche und giftige Flüssigkeit, die bei 110 °C siedet. Toluol gilt zwar als gesundheitsschädlich, es wirkt aber im Gegensatz zu Benzol nicht kanzerogen. Man verwendet Toluol insbesondere als Lösungsmittel und als Treibstoffzusatz. Ferner dient Toluol als Ausgangsstoff für die Synthese des Sprengstoffs *Trinitrotoluol* (TNT). Auch Benzoesäure wird aus Toluol hergestellt.
Wie Benzol ist Toluol im Erdöl und im Steinkohlenteer enthalten. Technisch gewinnt man Methylbenzol aus Reformat- oder Pyrolysebenzin. Die darin enthaltenen Mengen übersteigen aber den Bedarf an Toluol, sodass ein Großteil davon in Benzol und Xylole überführt wird.

Xylole sind Dimethylbenzole. Wie bei allen zweifach substituierten Benzolen sind auch hier drei Isomere möglich. Zur Benennung werden die C-Atome des Benzol-Moleküls durchnummeriert. Nach der Stellung der beiden Substituenten zueinander bezeichnet man das 1,2-Isomere auch als *ortho*-Xylol (*o*-Xylol), das 1,3-Isomere als *meta*-Xylol (*m*-Xylol) und das 1,4-Isomere als *para*-Xylol (*p*-Xylol).
Das bei der Gewinnung anfallende Isomeren-Gemisch wird meist ohne weitere Trennung eingesetzt. Es eignet sich als Lösungsmittel für Wachse, Kunstharze und Kautschuk und als Verdünnungsmittel von Lacken und Anstrichen. Wegen ihrer hohen Octanzahl dienen Xylole auch als Zusatz in hochwertigen Flugzeugkraftstoffen.

Die Seitenkette der Alkylbenzole lässt sich durch starke Oxidationsmittel zur Carboxyl-Gruppe oxidieren. Durch Kochen mit Kaliumpermanganat-Lösung erhält man so aus *para*-Xylol Terephthalsäure. Aus *ortho*-Xylol, *meta*-Xylol und *para*-Xylol werden über Phthalsäure, Isophthalsäure und Terephthalsäure Weichmacher, Kunststoffe und Kunstfasern hergestellt.

Durch Alkylierung von Benzol mit Ethen entsteht *Ethylbenzol.* Dieses wird durch Dehydrierung in *Styrol* (Ethenylbenzol, Phenylethen) überführt und anschließend zu Polystyrol polymerisiert.
Aus Benzol und Propen gewinnt man *Isopropylbenzol.* Diese auch als Cumol bezeichnete Verbindung wird fast ausschließlich zur Synthese von Phenol verwendet.

Substitutionsreaktion. Einerseits zeigen die Alkylbenzole aufgrund ihres aromatischen Kerns Merkmale aromatischer Stoffe, andererseits ähneln sie mit ihren Seitenketten den entsprechenden aliphatischen Verbindungen. So können Alkylbenzole im Kern oder in der Seitenkette substituiert werden.
Bei niedriger Temperatur (**K**älte) und in Anwesenheit von Eisen(III)-bromid als **K**atalysator reagiert Toluol mit Brom zu einem Gemisch von *2-Bromtoluol* und *4-Bromtoluol*, gleichzeitig entsteht dabei Bromwasserstoff. Bei diesen Reaktionsbedingungen läuft wie beim Benzol eine elektrophile Substitution am aromatischen **K**ern ab. In der **KKK-Regel** wird dieses Reaktionsverhalten zum Ausdruck gebracht.
Bei erhöhter Temperatur (**S**iedehitze) und gleichzeitiger Bestrahlung mit Licht (**S**onnenlicht) erfolgt dagegen eine radikalische Substitution von Wasserstoff-Atomen in der **S**eitenkette. Dieser Reaktionsverlauf wird in der **SSS-Regel** wiedergegeben. Bei der Bromierung von Toluol entsteht dabei als Monosubstitutionsprodukt *(Brommethyl)-benzol.*

EXKURS

Explosivstoffe – Energie aus dem Zerfall

Explosivstoffe reagieren bei Erwärmung oder mechanischer Einwirkung sehr heftig. In einer stark exothermen Reaktion entstehen große Mengen heißer Gase, die einen viel größeren Raum einnehmen als der ursprüngliche Sprengstoff selbst. Dadurch baut sich in kürzester Zeit ein sehr starker Explosionsdruck auf, der auch den Knall verursacht. Solche Explosionen beruhen meist auf sehr rasch als Kettenreaktion ablaufenden Redoxreaktionen.

Schwarzpulver. Der älteste Sprengstoff ist das Schwarzpulver, ein Gemisch aus Kaliumnitrat, Schwefel und Kohle. Bis in das 19. Jahrhundert wurde es als Treibmittel für Geschosse verwendet. Heute benutzt man es noch in der Pyrotechnik zur Herstellung von Feuerwerkskörpern. Bei der Reaktion dient Kaliumnitrat als Oxidationsmittel. Als Sprengstoff ist Schwarzpulver schlecht geeignet, da seine Explosionsgeschwindigkeit mit $500\ m \cdot s^{-1}$ sehr gering ist.

Nitroglycerin. Der zur Reaktion benötigte Sauerstoff kann auch in gebundener Form im Molekül des Explosivstoffs enthalten sein. Beispiele dafür sind Nitroglycerin und TNT, deren Moleküle mehrere Salpetersäureester-Gruppen oder Nitro-Gruppen aufweisen. *Nitroglycerin* ist die gebräuchliche, aber dennoch falsche Bezeichnung für den Trisalpetersäureester des Glycerins. Der italienische Chemiker SOBRERO stellte die ölige, farblose bis gelbliche Flüssigkeit im Jahre 1846 erstmals her. In reiner Form ist die Verbindung bei Raumtemperatur haltbar, sie zerfällt jedoch beim Erwärmen oder durch Schlag explosionsartig. SOBRERO berichtete: „Ein Tropfen wurde in einem Reagenzglas erhitzt und explodierte dabei mit solcher Heftigkeit, dass Glasscherben mich tief in Gesicht und Hände schnitten."
Für NOBEL war es eine Herausforderung, aus diesem gefährlichen Sprengöl einen brauchbaren Sprengstoff zu machen. Die kontrollierte Zündung gelang ihm 1864 durch die Erfindung der Sprengkapsel. Darin befinden sich Initialsprengstoffe, wie das 1823 von LIEBIG entdeckte Knallquecksilber (Quecksilberfulminat, $Hg_2(CNO)_2$), die bei Schlag zerfallen und dadurch den eigentlichen Sprengstoff zünden.

Dennoch blieb das Nitroglycerin unberechenbar. Niemand wollte die Sprengstofffabriken in der Nähe haben. Zeitweilig nahm NOBEL eine Fabrik auf einem Floß in Betrieb. Dann kam ihm 1867 die Idee, das Sprengöl in poröser Kieselgur aufzusaugen. Dadurch entstand ein fester, leicht zu transportierender, sicherer Sprengstoff. Dieser bekam den Namen *Dynamit*. Wenig später wurde dann die Kieselgur durch Nitrocellulose ersetzt.

TNT. Hinter der Abkürzung TNT verbirgt sich der viel verwendete Sprengstoff *2,4,6-**T**ri**n**itro**t**oluol*. Er wird durch Nitrierung von Toluol hergestellt, wobei die stufenweise Substitution mit steigenden Konzentrationen an Nitriersäure durchgeführt wird. Die farblosen bis schwach gelben Kristalle mit einer Schmelztemperatur von 81 °C wurden erstmals 1865 von WILLBRAND synthetisiert. Erst nach 25 Jahren wurde die Eignung der Verbindung als Sprengstoff erkannt. Bei der Verarbeitung wird der geschmolzene Sprengstoff in Formen gegossen. Man erreicht so die größtmögliche Dichte und damit eine hohe Detonationsgeschwindigkeit. Im Gemisch mit *Hexogen* wird TNT zur Füllung von Granaten und Bomben verwendet. Bei der Explosion zerfällt TNT sehr rasch in Kohlenstoffdioxid, Kohlenstoffmonooxid, Wasserdampf und Stickstoff. Dabei entstehen aus einem Kilogramm Sprengstoff insgesamt 690 Liter Gase, die durch die frei werdende Energie von 4000 kJ bis zu 2820 °C heiß werden. Die Detonationsgeschwindigkeit liegt bei $6900\ m \cdot s^{-1}$.

Die Wirkung der verschiedenen Explosivstoffe wird oft durch den Vergleich mit der Sprengkraft von TNT angegeben. Dies geschieht vor allem bei Kernwaffen. Die Sprengkraft der am 6. 8. 1945 über Hiroshima gezündeten Atombombe entsprach 12,5 Kilotonnen TNT.

Aufgabe 1: Aus Toluol kann durch Nitrierung der Sprengstoff TNT (2,4,6-Trinitrotoluol) hergestellt werden. Formulieren Sie die entsprechende Reaktionsgleichung.

Bezeichnung	KNO_3	S	C
Griech. Feuer (12. Jh.)	67	11	22
Gewehrpulver (19. Jh.)			
deutsches	74	10	16
französisches	74	10,5	15,5
englisches	75	10	15
Jagdpulver (19. Jh.)			
deutsches	78,5	10	11,5
französisches	78	10	12
Sprengpulver (19. Jh.)			
deutsches	66	12,5	21,5
französisches	65	20	15
russisches	66,8	16,6	16,6
Schwarzpulver (20. Jh.)	74	10,4	15,6

Schwarzpulvermischungen. Massenanteile in Prozent.

$H_2C-O-NO_2$
$HC-O-NO_2$
$H_2C-O-NO_2$
Nitroglycerin

CH_3, O_2N, NO_2, NO_2
TNT

NO_2, N, C, H, O_2N, NO_2
Hexogen

Wichtige Sprengstoffe

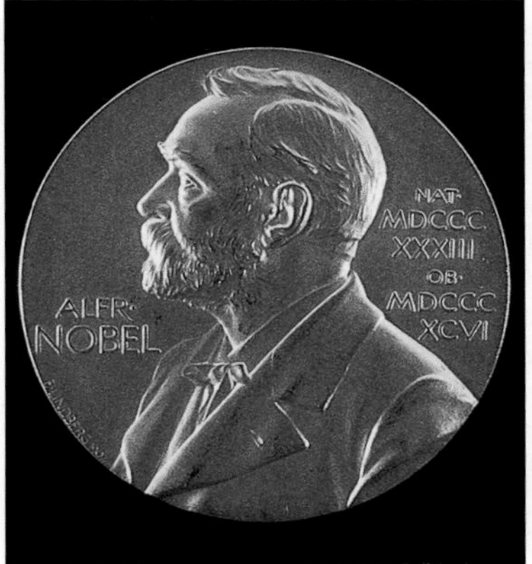

Alfred NOBEL (1833–1896)

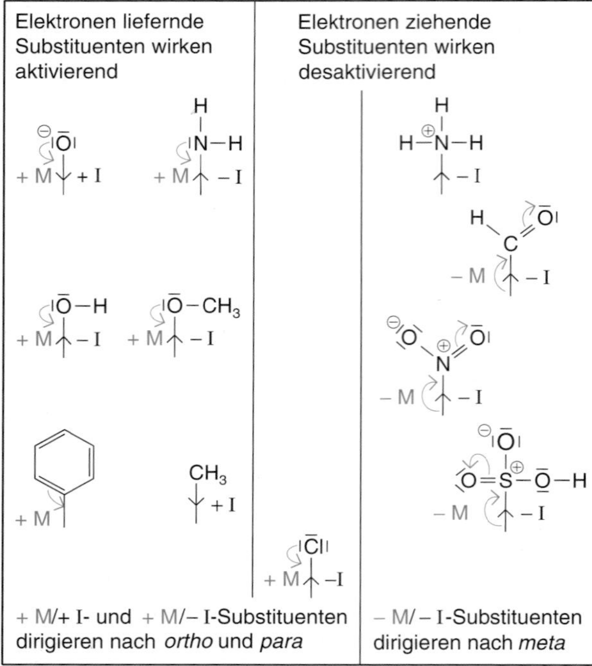
Elektronen liefernde Substituenten wirken aktivierend
Elektronen ziehende Substituenten wirken desaktivierend
+ M/+ I- und + M/– I-Substituenten dirigieren nach ortho und para
– M/– I-Substituenten dirigieren nach meta

1. Mesomere und induktive Effekte von Erstsubstituenten

Bei der Substitution von Benzol entstehen Benzol-Derivate, die wiederum mit Elektrophilen reagieren können. Der Erstsubstituent beeinflusst dabei Geschwindigkeit und Ort der Zweitsubstitution.

Reaktivität. Bringt man Benzol und Toluol unter vergleichbaren Bedingungen mit Brom zur Reaktion, so verläuft die elektrophile Substitution bei Toluol deutlich schneller. Die Methyl-Gruppe erhöht die Elektronendichte im aromatischen Kern und erleichtert so den elektrophilen Angriff. Erstsubstituenten mit einem solchen *positiven Induktions-Effekt* **(+ I-Effekt)** wirken aktivierend auf die Zweitsubstitution. Substituenten mit Atomen höherer Elektronegativität bewirken dagegen einen *negativen Induktions-Effekt* **(– I-Effekt).** Die Elektronendichte im aromatischen Ring wird herabgesetzt, sodass ein elektrophiler Angriff erschwert ist. Chlor-Atome besitzen einen solchen – I-Effekt, deshalb reagiert Chlorbenzol langsamer als Benzol selbst.
Auch die Hydroxyl-Gruppe übt einen – I-Effekt aus. Dennoch kann Phenol ohne Katalysator bromiert werden. Die Ursache für die im Vergleich zu Benzol erhöhte Reaktionsfähigkeit lässt sich mit dem Modell der Mesomerie deuten: Das freie Elektronenpaar der OH-Gruppe beteiligt sich am delokalisierten π-Elektronensystem. Bei der Hydroxyl-Gruppe überwiegt dieser *positive Mesomerie-Effekt* **(+ M-Effekt)** den – I-Effekt. Somit wird die Elektronendichte im aromatischen Kern erhöht und ein elektrophiler Angriff erleichtert.

Die Nitro-Gruppe hat einen *negativen Mesomerie-Effekt* **(– M-Effekt).** Solche Substituenten setzen die Elektronendichte im aromatischen Ring herab und erschweren daher die Zweitsubstitution. Die Elektronenanziehung durch die Nitro-Gruppe ist besonders groß, weil hier Induktions-Effekt und Mesomerie-Effekt in die gleiche Richtung wirken.
Während sich Nitrobenzol aus Benzol unter Verwendung konzentrierter Salpetersäure herstellen lässt, muss bei der Nitrierung von Nitrobenzol rauchende Salpetersäure verwendet werden.

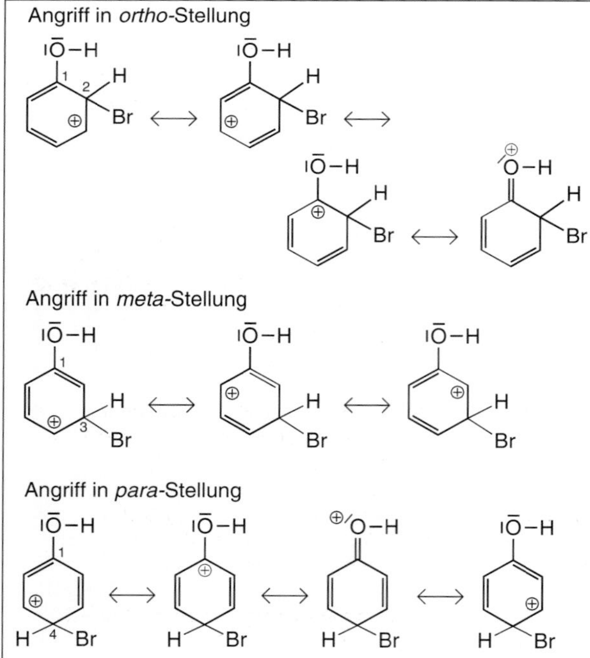
Angriff in ortho-Stellung
Angriff in meta-Stellung
Angriff in para-Stellung

2. Grenzformeln der σ-Komplexe bei der Bromierung von Phenol

Dirigierende Wirkung des Erstsubstituenten. Bei der *Bromierung von Phenol* entstehen überwiegend 2-Bromphenol und 4-Bromphenol. Die Hydroxyl-Gruppe als Erstsubstituent dirigiert den Zweitsubstituenten vorzugsweise in *ortho-* und *para-*Stellung.
Dieses Verhalten lässt sich erklären, indem man die Stabilität der σ-Komplexe bei der Zweitsubstitution vergleicht: Für *Erstsubstituenten mit + M-Effekt* lassen sich bei einer Substitution in *ortho-* oder *para-*Stellung mehr vergleichbare Grenzformeln aufstellen als bei einer Substitution in *meta-*Stellung. Solche σ-Komplexe sind stabiler, weil die π-Elektronen über einen größeren Bereich delokalisiert sind. Da sich die stabilisierten σ-Komplexe leichter bilden, entstehen bei der Zweitsubstitution bevorzugt *ortho-* und *para-*Produkte.

Bei der *Nitrierung von Nitrobenzol* entsteht vor allem 1,3-Dinitrobenzol. Auch hier ist die Stabilität der möglichen σ-Komplexe unterschiedlich. Für die Carbenium-Ionen der drei isomeren Dinitrobenzole kann man jeweils drei Grenzformeln aufstellen. Für *ortho-* und *para*-Dinitrobenzol findet sich je eine Grenzformel, bei der sowohl das N-Atom der Nitro-Gruppe als auch das benachbarte C-Atom im aromatischen Ring eine positive Formalladung tragen. Eine solche räumliche Nähe gleichartiger Ladung ist aber sehr ungünstig. Der σ-Komplex einer Substitution in *meta*-Stellung ist daher stabiler. *Erstsubstituenten mit einem −M-Effekt* dirigieren deshalb den Zweitsubstituenten vorzugsweise in *meta*-Stellung.

Die *Sulfonierung von Toluol* liefert nur *o*- und *p*-Toluolsulfonsäure in nennenswerter Ausbeute. Zur Erklärung dieses Reaktionsverhaltens werden wiederum die Grenzformeln der σ-Komplexe betrachtet. Für den elektrophilen Angriff in *ortho-* und *para*-Stellung gibt es je eine Formel für das Carbenium-Ion, bei der das der Methyl-Gruppe benachbarte C-Atom im aromatischen Ring eine positive Formalladung trägt. Der +I-Effekt der Methylgruppe gleicht die Formalladung des C-Atoms teilweise aus. *ortho-* und *para*-substituierte Carbenium-Ionen sind daher stabiler als *meta*-substituierte Carbenium-Ionen. *Erstsubstituenten mit einem +I-Effekt* dirigieren daher den Zweitsubstituenten bevorzugt in die *ortho-* und *para*-Stellung.

Reaktionsbedingungen. Die Wirkung des Erstsubstituenten kann durch die Reaktionsbedingungen beeinflusst werden. So reagiert Phenol in alkalischer Lösung schneller mit Brom, weil im Phenolat-Anion der Erstsubstituent einen +I-Effekt verursacht. Außerdem wird der bereits im Phenol vorhandene +M-Effekt noch verstärkt. Die dirigierende Wirkung in *ortho-* und *para*-Stellung ist ausgeprägter.
Die Amino-Gruppe im Anilin dirigiert normalerweise in *ortho-* und *para*-Stellung. In stark saurer Lösung verläuft die Reaktion mit Brom langsam, es entsteht überwiegend *meta*-Bromanilin. In dem in saurer Lösung vorliegenden Anilinium-Kation verursacht der NH_3^+-Rest einen starken −I-Effekt. Im Gegensatz zur NH_2-Gruppe hat der NH_3^+-Rest keinen +M-Effekt. Der Erstsubstituent dirigiert daher in *meta*-Stellung und wirkt gleichzeitig desaktivierend.

Produktverteilung. Bei einem Erstsubstituenten, der nach *ortho* und *para* dirigiert, könnte man erwarten, dass zwei Drittel *ortho-* und ein Drittel *para*-Disubstitutionsprodukt entstehen. Dieses theoretische *ortho/para*-Verhältnis wird jedoch kaum erreicht. Infolge *sterischer Hinderung* sinkt der Anteil des *o*-Produktes, wenn der Erstsubstituent an Größe zunimmt. Voluminöse Zweitsubstituenten haben die gleiche Wirkung. Außerdem entstehen immer geringe Mengen des *meta*-Produktes.

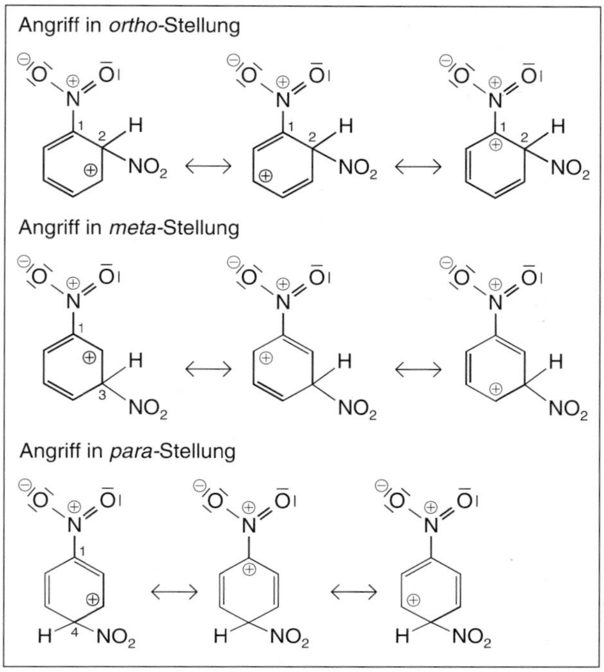

Angriff in *ortho*-Stellung

Angriff in *meta*-Stellung

Angriff in *para*-Stellung

1. Grenzformeln der σ-Komplexe bei der Nitrierung von Nitrobenzol

A1 Formulieren Sie für die folgenden Zweitsubstitutionen die Reaktionsgleichungen und erklären Sie die Entstehung der Produkte mit Hilfe der Stabilität der σ-Komplexe:
a) Bromierung von Ethylbenzol,
b) Nitrierung von Toluol,
c) Sulfonierung von Nitrobenzol,
d) Sulfonierung von Toluol.

A2 Formulieren Sie den Reaktionsmechanismus der elektrophilen Substitution an Aromaten für die Bromierung
a) von Phenol in alkalischer Lösung,
b) von Anilin in stark saurer Lösung.

A3 Bei der Nitrierung von Ethylbenzol, Isopropylbenzol, (2-Methylpropyl)-benzol und Toluol ergeben sich etwa die folgenden *ortho/para*-Verhältnisse:
56:40; 44:51; 28:65 und 12:70.
Zeichnen Sie die Strukturformeln der Ausgangsstoffe. Ordnen Sie die jeweilige Produktverteilung den einzelnen Stoffen zu und begründen Sie Ihre Entscheidung.

A4 Im Biphenyl-Molekül tritt die Phenyl-Gruppe (C_6H_5-Rest) als Erstsubstituent auf. Die elektrophile Substitution verläuft schneller als beim Benzol selbst. Es entstehen hauptsächlich *ortho-* und *para*-Produkte.
Erklären Sie dieses Reaktionsverhalten.

Eigenschaften und Reaktionen von Aromaten

Versuch 1: Bromierung von Toluol

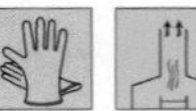

Materialien: 2 Reagenzgläser mit Stopfen, Messzylinder (10 ml), Tropfpipette, Spatel, Gasbrenner, UV-Lampe oder Diaprojektor;
Toluol (F, Xn), Lösung von Brom in 1,1,2-Trichlortrifluorethan (5 %; N, T), Eisenpulver, Aluminiumfolie, Universalindikator-Papier

Durchführung:
1. In einem Reagenzglas werden 5 ml Toluol mit etwa 1 ml Brom-Lösung versetzt. Dann wird das Reagenzglas mit einem Stopfen verschlossen, unverzüglich am Stativ eingespannt und etwa fünf Minuten mit der UV-Lampe oder dem Diaprojektor bestrahlt.
2. In einem zweiten Reagenzglas mischt man 2 ml Toluol mit 2 ml der Brom-Lösung. Das Reagenzglas wird im Bereich der Lösung mit Aluminiumfolie umwickelt. Dann fügt man eine Spatelspitze Eisenpulver hinzu. Nach Verschließen mit einem Stopfen wird geschüttelt.
3. Überprüfen Sie in beiden Fällen die entweichenden Dämpfe mit feuchtem Universalindikator-Papier.

Aufgaben:
a) Notieren Sie Ihre Versuchsbeobachtungen.
b) Formulieren Sie die Reaktionsgleichungen und erklären Sie den unterschiedlichen Reaktionsverlauf.
c) Begründen Sie den Einfluss der Methyl-Gruppe als Erstsubstituent auf den Verlauf der Zweitsubstitution.

Versuch 2: Nitrierung von Phenol

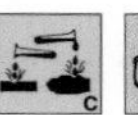

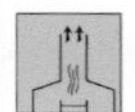

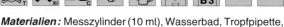

Materialien: Messzylinder (10 ml), Wasserbad, Tropfpipette, Spatel;
Phenol (T), Schwefelsäure (verd.; Xi), Salpetersäure (konz.; C)

Durchführung:
1. Unter Schütteln löst man im Reagenzglas einen Spatel Phenol in etwa 5 ml Schwefelsäure, bis sich eine klare Lösung bildet.
2. Anschließend wird im Wasserbad erhitzt.
3. Zu der noch warmen Lösung gibt man unter Schütteln vorsichtig zwei Tropfen der Salpetersäure.

Aufgaben:
a) Notieren Sie Ihre Versuchsbeobachtungen.
b) Formulieren Sie die Reaktionsgleichung.
c) Welchen Einfluss hat die Hydroxyl-Gruppe als Erstsubstituent auf den Verlauf der Zweitsubstitution?
d) Ließe sich diese Nitrierung von Phenol auch in alkalischer Lösung durchführen?

Versuch 3: Sulfonierung von Naphthalin

Materialien: Messzylinder (10 ml), Becherglas (100 ml), Mörser, Gasbrenner, Spatel;
Naphthalin (Xn), Schwefelsäure (konz.; C)

Durchführung:
1. Zerkleinern Sie eine Spatelspitze Naphthalin im Mörser.
2. Geben Sie es dann in das Reagenzglas und fügen Sie vorsichtig etwa 5 ml Schwefelsäure zu.
3. Dann wird das Gemisch zwei Minuten lang erhitzt und anschließend in das Becherglas mit 50 ml Wasser gegeben.

Aufgaben:
a) Notieren Sie Ihre Versuchsbeobachtungen.
b) Formulieren Sie die Reaktionsgleichung.
c) Welche Isomeren können als Produkte entstehen?

Versuch 4: Hydroxy-Derivate des Benzols

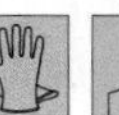

Materialien: Messzylinder (25 ml), 3 Reagenzgläser (groß), 3 Tropfpipetten, Spatel, Wasserbad, Pinzette;
Phenol (T), Brenzcatechin (Xn), Resorcin (Xn, N), Hydrochinon (Xn), Universalindikator-Papier, FEHLING-Lösung I und II (C), Schwefelsäure (konz.; C), Eisen(III)-chlorid-Lösung, Natriumnitrit-Lösung (2 %; Xn)

Durchführung:
1. Stellen Sie von den vier Hydroxybenzolen jeweils eine Ausgangslösung her, indem Sie eine Spatelspitze der Substanz in 15 ml Wasser im Reagenzglas lösen. Verteilen Sie die Lösung jeweils auf drei Reagenzgläser und markieren Sie diese.
2. Bestimmen Sie mit dem Universalindikator-Papier den pH-Wert der Lösungen.
3. Geben Sie jeweils zwei Tropfen der Eisen(III)-chlorid-Lösung zu den Lösungen der Hydroxybenzole.
4. Geben Sie zu 5 ml Natriumnitrit-Lösung vorsichtig zwei Tropfen Schwefelsäure. Fügen Sie anschließend zwei Tropfen dieser Lösung zu den Proben der Hydroxybenzole.
5. Mischen Sie in einem großen Reagenzglas 10 ml FEHLING-Lösung I mit 10 ml FEHLING-Lösung II. Geben Sie nun jeweils 5 ml dieses FEHLING-Reagenzes zu den Ausgangslösungen der vier Hydroxybenzole. Die Gemische erhitzt man dann im siedenden Wasserbad.

Aufgaben:
a) Stellen Sie Ihre Beobachtungen in einer Tabelle zusammen.
b) Erklären Sie die jeweiligen Versuchsergebnisse.
c) Erklären Sie die reduzierenden Eigenschaften der Dihydroxybenzole und nennen Sie entsprechende Redoxreaktionen in Natur und Technik.

EXKURS

Arzneistoffe – eine hilfreiche Vielfalt

Gesund sein und bleiben – ein Wunsch, der für die Menschen von je her von ganz besonderer Bedeutung war und ist. Bis zurück in die Steinzeit lassen sich Zeugen medizinischer Behandlung finden. Damit eng verbunden ist der Gebrauch von Heilmitteln.
Die Zahl der heute therapeutisch genutzten Wirkstoffe geht in die Tausende. Darunter finden sich Arzneimittel synthetischen, pflanzlichen, tierischen und mineralischen Ursprungs. Eine Einteilung in Arzneimittelgruppen erleichtert die Übersicht.

Gegen Infektionskrankheiten werden **Antibiotika** und **Chemotherapeutika** eingesetzt. Diese trugen dazu bei, Epidemien zu verhindern und die Verbreitung der alten Volkskrankheiten einzuschränken. Vor 100 Jahren starb noch ein Siebtel aller Menschen über 16 Jahren an Tuberkulose.
Antibiotika hemmen das Wachstum von Bakterien oder töten diese Mikroorganismen ganz ab, sie sind *bakterizid* oder *bakteriostatisch.* Wie *Penicillin* sind die meisten dieser Antibiotika selbst Stoffwechselprodukte solcher Mikroorganismen.
Synthetisch hergestellte antibakteriell wirkende Substanzen werden als *Chemotherapeutika* bezeichnet. Die Erreger von Harnwegsinfektionen werden beispielsweise mit *Sulfonamiden* bekämpft. Im Körper entsteht daraus *Sulfanilamid,* das bakteriostatisch wirkt, indem die räumlich ähnlich gebaute *p-Aminobenzoesäure* als Wirkstoff im Bakterienstoffwechsel verdrängt wird.

Mit **Herz-Kreislauf-Therapeutika** lassen sich krankhafte Blutdruckveränderungen behandeln: *Antihypertonika* wirken blutdrucksenkend. Zur Erweiterung der Koronargefäße kann bei Angina pectoris im akuten Anfall *Nitroglycerin* eingesetzt werden. Gegen Durchblutungsstörungen im Gehirn hilft *Nicotinsäure.* Sie bewirkt eine deutliche Erweiterung der Blutgefäße im Kopfbereich und setzt außerdem den Blutfettspiegel herab.
Arzneimittel zur Behebung von Herz- und Kreislaufstörungen können allerdings auch über das Nervensystem wirken. Unter solchen **das Nervensystem beeinflussenden Arzneistoffen** finden sich körpereigene Stoffe wie *Noradrenalin* und *Adrenalin.* Meist sind die natürlichen Hormone für eine gezielte Therapie jedoch ungeeignet.

Schmerz ist das häufigste Symptom einer Erkrankung. Ziel der medizinischen Behandlung muss die Heilung der Krankheit und damit die Beseitigung der Schmerzursache sein. Zur Linderung der Schmerzen werden **schmerzstillende Mittel (Analgetika)** eingesetzt.
Ein stark wirksames Analgetikum ist *Morphin.* Die Probleme der Medikamentenabhängigkeit und der Suchtgefahr werden bei diesem Arzneistoff besonders deutlich.
Schwach wirkende Analgetika wie *Aspirin* (Acetylsalicylsäure) beeinflussen dagegen kaum die Psyche des Menschen. Sie verhindern ganz oder teilweise die Synthese von körpereigenen Schmerzstoffen, den *Prostaglandinen.* Häufig hemmen sie außerdem Entzündungen und senken das Fieber.

In der **Roten Liste** des Bundesverbandes der pharmazeutischen Industrie waren 1996 erfasst:

8888 Arzneimittel (mit 11714 Darreichungsformen)

davon waren:

6638 chemisch definierte Präparate
1202 Präparate pflanzlicher Herkunft
449 Organpräparate
599 Homöopathika

4290 Arzneimittel waren rezeptfrei käuflich.

4226 Arzneimittel waren verschreibungspflichtig.

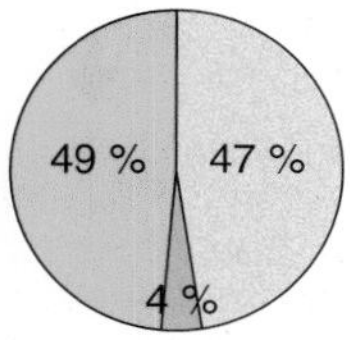

372 Präparate waren für den Vertrieb außerhalb von Apotheken zugelassen.

In der medizinischen Anwendung waren etwa 3500 Wirkstoffe, davon etwa 2900 in den Fertigarzneimitteln.

Auf lediglich 2000 von insgesamt 70000 registrierten Arzneimitteln aus industrieller Produktion entfielen 93 % des Umsatzes der Apotheken.

Der einzelne Arzt verwendete im Durchschnitt in seiner Praxis nur 200 bis 300 verschiedene Medikamente.

Das Arzneimittelangebot in Deutschland

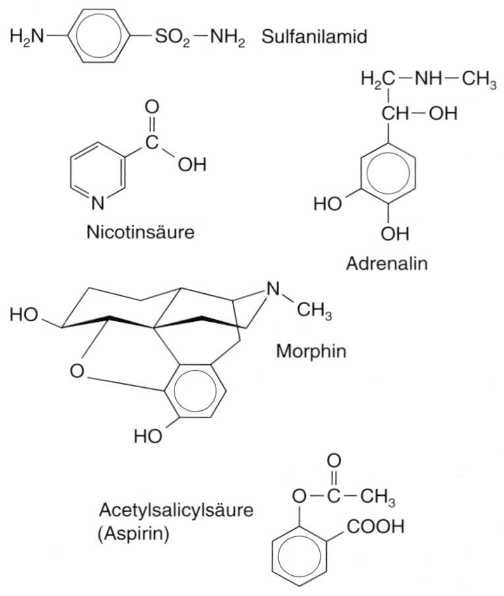

Wichtige Wirkstoffe mit aromatischem Ring

15.10 Aufgaben · Versuche · Probleme

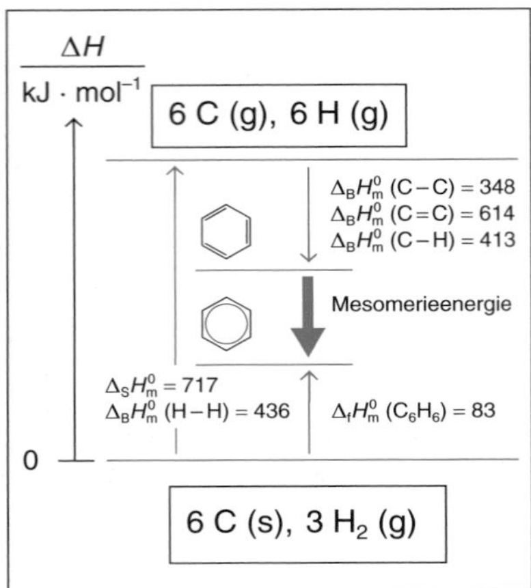

Aufgabe 1: Berechnen Sie aus den Sublimations-, Bindungs- und Bildungsenthalpien die Mesomerieenergie von Benzol.

Aufgabe 2: Formulieren Sie die Strukturformeln einfacher Benzol-Derivate, die in der Seitenkette eine Hydroxyl-Gruppe, eine Aldehyd-Gruppe, eine Keto-Gruppe bzw. eine Carboxyl-Gruppe enthalten.
Benennen Sie die Verbindungen und informieren Sie sich über ihre Eigenschaften und Bedeutung.

Aufgabe 3: Bei der Bromierung von Toluol kann es je nach Reaktionsbedingungen zu einer Kern- oder zu einer Seitenkettenbromierung kommen. Geben Sie die notwendigen Reaktionsbedingungen an und formulieren Sie jeweils den Mechanismus.

Aufgabe 4: Dibenzoylperoxid wird oft als Initiator für Radikal-Kettenreaktionen eingesetzt, z. B. für Polymerisationen. Es lässt sich aus Benzoylchlorid (C_6H_5-COCl) und Wasserstoffperoxid (H_2O_2) synthetisieren.
a) Formulieren Sie Reaktionsgleichungen für die Synthese und für den Zerfall in Radikale.
b) Warum ist Dibenzoylperoxid thermisch instabil?

Aufgabe 5: Bei der durch Aluminiumchlorid katalysierten Reaktion von Tetrachlormethan mit Benzol entsteht Triphenylchlormethan.
a) Formulieren Sie die Reaktionsgleichung.
b) Warum entsteht kein Tetraphenylmethan?

Aufgabe 6: Aus *m*-Xylol kann durch Alkylierung mit Isobuten (2-Methylpropen) 1-*tert.*-Butyl-3,5-dimethylbenzol hergestellt werden. Durch Nitrierung mit Nitriersäure erhält man daraus 1-*tert.*-Butyl-3,5-dimethyl-2,4,6-trinitrobenzol. Bei dieser auch als Xylol-Moschus bezeichneten Substanz handelt es sich um einen in großen Mengen hergestellten, preiswerten Moschus-Riechstoff, der hauptsächlich für technische Parfümierungen verwendet wird.
Formulieren Sie die Reaktionsgleichungen für die Synthese dieses Riechstoffs.

Aufgabe 7: Zur Herstellung wichtiger Arzneistoffe geht man von einer farblosen Flüssigkeit aus, die sich an der Luft rasch dunkel färbt.
Dieser Aromat wird mit Acetanhydrid umgesetzt. Das entstehende Zwischenprodukt bringt man dann mit Chlorsulfonsäure ($ClSO_3H$) zur Reaktion. Durch Zugabe von Ammoniak kann das Cl-Atom durch eine Amino-Gruppe substituiert werden.
Die eingeführte Acetyl-Gruppe lässt sich mit Hilfe einer Säure abspalten. Dadurch erhält man Sulfanilamid.
a) Wie heißt der Ausgangsstoff?
b) Formulieren Sie den Ablauf dieser Arzneistoff-Synthese.
c) Warum wird acetyliert?
d) Diese Arzneistoffe verdanken ihre bakteriostatische Wirkung der Ähnlichkeit mit *p*-Aminobenzoesäure.
Erklären Sie diesen Zusammenhang.

Versuch 1: Vergleich von Cyclohexen und Toluol *(Abzug)*
Wenige Milliliter Cyclohexen (F, Xn) bzw. Toluol (F, Xn) werden jeweils im Reagenzglas mit 1 ml einer Lösung von Brom in 1,1,2-Trichlortrifluorethan (5 %; N, T) versetzt. Entsorgung: B4
Aufgaben: a) Warum reagieren die beiden Stoffe unterschiedlich?
b) Formulieren Sie die Reaktionsgleichungen.

Versuch 2: Sulfonierung
In einem großen Reagenzglas werden 10 ml konzentrierte Schwefelsäure (C) und 5 ml *tert*-Butylbenzol unter Eiskühlung gemischt. Die klare Lösung gibt man dann unter Eiskühlung in 50 ml gesättigte Natriumchlorid-Lösung. Anschließend wird der Niederschlag abfiltriert, mit Wasser gewaschen und dann getrocknet.
Entsorgung: B3

Problem 1: Toluol und Cyclohexan reagieren in Gegenwart von Aluminiumtribromid unterschiedlich mit Chlorwasserstoff-Gas: Gibt man Aluminiumtribromid zu Toluol und leitet Chlorwasserstoff-Gas ein, so bildet sich eine grünliche Lösung. Die Lösung leitet geringfügig den elektrischen Strom. Unter gleichen Bedingungen bleibt Cyclohexan dagegen farblos und die Lösung leitet auch nicht den elektrischen Strom.
a) Wie lassen sich die Ergebnisse beim Toluol deuten?
Formulieren Sie eine Reaktionsgleichung.
b) Warum reagiert Cyclohexan nicht in entsprechender Weise?

Problem 2: Die Ladung der Abwehrkanone des Bombardierkäfers besteht aus einem Sekret, das Wasserstoffperoxid und Hydrochinon enthält. Bei Gefahr wird der Zerfall von Wasserstoffperoxid und gleichzeitig die Oxidation von Hydrochinon durch Enzyme ausgelöst. Die Reaktionsprodukte werden auf den Feind geschleudert. Gleichzeitig saust der Bombardierkäfer durch den Rückstoß davon.
a) Formulieren Sie die Reaktionsgleichungen der ablaufenden Reaktionen.
b) Welche Abwehrstoffe entwickelt der Bombardierkäfer?

Problem 3: In der Vergangenheit wurde immer wieder versucht, die Besonderheit der aromatischen Kohlenwasserstoffe auch in der Strukturformel des Benzol-Moleküls zu erfassen. Chemiker brachten Einwände gegen die bisher verwendeten Formeln und stellten ihnen eigene Alternativen entgegen. Versuchen Sie, bei den angegebenen historischen Strukturformeln erwartete Eigenschaften und experimentelle Befunde zu vergleichen.

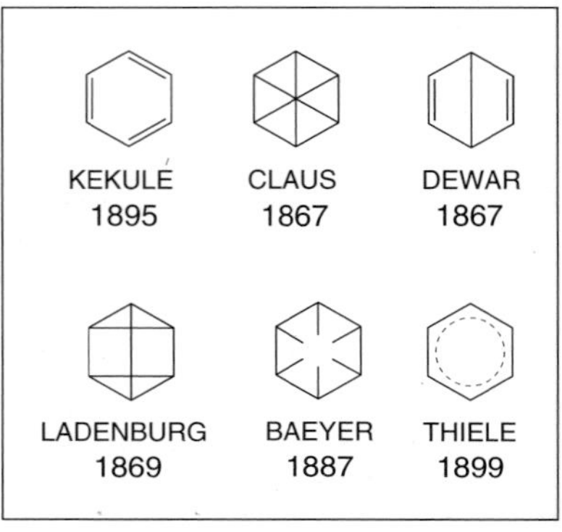

Aromaten

1. Bindungen im Benzol-Molekül

Merkmal des aromatischen Zustandes ist ein ringförmig delokalisiertes π-Elektronensystem mit (4n + 2) π-Elektronen.

Orbital-Modell

- σ-Bindungen zwischen sp^2-hybridisierten C-Atomen
- delokalisiertes π-Elektronensystem von sechs Elektronen aus den nicht an der Hybridisierung beteiligten p_z-Orbitalen

Mesomerie-Modell

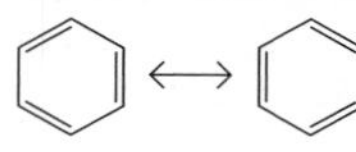

- hypothetische Grenzformeln
- „nichtaromatisches Modell“
- Die tatsächliche Elektronenverteilung liegt dazwischen.

Mesomerieenergie

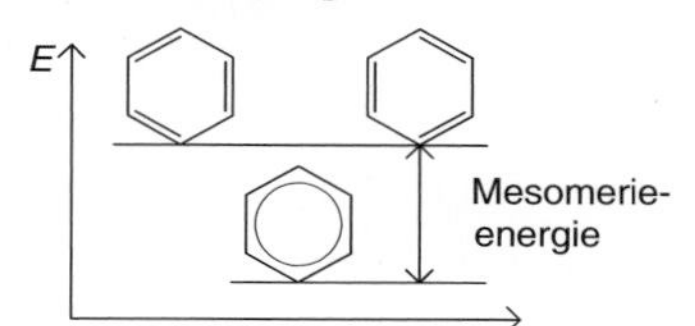

- Verbindungen mit delokalisierten π-Elektronen sind besonders stabil.

2. Derivate des Benzols

OH	NH_2	CH_3	CH_3, CH_3	H_2COH	HCO	H_3C-CO	COOH
Phenol Hydroxybenzol	Anilin Aminobenzol	Toluol Methylbenzol	*ortho*-Xylol 1,2-Dimethylbenzol	Benzylalkohol	Benzaldehyd	Acetophenon	Benzoesäure

3. Elektrophile Substitution

Die typische Reaktion der Aromaten ist die **elektrophile Substitution:**
Durch Wechselwirkung zwischen dem delokalisierten π-Elektronensystem des Aromaten und dem elektrophilen Reaktionspartner bildet sich ein **π-Komplex,** der zu einem mesomeren Carbenium-Ion, dem **σ-Komplex,** weiterreagiert. Unter Rückbildung des aromatischen Systems entsteht dann das Substitutionsprodukt.

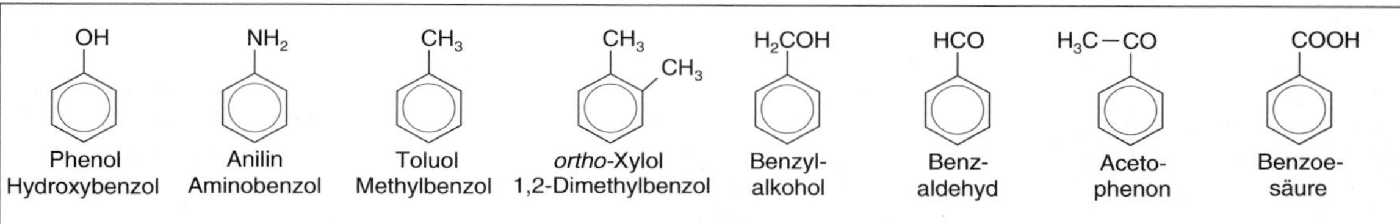

4. Zweitsubstitution

Der vorhandene Erstsubstituent beeinflusst Geschwindigkeit und Ort der Zweitsubstitution.

Erstsubstituent	Induktions-Effekt Mesomerie-Effekt	Reaktivität im Vergleich zu Benzol	dirigiert nach
$-OH$ $-OR$ $-NH_2$	$-I < +M$	viel größer	*ortho*
$-R$	$+I$	größer	und
$-Cl$ $-Br$	$-I > +M$	geringer	*para*
$-NO_2$ $-CHO$ $-SO_3H$ $-COOH$ $-COOR$	$-I$ und $-M$	viel geringer	*meta*

5. Kern- und Seitenkettensubstitution

Bei Alkylbenzolen werden je nach Reaktionsbedingungen der aromatische Kern oder die Seitenkette substituiert:
(1) KKK-Regel: **K**älte und **K**atalysator führen zur **K**ernsubstitution,
(2) SSS-Regel: **S**onnenlicht und **S**iedehitze führen zur **S**eitenkettensubstitution.

16 Kunststoffe – Massenprodukte und Spezialwerkstoffe

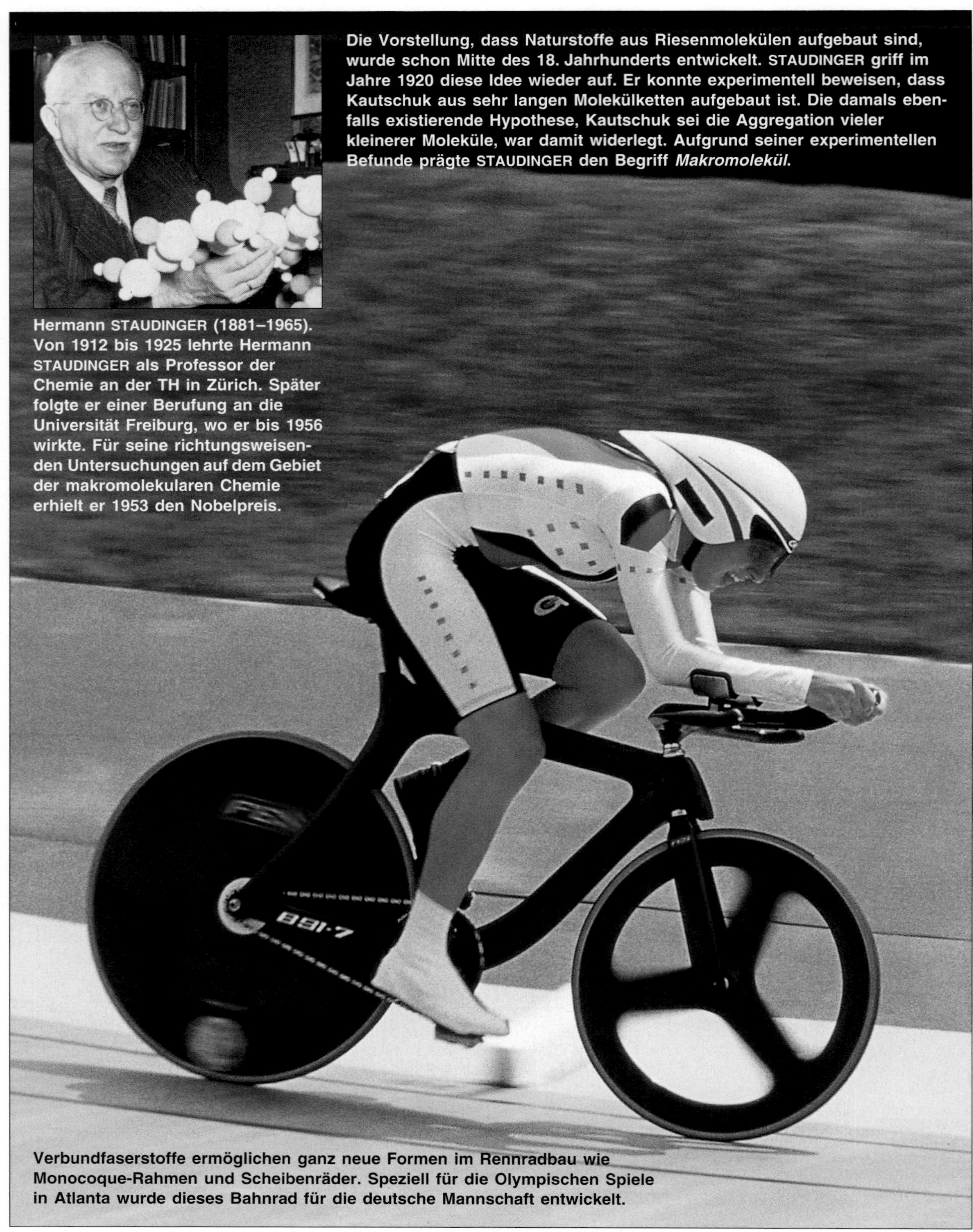

Die Vorstellung, dass Naturstoffe aus Riesenmolekülen aufgebaut sind, wurde schon Mitte des 18. Jahrhunderts entwickelt. STAUDINGER griff im Jahre 1920 diese Idee wieder auf. Er konnte experimentell beweisen, dass Kautschuk aus sehr langen Molekülketten aufgebaut ist. Die damals ebenfalls existierende Hypothese, Kautschuk sei die Aggregation vieler kleinerer Moleküle, war damit widerlegt. Aufgrund seiner experimentellen Befunde prägte STAUDINGER den Begriff *Makromolekül.*

Hermann STAUDINGER (1881–1965). Von 1912 bis 1925 lehrte Hermann STAUDINGER als Professor der Chemie an der TH in Zürich. Später folgte er einer Berufung an die Universität Freiburg, wo er bis 1956 wirkte. Für seine richtungsweisenden Untersuchungen auf dem Gebiet der makromolekularen Chemie erhielt er 1953 den Nobelpreis.

Verbundfaserstoffe ermöglichen ganz neue Formen im Rennradbau wie Monocoque-Rahmen und Scheibenräder. Speziell für die Olympischen Spiele in Atlanta wurde dieses Bahnrad für die deutsche Mannschaft entwickelt.

16.1 Kunststoffe als Werkstoffe

Kunststoffe sind Materialien, die heute jeder kennt und die selbst in die entlegensten Winkel der Erde vorgedrungen sind. Vor 100 Jahren sah das ganz anders aus. Die Chemiker begannen damals erst, natürliche Makromoleküle wie Cellulose oder Proteine als *halbsynthetische Kunststoffe* für den Menschen nutzbar zu machen. Mit der Produktion von Bakelit im Jahre 1909 begann die Ära der *vollsynthetischen Kunststoffe*. Die folgenden 30 Jahre Kunststoffchemie waren durch eine intensiv betriebene Grundlagenforschung geprägt. STAUDINGER und andere Chemiker untersuchten Aufbau und Synthesemöglichkeiten von Kunststoffen. Der Lohn für die Forschungstätigkeit stellte sich in den nächsten 30 Jahren ein: Perlon, Nylon, Polystyrol, Polyethen und PVC (Polyvinylchlorid) wurden produktionsreif. Nach dem 2. Weltkrieg entwickelten sich diese Kunststoffe zu **Massenkunststoffen.** Die preisgünstige, automatisierbare Verarbeitung hat wesentlich zu diesem Siegeszug beigetragen.
In den letzten 20 Jahren hat sich die Kunststoffpalette gewandelt. **Spezialkunststoffe** bestimmen mehr und mehr die Szene. Geplant am Reißbrett zeigen sie Eigenschaften, wie sie von herkömmlichen Werkstoffen nicht bekannt waren. Sie sind für besondere Problemlösungen in Medizin, Datentechnik, Raumfahrt, aber auch bei Sport und Freizeitgestaltung stark gefragt.

1. Licht sammelnder Kunststoff in der Werbung. Licht sammelnde Kunststoffe sind transparente Polymere aus Polymethacrylsäuremethylester oder Polycarbonat. Fluoreszenzfarbstoffe im Kunststoff sammeln weißes Licht aus der Umgebung und wandeln es beispielsweise in rotes Licht um. Durch Totalreflexion wird das Licht durch den Kunststoff geleitet und an den Kanten konzentriert abgestrahlt.

In ihrem Aussehen oft ähnlich, in der inneren Struktur aber sehr verschieden, das ist das Geheimnis der unterschiedlichen Eigenschaften der Kunststoffe. Es gibt weiche, spröde und elastische Kunststoffe. Manche sind in organischen Lösungsmitteln löslich, andere quellen darin auf, eine dritte Gruppe ist gänzlich unlöslich.
Trotz der Vielfalt der Eigenschaften lassen sich bei Kunststoffen auch Gemeinsamkeiten finden: Die meisten Kunststoffe besitzen eine *geringe Härte*. Sie lassen sich oft schon mit dem Fingernagel oder einem Messer ritzen. Viele Kunststoffe haben eine *hohe Dehnbarkeit*. Im Gegensatz dazu sind herkömmliche Werkstoffe wie Stahl oder Holz kaum dehnbar. Die Eigenschaften von Kunststoffen sind stark temperaturabhängig. Bei niedrigen Temperaturen werden Kunststoffe meist spröde, bei höheren Temperaturen nimmt die Festigkeit ab. Die meisten Kunststoffe sind daher nur in einem bestimmten Temperaturbereich technisch nutzbar.

A1 Nennen Sie Gründe, warum Haushaltsgegenstände heute vorwiegend aus Kunststoffen gefertigt werden.

EXKURS

Kunststoffe in der Medizin

Kunststoffe sind heute für den Menschen im wahrsten Sinne des Wortes lebenswichtig. Dies zeigen die Einsatzmöglichkeiten in der modernen Medizin. Das ganz normale *Heftpflaster* begegnet uns fast täglich. Es besteht aus einem halb- oder vollsynthetischen Kunststoffträger und der Klebeschicht. Als Kleber dienen hier meist die Kunststoffe Polyvinylether oder Synthesekautschuk. Sprühpflaster bilden auf Wunden einen dünnen Film aus Polymethacrylsäuremethylester.
In der *Augenheilkunde* sind splitterfreie Brilleneinfassungen und Brillengläser aus Kunststoff selbstverständlich. Linse und Glaskörper können bei Augenkrankheiten durch Nachbildungen aus Kunststoff ersetzt werden. Bei *Gelenkerkrankungen* steht ein breites Sortiment künstlicher Ersatzteile zur Verfügung: Hüftgelenkpfannen, Kniegelenke und synthetische Sehnen werden aus Kunststoffen gefertigt. In der *plastischen Chirurgie* bieten sich Silicon-Kunststoffe als Materialien für Kinn-, Nasen- oder Brustprothesen an. *Herzfehler* können mit Hilfe von Kunststoffteilen erfolgreich behandelt werden. Herzklappen aus synthetischem Material werden vom Körper gut vertragen und zeigen im Dauereinsatz keinen Verschleiß.
Zunehmend werden Kunststoffe auch als Trägermaterial für *Arzneimittel* verwendet: Man kann Arzneimittel in Kunststoffe einkapseln. Das Heilmittel wird dann über einen längeren Zeitraum gleichmäßig dosiert vom Kunststoffträger abgegeben.

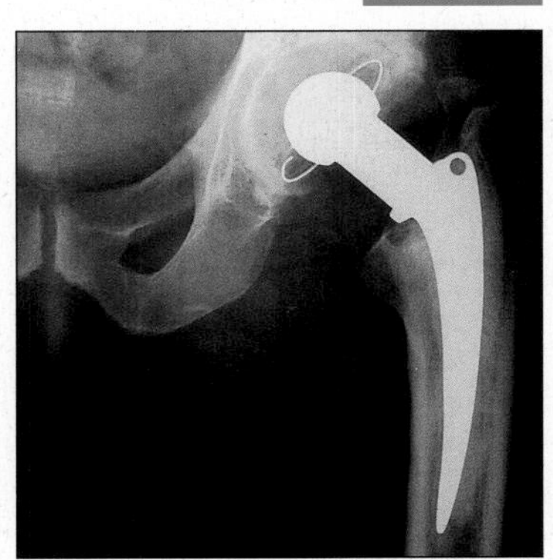

Hüft-Endoprothese. Die Haftung des Titankerns im Knochen erreicht man durch einen Überzug aus Polymethacrylsäuremethylester. Die Gelenkpfanne besteht aus Polyethen, die Gelenkkugel aus Keramikmaterial.

16.2 Klassifizierung von Kunststoffen

1. Struktur eines thermoplastischen Kunststoffs

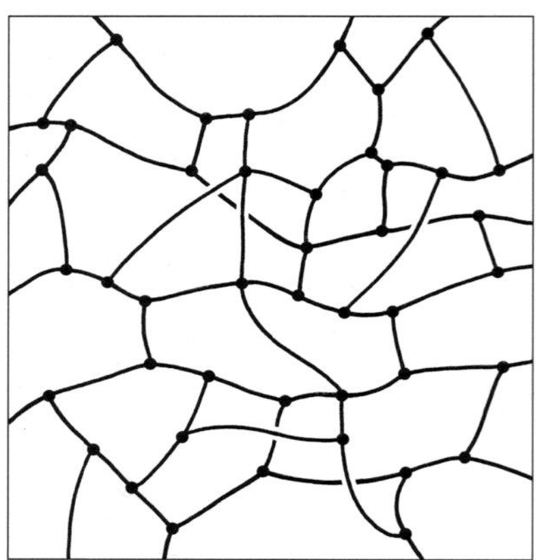

2. Struktur eines duroplastischen Kunststoffs

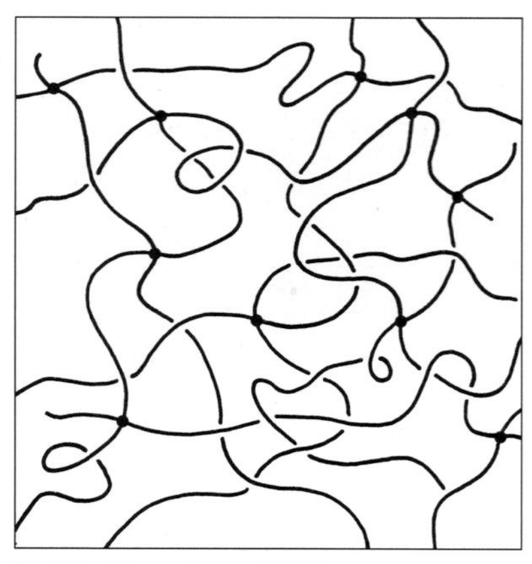

3. Struktur eines Elastomers

Die zahlreichen Einsatzmöglichkeiten von Kunststoffen machen deutlich, dass Kunststoffe trotz vieler Gemeinsamkeiten in ihren Eigenschaften sehr unterschiedlich sein können. Ein wichtiges Merkmal für Kunststoffe ist ihr Verhalten beim Erwärmen. Es lassen sich dabei drei große Gruppen unterscheiden: *Thermoplaste, Duroplaste* und *Elastomere.*

Thermoplaste. Während die meisten anorganischen und organischen Substanzen durch definierte Schmelztemperaturen charakterisiert sind, gehen thermoplastische Kunststoffe in einem größeren Temperaturintervall vom weichen in den zähflüssigen Zustand über. Chemisch werden die Makromoleküle dabei nicht verändert. Das langsame Erweichen von Thermoplasten bei Temperaturerhöhung lässt sich auf ihre Struktur zurückführen. Sie bestehen aus *linearen* oder wenig verzweigten Molekülen unterschiedlicher Länge, die durch Wasserstoffbrückenbindungen oder VAN-DER-WAALS-Bindungen zusammengehalten werden. Wird der Kunststoff erwärmt, geraten die Makromoleküle in Schwingungen, wobei die zwischenmolekularen Bindungen allmählich überwunden werden. Die Makromoleküle können dadurch aneinander vorbeigleiten, der Thermoplast erweicht und schmilzt schließlich.
Ausgenutzt wird diese Eigenschaft bei der Verarbeitung thermoplastischer Kunststoffe. Bei höherer Temperatur lassen sie sich in beliebige Formen pressen. Nach dem Abkühlen erhält man ein festes thermoplastisches Formteil.

Duroplaste. Im Gegensatz zu Thermoplasten werden duroplastische Kunststoffe auch bei hohen Temperaturen nicht weich oder zähflüssig. Sie lassen sich deshalb auch nicht in der Wärme verformen. Diesem Verhalten von Duroplasten liegt eine *netzartige* Struktur zugrunde. Hier sind die Monomere durch Elektronenpaarbindungen dreidimensional engmaschig vernetzt. Erhitzt man duroplastische Kunststoffe, so bleibt die dreidimensionale Struktur erhalten. Erst bei sehr hohen Temperaturen zerreißt das Netz: Elektronenpaarbindungen werden gespalten, der Kunststoff zersetzt sich; kleinere Moleküle werden frei und der Duroplast verkohlt.
Duroplastische Kunststoffe müssen daher bereits bei der Synthese die gewünschte Endform erhalten. Nach dem Aushärten kann ein duroplastischer Gegenstand nur noch mechanisch durch Sägen, Bohren oder Schleifen bearbeitet werden.

Elastomere. Kunststoffe, die sich bei mechanischer Belastung wie Gummi verhalten, bezeichnet man als Elastomere. Diese Polymere lassen sich durch Zug oder Druck leicht verformen. Wegen ihrer hohen Elastizität kehren sie danach immer wieder in die ursprüngliche Form zurück. Die Struktur von Elastomeren erinnert an duroplastische Molekülnetze. Im Unterschied zu diesen sind die Netzstrukturen bei Elastomeren aber viel *weitmaschiger.*
Im gespannten Zustand zeigen Elastomere beim Erwärmen eine überraschende Eigenschaft: Sie dehnen sich nicht aus, sondern sie schrumpfen. Der Grund dafür liegt in einer stärkeren Schwingung der Netzfäden bei Temperaturerhöhung. Die Netzknoten rücken dadurch näher aneinander, das Makromolekül zieht sich zusammen. Bei hoher Temperatur zersetzen sich Elastomere ähnlich wie Duroplaste.
Auch die Verarbeitung von Elastomeren erfolgt im Prinzip wie bei Duroplasten. Sie werden meist unter Einwirkung von Hitze und Druck in der Endform synthetisiert. Häufig werden Elastomere dabei einer besonderen Behandlung unterzogen, die als *Vulkanisation* bezeichnet wird. Lineare Bereiche der Polymeren werden dabei durch Zusatz von Schwefel oder durch Einwirkung von Strahlung miteinander vernetzt.

16.3 Wie Kunststoffe entstehen

Bei der Synthese von Kunststoffen geht man allgemein von kleinen Molekülen aus. Diese *Monomere* sind die Bausteine für die Bildung kettenförmiger oder netzförmiger Makromoleküle. Die Monomere müssen Mehrfachbindungen oder mindestens zwei funktionelle Gruppen besitzen. Ringförmige Monomere können durch Ringöffnung Makromoleküle bilden. Die Verknüpfung zu *Polymeren* kann je nach Art der Monomere durch drei verschiedenartige Polyreaktionen erfolgen: durch *Polykondensation,* durch *Polymerisation* oder durch *Polyaddition.*

Polykondensation. Bei der Polykondensation geht man von Monomeren mit zwei funktionellen Gruppen im Molekül aus. Als funktionelle Gruppen eignen sich Hydroxyl-Gruppen, Carboxyl-Gruppen und Amino-Gruppen. Die Verknüpfung erfolgt zunächst zu Dimeren, woraus durch weitere Kondensation schließlich Makromoleküle entstehen. Bei jedem Reaktionsschritt spaltet sich dabei aus zwei miteinander reagierenden funktionellen Gruppen ein kleineres Molekül ab.
Die Polykondensation von *bifunktionellen* Monomeren führt zu linearen, thermoplastischen Makromolekülen. Aus *trifunktionellen* Molekülen bilden sich dreidimensional vernetzte, duroplastische Makromoleküle. Die nach diesem Reaktionstyp gebildeten Kunststoffe nennt man *Polykondensate.*

Polymerisation. Bei der Polymerisation geht man von ungesättigten Monomeren aus. Als funktionelle Gruppen reagieren C=C-Zweifachbindungen. Die Reaktion verläuft als Kettenreaktion und wird durch *Initiatoren* wie Radikale und Ionen ausgelöst. Bei der Reaktion eines Monomeren mit einem Radikal entsteht ein neues Radikal. Durch Anlagerung weiterer Monomere wird die Kette verlängert. Die Kettenlänge kann durch Zugabe von Regler-Molekülen beeinflusst werden. Bei der Polymerisation bilden sich meist lineare oder wenig verzweigte Makromoleküle aus. Es sind thermoplastische Kunststoffe, die man als *Polymerisate* bezeichnet.

Polyaddition. Die Verknüpfung der Monomere kann auch über Endgruppen erfolgen, die Additionsreaktionen eingehen. Dies setzt voraus, dass die funktionellen Gruppen einer Molekülsorte Zweifachbindungen besitzen, an die sich die funktionellen Gruppen einer anderen Molekülsorte addieren lassen. Im Gegensatz zur Polykondensation werden bei der Polyaddition keine kleineren Moleküle abgespalten. *Bifunktionelle* Monomere führen zu Thermoplasten, *trifunktionelle* Monomere ergeben Duroplaste. Durch Polyaddition gebildete Kunststoffe heißen *Polyaddukte.*

Kunststoff	Handelsname
Polykondensate	
Polyamid 6,6	*Nylon*
Polyamid 6	*Perlon*
Phenoplaste	*Bakelit*
	Luphen
Aminoplaste	*Kaurit*
	Iporka
Polyester	*Palatal*
Polycarbonate	*Makrolon*
Polyethylen-terephthalate	*Diolen*
	Trevira
	Terylen
Polymerisate	
Polyethen	*Hostalen*
	Lupolen
Polystyrol	*Styropor*
	Hostyren
Polyvinylchlorid (PVC)	*Hostalit*
	Mipolam
	Igelit
	Vestolit
Polytetrafluorethen	*Teflon*
	Hostaflon
Polyacrylnitril	*Orlon*
	Dralon
	Dolan
Polyoxymethylen	*Hostaform*
Polymethacrylsäure-methylester	*Plexiglas*
	Degalan
Polyaddukte	
Polyurethane	*Moltopren*
	Vulkollan
Epoxidharze	*Epikote*
	Araldit
	Lekutherm

1. Wichtige Kunststoffe und einige Handelsnamen

a) $H{-}\overline{O}{-}CH_2{-}CH_2{-}\overline{O}{-}H + H{-}\overline{O}{-}C({=}O){-}(CH_2)_n{-}C({=}O){-}\overline{O}{-}H \xrightarrow{-H_2O} \cdots\overline{O}{-}CH_2{-}CH_2{-}\overline{O}{-}C({=}O){-}(CH_2)_n{-}C({=}O){-}\overline{O}\cdots$

b) $CH_2{=}CH(CH_3) + CH_2{=}CH(CH_3) \longrightarrow \cdots CH_2{-}CH(CH_3){-}CH_2{-}CH(CH_3)\cdots$

c) $\langle O{=}C{=}\overline{N}{-}C_6H_4{-}\overline{N}{=}C{=}O\rangle + H{-}\overline{O}{-}CH_2{-}CH_2{-}\overline{O}{-}H \longrightarrow \cdots C({=}O){-}N(H){-}C_6H_4{-}N(H){-}C({=}O){-}\overline{O}{-}CH_2{-}CH_2{-}\overline{O}\cdots$

2. Bildung von Polymeren durch Polykondensation (a), Polymerisation (b) und Polyaddition (c)

16.4 Polykondensate

A1 **a)** Welche der folgenden Kohlenstoffverbindungen sind als Monomere für Polykondensationsreaktionen denkbar?
- Methanol
- Ethandiol
- Propanon
- Methanal-Hydrat
- Essigsäure
- Bernsteinsäure
- 1,2-Diaminoethan
- Aminoethansäure
- Harnstoff

b) Geben Sie für zwei mögliche Polymere Molekülausschnitte an.
c) Formulieren Sie die zugehörigen Polyreaktionen.

A2 Polyester, Polyether oder Polyamide sind Polykondensate.
a) Benennen und skizzieren Sie die drei Verknüpfungsarten.
b) Welche Monomere sind für die Bildung dieser Verknüpfungsstellen geeignet?

A3 Formulieren Sie die Reaktionsgleichung für die Grenzflächenkondensation von Hexamethylendiamin mit Adipinsäuredichlorid.

A4 Ethandiol und Glycerin sind häufig verwendete Monomere für Polykondensationsreaktionen.
Welche unterschiedlichen Eigenschaften haben die von diesen Monomeren gebildeten Kunststoffe?

Polyamide. Makromolekulare Stoffe, deren Moleküle unter Bildung von Amidbindungen (–NH–CO–) entstehen, bezeichnet man als Polyamide. Bei der Polykondensation geht man von Diaminen und Dicarbonsäuren aus. In der Natur bilden sich Polyamide aus Aminosäuren. Diese natürlichen Makromoleküle kennen wir als *Proteine* (Eiweißstoffe).

Das erste synthetische Polyamid war das 1938 von dem amerikanischen Chemiker CAROTHERS entwickelte *Nylon.* Es wird aus Adipinsäure (Hexandisäure) und Hexamethylendiamin (1,6-Diaminohexan) gewonnen. Das aus diesen Monomeren hergestellte Nylon wird als Polyamid 6,6 bezeichnet, da in der Makromolekülkette zwischen den Stickstoff-Atomen jeweils sechs Kohlenstoff-Atome der beiden Ausgangsmoleküle liegen. Großtechnisch erfolgt die Synthese von Nylon in geeigneten Lösungsmitteln oder durch Erhitzen des salzartigen Produkts (AH-Salz) aus den beiden Monomeren.

Als Konkurrenzprodukt zum Nylon entwickelte der deutsche Chemiker SCHLACK im Jahre 1939 das Polyamid *Perlon.* Es entsteht im Gegensatz zu Nylon nur aus einer Molekülsorte, dem ε-Caprolactam. Perlon wird daher als Polyamid 6 bezeichnet. Spuren von Wasser katalysieren die Reaktion. Im Gegensatz zur Synthese von Nylon basiert die Perlonherstellung auf einer ringöffnenden Polymerisation.

Über 90 % der weltweit produzierten Polyamide entfallen auf Nylon und Perlon. Beide Polyamide besitzen gute mechanische Eigenschaften. Wegen ihrer hohen Zugfestigkeit eignen sich Perlon und Nylon vor allem zur Herstellung von Fasern. Es werden aber auch hochwertige Kunststoffartikel wie Getriebeteile, Schiffsschrauben oder Knochenprothesen aus diesen Stoffen gefertigt.

Die Verarbeitung von Polyamiden zu Fasern erfolgt nach dem *Schmelzspinnverfahren.* In einem beheizten Behälter wird das Polyamid-Granulat aufgeschmolzen und im flüssigen Zustand durch Spinndüsen gepresst. Im Spinnschacht werden die erstarrenden Fäden gebündelt.
Um die Festigkeit von Polyamidfasern zu erhöhen, wird ein spezielles Verfahren, das *Verstrecken*, angewandt. Dabei verlängert man die Fäden durch Zug. Die Makromoleküle ordnen sich dabei teilweise parallel an und bilden durch Wasserstoffbrückenbindungen feste, kristallähnliche Bezirke im Kunststoff aus.

1. Schmelzspinnen von Polyamidfasern

a) $H_2N-(CH_2)_6-NH_2 + H-O-CO-(CH_2)_4-CO-O-H \xrightarrow{H_2O} \cdots-NH-(CH_2)_6-NH-CO-(CH_2)_4-CO-\cdots$

b) ε-Caprolactam (Ring mit $C{=}O$ und NH) $\xrightarrow{H_2O} \cdots-CO-(CH_2)_5-NH-CO-(CH_2)_5-NH-\cdots$

2. Bildung von Nylon (a) und Perlon (b)

Phenoplaste. Duroplastische Kunststoffe, die aus Phenol oder Phenol-Derivaten und Formaldehyd-Lösung hergestellt werden, heißen Phenoplaste. Zunächst werden durch elektrophile Substitution Formaldehyd-Moleküle an das Phenol-Molekül angelagert. Die so gewonnenen polyfunktionellen Phenol-Derivate können zu Vorkondensaten reagieren. Säuren katalysieren in diesem Stadium die Reaktion zu *Novolaken*. Novolake weisen einen hohen Vernetzungsgrad auf und härten daher von selbst aus. In alkalischem Milieu entstehen dagegen zähflüssige Harze niedrigerer Molekülmasse, die *Resole*. Erwärmt man die Vorkondensate unter Druck, so bilden sich unter weiterer Abspaltung von Wasser-Molekülen und von Formaldehyd-Molekülen dreidimensionale Molekülnetze.

Phenoplaste waren die ersten gebrauchsfähigen, vollsynthetischen Kunststoffe. Nach ihrem Entdecker BAEKELAND nennt man sie auch *Bakelite*. BAEKELAND beschrieb bereits die wichtigsten Einsatzgebiete dieser Kunststoffe: „Bakelit kann nämlich auch als vorzügliches Bindemittel für alle Füllstoffe wie Sägespäne, Holzgangzeug, Asbest, Farben, wie überhaupt irgendeinen Stoff, dessen Anwendung für gewisse Zwecke erwünscht ist, verwendet werden. Ich kann dies nicht besser veranschaulichen als durch Hinweis auf einen Schleifstein, der mit Bakelit als Bindemittel hergestellt ist, und weiter auf ein selbstschmierendes Lager, welches trocken neun Stunden ununterbrochen bei 1800 Umdrehungen in der Minute gelaufen ist, ohne sich zu erhitzen."

Aminoplaste. Der Phenolharz-Synthese ähnlich verläuft die Bildung von Aminoplasten. Hierbei kondensieren Formaldehyd-Moleküle mit Harnstoff in Gegenwart von Säuren zu linearen Makromolekülen. Beim Aushärten der Aminoplaste verknüpfen sich die linearen Moleküle unter Einbau weiterer Formaldehyd-Moleküle zu duroplastischen Netzwerken.
Melamin-Formaldehyd-Polykondensate zählen ebenfalls zu den Aminoplasten. Melamin gehört zu den Heteroaromaten. Es bildet mit Formaldehyd weitmaschige Molekülnetze, was eine gute Temperaturstabilität dieser Kunststoffe bewirkt.

Als Verarbeitungsmethode wendet man bei Aminoplasten und Phenoplasten das *Pressen* an. Gewebe- oder Holzschnitzel werden mit den vorkondensierten Plasten getränkt. In beheizten Pressen erhält der Kunststoffgegenstand bei hohem Druck dann seine endgültige Form.

1. Radio mit Bakelitgehäuse.
Bakelit entsteht bei der Reaktion von Formaldehyd-Lösung mit Phenol.
Die Reaktion war zwar schon 1872 von BAEYER beobachtet worden, geriet aber in den folgenden Jahren in Vergessenheit.
Nach Durchsicht der Literatur und intensiven Versuchen wurden 1910 von **BAEKELAND** die ersten Phenoplast-Formmassen produziert. BAEKELAND hatte als Hersteller von Fotopapieren in Amerika großen finanziellen Erfolg, was seiner Forschungstätigkeit auf dem Gebiet der Phenolharze zugute kam. Sein besonderes Verdienst war es, die Beimengungen an Säuren oder Laugen zu variieren. Dadurch entwickelte er besonders brauchbare Harze. Er schlug außerdem als Erster vor, zur Herstellung blasenfreier Produkte aus Phenolharz Druck anzuwenden.

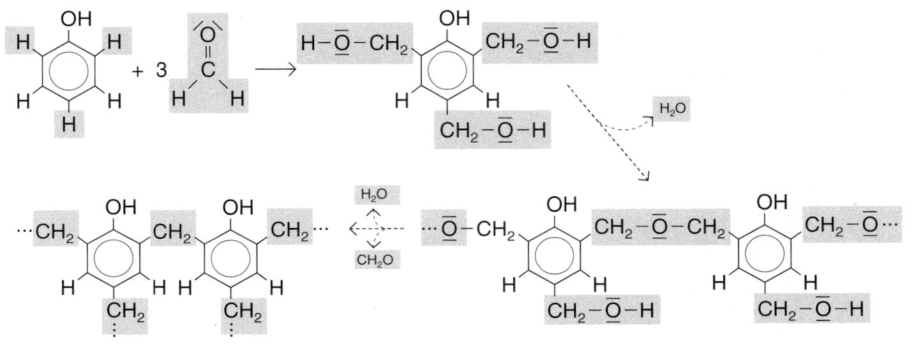

2. Reaktion von Formaldehyd-Molekülen mit Phenol und Kondensation zu Bakelit

1. Compact-Disc-Produktion in staubfreien Fertigungsräumen

A1 Formulieren Sie die Reaktionsgleichungen für die Polykondensation von Phthalsäure (Benzol-1,2-dicarbonsäure) mit Glycerin.

A2 In zwei Reaktionsschritten entsteht aus Maleinsäure (*cis*-Butendisäure), Ethandiol und Styrol ein duroplastischer Kunststoff.
Geben Sie die Reaktionsgleichungen für die ablaufenden Reaktionen an.

A3 Erklären Sie, warum sich Polyester zur Herstellung sehr reißfester Fasern eignen.

Polyester. Durch Polykondensation mehrwertiger Alkanole mit Dicarbonsäure-Molekülen erhält man Polyester. Nach diesem Prinzip lässt sich eine große Zahl verschiedener Monomere umsetzen. Man unterscheidet bei den Produkten gesättigte und ungesättigte Polyester.
Gesättigte Polyester werden durch Polykondensation meist aromatischer Dicarbonsäuren mit Ethandiol hergestellt. Ihr Aufbau aus bifunktionellen Monomeren bedingt eine lineare Struktur der Makromoleküle. Polyester dieses Bauprinzips weisen gute mechanische Eigenschaften auf. Sie sind formstabil und eignen sich besonders für die Herstellung von Fasern.
Polyesterfasern sind scheuerfest und knittern nicht. Die geringe Wasseraufnahme von Geweben aus solchen Fasern wirkt sich günstig beim Waschen aus. Trevira und Diolen sind bekannte Handelsnamen für diesen Typ von Polyesterfasern. Lineare Polyester aus aliphatischen Dicarbonsäuren wie Adipinsäure eignen sich wegen ihres niedrigen Erweichungsintervalls nicht als Fasermaterial.
Polyesterharze sind Gemische, die zu etwa zwei Dritteln aus einer zähflüssigen Polyestermasse und zu etwa einem Drittel aus Vinyl-Verbindungen wie Styrol bestehen. Die Polyesterkomponente zeigt zwei Besonderheiten: Sie hat im Vergleich zu anderen Polymeren eine relativ niedrige Molekülmasse von 2000 u bis 10000 u und sie besitzt reaktive C=C-Zweifachbindungen. Es handelt sich also um *ungesättigte Polyester*. Ihre Synthese erfolgt durch Polykondensation von ungesättigten Dicarbonsäuren mit Ethandiol.
Bei der Aushärtung der Polyesterharze findet eine Polymerisation der Vinyl-Verbindungen mit den C=C-Gruppen des Polyesters statt. Das Endprodukt ist ein netzartig aufgebauter Duroplast, dessen Festigkeit noch durch Einbettung von Glasfasern erhöht werden kann.
Polyesterharze finden Anwendung als Gießharze und Lacke. Glasfaserverstärkte Polyester eignen sich besonders für den Karosseriebau und für den Bootsbau.

Eine besondere Gruppe von Polyestern sind die *Polycarbonate*. Man stellt sie aus Phosgen ($COCl_2$), einem Derivat der Kohlensäure, und kompliziert gebauten Diol-Molekülen her. Es entstehen dabei lineare Makromoleküle, die den Polycarbonaten thermoplastische Eigenschaften verleihen. Polycarbonate eignen sich zur Herstellung von hochwertigen medizinischen und feinmechanischen Geräten. Kunststoffe dieses Typs werden auch zur Fertigung von Sicherheitshelmen, transparentem Haushaltsgeschirr und CDs (Compact Discs) benutzt.

$$\text{H–O–CO–}C_6H_4\text{–CO–O–H} + \text{H–O–}(CH_2)_2\text{–O–H} \xrightarrow{-H_2O} \cdots\text{CO–}C_6H_4\text{–CO–O–}(CH_2)_2\text{–O}\cdots$$

Terephthalsäure | Ethandiol | Polyethylenterephthalat

$$\text{H–O–}C_6H_4\text{–C}(CH_3)_2\text{–}C_6H_4\text{–O–H} + \text{Cl–CO–Cl} \xrightarrow{-HCl} \cdots\text{O–}C_6H_4\text{–C}(CH_3)_2\text{–}C_6H_4\text{–O–CO}\cdots$$

Bisphenol A | Phosgen | Polycarbonat

2. Bildung von Polyethylenterephthalat und Polycarbonat

EXKURS

Magnetbänder – Polyester für die Musik

Tonbänder, Videokassetten und Disketten sind Symbole der modernen Kommunikationstechnik. Dabei sind nicht nur die magnetisierbaren Materialien von Bedeutung, denn hauptsächlich bestehen diese Datenträger aus Kunststoff.

1898 versuchte der dänische Physiker POULSEN, Stahldrähte im Takt von Schallwellen mit Hilfe von Membranen und Elektromagneten zu magnetisieren. Rechtzeitig zur Weltausstellung im Jahre 1900 in Paris gelang ihm der Durchbruch. Sein Tonträger hatte jedoch einen großen Nachteil: Er war schlecht handhabbar und viel zu schwer. Der deutsche Ingenieur PFLEUMER löste dieses Problem, indem er als Tonträger ein mit Eisenpulver beklebtes Papierband verwendete. Damit erkaufte er sich allerdings zwei neue Nachteile: Das Band riss leicht und die Magnetisierbarkeit war wesentlich schlechter als beim Stahldraht.
Erst durch die Zusammenarbeit von Elektroindustrie und Chemieindustrie gelang der Durchbruch zur Herstellung eines praktikablen Tonträgers. Die ersten Kunststoffbänder, die mit Eisenpulver beschichtet waren, liefen im Jahre 1934 von den Produktionswalzen. Als Träger wurde Cellulosetriacetat, ein halbsynthetischer Kunststoff, benutzt. In den folgenden Jahren wurde das Rauschen der Bänder durch veränderte Beschichtung vermindert. Die verbesserten Bänder werden seit 1940 von den Rundfunkanstalten zur Tonaufzeichnung verwendet.

Das Herstellungsprinzip hat sich seitdem nicht verändert. Zur Produktion von Magnetbändern wird Eisenoxid – seit 1971 auch Chromdioxid – in Form winziger Kristalle von 0,001 mm Länge und 0,0001 mm Durchmesser mit Lackpulver und einem Lösungsmittel vermengt. Das homogenisierte Gemisch wird in Beschichtungsmaschinen auf die Polyesterfolie aufgebracht. Dies geschieht in extrem staubarmen Fertigungsräumen, da jedes Staubteilchen die gleichmäßige Beschichtung der Folie stört. Im flüssigen Zustand wird die Beschichtung durch ein Gießerlineal glatt gestrichen. Dabei werden die Metalloxidnadeln durch ein starkes Magnetfeld orientiert. Das Magnetband läuft anschließend durch einen Trockentunnel, in dem das Lösungsmittel verdampft.
Die getrocknete Folie durchläuft Kalanderwalzen, in denen die Beschichtung durch Druck und Hitze auf ein Sechstel der ursprünglichen Stärke zusammengepresst wird. Die Oxidschicht ist danach noch 0,001 mm dick.
Abschließend werden die Folien dann auf bestimmte Breiten zurechtgeschnitten: 3,18 mm für Compact-Kassetten, 12,7 mm für Computer-Bänder und 50,8 mm für Studio-Bänder.

Disketten werden aus den gleichen Materialien wie Magnetbänder hergestellt. Abweichend von der Magnetbandproduktion ist lediglich, dass hier aus einer dickeren beschichteten Polyesterfolie Scheiben ausgestanzt werden.

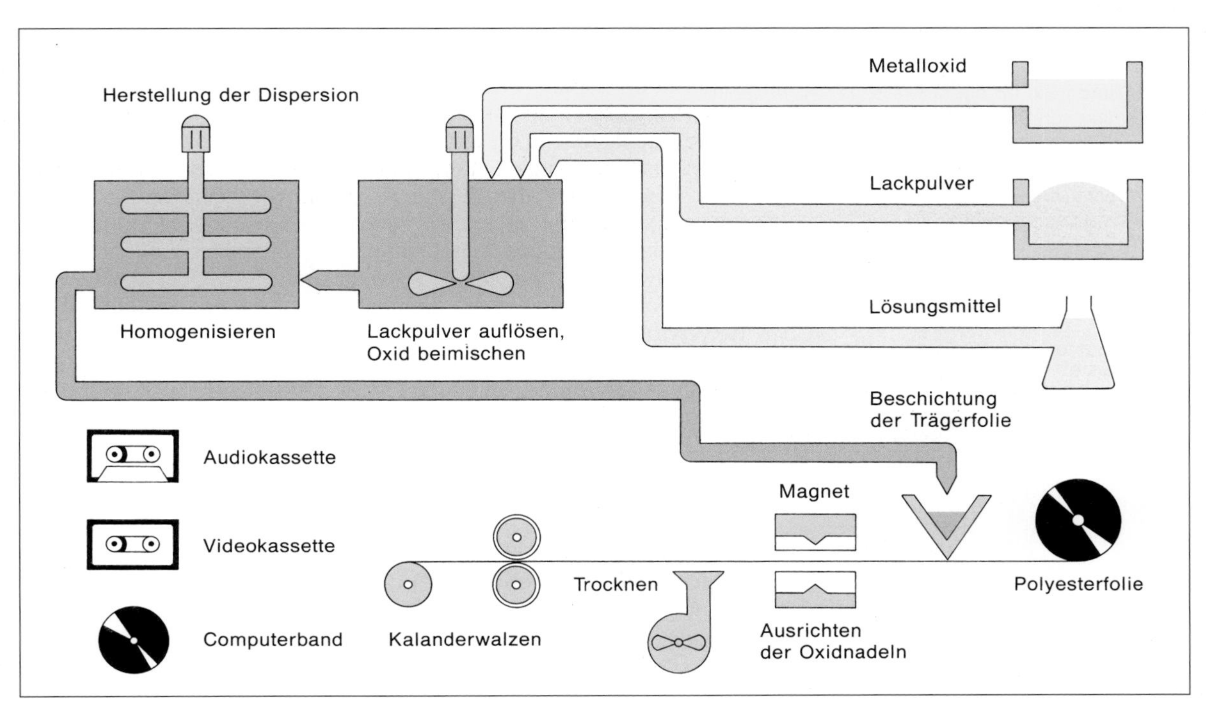

16.5 Polymerisate

Monomer	Name
$H_2C=CH_2$	Ethen (Ethylen)
$H_2C=CH-CH_3$	Propen (Propylen)
$H_2C=CH-Cl$	Vinylchlorid
$F_2C=CF_2$	Tetrafluorethen
$H_2C=CH-CN$	Acrylnitril
$H_2C=C(CH_3)-C(=O)-OCH_3$	Methacrylsäuremethylester
$H_2C=CH-C_6H_5$	Styrol

1. Wichtige Monomere zur Herstellung von Polymerisaten

A1 Formulieren Sie für die radikalische Polymerisation von Styrol die Reaktionsgleichung für eine Abbruchreaktion.

A2 Warum sind Dibenzoylperoxid-Moleküle thermisch instabil?

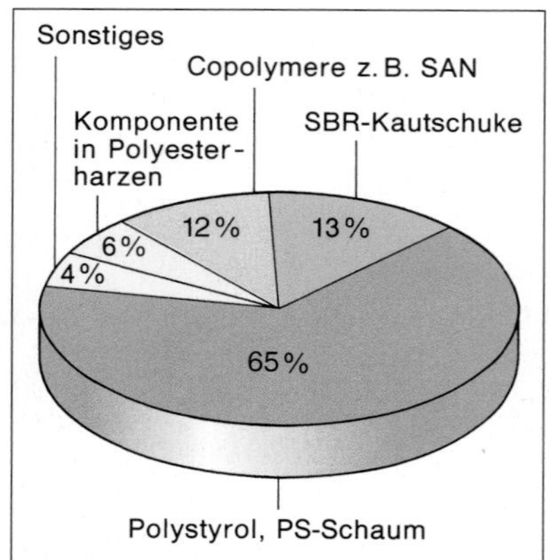

2. Anwendung von Polystyrol in Deutschland

Polystyrol. Monomeres Styrol (Phenylethen) kommt in geringen Mengen als natürlicher Bestandteil in südamerikanischen Baumharzen vor. Es wurde schon im Jahre 1831 aus Styrax-Harz isoliert. Die Bedeutung von Styrol war aber gering, ehe man es 1930 als Grundstoff für die Kunststoffchemie erkannte. Mit der Synthese von Styrol durch Dehydrierung von Ethylbenzol war im Jahre 1931 ein Verfahren zur großtechnischen Herstellung des Monomers gefunden.

Styrol wandelt sich schon bei Zimmertemperatur langsam in ein zähes, hochmolekulares Harz um. Technisch wird die Polymerisation von Styrol mit Dibenzoylperoxid als *Initiator* durchgeführt. Die Polyreaktion verläuft als *radikalische Kettenreaktion*. Beim Erwärmen zerfällt Dibenzoylperoxid in *Radikale* und leitet die Polymerisation des Styrols ein. Durch Kombination zweier Radikale wird die Polymerisation abgebrochen.

Startreaktion: $C_6H_5-C(=O)-O-O-C(=O)-C_6H_5 \longrightarrow 2\ C_6H_5-C(=O)-O\cdot$

Kettenreaktion: $C_6H_5-C(=O)-O\cdot + H_2C=CH-C_6H_5 \longrightarrow C_6H_5-C(=O)-O-CH_2-CH(C_6H_5)\cdot$

Polystyrol ist ein thermoplastischer Kunststoff mit einer Molekülmasse von 100000 u bis 500000 u. Transparenz und hoher Oberflächenglanz sind geschätzte Eigenschaften von Polystyrol. Die geringe Wärme- und Wetterbeständigkeit schränken jedoch die Einsatzmöglichkeiten des Kunststoffs ein. Hartes, klares Polystyrol wird zur Herstellung von transparenten Labor- und Haushaltsgegenständen verwendet. Auch zur Fertigung von Spielzeug und für den Modellbau ist Polystyrol geeignet.

Copolymerisate. Wird ein Gemisch aus zwei oder mehreren verschiedenen Monomeren gemeinsam polymerisiert, so spricht man von Mischpolymerisation oder Copolymerisation. Es werden dabei meist Monomere mit sehr unterschiedlicher Molekülstruktur verknüpft. Dem Kunststoffchemiker ist mit der Copolymerisation ein Verfahren an die Hand gegeben, mit dem er nach Wunsch günstige Eigenschaften von Polymeren kombinieren und Nachteile ausgleichen kann.

Styrol lässt sich gut mit etwa zehn verschiedenen anderen Monomeren zu besonders leistungsfähigen Kunststoffen copolymerisieren. Kombiniert man Styrol mit etwa 30 % Acrylnitril, so entstehen SAN-Copolymere (**S**tyrol-**A**cryl**n**itril). Acrylnitril verbessert die mechanischen Eigenschaften des spröden Polystyrols. Flaschen aus Styrol-Acrylnitril-Copolymeren sind deshalb besonders bruchfest. Acrylnitril erhöht außerdem die Beständigkeit des Kunststoffs gegen unpolare Lösungsmittel. Die polaren Seitengruppen des Acrylnitrils verhindern ein Benetzen des SAN-Kunststoffs mit unpolaren Medien.

Polymerisiert man Styrol mit einem hohen Anteil an Butadien (bis zu 90 %), so erhält man weitmaschige Molekülnetze. Sie verleihen dem Copolymerisat hohe Elastizität. Wegen ihrer Zusammensetzung werden solche Elastomere als SBR-Copolymerisate (**S**tyrol-**B**utadien-**R**ubber) bezeichnet. Nach Zusatz von Schwefel und Füllstoffen wie Ruß und Zinkoxid werden aus ihnen durch Vulkanisation Autoreifen und Förderbänder hergestellt.

ABS-Kunststoffe erhält man durch Copolymerisation von **A**crylnitril und **S**tyrol in Gegenwart von niedermolekularem Poly**b**utadien. Chemikalienbeständigkeit, Reißfestigkeit und Elastizität sind bei diesem Kunststoff in hohem Maße kombiniert.

Verarbeitung von Thermoplasten. Polystyrol und andere Thermoplaste lassen sich *extrudieren*, *spritzgießen*, *blasformen* oder *schäumen*.
Ein *Extruder* funktioniert nach dem Prinzip eines Fleischwolfs. Eine Schnecke dreht sich in einem beheizten Zylinder. Über einen Trichter wird Granulat des thermoplastischen Kunststoffs in die Schnecke gefüllt. Der Kunststoff schmilzt und wird von der Schnecke nach vorn aus der Maschine gedrückt. Eine spezielle Auslassdüse entscheidet über die Form des extrudierten Kunststoffs. Rohre und Kabelummantelungen werden durch Extrudieren hergestellt.
Formkörper erhält man durch *Spritzgießen*. Im Gegensatz zum kontinuierlichen Extrudieren handelt es sich hierbei um einen cyclischen Prozess. In einen beheizten Schneckenzylinder wird periodisch Granulat eingefüllt. Im aufgeschmolzenen Zustand wird die Kunststoffmasse dann in eine der Maschine vorgesetzte Form gedrückt. Nach dem Abkühlen öffnet sich die Form und das fertige Werkstück wird ausgestoßen.
Hohlkörper aus thermoplastischem Material werden durch *Blasformen* hergestellt. Zunächst produziert ein Extruder einen Schlauch. Eine Ringdüse quetscht den Schlauch periodisch ab, gleichzeitig wird der noch weiche Schlauch durch die Düse mit Luft zur Hohlform aufgeblasen.
Im Jahre 1950 begann die Entwicklung von *Styropor*, einem neuartigen Produkt aus Polystyrol. Durch den Zusatz von Pentan beim Polymerisationsvorgang war es möglich, Polystyrol herzustellen, das beim Erwärmen aufschäumt: Das leichtflüchtige Pentan verdampft, und es bildet sich *Polystyrol-Schaum*, der eine vorgegebene Form vollständig ausfüllt. Nachdem das Pentan entwichen ist, besteht der sehr leichte und zugleich feste Schaum zu 98 % aus Luft. Er ist damit sehr gut als Verpackungsmaterial und als Wärmedämmstoff im Wohnungsbau geeignet.

Taktizität. Die Eigenschaften eines Kunststoffs hängen maßgeblich von der Anordnung der Seitengruppen ab. Bei der *isotaktischen* Struktur zeigen alle Reste in die gleiche Richtung. *Ataktisch* ist eine Struktur, wenn die Reste unregelmäßig angeordnet sind. In *syndiotaktischen* Polymerisaten ist die Lage der Seitengruppen alternierend. In isotaktischen Polymeren sind die Makromoleküle parallel angeordnet, es bilden sich kristalline Bereiche. Isotaktisches Polypropylen ist daher sehr hart. Dagegen haben ataktische Polymere eine amorphe Struktur. Ataktisches Polypropylen ist daher weich. Die unterschiedliche Packungsdichte der Polymerfäden zeigt sich auch in der Dichte: Isotaktisches Polystyrol hat eine Dichte von $0{,}92\ g \cdot cm^{-3}$, ataktisches Polystyrol hat dagegen nur eine Dichte von $0{,}85\ g \cdot cm^{-3}$.

1. Polystyrol (kompakt, vorgeschäumt, geschäumt)

A1 Erklären Sie den Zusammenhalt in folgenden Kunststoffen: Polystyrol, Nylon, Phenolharz.

A2 Die Polymerisation von Propen kann je nach Versuchsbedingungen zu drei verschiedenen Kunststoffen führen.
a) Stellen Sie anhand von Molekülausschnitten die unterschiedlichen Strukturelemente der Polymere dar.
b) Welche Eigenschaften von Polypropen lassen sich aus den skizzierten Strukturen erklären?

A3 Warum hat isotaktisches Polystyrol eine größere Dichte als ataktisches Polystyrol?

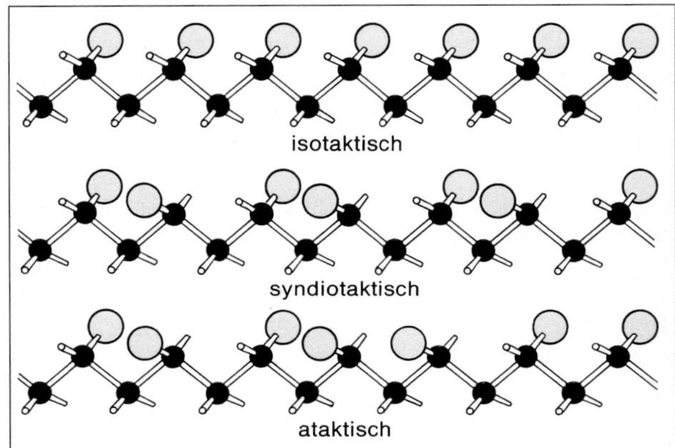

2. Taktizität bei Polymeren

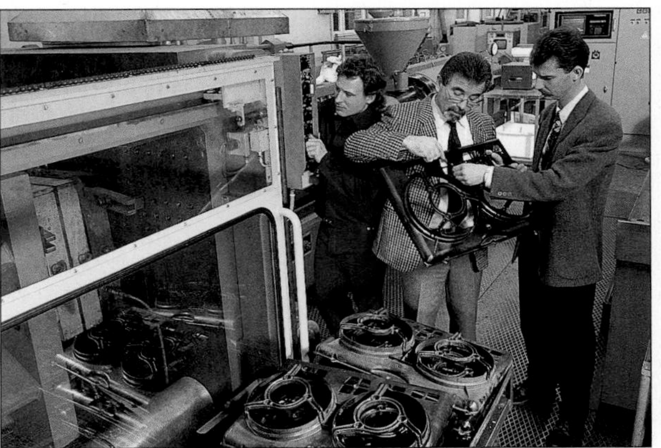
3. Spritzgießen von Thermoplasten

1. Müllbehälter aus Niederdruck-Polyethen

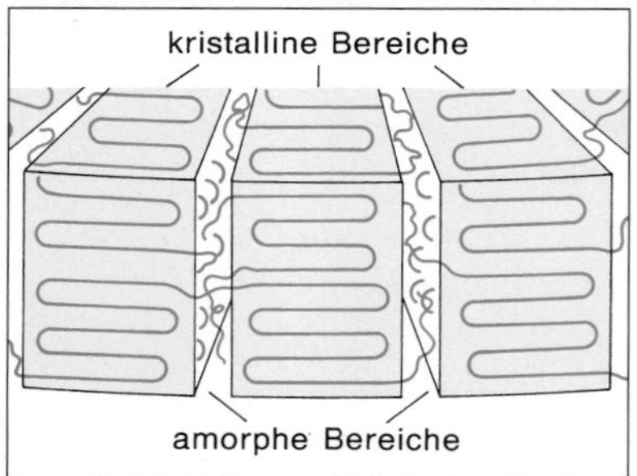

2. Mikrostruktur von Niederdruck-Polyethen

A1 **a)** Nennen Sie unterschiedliche Eigenschaften von LDPE und HDPE.
b) Erklären Sie die Eigenschaften aus den Molekülstrukturen.

A2 Der Polymerisationsgrad ist für Polymere eine charakteristische Größe. Wie könnte man den Polymerisationsgrad von Polystyrol über die Konzentration des Initiators steuern?

Polyethen. Während von Ethen abgeleitete Moleküle wie Styrol schon frühzeitig polymerisiert werden konnten, gelang dies bei dem einfachsten Alken zunächst nicht. Als Haupthindernis für eine Polymerisation stellte sich der gasförmige Zustand des Ethens heraus. Unter Anwendung sehr hohen Drucks gelang es dann 1933 einer Forschungsgruppe in den USA, aus Ethen-Gas den Kunststoff Polyethen (Polyethylen) herzustellen. Nach diesem Verfahren wird auch heute noch **Hochdruck-Polyethen** produziert. Spuren von Sauerstoff (20 ppm bis 200 ppm) initiieren die Reaktion. Man geht davon aus, dass Sauerstoff-Moleküle mit Ethen-Molekülen unter den extremen Bedingungen Radikale bilden, die dann die Polymerisation starten können.

Hochdruck-Polyethylen besteht aus *kurzkettigen, stark verzweigten* Makromolekülen. Die hohe Arbeitstemperatur von bis zu 300 °C führt bei der Polymerisation in hohem Maße zu Brüchen der sich bildenden Makromoleküle. Es entstehen dadurch Alkyl-Radikale, die sich als Seitengruppen an andere Polymerketten anlagern. Die Molekülmassen von Hochdruck-Polyethen liegen zwischen 6000 u und 50000 u, das ist für Kunststoff-Moleküle vergleichsweise niedrig.
Die sperrigen Seitenketten beim Hochdruck-Polyethen führen zu einer unregelmäßigen, amorphen Struktur. Die Dichte des Kunststoffs ist mit 0,93 $g \cdot cm^{-3}$ entsprechend niedrig. Hochdruck-Polyethen wird daher auch als **L**ow-**d**ensity-**P**oly**e**then (LDPE) bezeichnet.
Hochdruck-Polyethen ist ein sehr zäher, elastischer und bruchresistenter Kunststoff. Er schmilzt schon bei einer Temperatur von 98 °C; er ist daher unbrauchbar für Gegenstände, die mit heißem Wasser in Berührung kommen. Hochdruck-Polyethen eignet sich vor allem zur Herstellung billiger Kunststoffartikel wie Verpackungsfolien, Tragetaschen und Getränkeflaschen.

Im Jahre 1953 nutzte ZIEGLER die Entwicklung neuer metallorganischer Verbindungen für die Polymerisation von Ethen. Schon bei Normaldruck lässt sich Ethen in einer Kohlenwasserstoff-Lösung in Gegenwart von Titantetrachlorid und Aluminiumtrialkylen polymerisieren. Die Reaktionstemperatur kann zwischen 60 °C und 130 °C liegen. Bei diesem Verfahren bilden sich *langkettige, unverzweigte* Makromoleküle. Der entstehende Kunststoff wird nach den Polymerisationsbedingungen **Niederdruck-Polyethen** genannt. Die Molekülmasse ist höher als beim Hochdruck-Verfahren. Sie liegt zwischen 10000 u und 1000000 u; 360 bis 36000 Monomere sind miteinander verknüpft. Diese Anzahl der Monomere, die ein Makromolekül bilden, bezeichnet man als *Polymerisationsgrad*. Bei Hochdruck-Polyethen ist der Polymerisationsgrad mit 200 bis 1800 wesentlich niedriger.

Niederdruck-Polyethen hat mit 0,95 $g \cdot cm^{-3}$ eine höhere Dichte als Hochdruck-Polyethen. Es wird deshalb auch als **H**igh-**d**ensity-**P**oly**e**then (HDPE) bezeichnet. Die höhere Dichte erklärt sich aus der engeren Packung der Polymerfäden im Kunststoff. Im Niederdruck-Polyethen lagern sich die Polymerketten lamellenartig aneinander, dies wird durch die lineare Struktur begünstigt. Die geordnete Lamellenstruktur führt zur Bildung kristalliner Bezirke im Kunststoff, die man im polarisierten Licht als Sphärolithe erkennt.
Die teilkristalline Struktur von Niederdruck-Polyethen verleiht dem Kunststoff eine hohe Festigkeit und Wärmestabilität bis 120 °C. Deshalb werden hoch belastbare Artikel wie Mülltonnen, Schutzhelme, Sitzschalen und Bodenbeläge aus Niederdruck-Polyethen gefertigt.
Gänzlich andere Eigenschaften entwickelt Ethen bei der Copolymerisation mit Vinylacetat und Acrylsäureestern. Hierbei bilden sich kautschukähnliche Polymere.

PVC – das umstrittene Riesenmolekül. Ein Kunststoff, der während der Zeit seiner Anwendung Höhen und Tiefen erlebt hat, ist **Polyvinylchlorid** (PVC). Das monomere Vinylchlorid (Chlorethen) war als Ethen-Derivat schon seit 1838 bekannt. Seine Polymerisation mit Hilfe von Peroxiden gelang dem deutschen Chemiker KLATTE im Jahre 1912. Der Versuch, PVC zu Fasern zu verarbeiten, blieb jedoch ohne Erfolg. Deshalb war PVC in den nächsten 30 Jahren als Kunststoff ohne größere Bedeutung. Erst nach dem 2. Weltkrieg gelang der große Durchbruch: PVC wurde zum meistverarbeiteten Kunststoff.
Heute wird Polyvinylchlorid in zwei Versionen angeboten. *Hart-PVC* besitzt gute Chemikalienfestigkeit und Steifheit. Es eignet sich daher besonders als Material für korrosionsfeste Bauteile in der Industrie. *Weich-PVC* erhält man durch Zusatz von bis zu 50 % *Weichmachern*. Weichmacher-Moleküle sind meist Ester der Phthalsäure mit langkettigen Alkoholen wie Octanol. Die Weichmacher-Moleküle lagern sich zwischen die PVC-Makromoleküle. Sie vermindern dadurch die zwischenmolekularen Bindungen, wodurch die Elastizität des Kunststoffs erhöht wird. Fußbodenbeläge, Zeltbahnen und Schläuche sind aus Weich-PVC.
Die Vielfalt der PVC-Produkte führte ab 1960 zu einer starken Verbreitung des Kunststoffs. In dieser Zeit gelangten aber auch die ersten Vorbehalte gegen PVC in die Öffentlichkeit. Arbeiter, die bei der Produktion von PVC ständig mit Vinylchlorid zu tun hatten, zeigten krankhafte Veränderungen an Haut, Lunge und Gelenken. Die *VC-Krankheit* wurde von der Berufsgenossenschaft als Berufskrankheit anerkannt. Inzwischen wurde festgestellt, dass **V**inyl**C**hlorid beim Menschen Krebs erzeugend wirkt. Da PVC in Spuren noch monomeres Vinylchlorid enthält, wurde im Jahre 1970 für Bedarfsgegenstände ein Grenzwert von 1 mg $\cdot$ kg^{-1} Vinylchlorid festgesetzt.
PVC ist auch als Abfall ein Problem. Es entwickelt in Müllverbrennungsanlagen das ätzende und giftige Chlorwasserstoff-Gas.

Weichmacher in Verpackungsfolien

Hannover, Sept. 92 (SV). Nach einer Untersuchung der Stiftung Warentest findet eine Wanderung von Weichmacher-Molekülen aus Weich-PVC-Folien in fetthaltige Lebensmittel statt. Die Tester fanden bei Käse-Einkäufen heraus, dass entgegen den Empfehlungen nicht nur Verpackungsmaterialien aus Polyethen und Polypropen, sondern auch aus Weich-PVC verwendet werden. Deutliche Übergänge von Inhaltsstoffen aus der Folie in den Käse wurden festgestellt. Offensichtlich hat der Verbraucher keine Gewissheit, in welche Folien die Lebensmittel verpackt werden. Die Tester raten deshalb vorsorglich, die Lebensmittel nicht lange in den Verpackungsfolien aufzubewahren und sie auf keinen Fall darin einzufrieren.

1. Pressenotiz

A1 Phthalsäuredioctylester ist ein viel verwendeter Weichmacher. Zeichnen Sie die Strukturformel und erklären Sie die Wirkungsweise.

EXKURS

Rund um die Polymerisation

Die Polymerisation ist ein Prozess, der sich formelmäßig recht einfach beschreiben lässt, aber im technischen Ablauf eine Reihe von Schwierigkeiten aufwirft. Das größte Problem ist die Ableitung der *Reaktionswärme* während der stets exotherm verlaufenden Polymerisation. Je nach Polymerisations-Verfahren wird das Problem unterschiedlich gelöst.
Bei der *Substanz-* oder *Block-Polymerisation* wird der Kunststoff im reinen Monomer/Initiator-Gemisch hergestellt. Wegen der starken Wärmeentwicklung ist dieses Verfahren besonders schwierig zu beherrschen. Nicht abgeführte Wärme schädigt die gebildeten Produkte. Rascher Temperaturanstieg kann außerdem zu unerwünschter Blasenbildung bei der Polymerisation führen. Bei der Herstellung von 1 t Polyethen werden fast 10^7 kJ Wärme frei. Führt man die Synthese des Kunststoffs in kleinen Kesseln mit bis zu 50 m^3 Inhalt durch, so reicht eine Wasserkühlung der Außenwand. Für die Reaktion in Großbehältern benötigt man eine zusätzliche Innenkühlung. Hierzu werden als Wärmetauscher von Wasser durchströmte Bündel dünner Rohre in den Kessel geführt. Vor allem PVC, Polymethacrylsäuremethylester und Hochdruck-Polyethen werden häufig durch Substanz-Polymerisation hergestellt.

Das Problem der Abwärme lässt sich auch auf einem ganz anderen Wege bewältigen: Polymerisiert man das Monomere in einer Lösung, so kann die freigesetzte Reaktionswärme über das Lösungsmittel abgeführt werden. Man bezeichnet dieses Verfahren als *Lösungsmittel-Polymerisation.* Sowohl Monomere als auch Polymere liegen dabei in Lösung vor. Ein Nachteil dieses Verfahrens ist, dass Polymere und Lösungsmittel-Moleküle nach der Synthese getrennt werden müssen. Oft kommt das Polymere auch mit dem Lösungsmittel in den Handel. Lacke, Klebstoffe und Imprägnierstoffe stellen solche Lösungsmittel/Polymer-Gemische dar.
Auch bei der *Fällungs-Polymerisation* wird mit der Wärme abführenden Wirkung eines Lösungsmittels gearbeitet. Monomere und Initiatoren liegen zunächst gelöst vor, das Polymerisat fällt als Feststoff aus. Durch Absaugen des Lösungsmittels kann der fertige Kunststoff leicht isoliert werden.
Bei der *Suspensions-Polymerisation* liegen die Monomere tropfenförmig in Wasser vor. Die Polymerisation erfolgt am Rande der Monomeren-Tröpfchen. Der Kunststoff fällt in Form kleiner Perlen an, man spricht daher auch von Perl-Polymerisation.

16.6 Problematischer Kunststoffmüll

1994 fielen in Deutschland etwa 36 Millionen Tonnen Haushaltsmüll an. Etwa 5 % davon waren Kunststoffe. Problematisch ist der Kunststoffmüll, weil es sich dabei in der Regel um verrottungsfeste Stoffe handelt. Sie belasten zunehmend die immer kleiner werdenden Deponieräume in den Industrieländern. Außerdem ist Kunststoffmüll zum Wegwerfen zu schade: Auch gebrauchte Kunststoffe stellen Wertstoffe dar, die einen hohen Energie- und Rohstoffgehalt besitzen. Drei Prinzipien werden heute zur Nutzung von Kunststoffmüll unterschieden: *werkstoffliches Recycling, rohstoffliches Recycling* und *thermische Verwertung*.

Werkstoffliches Recycling. Eine Art des *werkstofflichen Recyclings* ist das *Umschmelzen*. Dazu werden sortenreine thermoplastische Kunststoffabfälle zerkleinert und im geschmolzenen Zustand der laufenden Kunststoffproduktion zugemischt. Praktiziert wird dieses Verfahren vor allem beim innerbetrieblichen Recycling von Kunststoffabfällen und bei der Produktion von Flaschenkästen. Bis zu 20-mal lassen sich so alte Kästen ohne größere Qualitätsverluste wieder verwenden.
Auch ein Drittel der Kunststoffverpackungen wird werkstofflich verwertet: Kunststoffflaschen und Folien werden zu Granulat verarbeitet, aus dem sich zusammen mit neuem Material wieder Kunststoffprodukte gießen lassen.
Ganz anders sieht es bei der großen Masse der Kunststoffabfälle aus, die aus kleinteiligen Kunststoffgemischen besteht und sich nicht sortieren lässt. Der mechanisch zerkleinerte Kunststoffabfall kann nur unter Zusatz größerer Mengen neuen Kunststoffmaterials zu Produkten minderer Qualität wie Gartenbänke und Dämmplatten für den Hausbau verarbeitet werden.

Rohstoffliches Recycling. Beim *rohstofflichen Recycling* werden die Makromoleküle gespalten. Die dazu notwendigen thermischen oder hydrolytischen Verfahren sind aber aufwendig und teuer.

Bei der **Pyrolyse** erfolgt die Zerlegung der Makromoleküle in einem geschlossenen Reaktor. Auf einem Bett aus Quarzsand wird die Kunststoffmischung auf 600 °C bis 900 °C erhitzt. Heiße Gase durchströmen von unten die Sand- und Kunststoffschicht. Die Makromoleküle zerfallen dabei in niedermolekulare aliphatische und aromatische Substanzen. Trotz der hohen Temperaturen verbrennen Kunststoffe und Spaltprodukte nicht, da die Pyrolyse unter Ausschluss von Sauerstoff durchgeführt wird. Bei der Pyrolyse von Polyethen und Polypropen entstehen vorwiegend Methan, Ethen, Ethan, Propen und Benzol. In geringeren Mengen fallen flüssige Alkane und Alkene sowie Toluol, Ruß und Teer an. Die Auftrennung der Pyrolyseprodukte erfolgt nach einer Zwischenkühlung in einer Destillationskolonne. Besonders sinnvoll ist die Einspeisung der Produkte in den Industrieverbund einer Raffinerie.
Polymere mit Etherbindungen, Esterbindungen oder Amidbindungen lassen sich durch **Hydrolyse** in ihre Monomere zerlegen. Es wird dabei die jeweilige Polyreaktion für die Synthese des Kunststoffs umgekehrt. Da die Polykondensation exotherm verläuft, muss bei der Umkehrung des Prozesses Energie zugeführt werden. Die Hydrolyse der sortenreinen Polykondensate oder Polyaddukte wird deshalb bei etwa 200 °C unter hohem Druck durchgeführt.
Kunststoffe können rohstofflich auch beim **Hochofenprozess** eingesetzt werden. Sie dienen hier der Substitution von sonst notwendigem Schweröl. Der Kunststoffmüll liefert hier zugleich Energie und das Reduktionsmittel Kohlenstoffmonooxid.

Thermische Verwertung. Verbrennen von Kunststoffmüll ohne die Wärmeenergie zu nutzen, ist verboten. Besonders für Müllverbrennungsanlagen ist Kunststoffmüll jedoch ein geeigneter Brennstoff. Wegen giftiger Verbrennungsprodukte sind allerdings aufwendige Abgasreinigungsanlagen notwendig.

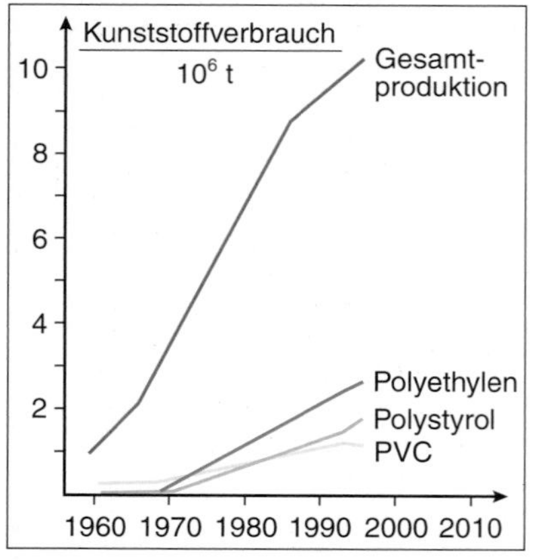

1. Entwicklung des Kunststoffverbrauchs in Deutschland

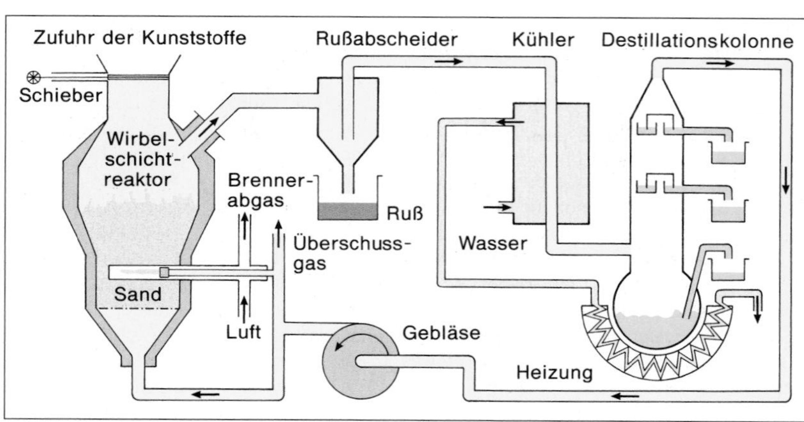

2. Prinzip der Pyrolyse im Wirbelschichtreaktor

EXKURS

Kunststoffverwertung in der Diskussion

Die Beseitigung von Kunststoffmüll wird in den letzten Jahren heftig diskutiert. Die möglichen Verwertungsmethoden wie auch die damit befassten Institutionen werden dabei sehr unterschiedlich bewertet. Was spricht für bzw. gegen die einzelnen Verwertungsmethoden?

Verwertungsmethode	PRO	CONTRA	
Werkstoffliches Recycling. Das Kunststoffmaterial bleibt erhalten. Es wird zerkleinert und umgeschmolzen.	Mehrmaliges Verwenden eines Kunststoffs spart Rohstoffe, Energieeinsatz und Kosten. Die Müllmenge wird reduziert.	Bei gemischten und verschmutzten Kunststoffabfällen aus Haushalten nur in Grenzen möglich. Das Sortieren von Kunststoffmüll ist arbeitsaufwendig und teuer. Qualitätsminderung des Materials nach mehrmaligem Recycling.	
Rohstoffliches Recycling. Kunststoffabfälle werden in niedermolekulare Produkte zerlegt.	Kostspieliges Sortieren des Mülls ist nicht notwendig. Als Produkte fallen Stoffe an, die für viele organische Synthesen nutzbar sind. Einsparung von Erdöl.	Einige rohstoffliche Recyclingverfahren verlangen hohen Energieeinsatz und verursachen hohe Kosten. Die gebildeten Produkte müssen aufwendig getrennt werden. Um gebrauchsfähige Produkte zu erhalten, muss der Prozess der Kunststoffsynthese erneut durchgeführt werden.	
Thermische Verwertung. Der Energieinhalt der Kunststoffe wird genutzt.	Energie im Kunststoffmüll wird nutzbar gemacht. Kunststoffmüll wird auf ein kleines Restvolumen reduziert. Kostengünstige Verwertung.	Keine stoffliche Verwertung. Schadstoffemissionen können auftreten. Geringe Akzeptanz von Verbrennungsanlagen in der Bevölkerung.	

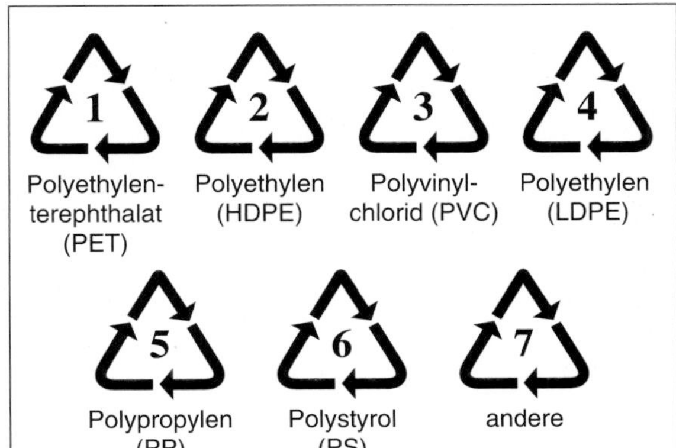

Kennzeichnung häufig verwendeter Polymerer

Sortierverfahren. Für das werkstoffliche Recycling müssen Kunststoffabfälle vorher sortiert werden.
Die *Handsortierung* von Hohlkörpern, Folien und Mischkunststoffen am Sortierband ist eine heute oft praktizierte Methode. Dieses Verfahren ist allerdings arbeitsaufwendig und deshalb kostspielig. Man versucht daher automatisierbare Verfahren zur Trennung von Kunststoffen zu entwickeln.
Eine Möglichkeit ist die *Dichtetrennung* der drei Massenkunststoffe PVC, Polystyrol und Polyethen. Zur Trennung werden Kunststoffabfälle zerkleinert und danach in eine Salzlösung gegeben. Aufgrund ihrer verschiedenen Dichten sinken PVC- und Polystyrolschnitzel in der Lösung unterschiedlich schnell. Polyethen schwimmt auf der Lösung.

Kunststoffe

Versuch 1: Eigenschaften von Kunststoffen

  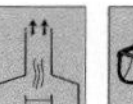     

Materialien: Heizplatte, Bechergläser (50 ml), Stahlblech (10 cm × 10 cm), Thermochromstifte, Gasbrenner, Waage; Aceton (F), Kunststoffabfälle aus dem Haushalt (Jogurtbecher, Plastikverpackungen, Flaschen), zum Vergleich Kunststoffproben (Hart-PVC, Weich-PVC, Polystyrol, Polyethen, Phenolharz, Polymethacrylsäuremethylester, ABS-Copolymerisat), Aluminiumfolie

Hinweis: Proben sind zu beziehen beim Verband der Kunststoff erzeugenden Industrie, Karlstr. 21, 60329 Frankfurt.

Durchführung:

1. *Bruchfestigkeit:* Man prüft Kunststoffstreifen durch mehrmaliges Abknicken.
2. *Dichte:* Bestimmen Sie die Dichte der Proben durch Wägung und Volumenmessung.
3. *Brennbarkeit:* Kunststoffstreifen werden in die Flamme eines Brenners gehalten. Protokollieren Sie, wie sich die Probe in der Flamme verhält, ob die Probe außerhalb der Flamme weiterbrennt und wie stark die Rußentwicklung ist.
4. *Schmelzbereich:* Geben Sie das Stahlblech auf eine Heizplatte. Kunststoffstreifen werden nebeneinander auf das Blech gelegt. Die Heizplatte wird langsam erwärmt, bis die einzelnen Proben erweichen. Messen Sie mit Thermochromstiften die Temperatur des Blechs.
5. *Verhalten in Aceton:* Genau abgewogene Kunststoffstreifen werden in Bechergläser gegeben und mit Aceton übergossen. Decken Sie die Gläser mit Aluminiumfolie ab. Nach einigen Stunden nimmt man die Proben aus der Flüssigkeit, trocknet sie ab und überprüft das Gewicht.

Versuch 2: Synthese von Nylon und Ziehen von Nylonfäden

Materialien: Glasstab, Gasbrenner, Waage; **A**dipinsäure/**H**examethylendiamin-Gemisch (AH-Salz; C)

Durchführung:

1. 5 g AH-Salz werden in einem Reagenzglas langsam erhitzt. Über kleiner Brennerflamme hält man das Polykondensat etwa eine Minute in der Schmelze.
2. Mit Hilfe eines Glasstabes wird ein Teil der Kunststoffschmelze am Rande des Reagenzglases angeheftet.
3. Mit schneller Bewegung zieht man nun Fäden vom Glasrand ab. Nach dem Erstarren wird die Reißfestigkeit der Kunststofffäden geprüft.

Hinweis: Beim Ziehen der Kunststofffäden aus der erstarrenden Schmelze werden die Makromoleküle verstreckt.

Aufgaben:

a) Formulieren Sie die Polyreaktion für die Umsetzung von Adipinsäure (Hexandisäure) mit Hexamethylendiamin (1,6-Diaminohexan).

b) Das Prinzip der *Verstreckung* lässt sich auf einfache Weise modellhaft demonstrieren:
Zeichnen Sie dazu zwei Ausschnitte aus Nylon-Molekülen. Die Ausschnitte sollen jeweils aus zwei Adipinsäure-Bausteinen und zwei Hexamethylendiamin-Bausteinen gebildet sein. Achten Sie darauf, dass die Bindungsstriche immer gleich lang sind. Tragen Sie auch die Partialladungen in die Strukturformeln ein.
Die Molekülauschnitte werden als Streifen ausgeschnitten und parallel zueinander gelegt. Versuchen Sie nun durch Verschieben der Polykondensat-Ketten die größtmögliche Anziehung zwischen den Molekülen zu erreichen. Beim „Einrasten" möglichst vieler Wasserstoffbrücken wird die höchste Festigkeit im Kunststoff erzielt.

Kunststoff	Dichte in $g \cdot cm^{-3}$	Bruchfestigkeit	Brennbarkeit	Schmelzbereich	Verhalten in Aceton
Hart-PVC	1,4	steif, bricht	erlischt außerhalb der Flamme	100 °C bis 130 °C	quellbar
Weich-PVC	1,2–1,3	weich, gummielastisch	erlischt außerhalb der Flamme	ab 75 °C	quellbar
Polystyrol	1,05	spröde, bricht schnell	brennt stark rußend	100 °C bis 130 °C	löslich
Polyethen	0,95	flexibel	brennt tropfend	100 °C bis 130 °C	unlöslich
Phenolharz	1,8	spröde, bricht	verkohlt in der Flamme	keine Erweichung	unlöslich
Polymethacrylsäuremethylester	1,2	steif, bricht schnell	brennt knisternd	120 °C bis 140 °C	schwer löslich
ABS-Copolymerisat	1,1	zäh, elastisch	brennt rußend	ab 90 °C	schwer löslich

Versuch 3: **Synthese eines Aminoplasten**

  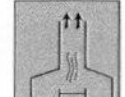    

Materialien: Kunststoffspritze (5 ml), Waage;
Harnstoff, Formaldehyd-Lösung (25 %; T), konzentrierte Salzsäure (C)

Durchführung:

1. Lösen Sie 2 g Harnstoff in einem Reagenzglas in 5 ml Formaldehyd-Lösung.
2. Zu der Mischung gibt man 1 ml konzentrierte Salzsäure.

Aufgaben:

a) Zeichnen Sie für die Kondensation von Formaldehyd-Hydrat mit Harnstoff die Strukturformeln der Edukte und des Produktes.
b) Erklären Sie, warum das gebildete Harz zu den duroplastischen Kunststoffen gehört.

Versuch 4: **Mischpolymerisation von Styrol mit Maleinsäureanhydrid**

  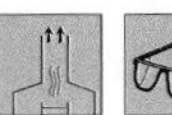     

Materialien: Messzylinder (10 ml), Gasbrenner, Waage, Kunststoffspritze (5 ml);
Styrol (Xn), Maleinsäureanhydrid (Xn)

Durchführung:

1. Geben Sie im Reagenzglas zu 3 ml Styrol 2 g Maleinsäureanhydrid.
2. Erhitzen Sie das Gemisch über kleiner Brennerflamme bis zur klaren Schmelze.
3. Lassen Sie das Polymerisat noch etwa zwei Minuten geschmolzen, ehe das Reagenzglas abgekühlt wird.

Aufgaben:

a) Formulieren Sie für die Reaktion von Maleinsäure (*cis*-Butendisäure) zu Maleinsäureanhydrid die Reaktionsgleichung und Strukturformeln.
b) Formulieren Sie die Polyreaktion von Styrol mit Maleinsäureanhydrid.

Versuch 5: **Depolymerisation von Acrylglas**

    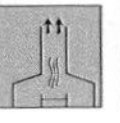 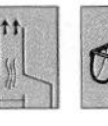     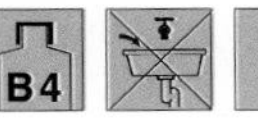

Materialien: gewinkeltes Glasrohr, Reagenzglas mit durchbohrtem Stopfen, Gasbrenner;
Acrylglas (Plexiglas), Bromwasser (T, Xi)

Durchführung:

1. Erhitzen Sie Acrylglasstückchen im Reagenzglas mit scharfer Brennerflamme.
2. Leiten Sie das sich bildende Gas über das gewinkelte Glasrohr in ein Reagenzglas, das Bromwasser enthält.

Aufgabe: Erläutern Sie die Depolymerisation von Acrylglas mit Hilfe von Strukturformeln.

Versuch 6: **Bildung von Acrylglas**

  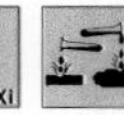 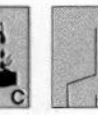 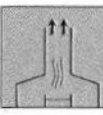  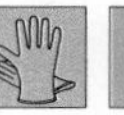 

Materialien: Heizplatte, Glasplatten (7 cm × 10 cm), Messzylinder (100 ml), Scheidetrichter, Bechergläser (100 ml und 2000 ml), PVC-Schnur, Waage, Thermometer;
Methacrylsäuremethylester (F, Xi), Dibenzoylperoxid (E, Xi), Natronlauge (verd.; C)

Durchführung:

1. 50 ml Methacrylsäuremethylester werden in einem Scheidetrichter mit 30 ml Natronlauge gut durchgeschüttelt, um den im Monomeren gelösten Stabilisator zu entfernen. Die sich braun färbende Natronlauge wird abgetrennt.
2. In einem Becherglas wird nun 1 g Dibenzoylperoxid in den Methacrylsäuremethylester eingerührt.
3. Legen Sie zwischen zwei Glasplatten in Form eines Vierecks eine PVC-Schnur. An einer Seite bleibt eine Öffnung als Gießkanal frei.
4. Füllen Sie das Monomeren/Initiator-Gemisch in den Hohlraum zwischen den Glasplatten.
5. Stellen Sie die Glasplatten mit der Öffnung nach oben in ein großes Becherglas mit heißem Wasser. Anschließend wird das Wasserbad auf 95 °C erhitzt.
6. Nehmen Sie nach etwa 30 Minuten das zähflüssige Polymerisat aus dem Bad und lassen Sie den Kunststoff aushärten.

Aufgaben:

a) Geben Sie Startreaktion, Kettenreaktion und mögliche Abbruchreaktionen für die Polymerisation von Methacrylsäuremethylester mit Hilfe von Dibenzoylperoxid an.
b) Erklären Sie aus der Molekülstruktur, warum es sich bei dem entstehenden Polymerisat um einen amorphen Kunststoff handelt.

Versuch 7: **Aushärten eines Siliconkautschuks**

Materialien: Pappbecher (100 ml), Glasstab, Form;
Siliconkautschuk-Set

Durchführung:

1. In einem Pappbecher werden 50 ml Siliconkautschukmasse mit 2 ml Härter intensiv verrührt.
2. Die Mischung wird in eine Form (z. B. Kinderspielförmchen) gegossen.
3. Nach 30 Minuten kann der elastische Kunststoff aus der Form genommen werden.

Aufgaben:

a) Geben Sie Strukturformeln zweier Monomeren an, die sich zur Herstellung eines Siliconkautschuks eignen.
b) Stellen Sie beispielhaft eine Polyreaktion dar, die zu einem Siliconkautschuk führt.

1. Bildung von Polyurethanschaum. Beim Verrühren von 10 ml Desmodur (Isocyanat-Komponente) mit 10 ml Desmophen/Aktivator-Gemisch (Alkohol-Komponente mit Spuren von Wasser) entstehen etwa 500 ml Urethanschaum.

A1 Formulieren Sie die Reaktionsgleichung für die Umsetzung von 1,4-Butandiol mit Toluylen-2,6-diisocyanat.

CH_3

O=C=N–(Benzolring)–N=C=O

Die Herstellung von Polyaddukten ist im Prinzip einfacher als die Synthese von Polykondensaten und Polymerisaten. Man benötigt weder Initiatoren, noch fallen Nebenprodukte im entstehenden Kunststoff an. Trotz dieser Vorteile ist die Zahl der technisch nutzbaren Polyaddukte vergleichsweise klein. Es handelt sich im Wesentlichen um zwei Gruppen von Stoffen, die *Polyurethane* und die *Epoxidharze*.

Polyurethane. Ausgangsstoffe für die Synthese von Polyurethanen sind bi- oder trifunktionelle Isocyanate. An die Isocyanat-Gruppen (–N=C=O) werden Hydroxyl-Gruppen mehrwertiger Alkohole addiert. Im Makromolekül treten dann Urethan-Brücken (–NH–CO–O–) auf.
Polyurethane wurden im Jahre 1935 von BAYER als ein Konkurrenzprodukt zur Nylonfaser entwickelt. Wie sich aber schon bald herausstellte, waren Polyurethane zur Herstellung von Fasern kaum geeignet. Heute verwendet man sie überwiegend als Schaumstoffe und Lackbindemittel.

Polyurethan-Schaumstoffe entstehen durch *chemisches Schäumen*. Man mengt bei der Synthese von Polyurethanen Spuren von Wasser unter die Ausgangsstoffe. Die Isocyanat-Gruppen setzen sich dabei mit Wasser-Molekülen zu Amino-Gruppen und Kohlenstoffdioxid um. Durch die Gasbildung wird der sich bildende Kunststoff aufgetrieben.
Schaumstoffe aus Polyurethan können sehr unterschiedliche Eigenschaften zeigen. Je nach Wahl der Monomere und der Reaktionsbedingungen lassen sich weiche, harte oder hochelastische Kunststoffschäume erzeugen. Hartschaum ist dreidimensional eng vernetzt, der Abstand zwischen den Urethanbrücken ist klein. Weichschaum enthält dagegen lange Ketten zwischen den Verknüpfungspunkten. Aus Hartschaum werden Isoliermaterialien hergestellt. Hochelastische Schäume werden zu Schuhsohlen verarbeitet. Weichschaum findet vor allem Verwendung in der Möbelindustrie.

EXKURS

Polyurethane im Skisport

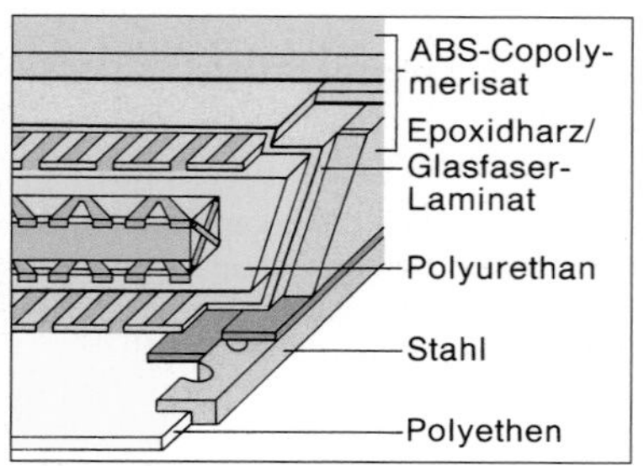

Kunststoffe sind aus dem heutigen Sportgeschehen nicht mehr wegzudenken. Breiten- und Leistungssport haben in den letzten 30 Jahren vor allem durch den Einsatz von Polyurethanen erhebliche Veränderungen erfahren. Kunststoffskier mit einem Kern aus Polyurethan-Integralschaumstoff haben den alten Holzski verdrängt. Die leichte Verarbeitung des Materials erlaubt die preisgünstige Herstellung in großer Stückzahl. Hohe Bruchresistenz und die gute Gleitfähigkeit des Kunststoffskis werden besonders geschätzt: Während bei den Olympischen Spielen im Jahre 1924 der Sieger im Abfahrtslauf mit 50 $km \cdot h^{-1}$ gewinnen konnte, sind heute Spitzengeschwindigkeiten von über 200 $km \cdot h^{-1}$ auf Kunststoffskiern möglich.

Auch die Langläufer sind Nutznießer der Kunststofftechnik. Für sie ist vor allem das geringe Gewicht des Kunststoffskis von Vorteil. Ein Paar Langlaufskier wiegen heute nicht viel mehr als ein Kilogramm. Langlaufskier aus Holz wogen dagegen etwa acht Kilogramm.

Auch der Skifahrer selbst trägt heute überall am Körper Kunststoffe aus Polyurethan. Der Stiefel besteht aus einem Innenschuh mit wärmedämmendem Polyurethan-Weichschaum, die äußere Schale aus hartelastischem Polyurethan. Der Kunststoffschuh ist wasserdicht, kratzfest und behält bis –25 °C seine Elastizität. Er schützt besonders vor den früher gefürchteten Knöchelbrüchen.
Rennanzüge aus Urethankautschuk und Helme aus Urethan-Hartschaum komplettieren die moderne Skiausrüstung. Und wenn sich der müde Skifahrer auf den Berg befördern lässt, sind Urethane als Sitzschale im Lift mit dabei.

16.8 Lacke

Moderne Lacke bestehen in der Regel aus drei Komponenten: dem *Farbmittel*, dem *Bindemittel* und dem *Lösungsmittel*. Als Bindemittel werden in zunehmendem Maße Kunststoffe verwendet. Die Lackschicht entsteht, wenn das Lösungsmittel verdampft und durch eine Polyreaktion die Monomere verknüpft werden. Dieser Typ von Kunststofflacken wird auch als *Reaktionslack* bezeichnet. Ein Vorteil dieser Lacke ist, dass sie auch bei Raumtemperatur schnell abbinden. Reaktionslacke eignen sich sowohl als Anstrichmittel in Wohnungen als auch für große Objekte wie Flugzeuge und Lokomotiven.

Polymerisationslacke bestehen meist aus ungesättigten Polyesterharzen. Sie werden mit Hilfe von Peroxiden ausgehärtet. Polyesterlacke wie die Acrylharzlacke sind vor allem zum Holzanstrich geeignet. Sie bilden harte Oberflächen und verleihen dadurch dem Holz einen zusätzlichen mechanischen Schutz.

Zu den *Polymerisationslacken* gehören vor allem Harnstoff/Formaldehyd-Harze und Phenol/Formaldehyd-Harze. Bindemittel dieser Art sind als Vorkondensat in einem Lösungsmittel aufgenommen. Während das Lösungsmittel verdunstet, bildet sich ein Kunststofffilm, der durch Reaktion freier funktioneller Gruppen aushärtet. Polykondensationslacke sind chemisch und mechanisch sehr widerstandsfähig. Man verwendet sie deshalb als Möbelanstriche oder zur Parkettversiegelung.

Die heute sehr verbreiteten DD-Lacke enthalten als Bindemittel Polyurethane. Sie gehören zu den *Polyadditionslacken*. Ihr Name leitet sich von den Ausgangsstoffen **D**esmodur (Isocyanat-Verbindungen) und **D**esmophen (Polyalkohole oder Polyether mit freien Hydroxyl-Gruppen) ab. DD-Lacke lassen sich durch gezielte Auswahl der Monomeren in ihren Eigenschaften sehr unterschiedlich gestalten. Ein Vorteil der DD-Lacke ist, dass sie fast lösungsmittelfrei verarbeitet werden können.

Lösungsmittel auf dem Rückzug

340000 Tonnen Lösungsmittel kommen jährlich in Deutschland als Lackbestandteile in den Handel. Aus volkswirtschaftlicher Sicht lösen sich damit Millionenwerte in Luft auf. Zudem belasten die Lösungsmittel Gesundheit und Umwelt. Die Lackindustrie ist daher bestrebt, den Lösungsmittelanteil in Lacken zu vermindern. Man geht dabei verschiedene Wege.

Es werden vermehrt *Reaktionslacke* produziert, deren flüssige Bestandteile geichzeitig Bindemittel sind. Auf Lösungsmittel kann bei Lacken dieses Typs teilweise oder ganz verzichtet werden.

In der Industrie werden zunehmend *Pulverlacke* statt lösungsmittelhaltiger Anstriche verwendet. Solche Lacke werden als staubfeine Beläge auf Gegenstände aufgetragen und anschließend bei hoher Temperatur zu einem gleichmäßigen Lackfilm zusammengeschmolzen. Eine weitere Möglichkeit besteht darin, Wasser als billiges und umweltneutrales Lösungsmittel für Lackdispersionen einzusetzen.

1. Mitteilung aus einer Informationsschrift der Lackindustrie

EXKURS

Warum Autos heute weniger rosten

An Autolackierungen werden in Bezug auf Korrosionsschutz, Wetterbeständigkeit und mechanische Belastbarkeit höchste Anforderungen gestellt. Mehrlagige Lackierungen und spezielle Beschichtungsverfahren machen es inzwischen möglich, dass die Autoindustrie mehrjährige Rostschutzgarantien abgeben kann.

Die meist aus Stahlblech gefertigte Autokarosserie durchläuft zunächst ein *Reinigungsbad,* in dem Staub und Fett vom Blech entfernt werden. Die Karosserie wird dann getrocknet und anschließend in ein *Zinkphosphat-Bad* getaucht. Die Bleche werden hier mit einer dünnen kristallinen Zinkphosphat-Schicht überzogen, damit die anschließend durchgeführte Lackierung gut haftet.

Im nächsten Arbeitsschritt wird die Karosserie *elektrotauchlackiert*. Dabei wird zwischen Tauchbeckenwand und Karosserie eine Spannung von etwa 200 V angelegt. An der als Kathode gepolten Karosserie scheiden sich die durch Ammonium-Gruppen positiv geladenen Lackteilchen ab. Diese Technik nennt man daher KTL-Verfahren: **k**ationische **T**auch**l**ackierung. Im ungeladenen Zustand verlieren die Lackteilchen ihre Wasserlöslichkeit, sie haften dann auf der Unterlage.

Die Karosserie durchläuft nun einen Ofen, in dem die *Grundierung* eingebrannt wird. In einem Tunnel trägt man anschließend den aus Alkydharzen oder Melaminharzen bestehenden *Decklack* auf und trocknet die Karosserie bei 130 °C. Zuletzt taucht die Autokarosserie zur *Hohlraumversiegelung* in ein Wachsbad ein. Hier werden alle Hohlräume bei 120 °C mit lösungsmittelfreiem Wachs beschichtet.

16.9 Klebstoffe

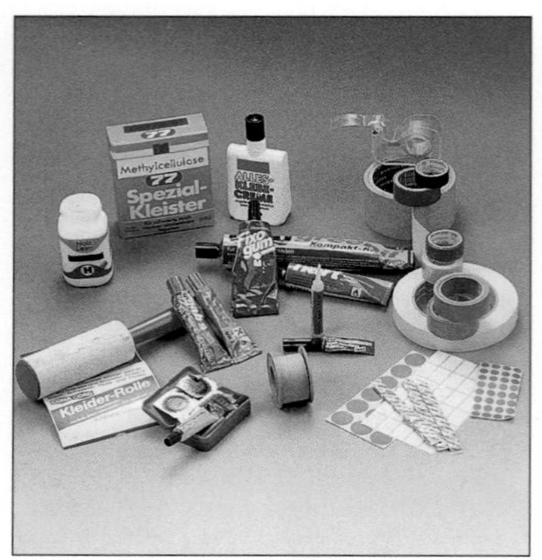

1. Klebstoffe im Alltag

A1 Welche Vorbedingungen sind zu schaffen, damit eine Verklebung von zwei Werkstücken möglichst gut ist?

A2 Wodurch unterscheidet sich das Abbinden eines Lösungsmittelklebers von dem eines Reaktionsklebstoffs?

A3 **a)** Erklären Sie, welche Vorgänge sich beim Aushärten von Casein-Leim abspielen.
b) Warum härtet Casein-Leim schneller und besser aus, wenn man vorher Formaldehyd-Lösung zusetzt?

A4 Warum werden für das Kleben von verschiedenen Werkstoffen wie Glas, Gummi, PVC, Styropor heute sehr unterschiedliche Klebstoffspezialisten angeboten?

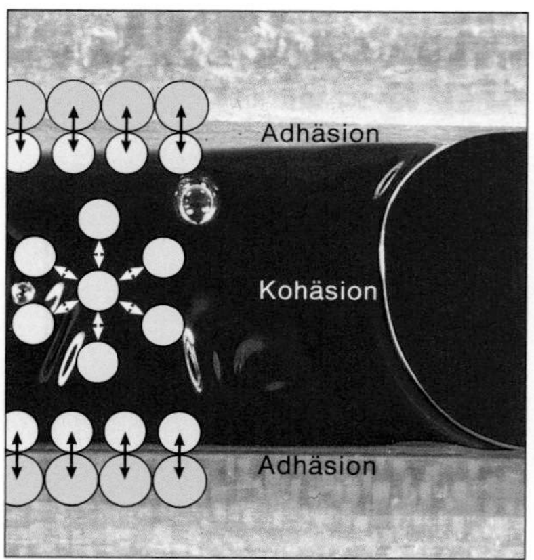

2. Kräfte beim Kleben

Natürliche Klebstoffe waren schon im Altertum bekannt. Vor mehr als 4000 Jahren nutzte man bereits pflanzliche Stärke, Casein aus Milch und das aus Knochen gewonnene Kollagen, um Holz und Keramik zu verkleben. *Halbsynthetische Kleber* kamen erstmals in der Schuhindustrie im Jahre 1910 zum Einsatz: Nitrierte Cellulose ließ sich in Ether lösen. Beim Verdampfen des Lösungsmittels blieb ein zäher Cellulosenitrat-Klebefilm zurück. Etwa zur gleichen Zeit stand mit Bakelit der erste *vollsynthetische Kleber* zur Verfügung. Phenol/Formaldehyd-Vorkondensate wurden hierbei unter Hitzeeinwirkung ausgehärtet. Zehn Jahre später wurde mit Kaurit, einem Harnstoff/Formaldehyd-Harz, ein heute noch vielfach eingesetzter Leim gefunden. Hohe Festigkeit, gute Verarbeitbarkeit und geringe Herstellungskosten verhalfen diesem vollsynthetischen Klebstoff bald zu einer Spitzenstellung unter den Klebern.
In schneller Folge wurden zwischen 1920 und 1939 zahlreiche auch als Klebstoffe einsetzbare Polymere entdeckt. Vor allem die jüngste Gruppe von Klebern, die *Reaktionsklebstoffe*, vollbrachten bisher nicht für möglich gehaltene Klebeleistungen. Es handelt sich hierbei um Epoxidharze und Polyurethane, die beide zu den Polyaddukten zählen. Die Verklebungen mit diesen Kunststoffen sind so haltbar, dass auf traditionelle Fügeverfahren wie Nähen, Nieten oder Schweißen heute oft verzichtet werden kann.

Wirkungsweise. Für eine haltbare Verklebung müssen zwei Voraussetzungen erfüllt sein: Der Klebstoff muss das Material gut *benetzen,* zum anderen muss das Bindemittel auf der Klebefläche *aushärten.* Dabei bildet sich ein makromolekularer Klebstofffilm, der über Adhäsion und Kohäsion die geklebte Bruchstelle zusammenhält.
Unter **Adhäsion** versteht man das Haftvermögen eines Klebstoffs. Sie beruht auf der Wechselwirkung von Klebstoff-Molekülen mit denen des zu verklebenden Materials. Sie ist besonders groß, wenn sich polare Gruppen der Oberfläche mit solchen des Klebstoffs verbinden.
Unter **Kohäsion** versteht man die innere Festigkeit des Klebstoffmaterials. Sie ist bei modernen Reaktionsklebstoffen meist durch einen netzartigen Aufbau des ausgehärteten Kunststoffs gegeben. Oft sind die Kohäsionskräfte schwächer als die Adhäsionskräfte. Ein dünner Klebstoffauftrag ergibt daher eine hohe Festigkeit.

Um eine gute Verklebung zu erreichen, muss für eine gute **Benetzung** des Materials gesorgt werden. Die Oberfläche soll möglichst groß sein, das Material wird deshalb oft aufgeraut. Eine saubere Oberfläche des zu klebenden Materials ist ebenfalls eine wichtige Voraussetzung für haltbare Verklebungen. Dazu müssen Staub, Fett, Feuchtigkeit und Oxidschichten von den Oberflächen entfernt werden. Damit der Klebstoff die Oberfläche gut benetzen kann, wird dem Bindemittel außerdem meist ein geeignetes *Lösungsmittel* zugesetzt.

Erst beim **Aushärten** bildet sich die klebende Schicht. Je nach Klebstofftyp werden dabei zwei verschiedene Wege eingeschlagen. Beim *physikalischen* Binden liegt das makromolekulare *Bindemittel* schon fertig in einem Lösungsmittel vor. Beim Aushärten verdampft das Lösungsmittel, der makromolekulare Klebefilm bleibt zurück. Beim *chemischen* Binden dagegen bilden sich die Makromoleküle erst während des Härtens aus Klebstoff-Monomeren in einer Polyreaktion.
In modernen Klebstoffen werden teilweise für eine bessere Adhäsionswirkung Haftvermittler eingesetzt. Das sind niedermolekulare, bifunktionelle Verbindungen, die durch chemische Reaktion den Klebstoff mit der Oberfläche verbinden. Während eine funktionelle Gruppe mit dem Klebstoff reagiert, geht die zweite eine Bindung mit der Oberfläche ein.

Klebstoffarten. Nach der Art des Aushärtens unterscheidet man physikalisch härtende, chemisch härtende und nichthärtende Klebstoffe.

Bei **physikalisch härtenden Klebstoffen** liegt das Bindemittel als Polymer vor. *Lösungsmittelklebstoffe* bestehen aus einem Bindemittel und einem Lösungsmittel. In diese Gruppe gehören die Alleskleber. Sie enthalten etwa 35 % Polyester oder Nitrocellulose. Gelöst ist dieser Binder in Aceton, Alkohol und Ester. Der Klebstoff bindet durch Verdunstung des Lösungsmittels schnell ab.
Leime härten ebenfalls physikalisch aus. Leime sind wässerige Lösungen von pflanzlichen, tierischen oder synthetischen Polymeren. Das Aushärten erfolgt durch Eintrocknen des Wassers. Glutin, Dextrin, Stärke und Casein sind die in Leimen enthaltenen Bindemittel. Verwendung finden Leime vorwiegend zum Kleben von Holz.
Bei *Emulsionsklebstoffen* liegen hochmolekulare Stoffe tröpfchenförmig in Wasser vor, bei *Dispersionsklebstoffen* sind sie als Feststoff im Wasser fein verteilt. Die Klebewirkung wird ebenfalls durch das Verdunsten von Wasser erreicht. Polyester, Polyvinylester, Polyurethane, synthetischer und natürlicher Kautschuk eignen sich besonders für diesen am meisten verarbeiteten Klebstofftyp.
Schmelzklebstoffe werden im festen Zustand, als Pulver oder Folie, zwischen die Fügeteile gebracht und dort durch Erwärmen aufgeschmolzen. Zusammengepresst lässt man die Klebenaht erkalten, wobei der Schmelzkleber erstarrt. Als Schmelzkleber eignen sich Polyamide, Polyester und Styrol/Butadien-Copolymere.

Bei **chemisch härtenden Klebstoffen** bildet sich das Bindemittel durch eine Polyreaktion. Sie werden deshalb auch als *Reaktionskleber* bezeichnet. *Einkomponentenkleber* enthalten nur eine monomere Verbindung. Bei Cyanacrylaten setzt die in der Luft enthaltene Feuchtigkeit die Polymerisation der Cyanacrylsäureester-Moleküle in Gang. In Sekundenschnelle bindet danach der Klebstoff ab. Findet die Polyreaktion zwischen zwei Monomerensorten statt, so spricht man von *Zweikomponentenklebstoffen.* Wichtige Kleber sind hier Epoxidharze und Polyurethane.

Zu den **nichthärtenden Klebstoffen** zählen die Haftklebstoffe. Sie werden als Film auf die Unterlage gestrichen und sind mehrfach benutzbar (Hansaplast, Tesa-Film). Die in ihrer Konsistenz wachsartigen Kleber enthalten meist Kautschuk oder Polyacrylate als Bindemittel.

Klebstoff	Tonnen
Lösungsmittelkleber	45 200
wasserlösliche Kleber	233 900
pflanzliche Leime	71 200
tierische Leime	6 500
Casein-Leime	9 600
Kautschukkleber	17 300
Schmelzkleber	51 000
Sonstige	47 000

1. Klebstoffproduktion in Deutschland (1994)

A1 Formulieren Sie die Polyreaktion, die in einer wässerigen Harnstoff/Formaldehyd-Lösung abläuft.

A2 Begründen Sie, warum Polyalkene nicht als Klebstoffe geeignet sind.

A3 Cyanacrylat-Klebstoffe gehören zu den Reaktionsklebern. Sie härten durch eine Polyreaktion von Cyanacrylsäureestern mit Wasser oder mit Basen aus. Formulieren Sie die Polyreaktion von Cyanacrylsäuremethylester mit Natronlauge.

$$H_2C{=}C(CN){-}C({=}\overline{O}|){-}\overline{O}{-}CH_3$$

A4 Warum eignen sich viele der in der Natur vorkommenden Polyamide und Polysaccharide als Klebstoffe?

a) $^{\ominus}|\overline{O}{-}C_6H_4{-}C(CH_3)_2{-}C_6H_4{-}\overline{O}|^{\ominus} + Cl{-}CH_2{-}\underset{\backslash O/}{CH{-}CH_2} \longrightarrow {}^{\ominus}|\overline{O}{-}C_6H_4{-}C(CH_3)_2{-}C_6H_4{-}\overline{O}{-}CH_2{-}\underset{\backslash O/}{CH{-}CH_2} + Cl^-$

Bisphenol A — Epichlorhydrin

$\underset{\backslash O/}{CH_2{-}CH}{-}CH_2{-}\overline{O}{-}\left[C_6H_4{-}C(CH_3)_2{-}C_6H_4{-}\overline{O}{-}CH_2{-}\underset{|\overline{O}-H}{CH}{-}CH_2{-}\overline{O}\right]_n{-}C_6H_4{-}C(CH_3)_2{-}C_6H_4{-}\overline{O}{-}CH_2{-}\underset{\backslash O/}{CH{-}CH_2}$

Vorpolymer (n = 5 bis 12)

b) $R{-}\underset{\backslash O/}{CH{-}CH_2} + H_2\overline{N}{-}(CH_2)_6{-}\overline{N}H_2 + \underset{\backslash O/}{CH_2{-}CH}{-}R' \longrightarrow R{-}\underset{|\overline{O}-H}{CH}{-}CH_2{-}\overline{N}H{-}(CH_2)_6{-}\overline{N}H{-}CH_2{-}\underset{|\overline{O}-H}{CH}{-}R'$

2. Epoxid – ein Zweikomponentenkleber. Synthese der ersten Komponente **(a)** und Verklebung **(b)**.

16.10 Naturkautschuk und Synthesekautschuk

1. Kautschukbaum

Naturkautschuk gehört in die Gruppe der *Elastomere*. Charakteristisch für solche Polymere ist ihr Aufbau aus unregelmäßigen, weitmaschigen Molekülnetzen. Kristalline Bereiche, wie sie bei anderen Makromolekülen auftreten, kommen bei Elastomeren so gut wie nicht vor. Der wenig geordneten molekularen Struktur entsprechen die Eigenschaften der Elastomere. Erweichungstemperaturen sind oft nicht definierbar, Löslichkeit und Quellbarkeit gehen je nach Molekülmasse fließend ineinander über.

Naturkautschuk. Im Zentrum des Interesses stand bei den Elastomeren lange Zeit keine synthetische, sondern eine natürliche makromolekulare Verbindung, der *Kautschuk*. Naturkautschuk entsteht in bestimmten südamerikanischen Wolfsmilchgewächsen. Der wichtigste Kautschuklieferant ist der Kautschukbaum. Aus *Latex,* dem Milchsaft des Kautschukbaums, haben südamerikanische Naturvölker als Erste gummiartige Erzeugnisse hergestellt.

Naturkautschuk ist aus *Isopren* (2-Methylbutadien) aufgebaut. Die Makromoleküle sind im Milchsaft emulgiert. Die Molekülmasse schwankt zwischen 300000 u und 500000 u. Aus der Emulsion wird der Rohkautschuk mit Ameisensäure oder Essigsäure ausgefällt (Koagulation). Eine andere Methode besteht im Eindampfen des Pflanzensafts. Der Rohkautschuk wird anschließend mehrfach auf Walzen durchgeknetet (Mastikation). Hierbei werden die Makromoleküle durch oxidative Spaltung auf etwa die Hälfte ihrer ursprünglichen Länge reduziert. In diesem amorphen Zustand ist der Naturkautschuk weich und gut formbar. Die Verarbeitung des so vorbereiteten Materials erfolgt in beheizten Pressen. Mit 3,5 Millionen Tonnen Jahresproduktion in den westlichen Industrieländern ist Naturkautschuk einer der meistumgesetzten makromolekularen Stoffe. Die Palette der Anwendungen reicht von Flugzeug- und Autoreifen über Gummibänder und Schnuller bis hin zu chirurgischen Handschuhen.

Synthesekautschuk. Die guten technischen Einsatzmöglichkeiten des Naturkautschuks haben Chemiker angeregt, ähnliche Polymere nachzubauen. Das *vollsynthetische Polyisopren* ist chemisch reiner und einheitlicher als das Naturprodukt. Trotzdem erreicht es nicht dessen gute mechanische Eigenschaften.

Eine ernsthafte Konkurrenz erwächst dem Naturkautschuk durch den *Styrol/Butadien-Rubber.* Die weltweite Produktion dieses Elastomeren reicht heute an die verarbeiteten Naturkautschukmengen heran. Ein besonderer Vorteil dieses Synthesekautschuks ist seine gute Beständigkeit gegen Hitze.

Auch Butadien lässt sich zur Herstellung von Elastomeren nutzen. Früher wurde **Bu**tadien mit Hilfe von **Na**trium polymerisiert, was dem Produkt den Namen *Buna* eingetragen hat. Polybutadien wird heute als Hartgummi und als Laufflächenmaterial für Autoreifen eingesetzt.

Butylkautschuk ist ein aus Isopren und Isobuten hergestelltes Copolymerisat. Im Gegensatz zum Naturkautschuk ist dieses Polymer weniger empfindlich gegen Licht, Sauerstoff, Säuren und Fette. Es eignet sich daher zur Herstellung von Autoschläuchen, Garten- und Heizschläuchen und Kabelisolierungen.

Polychloropren ist ein Spezialkautschuk, der sich durch schwere Entflammbarkeit, Ölbeständigkeit und Abriebfestigkeit auszeichnet. Diese Eigenschaften verdankt es den im Makromolekül als Substituenten auftretenden Chlor-Atomen. Man verwendet Polychloropren zur Herstellung von Schutzkleidung und Förderbändern.

Nitrilkautschuk ist ein Copolymerisat aus Acrylnitril und Butadien. Seine Beständigkeit gegenüber Benzin und Mineralölen macht ihn zu einem beliebten Material für Dichtungen und Treibstoffschläuche.

A1 Die Copolymerisation von Butadien mit Styrol kann mit Hilfe von Natrium oder Dibenzoylperoxid initiiert werden. Erklären Sie, wie sich Start- und Kettenreaktion bei beiden Polymerisationen unterscheiden.

A2 In der Natur kommen zwei verschiedene Polyisoprene vor: Kautschuk (*cis*-1,4-Polyisopren) und Guttapercha (*trans*-1,4-Polyisopren). Außerdem gibt es noch ein synthetisch herstellbares Produkt, das 1,2-Polyisopren.
In den Namen der Polymere geben die Ziffern die C-Atome an, über die die Monomere miteinander verknüpft sind. Zeichnen Sie für alle drei Verbindungen einen Ausschnitt aus der Strukturformel.

```
       H   H
       |   |
a)  H\C=C\C=C\H
     C   C
     |   |
     H   H

       CH3 H
       |   |
b)  H\C=C\C=C\H
     C   C
     |   |
     H   H

       Cl  H
       |   |
c)  H\C=C\C=C\H
     C   C
     |   |
     H   H
```

2. Bausteine von Elastomeren: Butadien (a), Isopren (b), Chloropren (c)

EXKURS

Geschichte und Technologie der Reifenherstellung

Die Eingeborenen Südamerikas benutzen den Milchsaft der Gummibäume schon seit alters her zum Abdichten ihrer Boote. In Europa tauchte Kautschuk im Jahre 1768 erstmals als Radiergummi (India Rubber) auf. Im 19. Jahrhundert begann die wirtschaftliche Karriere des Kautschuks. Der begehrte Milchsaft der Gummibäume wurde damals unter schwierigsten Arbeitsbedingungen im tropischen Regenwald Brasiliens gewonnen. Der amerikanische Konsul in Brasilien berichtete als Beobachter der Szene: „Nur Menschen, die direkt vom Tode bedroht sind, finden sich bereit, Kautschuk zu sammeln."
Auf die Anlage von Kautschukplantagen verzichtete Brasilien aus Kostengründen. Dies kam dem Land zum Ende des 19. Jahrhunderts teuer zu stehen: Im Jahre 1876 gelang es dem als Orchideensammler getarnten Engländer WICKHAM, 70000 Samen des Kautschukbaums von Brasilien nach Indien zu schmuggeln. Der daraus erwachsene südasiatische Plantagenkautschuk wurde 40 Jahre später zum Renner, der brasilianische Kautschuk verschwand von den Weltmärkten.

Mit der aufblühenden *Reifenindustrie* gewann der Kautschuk weiter an Bedeutung. In Deutschland wuchs in dieser Zeit die Abhängigkeit vom britischen Kautschuk. Der Chemiker HOFMANN erhielt daher von den Farbenfabriken BAYER den Auftrag, Synthesekautschuk herzustellen, was ihm im Jahre 1911 auch gelang.
Drei Jahre später produzierte Deutschland – inzwischen vom Naturkautschuk ganz abgeschnitten – einen weichen, minderwertigen „Kriegskautschuk". Acht Jahre nach Ende des 1. Weltkriegs wurden die HOFMANNschen Arbeiten bei dem neu gegründeten I.G.-Farben-Konzern wieder aufgenommen. Unter großem Forschungsaufwand gelang es, einen hochwertigen Synthesekautschuk herzustellen. Das Schlagwort „Gummi aus Kohle und Kalk" war damals in aller Munde. In einer Polyreaktion wurde Butadien in Gegenwart von Natrium polymerisiert. Für 1,5 Milliarden Reichsmark wurden Mitte der 30er Jahre Buna-Fabriken in Hüls, Auschwitz und Schkopau errichtet. Sie bildeten im 2. Weltkrieg den Grundstein für eine vom Ausland unabhängige deutsche Reifenindustrie.

Vulkanisation in der Technik

Reifenherstellung. Schon im Jahre 1838 entwickelte der Amerikaner GOODYEAR ein Verfahren, um weichen Naturkautschuk härter zu machen. Bei diesem als **Vulkanisation** bezeichneten Prozess wird Rohkautschuk mit Schwefel erhitzt, Zinkoxid dient als Vulkanisationsaktivator. Bei der ablaufenden Reaktion werden die weitmaschigen Molekülnetze durch den Einbau von Schwefelbrücken vielfach untereinander verknüpft.
Für die verschiedenen Teile des Reifenkörpers benötigt man unterschiedliche Kautschukmischungen. Die Lauffläche muss hart und abriebfest sein. Dies erreicht man durch einen hohen Zusatz von Ruß als Füllstoff, der in die Hohlräume der Elastomeren eingelagert wird.
Flanke und Innenauskleidung des Reifens enthalten wenig Ruß und Schwefel. Der geringe Anteil an Zusatzstoffen ist Voraussetzung für das hier gewünschte elastische und gasdichte Material.
Bei der Reifenherstellung werden alle Kautschukmischungen in sich und untereinander in *einem* Vorgang vulkanisiert. Dies geschieht bei 180 °C unter hohem Druck in Vulkanisierpressen.

```
        CH3                        CH3                         CH3 S
        |                          |                            |  |
···CH2–C=CH–CH···        ···CH2–C=CH–CH2···          ···CH2–C——CH–CH2···
             |                                                  |
             S           Schwefel            Schwefel            S
             |           <---------          --------->          |
             S                                                   S
             |                                                   |
···CH2–C=CH–CH···        ···CH2–C=CH–CH2···          ···CH2–C——CH–CH2···
        |                          |                            |  |
        CH3                        CH3                         CH3 S
```

Vernetzung von Kautschuk bei der Vulkanisation

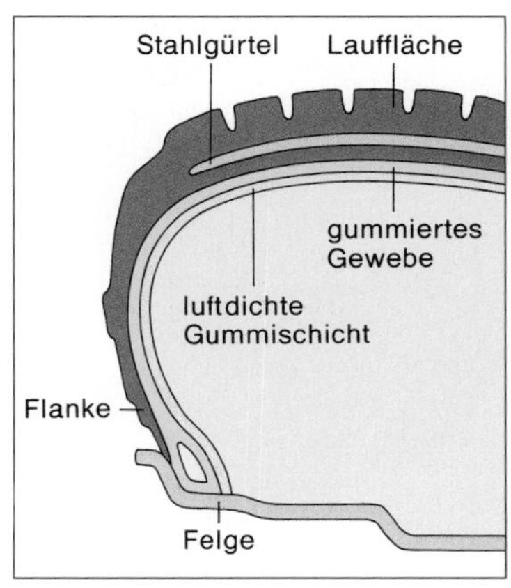

Reifen im Querschnitt

16.11 Spezialkunststoffe

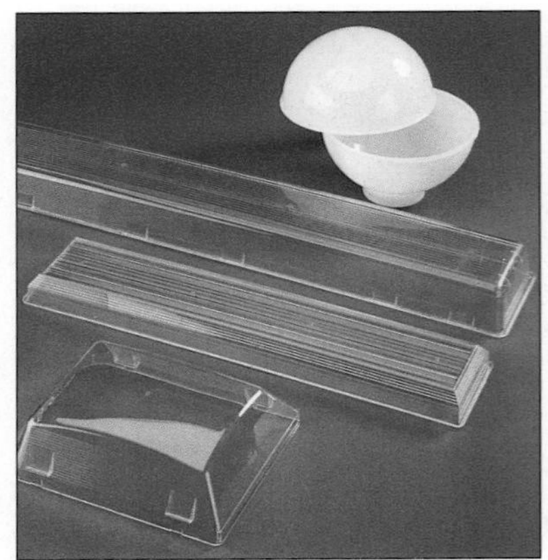

1. Produkte aus Acrylglas

A1 Vergleichen Sie Vor- und Nachteile von Kunststoffglas und herkömmlichem Glas.

A2 **a)** Beschreiben Sie den Redoxvorgang, der bei der Polyacrylnitril-Synthese zwischen Eisen(II)-Ionen und Dibenzoylperoxid abläuft.
b) Formulieren Sie den Reaktionsmechanismus für die radikalische Polymerisation von Acrylnitril.

A3 **a)** Geben Sie die Formel von Dimethylformamid an.
b) Warum eignet sich Dimethylformamid als Lösungsmittel für Kunststoffe wie Polyacrylnitril?

2. Mit Polytetrafluorethen beschichtetes Radioteleskop

Der Wunsch der Polymerchemiker, Werkstoffe nach Maß zu schaffen, hat zu wahrhaften Spezialisten unter den Kunststoffen geführt. So gibt es heute künstliches Holz, Feuerschutzanzüge aus Kunstfasern, Strom leitende Polymere und Licht sammelnde Kunststoffe. Erreicht wurden diese Fortschritte der Polymerforschung durch Nutzung auch ausgefallener Monomerer und einer genauen Kenntnis des Zusammenhangs zwischen Struktur und Eigenschaften eines Kunststoffs.

Polymethacrylsäuremethylester – ein glasklarer Kunststoff. Die Herstellung von Kunststoffglas geht auf Experimente zurück, die der deutsche Chemiker RÖHM schon im Jahre 1912 mit Acrylsäureestern durchführte. Er fand dabei einen elastischen Stoff, der hohe Transparenz zeigte. Den Eigenschaften entsprechend bezeichnete RÖHM den Stoff als Glasgummi. Es dauerte dann aber noch 16 Jahre, bis mit dem Monomer Methacrylsäuremethylester der geeignete Ausgangsstoff für gebrauchsfähiges künstliches Glas, das *Plexiglas*, gefunden war.
Die Polymerisation von Methacrylsäuremethylester erfolgt radikalisch mit Hilfe von Peroxiden. Das Polymerisat hat ähnliche optische Eigenschaften wie Glas. Von Vorteil ist die geringe Dichte und die gute Einfärbbarkeit von Acrylglas. Wenn Kunststoffglas zerbricht, bilden sich keine scharfen Kanten und es splittert nicht. Die Hauptanwendung von Acrylglas liegt deshalb heute auf dem Sektor Sicherheitsverglasung im Automobilbau. Optische Linsen und Modeschmuck lassen sich ebenfalls kostengünstig aus Acrylglas herstellen.

Polytetrafluorethen. Bei dem Monomer Tetrafluorethen handelt es sich um ein erst im Jahre 1933 synthetisiertes Ethen-Derivat. Fünf Jahre später führte die Polymerisation von Tetrafluorethen zu dem bis dahin merkwürdigsten Kunststoff. Ohne Veränderung seiner Eigenschaften übersteht Polytetrafluorethen Temperaturen von −200 °C bis +260 °C. Hinzu kommt eine ungewöhnliche Widerstandsfähigkeit gegen Chemikalien. Mit Polytetrafluorethen beschichtete Gegenstände zeigen eine extreme Oberflächenglätte. Der Grund für diese Eigenschaften liegt im symmetrischen Aufbau des Makromoleküls, in der Abschirmung der Molekülketten durch die Fluor-Atome und in der kristallinen Struktur des Kunststoffs. Schwierig ist die Verarbeitung von Polytetrafluorethen. Es wird als Pulver in eine Form gepresst oder auf eine Oberfläche geschichtet. Verfestigt wird der Kunststoff durch *Sintern*. Bei einer Temperatur von 350 °C bildet sich dabei eine homogene Kunststoffmasse.
Polytetrafluorethen kommt als *Teflon* oder *Hostaflon* in den Handel. Beschichtungen von Pfannen, Auskleidungen von Laborgeräten und wartungsfreie Lager und Dichtungen sind häufige Verwendungen dieses Kunststoffs. Polytetrafluorethen ist auch als elektrisches Isoliermaterial hervorragend geeignet.

Polyacrylnitril. Anfang der 1930er Jahre gelang erstmals die Polymerisation von Acrylnitril. Das Produkt blieb aber zunächst ohne technische Bedeutung, weil sich die Polymerisation nur schlecht steuern ließ. Im Jahre 1942 gelang dann ein doppelter Durchbruch: Für die Polymerisation fand man ein Redoxsystem, bestehend aus Dibenzoylperoxid und Eisen(II)-Ionen. Die Verarbeitung des Polymeren war zehn Jahre lang daran gescheitert, dass kein Lösungsmittel für den Kunststoff bekannt war. Mit Dimethylformamid fand man schließlich ein in der Polymerchemie bisher nicht beachtetes Lösungsmittel. Von nun an war es möglich, auch aus Polyacrylnitril Fasern zu spinnen. Damit war die Voraussetzung für die Produktion einer der wichtigsten Kunstfasern geschaffen. Heute sind Polyacrylnitrilfasern unter den Bezeichnungen *Orlon, Dralon* und *Acrilan* im Handel.

Hochtemperaturfeste Polymere. Unterzieht man Polyacrylnitrilfasern einer nachträglichen Hitzebehandlung, so verändern sich die Eigenschaften des Kunststoffs: Die mechanische Festigkeit der Faser nimmt ab, die Hitzebeständigkeit dagegen steigt stark an. Die seitlich der Hauptkette liegenden funktionellen Gruppen reagieren miteinander unter Ringbildung. Man bezeichnet diesen Vorgang als Cyclisierung. Es entstehen verknüpfte Sechsringe. Da die Verknüpfungsstellen in der Strukturformel wie Sprossen einer Leiter aussehen, nennt man solche Makromoleküle *Leiterpolymere*; mit elektrischer Leitfähigkeit hat die Bezeichnung nichts zu tun. Weitere Beispiele solcher hochtemperaturfesten Kunststoffe sind Polyimide, Polyaryle und Poly-*p*-phenylen.
Einsatzgebiete für hitzebeständige Polymere ergeben sich vor allem in den Bereichen Feuerschutzkleidung und Raumfahrt. Verwendung finden sie auch für korrosionsbeständige Beschichtungen und bei der Herstellung von Elektronikbauteilen.

Carbonfasern entstehen, wenn Leiterpolymere bei großer Hitze zu einer graphitähnlichen Struktur kondensieren. Bei der Herstellung von Verbundwerkstoffen dienen Carbonfasern als Verstärkungsmaterial für die duroplastische oder thermoplastische Grundsubstanz. Die Carbonfasern erhöhen die mechanische Belastbarkeit und die Hitzebeständigkeit der Verbundwerkstoffe.

Elektrisch leitende Polymere. Hochwirksames Isolationsmaterial aus Kunststoffen ist schon lange bekannt. Dass Polymere auch gute Stromleiter sein können, wurde von Kunststoffchemikern bereits in den 60er Jahren vorausgesagt. Eine experimentelle Bestätigung dieser Hypothese gelang aber erst im Jahre 1974. Mit Hilfe von ZIEGLER-Katalysatoren polymerisierte SHIRAKAWA Ethin (Acetylen) zu einem Kunststofffilm. Die konjugierten C=C-Zweifachbindungen verhalfen dem Polyacetylen zu einer geringen elektrischen Leitfähigkeit. Heute ist es möglich, orientiertes Polyacetylen mit einer besseren Leitfähigkeit als Kupfer oder Silber herzustellen. Es besteht aus hochgradig geordneten, parallelen Polymerketten. Erreicht wird diese Struktur durch spezielle Katalysatoren bei der Polymerisation und anschließendes Verstrecken der gebildeten Fasern. Durch Dotierung der Polymere mit Iod wird die Leitfähigkeit nochmals um den Faktor 10 erhöht. Polyphenylen und Polypyrrol sind ebenfalls als elektrisch leitende Kunststoffe geeignet.

1. Feuerschutzkleidung aus Plutonfasern

A1 Plutonfasern gehören zu den hochtemperaturfesten Kunststoffen. Man gewinnt sie durch radikalische Polymerisation von Butadien und anschließende Cyclisierung.
Formulieren Sie Reaktionsgleichungen
a) für die Polymerisation von Butadien zu 1,2-Polybutadien,
b) für die Cyclisierung.

A2 **a)** Erklären Sie an einem Molekül-Ausschnitt von Polyethin (Polyacetylen), wie die elektrische Leitfähigkeit des Polymeren zustandekommt.
b) Warum können dagegen Kunststoffe wie Polytetrafluorethen als Isoliermaterial eingesetzt werden?

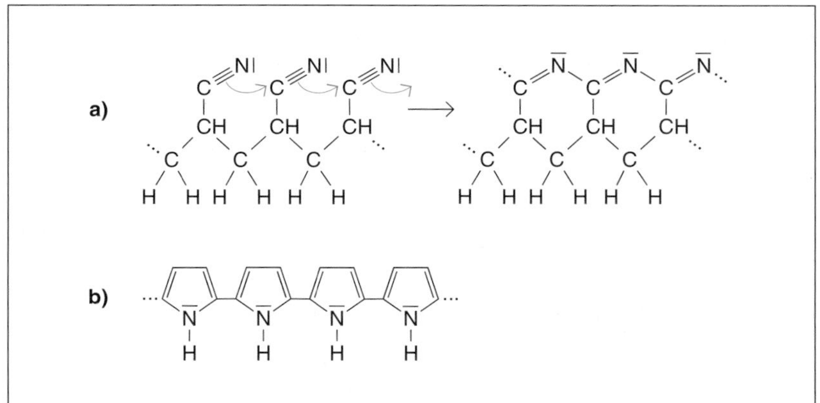

2. Cyclisierung von Polyacrylnitril zum Leiterpolymer (a), Polypyrrol – ein elektrisch leitendes Polymer (b)

Polyimid

X, Y: O, S, SO, SO_2, CO
Polyaryle

Poly-*p*-phenylen

3. Hochtemperaturfeste Kunststoffe

16.12 Verbundwerkstoffe und Polymerlegierungen

1. Astronaut im Weltraum – ohne Verbundwerkstoffe nicht möglich

Die Ideen der Kunststoffchemiker schienen eine Zeit lang unerschöpflich. Polymere mit immer neuen Eigenschaften wurden hergestellt und statt herkömmlicher Werkstoffe eingesetzt. Bald zeigte sich aber, dass der Weiterentwicklung wünschenswerter Eigenschaften Grenzen gesetzt sind. Kunststoffe wären beispielsweise wegen des geringen Gewichts hervorragend für die Luft- und Raumfahrt geeignet. Die extremen mechanischen Anforderungen standen dem jedoch lange Zeit entgegen. Zwei neue Ideen halfen weiter: die Kombination von Kunststoffen mit anderen Werkstoffen und das Vermischen von Kunststoffen mit verschiedenen Eigenschaften. Es entstanden *Verbundwerkstoffe* und *Polymerlegierungen*.

Verbundwerkstoffe. Für die Herstellung von Verbundwerkstoffen sind mindestens zwei Komponenten nötig, die Grundsubstanz oder *Matrix* und das *Verstärkungsmaterial*. Als Matrix werden duroplastische oder thermoplastische Kunststoffe eingesetzt. Am häufigsten werden Epoxidharze verwendet. Sie verleihen dem Werkstoff als Duroplaste hohe Festigkeit und gute thermische Stabilität. Auch Polyester sind als Matrix geeignet. Sie stellen das Bindemittel im Fiberglas dar.

Das in die Matrix eingebettete Verstärkungsmaterial muss steif, zugfest und beständig gegen aggressive Substanzen und hohe Temperaturen sein. Als solche Stoffe kommen hauptsächlich Glasfasern, Carbonfasern und Aramidfasern in Frage. Lagen aus parallel verlaufenden Fasern sind in der Matrix aufeinander gestapelt. Sie werden als **u**ni**d**irektionale Schichten (UD-Laminate) bezeichnet. Um die Festigkeit des Werkstoffs zu erhöhen, ist die Orientierung der Fasern in den einzelnen Schichten unterschiedlich. Am einfachsten ist hier noch der Aufbau von Verbundwerkstoffen, in denen die Fasern in den aufeinander folgenden Lagen um 45° oder 90° gegeneinander gedreht vorliegen.

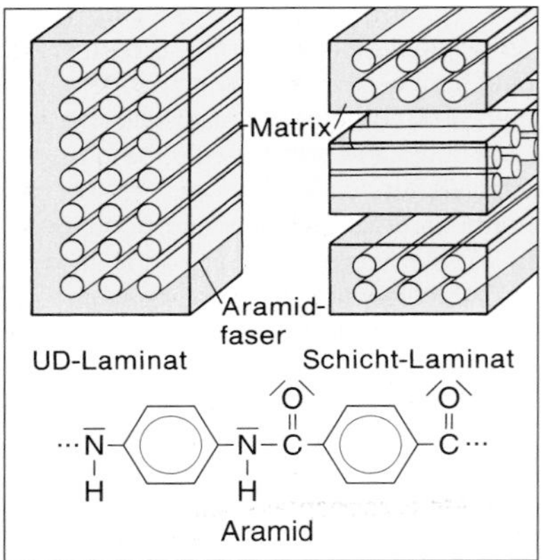

2. Aufbau von Hochleistungsverbundwerkstoffen

Hochleistungsverbundwerkstoffe sind ähnlich belastbar wie Stahl. In ihnen sind hohe Steifheit und Elastizität ideal kombiniert. Besonders günstige Eigenschaften im Vergleich zum Stahl sind die Korrosionsbeständigkeit und die niedrige Dichte. Während 1 dm^3 Stahl 8 kg wiegt, sind es beim Verbundwerkstoff nur etwa 1,5 kg. Die guten mechanischen Eigenschaften bei geringem Gewicht haben Verbundwerkstoffe zu einem geschätzten Material in der Luftfahrtindustrie werden lassen. Jedes Kilogramm Gewichtsersparnis bedeutet hier weniger Treibstoffverbrauch und damit größere Reichweite. Neben der Luft- und Raumfahrttechnik profitieren vor allem der Automobilbau und der Leistungssport von den leichten und zugleich hochbelastbaren Werkstoffen. Karosserieteile, Segelflugzeuge und Rennräder sind Beispiele für Anwendungen von Verbundwerkstoffen in diesen Bereichen.

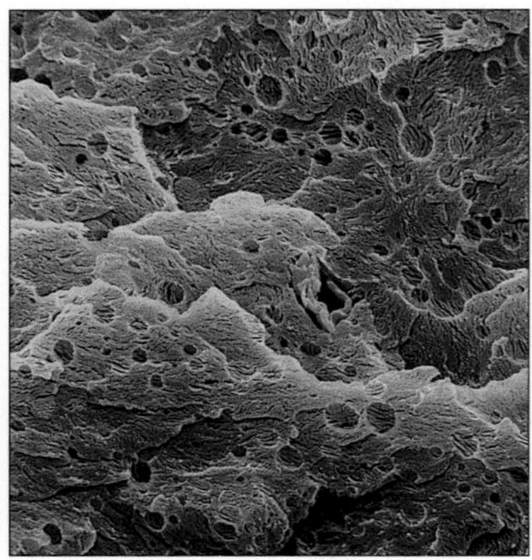

3. Polymerlegierung. Thermoplast-Matrix mit elastomeren Partikeln.

Polymerlegierungen. Werden zwei oder mehr hochpolymere Stoffe miteinander vermischt, so entsteht eine Polymerlegierung. Geeignet für solche Kunststoffmischungen sind thermoplastische Kunststoffe wie Polystyrol, Polyethen, Polycarbonate und Polyamide. Sie werden in der Schmelze unter Einsatz großer Kräfte zu *Thermoplast-Blends* „compoundiert". In der fertigen Legierung liegt die niedriger konzentrierte Kunststoffkomponente tropfenförmig, stabförmig oder lamellenartig in der Grundmasse. Ähnlich wie bei Legierungen von Metallen erreicht man durch die Kombination verschiedener Kunststoffe eine Addition gewünschter Eigenschaften.

Besonders geschätzt sind heute *schlagzähe Polymerlegierungen*. In ihnen sind die Eigenschaften Härte und Elastizität kombiniert. Schlagzähes Polystyrol wird aus sprödem Polystyrol-Grundmaterial unter Zusatz von elastischem Polybutadien-Kautschuk gewonnen. Solche Legierungen werden vor allem für PKW-Innenausstattungen verwendet. Das Material ist mechanisch hoch belastbar. Bei Unfällen verhält es sich zähelastisch, dadurch ist das Verletzungsrisiko niedrig.

16.13 Silicone

Ähnlich dem Kohlenstoff kann auch Silicium Makromoleküle bilden. Aufgrund des größeren Atomradius können sich aber Silicium-Atome nur im Wechsel mit Sauerstoff-Atomen zu langen Molekülketten verbinden. Von technischer Bedeutung sind siliciumorganische Kunststoffe, die **Silicone.** Darin tragen die Silicium-Atome noch organische Reste.

Ausgangsprodukte für Silicone sind siliciumorganische Hydroxy-Verbindungen, die *Alkylsilanole*. Für ihre Synthese wird Silicium mit Halogenalkanen umgesetzt. Aus Silicium und Chlormethan erhält man dabei Trimethylchlorsilan, Dimethyldichlorsilan und Methyltrichlorsilan, die mit Wasser zu den entsprechenden Alkylsilanolen und Chlorwasserstoff hydrolysieren.

Dimethylsilan*di*ol ist ein *bi*funktionelles Monomer. Durch Polykondensation unter Abspaltung von Wasser reagiert es zu linearem *Dimethylpolysiloxan,* einem linearen Silicon.
Trimethylsilanol bricht die Polymerkette ab. Methylsilan*tri*ol führt als *tri*funktionelles Monomer zu dreidimensionaler Vernetzung der Makromoleküle.

Die Variation von Polymerisationsgrad und Vernetzung und die Auswahl der organischen Reste als Seitengruppen ermöglichen es dem Chemiker Produkte nach Maß zu schaffen: *Siliconöle* verschiedener Viskosität, *Siliconfette, Siliconharze* und *Siliconkautschuke*.

Silicone sind *Wasser abweisend*. Ursache dafür sind die unpolaren organischen Reste der Seitenketten. Silicone finden deshalb oft im Sanitärbereich als Dichtungsmassen und als Imprägniermittel für Textilien Verwendung. Aufgrund der festen Si–O-Bindungen sind Silicone sehr *temperaturbeständig*. **Siliconkautschuke** bleiben in dem großen Temperaturintervall von −100 °C bis 250 °C elastisch. Hinzu kommt eine hohe Beständigkeit der Siliconkautschuke gegen Chemikalien, Ozon und UV-Licht. Siliconschläuche werden daher häufig in industriellen Anlagen und im medizinischen Apparatewesen eingesetzt. Die isolierende Wirkung von Siliconkautschuk nutzt man in der Elektroindustrie zur Herstellung von Kabelummantelungen. Wegen ihrer geringen zwischenmolekularen Anziehungskräfte sind **Siliconöle** außerordentlich kältefest und noch bei −70 °C gebrauchsfähig. Ein wichtiger Anwendungsbereich für Siliconöle sind Brems- und Hydraulikflüssigkeiten. Stark vernetzte Silicone sind duroplastisch und werden als **Siliconharze** bezeichnet. Sie eignen sich zum Imprägnieren von Mauerwerk. **Siliconlacke** dienen als temperaturbeständige Anstriche.

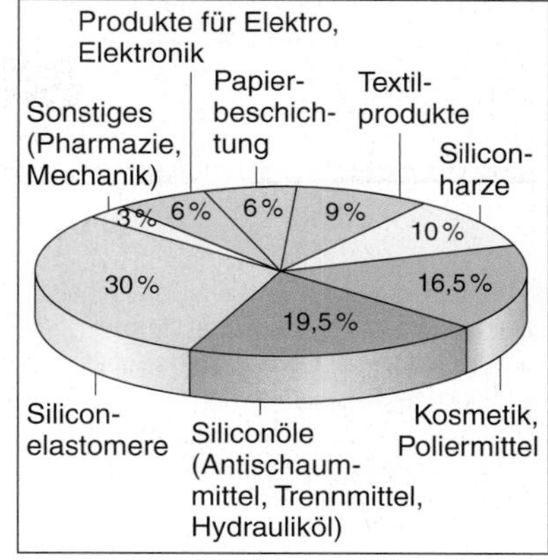

1. Verwendung von Siliconen

A1 Diphenylsilandiole reagieren zu einem linearen Silicon.
a) Formulieren Sie die Reaktionsgleichung und benennen Sie das Produkt.
b) Welche Verbindung eignet sich zum Abbruch der Polykondensation? Formulieren Sie eine Reaktionsgleichung.
c) Wie lässt sich der Polymerisationsgrad des Produkts steuern?

A2 **a)** Geben Sie eine Verbindung an, die sich für die Synthese eines Siliconharzes eignet.
b) Formulieren Sie einen Ausschnitt aus der Struktur des Harzes.

A3 Mit Siliconsprays kann man verhindern, dass Glasscheiben beschlagen. Außerdem benutzt man sie zum Imprägnieren von Textilien.
Worauf beruht die Wasser abweisende Wirkung?

a) Si + CH_3Cl (Silicium, Chlormethan) ⇢

$(CH_3)_3SiCl$ Trimethylchlorsilan $\xrightarrow[HCl]{H_2O}$ $(CH_3)_3SiOH$ Trimethylsilanol

$(CH_3)_2SiCl_2$ Dimethyldichlorsilan $\xrightarrow[2\,HCl]{2\,H_2O}$ $(CH_3)_2Si(OH)_2$ Dimethylsilandiol

CH_3SiCl_3 Methyltrichlorsilan $\xrightarrow[3\,HCl]{3\,H_2O}$ $CH_3Si(OH)_3$ Methylsilantriol

b) $H-\overline{O}-Si(CH_3)_2-\overline{O}-H + H-\overline{O}-Si(CH_3)_2-\overline{O}-H \xrightarrow{-H_2O} \cdots\overline{O}-Si(CH_3)_2-\overline{O}-Si(CH_3)_2-\overline{O}\cdots$

Dimethylsilandiol → lineares Dimethylpolysiloxan (Silicon)

2. Synthese von Alkylsilanolen (a) und Polykondensation zu Silicon (b)

16.14 Aufgaben · Versuche · Probleme

Aufgabe 1: Melamin reagiert mit Formaldehyd zu einem Kunststoff.

Melamin

a) Erklären Sie, nach welchem Reaktionstyp die Polyreaktion abläuft.
b) Skizzieren Sie einen Ausschnitt des gebildeten Makromoleküls.
c) Hat der entstehende Kunststoff duroplastische oder thermoplastische Eigenschaften?

Aufgabe 2: Beim Erhitzen eines glasklaren Kunststoffs entsteht ein stechend riechendes Gas. Kühlt man das Gas ab, so bildet sich eine unpolare Flüssigkeit.
Schüttelt man die Flüssigkeit mit einer Lösung von Brom in Heptan, so tritt sofort Entfärbung ein.
Die Bestimmung der molaren Masse des entstandenen Monomers ergibt einen Wert von $100\ g \cdot mol^{-1}$.
a) Um welches Monomer handelt es sich?
b) Welche Vorgänge spielen sich beim Erhitzen des Kunststoffs ab?

Aufgabe 3: Wasserfreier Formaldehyd lässt sich durch Trimerisierung zu Trioxan umsetzen:

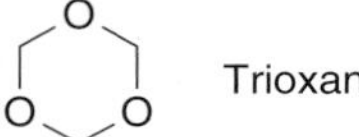
Trioxan

Aus Trioxan gewinnt man mit Hilfe von Bortrifluorid (BF_3) als Katalysator den thermoplastischen Kunststoff *Polyoxymethylen.*
a) Erklären Sie, warum bei dieser Reaktion BF_3 als Initiator gewählt wird.
b) Stellen Sie Startreaktion und Kettenreaktion dieser Kunststoffsynthese dar.
c) Zeichnen Sie einen Ausschnitt des gebildeten Makromoleküls.

Versuch 1: Untersuchung der Verbrennungsgase von PVC
Eine Kunststoffprobe aus PVC wird in einem schwer schmelzbaren Reagenzglas mit einem Gasbrenner erhitzt (*Abzug!*).
a) Untersuchen Sie die sich bildenden Gase, indem Sie angefeuchtetes Indikatorpapier in den Gasstrom halten.
b) Leiten Sie die Gase in ein Reagenzglas mit Silbernitrat-Lösung (1 %).

Versuch 2: Wirkungsweise eines Weichmachers
6 g PVC-Pulver werden mit 12 ml Dioctylphthalat (Xn) in einer Reibschale zu einem homogenen Brei verrieben. Erwärmen Sie zwei Eisenbleche mit Hilfe einer Heizplatte auf etwa 200 °C. Ist die gewünschte Temperatur erreicht, so nimmt man die Bleche von der Heizplatte und gießt die Kunststoffpaste zwischen die heißen Eisenbleche. Pressen Sie die Bleche anschließend mit einem Gewichtsstück fünf Minuten lang fest zusammen.
Führen Sie den Versuch zum Vergleich noch einmal durch, diesmal ohne Weichmacher.
Aufgaben: a) Geben Sie die Strukturformel des Weichmacher-Moleküls Dioctylphthalat an.
b) Erklären Sie am Beispiel von weichem Polyvinylchlorid, worin die Weichmacherwirkung von Dioctylphthalat zu sehen ist.

Versuch 3: In einem Becherglas werden 4,4 g Hexamethylendiamin (C) und 2 g Natriumhydroxid (C) in 100 ml destilliertem Wasser gelöst. Überschichten Sie die Lösung vorsichtig mit einer Lösung von 3 ml Sebacinsäuredichlorid (C) in 100 ml Heptan (F). Ziehen Sie nun mit einer Pinzette aus der Grenzfläche zwischen beiden Flüssigkeiten einen Nylonfaden ab und wickeln Sie ihn über einen Glasstab auf.
Aufgaben: a) Formulieren Sie für die Synthese des Kunststoffs die Reaktionsgleichung.
b) Welche Polyreaktion läuft ab?
c) Benennen Sie das gebildete Produkt.
d) Die Reaktion ist mit einer Änderung des pH-Wertes der wässerigen Phase verbunden. Erklären Sie den Vorgang.

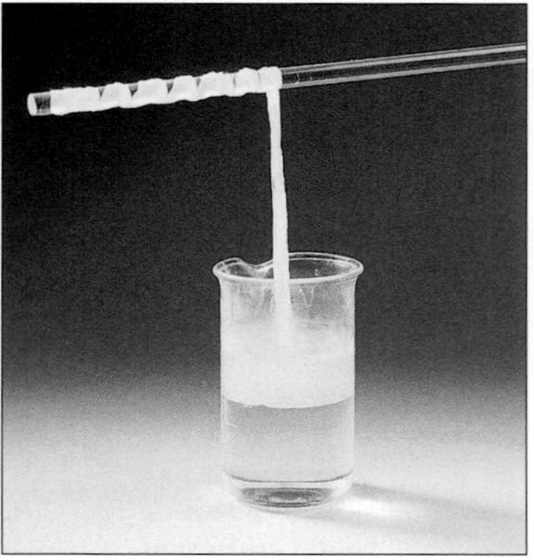

Versuch 4: Herstellung von Celluloid
Abzug, Schutzbrille!
Übergießen Sie in einer Porzellanschale 1 g Watte mit 25 ml Nitriersäure (O, C). Nitriersäure ist eine Mischung aus konzentrierter Schwefelsäure (C) und konzentrierter Salpetersäure (O, C) im Volumenverhältnis 1 : 1.
Nach 20 Minuten nimmt man die Watte aus der Nitriersäure, spült sie mit Wasser gut aus und trocknet sie im Luftstrom des Abzugs.
Bei dem Versuch wurde Cellulose zu Cellulosenitrat (Schießbaumwolle; E) nitriert.
Die Schießbaumwolle wird nun mit 1 g Campher versetzt. Lösen Sie das Gemenge in 25 ml Aceton (F) und lassen Sie anschließend das Lösungsmittel verdampfen.
Aufgaben: a) Formulieren Sie die Reaktionsgleichung für die Nitrierung.
b) Celluloid ist sehr feuergefährlich. Erklären Sie diese Tatsache.

Problem 1: Kleidung aus reiner Kunstfaser war in den Jahren 1955 bis 1965 weit verbreitet. In der Folgezeit sind diese reinen Kunststoffgewebe bei Hemden oder Socken durch Mischgewebe aus natürlichen und synthetischen Fasern ersetzt worden.
Erklären Sie diese Entwicklung auf dem Fasermarkt. Worin unterscheiden sich synthetische und natürliche Fasern?

Problem 2: Kunststoffe werden heute als die Werkstoffe des 20. Jahrhunderts bezeichnet. Trotzdem zeigen viele Kunststoffe Schwachpunkte. Dies war der Grund, warum viele Polymere, obwohl sie schon früh bekannt waren, nicht als Werkstoffe eingesetzt wurden. Zeigen Sie anhand von Beispielen solche problematischen Eigenschaften von Polymeren auf.
Durch welche Maßnahmen ist es gelungen, die Materialien zu verbessern und die gewünschten Eigenschaften zu erreichen?

Problem 3: Kunststoffe sind in Zeiten zunehmender Umweltprobleme und wachsender Müllberge nicht unumstritten.
Welche Gründe sprechen nach Ihrer Ansicht dafür, weiter auf Kunststoffe als wichtigste Werkstoffgruppe zu setzen? Wo sehen Sie Chancen bzw. Notwendigkeiten auf Kunststoffe ganz oder teilweise zu verzichten?

Kunststoffe

1. Aufbau

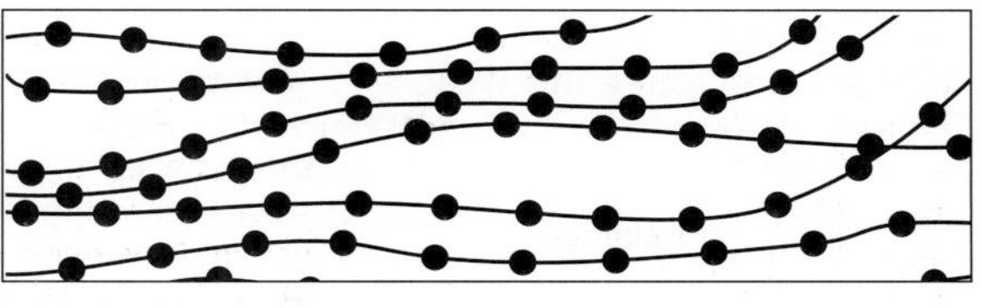

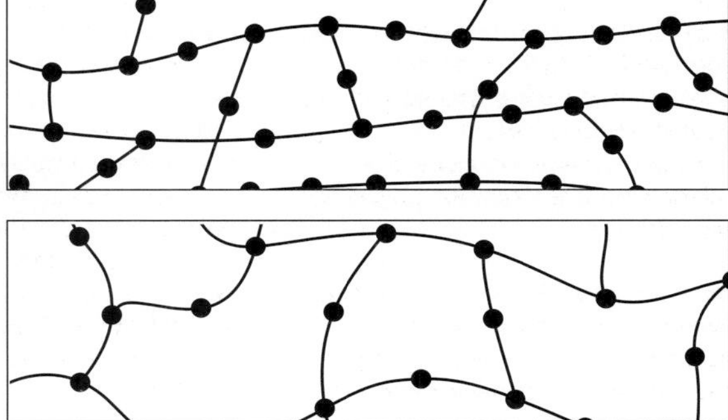

Kunststoffe bestehen aus Makromolekülen. Es sind **Polymere,** die aus einer großen Anzahl gleicher Grundbausteine **(Monomere)** aufgebaut sind. Man unterscheidet nach ihren physikalischen Eigenschaften drei Grundtypen von Kunststoffen:

a) Thermoplaste sind aus linearen oder verzweigten Makromolekül-Ketten aufgebaut. Sie sind schmelzbar und lassen sich als Werkstoffe beim Erwärmen verformen. Einige Thermoplaste sind in organischen Lösungsmitteln löslich.

b) Duroplaste bestehen aus netzartig aufgebauten Makromolekülen. Sie sind nicht schmelzbar und nicht plastisch verformbar. In Lösungsmitteln sind sie unlöslich. Bei hohen Temperaturen zersetzen sie sich.

c) Elastomere werden von wenig vernetzten Polymeren gebildet. Sie zeichnen sich durch eine hohe Dehnbarkeit aus und nehmen bei Entlastung ihre ursprüngliche Form wieder ein.

2. Synthese

Polymere lassen sich aus Monomeren nach drei verschiedenen **Polyreaktionen** herstellen: durch Polymerisation, durch Polykondensation und durch Polyaddition.

a) Bei der **Polymerisation** werden ungesättigte oder ringförmige Monomere mittels Initiatoren oder durch Zufuhr von Energie verknüpft. Es entstehen dabei unverzweigte oder wenig verzweigte thermoplastische Polymere. Ethen und Ethen-Derivate werden häufig als Monomere eingesetzt.

Beispiel: radikalische Polymerisation von Propen

$$R\cdot + CH_2{=}\underset{\displaystyle CH_3}{\underset{|}{CH}} \longrightarrow R{-}CH_2{-}\underset{\displaystyle CH_3}{\underset{|}{\dot{C}H}} \xrightarrow{n\,CH_2=CH(CH_3)} R{-}(CH_2{-}\underset{\displaystyle CH_3}{\underset{|}{CH}})_n{-}CH_2{-}\underset{\displaystyle CH_3}{\underset{|}{\dot{C}H}}$$

Wichtige **Polymerisate** sind: Polyethen, Polystyrol, Polyvinylchlorid, Polyoxymethylen, Polyacrylnitril, Polytetrafluorethen, Polymethacrylsäuremethylester.

b) Bei der **Polykondensation** werden Monomere unter Abspaltung kleinerer Moleküle verknüpft.

Beispiel: Veresterung von Hexandisäure mit Glykol

$$H{-}\underline{O}{-}CH_2{-}CH_2{-}\underline{O}{-}H + H{-}\underline{O}{-}\overset{\overset{\displaystyle O}{\|}}{C}{-}(CH_2)_4{-}\overset{\overset{\displaystyle O}{\|}}{C}{-}\underline{O}{-}H \xrightarrow{-H_2O} H{-}\underline{O}{-}CH_2{-}CH_2{-}\underline{O}{-}\overset{\overset{\displaystyle O}{\|}}{C}{-}(CH_2)_4{-}\overset{\overset{\displaystyle O}{\|}}{C}{-}\underline{O}\cdots$$

Wichtige **Polykondensate** sind: Polyamide, Polyester, Aminoplaste, Phenolharze, Silicone.

c) Die **Polyaddition** beruht auf der Anlagerung von Molekülen mit funktionellen Gruppen an geeignete ungesättigte Verbindungen (z. B. Isocyanate). Dabei werden keine kleinen Moleküle abgespalten.

Beispiel: Reaktion von Benzoldiisocyanat mit Glykol

$$O{=}C{=}\overline{N}{-}C_6H_4{-}\overline{N}{=}C{=}O + H{-}\underline{O}{-}CH_2{-}CH_2{-}\underline{O}{-}H \longrightarrow \cdots\overset{\overset{\displaystyle O}{\|}}{C}{-}\underset{\displaystyle H}{\underset{|}{N}}{-}C_6H_4{-}\underset{\displaystyle H}{\underset{|}{N}}{-}\overset{\overset{\displaystyle O}{\|}}{C}{-}\underline{O}{-}CH_2{-}CH_2{-}\underline{O}\cdots$$

Wichtige **Polyaddukte** sind: Polyurethane, Epoxidharze.

17 Tenside – von der Pottasche zum Vollwaschmittel

Die Kulturgeschichte des Waschens geht bis in die Frühzeit der Menschen zurück. Bereits im 5. Jahrtausend vor Christus wurden im Vorderen Orient *Pottasche* (K_2CO_3) und *Soda* (Na_2CO_3) zur Reinigung benutzt. Auf einer sumerischen Keilschrifttafel aus dem 3. Jahrtausend vor Christus wird über ein seifenartiges Reinigungsmittel für Gewebe aus Öl und Holzasche berichtet. Die Ägypter hatten ein ähnliches Mittel, das sie aus pflanzlichen und tierischen Fetten und Soda herstellten. Soda kristallisierte aus Salzseen aus. Es wurde auch direkt als Waschmittel verwendet. Griechen und Römer kochten ihre Wäsche mit Pottasche, die durch Auslaugen von Pflanzenasche und anschließendes Eindampfen in „Pötten" gewonnen wurde. Außerdem war als Waschmittel *Seifenkraut* gebräuchlich, dessen Wurzeln mit Wasser einen schäumenden Aufguss ergaben. Die Römer reinigten stark verschmutzte Wolle in gewerblichen Waschanstalten mit sich zersetzendem *Urin*. Germanen und Gallier stellten *Seifen* aus Ziegentalg und Holzasche her und benutzten sie als Pomade zur Festigung und Färbung ihrer Haarfrisuren. In dieser Verwendung gelangte die Seife auch nach Rom. Der berühmte römische Arzt GALENUS beschrieb 167 n. Chr., dass Seife als Heilmittel sowie zum Reinigen der Wäsche und des Körpers zu gebrauchen sei.

Im Mittelalter waren Seifen wichtige Handelsartikel. Die Produktionsmengen waren jedoch aufgrund der geringen hygienischen Bedürfnisse zunächst niedrig. Dies änderte sich schlagartig im 19. Jahrhundert. Zum einen erkannte man, dass zur Bekämpfung von Infektionskrankheiten wie Kindbettfieber oder Cholera körperliche Sauberkeit und Desinfektion der Kleidung wesentliche Voraussetzungen waren, andererseits stieg der Bedarf an Seife, weil die Bevölkerung zunahm. Gleichzeitig wurde durch die Entwicklung eines Verfahrens zur Synthese von Soda die industrielle Produktion von Seife möglich.

Die reinigende Wirkung von Pottasche und Soda beruht auf der alkalischen Reaktion ihrer wässerigen Lösungen. Urin zersetzt sich zu Ammoniak (NH_3), das ebenfalls alkalisch reagiert. Seifenlösungen und die Extrakte von Seifenkraut sind Reinigungsmittel, weil sie *grenzflächenaktive* Stoffe enthalten. Grenzflächenaktive Stoffe bezeichnet man allgemein als Tenside.

Der Seifensieder – Stich von 1698

17.1 Seifen

Fette sind Glycerinester langkettiger Carbonsäuren. Beim Erhitzen in alkalischer Lösung werden die Ester in den Alkohol Glycerin und Fettsäure-Anionen gespalten. Bei dieser *Verseifung* entstehen aus Soda und Fett die Natriumsalze der Fettsäuren, die **Kernseifen.** Mit Pottasche bilden sich die Kaliumsalze der Fettsäuren, die **Schmierseifen.**
Heute führt man die *Verseifung* industriell mit Natronlauge und Wasserdampf unter Druck durch. Als Rohstoffe dienen Talg, Kokosöl und Palmöl. Seifen können auch durch *Neutralisation* der Fettsäuren mit Natronlauge oder Kalilauge hergestellt werden.
Kernseife aus reinsten, geruchlosen Fetten wird zu **Feinseife** weiterverarbeitet. Parfümöle sorgen für einen angenehmen Duft. Rückfettende Substanzen wie Wollwachs (Lanolin) sollen Hautfette ersetzen, die durch Seife entfernt werden. Außerdem enthalten Feinseifen Deodorantien, Stabilisatoren und Farbstoffe.

Nachteile von Seifen. Seifen sind nicht uneingeschränkt verwendbar. In *hartem Wasser* reagieren die für die Waschwirkung entscheidenden Fettsäure-Anionen mit den Ca^{2+}-Ionen und den Mg^{2+}-Ionen des Wassers zu schwer löslichen Salzen, den **Kalkseifen.** Dadurch wird einerseits ein Teil der Seife nutzlos verbraucht, andererseits lagert sich die Kalkseife als „Grauschleier" auf Geweben ab.
Eine weitere unerwünschte Eigenschaft der Seife ist die *alkalische Reaktion* der Seifenlösung: Als korrespondierende Basen schwacher Säuren reagieren Carbonsäure-Anionen mit dem Wasser teilweise zu Carbonsäure-Molekülen. Die dabei gebildeten Hydroxid-Ionen greifen die Haut und empfindliche Gewebe an. In saurer Lösung verläuft diese Protonierung vollständig. Seifen sind daher in Gegenwart von Säuren unwirksam.

$H_2C-O-C(=O)-(CH_2)_{16}-CH_3$
$H-C-O-C(=O)-(CH_2)_{16}-CH_3$
$H_2C-O-C(=O)-(CH_2)_{16}-CH_3$
Glycerintristearat (Fett)

OH^- → Glycerin
$CH_3-(CH_2)_{16}-COO^-$
Stearat-Anion (Seife)

OH^- → H_2O
$CH_3-(CH_2)_{16}-COOH$
Stearinsäure

1. Synthese von Seife

A1 Zeigen Sie durch Reaktionsgleichungen, dass Lösungen von Seife, Pottasche, Soda und Ammoniak alkalisch reagieren.

PRAKTIKUM

Seifen

Versuch 1: Herstellung von Seife

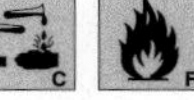

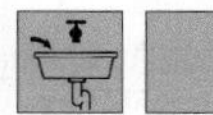

Materialien: Waage, Dreifuß mit Drahtnetz, Gasbrenner, 4 Bechergläser (250 ml), 2 Uhrgläser mit Loch, Glasstab, Nutsche mit Filtrierpapier, Messzylinder (50 ml);
Margarine, Stearinsäure, Natronlauge (10 %; C), Spiritus (F), Kochsalz-Lösung (gesättigt)

Durchführung:

a) Herstellung aus Fett

1. Schmelzen Sie im Becherglas 40 g Margarine und fügen Sie 40 ml Spiritus zu.
2. Geben Sie unter Rühren portionsweise 50 ml Natronlauge zu.
3. Legen Sie das Uhrglas auf das Becherglas und lassen Sie zehn Minuten lang schwach sieden.
4. Gießen Sie die Lösung in 50 ml gesättigte Kochsalz-Lösung und filtrieren Sie mit einer Nutsche ab.
5. Überprüfen Sie die Schaumbildung.

b) Herstellung aus Fettsäure

1. Verwenden Sie 10 g Stearinsäure und verfahren Sie wie bei der Herstellung aus Fett. Auf den Zusatz von Spiritus kann verzichtet werden.

Versuch 2: Nachteile von Seifenlösungen

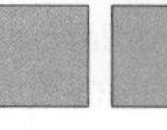
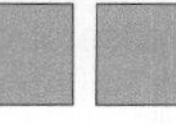

Materialien: Messzylinder (25 ml);
Kernseife, Spiritus (F), Phenolphthalein-Lösung, Calciumchlorid-Lösung, Essigsäure (verd.; Xi), Kochsalz-Lösung (gesättigt)

Durchführung:

1. Lösen Sie in einem Reagenzglas etwas Seife in 5 ml Spiritus. Prüfen Sie auf Schaumbildung und geben Sie dann 5 ml Leitungswasser hinzu.
2. Lösen Sie etwas Seife in 15 ml Wasser und verteilen Sie die Lösung auf drei Reagenzgläser.
3. Geben Sie in das erste Reagenzglas Kochsalz-Lösung.
4. Geben Sie in das zweite Reagenzglas etwas Calciumchlorid-Lösung zu.
5. Versetzen Sie die Seifenlösung im dritten Reagenzglas mit Essigsäure.
6. Prüfen Sie jeweils die Schaumbildung.

Aufgabe: Beschreiben Sie die einzelnen Versuche und formulieren Sie jeweils eine Reaktionsgleichung.

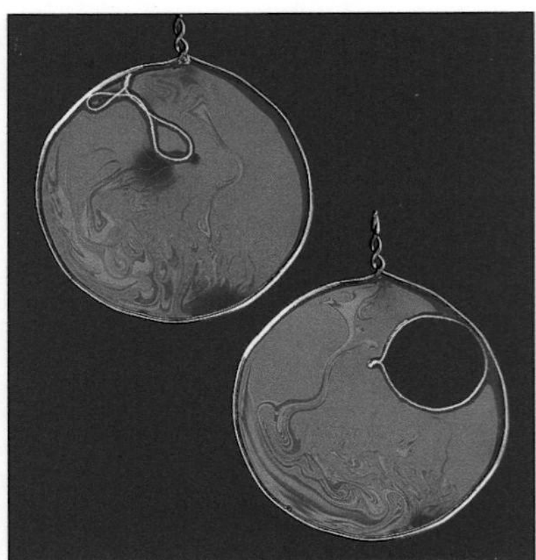

1. Die Oberflächenspannung bewirkt eine Verkleinerung der Oberfläche

Experimentelle Hausaufgaben:

a) Streuen Sie etwas Pfeffer auf einen Teller mit Wasser. Berühren Sie das Wasser in der Mitte mit einem Seifenstückchen.

b) Geben Sie in ein mit Wasser randvoll gefülltes Glas so viele Münzen, dass sich ein Wasserberg bildet. Fügen Sie anschließend einen Tropfen Spülmittel hinzu.

c) Füllen Sie die Kappe eines Faserschreibers (Durchmesser <1 cm) mit Salatöl. Tauchen Sie die Kappe zuerst senkrecht in ein Glas mit Wasser und geben Sie dann Spülmittel hinzu.

d) Legen Sie eine Büroklammer vorsichtig auf eine Wasseroberfläche. Halten Sie nun ein Seifenstückchen ins Wasser.

Beschreiben und erklären Sie die Experimente.

Seifen und synthetische Tenside sind grenzflächenaktive Substanzen mit waschaktiven Eigenschaften. Als Strukturmerkmale haben alle Tenside einen *langkettigen unpolaren Alkyl-Rest* und eine *polare Endgruppe*. In Seifen ist der polare Teil eine Carboxylat-Gruppe.

Grenzflächenaktivität. Als Grenzfläche bezeichnet man in heterogenen Gemischen die Berührungszone verschiedener Phasen. Grenzflächenaktive Stoffe wie die Tenside reichern sich an Grenzflächen an. Taucht man beispielsweise ein Stück Kernseife in Wasser, dessen Oberfläche mit einem Pulver bestreut wurde, so bewegt sich das Pulver sofort von der Seife weg. Das Tensid besetzt demnach die Grenzfläche zwischen Wasser und Luft. Dabei bilden sich zwischen den Carboxylat-Gruppen und Wasser-Molekülen Wasserstoffbrückenbindungen. Die unpolaren Alkyl-Reste sind hydrophob und ragen aus der Oberfläche des Wassers heraus.

Oberflächenspannung und Benetzungsvermögen. Wasser perlt von einer eingefetteten Glasplatte und von frisch gewachstem Autolack tropfenförmig ab. Es neigt also dazu, eine möglichst kleine Oberfläche einzunehmen. Man spricht in diesem Zusammenhang auch von der *Oberflächenspannung* des Wassers. Die Oberflächenspannung einer Flüssigkeit ist definiert als die Energie, die aufgewendet werden muss, um 1 cm^2 Oberfläche zu bilden.

Um das Phänomen der Oberflächenspannung zu erklären, kann man Wasser-Moleküle im Innern des Wassers mit denen an der Oberfläche vergleichen: Während Moleküle im Innern nach allen Richtungen mit Nachbarmolekülen Wasserstoffbrückenbindungen ausbilden, ist dies an der Oberfläche nach außen hin nicht möglich. Dadurch ergibt sich eine resultierende Anziehungskraft, die stets senkrecht zur Oberfläche ins Innere des Wassers zeigt. Das führt dazu, dass die Oberfläche möglichst klein wird.
Aufgrund der Oberflächenspannung ist es möglich, eine Büroklammer vorsichtig auf eine Wasseroberfläche zu legen. Taucht man jedoch ein Stück Seife in das Wasser, so geht die Büroklammer unter. Die Oberflächenspannung des Wassers wird dabei verringert, weil nun an der Grenzfläche außer Wasser-Molekülen noch Seifen-Ionen sind.
Infolge der Oberflächenspannung benetzt Wasser unpolare Stoffe nur schlecht. Wasser perlt daher von Samt ab, Seifenlösung dringt dagegen rasch in Samt ein. Mit der Abnahme der Oberflächenspannung steigt also das Benetzungsvermögen von Wasser an.

Seifenblasen – nicht nur für Kinder

Seit der Erfindung der Seife haben Seifenblasen die Menschen entzückt. Kein Wunder, dass sich auch Wissenschaftler damit beschäftigen.
Seifenblasen sind „Luftballons" mit einer Haut aus Seifenlösung. Die Haut hat zwei Grenzflächen zur Luft, die äußere und die innere Oberfläche. Im Innern der Blase herrscht ein Überdruck, der verhindert, dass die Seifenblase infolge der Oberflächenspannung der Lösung in sich zusammenfällt. Der Überdruck ist umso größer, je kleiner die Seifenblase ist.
Seifen-Ionen besetzen die Oberflächen der Seifenblase ähnlich wie die Oberfläche einer normalen Seifenlösung: Die Carboxylat-Ionen sind in der Flüssigkeitsschicht, die Alkyl-Reste ragen aus den Oberflächen heraus. Seifenblasen zerplatzen nach einiger Zeit, weil ein Teil der Flüssigkeit infolge der Schwerkraft nach unten fließt. Die Flüssigkeitsschicht wird dadurch oben immer dünner, bis sie schließlich einreißt.

Emulgiervermögen. Wenn eine Seifenlösung mehr Seife enthält, als an der Oberfläche Platz hat, lassen sich in der Lösung Aggregate von Seifen-Ionen nachweisen, die man als **Micellen** bezeichnet. Die *hydrophoben Alkyl-Reste* lagern sich zusammen und bilden das Innere der Micelle. Die *hydrophilen Carboxylat-Gruppen* zeigen nach außen und gehen mit Wasser-Molekülen Wasserstoffbrückenbindungen ein. Die Kationen der Seife sind in der Lösung hydratisiert.

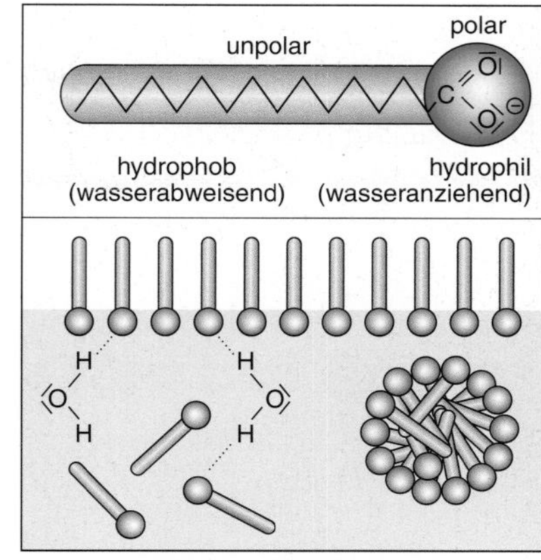

1. Grenzflächenadsorption und Micellbildung in einer Seifenlösung

Durch die Ausbildung von Micellen wirken Tenside als *Emulgatoren:* Schüttelt man ein Gemisch von wenig Öl in Wasser in Gegenwart eines Tensids, so bildet sich eine milchig trübe **Emulsion.** Dabei lagert sich das Öl in das lipophile (Fett anziehende) Innere der Micellen ein und wird so in kleinsten Tröpfchen im Wasser verteilt. Es hat sich eine **Ö**l-in-**W**asser-Emulsion *(O/W-Emulsion)* gebildet. In *W/O-Emulsionen* ist das Wasser umgekehrt in Form kleinster Tröpfchen im Öl verteilt; die polaren Gruppen liegen nun im Innern der Micellen, während die Alkyl-Reste außen mit Öl-Molekülen VAN-DER-WAALS-Bindungen eingehen.

Dispergiervermögen. Tenside ermöglichen nicht nur das Emulgieren nicht miteinander mischbarer Flüssigkeiten, sie begünstigen auch eine feine Verteilung (Dispergierung) unlöslicher Feststoffe in Flüssigkeiten. Eindrucksvoll lässt sich dies an einer Suspension von Aktivkohle in Wasser demonstrieren: Aktivkohle kann vom Wasser abfiltriert werden. Nach Zugabe eines Tensids wird die Aktivkohle jedoch dispergiert und läuft durch die Poren des Filtrierpapiers.

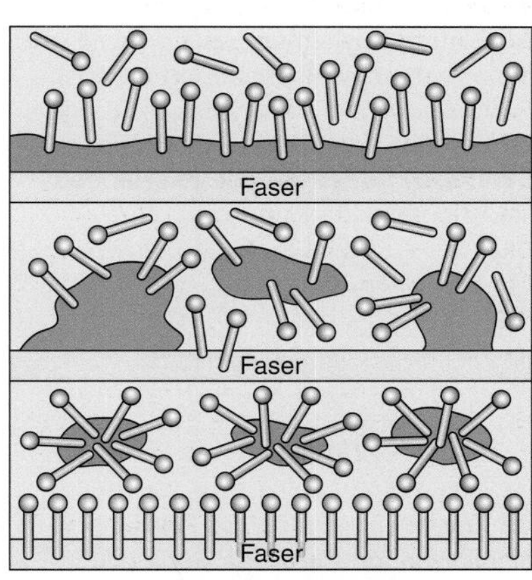

2. Phasen der Schmutzablösung beim Waschen

Schmutzablösung und Waschvorgang. Beim Wäschewaschen sind alle bisher beschriebenen Eigenschaften der Tenside von Bedeutung. In einer Seifenlösung beginnt beispielsweise das Ablösen von Öl oder von Pigmentschmutz von einem Gewebe mit der Anreicherung der Seifen-Ionen an der Grenzfläche zwischen Lösung und Faser. Aufgrund der erniedrigten Oberflächenspannung kann das Wasser das Gewebe benetzen und leicht in die Fasern eindringen. Die lipophilen Alkyl-Reste treten mit dem unpolaren Schmutz in Wechselwirkung, der Schmutz wird in kleinere Bruchstücke zerlegt. Sowohl die Faser als auch die Schmutzpartikel werden durch die Seifen-Anionen negativ aufgeladen und stoßen sich daher ab. Mechanisches Bewegen des Waschgutes bei erhöhter Temperatur begünstigt das Ablösen des Schmutzes, der schließlich eingelagert in Micellen mit der Waschlauge abtransportiert wird.

EXKURS

Kolloide verursachen den TYNDALL-Effekt

Ein Lichtstrahl, der durch ein Becherglas mit Kochsalz-Lösung fällt, ist von der Seite nicht zu erkennen. Beobachtet man jedoch auf gleiche Weise eine Lösung von Seife, Eiweiß oder Amylose, so ist der Lichtstrahl sichtbar; das Licht wird an den gelösten Teilchen gestreut. Dieser von TYNDALL 1868 erstmals untersuchte Effekt tritt immer dann auf, wenn Teilchen vorliegen, deren Größe etwa der Wellenlänge des Lichtes entsprechen. Solche Teilchen haben einen Durchmesser zwischen 1 nm und 1000 nm.
Systeme, die den TYNDALL-Effekt zeigen, bezeichnet man als **Kolloide;** die Teilchen in solchen Systemen nennt man *kolloide Teilchen.* In Seifenlösungen liegen als kolloide Teilchen Micellen vor, in Lösungen von Eiweiß und Amylose sind es Makromoleküle. Auch das Aufleuchten von Nebel oder Rauch im Scheinwerferlicht ist ein TYNDALL-Effekt: Nebel enthält kolloide Wassertröpfchen und Rauch kolloide Feststoffpartikel.

17.3 Synthetische Tenside

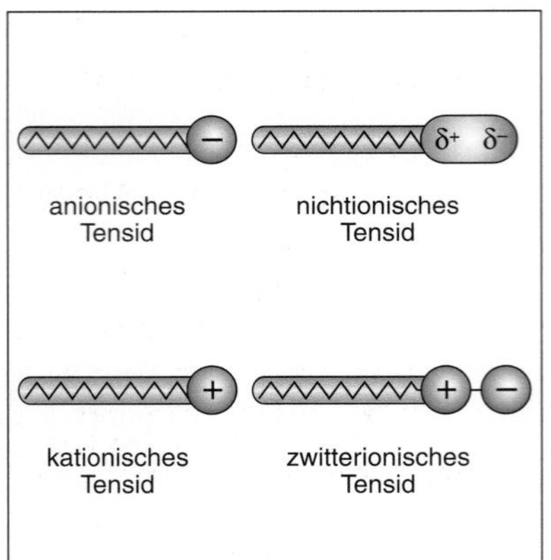

1. Typen von Tensiden

Die Nachteile der Seifen führten nach dem 1. Weltkrieg zu einer intensiven Suche nach grenzflächenaktiven Stoffen mit günstigeren Eigenschaften. Als Leitfaden diente das Strukturprinzip der Seifen-Anionen: Die gesuchten Verbindungen sollten einen langkettigen, unpolaren Alkyl-Rest und eine polare Endgruppe haben. Die ersten vollsynthetischen Tenside hatten wie die Seifen anionische Endgruppen. Neben solchen *anionischen Tensiden* kennen wir heute auch noch *kationische Tenside, nichtionische Tenside* und *zwitterionische Tenside*.

Anionische Tenside. Als es Ende der 1920er Jahre gelang, Fettsäuren zu Fettalkoholen zu hydrieren, war das erste synthetisch hergestellte Tensid nicht mehr weit: Durch Veresterung reagieren Fettalkohole mit Schwefelsäure zu Schwefelsäuremonoalkylestern. Da nur eine OH-Gruppe der Schwefelsäure verestert ist, sind die Monoester starke Säuren. Durch Neutralisation mit Natronlauge bildet sich daraus das Natriumsalz der Monoalkylschwefelsäure. Das Anion dieses Salzes, das Monoalkylsulfat-Anion, ist aufgrund seines Alkyl-Restes und seiner anionischen Endgruppen grenzflächenaktiv.

Die Waschkraft der *Monoalkylsulfate* übertrifft die einer vorzüglichen Seife. Als Salz einer starken Säure reagiert die Lösung noch dazu völlig neutral. Außerdem sind die Calciumsalze der Monoalkylsulfate leichter löslich als Kalkseifen. Monoalkylsulfate wurden ab 1933 als erste synthetische Tenside in Waschmitteln verwendet.

Auch die nach dem 2. Weltkrieg entwickelten *Alkylbenzolsulfonate* gehören zu den anionischen Tensiden. Aus der Produktion der Petrochemie standen jetzt langkettige Alkene zur Verfügung, die mit Benzol in einer elektrophilen Substitution zu Alkylbenzolen reagieren. Durch Zweitsubstitution mit konzentrierter Schwefelsäure lassen sich die Alkylbenzole leicht sulfonieren. Die dabei gebildeten Alkylbenzolsulfonsäuren sind starke Säuren und bilden mit Natronlauge Salze, die Natriumalkylbenzolsulfonate.

Alkylbenzolsulfonate haben ähnliche Eigenschaften wie die Monoalkylsulfate und werden wie diese in Waschmitteln benutzt. Ursprünglich wurde als Alken Tetrapropylen eingesetzt. Tetrapropylenbenzolsulfonat dient heute nur noch für die Herstellung von Vergleichslösungen bei der analytischen Bestimmung von Aniontensiden in Wasserproben. Für die Verwendung als Tenside in Waschmitteln geht man inzwischen ausschließlich von linearen Alkenen aus und erhält so die biologisch leicht abbaubaren *linearen Alkylbenzolsulfonate.*

A1 Tetrapropylenbenzolsulfonat ist ein biologisch schwer abbaubares Tensid. Formulieren Sie Reaktionsgleichungen für die einzelnen Teilreaktionen der Synthese. Benennen Sie jeweils den Reaktionsmechanismus.

CH_3 — CH_3 — CH_3 CH_3
$CH-CH_2-C-CH_2-CH-CH$
CH_3 — (Benzolring) — CH_3
$SO_3^-Na^+$

A2 Warum ist die polare Endgruppe in nichtionischen Tensiden wesentlich größer als in den anderen Tensiden?

a) $CH_3-(CH_2)_n-OH \xrightarrow[\text{Veresterung}]{+H_2SO_4,\ -H_2O} CH_3-(CH_2)_n-O-SO_3H \xrightarrow[\text{Neutralisation}]{+NaOH,\ -H_2O} CH_3-(CH_2)_n-O-SO_3^-Na^+$

Fettalkohol → Schwefelsäure-monoalkylester → Monoalkylsulfat

b) $R^1-CH=CH-R^2 \xrightarrow[\text{Alkylierung}]{+\text{Benzol}} R^1-CH(C_6H_5)-CH_2-R^2 \xrightarrow[\text{Sulfonierung}]{+H_2SO_4,\ -H_2O} R^1-CH(C_6H_4SO_3H)-CH_2-R^2 \xrightarrow[\text{Neutralisation}]{+NaOH,\ -H_2O} R^1-CH(C_6H_4SO_3^-Na^+)-CH_2-R^2$

lineares Alken → Alkylbenzol → Alkylbenzolsulfonsäure → Alkylbenzolsulfonat

2. Synthese von anionischen Tensiden. Monoalkylsulfat **(a),** lineares Alkylbenzolsulfonat **(b).**

Nichtionische Tenside. Die polare Gruppe einer grenzflächenaktiven Verbindung kann auch ungeladen sein. Zu diesen nichtionischen Tensiden gehören Alkylpolyglykolether und Alkylpolyglucoside. Der unpolare Molekülteil ist der Alkyl-Rest, den polaren Teil bildet der Polyether-Rest beziehungsweise der Polyglucosid-Rest. Nichtionische Tenside zeichnen sich durch gute Waschwirkung schon bei geringer Konzentration und niedriger Temperatur aus. Hartes Wasser stellt kein Problem dar, denn Alkylpolyglykolether und Alkylpolyglucoside sind unempfindlich gegen Calcium-Ionen und Magnesium-Ionen.

Alkylpolyglykolether sind wichtige Bestandteile in Waschmitteln, Geschirrspülmitteln und Weichspülern. Die Synthese erfolgt durch Umsetzung von Fettalkoholen mit Ethylenoxid in saurer Lösung.

Alkylpolyglucoside wurden in den letzten Jahren neu entwickelt. Aus nachwachsenden Rohstoffen wie Kokosöl und Maisstärke werden zunächst Fettalkohole und Glucose gewonnen, die dann in einer katalytischen Reaktion zu Fettalkoholpolyglucosiden (Alkylpolyglucosiden) kondensieren. Alkylpolyglucoside sind sehr hautfreundlich, sie haben ein gutes Schaumverhalten und sind schnell und vollständig biologisch abbaubar. Zusammen mit Aniontensiden werden sie in Haar- und Duschshampoos, Spülmitteln, Neutralreinigern und Waschmitteln eingesetzt.

Kationische Tenside. Quartäre Ammonium-Ionen mit langkettigen Alkyl-Resten sind kationaktive Verbindungen. Früher wurde überwiegend *Dialkyldimethylammoniumchlorid* eingesetzt. Inzwischen gibt es biologisch leichter abbaubare Kationtenside, die *Esterquats*. Die Alkyl-Reste sind hier durch Estergruppen ersetzt. Kationische Tenside können sich an negativ geladenen Oberflächen, wie sie bei Textilfasern vorliegen, anlagern. Darauf beruht ihre Verwendung als Weichspüler für Wäsche.

Zwitterionische Tenside. Grenzflächenaktive Stoffe mit zwitterionischen Endgruppen bezeichnet man auch als *Amphotenside* oder *Betaine*. Ähnlich wie Aminosäuren am isoelektrischen Punkt besitzen sie gleichzeitig eine kationische und eine anionische Gruppe. Die Synthese kann beispielsweise durch Reaktion eines langkettigen tertiären Amins mit Chloressigsäure erfolgen. Zwitterionische Tenside sind hautfreundlich und gut schleimhautverträglich. Sie dienen daher zur Herstellung von Shampoos und Badepräparaten.

a) $CH_3-(CH_2)_n-O-SO_3^-Na^+$
Monoalkylsulfat n = 11 bis 17

$CH_3-(CH_2)_m-CH(C_6H_4-SO_3^-Na^+)-(CH_2)_n-CH_3$ m,n = 9 bis 15
Alkylbenzolsulfonat

b) $CH_3-(CH_2)_n-O-(CH_2-CH_2-O)_m-H$
Alkylpolyglykolether n = 9 bis 17, m = 3 bis 15

$CH_3-(CH_2)_n-O-(C_6H_{10}O_5)_m-H$
Alkylpolyglucosid n = 7 bis 13, m = 1 bis 3

c) $CH_3-(CH_2)_n-\overset{\oplus}{N}(CH_3)_2-(CH_2)_n-CH_3\ Cl^-$ n = 15 bis 17
Dialkyldimethylammoniumchlorid

$(CH_3)_3\overset{\oplus}{N}-CH_2-CH(O-CO-(CH_2)_n-CH_3)-CH_2-O-CO-(CH_2)_n-CH_3\ Cl^-$
Diesterquat n = 14 bis 16

d) $CH_3-(CH_2)_n-\overset{\oplus}{N}(CH_3)_2-CH_2-CO_2^-$
Betain n = 11 bis 17

1. Synthetische Tenside. Anionische Tenside **(a)**, nichtionische Tenside **(b)**, kationische Tenside **(c)**, zwitterionisches Tensid **(d)**.

EXKURS

Der Siegeszug der synthetischen Tenside

Es ist erstaunlich, wie vielfältig Tenside angewandt werden. Als Reinigungsmittel sind sie allgegenwärtig: in Neutralseife, in Geschirrspülmitteln, in Waschmitteln, in Schaumbädern und in Shampoos. Cremes und Salben, Mayonnaise und Margarine enthalten Tenside als Emulgator. Vor der Oberflächenbehandlung werden viele Metalle mit Tensiden entfettet. In der Textil-, Leder- und Papierindustrie sind Tenside unentbehrliche Hilfsstoffe. Jedes hochwertige Getriebeöl enthält zur Bildung gleichmäßiger Schmierfilme grenzflächenaktive Stoffe. Tenside werden Farben und Lacken beigemischt, um die Benetzung der zu bearbeitenden Flächen zu verbessern.
In Schädlingsbekämpfungsmitteln bewirken Tenside eine gleichmäßige Verteilung und eine gute Haftung der Wirkstoffe. Der Abbau von Lagerstätten mit geringem Erzgehalt wurde erst durch Erzflotation unter Anwendung von Tensiden rentabel. In Schaumlöschmitteln stabilisieren Tenside wässerige Schäume.

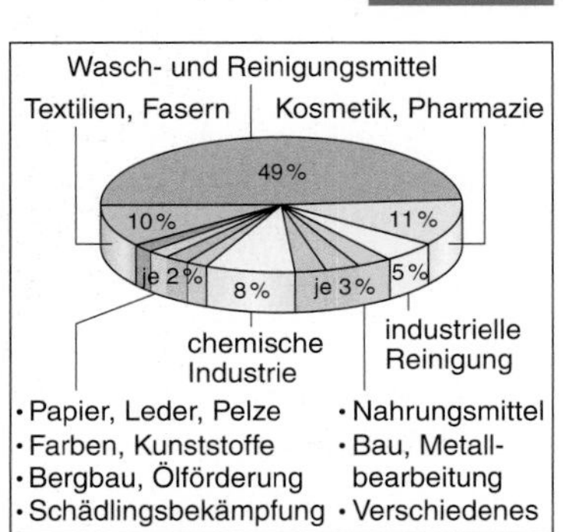

Anwendung synthetischer Tenside. Deutschland 1994: 426000 t.

17.4 Vollwaschmittel

Inhaltsstoff	Funktion	Massenanteil in %
anionische Tenside (Alkylbenzolsulfonate, Monoalkylsulfate)	Reinigungswirkung	5–15
nichtionische Tenside (Alkylpolyglykolether, Alkylpolyglucoside)	Reinigungswirkung	5–10
Zeolith A	Wasserenthärtung	20–30
Polycarboxylate	Schmutzdispergierung	3–8
Carboxymethylcellulose	Vergrauungsinhibitor	0,5–2
Soda	pH-Einstellung	5–15
Natriumperborat	Bleichmittel	15–25
Tetraacetylethylendiamin (TAED)	Bleichmittelaktivator	1–3
Magnesiumsilicat, Phosphonate	Stabilisatoren	2–6
Siliconöle, Seifen	Schaumreduzierung	1–4
Enzyme (Proteasen, Amylasen, Lipasen)	Abbau von Eiweiß, Kohlenhydraten, Fett	0,3–1
optische Aufheller	Weißgraderhöhung	0–0,3
Natriumsilicat	Korrosionsschutz	2–6
Natriumsulfat	Rieselfähigkeit	0–20
Parfümöle	Geruchsverbesserung	0,05–0,3

1. Rahmenrezeptur eines Vollwaschmittels

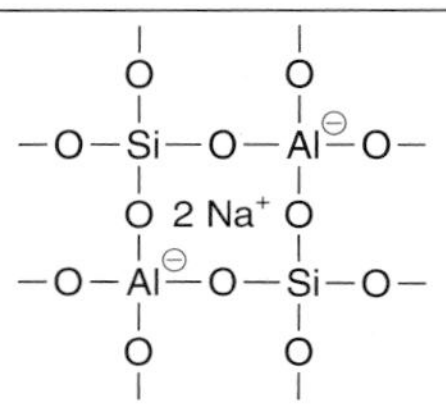

Zeolith A

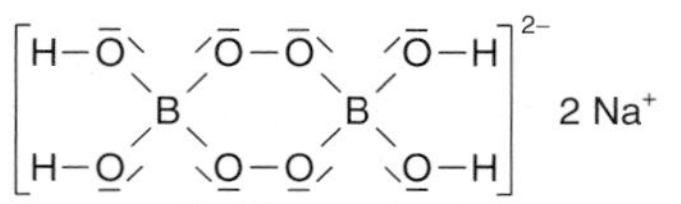

$$\left[\begin{array}{c}\text{H–O–B(–O–O–)}_2\text{B–O–H} \\ \end{array}\right]^{2-} \; 2\,Na^+$$

Natriumperborat

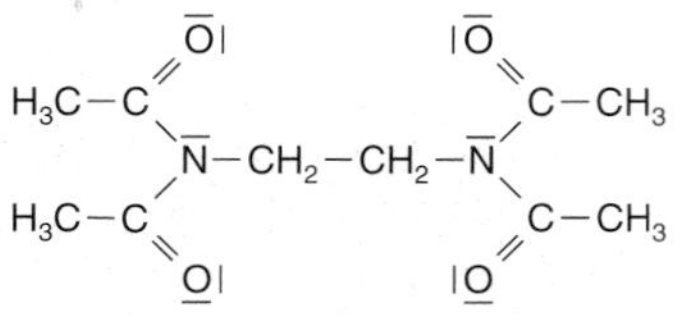

Tetraacetylethylendiamin (TAED)

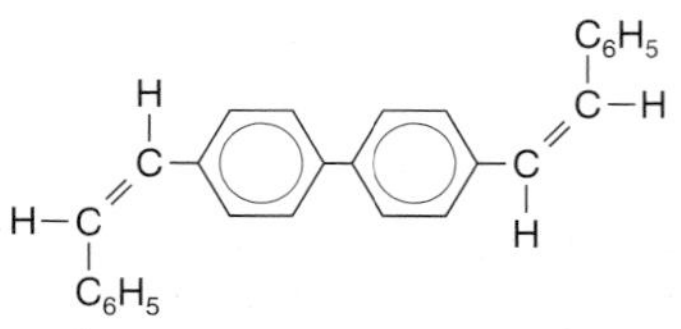

4,4'-Distyrylbiphenyl, ein Weißtöner

2. Inhaltsstoffe von Waschmitteln

Das Waschen von Wäsche ist chemisch gesehen ein sehr komplexer Vorgang. Eine Vielzahl von Verbindungen kann als Verschmutzung auf sehr unterschiedlichen Textilfasern vorhanden sein. Mit Hilfe von Waschmitteln sollen Reste von Speisefett und Schmieröl genauso gut entfernt werden wie Staub und Ruß oder Rotwein- und Blutflecken. Ein Meilenstein auf dem Weg zu unseren heutigen Waschmitteln war die Einführung von *Bleichsoda* im Jahre 1878. Es bestand aus Soda und Natriumsilicat und diente zum Einweichen der Wäsche und zum Enthärten des Wassers. 1907 kam mit *Persil* das erste Vollwaschmittel auf den Markt. Neben Seife, Soda und Natrium*si*licat enthielt es als Bleichmittel Natrium*per*borat. Als erstes synthetisches Tensid wurde 1933 Natriummonoalkylsulfat im *Fe*in*wa*schmittel *Fewa* angeboten. Nach dem 2. Weltkrieg verdrängten anionische und nichtionische Tenside die Seife als waschaktiven Bestandteil der Waschmittel. **Universalwaschmittel** enthalten heute *Enthärter, Bleichmittel, Enzyme* und *Weißtöner.* Als Hilfsstoffe dienen *Schaumregulatoren, Vergrauungsinhibitoren, Korrosionsinhibitoren* und *Parfümöle.* Natriumsulfat sorgt dafür, dass Pulverwaschmittel rieselfähig sind.

Enthärter. Obwohl die Erdalkalisalze synthetischer Aniontenside leichter löslich sind als Kalkseife, behindern die Ca^{2+}- und die Mg^{2+}-Ionen des harten Wassers die Waschwirkung. Außerdem fällt aus hydrogencarbonathaltigem Wasser beim Erhitzen Calciumcarbonat aus, das sich als *Kesselstein* auf den Heizstäben der Waschmaschine und auf der Wäsche ablagert. Waschwasser muss daher enthärtet werden.
Über viele Jahre diente **Natriumtriphosphat** als Enthärter. Die Wirkung beruht auf der Bildung eines stabilen, wasserlöslichen Calcium-Komplexes. Die Anwendung führte aber zu Problemen, weil sich der Phosphatgehalt im Abwasser stark erhöhte. Weltweit wurden als Phosphatersatzstoffe spezielle Natriumalumosilicate, die **Zeolithe,** eingeführt. Als Enthärter ist besonders *Zeolith A* (Sasil) geeignet. Solche Alumosilicate wirken als Ionenaustauscher. Die Natrium-Ionen des Silicatgitters werden gegen die Calcium-Ionen des Wassers ausgetauscht. Zeolithe sind gesundheitlich und ökologisch unbedenklich. Im Gegensatz zu Triphosphat haben sie jedoch kein Schmutztragevermögen. Waschmittel enthalten daher heute zusätzlich Polycarboxylate.

Bleichmittel. Zum Entfärben von Obstflecken und als Mittel gegen Faservergrauung enthalten Waschmittel **Natriumperborat.** Beim Erhitzen entsteht daraus Wasserstoffperoxid (H_2O_2), das mit Hydroxid-Ionen zu den eigentlich bleichwirksamen *Perhydroxyl-Anionen* (HO_2^-) reagiert. Bei Temperaturen unter 60 °C muss der Zerfall des Perborats durch einen Bleichmittelaktivator wie **T**etra**a**cetyl**e**thylen**d**iamin (TAED) katalysiert werden:

$$B_2H_4O_8^{2-} + 2\,H_2O \longrightarrow 2\,H_2BO_3^- + 2\,H_2O_2$$

$$H_2O_2 + OH^- \longrightarrow HOO^- + H_2O$$

Enzyme. Blutflecken, Kakao und andere Eiweißstoffe sind nur schwierig zu entfernen. Durch Zusatz von *Proteasen* werden die Makromoleküle gespalten und lassen sich dann problemlos auswaschen. *Amylasen* katalysieren die Hydrolyse von Polysacchariden, *Lipasen* bauen Fette ab.

Weißtöner. Abbauprodukte farbiger Verunreinigungen absorbieren blaues Licht. Weiße Wäsche wird dadurch gelbstichig. Zum Ausgleich enthalten Waschmittel Weißtöner, die nach der Wäsche auf der Faser haften. Die Weißtöner-Moleküle nehmen UV-Licht aus dem Tageslicht auf und wandeln es durch Fluoreszenz in sichtbares, blaues Licht um. Weiße Wäsche erscheint dann in einem strahlenden Weiß.

Weitere Entwicklung. Waschmittel werden ständig verbessert. Hohe Waschkraft bei gleichzeitiger Schonung der Textilien ist besonders gefragt. Selbstverständlich müssen Waschmittel umweltverträglich sein. Und der Waschprozess soll mit einem möglichst geringen Aufwand an Energie und Wasser ablaufen.

Universalwaschmittel sind heute bereits bei 60 °C einsetzbar und haben die Kochwäsche teilweise unnötig gemacht. Eine Vorwäsche ist bei normal verschmutzter Wäsche nicht mehr notwendig. In den letzten Jahren wurden *Kompaktwaschmittel* entwickelt. Auf Natriumsulfat wurde verzichtet. Durch wirksamere Bestandteile gelang es, die Dosierung für einen Waschgang bei normal verschmutzter Wäsche von über 200 g auf 80 g bis 100 g zu reduzieren.
Universalwaschmittel enthalten Wirkstoffe, die nicht für jeden Waschvorgang notwendig sind. Durch **Spezialwaschmittel** kann der Verbraucher daher Kosten sparen und Umweltbelastungen verringern. *Buntwaschmittel* für farbige Wäsche und *Feinwaschmittel* für Wolle und Gardinen kommen ohne Bleichmittel aus und enthalten meistens auch keine Soda und keine optischen Aufheller.
Beim *Baukastensystem* werden ein bleichmittelfreies Grundwaschmittel, ein Wasserenthärter und gegebenenfalls ein Bleichmittel als Fleckensalz je nach Waschproblem und Wasserhärte einzeln dosiert.

Vollwaschmittel		Härtebereich des Wassers	Kompaktwaschmittel	
Verschmutzung			Verschmutzung	
normal	stark		normal	stark
250	420	1 weich	80	120
270	440	2 mittel	90	130
290	460	3 hart	100	140
310	480	4 sehr hart	110	150

1. Dosieranweisungen (Waschmittelmenge in ml für 4,5 kg Wäsche)

A1 Das Umweltbundesamt empfiehlt für umweltfreundliches und Kosten sparendes Waschen:
- Kompaktwaschmittel oder Baukastensystem verwenden
- nicht zu heiß waschen (Kochwäsche ist nur bei ansteckenden Krankheiten notwendig)
- Waschmaschine voll beladen.

Begründen Sie diese Ratschläge.

EXKURS

Waschmittel und Gewässerschutz

Nach 1950 nahm die Zahl der Haushaltswaschmaschinen mit dem allgemeinen Wohlstand stark zu. Gleichzeitig wurden immer mehr synthetische Tenside eingesetzt. Aufgrund seiner preiswerten Synthese stand mengenmäßig *Tetrapropylenbenzolsulfonat* im Vordergrund. Niemand hatte jedoch bedacht, dass dieses Tensid wegen seiner verzweigten Molekülstruktur von Mikroorganismen schwer abbaubar ist. Die Folge war ein bedrohlicher Anstieg der Tensidkonzentration in den Gewässern. Schaumberge auf den Flüssen, insbesondere an Staustufen und Schleusen, waren sichtbare Warnsignale.

Das **Detergentiengesetz** von 1961 sorgte für Abhilfe: Mindestens 80 % der Tenside eines Waschmittels mussten nun biologisch abbaubar sein. Um der Industrie Zeit zu geben ihre Produkte umzustellen, trat eine entsprechende Rechtsverordnung erst 1964 in Kraft. Mit der Einführung *linearer Alkylbenzolsulfonate* verschwanden ab 1964 die Schaumberge.

Das **Waschmittelgesetz** von 1975 schützte die Umwelt noch weiter. Gewässerschädigende Inhaltsstoffe von Wasch- und Reinigungsmitteln können danach verboten werden. Die Hersteller müssen beim Umweltbundesamt ihre Rahmenrezeptur hinterlegen. Auf Waschmittelpackungen sind wesentliche Inhaltsstoffe zu deklarieren und es ist eine wasserhärteabhängige Dosierempfehlung für vier Härtebereiche anzugeben. Dadurch soll der Verbraucher angeleitet werden, mit der richtigen Menge an Waschmittel zu waschen: so viel wie nötig, um die Wäsche sauber zu waschen, aber zugleich so wenig wie möglich, um die Gewässer zu schonen.

Die Verwendung von Natriumtriphosphat als Enthärter belastete die Gewässer ebenfalls. Durch Hydrolyse zerfällt Triphosphat in Phosphat und trägt dann besonders in langsam fließenden und stehenden Gewässern zur Überdüngung und *Eutrophierung* bei. 1979 kamen etwa 40 % der Phosphate in Oberflächengewässern aus Waschmitteln. Der Rest stammte aus Fäkalien, landwirtschaftlichen Düngemitteln und aus der Bodenerosion.

1980 wurde die **Phosphathöchstmengenverordnung** erlassen. Die Höchstmenge an Phosphaten in Wasch- und Reinigungsmitteln musste 1981 um 25 % und 1984 um 50 % gegenüber dem Stand von 1980 reduziert werden. 1986 war bereits etwa die Hälfte aller Waschmittel völlig phosphatfrei, seit 1990 sind es fast 100 %.

Waschmittel und Tenside

Versuch 1: Synthese von Monocetylsulfat

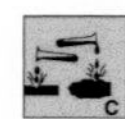

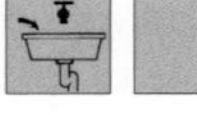

Materialien: Waage, Gasbrenner, Dreifuß mit Drahtnetz, Becherglas (250 ml), Tropfpipette, Thermometer; Cetylalkohol, Schwefelsäure (konz.; C), Natronlauge (verd.; C), Phenolphthalein

Durchführung:

1. Geben Sie 0,5 g Cetylalkohol in ein Reagenzglas und schmelzen Sie den Alkohol in einem Wasserbad bei 80 °C.
2. Tropfen Sie vorsichtig zehn Tropfen Schwefelsäure zu.
3. Geben Sie nach fünf Minuten einige Tropfen Phenolphthalein-Lösung und dann so lange Natronlauge zu, bis eine schwache Rosafärbung bleibt.
4. Füllen Sie nun das Reagenzglas bis zur Hälfte mit Wasser und prüfen Sie auf Schaumbildung.

Versuch 2: Nachweis von Perborat

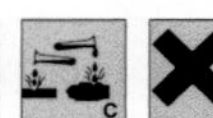

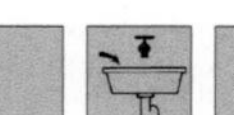
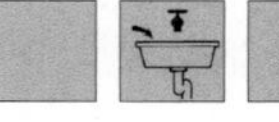

Hinweis: Natriumperborat zerfällt in saurer Lösung in Borsäure (H_3BO_3) und Wasserstoffperoxid (H_2O_2). Beim Erhitzen mit Methanol reagiert Borsäure zum leicht flüchtigen Borsäuretrimethylester (Xn). Borverbindungen färben die Brennerflamme grün.

Materialien: Porzellanschale, Gasbrenner, Dreifuß mit Tondreieck, Spatel, Messzylinder (10 ml), Tropfpipette; Vollwaschmittel oder Natriumperborat (Xn), Methanol (T, F), Schwefelsäure (konz.; C), Titanoxidsulfat ($TiOSO_4$)

Durchführung:

a) Nachweis von Bor

1. Geben Sie in eine Porzellanschale zu einem Spatel Vollwaschmittel oder Natriumperborat etwa 5 ml Methanol und einige Tropfen Schwefelsäure.
2. Anschließend wird die Schale langsam erhitzt. Wenn die Mischung siedet, werden die Dämpfe des gebildeten Borsäuretrimethylesters entzündet.

b) Nachweis von Wasserstoffperoxid

1. Lösen Sie in einem Reagenzglas, das zu einem Viertel mit Wasser gefüllt ist, etwas Vollwaschmittel oder Natriumperborat und etwas Titanoxidsulfat.
2. Geben Sie einige Tropfen Schwefelsäure zu und erhitzen Sie langsam mit dem Gasbrenner. Durch die sich bildenden Peroxotitan-Ionen (TiO_2^{2+}) färbt sich die Lösung gelb.

Aufgabe: Formulieren Sie für folgende Reaktionen die Reaktionsgleichung:

a) Hydrolyse von Perborat,
b) Bildung des bleichaktiven Perhydroxyl-Anions,
c) Bildung von Borsäuretrimethylester aus Borsäure und Methanol,
d) Bildung von Sauerstoff aus Wasserstoffperoxid,
e) Nachweis von Wasserstoffperoxid durch Bildung von Peroxotitan-Ionen.

Versuch 3: Wirkung eines Tensids

Materialien: Reagenzgläser mit Stopfen, Trichter, Filtrierpapier, Spatel; Vollwaschmittel oder Tensid, Aktivkohle, Sudanrot, Speiseöl

Durchführung:

a) Dispergiervermögen

1. Füllen Sie ein Reagenzglas halb mit Wasser und ein zweites Reagenzglas halb mit Waschmittellösung.
2. Geben Sie nun in beide Reagenzgläser einen Spatel Aktivkohle und schütteln Sie die verschlossenen Reagenzgläser kräftig.
3. Anschließend wird jeweils ein Teil der Suspensionen filtriert. Lassen Sie den Rest der Suspensionen zehn Minuten im Reagenzglasständer stehen.

b) Emulgiervermögen

1. Füllen Sie ein Reagenzglas zu einem Drittel mit Wasser und ein zweites zu einem Drittel mit Waschmittellösung.
2. Geben Sie in beide Reagenzgläser 1 ml Öl, das vorher mit einigen Körnchen Sudanrot angefärbt wurde.
3. Beide Reagenzgläser werden verschlossen und gut geschüttelt. Beobachten Sie dann beide Emulsionen fünf Minuten lang im Reagenzglasständer.

Versuch 4: Eigenschaften von Wasserenthärtern

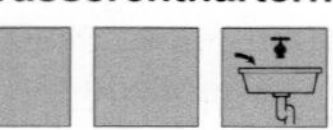
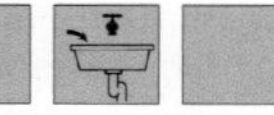

Materialien: Spatel; Vollwaschmittel, Sasil, Pentanatriumtriphosphat oder Natriumpolyphosphat, Kernseife, Eisen(III)-chlorid-Lösung, Ammoniumthiocyanat (Xn)

Durchführung:

a) Vorbereitung der Probelösung

1. Füllen Sie sechs Reagenzgläser zu einem Drittel mit Leitungswasser.
2. Lösen Sie in jeweils zwei der Reagenzgläser etwas Waschmittel, etwas Sasil und etwas Pentanatriumtriphosphat.

b) Enthärten von Leitungswasser

1. Lösen Sie etwas Kernseife in destilliertem Wasser und geben Sie jeweils etwa 2 ml dieser Seifenlösung zu den verschiedenen Probelösungen.
2. Mischen Sie Seifenlösung mit Leitungswasser.

c) Bindung von Fe^{3+}-Ionen

1. Lösen Sie in einem Reagenzglas etwas Ammoniumthiocyanat in einigen Millilitern Wasser und geben Sie dann einen Tropfen Eisen(III)-chlorid-Lösung hinzu. Es bildet sich ein rot gefärbter Eisen(III)-Komplex.
2. Geben Sie nun jeweils 2 ml der roten Lösung zu den drei verschiedenen Probelösungen.

Aufgaben:

a) Erklären Sie die Enthärtungsversuche.
b) Warum wird die rote Lösung entfärbt?

Kosmetika – selbst gemacht

Hinweis: Bezugsquelle für die Materialien:
Spinnrad GmbH, Am Luftschacht 3A, 45886 Gelsenkirchen; COLIMEX GmbH, Ringstr. 46, 50996 Köln;
Literatur: J. Pütz, C. Niklas: „Cremes und sanfte Seifen" und „Schminken, Masken, schönes Haar"; vgs. Köln
Sie können die Versuche 1–3 auch zu Hause durchführen.

Versuch 1: **Waschemulsion für normale Haut**

Materialien: Becherglas (400 ml), Glasstab, Tropfpipette, Messzylinder (10 ml und 50 ml), Polyethylenflasche zur Aufbewahrung (50 ml);
Collagentensid, Glycintensid, Rewoderm, ätherisches Öl oder Parfüm, Zitronensaft

Durchführung:
1. Je 18 ml Collagentensid und Glycintensid (Tenside) werden mit 8 ml Rewoderm (Verdickungsmittel) im Becherglas gut vermischt.
2. Geben Sie nun 10 bis 30 Tropfen ätherisches Öl oder Parfüm, 10 Tropfen Zitronensaft und 50 ml Wasser zu. Verrühren Sie den Ansatz gut.
3. Die gewünschte Zähflüssigkeit wird nun durch Zugabe von Wasser oder Verdickungsmittel eingestellt. Anschließend wird die Waschemulsion nochmals gut verrührt, bis sich die Viskosität nicht mehr verändert.

Die Haltbarkeit der Waschemulsion beträgt etwa vier Wochen.

Versuch 2: **Haarshampoo für normales Haar**

Materialien: Becherglas (400 ml), Messzylinder (10 ml und 50 ml), Tropfpipette, Glasstab;
Zetesol, Collagentensid, Rewoderm, Haarquat, ätherisches Öl

Durchführung:
1. 10 ml Zetesol und 30 ml Collagentensid (Tenside) werden mit 4 ml Rewoderm (Verdickungsmittel) vermischt. Geben Sie anschließend 5 ml Haarquat (Kationtensid) und 10 bis 20 Tropfen ätherisches Öl zu.
2. Anschließend wird das Shampoo nochmals gut verrührt. Die Viskosität kann durch Zugabe des Verdickungsmittels eingestellt werden.

Karnevalsschminke. Die Zutaten für die Fettmasse (50 g Rizinusöl, 10 g weißes Bienenwachs, 5 g helles Carnaubawachs, 4 Tropfen Vitamin E) werden in einem Becherglas geschmolzen. Anschließend setzt man je nach gewünschter Farbe das entsprechende Farbpigment (10 g bis 15 g) zu. Mit Perlglanzpigmenten erreicht man besonders schöne Farbeffekte.

Versuch 3: **Tagescreme für normale Haut**

Materialien: 2 Bechergläser (100 ml), Messzylinder (50 ml), Tropfpipette, Glasstab, Thermometer, Waage, Cremedöschen;
Tegemuls, Aprikosenkernöl oder Sonnenblumenöl, Walratersatz, Paraben K, Elastinpulver, Parfümöl, Zitronensaft

Durchführung:
1. Geben Sie in ein Becherglas 2,5 g Tegemuls (Emulgator), 6 g Aprikosenkernöl oder Sonnenblumenöl und 2 g Walratersatz (Konsistenzgeber).
2. Das zweite Becherglas wird mit 30 ml Wasser gefüllt. Beide Bechergläser werden nun im Wasserbad auf 70 °C erhitzt. Rühren Sie dabei das erste Becherglas (Fettphase) gut mit dem Glasstab um.
3. Nehmen Sie nun die Bechergläser aus dem Wasserbad und gießen Sie unter Umrühren einige Tropfen der Wasserphase in die Fettphase. Anschließend wird unter ständigem Umrühren das restliche Wasser zugegeben.
4. Rühren Sie weiter, bis die Creme nur noch handwarm ist, und geben Sie dann 10 Tropfen Paraben K (Konservierungsmittel), 1 Tropfen Zitronensaft, 2 bis 4 Tropfen Parfümöl und 0,3 g Elastinpulver (Hautschutz) zu.

Versuch 4: **Gewinnung von Kamillenöl oder Lavendelöl durch Wasserdampfdestillation**

Materialien: 2 Erlenmeyerkolben (500 ml), Becherglas (600 ml, eng), großes Becherglas, Messzylinder (100 ml), Stopfen, Glasrohre, 2 Gasbrenner, 2 Dreifüße mit Drahtnetzen, Waage;
Kamillenblüten oder Lavendelblüten, Eiswürfel

Durchführung:
1. Erhitzen Sie in dem linken Erlenmeyerkolben 100 ml Wasser bis fast zum Sieden. Geben Sie nun in den rechten Erlenmeyerkolben 50 g frische Kamillen- oder Lavendelblüten und 50 ml heißes Wasser.
2. Verbinden Sie beide Erlenmeyerkolben und das Reagenzglas durch die Glasrohre. Das Reagenzglas dient als Vorlage und wird mit Eiswasser gekühlt.
3. Bringen Sie nun das Wasser im linken Erlenmeyerkolben zum Sieden, das Wasser im rechten Erlenmeyerkolben soll fast sieden. Die Wasserdampfdestillation wird abgebrochen, wenn etwa 10 ml überdestilliert sind.
Ausbeute: 0,2 % bis 0,3 %

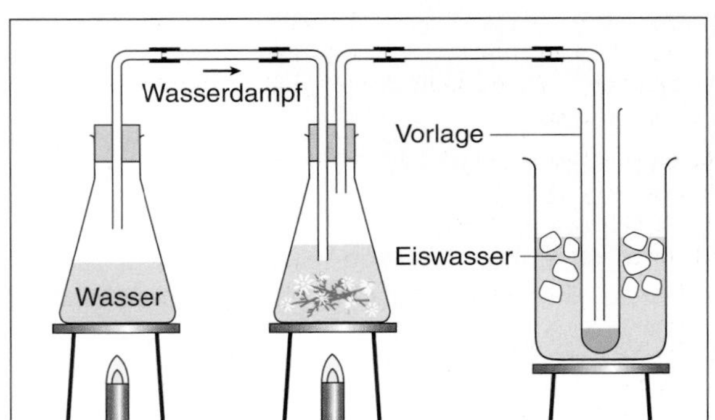

17.5 Aufgaben · Versuche · Probleme

Aufgabe 1: **a)** Um bei der Verseifung von Fett die gebildete Seife auszufällen, fügt man gesättigte Kochsalz-Lösung zu. Worauf beruht das Ausfällen der Seife?
b) Warum stört Meerwasser die Wirkung von Seife?

Aufgabe 2: Die Haut einer Seifenblase ist etwa 10^{-3} mm dick. Berechnen Sie die Masse dieser Haut für eine Seifenblase mit einem Radius von 5 cm (ϱ (Seifenlösung) $\approx 1 \text{ g} \cdot \text{ml}^{-1}$).
Wie groß ist die Masse der eingeschlossenen Luft ($\varrho \approx 1{,}2 \text{ g} \cdot \text{l}^{-1}$)?

Versuch 1: Unterscheidung von O/W-Emulsionen und W/O-Emulsionen
Papiermethode: Auf Papier geben W/O-Emulsionen einen durchscheinenden Ölfleck, O/W-Emulsionen ergeben einen Wasserrand und färben entwässertes, blaues Cobaltchlorid-Papier rosa.
Farbstoffmethode: W/O-Emulsionen lassen sich mit öllöslichen Farbstoffen wie Sudanrot anfärben. O/W-Emulsionen werden durch wasserlösliche Farbstoffe wie Methylenblau gefärbt.
Verdünnungsmethode: W/O-Emulsionen sind öllöslich, O/W-Emulsionen lassen sich mit Wasser verdünnen.
Leitfähigkeitsmethode: O/W-Emulsionen leiten im Gegensatz zu W/O-Emulsionen geringfügig den elektrischen Strom.
Bestimmen Sie den Emulsionstyp von Milch, Mayonnaise und Niveacreme.

Herstellung eines Lippenstifts.
10 g Rizinusöl, 2 g weißes Bienenwachs, 1 g helles Carnaubawachs und 1 Tropfen Vitamin E werden in einem Becherglas geschmolzen. Dann gibt man noch 1 g Farbpigment dazu.

Versuch 2: Rezept für große Seifenblasen
In einem Becherglas (2 l) werden in 500 ml destilliertem Wasser in kleinen Stückchen insgesamt 30 g Dioctylnatriumsulfosuccinat aufgelöst. Das Tensid löst sich nur langsam. Benutzen Sie daher einen Rührmotor und erwärmen Sie die Lösung auf etwa 40 °C. Dann fügt man nach und nach 400 g Rohrzucker zu. Anschließend wird die klare Lösung unter Rühren mit 400 ml Glycerin versetzt.
Für eine Demonstration benötigt man einen Drahtring mit Griff. Der Durchmesser des Ringes soll etwa 20 cm betragen. Um genügend Tensid-Lösung für die Haut der Seifenblase aufnehmen zu können, wird der Drahtring mit einem Schnürsenkel überzogen.

Versuch 3: Extraktion von ätherischen Ölen
Zur Herstellung von *Lavendelwasser* übergießt man etwa 15 g Lavendelblüten in einem Erlenmeyerkolben mit Schliffstopfen mit 50 ml Ethanol (F). Nach vier Wochen wird die Lösung filtriert und dann mit 10 ml destilliertem Wasser verdünnt.
Für einen *Kamillenblütenextrakt* lässt man 30 g Kamillenblüten drei Wochen lang in 100 ml Olivenöl ziehen. Anschließend werden die Blüten mit einem Leintuch ausgepresst.

Versuch 4: Bestimmung der Oberflächenspannung
Ein Aluminiumring mit einem Durchmesser *d* von etwa 5 cm wird waagerecht an einer Federwaage (0,1 N) aufgehängt, die ihrerseits an einem Stativ befestigt ist. Die zu untersuchende Flüssigkeit befindet sich in einem Becherglas auf einer Hebebühne.
Heben Sie die Bühne an, sodass der Ring 1 mm tief in die Flüssigkeit eintaucht, und lesen Sie das Gewicht *G* des Ringes ab. Jetzt wird die Hebebühne vorsichtig gesenkt. Zwischen Ring und Oberfläche der Flüssigkeit bildet sich eine Flüssigkeitslamelle, die dann abreißt. Lesen Sie kurz vor dem Abreißen die maximale Zugkraft *F* an der Federwaage ab.
Für die *Oberflächenspannung* σ gilt:

$$\sigma = \frac{F - G}{2 \cdot d \cdot \pi}$$

Bestimmen Sie die Oberflächenspannung von Wasser und von Seifenlösung.

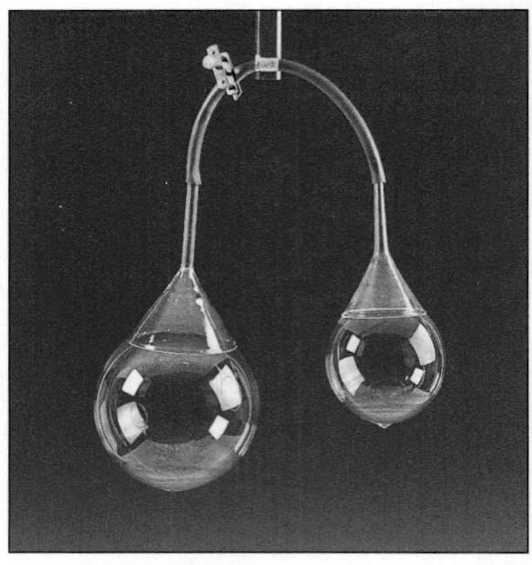

Problem 1: Stellen Sie sich vor, dass eine große Seifenblase mittels eines Glasrohres mit einer kleineren Seifenblase verbunden wird. Werden sich die Seifenblasen in ihrer Größe verändern?
Der Überdruck Δp in einer Seifenblase ist proportional der Oberflächenspannung σ und umgekehrt proportional dem Radius *r* der Seifenblase:

$$\Delta p = \frac{4 \cdot \sigma}{r}$$

Berechnen Sie die Überdrücke in Seifenblasen mit den Radien $r_1 = 2$ cm und $r_2 = 5$ cm. Die Oberflächenspannung gebräuchlicher Seifenlösungen beträgt $3{,}5 \cdot 10^{-4} \text{ N} \cdot \text{cm}^{-1}$. Beantworten Sie die oben gestellte Frage aufgrund Ihrer Berechnungen.
Überprüfen Sie das Rechenergebnis experimentell, indem Sie mit Hilfe von kleinen Trichtern zwei verschieden große Seifenblasen machen und die Glasrohre dann mit einem Schlauchstück verbinden.

Experimentelle Hausaufgabe: Der wichtigste Bestandteil von **Mayonnaise** ist Eigelb. Es enthält Lecithin (griech. *Lecithos:* Eigelb) und Cholesterin, die beide als *Emulgator* wirken.
Erklären Sie die Wirkungsweise dieser Verbindungen.
Et voilà la recette d'une bonne mayonnaise. *Zutaten:* 1 Eigelb, 150 ml Olivenöl, 1 Esslöffel Essig, Pfeffer, Salz. Geben Sie das Eigelb, den Essig und die Gewürze in ein enges Trinkglas und überschichten Sie das Ganze mit dem Olivenöl. Halten Sie nun einen *Schnellmixstab* dicht über den Boden des Gefäßes. Rühren Sie 15 Sekunden lang am Boden und ziehen Sie den Mixstab dann langsam hoch.
Bon appétit!

Tenside

1. Struktur und Eigenschaften von Tensiden

Tenside sind Verbindungen, deren Moleküle oder Ionen sowohl polare als auch unpolare Strukturmerkmale aufweisen. Die polaren Endgruppen sind *hydrophil* (Wasser liebend), die unpolaren Alkyl-Reste sind *hydrophob* (Wasser abweisend) und *lipophil* (Fett liebend).

In heterogenen Systemen besetzen Tenside bevorzugt Grenzflächen, sie sind *grenzflächenaktiv*. Auf der Oberfläche von Wasser bilden Tenside monomolekulare Schichten aus. Zwischen den Tensid-Teilchen wirken schwächere zwischenmolekulare Bindungen (VAN-DER-WAALS-Bindungen) als zwischen Wasser-Molekülen (Wasserstoffbrückenbindungen). Dadurch wird die *Oberflächenspannung* des Wassers stark erniedrigt (von etwa 70 mN · m^{-1} auf etwa 35 mN · m^{-1}).

Sowohl in Wasser als auch in unpolaren Flüssigkeiten bilden Tenside kugelförmige *Micellen*. Die hydrophoben Alkyl-Reste bilden das Innere und die hydrophilen Endgruppen ragen nach außen ins Wasser. Auf der Bildung von Micellen beruht die *emulgierende* und *dispergierende Wirkung* der Tenside: Fetttröpfchen und kleine Feststoffpartikel werden in Micellen eingeschlossen.

2. Waschvorgang

Beim Waschen lagern sich Tensid-Teilchen am Waschgut an. Schmutzpartikel werden von Tensid-Teilchen umlagert. Fette werden emulgiert, Feststoffe werden dispergiert und eingeschlossen in Micellen mit dem Waschwasser weggespült.

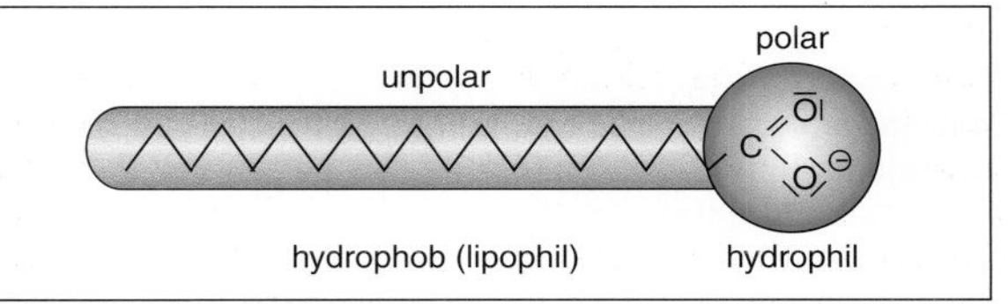

Struktur des Seifen-Anions

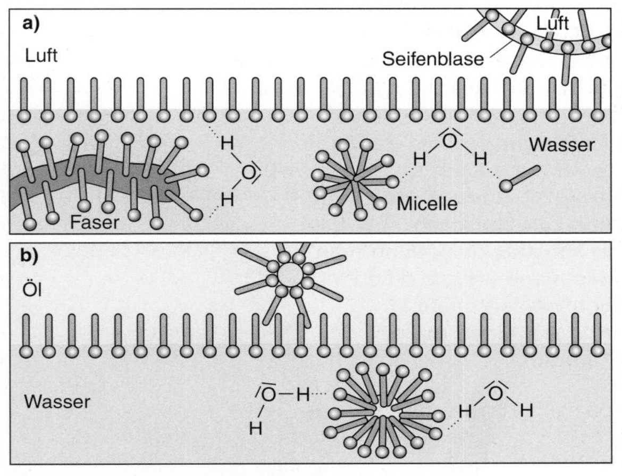

Tenside besetzen in heterogenen Systemen Grenzflächen und bilden Micellen

Tensidklassen und Beispiele für Tenside

 anionisches Tensid	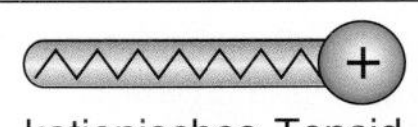 kationisches Tensid	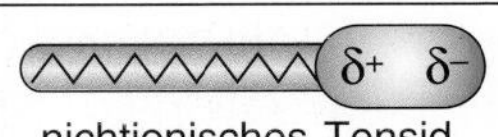 nichtionisches Tensid	zwitterionisches Tensid

$CH_3-(CH_2)_{16}-COO^{\ominus}\ Na^+$

Stearat

$[CH_3-(CH_2)_{15}-O-SO_3]^-\ Na^+$

Monocetylsulfat

$CH_3-(CH_2)_5-CH(C_6H_4-SO_3^-Na^+)-(CH_2)_4-CH_3$

Dodecylbenzolsulfonat

$CH_3-(CH_2)_{15}-N^{\oplus}(CH_3)_2-CH_2-COO^{\ominus}$

Cetyldimethylglycin

$CH_3-(CH_2)_9-O-(CH_2-CH_2-O)_8-H$

Decyloctaglykolether

$CH_3-(CH_2)_{11}-O-(C_6H_{10}O_5)_3-H$

Dodecyltriglucosid

$CH_3-(CH_2)_{15}-N^{\oplus}(CH_3)_2-(CH_2)_{15}-CH_3\ \ Cl^-$

Dicetyldimethylammoniumchlorid

$CH_3-N^{\oplus}(CH_3)_2-CH_2-CH(O-CO-(CH_2)_{16}-CH_3)-CH_2-O-CO-(CH_2)_{16}-CH_3\ \ Cl^-$

Diesterquat

18 Farbstoffe – vom Königspurpur zum Jeansblau

Das Bedürfnis des Menschen, sich und seine Umwelt mit Farben zu schmücken, zeigte sich schon in der Frühgeschichte der Menschheit. So geben die Höhlenzeichnungen in Altamira Auskunft über das Leben der Menschen vor mehr als 15000 Jahren. Auch die Verwendung von Farbmitteln zum Schminken und Stofffärben lässt sich an archäologischen Funden bis in die Steinzeit zurückverfolgen. Fasern und Farbstoffe zerfielen jedoch in den Jahrtausenden, sodass die Geschichte der Farbstoffe viele Lücken aufweist.

Als Ursprungsland der Seidengewinnung kann China auf mehr als 7000 Jahre Färbereitradition zurückblicken. Aus dem Indigostrauch gewann man das blaue *Indigo*. Eine Schildlausart lieferte *Kermes*, einen roten Farbstoff.

Stoffreste aus Mumiengräbern beweisen, dass Indigo auch im alten Ägypten bekannt war. Zusammen mit dem roten *Krapp* aus der Wurzel der Färberröte und gelbem *Saflor* aus der Färberdistel standen vor 5000 Jahren bereits die Basisfarben für das gesamte Farbspektrum zur Verfügung.

Der teuerste Farbstoff in der Geschichte war *Purpur*. Der Reichtum der Phönizier gründete sich auf die Verarbeitung und den Verkauf von Purpur, der damals buchstäblich mit Gold aufgewogen wurde. Purpur wurde aus Schleimsekreten der Purpurschnecke gewonnen. Für das Färben einer römischen Toga benötigte man etwa 100000 Purpurschnecken. So blieb Purpur lange die Farbe der Könige.

Auch die Germanen färbten ihre Kleidung mit Indigo und Krapp. Gelbe Farbstoffe erhielten sie aus *Ginster*.

18.1 Warum erscheinen Gegenstände farbig?

Elektromagnetische Strahlung im Wellenlängenbereich von 380 bis 780 nm bewirkt im menschlichen Auge einen Lichteindruck. Dieser sehr kleine Teil des elektromagnetischen Spektrums wird daher als **sichtbarer Bereich** bezeichnet. Sonnenlicht lässt sich mit Hilfe eines Prismas in verschiedene *Spektralfarben* zerlegen. Dabei ist jeder Farbe ein bestimmter Wellenlängenbereich im Spektrum zugeordnet. Das Auge fasst mehrere Spektralfarben zu einer *Mischfarbe* zusammen. Alle Farben des Spektrums ergeben zusammen als Farbeindruck *weiß*.

Häufig entstehen Farben durch **Absorption** von Strahlung. Durch bestimmte Wellenlängenbereiche des weißen Lichts werden dabei Elektronen in Molekülen oder Ionen angeregt. Der nicht absorbierte Teil des Lichts wird reflektiert. Die dabei entstehende Farbe bezeichnet man als *Komplementärfarbe* zur absorbierten Farbe.

Beim Licht eines glühenden Körpers und bei Flammenfärbungen handelt es sich um eine **Emission** von Strahlung. Glühende Körper emittieren ein *kontinuierliches Spektrum*. Die gelbe Flammenfärbung von Natrium und Natriumverbindungen zeigt dagegen ein *Linienspektrum*: Durch Wärme werden Elektronen vom 3s-Energieniveau des Natrium-Atoms in das 3p-Niveau angehoben. Die angeregten Elektronen fallen in das 3s-Niveau zurück. Dabei wird die vorher zugeführte Energie als gelbes Licht der Wellenlänge 589 nm emittiert.

Die Farbe eines Gegenstandes kann auch bei der Wechselwirkung von Licht mit Materie entstehen, wenn das Licht dabei die Richtung ändert. Mit solchen Phänomenen befasst sich die **geometrische Optik** bzw. die Wellenoptik. Sie erklären die Entstehung der Farben durch Brechung, Streuung, Interferenz oder Beugung. Bekannte Beispiele sind die Farben des Regenbogens, das Abendrot und der bunte Ölfilm auf Wasser.

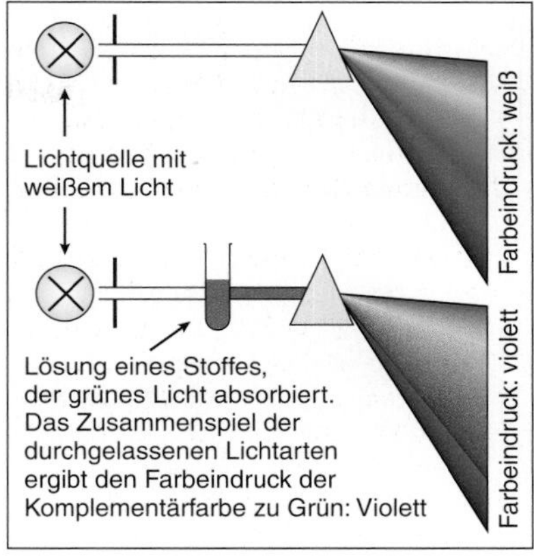

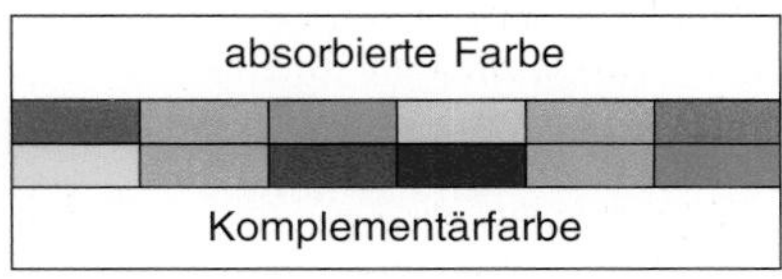

1. Lichtabsorption und Komplementärfarbe

A1 Ein Stoff absorbiert das gesamte sichtbare Licht, ein anderer absorbiert im Wellenlängenbereich 440–480 nm. Welche Farbeindrücke ergeben sich?

Wechselwirkung	Elektronentyp			Beispiele
Absorption: Anregung von Elektronen	Elektronen in Übergangsmetall-Ionen	Übergangsmetallverbindungen		Türkis, die meisten Pigmente, einige Laser, einige Leuchtstoffe
		Fremdionen auf Gitterplätzen (Mischkristalle)		Rubin, Smaragd, einige Laser
		Fremdionen auf Zwischengitterplätzen oder in Einschlüssen		Amethyst, Rosenquarz, Buntsandstein
	delokalisierte π-Elektronen			organische Farbstoffe, Farben der meisten Pflanzen und Tiere, Lapislazuli, Leuchtkäfer, Farbstofflaser
	Elektronen in Leitungsbändern	Metalle		Kupfer, Silber, Gold, Eisen, Messing
		reine Halbleiter		Silicium, Bleiglanz, Zinnober, Cadmiumsulfid
		dotierte Halbleiter		blauer Diamant, gelber Diamant, Leuchtdioden, Halbleiterlaser, einige Leuchtstoffe
Emission: Übergänge von angeregten Elektronen	Elektronen in angeregten Energieniveaus			Sonne, Glut, Flammen, Lichtbögen, Funken, Blitze, Gasentladungen, einige Laser
Richtungsänderung durch Elektronen	Elektronen in der Atomhülle	Brechung	geometrische Optik	Regenbogen, das „Feuer" geschliffener Edelsteine
		Streuung		blauer Himmel, roter Sonnenuntergang
		Interferenz	Wellenoptik	Ölfilm auf Wasser, Farbe einiger Insekten
		Beugung		Opal, Flüssigkristalle, Farbe einiger Insekten

2. Entstehung von Farbe durch Wechselwirkung von Licht und Elektronen

18.2 Struktur und Lichtabsorption organischer Farbstoffe

1. Reaktion von Tomatensaft mit Brom. Der Grad der Bromierung im Reaktionsgefäß nimmt von oben nach unten ab.

Organische Verbindungen sind farbig, wenn sie Spektralbereiche des sichtbaren Lichts absorbieren. Vergleicht man die Strukturformeln verschiedener Farbstoffe, so zeigt sich, dass die Moleküle immer funktionelle Gruppen mit *Mehrfachbindungen* enthalten. Während σ-Elektronen erst durch energiereiche UV-Strahlung angeregt werden können, treten π-Elektronen bereits mit elektromagnetischer Strahlung geringerer Energie in Wechselwirkung. Bei Verbindungen mit **delokalisierten π-Elektronensystemen** erfolgt die Absorption häufig schon im sichtbaren Bereich. Der Stoff erscheint dann farbig, er zeigt die Komplementärfarbe des absorbierten Lichts. Weil die Farbigkeit wesentlich auf der Anwesenheit von π-Elektronen beruht, bezeichnet man Atomgruppen mit Mehrfachbindungen auch als **Chromophore** (griech. *chroma*: Farbe).

Lycopin, der rote Farbstoff der Tomate, verdankt seine Farbe konjugierten C=C-Zweifachbindungen. Bei der Zugabe von Brom-Lösung zu Tomatensaft ändert sich die Farbe. Durch stufenweise Addition von Brom an die C=C-Zweifachbindung wird das π-Elektronensystem des Farbstoff-Moleküls verkleinert. Als Folge davon ergeben sich Farbverschiebungen von Rot über Gelb bis hin zu Grün und Blau.

Bei der Untersuchung von **Polyenen** zeigt sich, dass die Ausdehnung des chromophoren Systems einen Einfluss auf die Farbe organischer Verbindungen besitzt. Während Polyene mit weniger als neun konjugierten C=C-Zweifachbindungen im UV-Bereich absorbieren und daher farblos sind, erfolgt bei neun Zweifachbindungen eine Absorption von violettem Licht. *β-Carotin*, der gelbe Farbstoff der Karotte, hat elf C=C-Zweifachbindungen. Er absorbiert blaues Licht und ist daher gelb.

Ein **Cyanin** mit nur zwei konjugierten C=C-Zweifachbindungen absorbiert bereits im sichtbaren Bereich, es ist gelb. Eine solche Verschiebung des Absorptionsmaximums zu größerer Wellenlänge hin bezeichnet man als **bathochromen Effekt.** Die Verschiebung entsteht hier durch die Elektronen liefernde Dimethylamin-Gruppe einerseits und die Elektronen ziehende Dimethylimmonium-Gruppe andererseits. Elektronendonatoren nennt man in Farbstoff-Molekülen **Auxochrome.** Elektronenakzeptoren bezeichnet man als **Antiauxochrome.** Die Farbe eines organischen Moleküls wird mehr durch die Art der Endgruppen als durch die Anzahl der konjugierten Zweifachbindungen bestimmt.

A1 Bei der Bromierung von Lycopin treten zwei verschiedene Effekte auf: Das π-Elektronensystem wird verkürzt und Brom-Atome wirken auxochrom.
a) Welche Auswirkung haben diese Effekte auf die Farbe?
b) Erklären Sie die Entstehung der Farben in Abbildung 1.

A2 Eine der beiden folgenden Verbindungen ist rot, die andere farblos. Ordnen Sie die Formeln zu und erklären Sie die unterschiedlichen Farben.

C_6H_5–CH=CH–C_6H_5

$(H_3C)_2\overline{N}$–C_6H_4–CH=CH–C_6H_4–NO_2

$\overline{D}$– π-Elektronensystem –A	
Elektronendonator (+M-Effekt)	Elektronenakzeptor (–M-Effekt)
H–$\overline{O}$–	–CHO
$^{\ominus}$O–	–C≡N
H_2N–	$-\overset{\oplus}{N}O_2^{\ominus}$
C_6H_5–	

2. Strukturprinzip organischer Farbstoffe

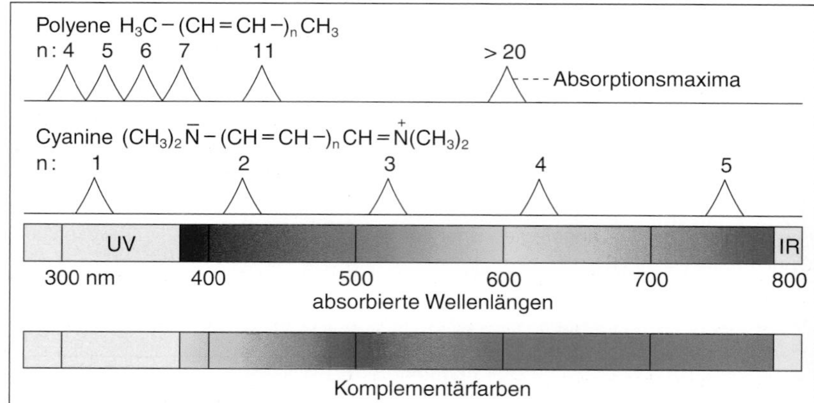

3. Absorption und Farbe bei Polyenen und Cyaninen

Mesomerie-Modell. Die Delokalisation der π-Elektronen in Farbstoff-Molekülen lässt sich gut mit Hilfe von Grenzformeln beschreiben. Der Vergleich von Farbstoffen ähnlicher Struktur zeigt, dass das Maximum einer Absorptionsbande umso mehr in den Bereich größerer Wellenlängen verschoben ist, je weniger sich die den Grenzformeln entsprechenden Strukturen in ihrem Energieinhalt unterscheiden

Polyenalfarbstoffe haben eine gut überschaubare Molekülstruktur. Dabei handelt es sich im einfachsten Fall um ungesättigte Aldehyde mit einem *linearen Chromophor* aus konjugierten C = C-Zweifachbindungen. Die Farbenvielfalt der Polyenalfarbstoffe umfasst nahezu den gesamten Bereich des sichtbaren Lichts.

In *Phenylpolyenalen* sind die π-Elektronen kaum delokalisiert. Dies kann man den entsprechenden Grenzformeln entnehmen. Es gibt nur eine Grenzformel von Bedeutung; in ihr treten keine Ladungen auf. Die andere Grenzformel kann wegen der vorhandenen Ladungstrennung vernachlässigt werden.
Die Reaktion mit starken Säuren führt zu *protonierten Phenylpolyenalen.* Bei diesen Farbstoff-Ionen ist die Delokalisation der π-Elektronen des Chromophors stärker ausgeprägt. Zur Beschreibung der Elektronenverteilung müssen daher beide Grenzformeln herangezogen werden: die *Carboxonium-Formel* mit der positiven Ladung am Sauerstoff-Atom und die *Phenylium-Formel* mit der positiven Ladung im Phenyl-Rest.
Durch Reaktion der Phenylpolyenale mit Anilin bilden sich die entsprechenden *Immonium-Salze.* Die Phenylimmonium-Gruppe ist einerseits ein schwächeres Antiauxochrom als die Carboxonium-Gruppe, andererseits jedoch ein stärkeres als die Carbonyl-Gruppe. Die Elektronen sind daher stärker delokalisiert als bei den Phenylpolyenalen, aber noch nicht so stark wie bei den protonierten Phenylpolyenalen.

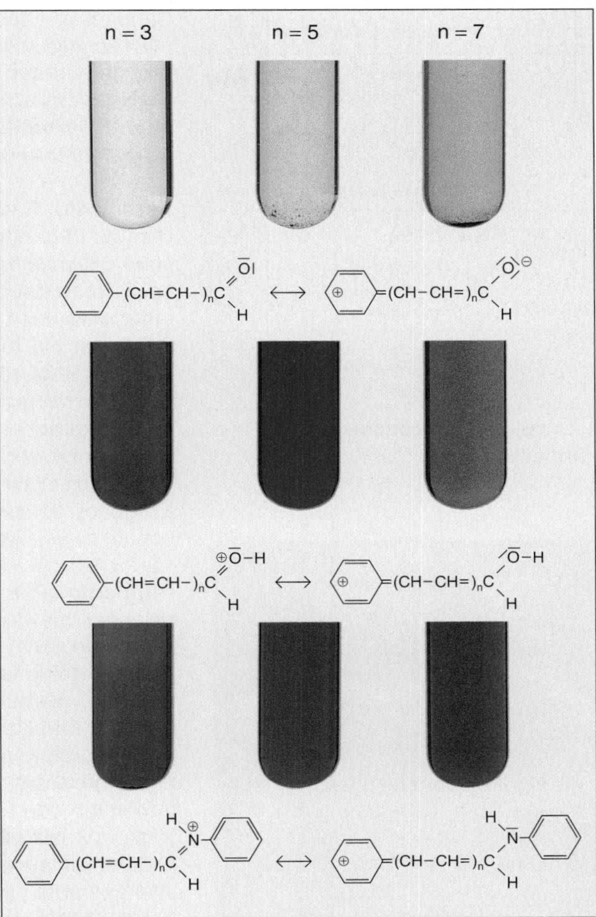

1. Struktur und Farbe von Phenylpolyenalen

EXKURS

Chemische Grundlagen des Sehvorgangs

Der Sehfarbstoff **Rhodopsin** in den Photorezeptoren der Netzhaut gehört zu den Polyenalfarbstoffen. Im Rhodopsin ist das *11-cis-Retinal* an das Protein *Opsin* gebunden. Durch Lichteinwirkung findet eine Isomerisierung zu dem stabileren *all-trans-Retinal* statt. Dadurch wird die Bindung zum Protein gestört. Dieses ändert dabei seine Tertiärstruktur. Über einen Transmitterstoff erfolgt dann eine Nervenerregung.
Erstaunlicherweise sind wir in der Lage, mit nur einem Farbstoff alle drei Grundfarben zu erkennen. Das Retinal ist schwach gelb, absorbiert also violettes Licht. Durch die Bindung an das Opsin wird das Absorptionsmaximum bathochrom verschoben. Diese Farbvertiefung kann mit dem Modell der *externen Punktladungen* gedeutet werden: Elektrostatische Wechselwirkungen zwischen Carboxylat-Ionen des Polypeptids und den π-Elektronen des Retinals verändern das chromophore System. So beeinflussen unterschiedliche Polypeptid-Strukturen die Delokalisation und rufen die verschiedenen Farbigkeiten in den Photorezeptoren hervor.

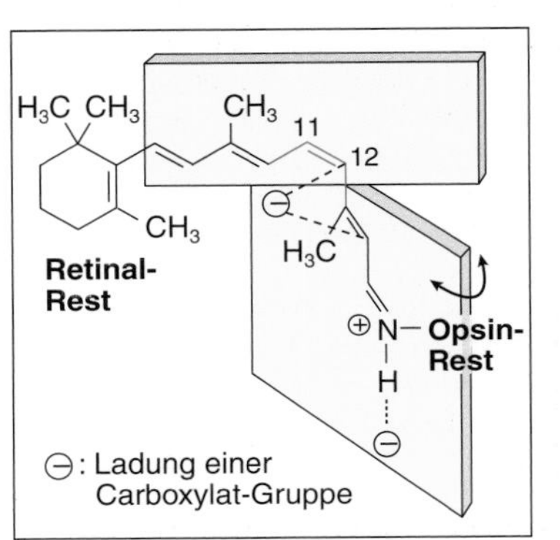

18.3 Welche farbigen Stoffe sind Farbstoffe?

organische Pigmente	Anstrich, Druckfarben	47 %
	Kunststoffe	14 %
	Baustoffe	10 %
	Papier	6 %
	Emaille, Keramik	2 %
anorganische Pigmente	Textilien	10 %
	optische Aufheller	2 %
organische Farbstoffe	Druckfarben	2 %
	Anstrich	2 %
	Sonstiges	5 %

1. Anteil der verschiedenen Farbmittel

2. Buddhistische Mönche in safrangelben Gewändern

A1 Nennen Sie zwei farbige anorganische Verbindungen. Warum sind sie nicht als Farbstoffe nutzbar?

A2 Die ersten Weißpigmente waren Gips und Kreide. Schon 550 v. Chr. kam Bleiweiß hinzu. Mit Leinöl angerührt wurde dieses basische Bleicarbonat ($2\ PbCO_3 \cdot Pb(OH)_2$) als Malerfarbe für Decken und Wände vielfach verwendet.
a) Geben Sie die Formeln und die chemischen Bezeichnungen von Gips und Kreide an.
b) Warum wird Bleiweiß heute kaum noch verwendet?

A3 Geben Sie die Formeln der im Text genannten Buntpigmente an.

Schon seit alters her werden farbige Substanzen zum Färben verwendet. Man schätzt, dass heute jährlich in der Welt etwa vier Millionen Tonnen verbraucht werden. Das entspricht einem Wert von 11 Milliarden Euro. In der Farbstoffindustrie werden alle farbgebenden Stoffe unter dem Sammelbegriff **Farbmittel** zusammengefasst. Dabei unterscheidet man zwischen *Farbstoffen* und *Pigmenten.*

Farbstoffe. Farbmittel werden als Farbstoffe bezeichnet, wenn sie sich in dem zu färbenden Medium lösen oder in Lösung verarbeitet werden. *Natürliche organische* Farbstoffe können pflanzlichen oder tierischen Ursprungs sein. Noch heute werden im Kaschmirtal im Himalaja von Hand die Blüten einer Krokusart gesammelt. Aus etwa 80 000 getrockneten Blütennarben lässt sich ein Kilogramm *Safran* gewinnen. Er wird zum Färben der kräftig gelben Gewänder buddhistischer Mönche benutzt. Man schätzt ihn aber auch zum Würzen und Färben von Reis und anderen Lebensmitteln.
Heute haben *synthetische organische* Farbstoffe die natürlichen Farbstoffe weitgehend verdrängt. Überwiegend werden sie zum Färben von Textilien eingesetzt. Etwa 40 % des gesamten Weltbedarfs an Farbstoffen wird in Europa produziert. Damit stellt die Farbstoffindustrie einen wichtigen Wirtschaftszweig dar.

Pigmente. Farbmittel, die im Anwendungsmedium nicht löslich sind, bezeichnet man als Pigmente. Ihre kulturgeschichtliche und wirtschaftliche Bedeutung wird oft unterschätzt. Schon vor mehr als 15 000 Jahren wurden für die Höhlenmalereien von Altamira in Nordspanien mineralische Pigmente verwendet. Damals wie heute dienen *Ocker* und *Umbra* als Gelbpigment und Braunpigment. Ocker besteht aus Aluminiumsilicaten, die ihre Farbe durch geringe Mengen Eisenoxid erhalten. Umbra enthält mehr Eisenoxid und zusätzlich Manganoxid; es wurde beispielsweise bei den Wandmalereien von Pompeji verwendet. Eines der wichtigsten Rotpigmente war *Zinnober,* natürliches Quecksilbersulfid.
Unter den *synthetischen anorganischen* Pigmenten spielt *Titandioxid* als Weißpigment eine überragende Rolle. Der jährliche Verbrauch liegt weltweit bei 2,5 Millionen Tonnen. Titandioxid absorbiert das Licht nicht, sondern streut es. Wegen seines ausgezeichneten Deckvermögens und seiner hohen Licht- und Chemikalienbeständigkeit wird es in Lacken und in Anstrichfarben verwendet. Man setzt es aber auch zur Mattierung von Tragetaschen oder zur Weißfärbung von Puder, Salben und Zahnpasta ein. Es gibt kaum einen weiß gefärbten oder hell getönten Gegenstand in unserer Umgebung, der heute kein Titandioxid enthält.
Das wichtigste Schwarzpigment ist *Ruß*. In China wurde er schon 3000 v. Chr. als Lampenruß gewonnen und beispielsweise für Tuschezeichnungen verwendet. Billiger Zeitungsdruck enthält Ruß als Pigment und Cumaronharz als Bindemittel. Auch Druckfarben sind meist Pigmente, die durch ein Bindemittel auf das Druckerzeugnis aufgezogen werden. Unter den *Buntpigmenten* finden sich rotes Eisen(III)-oxid und grünes Chrom(III)-oxid. Aufgrund der Bestimmungen zum Schutz der Umwelt sind die gelben Bleichromat- und Cadmiumsulfidpigmente weitgehend vom Markt verschwunden. In hochwertigen Künstlerfarben werden sie aber nach wie vor sehr geschätzt. Auf der Basis des Cadmiumsulfids lassen sich orange bis rote Farbtöne erzeugen, indem man einen Teil der Sulfid-Ionen durch Selenid-Ionen ersetzt. Auf der Lichtstreuung feinster Metallplättchen beruht die Wirkung von *Metalleffekt-* und *Glanzpigmenten*. Metalleffektpigmente werden bei Metallic-Lackierungen von Autos verarbeitet. Glanzpigmente dienen zum Auftragen von Lidschatten. *Leuchtpigmente* ermöglichen den Bau und Einsatz von Leuchtstoffröhren oder werden wie Zinksulfid zur Beschichtung von Bildschirmen verwendet.

18.4 Natürliche Farbstoffe

Das Grün der Blätter, Nadeln und Gräser ist die in der Natur am häufigsten auftretende Farbe. Dafür ist der grüne Blattfarbstoff **Chlorophyll** (griech. *chloros:* grün, *phyllon:* Blatt) verantwortlich. Chemisch gesehen handelt es sich um einen Magnesium-Komplex mit dem Porphyrin-Gerüst als Liganden. Chlorophyll ist die entscheidende Verbindung für die Photosynthese der Pflanzen.

Im Herbst verfärben sich die Laubblätter, das saftige Grün weicht den Gelb- und Rottönen. Diese Herbstfärbung geht auf andere Blattfarbstoffe zurück, die erst nach dem Abbau des Chlorophylls sichtbar werden. Bei den gelben und roten Blattfarbstoffen handelt es sich meist um **Carotinoide.** Der Name dieser Farbstoffklasse leitet sich vom *Carotin* ab. In der Natur kommt überwiegend das gelbe *β-Carotin* vor. β-Carotin wurde erstmals 1826 aus Mohrrüben isoliert.
Eine ähnliche Struktur haben die als Xanthophylle (griech. *xanthos:* gelb) bezeichneten Blattfarbstoffe. Zu ihnen gehört das weit verbreitete *Lutein.* Sein Molekül enthält Hydroxyl-Gruppen. Noch mehr Sauerstoff enthält das *Astaxanthin*, das bei Crustaceen vorkommt. In der Schale des Hummers ist es chemisch an Proteine gebunden und erscheint durch diese Wechselwirkung blaugrün. Beim Kochen wird dann der rote Farbstoff freigesetzt. Zu den Carbonsäuren der Carotinoid-Klasse gehört das ziegelrote Crocetin. *Crocin*, der gelbe Farbstoff des Safrans, ist ein Crocetinester.

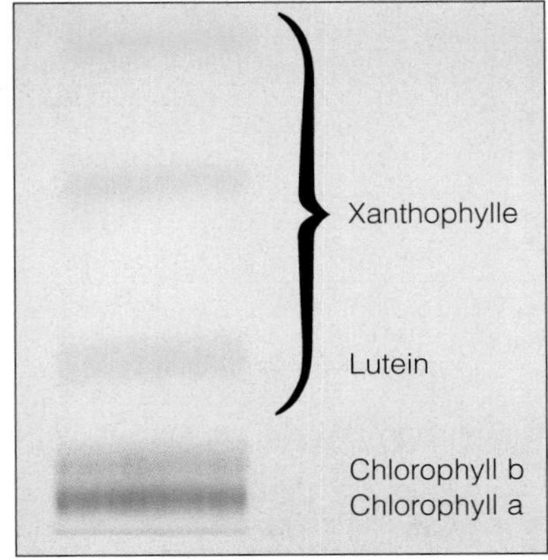

1. Chromatogramm der Blattfarbstoffe

Natürliche Farbmittel. Aus Pflanzen wurden Farbstoffe gewonnen, die sich auch zum Färben von Textilien verwenden ließen. *Krapp* wurde aus der Wurzel der Färberröte isoliert. Krapp enthält als färbenden Bestandteil *Alizarin* (1,2-Dihydroxyanthrachinon). Alizarin bildet mit Metallsalzen auf der Faser unterschiedlich gefärbte Farblacke: Karminrot als Aluminiumlack („Türkischrot"), Scharlachrot als Zinnlack, Braun als Chromlack und Violett als Eisenlack.
Zur Gewinnung von *Indigo* ging man von den Blättern des Indigostrauchs aus, der auch als Färberwaid bezeichnet wurde. Die Blätter wurden zerstampft, vergoren und dann zu Kugeln geformt. In einer zweiten Gärung mit gefaultem Harn bildete sich aus diesen Waidkugeln der herrlich blaue Farbstoff.
Zur Gewinnung eines gelben Farbstoffs wurde früher in ganz Europa der Färberwau angebaut. Aus dem Extrakt der Pflanzen wurde *Luteolin* gewonnen, das mit einer Zinnchlorid-Lösung auf der Faser eine schöne Gelbfärbung ergab.

2. Naturfarben an Uniformen

Chlorophyll a

R^1: –H; R^2: –H *β*-Carotin
R^1: –OH; R^2: –H Lutein
R^1: –OH; R^2: =O Astaxanthin

Luteolin

3. Grenzformeln einiger farbiger Naturstoffe

18.5 Synthetische Farbstoffe

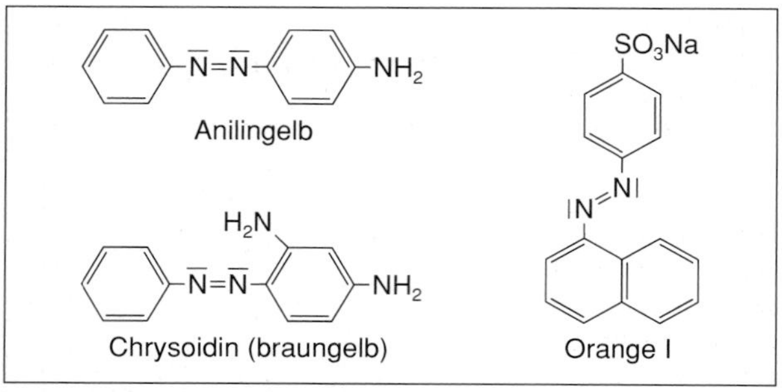

Anilingelb

Chrysoidin (braungelb)

Orange I

1. Grenzformeln einiger Azofarbstoffe

A1 Formulieren Sie die Reaktionsgleichung für die Bildung des Nitrosyl-Ions in einer wässerigen Natriumnitrit-Lösung, die mit einer starken Säure versetzt wurde.

A2 Der Farbstoff Chrysoidin (2,4-Diaminoazobenzol) war der erste synthetisch gewonnene Azofarbstoff (CARO 1875; WITT 1876). Er wird aus Anilin und *m*-Diaminobenzol hergestellt. Formulieren Sie den entsprechenden Reaktionsmechanismus.

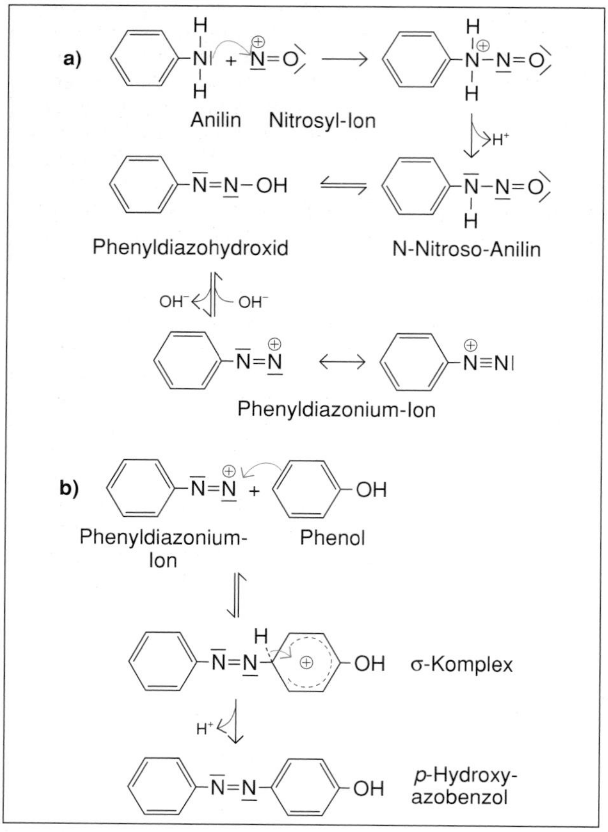

a) Anilin + Nitrosyl-Ion → ; H^+ ; Phenyldiazohydroxid ⇌ N-Nitroso-Anilin; OH^- ; Phenyldiazonium-Ion

b) Phenyldiazonium-Ion + Phenol ⇌ σ-Komplex; H^+ ; *p*-Hydroxy-azobenzol

2. Diazotierung (a) und Azokupplung (b)

Durch den Aufschwung der Textilindustrie im 18. Jahrhundert nahm der Bedarf an Farbstoffen erheblich zu. Die Entwicklung des ersten synthetischen Farbstoffs war allerdings dem Zufall zu verdanken. PERKIN fand 1856 bei der Suche nach einer Synthese des Arzneistoffes Chinin den violetten Farbstoff *Mauvein*. Ausgangsverbindung war Anilin, das sich aus dem damaligen Abfallstoff Teer preiswert isolieren ließ.
Heute sind mehr als 5000 synthetisch hergestellte Verbindungen als Farbstoffe im Handel. Mehr als die Hälfte davon sind *Azofarbstoffe*. Andere bekannte Farbstoffe gehören zu den Stoffklassen der *Anthrachinon-* und der *Triphenylmethanfarbstoffe*.

Azofarbstoffe. Mit der Entdeckung der Diazo-Verbindungen legte der deutsche Chemiker GRIESS 1862 den Grundstein zur Entwicklung der Azofarbstoffe. Strukturmerkmal der Azofarbstoffe ist die N = N-Gruppe (Azo-Gruppe). Die Synthese verläuft in zwei Schritten: Zuerst wird eine *Diazotierung* und dann eine *Azokupplung* durchgeführt.

Bei der **Diazotierung** geht man von *primären* aromatischen Aminen wie Anilin und von Natriumnitrit-Lösung aus. Beim Ansäuern des Gemisches bildet sich das *Nitrosyl-Ion* (NO^+). Dieses greift am Stickstoff-Atom des Anilin-Moleküls elektrophil an. Über ihre protonierte Form geht die entstandene N-Nitroso-Verbindung in *Phenyldiazohydroxid* über. Unter Abgabe eines OH^--Ions reagiert dieses schließlich zum *Phenyldiazonium-Ion*.
Die Diazotierung muss unterhalb von 5 °C durchgeführt werden, da die gebildeten Diazonium-Ionen schon bei Raumtemperatur Stickstoff abspalten würden. Trockene Diazoniumsalze, insbesondere Nitrate und Perchlorate, explodieren leicht, schon konzentrierte Lösungen sind gefährlich.

Bei der **Azokupplung** wird das Diazoniumsalz mit einer *Kupplungskomponente* umgesetzt, meist sind es Phenole oder aromatische Amine. Die Azokupplung ist eine *elektrophile Zweitsubstitution*. Die Substituenten mit einem + M-Effekt wirken als Elektronendonatoren. Sie erhöhen die Elektronendichte im Benzol-Ring und somit die Reaktivität. Sie dirigieren die Zweitsubstituenten in *ortho-* und *para*-Stellung. Aus sterischen Gründen entsteht bevorzugt das *para*-Produkt.
Die Diazonium-Ionen stehen in alkalischer Lösung im Gleichgewicht mit dem entsprechenden Diazohydroxid. Ihre elektrophile Wirkung wird dadurch schwächer. Andererseits werden aber im sauren Milieu durch Protonierung die freien Elektronenpaare im Phenolat-Anion beziehungsweise im Anilin-Molekül blockiert. Die nucleophile Kupplungskomponente ist daher im alkalischen Bereich reaktionsfähiger. Für jede Kombination von Diazokomponente und Kupplungskomponente gibt es somit einen idealen pH-Bereich.

Anthrachinonfarbstoffe. *Anthrachinon* ist ein schwach gelb gefärbter Feststoff. Diese Verbindung kann durch Oxidation von Anthracen oder durch elektrophile Substitution von Benzol mit Phthalsäureanhydrid hergestellt werden. Im Anthrachinon-Molekül sind zwei Carbonyl-Gruppen über eine chinoide Struktur miteinander konjugiert.

In der Farbstoffindustrie dient Anthrachinon als wichtiges Ausgangsprodukt. Die Synthese vieler Anthrachinonfarbstoffe beginnt mit einer Sulfonierung von Anthrachinon. Je nach Reaktionsbedingungen kann die Sulfonsäure-Gruppe in α-Stellung oder in β-Stellung eingeführt werden. Im nächsten Schritt wird die SO_3H-Gruppe gegen eine Hydroxyl- oder Amino-Gruppe ausgetauscht. Unterschiedliche Arten und Stellungen der Substituenten ergeben Verbindungen mit verschiedenen Farben. In der Färberei verwendet man jedoch meist rote und blaue Anthrachinonfarbstoffe.

Die Strukturaufklärung des als Krapprot bekannten *Alizarins* gelang 1868 durch GRAEBE und LIEBERMANN. Anschließend konnte die Verbindung als erster Anthrachinonfarbstoff technisch hergestellt werden. In der Folge verdrängte zum ersten Mal ein synthetisches Produkt den identischen Naturstoff nahezu vollständig vom Markt. Durch den Siegeszug des künstlich hergestellten Farbstoffs wurde den Krapp-Bauern im Elsass die wirtschaftliche Grundlage entzogen.

Die Synthese des *Indanthrons* läuft in einer alkalischen Oxidationsschmelze aus 2-Aminoanthracen mit Kaliumhydroxid und Kaliumnitrat ab. Auf diesem Wege gewann BOHN 1901 einen Farbstoff, der heute als *Indanthrenblau RS* im Handel ist. Er wurde zum Ausgangspunkt eines Farbensortiments, das durch Echtheit und Schönheit bestach. Für die Textilindustrie ist das Warenzeichen Indanthren (**Ind**igo-**Anthra**chinon) zu einer Qualitätsbezeichnung für hochwertige Farbstoffe geworden, die sich durch hervorragende Licht- und Waschechtheit auszeichnen.

Indanthrenfarbstoffe sind in Wasser nicht löslich. Sie können daher nicht direkt zum Färben verwendet werden. Wie *p*-Benzochinon lassen sie sich jedoch leicht zu den entsprechenden Dihydroxy-Verbindungen reduzieren. Diese sind wasserlöslich und werden von der Faser aufgenommen. Durch Oxidation an der Luft bildet sich dann die chinoide Struktur wieder aus. Der zurückgebildete Farbstoff haftet auf der Faser. Ein solches Färbeverfahren wird als *Küpenfärbung* bezeichnet.

Anthrachinon

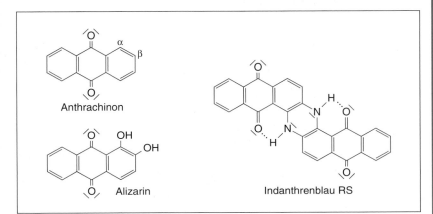

Alizarin

Indanthrenblau RS

1. Grenzformeln einiger Anthrachinonfarbstoffe

EXKURS

Durchschreibepapiere

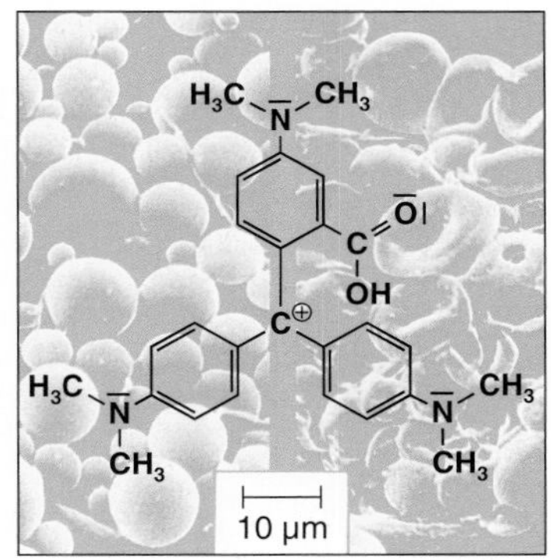

Um Durchschläge von Schriftstücken herzustellen, wird seit langer Zeit Kohlepapier verwendet. Bei Formularen benutzt man heute jedoch meist kohlefreie Durchschreibesätze.

Zu ihrer Herstellung verwendet man farbloses Kristallviolettlacton. Es befindet sich in Mikrokapseln unter dem Deckblatt. Die darunter liegende Durchschrift enthält saure Substanzen wie Silicate. Beim Schreiben werden die Mikrokapseln durch den Druck des Kugelschreibers zerstört und das Kristallviolettlacton reagiert mit den Silicaten. Durch diese chemische Reaktion entsteht ein blauvioletter Farbstoff.

Dieser Farbstoff gehört zu den **Triphenylmethanfarbstoffen.** Typisches Strukturmerkmal dieser Farbstoffklasse ist ein zentrales Carbenium-Ion mit drei Benzol-Ringen, die auch substituiert sein können. In der Textilfärbung spielen die Triphenylmethanfarbstoffe heute nur bei der Färbung von Polyacrylfasern eine Rolle. Dem Chemiker sind sie aber wegen der pH-Abhängigkeit ihrer Farbe als häufig gebrauchte Indikatorfarbstoffe wohl bekannt.

Aufgabe: **a)** *Lactone* sind cyclische Ester. Geben Sie die Strukturformel des Kristallviolettlactons an.
b) Begründen Sie mit Hilfe der Grenzformeln, warum Kristallviolettlacton farblos ist.

EXKURS

Das Indigo-Patent

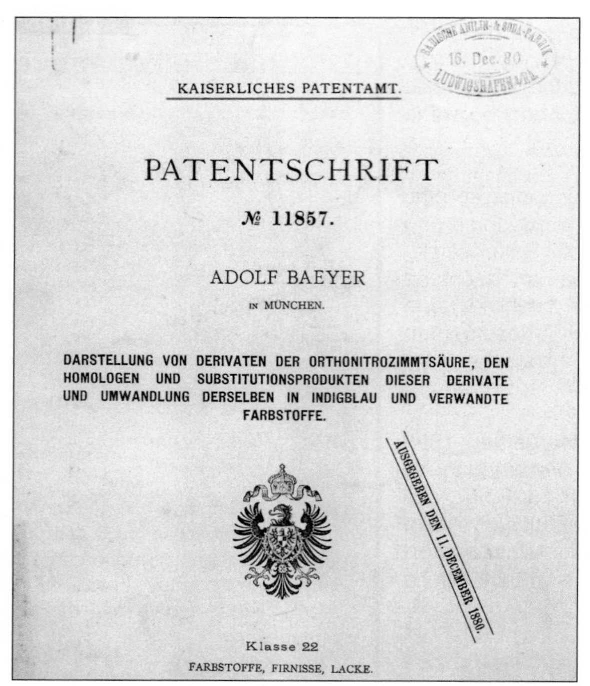

KAISERLICHES PATENTAMT.

PATENTSCHRIFT

№ 11857.

ADOLF BAEYER

IN MÜNCHEN.

DARSTELLUNG VON DERIVATEN DER ORTHONITROZIMMTSÄURE, DEN HOMOLOGEN UND SUBSTITUTIONSPRODUKTEN DIESER DERIVATE UND UMWANDLUNG DERSELBEN IN INDIGBLAU UND VERWANDTE FARBSTOFFE.

AUSGEGEBEN DEN 11. DECEMBER 1880.

Klasse 22

FARBSTOFFE, FIRNISSE, LACKE.

Die Entwicklung der Farbstoffe ist sehr eng mit der Geschichte des Patentwesens verbunden. Allein 15 000 Teerfarbstoffe wurden durch Patente geschützt. Als erstes deutsches Patent für einen Teerfarbstoff gilt das *Methylenblau-Patent* aus dem Jahre 1877. In der Patenturkunde Nr. 1886 wurde ein „Verfahren zur Darstellung blauer Farbstoffe aus Dimethylanilin und anderen tertiären aromatischen Monoaminen" geschützt. Ein berühmtes und wirtschaftlich sehr bedeutendes Patent aus der Anfangszeit der Farbstoffchemie ist das **Indigo-Patent.**

Damals deckten die ersten Teerfarben fast die gesamte Farbskala ab, nur ein leuchtendes Blau fehlte noch aus der Retorte der Chemiker. Die chemische Industrie versuchte daher, Indigo technisch herzustellen. Schon 1868 ermittelte BAEYER die Molekülformel dieses blauen Naturfarbstoffs. Zwei Jahre später gelang ihm die Synthese aus Isatin, das damals jedoch nur aus natürlichem Indigo gewonnen werden konnte. Erst 1878 konnte Isatin aus Phenylessigsäure technisch hergestellt werden. Nach zwei weiteren Jahren ging BAEYER dann von der billigeren Zimtsäure aus und ließ sich dieses Verfahren patentieren. Das Patent wurde von der BASF erworben. In den nächsten 17 Jahren investierte die Firma 18 Millionen Goldmark in die Entwicklung der technischen Herstellung von Indigo. Das war mehr als das damalige Grundkapital der Gesellschaft. 1897 war es dann endlich so weit: Die BASF brachte den ersten synthetischen Indigo auf den Markt. Die technische Synthese ging dabei von Anthranilsäure (*o*-Aminobenzoesäure) aus. Bei der Umsetzung mit Chloressigsäure entsteht Phenylglycin-*o*-Carbonsäure. Drei weitere Schritte führen zum Indigo.

Geschichte des Patentwesens. Schon seit dem 14. Jahrhundert wurde einzelnen Erfindern von der Obrigkeit ein Privileg verliehen, das ihnen einen befristeten geschäftlichen Nutzen an ihrer Erfindung garantierte. Die Bezeichnung **Patent** geht auf die *litterae patentes* (offene Urkunde) zurück, mit der das Privileg verliehen wurde. Im Jahre 1624 wurde in England das „Statute of Monopolies" erlassen. Es enthielt auch die Bedingung, die eigenen Landsleute in das patentierte Verfahren einzuweisen.
Patentschutz gab es in Deutschland zunächst nur in einzelnen Staaten wie Bayern oder Preußen. 1877 trat dann das erste deutsche *Reichspatentgesetz* in Kraft. In der Anfangszeit blieb die Frage umstritten, inwieweit mit einem patentierten Herstellungsverfahren auch das Produkt selbst geschützt ist. Die Revision des Gesetzes im Jahre 1891 brachte eine Klärung: „Handelt es sich um eine Erfindung, die ein Verfahren zur Herstellung eines neuen Produktes zum Gegenstand hat, so gilt bis zum Beweis des Gegenteils jeder Stoff von gleicher Beschaffenheit als nach diesem patentierten Verfahren hergestellt." Demnach war nur das Verfahren geschützt, nicht aber das Produkt. Es war somit erlaubt, den Stoff nach einem anderen Verfahren herzustellen. In Deutschland wurde das Patentgesetz mehrmals geändert. Seit 1968 können neue chemische Substanzen als solche unabhängig vom Herstellungsverfahren geschützt werden.
Delegationen aus 21 europäischen Ländern versuchten 1969 eine Vereinheitlichung des Patentwesens innerhalb Europas zu erreichen. Bis heute haben 19 Staaten das **E**uropäische **P**atent**ü**bereinkommen (EPÜ) ratifiziert.

Erteilung eines Patents. Nur *Erfindungen* können patentrechtlich geschützt werden. Darunter versteht man schöpferische Leistungen auf technischem Gebiet, beispielsweise die Erfindung des Reißverschlusses. Für wissenschaftliche Entdeckungen wie die Entdeckung der Radioaktivität oder für Theorien wie die Quantenmechanik kann dagegen kein Patentschutz gewährt werden. Der Antrag auf Erteilung eines Patents muss eine Beschreibung enthalten, die einem Fachmann den Nachvollzug der Erfindung ermöglicht. Dieser Antrag wird in Deutschland beim *Deutschen Patentamt* in München eingereicht. Nach 18 Monaten wird die Patentanmeldung veröffentlicht, um die Allgemeinheit zu informieren. Nach einem entsprechenden Antrag beginnt das Prüfungsverfahren, das dann zur Erteilung des Patents oder zur Zurückweisung der Patentanmeldung führt.
Für eine europäische Patentanmeldung unter Nennung von sechs Vertragsstaaten berechnet das Patentamt etwa 1500 €. Die Kosten für den Patentanwalt sowie Übersetzungskosten und Kosten für die Prüfung und Erteilung des Patents sind um einiges höher.
Die Laufzeit eines Patents beträgt vom Tag der Anmeldung an insgesamt 20 Jahre. In dieser Zeit kann der Erfinder oder sein Rechtsnachfolger andere von der Nutzung der Erfindung ausschließen. Allerdings liegt es im Ermessen des Patentinhabers, anderen ein Nutzungsrecht einzuräumen, also eine *Lizenz* zu vergeben. Nach Ablauf des Patents kann jeder die Erfindung nutzen.

18.6 Indigo – ein Küpenfarbstoff mit Tradition

Die Indigopflanze war lange Zeit die wichtigste Quelle für die Gewinnung eines blauen Farbstoffs. In ägyptischen Grabkammern wurden mit Indigo gefärbte Leinentücher aus einer Zeit um 4000 v. Chr. gefunden. Man erntete die Pflanzen während der Blüte und legte sie in mit Wasser gefüllte Gruben. Durch enzymatische Spaltung entsteht dabei eine farblose Vorstufe, die man heute als *Indoxyl* bezeichnet. Durch Oxidation mit dem Luftsauerstoff bildet sich dann der blaue Farbstoff. Dabei treten zwei Indoxyl-Moleküle zu einem Indigo-Molekül zusammen.

Um 1870 war es das Ziel vieler Chemiker, Indigo, den König der Farbstoffe, künstlich herzustellen. Nach der von BAEYER patentierten Synthese wurden eine Reihe weiterer Herstellungsmethoden entwickelt. Eines dieser Verfahren geht von der *Phenylglycin-ortho-carbonsäure* aus, die ihrerseits über Anthranilsäure und Chloressigsäure zugänglich war. Beim Schmelzen mit Alkalien entsteht *Indoxylcarbonsäure*, die dann Kohlenstoffdioxid abspaltet. Das gebildete *Indoxyl* wird durch Luftsauerstoff zu *Indigo* oxidiert.
Indigo kristallisiert in blauen Prismen mit rötlichem Glanz. Erst 1928 wurde durch Röntgenstrukturanalyse die *trans*-Konfiguration im Indigo-Molekül festgestellt. Im Kristall ist ein Indigo-Molekül durch Wasserstoffbrückenbindungen mit vier weiteren verbunden. Dies erklärt die hohe Schmelztemperatur von 391 °C.
Bei der im Labor verwendeten „Indigo-Lösung" handelt es sich um eine wässerige Lösung des Sulfonsäure-Derivats. Es bildet sich, wenn man Indigo mit konzentrierter Schwefelsäure erhitzt.

Küpenfärbung. Indigo selbst kann nicht direkt zum Färben benutzt werden, da sich der Farbstoff nicht in Wasser löst. Durch Reduktion erhält man eine *Leukoform*, das *Indigweiß* (griech. *leukos:* weiß). Die Leukoform ist wasserlöslich und dringt in die Faser ein. Als Reduktionsmittel dient meist Natriumdithionit ($Na_2S_2O_4$) in alkalischer Lösung.
Früher erfolgte die entsprechende Reaktion bei der Vergärung mit Urin. Die erhaltene Brühe wurde als *Küpe* (lat. *cupa:* Tonne, Kübel), der Vorgang als *Verküpung* und die Färbetechnik als *Küpenfärbung* bezeichnet. Das Gewebe wurde dann mit der Küpe getränkt und anschließend aufgehängt. Die Luft vollbrachte das Wunder: Aus der Leukoform entstand der blaue Farbstoff auf der Faser. Die Lichtechtheit der Färbung war hervorragend, allerdings verblasste der Farbton an stark beanspruchten Stellen. Diese geringe Reibeechtheit verhalf dem Indigo später zu einem Comeback als Farbmittel für „Blue Jeans".

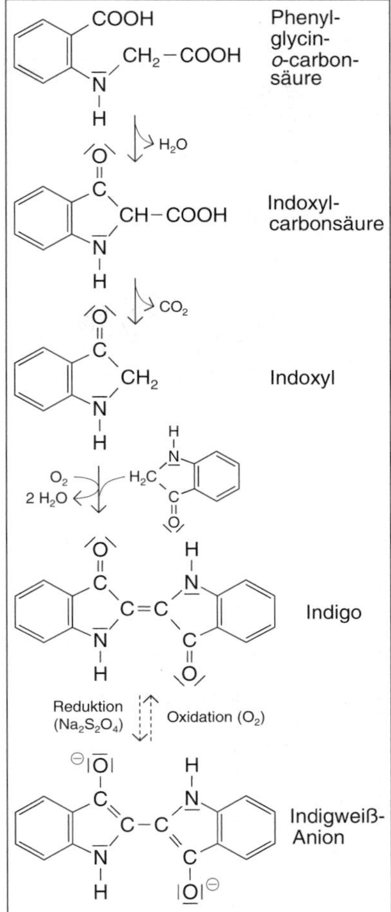

1. Synthese von Indigo und seiner Leukoform

2. Traditionelles Färben mit Indigo

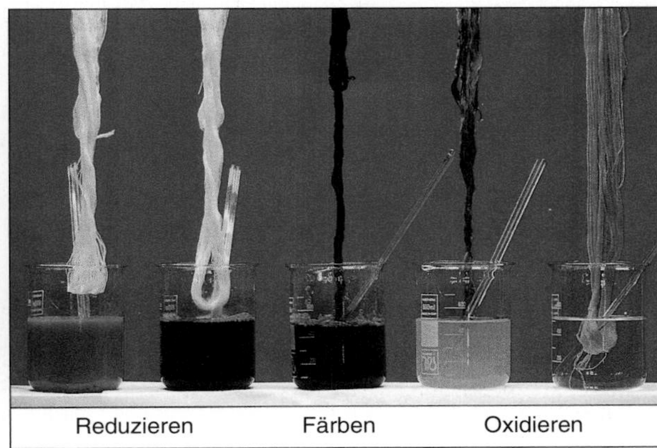

3. Arbeitsgänge bei einer Küpenfärbung

18.7 Textilfärbung

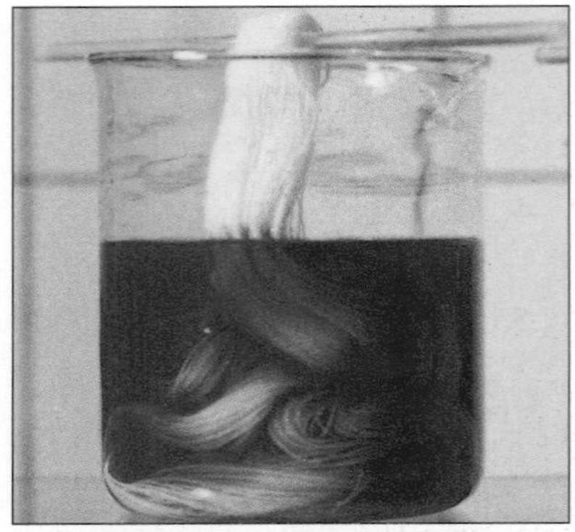

1. Färbebad vor und nach dem Färben

Nicht jeder Farbstoff ist zum Färben von Textilien geeignet, denn sonst würden sich Rotweinflecke auf einem weißen Hemd nicht entfernen lassen. Ein **Textilfarbstoff** muss so fest auf der Faser haften, dass er durch das übliche Waschen nicht abgelöst wird. Diese *Waschechtheit* ist eine der Grundbedingungen für gefärbte Textilien. Zur Prüfung der Waschechtheit von Textilfärbungen wurden standardisierte Verfahren entwickelt. Pflege- und Waschanleitungen müssen die Haltbarkeit des Farbstoffs, die Güte der Färbung und die Eigenschaften des Gewebes berücksichtigen. Bei Heimtextilien zeigt sich oft, dass die Farben durch ständige Sonnenbestrahlung verblassen. Neben einer ausreichenden *Lichtechtheit* wird von einem Textilfarbstoff verlangt, dass er gegen saure und alkalische Lösungen beständig ist. Diese *Säure-* und *Alkali-Echtheit* ist dann gefordert, wenn das Gewebe mit Schweiß in Berührung kommt oder mit alkalisch reagierender Seifenlösung gewaschen wird. Textilfarbstoffe müssen auch eine bestimmte Temperaturbeständigkeit haben, damit sie beim Waschen und Bügeln nicht abgebaut werden.

Das Aufziehen des Farbstoffes auf die Faser erfolgt im Färbebad. Um eine haltbare Färbung zu erzielen, müssen ausreichende Wechselwirkungen zwischen Farbstoff und Faser bestehen: Farbstoff und Faser müssen zueinander passen. Es gibt keinen für alle Fasern geeigneten Universalfarbstoff. Die Eigenschaften des Farbstoffs und der Faser bestimmen damit die Wahl des **Färbeverfahrens.** Farbstoffe werden daher oft nicht nach ihrer Zugehörigkeit zu einer chemischen Stoffklasse, sondern nach dem für sie angewendeten Färbeverfahren eingeteilt.

Färben von Baumwolle. Baumwolle ist die wichtigste pflanzliche Faser. Sie besteht aus *Cellulose*. Gegen Alkalien ist Cellulose relativ gut beständig. Säuren dagegen spalten die glykosidischen Bindungen zwischen den Glucose-Bausteinen.

Zum Färben von Baumwolle werden verschiedene Verfahren eingesetzt. Wirtschaftlich bedeutend sind die **Direktfarbstoffe,** die sich im Färbebad lösen und ohne Vorbehandlung der Faser direkt aufziehen lassen. Die Haftung erfolgt nur durch VAN-DER-WAALS-Bindungen oder Wasserstoffbrückenbindungen. Eine geringe Waschechtheit ist die Folge. Daher werden diese Farbstoffe meist nur zur Herstellung billiger Färbungen verwendet. Zu dieser auch als *substantive Farbstoffe* bezeichneten Gruppe gehören Azo- und Anthrachinon-Verbindungen. Der erste synthetische Direktfarbstoff war das *Kongorot*. Dieser 1884 hergestellte Azofarbstoff findet heute in der Textilfärbung keine Verwendung mehr, wird aber noch als Indikatorfarbstoff benutzt. Ein Nachteil war, dass er schon durch die Fettsäuren im Schweiß seine Farbe zu Blauviolett änderte.

Im Gegensatz zu den Direktfarbstoffen entstehen **Entwicklungsfarbstoffe** erst durch eine chemische Reaktion auf der Faser. Bei den *Azo-Entwicklungsfarbstoffen* wird das Färbegut mit einer basischen Lösung grundiert. Diese enthält die wasserlösliche, farblose Kupplungskomponente. Besonders häufig wird dazu *Naphthol AS* verwendet, sodass man auch von den *Naphthol-AS-Farbstoffen* spricht. Nach dem Trocknen lässt man nun die Lösung des Diazoniumsalzes einwirken. Durch Azokupplung entwickelt sich dann auf der Faser der wasserunlösliche Farbstoff. Der Farbstoff haftet durch Adsorption auf der Cellulosefaser.
Als Diazokomponente werden heute feste, haltbare Diazoniumsalze verwendet. Diese *Echtfärbesalze* müssen vollkommen trocken gelagert werden. Beim Auflösen und Ansäuern erhält der Färber eine kupplungsfähige Diazoniumsalz-Lösung.

NH–C, OH, O, + ⊕N=N–, Cl

Naphthol AS

Echtfärbesalz-Kation

H^+

–N=N–, NH–C, OH, O, Cl

Azofarbstoff

1. Ein Azo-Entwicklungsfarbstoff

Hervorragende Färbungen auf Baumwolle lassen sich mit vielen **Küpenfarbstoffen** erzeugen. Dazu gehören wasserunlösliche Farbstoffe wie Indigo und die *Indanthrenfarbstoffe.* Durch Reduktion werden sie in lösliche, meist farblose Verbindungen, die Leukoformen, überführt. Diese Lösungen bezeichnet man als *Küpe.* Die Leukoform diffundiert in die Faser hinein und wird dort wieder zum wasserunlöslichen Farbstoff oxidiert. Der Farbstoff sitzt damit fest eingebaut in der Faser. Dadurch ergibt sich die kaum zu übertreffende Waschechtheit der Färbung. Küpenfärbungen sind außerdem sehr lichtecht. Daher werden sie überall dort angewendet, wo hohe Qualitätsansprüche an die gefärbten Textilien gestellt werden.

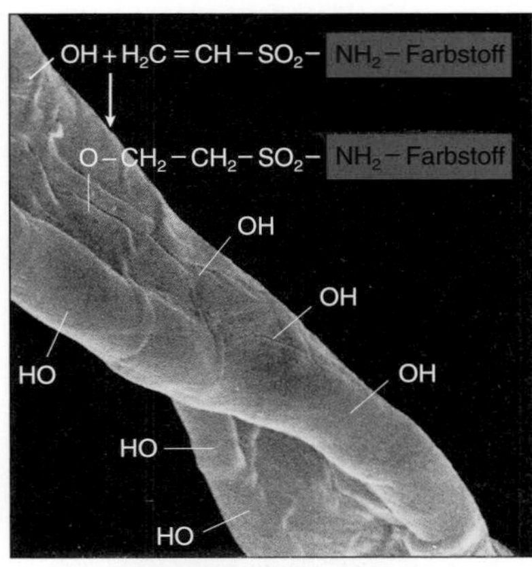

1. Ein Reaktivfarbstoff auf Cellulosefaser

Seit etwa 30 Jahren haben sich die **Reaktivfarbstoffe** einen zunehmenden Marktanteil erobert. Als *Farbstoffkomponenten* dienen Azofarbstoffe, Anthrachinonfarbstoffe und Kupferphthalocyaninfarbstoffe. Diese werden meist über eine Amino-Gruppe an einen *reaktiven Anker* gebunden.
Die *Reaktivkomponente* reagiert dann mit den freien Hydroxyl-Gruppen der Cellulosefaser. Der Farbstoff wird damit durch stabile Elektronenpaarbindungen auf der Faser fixiert. Das Reaktivfärbeverfahren liefert sehr waschbeständige Färbungen.

Färben von Wolle. Wolle ist die wichtigste tierische Faser. Chemisch handelt es sich um Proteine, in deren Polypeptid-Ketten die Aminosäure-Bausteine durch Peptidbindungen miteinander verknüpft sind. Wolle ist gegen Säuren relativ beständig. Durch verdünnte Alkalien wird sie dagegen angegriffen, weil die Peptidbindungen hydrolytisch gespalten werden. Hohe Temperaturen führen zu einer weiteren Denaturierung. Aus diesen Gründen müssen die Färbebedingungen sehr schonend sein und genau eingehalten werden.
Wolle kann mit **anionischen** und **kationischen Farbstoffen** gefärbt werden. Die Fixierung der Farbstoffe erfolgt dann durch ionische Wechselwirkung mit Ammonium-Gruppen oder Carboxylat-Gruppen der Faser.

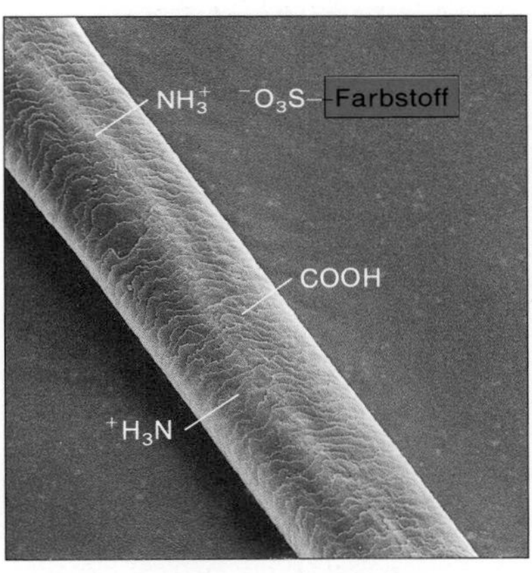

2. Fixierung eines anionischen Farbstoffs auf Wolle

Die wichtigsten Wollfarbstoffe sind jedoch die **Metallkomplexfarbstoffe.** Dabei handelt es sich um wasserlösliche Farbstoffe, die mit gelösten Metall-Ionen auf der Faser reagieren. Meist werden Chrom(III)-Salze eingesetzt. Das Cr(III)-Ion bildet dann das Zentralion des Komplexes, während Azo-Verbindungen als Liganden auftreten. Außerdem werden auch Amino-Gruppen der Protein-Moleküle als Liganden gebunden. Dadurch ergibt sich eine feste Haftung des Farbstoffs mit einer hohen Waschechtheit.

3. Färben von Garn auf Kreuzspulen

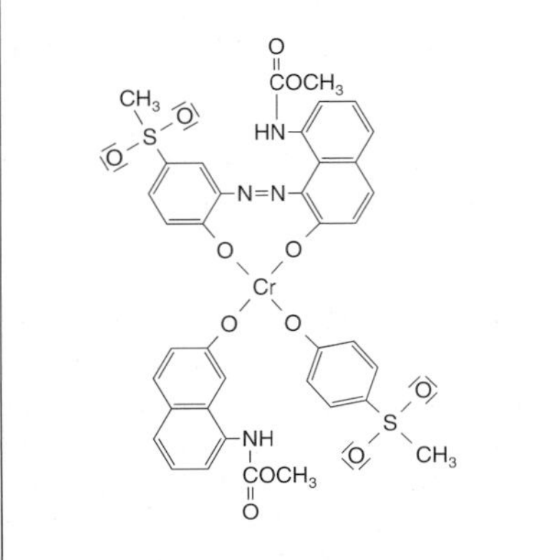

4. Ein Metallkomplexfarbstoff

A1 Kongorot hat folgenden IUPAC-Namen:
3,3′-(4,4′-Biphenyldiylbisazo)bis-(4-amino-1-naphthalinsulfonsäure)-Dinatriumsalz.
Zeichnen Sie die Strukturformel.

A2 **a)** Zeichnen Sie Ausschnitte aus den Strukturformeln eines Cellulose-Moleküls und eines Polypeptid-Moleküls.
b) Stellen Sie für Baumwolle und Wolle geeignete Farbmittelgruppen und die Art der Haftung tabellarisch zusammen. Geben Sie nach Möglichkeit jeweils ein Beispiel an.

1. Gleiche Grundstruktur – unterschiedliche Färbung. Die Nylonfasern des Teppichs wurden unterschiedlich vorbehandelt. Die Färbung erfolgte mit einem Gemisch aus einem roten basischen Farbstoff und einem blauen sauren Farbstoff.

A1 Warum bezeichnet man die anionischen Farbstoffe auch als saure und die kationischen auch als basische Farbstoffe?

A2 Zeichnen Sie jeweils einen Ausschnitt der Strukturformeln:
a) Polyamidfaser,
b) Polyesterfaser,
c) Polyacrylfaser mit anionischer Endgruppe.

A3 Stellen Sie für die im Text genannten Synthesefasern geeignete Farbmittel und die Art ihrer Haftung auf der Faser tabellarisch zusammen.

Färben von Synthesefasern. 1990 wurden weltweit ungefähr 38 Millionen Tonnen Textilfasern produziert, wobei heute die Anteile von Naturfasern und Chemiefasern ungefähr gleich groß sind. In Deutschland machen die synthetischen Fasern derzeit jedoch schon 68 % der verarbeiteten Textilfasern aus, der Marktanteil der Farbstoffe für Synthesefasern ist entsprechend hoch.

Polyacrylfasern wie *Dralon* und *Orlon* werden meist durch radikalische Polymerisation von Acrylnitril hergestellt. Als Initiator dient Peroxodisulfat ($S_2O_8^{2-}$). Das Polymerprodukt weist daher endständige Sulfat-Gruppen auf. Solche anionischen Gruppen können auch durch sulfonsäurehaltige Monomer-Bausteine einpolymerisiert werden. Diese sauren Gruppen erlauben die Färbung der Faser mit **basischen Farbstoffen.** Im einfachsten Fall enthalten solche Verbindungen eine Amino-Gruppe. Häufig liegen aber Azofarbstoffe mit einer positiven Ladung an einem Stickstoff-Atom vor, man bezeichnet sie daher auch als *kationische Farbstoffe*. Die Fixierung erfolgt durch ionische Wechselwirkung zwischen den negativ geladenen Sulfat-Gruppen der Faser und den positiv geladenen Ammonium-Gruppen des Farbstoffs.

Polyamidfasern wie *Nylon* und *Perlon* entstehen durch Polykondensation aus Dicarbonsäuren und Diaminen oder aus Aminocarbonsäuren. Dadurch bleiben an den Enden der Makromoleküle freie Amino-Gruppen erhalten, die mit **sauren Farbstoffen** reagieren können. Häufig besitzen saure Farbstoffe eine Sulfonsäure-Gruppe, die bei der Protolyse in ein Anion übergeht. Dies führte zur Bezeichnung *anionische Farbstoffe*. Der Farbstoff wird durch Ausbildung ionischer Wechselwirkungen auf der Faser fixiert. Auch Metallkomplex- und Dispersionsfarbstoffe werden zum Färben von Polyamidfasern verwendet.

Polyesterfasern wie *Trevira* und *Diolen* sind Polykondensate aus Dicarbonsäuren oder Dicarbonsäurediestern und zweiwertigen Alkoholen. Diese Makromoleküle sind trotz endständiger OH-Gruppen weitgehend unpolar. Sie werden daher bevorzugt mit **Dispersionsfarbstoffen** gefärbt. Vorwiegend verwendet man unpolare Azo-Verbindungen, die sich in Wasser kaum lösen. Durch Vermahlen mit Hilfsstoffen werden sie im Färbebad in eine Suspension überführt. Anschließend diffundiert der dispergierte Farbstoff in die Faser hinein. Durch Zusatzstoffe im Färbebad quellen die Fasern auf; die Farbstoffaufnahme wird dadurch wesentlich erleichtert.

2. Färben in einer Haspelkufe

3. Färben in einer Continue-Anlage

Farbstoffe und Färbeverfahren

Versuch 1: Herstellung eines Azofarbstoffes

Materialien: Waage, Becherglas (600 ml), zwei Bechergläser (100 ml), Kunststoffspritze (5 ml), Messzylinder (100 ml), Thermometer, Universalindikator-Papier; Sulfanilsäure (Xi), β-Naphthol (Xn), Natriumcarbonat (Xi), Natriumnitrit (O, T), Natronlauge (30 %; C) Salzsäure (20 %; C), Ethanol (Spiritus; F), Eis/Kochsalz-Mischung.

Durchführung:

1. In einem eisgekühlten Becherglas werden etwa 2 g Sulfanilsäure in 5 ml Wasser gelöst. Anschließend neutralisiert man die Lösung durch Zugabe von Natriumcarbonat.

2. Nach Ansäuern mit wenig Salzsäure werden 0,7 g Natriumnitrit hinzugefügt. Die Temperatur darf nicht über 5 °C steigen.

3. Vermischen Sie in einem Reagenzglas 1,6 g β-Naphthol und 2 ml Ethanol mit 3 ml Natronlauge. Dann wird gerade so viel heißes Wasser zugefügt, dass sich der entstandene Brei löst. Danach wird vorsichtig in der Kältemischung abgekühlt.

4. Unter weiterer Kühlung wird nun die kalte alkalische Naphthol-Lösung in das Becherglas mit der Sulfanilsäure-Lösung eingerührt.

Aufgaben:

a) Notieren Sie Ihre Versuchsbeobachtungen.

b) Formulieren Sie die Reaktionsgleichungen und benennen Sie dabei die einzelnen Stoffe und Reaktionsschritte.

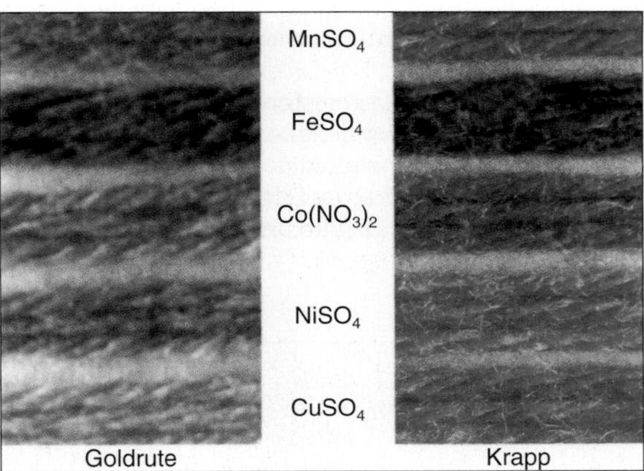

Färben von Wolle. Um Wolle mit natürlichen Farbmitteln zu färben, muss sie zuerst vorbehandelt werden. **Naturfarben** ziehen nämlich nicht direkt auf die Faser auf. Daher werden *Beizen* benötigt, die sich sowohl mit der Faser als auch mit dem Farbmittel verbinden.
Für 1 g Wolle braucht man dazu 0,04 g Metallsalz, die in 50 ml warmes Wasser (40 °C) eingerührt werden. In dieser Lösung verbleibt die Wolle dann eine Stunde. Die natürlichen Farbmittel werden durch Einweichen und Auskochen der Pflanzenteile oder Trockensubstanz gewonnen.
Anschließend wird bei 90 °C gefärbt.

Versuch 2: Färben von Baumwolle

Materialien: Waage, Bechergläser (2 l, 200 ml, 50 ml), Messzylinder (100 ml), Kunststoffspritze (1 ml), Reagenzgläser mit Stopfen, Glasplatte, Glasstab, Thermometer, Dreifuß mit Drahtnetz, Gasbrenner, Pinzette, Spatel; Natriumcarbonat (Xi), Natriumhydroxid (C), Natriumsulfat, Natriumdithionit (Xn), Ethanol (F), Baumwollgewebe, Sirius-Lichtblau BRR, Indigo, Naphthol AS-D (Xi), Türkischrotöl (Xi), Echtgelbsalz GC (Xn), Levafix Goldgelb E (Xi)

Durchführung:

a) Direktfärbung mit Sirius-Lichtblau BRR

1. Zuerst wird das Gewebe in Wasser gelegt. Dann werden 0,1 g Farbstoff in 20 ml siedendem Wasser gelöst. Danach fügt man 175 ml Wasser von etwa 50 °C hinzu und taucht das benetzte Baumwollgewebe ein.

2. Nach Zusatz von 5 ml Natriumsulfat-Lösung (10 %) und 0,5 ml Natriumcarbonat-Lösung (10 %) wird innerhalb von zehn Minuten auf 85 °C erhitzt. Dabei wird ständig gerührt und 20 Minuten lang gefärbt.

3. Anschließend wird das Gewebe ausgewrungen, gespült und getrocknet.

b) Küpenfärbung mit Indigo

1. Rühren Sie 2 g fein gepulverten Indigo, 4 g Natriumdithionit und 8 g Natriumhydroxid in 40 ml warmes Wasser (70 °C) ein. Danach wird die gelbliche Lösung in ein Becherglas mit einem Liter heißem Wasser gegossen.

2. Nun gibt man ein Tuch aus Baumwolle hinein und erhitzt zum Sieden. Nach etwa fünf Minuten wird das Tuch wieder herausgenommen, gründlich gespült und zum Trocknen aufgehängt.

c) Entwicklungsfärbung mit Naphthol AS-D

1. In einem Becherglas mischt man 0,6 g Farbstoff mit 1,8 ml Ethanol, 0,6 ml Wasser und 0,3 ml Natronlauge (33 %).

2. Im zweiten Becherglas werden 100 ml Wasser, 0,2 ml Natronlauge und 0,2 ml Türkischrotöl gemischt und anschließend in das erste Becherglas eingerührt.

3. Bewegen Sie nun das Gewebe zehn Minuten lang in der Lösung. Danach wird das Gewebe ausgewrungen und zehn Minuten lang in eine Lösung von 1 g Echtgelbsalz in 100 ml Wasser gelegt.

d) Reaktivfärbung mit Levafix Goldgelb E

1. Verrühren Sie in einem Becherglas 0,1 g Farbstoff mit 180 ml warmem Wasser (40 °C). In dieser Lösung wird das benetzte Gewebe zwei Minuten lang bewegt.

2. Nach Zusatz von 7,5 g Natriumsulfat wird 15 Minuten lang gefärbt. Fügen Sie nun 20 ml Natriumcarbonat-Lösung (10 %) zu und färben Sie weitere 30 Minuten bei 40 °C.

18.8 Indikatorfarbstoffe

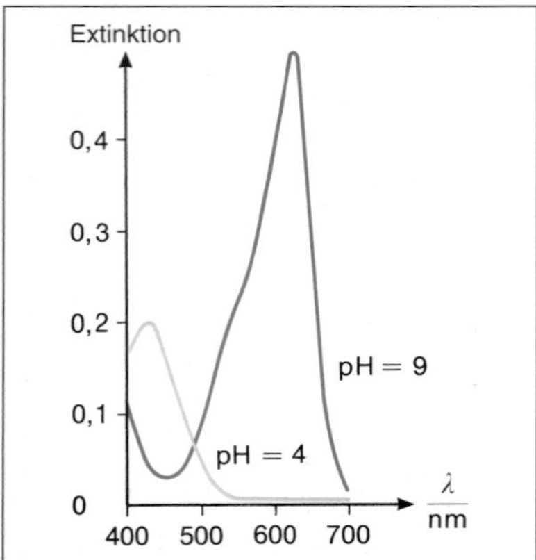

1. Absorptionsspektrum von Bromthymolblau

(Strukturformeln: $(CH_3)_2\overline{N}$ … $\overset{+}{N}(CH_3)_2$, oxidierte Form, blau; $H^+ + 2\,e^-$ ⇌ $H^+ + 2\,e^-$; $(CH_3)_2\overline{N}$ … $\overline{N}(CH_3)_2$, reduzierte Form, farblos)

2. Oxidierte und reduzierte Form des Redox-Indikators Methylenblau

A1 a) Formulieren Sie Grenzformeln für die Formen des Phenolphthaleins.
b) Ab einem pH-Wert von 14 reagiert Phenolphthalein mit einem Hydroxid-Ion und die Lösung wird wieder farblos. Geben Sie Grenzformeln für das Reaktionsprodukt an.

A2 Folgende Indikatoren sind in einer Mischindikator-Lösung enthalten:

Indikator	Farbe pH< $pK_S - 1$	pK_S	Farbe pH> $pK_S + 1$
Methylorange	rot	3,7	gelb
Bromthymolblau	gelb	7,0	blau
Phenolphthalein	farblos	9,3	violett

Geben Sie die Farben der Lösung bei pH = 3, pH = 7 und pH = 10 an.

Säure/Base-Indikatoren. Einige Farbstoffe weisen bei verschiedenen pH-Werten unterschiedliche Farben auf. Ein alltägliches Beispiel ist der Farbstoff des Rotkohls. Er zeigt seine rote Farbe nur dann, wenn man mit Essig würzt. Den Namen Blaukraut verwendet man in Gegenden, wo die Zubereitung ohne Säurezusatz erfolgt. Der Pflanzenfarbstoff reagiert auf Säuren und Basen mit einem ähnlichen Farbumschlag wie der Indikator *Lackmus*.
Erfolgt der Farbumschlag in einem engen pH-Bereich, so lässt sich ein Farbstoff als *pH-Indikator* verwenden. Mit pH-Indikatoren kann man den pH-Wert einer Lösung abschätzen oder den Äquivalenzpunkt bei einer Titration erkennen. Indikatorgemische, die ihre Farben in einem großen pH-Bereichs kontinuierlich ändern, werden als *Universalindikatoren* bezeichnet. Beliebt sind auch Indikatorstäbchen mit drei oder vier nebeneinander liegenden Farbzonen.

Indikatorfarbstoffe sind schwache Säuren, die sich farblich von ihren korrespondierenden Basen unterscheiden. Durch Aufnahme oder Abgabe von Protonen ändert sich die Elektronenverteilung in den Farbstoff-Molekülen. Damit verschiebt sich der Absorptionsbereich und die Farbe der Verbindung ändert sich. Der Umschlagsbereich eines Indikatorfarbstoffs hängt vom pK_S-Wert der Indikatorsäure ab. Allgemein gilt für den pH-Wert des Umschlagbereichs: $pH = pK_S \pm 1$. Bei *zweifarbigen Indikatoren* wie *Bromthymolblau* sind beide Formen farbig. Bei *einfarbigen Indikatoren* wie *Phenolphthalein* absorbiert eine Form kein Licht im sichtbaren Bereich und ist daher farblos.

Redox-Indikatoren. Auch durch die Aufnahme oder Abgabe von Elektronen ändert sich die Elektronenverteilung in einer Verbindung und somit ihr Absorptionsspektrum. Die Farbänderung erfolgt bei einem bestimmten *Redoxpotential*. Unterscheiden sich die oxidierte und die reduzierte Form in ihrer Farbe, so kann man die Verbindung als Redox-Indikator verwenden. Bei einer Redoxtitration muss das Redoxpotential für den Indikatorumschlag in der Nähe des Redoxpotentials für den Äquivalenzpunkt der Titration liegen.
Einige Redox-Indikatoren wie *Methylenblau* sind organische Farbstoffe. Hier kann man die unterschiedliche Färbung von oxidierter und reduzierter Form anhand der unterschiedlichen Grenzformeln erklären. Beim *Ferroin* handelt es sich um einen Eisen(II)-Komplex mit organischen Liganden. Durch die Oxidation des zentralen Eisen-Ions zur Oxidationsstufe III ändert sich die Farbe der Lösung von Rot nach Blau.

(Strukturformeln: farblos, pH < 8 ⇌ ($2\,H^+$) rotviolett, 8 < pH < 13)

3. Struktur des Phenolphthaleins in Abhängigkeit vom pH-Wert

18.9 Vierfarbendruck

In der Drucktechnik verwendet man zum **Vierfarbendruck** die Grundfarben *Gelb, Blaugrün (Cyan)* und *Purpur (Magenta)*; mit *Schwarz* wird der Kontrast des Bildes erhöht. Von der farbigen Vorlage werden vier Farbauszüge erstellt. Dazu spannt man das Bild auf die Trommel eines *Scanners* und tastet es Zeile für Zeile mit einem Lichtstrahl ab. Mit Hilfe von Filtern wird der Anteil jeder Grundfarbe in dem Lichtstrahl bestimmt und elektronisch gespeichert. Ein Laserstrahl belichtet danach für jede der vier Farben einen Schwarzweiß-Film. Für jeden der vier Farbauszüge stellt man dann eine Druckplatte her. Dazu wird eine mit einer lichtempfindlichen Schicht überzogene Metallplatte durch den jeweiligen Film belichtet.
Beispiel: Ein mit dem Lichtstrahl abgetasteter gelber Punkt ergibt auf dem Negativ-Film einen schwarzen **Rasterpunkt,** erst im gedruckten Bild erscheint er wieder gelb. Betrachtet man einen Vierfarbendruck mit der Lupe, so kann man die Rasterpunkte in den Druckfarben erkennen.

Druckfarben. Die Pigmente werden fein vermahlen und in Haftmitteln wie Leinöl oder Lack dispergiert. Die beim Drucken aufgetragenen Farbschichten sind extrem dünn. Da die Haftmittel beim Drucken polymerisieren, werden die Farben fest mit dem Papier verbunden. Die geringe Dicke der Farbschichten erfordert eine hohe Farbkraft, wie man sie bei organischen Pigmenten findet. Zudem müssen die Farben unempfindlich gegen Licht, Säuren und Laugen sein. Die Zulassung der Farben unterliegt strengen Normen.
Als gelbe Druckfarbe wird meist eine nichtionische Azo-Verbindung mit drei konjugierten Azo-Gruppen verwendet. Das Magentapigment ist das Calciumsalz einer sulfonsauren Azo-Verbindung. Als Cyanpigment dient Kupferphthalocyanin, ein organischer Kupfer-Komplex. Die schwarze Druckfarbe ist ein Gasruß, der speziell für diesen Zweck durch unvollständige Verbrennung von Methan oder Ethin hergestellt wird.

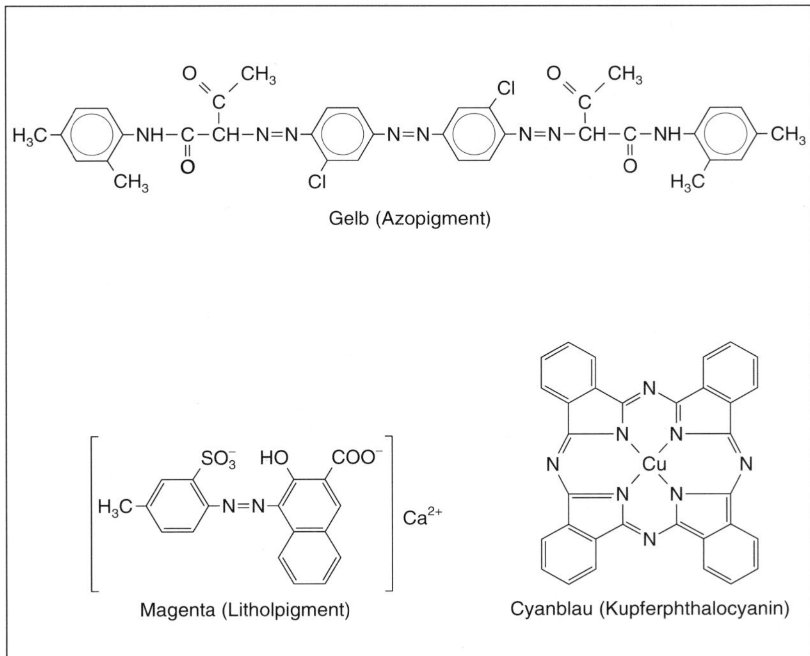

1. Wichtige Druckfarbstoffe

2. Stationen des Vierfarbendrucks

18.10 Farbfotografie

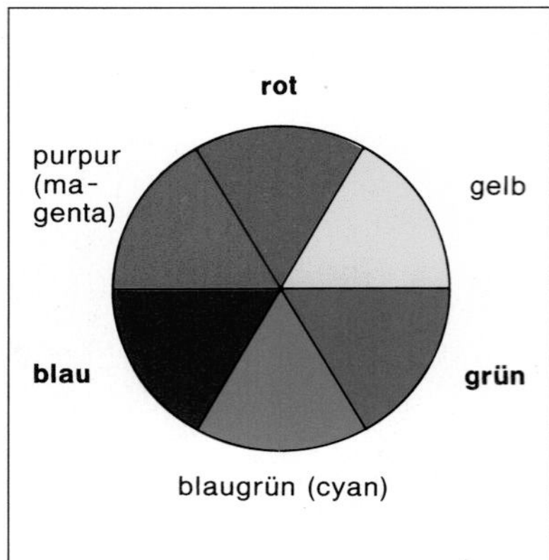

1. Farbkreis. Gegenüberliegende Farben sind *Komplementärfarben.*

Weißes Licht setzt sich formal aus den drei Grundfarben Blau, Rot und Grün zusammen. Farbfilme enthalten für jede Grundfarbe eine lichtempfindliche Schicht. Analog zur Schwarzweiß-Fotografie entsteht beim Entwickeln ein *Farbnegativ.* Gegenüber dem Original sind die Helligkeitswerte vertauscht und statt der Originalfarben erscheinen die jeweiligen Komplementärfarben. Beim Kopieren auf Fotopapier entstehen dann die Komplementärfarben der Komplementärfarben, also die ursprünglichen Farben. Man erhält ein *Farbpositiv.*

Am Farbkreis lassen sich diese Vorgänge nachvollziehen. Fällt beispielsweise auf den Farbfilm blaues Licht, so entsteht in der blauempfindlichen Schicht ein gelber Farbstoff. Er absorbiert beim Kopieren den blauen Anteil des weißen Lichts, sodass ein Gemisch von grünem und rotem Licht auf das Fotopapier trifft. Dort entsteht in der grünempfindlichen Schicht ein purpurfarbener, in der rotempfindlichen Schicht ein blaugrüner Farbstoff. Betrachtet man das Bild unter weißem Licht, wird der grüne Anteil vom purpurfarbenen, der rote Anteil vom blaugrünen Farbstoff absorbiert, sodass blaues Licht reflektiert wird und das Objekt in der Originalfarbe auf dem Bild erscheint.

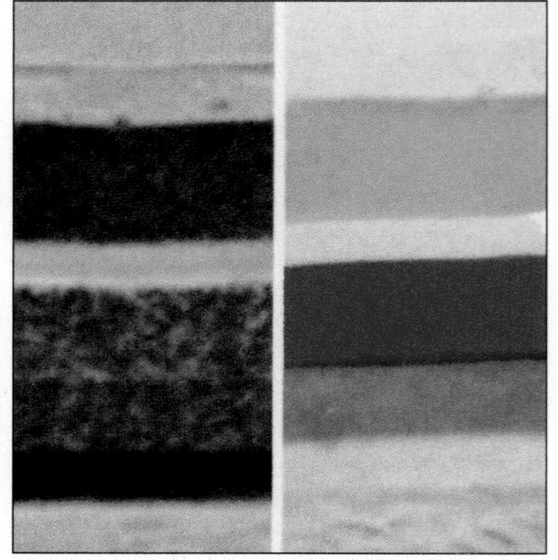

2. Schnitt durch einen Farbfilm

Filmmaterial. Wie bei der Schwarzweiß-Fotografie enthalten die drei lichtempfindlichen Schichten eines Farbfilms Silberbromid-Kristalle. Silberbromid ist aber nur empfindlich für blaues Licht und UV-Licht. Um in den Schichten eine spezifische Lichtempfindlichkeit für blaues, grünes und rotes Licht zu erreichen, sind in der grünempfindlichen und rotempfindlichen Schicht so genannte Sensibilisierungsfarbstoffe zugesetzt, die sich an die Silberbromid-Kristalle anlagern. Es handelt sich um Polymethinfarbstoffe, die je nach Zahl der Methin-Gruppen Licht einer bestimmten Wellenlänge absorbieren. Dabei geben sie Elektronen an Silber-Ionen ab, anschließend werden sie an der Kristalloberfläche durch Anionen reduziert und sind erneut funktionsbereit. Das energiereiche blaue Licht darf nicht in die darunterliegenden Schichten gelangen, da dies zu Farbverfälschungen führen würde. Daher befindet sich unter der blauempfindlichen Schicht eine Sperrschicht.

Farbentwicklung. In den drei Filmschichten entstehen an den belichteten Silberbromid-Kristallen Silberkeime. Sie bilden ein noch nicht sichtbares **latentes Bild.** Beim Entwickeln werden die Silber-Ionen dieser Kristalle vollständig zu Silber reduziert. Als Entwickler verwendet man *p*-Phenylendiamin. Die oxidierte Form dieses Entwicklers reagiert in alkalischer Lösung mit den in den Schichten vorhandenen Farbkupplern zu Farbstoffen.

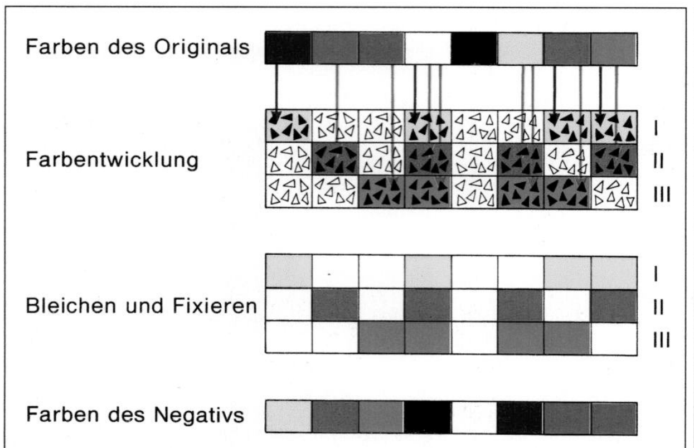

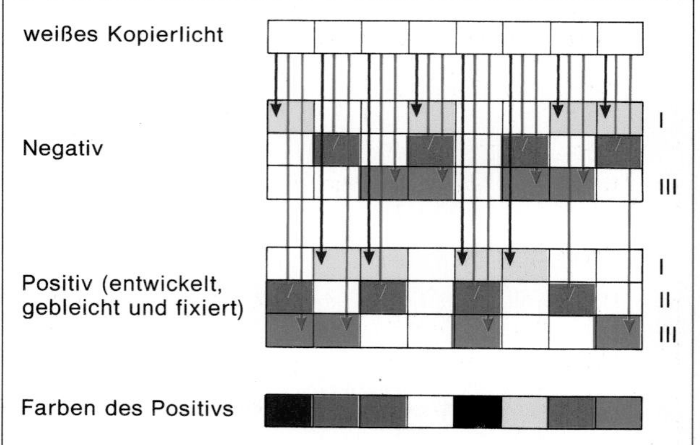

3. Negativ/Positiv-Verfahren. Sensibilisierung für Blau (I), Grün (II), Rot (III); Silberbromid (◁), entwickeltes Silber (◀)

Die Kuppler werden so gewählt, dass in der blauempfindlichen Schicht ein gelber Farbstoff, in der grünempfindlichen Schicht ein purpurfarbener Farbstoff (Magenta) und in der rotempfindlichen Schicht ein blaugrüner Farbstoff (Cyan) entsteht. So erhält man ein Farbnegativ mit Farben, die komplementär zu denen des fotografierten Objekts sind.
Das größte Problem bei der Herstellung der Farbfilme war, die Farbkuppler dauerhaft in die nur 5 μm dicken Filmschichten einzulagern. Die Diffusion der Kuppler in andere Schichten würde zu Farbverfälschungen führen. Die verschiedenen Hersteller haben dieses Problem auf unterschiedliche Weise gelöst. Eine Möglichkeit besteht darin, Farbkuppler mit langkettigen Kohlenwasserstoff-Resten herzustellen. Diese bilden mit der Gelatine der Filmemulsion so starke VAN-DER-WAALS-Bedingungen, dass eine Diffusion verhindert wird.

Bleichen und Fixieren. Beim Entwicklungsvorgang ist in den Filmschichten neben den Farbstoffen elementares Silber entstanden, das an den belichteten Stellen störende Schwärzungen hervorruft. Im Bleichbad wird dieses Silber von Hexacyanoferrat(III)-Ionen wieder zu Silber-Ionen oxidiert. Beim anschließenden Fixieren werden diese Ionen zusammen mit dem unbelichteten Silberbromid als Thiosulfat-Komplex aus der Schicht herausgelöst.

Kopieren. Das Filmnegativ wird dann mit weißem Licht auf Fotomaterial projiziert und in einem zweiten gleichartigen Vorgang zum fertigen positiven Farbbild umkopiert. Die lichtempfindlichen Schichten sind dazu auf weißem Papier oder Kunststoff als Trägermaterial aufgebracht. Beim Kopierprozess kann man Farbfilter vor die Lichtquelle bringen und somit Farbstiche ausgleichen oder besondere Effekte erzielen.

Dia-Positive. Man kann auch ohne Zwischenschaltung eines Kopierprozesses durch **Umkehrentwicklung** sofort aus dem Film Dia-Positive herstellen. Dazu wird der Film zunächst mit einem Schwarzweiß-Entwickler entwickelt, sodass keine Farbstoffe in den Schichten entstehen. Dann wird der Film mit diffusem Licht nachbelichtet. Dabei bilden sich Silberkeime an den Silberbromid-Kristallen, die bei der Aufnahme nicht belichtet und bis jetzt noch nicht entwickelt worden sind. Bei der anschließenden Farbentwicklung entstehen Farbstoffe nur an den Stellen, an denen die Nachbelichtung wirksam geworden ist. Man erhält ein Positiv. Bei diesem Prozess ist eine Farbkorrektur allerdings nicht möglich.

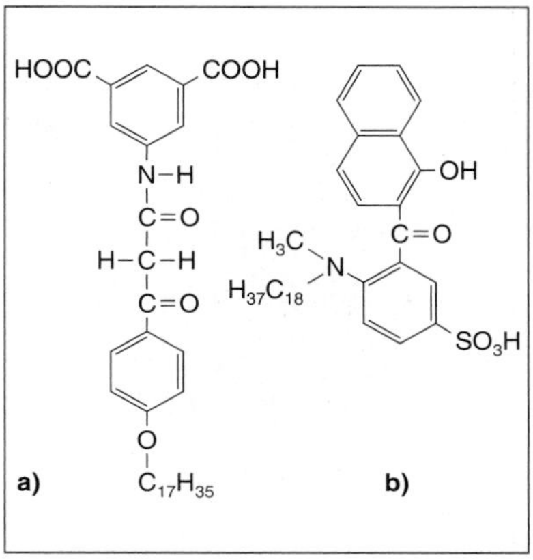

a) HOOC, COOH, N–H, C=O, H–C–H, C=O, O, $C_{17}H_{35}$

b) OH, C=O, H_3C, N, $H_{37}C_{18}$, SO_3H

1. Gelbkuppler (a) und Blaugrünkuppler (b)

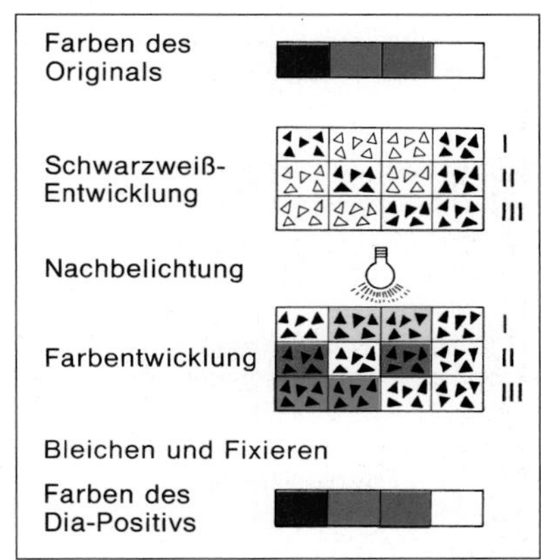

2. Prinzip des Farbumkehrverfahrens. Sensibilisierung für Blau (I), Grün (II), Rot (III).

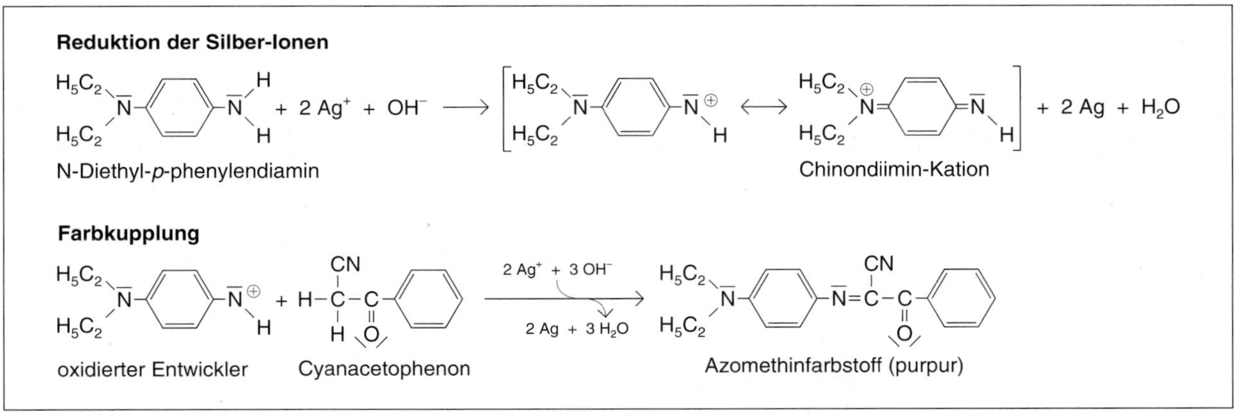

Reduktion der Silber-Ionen

N-Diethyl-*p*-phenylendiamin $+ 2\,Ag^+ + OH^- \longrightarrow$ [Chinondiimin-Kation] $+ 2\,Ag + H_2O$

Farbkupplung

oxidierter Entwickler + Cyanacetophenon $\xrightarrow[2\,Ag\ +\ 3\,H_2O]{2\,Ag^+\ +\ 3\,OH^-}$ Azomethinfarbstoff (purpur)

3. Farbentwicklung

18.11 Aufgaben · Versuche · Probleme

Aufgabe 1: β-Naphtholorange (Orange II) ist ein viel verwendeter Azofarbstoff, da er sowohl Wolle direkt als auch mit Metallhydroxiden gebeizte Baumwolle färbt. Er lässt sich aus Sulfanilsäure und β-Naphthol herstellen.
a) Formulieren Sie die Reaktionsmechanismen für die Bildung des Nitrosyl-Ions aus Natriumnitrit und Schwefelsäure sowie für die Diazotierungs- und Kupplungsreaktion.
b) Bei der Azokupplung handelt es sich um eine elektrophile Zweitsubstitution, wobei Geschwindigkeit und Ort durch den vorhandenen Erstsubstituenten beeinflusst werden. β-Naphthol kuppelt stets in der α-Stellung. Erklären Sie dieses Reaktionsverhalten.

Aufgabe 2: Bismarckbraun wird aus *m*-Diaminobenzol synthetisiert. Dabei wirkt ein Molekül als Diazokomponente, ein zweites als Kupplungskomponente. Geben Sie die Strukturformel an.

Aufgabe 3: Zu den Aminotriphenylmethanfarbstoffen zählen vor allem die Malachitgrün- und Fuchsinfarbstoffe. Durch Kondensation von einem Molekül Benzaldehyd mit zwei Molekülen Dimethylanilin in Gegenwart von Zinkchlorid entsteht Leukomalachitgrün, das durch Oxidation mit Blei(IV)-oxid in saurer Lösung in Malachitgrün übergeht.
a) Geben Sie die Reaktionsgleichung für die Herstellung von Malachitgrün an.
b) Geben Sie für das Malachitgrün-Kation weitere Grenzformeln an und erklären Sie die Farbigkeit von Malachitgrün im Gegensatz zu seiner farblosen Leukoverbindung.
c) In saurer Lösung wird Malachitgrün gelb. Erklären Sie diese Erscheinung.

Aufgabe 4: Ein Azofarbstoff reagiert mit Trichlortriazin zu einem Reaktivfarbstoff:

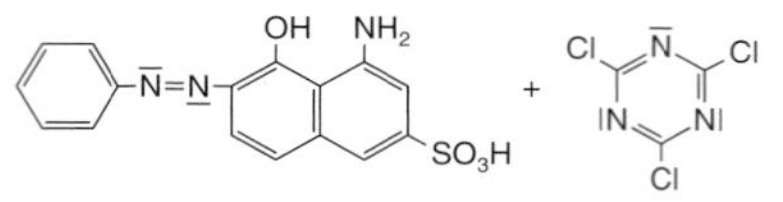

a) Formulieren Sie die Reaktionsgleichung und geben Sie die Reaktion des Farbstoffes mit der Cellulosefaser an.
b) Die Färbung erfolgt in alkalischer Lösung, in saurer Lösung zieht der Farbstoff dagegen nicht auf. Erklären Sie dieses Verhalten.

Aufgabe 5: Die Verbindung Nitrobenzol absorbiert in einem Wellenlängenbereich unterhalb 380 nm, während *ortho*-Nitroanilin das Licht in einem Bereich um 450 nm absorbiert.
a) Erläutern Sie den Zusammenhang zwischen absorbiertem Licht und der Farbe eines Stoffes.
b) Erklären Sie die Unterschiede in der Farbigkeit der beiden Verbindungen aufgrund ihrer Molekülstruktur unter Verwendung der Begriffe Chromophor, Auxochrom, Antiauxochrom und bathochromer Effekt.
c) Durch die Einführung weiterer Nitro-Gruppen lässt sich keine sichtbare Farbvertiefung mehr erreichen. So ist 2,4-Dinitroanilin ebenfalls gelb. Geben Sie dafür eine Erklärung.

Versuch 1: Farbenspiel bei Veilchen
Lässt man Chlorwasserstoff-Gas (C, T) auf ein blaues Veilchen einwirken, so färbt es sich nach kurzer Zeit rot. Hält man es über konzentrierte Ammoniak-Lösung (C, N), so wird es gelblich bis grün. Erklären Sie den Sachverhalt.

Versuch 2: Färben von Polyesterfasern
Zu 5 ml warmem Wasser (50 °C) gibt man einen Tropfen Avolan IS und verrührt darin 0,1 g Resolin.
Dann werden in 200 ml warmem Wasser (50 °C) 1 g Levegal PT (Xn), 0,5 g Avolan IS und 0,5 ml Essigsäure (30 %; C) gelöst.
Mischen Sie die beiden Ansätze. Legen Sie ein Stück Polyestergewebe in die Lösung und erhitzen Sie bis zum Sieden.

Problem 1: Durch Anfärben mit Methylenblau fand Robert KOCH (1843–1910) den Erreger der Tuberkulose. Die Bakterien ließen sich nicht nur anfärben und erkennen, sondern auch abtöten.
Paul EHRLICH (1854–1915) erkannte 1909 die Wirksamkeit eines Arsenobenzols gegen den Erreger der Syphilis und gilt heute als Begründer der modernen Chemotherapie.
a) Salvarsan hat folgende Strukturformel:

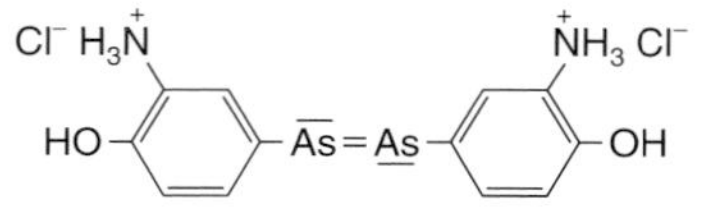

Erläutern Sie die Ähnlichkeit mit einer bekannten Farbstoffgruppe.
b) Heute weiß man, dass es sich bei Salvarsan um ein Gemisch linearer und cyclischer Oligomerer handelt. Auf der 200-DM-Banknote war neben dem Bild EHRLICHS das Ergebnis der Röntgenstrukturanalyse eines dieser ringförmigen Bestandteile des Salvarsans grafisch dargestellt. Erklären Sie diese Darstellung.

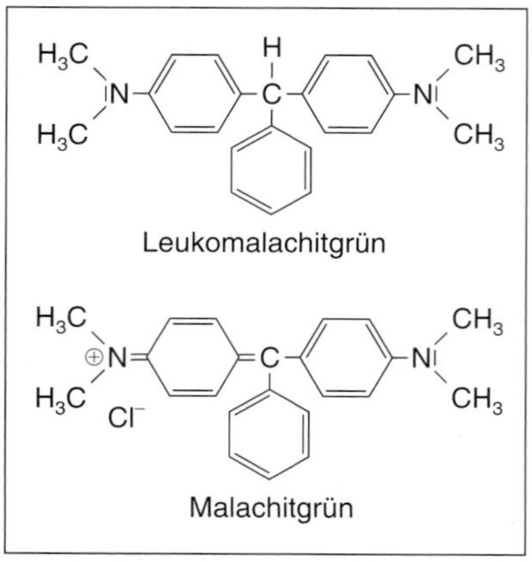

Leukomalachitgrün

Malachitgrün

BASISWISSEN

Farbstoffe

1. Lichtabsorption und Farbe

violett	blau	grünblau	blaugrün	grün	gelbgrün	gelb	orange	rot	purpur	absorbiertes Licht
380 400	450	500		550	600			650 700 750	780	Wellenlänge [nm]
gelbgrün	gelb	orange	rot	purpur	violett	blau	grünblau	blaugrün	grün	beobachtete Farbe: Komplementärfarbe

Ein Stoff ist farbig, wenn er Licht im sichtbaren Bereich absorbiert. Er erscheint in der Komplementärfarbe.

2. Farbe und Molekülstruktur; Farbstoffgruppen

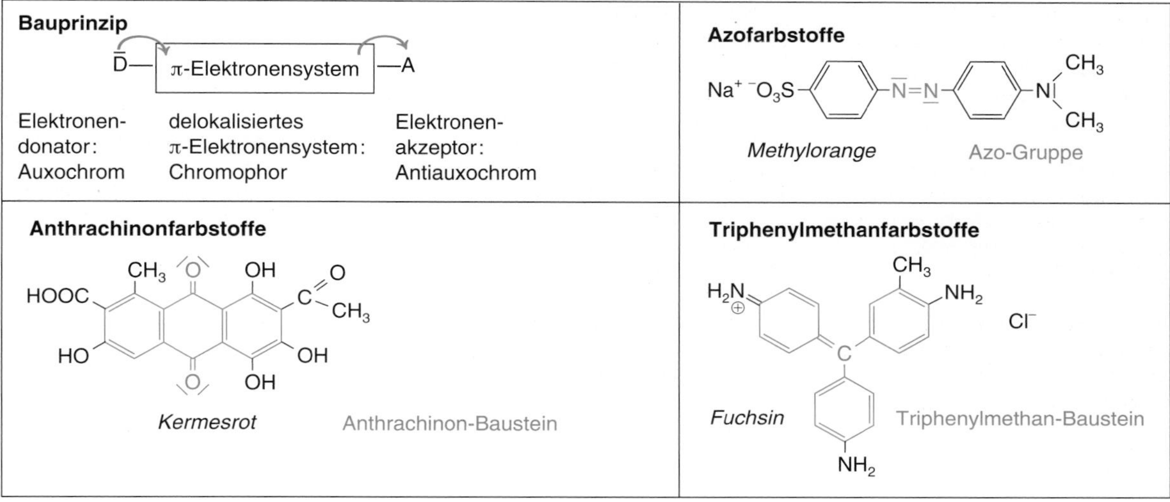

3. Indikatorfarbstoffe

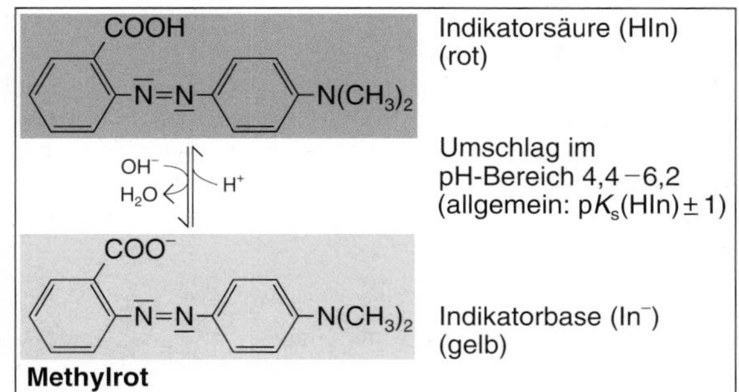

Indikatorsäure (HIn) (rot)

Umschlag im pH-Bereich 4,4 – 6,2 (allgemein: $pK_s(\text{HIn}) \pm 1$)

Indikatorbase (In^-) (gelb)

4. Pigmente

Ein Pigment ist ein im Anwendungsmedium unlösliches anorganisches oder organisches Farbmittel.
Pigmente sind kristallin, ihre Eigenschaften werden wesentlich durch das Kristallgitter bestimmt.

Pigmente werden im festen Zustand als *Pulverpigmente* für Drucke oder zum direkten Einfärben von Bau- und Kunststoffen, Email und Keramik verwendet. Durch Einarbeitung der Pigmente in Bindemittel entstehen *Anstrichstoffe* wie Lack- und Dispersionsfarben oder *Druckfarben*.

5. Färbeverfahren

Farbstoff	Verwendung/Färbegut	Haftung zwischen Farbstoff und Faser
saure Farbstoffe	Wolle, Seide, Polyamid	Ionenbindung
basische Farbstoffe	Wolle, Seide, Papier, Polyacrylnitril	Ionenbindung
Direktfarbstoffe	Baumwolle, holzfreies Papier	VAN-DER-WAALS-Bindung oder Wasserstoffbrücken
Küpenfarbstoffe	Baumwolle	Einlagerung
Reaktivfarbstoffe	Baumwolle	Elektronenpaarbindung
Metallkomplexfarbstoffe	Wolle, Polyamid	Komplexbindung
Dispersionsfarbstoffe	Polyester, Polyamid, Polyacrylnitril	Einlagerung

19 Lebenswichtige Stoffe: Kohlenhydrate, Fette und Proteine

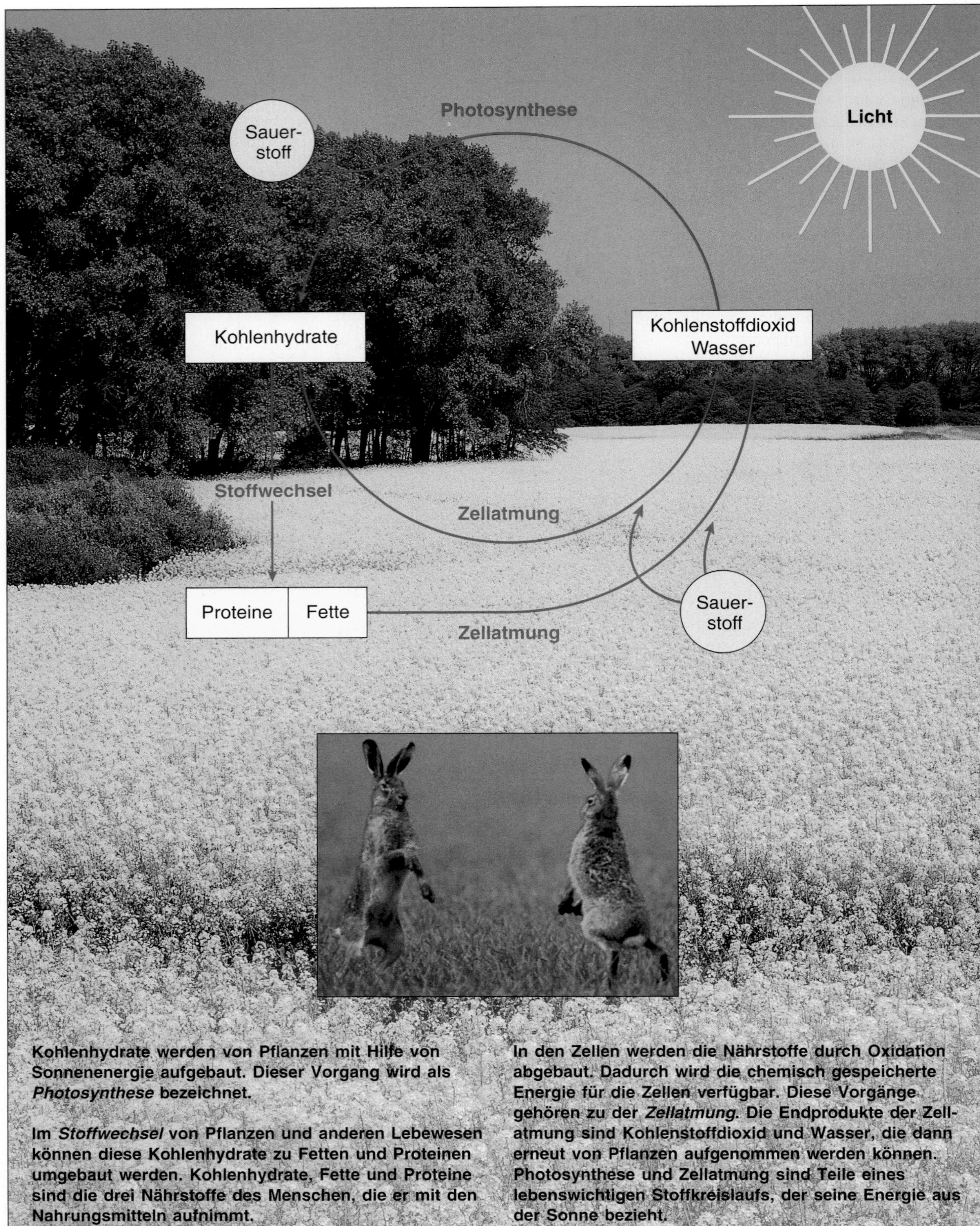

Kohlenhydrate werden von Pflanzen mit Hilfe von Sonnenenergie aufgebaut. Dieser Vorgang wird als *Photosynthese* bezeichnet.

Im *Stoffwechsel* von Pflanzen und anderen Lebewesen können diese Kohlenhydrate zu Fetten und Proteinen umgebaut werden. Kohlenhydrate, Fette und Proteine sind die drei Nährstoffe des Menschen, die er mit den Nahrungsmitteln aufnimmt.

In den Zellen werden die Nährstoffe durch Oxidation abgebaut. Dadurch wird die chemisch gespeicherte Energie für die Zellen verfügbar. Diese Vorgänge gehören zu der *Zellatmung*. Die Endprodukte der Zellatmung sind Kohlenstoffdioxid und Wasser, die dann erneut von Pflanzen aufgenommen werden können. Photosynthese und Zellatmung sind Teile eines lebenswichtigen Stoffkreislaufs, der seine Energie aus der Sonne bezieht.

19.1 Kohlenhydrate – ein Überblick

Traubenzucker, Haushaltszucker, Stärke und Cellulose gehören zur Stoffklasse der *Kohlenhydrate*. Diese Bezeichnung hängt mit der allgemeinen Summenformel der Kohlenhydrate zusammen: $C_n(H_2O)_m$. Bei der Benennung der Kohlenhydrate verwendet man häufig die Endung *-ose: Glucose* für Traubenzucker oder *Saccharose* für Haushaltszucker.

Die Eigenschaften der einzelnen Kohlenhydrate werden vor allem durch die Molekülgröße bestimmt. Glucose, das Primärprodukt der Photosynthese, besteht aus $C_6H_{12}O_6$-Molekülen. Die gleiche Molekülformel gilt auch für *Fructose* (Fruchtzucker). Kleine Kohlenhydrat-Moleküle wie Glucose und Fructose sind Bausteine für den Aufbau weiterer Kohlenhydrate. Glucose und Fructose zählt man daher zu der Gruppe der **Monosaccharide** (Einfachzucker).

Das bekannteste **Disaccharid** ist der Haushaltszucker. Jedes Saccharose-Molekül besteht aus zwei Monosaccharid-Bausteinen. In **Polysacchariden** (gr. *poly:* viele) sind die Moleküle dagegen aus zahlreichen Monosaccharid-Resten aufgebaut. *Stärke* und *Cellulose* sind wichtige Polysaccharide.

Formal können Kohlenhydrate durch Oxidation mehrwertiger Alkohole entstehen; sie lassen sich daher als *Polyhydroxyaldehyde* oder als *Polyhydroxyketone* auffassen. Wird beispielsweise Glycerin an einem endständigen C-Atom oxidiert, so erhält man Glycerinaldehyd, eine **Aldose.** Erfolgt die Oxidation am mittleren C-Atom, so entsteht Dihydroxyaceton, eine **Ketose.** Beide Zucker enthalten jeweils drei Kohlenstoff-Atome: Es sind *Triosen.*

Glucose und Fructose sind Hexosen. Sie lassen sich formal von dem sechswertigen Alkohol Sorbit ableiten. Wird das erste Kohlenstoff-Atom oxidiert, so entsteht Glucose, eine *Aldohexose.* Erfolgt die Oxidation am C-2-Atom, wird Fructose gebildet, eine *Ketohexose.*

Sorbit	Glucose	Fructose
H	H, O	H
H–C$_1$–OH	C$_1$ (=O)	H–C–OH
H–C$_2$–OH	H–C–OH	^{2}C=O
HO–C$_3$–H	HO–C–H	HO–C–H
H–C$_4$–OH	H–C–OH	H–C–OH
H–C$_5$–OH	H–C–OH	H–C–OH
H–C$_6$–OH	H–C–OH	H–C–OH
H	H	H
$C_6H_{14}O_6$	$C_6H_{12}O_6$	$C_6H_{12}O_6$
Sorbit	Glucose	Fructose
Polyalkohol	Aldohexose	Ketohexose

1. Sorbit, Glucose und Fructose (FISCHER-Projektion)

A1 Zucker sind Oxidationsprodukte von Alkoholen.
a) Geben Sie die Strukturformeln der Triosen an, die sich von Glycerin ableiten lassen.
b) Zeigen Sie, dass dabei Spiegelbild-Isomere auftreten.
c) Formulieren Sie die Reaktionsgleichung für die Oxidation von Sorbit mit Kupfer(II)-oxid zur Glucose. Verwenden Sie dabei Strukturformeln.

A2 Bestimmen Sie die Anzahl der asymmetrischen C-Atome einer Aldopentose und einer Ketopentose. Gehen Sie jeweils von der FISCHER-Projektion aus.
Wie viel Spiegelbild-Isomere sind zu erwarten?

A3 **a)** Lesen Sie in Biologiebüchern nach, wie die Speicherstoffe Stärke oder Glykogen in Pflanzen oder Tieren aufgebaut werden.
b) Wie werden diese Stoffe wieder für den Energiestoffwechsel verfügbar gemacht?
c) Stellen Sie einen Zusammenhang zur Kohlenhydratverdauung beim Menschen her.

EXKURS

Emil FISCHER und die Struktur der Glucose

Vor dem Jahr 1888 kannte man nur wenige Monosaccharide. Glucose, Mannose und Arabinose waren aufgrund ihres Reaktionsverhaltens und wegen ihrer Fähigkeit zur Alkoholatbildung als Polyhydroxyaldehyde identifiziert worden. Auch die optische Aktivität dieser Verbindungen war bereits gut erforscht. 1888 kündigte Emil FISCHER (1852 bis 1919) an, er wolle die räumliche Orientierung der Atome im Glucose-Molekül aufklären. Er ging bei seinen Überlegungen davon aus, dass es von einer Aldohexose mit ihren vier asymmetrischen C-Atomen insgesamt acht Paare von Spiegelbild-Isomeren gibt. In seinen langwierigen Untersuchungen oxidierte FISCHER Monosaccharide zu Carbonsäuren und Dicarbonsäuren. Dadurch gingen in den Molekülen Asymmetriezentren verloren und die optische Aktivität konnte sich ändern. FISCHER verkürzte die Kohlenstoffkette von Monosacchariden und er baute gezielt bestimmte Zucker nach. Er bestimmte dann bei den Reaktionsprodukten die optische Aktivität. Nach der Auswertung aller Ergebnisse konnte FISCHER ein Modell der Raumstruktur der Glucose in der Aldehydform (Kettenform) vorlegen. FISCHER erhielt 1902 den Nobelpreis für Chemie.

19.2 Glucose und andere Monosaccharide

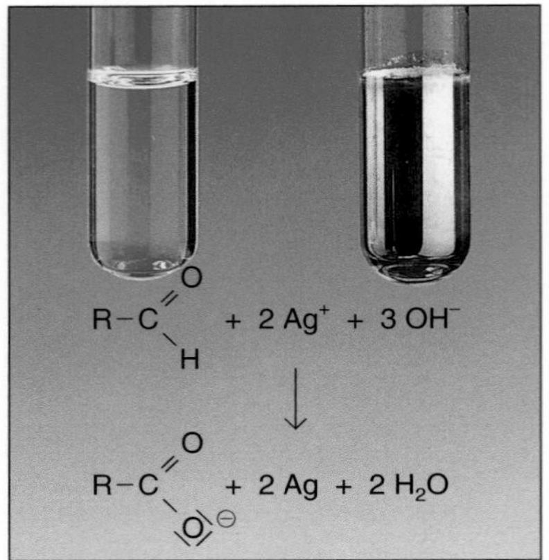

1. Die Silberspiegelprobe weist auf reduzierende Gruppen hin

A1 Formulieren Sie die Reaktionsgleichung für die vollständige Veresterung von Glucose mit Essigsäure. Gehen Sie dabei von der Kettenform aus.

A2 Schlagen Sie die Strukturformeln für Pyran und Furan nach und schreiben Sie diese auf.

A3 Bauen Sie Molekül-Modelle:
a) Glucose in der Aldehydform,
b) Glucose in der Halbacetalform (zwei Stereo-Isomere).

A4 Zeichnen Sie das Spiegelbild-Isomer der D-Glucose in der FISCHER-Projektion.

A5 Bei der Zellatmung wird Glucose zu Kohlenstoffdioxid und Wasser oxidiert. Formulieren Sie die Reaktionsgleichung.

Monosaccharide lösen sich sehr gut in Wasser. Dies ist ein wichtiger Hinweis darauf, dass die Moleküle funktionelle Gruppen enthalten, die Wasserstoffbrückenbindungen ausbilden können.

Glucose. Mit Essigsäure reagiert Glucose zu einem Ester. Bei der quantitativen Veresterung werden pro Mol Glucose fünf Mol Essigsäure verbraucht, es liegen also fünf OH-Gruppen in einem Glucose-Molekül vor. Bei der TOLLENS-Probe (Silberspiegelprobe) und bei der FEHLING-Probe verhält sich Glucose reduzierend wie ein Aldehyd. Formelmäßig kann Glucose daher als Aldehyd dargestellt werden. Diese *Aldehydform* der Glucose bezeichnet man auch als **Kettenform.**
Allerdings verläuft die SCHIFFsche Probe auf Aldehyde mit verdünnter Glucose-Lösung negativ. Die typisch violette Färbung erhält man nur mit sehr konzentrierter Glucose-Lösung, denn in wässeriger Lösung liegen weniger als 0,1 % der Glucose-Moleküle in der Aldehydform vor.

Die anderen Moleküle bilden eine **Ringform,** in der es keine freie Aldehyd-Gruppe mehr gibt. Geht man von der Kettenform aus, erfolgt der Ringschluss durch eine Reaktion der OH-Gruppe am C-5-Atom mit der Aldehyd-Gruppe am C-1-Atom. Es entsteht so ein sechsgliedriger Ring, in dem das C-1-Atom und das C-5-Atom über eine Sauerstoffbrücke verbunden sind. Da dem *Pyran*-Molekül die gleiche Ringstruktur zugrunde liegt, spricht man auch von der *Pyranoseform* des Glucose-Moleküls. Die HAWORTH-Formel gibt diese Struktur annähernd wieder. In Wirklichkeit ist der Ring aber sesselförmig und nicht planar. Allgemein bezeichnet man das Produkt der Reaktion zwischen einer Aldehyd-Gruppe und einer OH-Gruppe als **Halbacetal.** In der *Halbacetalform* trägt das Carbonyl-C-Atom eine OH-Gruppe; solche *halbacetalischen OH-Gruppen* sind besonders reaktiv.

Nach FISCHER nennt man den natürlich vorkommenden Traubenzucker **D-Glucose.** Die Bezeichnung D kennzeichnet die Stellung der OH-Gruppe an dem asymmetrischen C-Atom, das von der Carbonyl-Gruppe am weitesten entfernt ist. In der FISCHER-Projektion der D-Glucose steht diese OH-Gruppe am C-5-Atom rechts (lat. *dexter:* rechts), bei der L-Glucose steht sie links (lat. *laevus:* links).

In der Medizin verwendet man zum *Nachweis der Glucose* den Glucose-Oxidase-Test (GOD-Test). Eine charakteristische Farbreaktion ermöglicht dabei einen halbquantitativen Nachweis.

FISCHER-Projektion
Kettenform (Aldehyd)

α-D-Glucose

β-D-Glucose
HAWORTH-Formel/Ringform (Halbacetal)

2. Bildung der Ringform von D-Glucose aus der Kettenform

Mutarotation. Lösungen von D-Glucose zeigen im Polarimeter einen positiven Drehwinkel. Auf diese Eigenschaft weist man durch ein in den Namen eingefügtes Pluszeichen hin: D(+)-Glucose. In einer frisch hergestellten Glucose-Lösung ändert sich der Drehwinkel kontinuierlich, bis schließlich ein konstanter Wert erreicht ist. Die Beobachtung dieser *Mutarotation* (lat. *mutare:* ändern) war einer der ersten Hinweise darauf, dass D(+)-Glucose in wässeriger Lösung in zwei verschiedenen Ringstrukturen vorliegt.
Beim Ringschluss wird das Carbonyl-C-Atom der Glucose asymmetrisch, so dass zwei Stereo-Isomere entstehen: Bei der **α-Glucose** liegen die halbacetalische OH-Gruppe am C-1-Atom und die OH-Gruppe am C-2-Atom auf der gleichen Seite der Ringebene des Moleküls. Bei der **β-Glucose** sind diese beiden OH-Gruppen transständig angeordnet. In einer wässerigen Glucose-Lösung stellt sich ein chemisches Gleichgewicht ein. Durch Ringöffnung entsteht in sehr geringer Konzentration die Kettenform, aus der sich sowohl α-Glucose als auch β-Glucose bilden kann. Im chemischen Gleichgewicht überwiegt mit 64 % β-Glucose, 36 % liegen als α-Glucose vor. Je nach Lösungsmittel bildet sich beim Auskristallisieren reine α-Glucose oder reine β-Glucose.

Fructose. Honig und Früchte enthalten einen zur D-Glucose isomeren Zucker, die D(–)-Fructose (Fruchtzucker). In der FISCHER-Projektion wird Fructose als Ketohexose dargestellt. Kristalline Fructose liegt allerdings in einer Ringform als α-Fructose oder β-Fructose vor. Bei den Ringformen handelt es sich um *Pyranosen.* Sie bilden sich durch Reaktion der OH-Gruppe am C-6-Atom mit dem Carbonyl-C-Atom der Keto-Gruppe (C-2-Atom). Als Baustein in Saccharose-Molekülen liegen Fructose-Reste dagegen als fünfgliedrige Ringe vor: Die Sauerstoffbrücke stammt von der OH-Gruppe am C-5-Atom. Fünfgliedrige Ringe werden nach dem *Furan*-Molekül als *Furanosen* bezeichnet.
Beim Lösen von kristalliner Fructose stellt sich unter Mutarotation ein Gleichgewicht mit folgenden Isomerenanteilen ein: 57 % β-Pyranose, 3 % α-Pyranose, 31 % β-Furanose, 9 % α-Furanose und weniger als 1 % Ketoform.
Der *Nachweis der Fructose* kann durch SELIWANOW-Reaktion erfolgen. Fructose reagiert dabei mit Resorcin in saurer Lösung zu einem roten Farbstoff, der bei einer Glucose-Lösung nicht entsteht.
Sowohl bei der TOLLENS-Probe als auch bei der FEHLING-Probe wirkt Fructose ähnlich wie Glucose reduzierend.

Ribose und Desoxyribose. Nucleinsäuren, die Träger der Erbinformationen in den Zellen, sind Verbindungen der Aldopentose D(–)-Ribose und ihres am C-2-Atom reduzierten Derivats, der D(–)-2-Desoxyribose. Beide Monosaccharid-Bausteine liegen in den Nucleinsäuren als Furanosen vor.

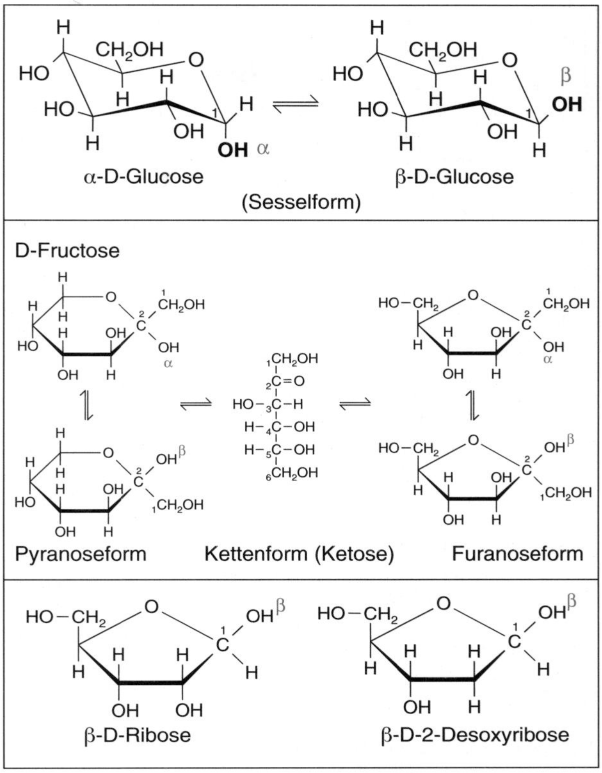

1. Strukturformeln von Monosacchariden

A1 In alkalischer Lösung steht die Kettenform der D-Fructose im chemischen Gleichgewicht mit der Kettenform der D-Glucose. Als Übergangsform zwischen den beiden Molekülen bildet sich die Endiolform.
Stellen Sie die Reaktionsgleichung für diese Gleichgewichtsreaktion auf.

A2 Die Oxidation der *halbacetalischen Hydroxyl-Gruppe* der Glucose führt zur Gluconsäure.
Schreiben Sie die Strukturformel dieser Verbindung auf.

A3 **a)** Zeichnen Sie die Aldehydformen der D-Ribose und der D-2-Desoxyribose.
b) In welchen biologisch bedeutsamen Molekülen kommen Ribose-Reste und Desoxyribose-Reste vor?
Geben Sie jeweils einen Strukturausschnitt an.

A4 Aus einer wässerigen Lösung kristallisiert Glucose als reine α-Glucose aus. Dagegen erhält man mit Pyridin als Lösungsmittel β-Glucose.
Warum kristallisiert jeweils ein reines Isomer aus?

A5 Fructose wird bei Diäten als Zuckeraustauschstoff eingesetzt.
Schlagen Sie nach, weshalb sie dafür besonders geeignet ist.

19.3 Aus zwei mach eins: Disaccharide

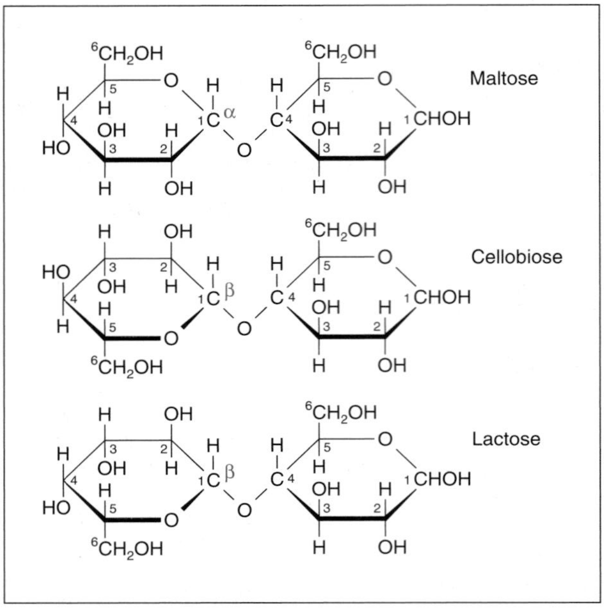

1. Reduzierende Disaccharide: Maltose, Cellobiose und Lactose

Maltose. Beim Keimen von Getreidekörnern entsteht unter anderem Maltose. In Gegenwart verdünnter Säuren als Katalysator wird Maltose durch Wasser gespalten, es läuft eine *Hydrolyse* ab. Im Hydrolysat lässt sich Glucose nachweisen. Die genauere Untersuchung zeigt, dass sich bei der Hydrolyse pro Maltose-Molekül zwei Glucose-Moleküle bilden. Die Maltose ist also ein **Disaccharid,** die Molekülformel ist $C_{12}H_{22}O_{11}$.

Die beiden Glucose-Einheiten des Maltose-Moleküls sind durch eine α-(1,4)-glykosidische Bindung miteinander verbunden. Formal hat dabei die halbacetalische OH-Gruppe eines α-Glucose-Moleküls mit der alkoholischen OH-Gruppe am C-4-Atom des zweiten Glucose-Moleküls unter Abspaltung eines Wasser-Moleküls reagiert. Den Glucose-Rest, dessen halbacetalische OH-Gruppe reagiert hat, bezeichnet man als **Acetal.**

Der zweite Glucose-Rest liegt weiterhin als *Halbacetal* vor. Die Silberspiegel-Probe und die FEHLING-Probe verlaufen daher positiv: Maltose ist ein *reduzierender Zucker.* Aufgrund der halbacetalischen OH-Gruppe zeigt Maltose auch Mutarotation.

Cellobiose. Beim Abbau von Cellulose bildet sich neben Glucose ein reduzierendes Disaccharid, die Cellobiose. In der Cellobiose liegt eine β-(1,4)-glykosidische Bindung zwischen zwei Glucose-Einheiten vor.

Lactose. Die Milch der Säugetiere enthält etwa 5 % Lactose (Milchzucker). Im Lactose-Molekül sind eine Galactose-Einheit und eine Glucose-Einheit β-(1,4)-glykosidisch verbunden. Galactose unterscheidet sich von der Glucose nur in der Anordnung der OH-Gruppe am C-4-Atom. Aufgrund der halbacetalischen OH-Gruppe am Glucose-Rest ist auch Lactose ein reduzierendes Disaccharid.

A1 4-(α-D-Glucopyranosyl)-D-glucopyranose ist der fachsystematische Namen für Maltose. Benennen Sie die Lactose auf entsprechende Weise.

A2 Galactosämie ist eine erbliche Enzymmangelkrankheit. Es fehlt das Enzym zur Umwandlung von Galactose in Glucose.

a) Notieren Sie Reaktionsgleichungen für die saure Hydrolyse von Milchzucker und die Isomerisierung von Galactose zu Glucose.

b) Weshalb ist die Umwandlung von Galactose in Glucose für unseren Energiestoffwechsel bedeutsam?

EXKURS

Vom Halbacetal zum Acetal

Monosaccharid-Moleküle können als *Halbacetale* über ihre halbacetalische OH-Gruppe mit Alkohol-Molekülen reagieren. Dabei werden Wasser-Moleküle abgespalten und es entstehen *Acetale.* Zuckeracetale bezeichnet man als **Glykoside.** Ein Beispiel ist die Reaktion von Glucose mit Methanol zu einem Gemisch von α-Methylglucosid und β-Methylglucosid. In Glykosiden bezeichnet man das ursprüngliche Carbonyl-C-Atom als glykosidisches C-Atom und die von diesem Atom zum Alkohol ausgehende Bindung als glykosidische Bindung.

α-Glucose | β-Glucose — Halbacetale

α-Methylglucosid | β-Methylglucosid — Acetale

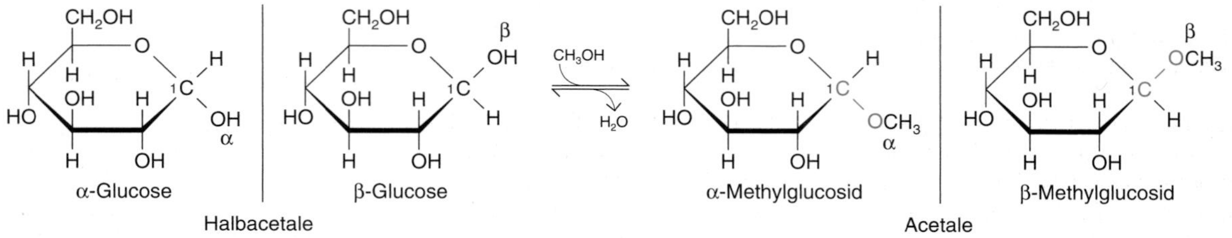

Saccharose. Die Bezeichnung Saccharose für Haushaltszucker ist lateinischen Ursprungs, *saccharum:* Zucker. Die Namen Rohrzucker und Rübenzucker weisen dagegen auf die Herstellung von Zucker hin: In den meisten Ländern dient Zuckerrohr als Ausgangsprodukt, in Europa werden fast ausschließlich Zuckerrüben verarbeitet.

Rohrzucker ist in vielen Lebensmitteln enthalten und wird direkt zum Süßen verwendet. Der jährliche Pro-Kopf-Verbrauch liegt in Deutschland bei 35 kg. Der größte Teil davon wird in der Lebensmittelindustrie verarbeitet. Kaum ein anderer organischer Naturstoff wird in solchen Mengen aus Pflanzen isoliert. Die weltweite Jahresproduktion an Saccharose beträgt etwa 100 Millionen Tonnen, dabei entfallen 60 % auf Rohrzucker und 40 % auf Rübenzucker. Saccharose gewinnt außerdem als nachwachsender Rohstoff an Bedeutung: Er kann zu waschaktiven Substanzen und zu Kunststoffen verarbeitet werden.

Erhitzt man Saccharose mit verdünnter Säure, so lassen sich als Hydrolyseprodukte *Glucose* und *Fructose* nachweisen. Dabei bilden sich aus einem Mol Saccharose ein Mol Glucose und ein Mol Fructose. Saccharose ist also ein Disaccharid mit der Molekülformel $C_{12}H_{22}O_{11}$. Im Gegensatz zur Maltose verläuft die Silberspiegelprobe negativ, Saccharose ist ein *nichtreduzierendes Disaccharid.* Rohrzuckerlösungen zeigen auch keine Mutarotation. Die Erklärung für diese Ergebnisse ist einleuchtend: Die Sauerstoffbrücke liegt zwischen den beiden glykosidischen C-Atomen der Monosaccharid-Reste, sie wird durch Reaktion der beiden halbacetalischen OH-Gruppen gebildet. *Beide* Monosaccharid-Reste sind daher Acetale.

Durch Röntgenstrukturanalyse wurde festgestellt, dass im Saccharose-Molekül der Glucose-Rest als α-Pyranosid und der Fructose-Rest als β-Furanosid vorliegt.

Inversion von Rohrzucker. Verfolgt man die Hydrolyse einer Saccharose-Lösung mit dem Polarimeter, so nimmt die ursprüngliche Rechtsdrehung ab und es bildet sich ein linksdrehendes Hydrolysat. Dies liegt daran, dass die Linksdrehung der Fructose größer ist als die Rechtsdrehung der Glucose. Weil sich die Drehrichtung umkehrt, nennt man die Hydrolyse von Rohrzucker auch **Inversion** (lat. *invertare:* umkehren). Das gebildete Gemisch von Glucose und Fructose wird entsprechend als *Invertzucker* bezeichnet.

Bienen nutzen das Enzym Invertase, um Saccharose zu spalten. Der Zuckeranteil des Honigs besteht daher größtenteils aus Invertzucker. Im menschlichen Darm wird Saccharose durch das Enzym Saccharase gespalten. Im Gegensatz zu Saccharose-Molekülen können die dabei gebildeten Glucose-Moleküle und Fructose-Moleküle die Darmwand passieren und so in die Blutbahn gelangen.

Zucker in der Ernährung. Kohlenhydrate und Fette sind die wichtigsten Energielieferanten in unserer Nahrung. Ernährungsphysiologisch wird empfohlen, 50 % bis 60 % des gesamten Energiebedarfs durch Kohlenhydrate zu decken. Meist erreichen wir bei unseren Ernährungsgewohnheiten diesen Wert nicht.
Trotzdem ist es nicht sinnvoll, mehr reinen Zucker zu essen. Für den Abbau der Monosaccharide im Zellstoffwechsel wird nämlich das wasserlösliche Vitamin B_1 benötigt. Dieses muss regelmäßig mit der Nahrung aufgenommen werden. Zucker als reines Kohlenhydrat enthält aber keine Vitamine. Vollkornprodukte dagegen sind gute Vitamin-B_1-Lieferanten und erhöhen zugleich den Kohlenhydratanteil der Nahrung.

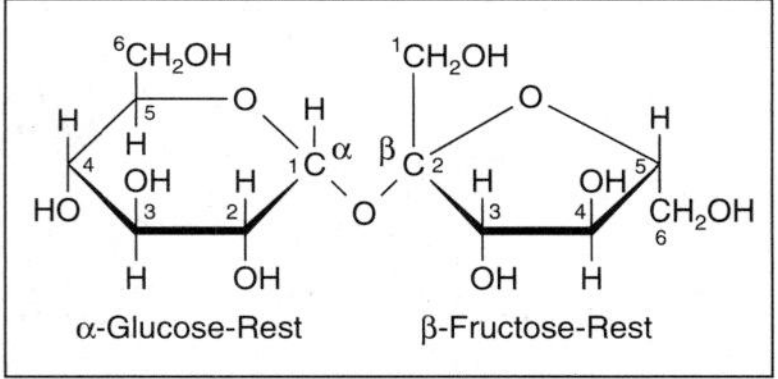

1. Struktur der Saccharose

A1 Lösungen von Saccharose, Maltose, Cellobiose und Lactose der Massenkonzentration $\beta = 0{,}5\ g \cdot cm^{-3}$ wurden ohne Kennzeichnung aufbewahrt.
Durch welche Experimente könnte man die Lösungen identifizieren?

A2 In der zur Saccharose isomeren Isomaltulose ist der Glucose-Rest α-glykosidisch mit dem C-6-Atom der Fructose verbunden.
a) Zeichnen Sie die HAWORTH-Formel.
b) Warum führt Isomaltulose als Zuckerersatzstoff nicht zu Karies?

A3 Eine Invertzucker-Lösung hat eine Drehung von $-1{,}45\ grd \cdot dm^{-1} \cdot cm^{-3}$. Berechnen Sie die Massenkonzentration β der Glucose.

$C_{12}H_{22}O_{11}$ + H_2O
Saccharose
$[\alpha]_{20}^{D} = +66{,}5\ \frac{grd \cdot cm^3}{dm \cdot g}$

↓

$C_6H_{12}O_6$ + $C_6H_{12}O_6$
D-Glucose, D-Fructose
$[\alpha]_{20}^{D} = +52{,}7\ \frac{grd \cdot cm^3}{dm \cdot g}$ $[\alpha]_{20}^{D} = -92{,}4\ \frac{grd \cdot cm^3}{dm \cdot g}$
α (Hydrolysat) = −20,9°

2. Drehwinkel bei der Hydrolyse von Rohrzucker

EXKURS

Geschichte und Technologie der Zuckergewinnung

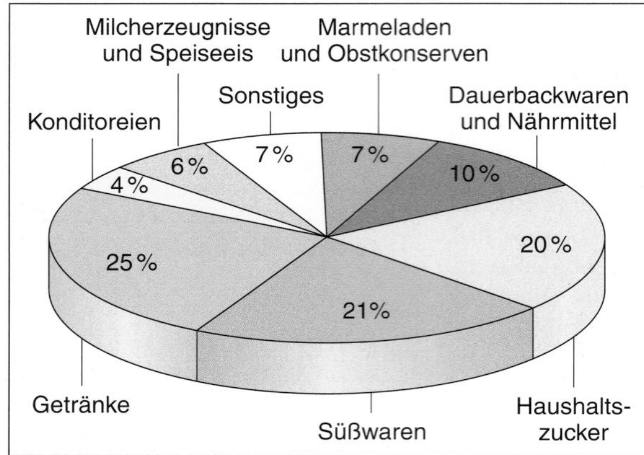

Verwendung von Zucker in Deutschland

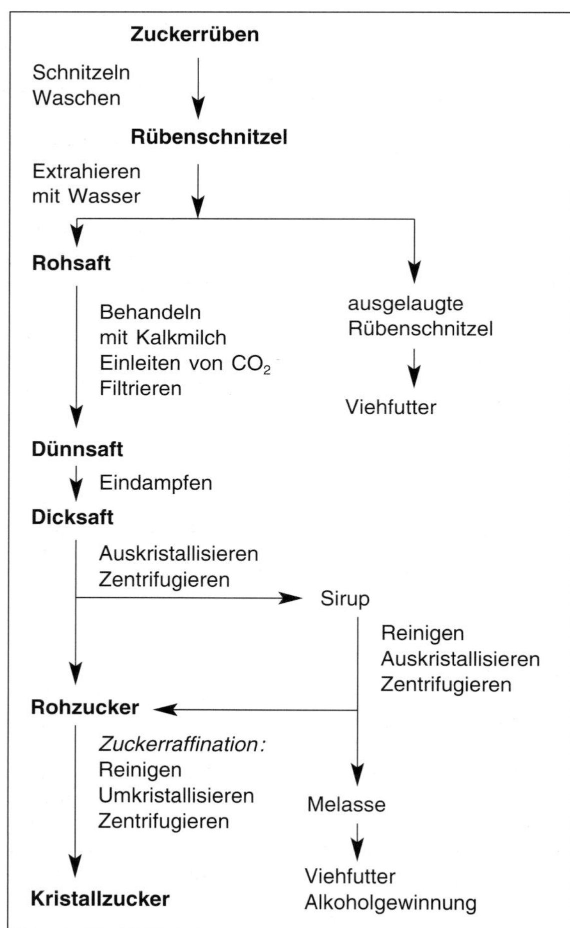

Von der Zuckerrübe zum Haushaltszucker

Im Altertum war im europäischen Raum Honig der marktbeherrschende Süßstoff. In Indien wurde dagegen schon um 300 v. Chr. Zucker aus Zuckerrohr gewonnen. Im heutigen Libanon trafen um 1100 n. Chr. die Kreuzritter auf Zuckerrohrkulturen.

In den folgenden Jahrhunderten war *Rohrzucker* ein teurer Importartikel, der wie andere exotische Gewürze gehandelt wurde. Auf seiner zweiten Reise nach Westindien nahm 1493 COLUMBUS Zuckerrohrpflanzen von den Kanarischen Inseln mit. Auf Haiti und anderen westindischen Inseln entstanden große Zuckerrohrplantagen, auf denen zunächst die indianische Urbevölkerung und nach deren Ausrottung aus Afrika verschleppte Negersklaven unter unmenschlichen Bedingungen zur Zwangsarbeit herangezogen wurden.

Weil der Bedarf an Zucker mit der Zeit immer mehr zunahm, suchte man nach einheimischen Pflanzen, aus denen sich Zucker gewinnen ließ. Im Jahr 1747 isolierte der Chemiker MARGGRAF in Berlin aus der Runkelrübe Kristalle, die Zuckerkristallen aus Zuckerrohr völlig glichen. Sein Nachfolger ACHARD, züchtete Rüben mit höherem Zuckergehalt und errichtete 1801 in Schlesien die erste Rübenzuckerfabrik der Welt. Täglich wurden aus 5000 Kilogramm Rüben 200 Kilogramm Rohzucker gewonnen. 1994 wurden in Deutschland 4,3 Millionen Tonnen *Rübenzucker* produziert.

Heute werden in Mitteleuropa hochgezüchtete Zuckerrüben angebaut. Ihr Zuckergehalt beträgt bis zu 20 % der Trockenmasse. Im Herbst werden die Zuckerrüben geerntet und möglichst schnell in Zuckerfabriken verarbeitet, damit der Zucker in den Zellen nicht teilweise abgebaut wird.

In der Zuckerfabrik werden die Rüben zuerst gereinigt und dann geschnitzelt. Aus den Rübenschnitzeln wird der Zucker mit warmem Wasser im Gegenstrom extrahiert. Das Produkt, der **Rohsaft,** enthält neben Zucker noch viele organische Verbindungen wie Citronensäure, Oxalsäure, Äpfelsäure, Proteine und Farbstoffe. Deshalb schließt sich ein mehrschrittiges Reinigungsverfahren an.

Stufen des Reinigungsprozesses:
- *Ausfällung* der Säuren als schwerlösliche Calcium-Salze mit Kalkmilch ($Ca(OH)_2$)
- *Ausfällung* überschüssiger Calcium-Ionen mit Kohlenstoffdioxid
- *Filtration* (das Filtrat ist der so genannte Dünnsaft)
- *Eindampfen* ergibt den Dicksaft
- *Auskristallisation* von **Rohzucker** und *Abzentrifugieren* des Sirups
- *Reinigung* und *Auskristallisation* des Sirups (das Filtrat ist die Melasse)
- *Zuckerraffination: Reinigung* des Rohzuckers durch *Umkristallisation.*

Das Produkt ist reiner, weißer **Kristallzucker.**

Optische Aktivität

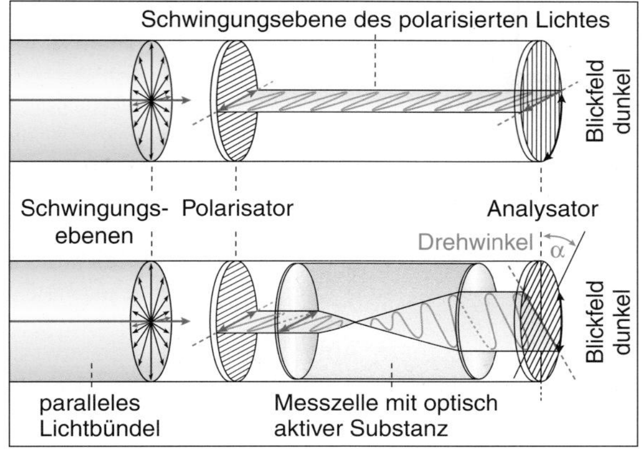

Funktionsweise eines Polarimeters. Zur Untersuchung der optischen Aktivität von Verbindungen verwendet man ein Polarimeter. In diesem Messgerät fällt das Licht einer Natriumdampflampe durch eine Polarisationsfolie. Die Folie wirkt als *Polarisator* und ist nur für Licht *einer* Schwingungsebene durchlässig, man erhält also *linear polarisiertes Licht*. Danach trifft dieses linear polarisierte Licht auf einen zweiten Polarisationsfilter, den *Analysator*. Es kann ungehindert durch, wenn die Vorzugsrichtungen von Polarisator und Analysator übereinstimmen. Wird der Analysator jedoch senkrecht zum Polarisator gedreht, kann das Licht nicht durchgehen und das Bildfeld erscheint dunkel. Bringt man in dieser Stellung des Analysators die Lösung einer optisch aktiven Substanz in den Strahlengang zwischen die beiden Polarisationsfilter, so ist am Analysator eine Aufhellung zu beobachten. Die Schwingungsebene des linear polarisierten Lichtes ist durch die Lösung um einen bestimmten Betrag gedreht worden. **Drehrichtung** und **Drehwinkel** werden ermittelt, indem der Analysator so lange gedreht wird, bis das Bildfeld wieder dunkel ist.

Der Drehwinkel α ist in verdünnten Lösungen der Massenkonzentration β der optisch aktiven Verbindung und der Schichtdicke d (Länge der Probenzelle) proportional: $\alpha = [\alpha] \cdot d \cdot \beta$. Der Proportionalitätsfaktor $[\alpha]$ ist eine Stoffkonstante, die *spezifische Drehung*. β wird in der Einheit $g \cdot cm^{-3}$ und d in der Einheit dm angegeben, die spezifische Drehung $[\alpha]$ hat daher die Einheit $grd \cdot cm^3 \cdot g^{-1} \cdot dm^{-1}$.
Bei gegebener Schichtdicke kann durch Messung des Drehwinkels die Massenkonzentration einer Lösung ermittelt werden.

Substanz	D-Glucose	D-Fructose	Saccharose
$[\alpha]^D_{20}$ (H_2O) in $\frac{grd \cdot cm^3}{dm \cdot g}$	+52,7	−92,4	+66,5

Spezifische Drehung [α] für D-Glucose, D-Fructose und Saccharose (Exponent D: D-Linie der Natriumdampflampe; Index 20: Temperatur 20 °C; H_2O: Lösungsmittel Wasser)

Versuch 1: **Optische Aktivität**

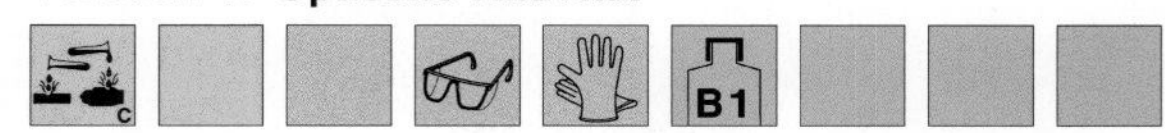

Materialien: Polarimeter, Probenrohre (1 dm, 2 dm), Waage, 4 Mischzylinder (100 ml), 2 Messzylinder (50 ml), Becherglas (100 ml), Stoppuhr;
D-Glucose (Monohydrat), D-Fructose, Saccharose, Haushaltszucker, Natronlauge (konz.; C), Salzsäure (halbkonzentriert; C)

Durchführung:

a) Spezifische Drehung

1. Füllen Sie das Probenrohr (2 dm) mit Wasser. Drehen Sie den Analysator, bis die Beobachtungsfläche vollkommen dunkel erscheint. Notieren Sie den Skalenwert.
2. Lösen Sie 10 g Glucose in etwa 80 ml Wasser. Füllen Sie die Lösung im Mischzylinder mit Wasser auf 100 ml auf.
3. Füllen Sie die Lösung in das Probenrohr (2 dm). Legen Sie das Probenrohr in das Polarimeter. Drehen Sie den Analysator erneut, bis Auslöschung eintritt. Wählen Sie dabei die Drehrichtung mit dem kleinsten Drehwinkel. Bei Drehrichtung nach links erhält der Messwert ein negatives Vorzeichen, bei Drehrichtung nach rechts ein positives Vorzeichen.
4. Führen Sie den Versuch mit den anderen Zuckern durch.
5. Wiederholen Sie alle Versuche mit dem kurzen Probenrohr (1 dm).

b) Mutarotation

1. Messen sie eine Stunde lang alle fünf Minuten die Drehwerte einer frisch angesetzten Glucose-Lösung ($\beta = 0{,}1\ g \cdot cm^{-3}$, Probenrohr 2 dm). Bestimmen Sie nach etwa 24 Stunden den Endwert.
2. Geben Sie zu einer frisch hergestellten und zu einer 24 Stunden alten Glucose-Lösung je einen Tropfen Natronlauge und bestimmen Sie erneut die Drehwerte.
3. Tabellieren Sie die Messwerte.

c) Inversion

1. Mischen Sie 30 ml Saccharose-Lösung ($\beta = 0{,}2\ g \cdot cm^{-3}$) mit 30 ml Salzsäure. Starten Sie die Stoppuhr, messen Sie sofort den Drehwinkel ($d = 2$ dm). Messen Sie insgesamt 30 Minuten. Lesen Sie den Drehwinkel in den ersten fünf Minuten im Abstand von einer Minute und dann alle fünf Minuten ab.
2. Tabellieren Sie die Messwerte.

Aufgaben:

a) Berechnen Sie anhand der Messwerte die spezifische Drehung der Zucker. Vergleichen Sie die Werte mit Tabellenwerten.

b) Stellen Sie die Messwerte für die Mutarotation und für die Inversion grafisch dar. Erklären Sie die Kurvenverläufe.

c) Wie verändert sich der Drehwinkel einer Saccharose-Lösung, wenn man sie mit Wasser auf das Vierfache verdünnt?

19.4 Stärke und Cellulose – Polysaccharide

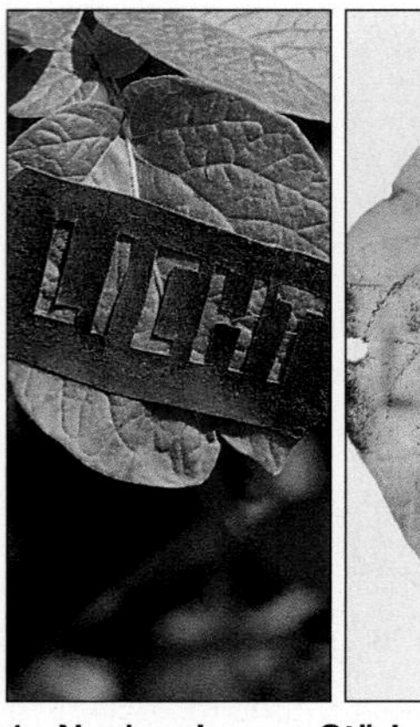

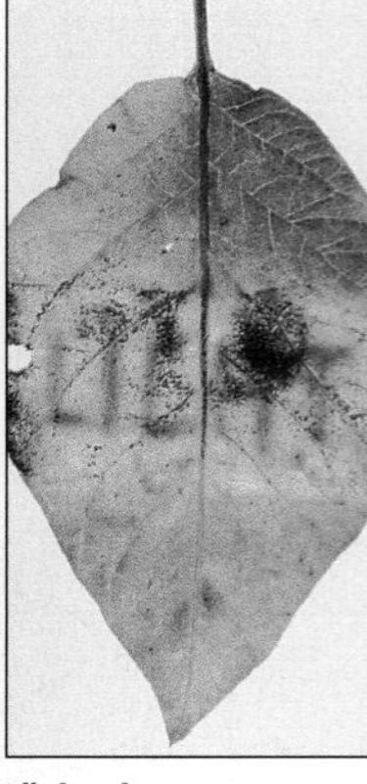

1. Nachweis von Stärke im belichteten Blatt

A1 Bei der Hydrolyse von Stärke werden die Disaccharide Maltose und Isomaltose gebildet.
a) Erklären Sie die Bildung.
b) Geben Sie die Strukturformeln an.

A2 Weshalb haben Stärkekörner in Pflanzenzellen meist eine Hülle aus Amylopektin?

A3 Die Bildung der Iod/Amylose-Einschlussverbindung ist eine Gleichgewichtsreaktion. Die Lösung entfärbt sich beim Erhitzen und wird beim Abkühlen wieder blau. Die Farbe verschwindet auch beim Verdünnen.
Erklären Sie die Farbänderungen.

A4 Ermitteln Sie, für welche Zwecke Stärke zunehmend als nachwachsender Rohstoff Verwendung findet.

Die primären Produkte der Photosynthese sind Monosaccharide wie Glycerinaldehyd und Glucose. Für die fortlaufende Zellatmung der Pflanzen und Tiere muss die energiereiche Glucose in speicherbare Kohlenhydrate umgewandelt werden. Im Zuckerrohr und in der Zuckerrübe dient Saccharose als Speicherstoff. Die meisten Pflanzen jedoch speichern Kohlenhydrate in Form von Stärke. Durch enzymatischen Abbau der Stärke werden diese Energiereserven wieder verfügbar.

Stärke. Natürliche Stärke ist ein Polysaccharid, dessen Makromoleküle aus vielen α-Glucose-Einheiten aufgebaut sind. Stärke ist keine einheitliche Substanz, sondern setzt sich aus zwei Komponenten zusammen. Mit heißem Wasser kann aus Stärkekörnern **Amylose** herausgelöst werden. Der größte Teil (etwa 80 %) bleibt ungelöst; dieser Anteil der Stärke wird als **Amylopektin** bezeichnet.

Lösliche Stärke besteht aus *Amylose*-Molekülen, die aus bis zu 10000 α-Glucose-Einheiten aufgebaut sind. Die Glucose-Reste sind α-(1,4)-glykosidisch miteinander verknüpft. In Lösung liegen Amylose-Moleküle teilweise gewendelt vor. Auf jede Wendel kommen dabei fünf bis sechs Glucose-Einheiten. Bei Zugabe von Iod/Kaliumiodid-Lösung entsteht eine intensive Blaufärbung. Diese Reaktion dient zum *Nachweis von Amylose* und zum *Nachweis von Iod.* Die Blaufärbung kommt durch eine Einschlussverbindung zustande. Dabei werden Iod-Moleküle in den Hohlraum der Wendel eingelagert. Damit die Reaktion stattfinden kann, müssen neben Iod-Molekülen auch Iodid-Ionen in der Lösung vorhanden sein. Beim Verdünnen und beim Erwärmen zerfällt die Einschlussverbindung wieder.

Amylopektin-Moleküle sind aus bis zu einer Million α-Glucose-Einheiten aufgebaut. Die Grundstruktur entspricht der Amylose. Allerdings ist Amylopektin verzweigt, weil etwa jeder 25. Glucose-Rest zusätzlich α-(1,6)-glykosidisch verknüpft ist. Mit Iod/Kaliumiodid-Lösung entsteht nur noch teilweise eine Einschlussverbindung, die Lösung ist braun-violett gefärbt.

Stärke ist in fast jeder pflanzlichen Nahrung enthalten. Bei der **Verdauung** katalysiert das Enzym Amylase die Hydrolyse der Amylose in kurzkettige *Dextrine*, die dann in Maltose zerlegt werden. Isomaltase katalysiert die Hydrolyse von α-(1,6)-Verknüpfungen. Maltose wird durch das Enzym Maltase in Glucose gespalten, die dann im Darm resorbiert wird.

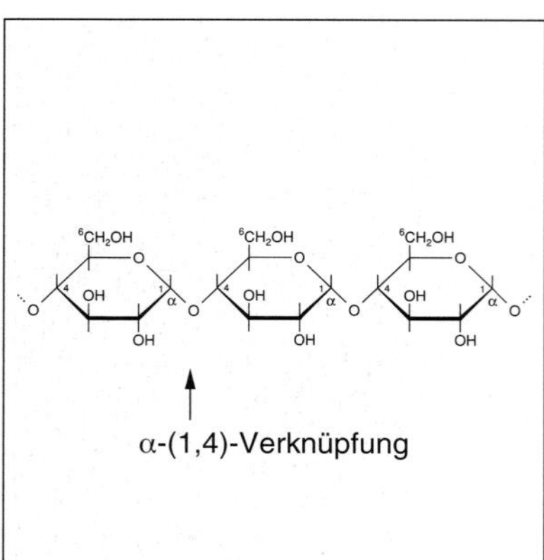

2. Amylose

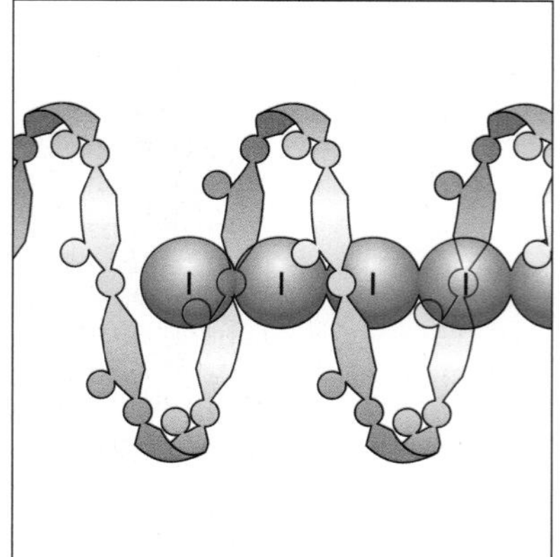

3. Amylose-Wendel

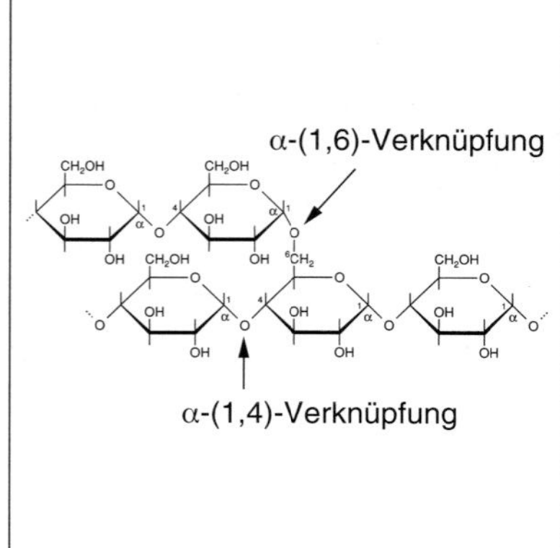

4. Amylopektin

Cellulose. Die mengenmäßig wichtigste organische Verbindung ist das Polysaccharid Cellulose, der *Zellstoff.* Weltweit werden jährlich etwa zehn Billionen Tonnen dieses wasserunlöslichen Kohlenhydrats durch Pflanzen synthetisiert. In Pflanzen dient Cellulose als Material, das den Zellwänden Form und Festigkeit gibt. Cellulose ist deshalb im Gegensatz zur Amylose kein Energiespeicherstoff, sondern ein *Gerüststoff.*

Cellulose ist der Hauptbestandteil von Holz. Bei der Hydrolyse von Cellulose in Gegenwart konzentrierter Säuren entsteht als Monosaccharid Glucose. Die Glucose-Reste sind durch β-(1,4)-glykosidische Bindungen zu langen, unverzweigten Molekülketten verknüpft. Ein Cellulose-Molekül besteht aus mehreren Tausend Glucose-Einheiten. Nur wenige Mikroorganismen wie etwa die symbiontischen Bakterien des Wiederkäuermagens und Holz zerstörende Pilze besitzen Enzyme, die den Abbau der Cellulose katalysieren.

In den Zellwänden liegt Cellulose in Form von Molekülaggregaten vor, den *Mikrofibrillen.* Sie bestehen aus 60 bis 70 parallel angeordneten Cellulose-Molekülen. Wasserstoffbrückenbindungen stabilisieren diese Anordnung. Die mechanische Belastbarkeit von Zellwänden beruht auf der Reißfestigkeit der Mikrofibrillen.

40 % bis 50 % der Trockenmasse von Holz ist Cellulose. Weitere Bestandteile sind *Lignin* (10 % bis 30 %) und andere *Polyosen* (Hemicellulose, 10 % bis 30 %). Zellstoff muss deshalb durch aufwendige Verfahren aus Holz isoliert werden.
Zur Herstellung von **Papier** wird ein Zellstoffbrei ausgewalzt und getrocknet. Mit Füllstoffen wie Gips und Bindemitteln wird *Schreibpapier* hergestellt. Holzfreies Papier darf nur bis zu 5 % verholzte Fasern enthalten. *Zeitungspapier* enthält mehr als 5 % verholzte Fasern und vergilbt daher schnell.

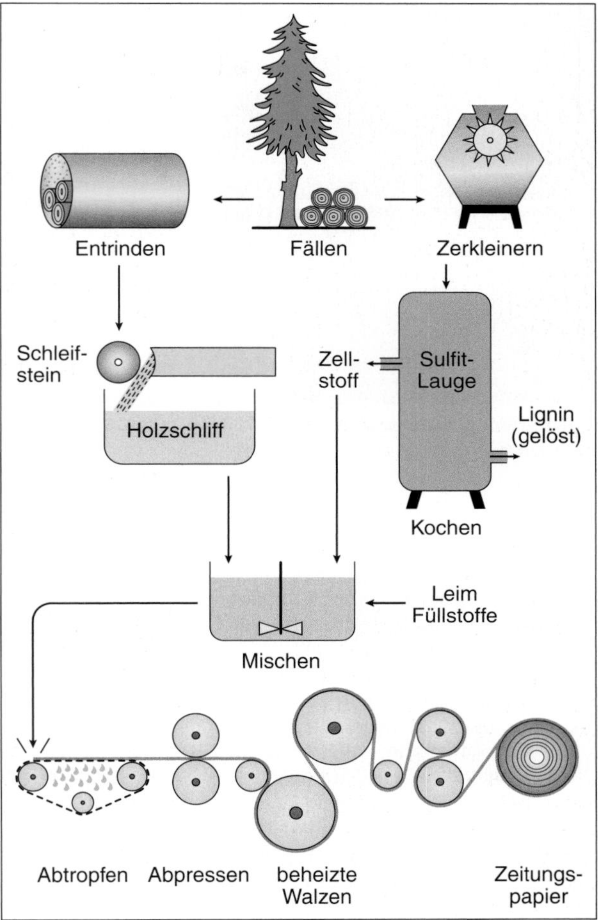

1. Herstellung von Zellstoff und Zeitungspapier

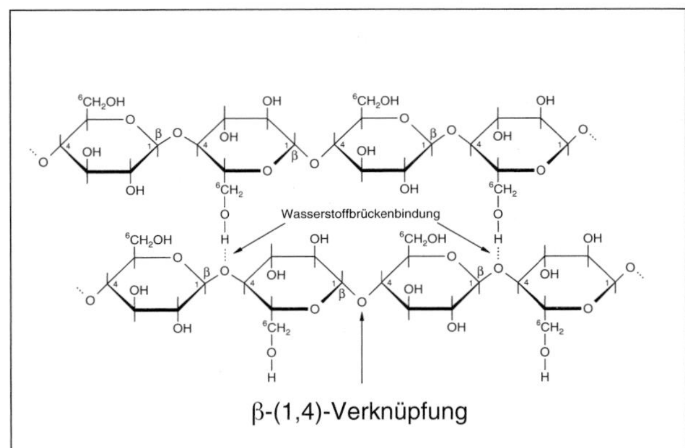

2. Cellulose. Molekülausschnitt mit intramolekularen Wasserstoffbrückenbindungen.

3. Mikrofibrillen. REM-Aufnahme von Fibrillen in den Zellwänden der Baumwollhaare.

19.5 Cellulose-Fasern

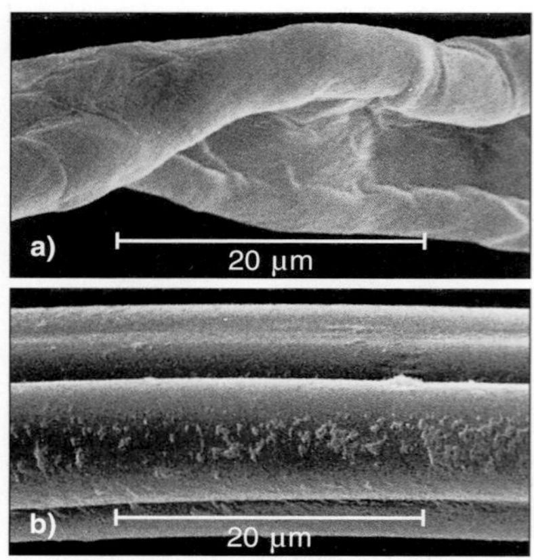

1. Natürliche Baumwollfaser (a), halbsynthetische Viskose-Faser (b)

Kleidung gehört zu den Grundbedürfnissen des Menschen. Die wichtigste Textilfaser ist Baumwolle, sie besteht zu über 90 % aus Cellulose. Jedoch können heute Naturfasern allein weder den Rohstoffbedarf der Textilindustrie decken noch den vielfältigen Ansprüchen an das Material genügen. Moderne Kleidung wird oft ganz oder teilweise aus Chemiefasern gefertigt. Hierunter fallen auch die halbsynthetischen **Cellulose-Fasern,** zu deren Herstellung man vom Rohstoff *Zellstoff* ausgeht.

Der aus Holz gewonnene Zellstoff ist zu kurzfaserig, um ihn zu Fäden zu verspinnen. Zur Faserproduktion wird Cellulose daher zunächst durch chemische Reaktionen in Lösung gebracht und dann durch Spinndüsen gepresst. So hergestellte Cellulose-Fasern werden heute *Reyon* genannt; die früher gebräuchliche Bezeichnung **Kunstseide** ist irreführend, weil cellulosische Fasern chemisch nicht mit der Naturseide verwandt sind. Die wichtigsten Verfahren, um Cellulose in Lösung zu bringen, sind das Viskose-Verfahren und das Acetat-Verfahren.

Viskose-Verfahren. Beim Viskose-Verfahren lässt man 20%ige Natronlauge auf den Zellstoff einwirken. Die Cellulose quillt auf und wird gleichzeitig in kürzere Ketten zerlegt. Nach Zugabe von Schwefelkohlenstoff bildet sich Cellulose-Xanthogenat, das sich in verdünnter Natronlauge zur zähflüssigen *Viskose* löst. Diese wird durch Spinndüsen in ein Säurebad gepresst. Das Xanthogenat zerfällt wieder und die regenerierte Cellulose fällt fadenförmig aus. Man spricht hier vom *Nassspinnverfahren.* Viskose-Fasern haben einen seidenartigen Glanz und dabei ähnliche Eigenschaften wie Baumwollfasern.

Im Jahr 1846 wischte der Chemiker Schönbein verschüttete Schwefel- und Salpetersäure kurzerhand mit seiner Baumwollschürze auf und hängte diese zum Trocknen über den heissen Ofen. Plötzlich „explodierte" die Schürze. Schönbein hatte ungewollt Schiessbaumwolle oder Nitrocellulose hergestellt.
40 Jahre später löste De Chardonnet Nitrocellulose in Eisessig auf. Dann presste er die Lösung durch Glasdüsen. Nach dem Verdampfen des Lösungsmittels blieb ein fester Faden zurück, die erste Kunstseide.

2. Die erste Chemiefaser

Acetat-Verfahren. Beim Acetat-Verfahren werden die drei OH-Gruppen der Glucose-Einheiten der Cellulose mit Essigsäureanhydrid in Anwesenheit von Schwefelsäure zu Cellulosetriacetat verestert. Durch Zugabe einer berechneten Wassermenge spaltet man einen geringen Anteil der Acetat-Gruppen hydrolytisch wieder ab. Dabei entstehen auch kürzere Celluloseester. Diese *Acetylcellulose* ist in Aceton löslich und wird im *Trockenspinnverfahren* zu Acetat-Fasern verarbeitet: Die Spinnmasse wird durch Düsen in Heißluft gedrückt, wobei das Lösungsmittel verdunstet. Acetylcellulose ist eine chemisch veränderte Cellulose. Während Viskose-Fasern ähnliche Eigenschaften haben wie Baumwollfasern, sind Acetat-Fasern pflegeleicht: Textilien aus Acetat-Fasern sind leichter, weicher und knittern weniger als Textilien aus Baumwollfasern.

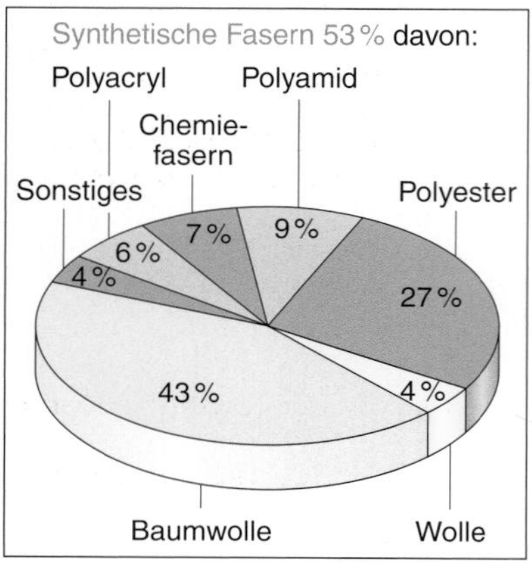

3. Textilfaserverbrauch in der Welt

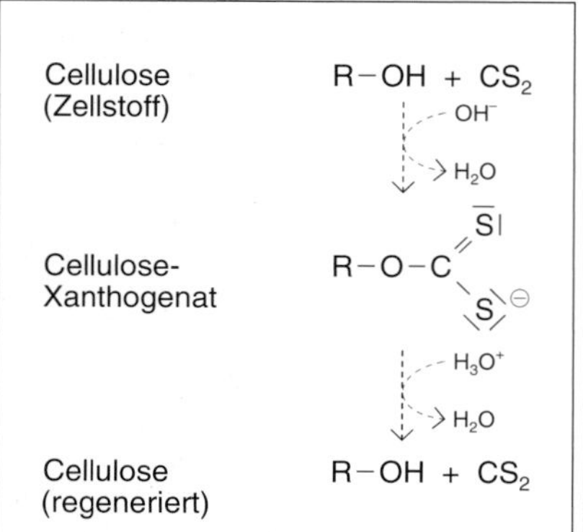

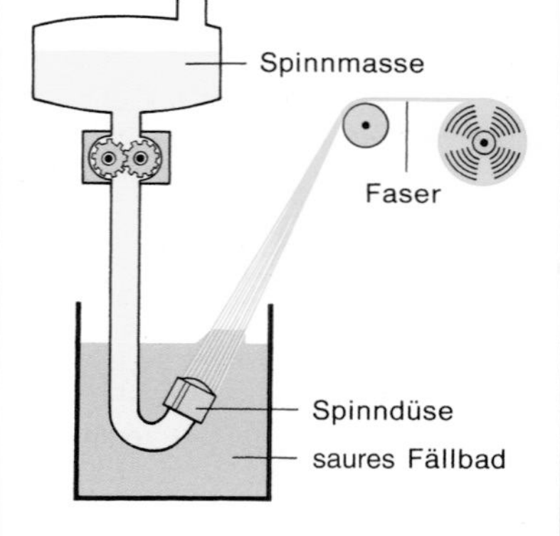

4. Viskose-Verfahren. Reaktionsschema und Nassspinnverfahren.

Kohlenhydrate

Versuch 1: Halbacetalstruktur der Glucose

     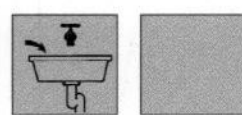

Materialien: Waage, Stoppuhr, Tropfpipette; Glucose-Lösung (1 %), Acetaldehyd-Lösung (1 %), SCHIFFsches Reagenz (Xi)

Durchführung:
1. Geben Sie zu der Glucose-Lösung und zur Acetaldehyd-Lösung je fünf Tropfen SCHIFFsches Reagenz.
2. Messen Sie die Zeit bis zum Beginn der Farbänderung.

Aufgabe: Begründen Sie anhand der Molekülstrukturen, weshalb die Reaktionen unterschiedlich verlaufen.

Versuch 2: Unterscheidung von Glucose und Fructose

     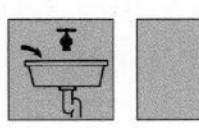

Materialien: Glucose-Teststreifen, Tropfpipette, Wasserbad;
SELIWANOFF-Reagenz (Xi), Glucose, Fructose

Durchführung:
1. Lösen Sie jeweils eine Spatelspitze der Zucker in je 2 ml Wasser und prüfen Sie die Lösungen mit Glucose-Teststreifen.
2. Geben Sie zu den beiden Lösungen je fünf Tropfen SELIWANOFF-Reagenz und erwärmen Sie eine Minute im siedenden Wasserbad.

Versuch 3: Prüfung auf reduzierende Zucker

Materialien: Wasserbad, Tropfpipette;
Glucose, Fructose, Maltose, Saccharose, FEHLING-Lösung I und II (C), TOLLENS-Reagenz

Durchführung:
1. Lösen Sie jeweils eine Spatelspitze der Zucker in je 2 ml Wasser und fügen Sie 4 ml frisch hergestelltes FEHLING-Reagenz hinzu. Erwärmen Sie die Gemische einige Minuten im siedenden Wasserbad.
2. Wiederholen Sie die Versuche mit TOLLENS-Reagenz.

Aufgaben:
a) Formulieren Sie für die TOLLENS-Reaktion eine allgemeine Reaktionsgleichung.
b) Begründen Sie das abweichende Reaktionsverhalten der Saccharose.
c) Fructose reagiert bei der FEHLING-Probe und bei der TOLLENS-Probe positiv. Dabei wird Fructose als α-Hydroxyketon zu einem Diketon oxidiert.
Formulieren Sie die Reaktionsgleichung für die TOLLENS-Probe.

Versuch 4: Hydrolyse von Saccharose

Materialien: Wasserbad, Tropfpipette, Universalindikator-Papier, Glucose-Teststreifen;
SELIWANOFF-Reagenz (Xi), Saccharose-Lösung (10 %), Salzsäure (konz.; C), Natriumhydrogencarbonat

Durchführung:
1. Untersuchen Sie Saccharose-Lösung mit Glucose-Teststreifen und mit SELIWANOFF-Reagenz.
2. Erhitzen Sie die Saccharose-Lösung fünf Minuten lang mit einigen Tropfen Salzsäure im siedenden Wasserbad. Neutralisieren Sie die Lösung, indem Sie portionsweise festes Natriumhydrogencarbonat zugeben.
3. Kühlen Sie die Lösung ab und prüfen Sie die Lösung mit Glucose-Teststreifen und machen Sie dann die SELIWANOFF-Probe.

Aufgaben:
a) Schlagen Sie eine experimentelle Methode vor, mit deren Hilfe eine quantitative Prüfung des Hydrolysats möglich ist.
b) Welche Ergebnisse erwarten Sie bei der Hydrolyse von Maltose und Cellobiose?

Versuch 5: Hydrolyse von Stärke

   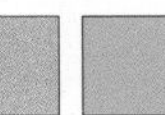  

Materialien: Tropfpipette, Wasserbad, Becherglas (100 ml), Stoppuhr;
Salzsäure (konz.; C), lösliche Stärke, Natriumhydrogencarbonat, Iod/Kaliumiodid-Lösung, Glucose-Teststreifen

Durchführung:
1. Geben Sie eine Spatelspitze lösliche Stärke in etwa 10 ml Wasser. Erhitzen Sie das Gemisch, bis die Stärke gelöst ist. Füllen Sie die Lösung im Becherglas auf etwa 50 ml auf.
2. Verteilen Sie die Lösung gleichmäßig auf fünf Reagenzgläser (Lösungen 1 bis 5).
3. Geben Sie zu den Lösungen 2 bis 5 je zehn Tropfen Salzsäure und stellen Sie die Lösung dann in ein siedendes Wasserbad.
4. Nehmen Sie ein Glas nach zwei Minuten heraus, kühlen Sie sofort mit kaltem Wasser und neutralisieren Sie die Lösung mit Natriumhydrogencarbonat. Verfahren Sie mit den verbleibenden Gläsern im Abstand von zwei Minuten ebenso.
5. Prüfen Sie die Lösung 5 mit Glucose-Teststreifen.
6. Versetzen Sie alle Lösungen mit zwei Tropfen Iod/Kaliumiodid-Lösung.

Aufgaben:
a) Warum werden die Proben zu verschiedenen Zeiten genommen?
b) Welcher Vorgang bewirkt die charakteristische Iod/Stärke-Reaktion?
c) Begründen Sie die Farbänderungen.

19.6 Fette

Fette dienen in der Natur als energiereiche Reservestoffe. Sie treten in vielen Zellen pflanzlicher, tierischer und menschlicher Gewebe auf. Einige Fett-Moleküle sind aber auch wichtige Komponenten für den Aufbau von Biomembranen der lebenden Zellen. Ölpflanzen wie Ölpalmen, Sonnenblumen und Lein liefern die Rohstoffe für viele Speisefette.

Durch Hydrolyse in Gegenwart von Säuren werden die Fette in langkettige Carbonsäuren *(Fettsäuren)* und *Glycerin* gespalten. In einem Fett-Molekül sind alle drei OH-Gruppen des Glycerins mit Fettsäuren verestert, man spricht deshalb auch von *Triglyceriden.* Beim Erhitzen mit Natronlauge reagieren Fette zu Glycerin und den Alkalimetallsalzen der Fettsäuren, den *Seifen.* Die alkalische Hydrolyse nennt man deshalb auch *Verseifung.*

Fett-Moleküle sind unpolar, da die drei polaren Esterbindungen durch die langen unpolaren Alkyl-Reste der Fettsäuren abgeschirmt werden. Deshalb sind Fette in Wasser unlöslich. In der Milch liegt eine Emulsion von Fetttröpfchen in Wasser vor.
Naturfette haben keine definierte Schmelztemperatur, denn ein Fett ist kein Reinstoff, sondern ein Gemisch verschiedener Triglyceride. Die Vielfalt der Fett-Moleküle ergibt sich durch die Veresterung der Glycerin-Moleküle mit einer beliebigen Kombination unterschiedlicher Fettsäuren. Die Fettsäuren unterscheiden sich nicht nur in der Kettenlänge, sondern auch in der Anzahl von C=C-Zweifachbindungen. Neben gesättigten Fettsäuren können einfach und mehrfach ungesättigte Fettsäuren gebunden sein.
Je höher der Anteil an ungesättigten Fettsäuren ist, desto niedriger ist der Schmelzbereich. Die sperrige räumliche Anordnung der ungesättigten Fettsäure-Reste erschwert die Auskristallisation. In Ölen ist der Anteil an ungesättigten Fettsäure-Resten dementsprechend besonders hoch.

Die Anzahl der C=C-Zweifachbindungen in Fetten und Ölen wird durch Addition von Brom oder Iod bestimmt. Hierzu werden definierte Maßlösungen verwendet. In der Lebensmittelchemie gibt man mit der *Iod-Zahl* an, wie viel Gramm Iod von 100 Gramm eines Fettes gebunden werden.

Fettsäuren sind wichtige Vorprodukte für Synthesen in der chemischen Industrie. Durch Reduktion erhält man *Fettalkohole,* die zu waschaktiven Substanzen weiterverarbeitet werden. Fettsäuren aus Rapsöl werden mit Methanol zu Fettsäuremethylestern umgesetzt und als *Biodiesel* verwendet.

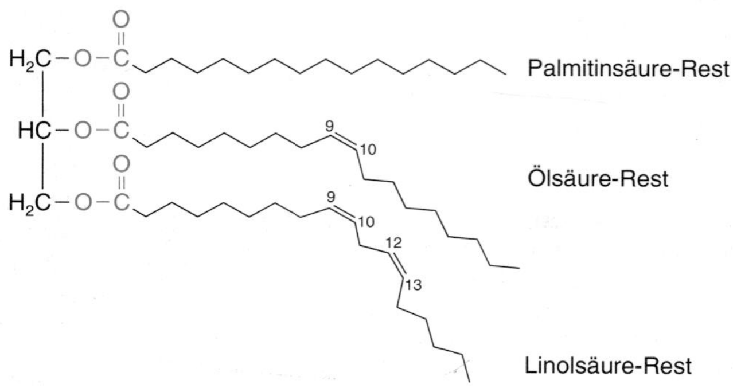

Caprylsäure (Octansäure)
$\vartheta_m = 17\ °C$
COOH
$C_7H_{15}COOH$

Palmitinsäure (Hexadecansäure)
$\vartheta_m = 63\ °C$
COOH
$C_{15}H_{31}COOH$

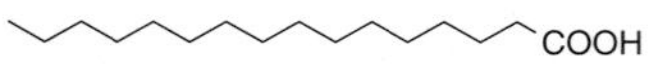

Stearinsäure (Octadecansäure)
$\vartheta_m = 70\ °C$
COOH
$C_{17}H_{35}COOH$

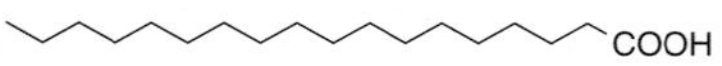

Ölsäure (*cis*-Octadeca-9-ensäure)
$\vartheta_m = 4\ °C$
9 10 COOH
$C_{17}H_{33}COOH$

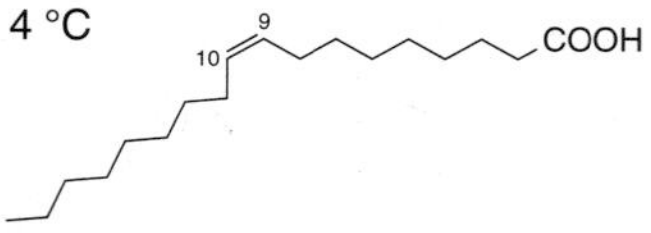

Linolsäure
(*cis,cis*-Octadeca-9,12-diensäure)
$\vartheta_m = -5\ °C$
9 10 12 13 COOH
$C_{17}H_{31}COOH$

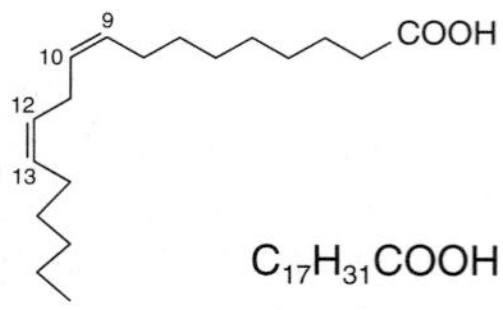

Linolensäure
(all-*cis*-Octadeca-9,12,15-triensäure)
$\vartheta_m = -11\ °C$
9 10 12 13 15 16 COOH
$C_{17}H_{29}COOH$

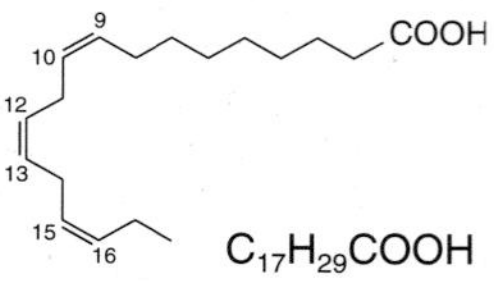

1. Wichtige gesättigte und ungesättigte Fettsäuren

$H_2C-O-C(=O)$ Palmitinsäure-Rest
$HC-O-C(=O)$ 9 10 Ölsäure-Rest
$H_2C-O-C(=O)$ 9 10 12 13 Linolsäure-Rest

2. Fett-Molekül mit verschiedenen Fettsäure-Resten

Fette in Nahrungsmitteln. Wir verspeisen Fette als Butter, Margarine oder Speiseöl. Mehr als die Hälfte der verspeisten Fette entfällt aber auf die so genannten *versteckten Fette* in Milchprodukten, in Wurst und in Süßwaren. Bei ausgewogener Ernährung sollte ein Erwachsener täglich etwa ein Gramm Fett pro Kilogramm seines Normalgewichtes aufnehmen. Der durchschnittliche Verbrauch eines Erwachsenen liegt derzeit aber bei etwa zwei Gramm pro Kilogramm!

Fette werden im Darm von der Gallenflüssigkeit emulgiert. Dadurch wird die Oberfläche so groß, dass fettspaltende Enzyme, die Lipasen, angreifen können. Die Spaltprodukte Glycerin und Fettsäuren werden von den Darmzotten aufgenommen. In den Zellen der Darmwand werden dann neue Fett-Moleküle synthetisiert. Umhüllt von Proteinen werden sie im Blut und in der Lymphe transportiert.

Einige lebensnotwendige Fettsäuren können wir nicht selbst synthetisieren. Diese *essentiellen Fettsäuren* müssen mit der Nahrung zugeführt werden. Ein Beispiel ist die zweifach ungesättigte *Linolsäure*. Pflanzliche Fette haben einen höheren Anteil an essentiellen Fettsäuren als tierische Fette. Mit Fetten sowie mit fetthaltigem Fleisch und Fisch nehmen wir auch die fettlöslichen Vitamine A, D, E und K auf.

Fett	gesättigte Fettsäuren	Ölsäure	Linolsäure
Tierische Fette			
Milchfett	60	37	3
Talg	54	43	3
Schmalz	43	49	8
Pflanzenfette			
Sojaöl	14	24	54
Sonnenblumenöl	8	27	65
Maiskeimöl	14	29	57
Baumwollsaatöl	25	25	50
Olivenöl	19	73	8
Rapsöl	8	60	22
Palmkernfett	83	15	2
Kokosfett	92	6	2

1. Anteile von Fettsäuren in Nahrungsfetten
(Anteile in Prozent aller Fettsäure-Reste)

A1 Vergleichen Sie die Schmelztemperaturen von Stearinsäure, Ölsäure und Linolsäure.
Begründen Sie die unterschiedlichen Werte.

A2 Zehn Gramm Fett addiert 0,01 mol Brom.
Berechnen Sie die Iodzahl dieses Fettes.

PRAKTIKUM

Fette

Versuch 1: Nachweis ungesättigter Fettsäuren

    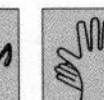     

Materialien: Bürette (25 ml), 2 Bechergläser (50 ml), Kunststoffspritze (1 ml), Messzylinder (10 ml), Waage; Speiseöl, tierisches Hartfett (festes Schmalz), Brom-Lösung (0,1 ml Brom in 20 ml 1,1,2-Trichlortrifluorethan; Xn, N), 1,1,2-Trichlortrifluorethan (N)

Durchführung:

1. Lösen Sie 0,5 g Schmalz bzw. Speiseöl jeweils in 10 ml 1,1,2-Trichlortrifluorethan.
2. Tropfen Sie aus der Bürette zu beiden Ansätzen so lange Brom-Lösung zu, bis keine Entfärbung mehr eintritt.

Aufgaben:

a) Notieren Sie den jeweiligen Verbrauch an Brom-Lösung. Begründen Sie den unterschiedlichen Verbrauch.
b) Wie ändert sich die Schmelztemperatur eines Speiseöles, wenn es mit Wasserstoff umgesetzt wurde?
c) Entwickeln Sie ein Experiment, mit dessen Hilfe die Schmelztemperatur verschiedener Speisefette bestimmt werden kann.

Versuch 2: Gewinnung von Fetten aus Samen

    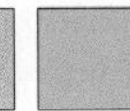  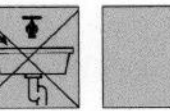

Materialien: Mörser, Tropfpipette, 5 Rundfilter (10 cm), Kunststoffspritzen (1 ml), Thermometer, Petrischale, Waage, Wasserbad, Stopfen;
Sonnenblumenkerne, Rapssamen, Weizenkörner, Haselnüsse, Heptan (F)

Durchführung:

1. Zerkleinern Sie die Sonnenblumenkerne.
2. Wiegen Sie 2 g in ein Reagenzglas ab und fügen Sie 5 ml Heptan hinzu. Setzen Sie einen Stopfen auf.
3. Schütteln Sie kräftig und erwärmen Sie im Wasserbad auf etwa 50 °C.
4. Ziehen Sie die überstehende Lösung mit einer sauberen Kunststoffspritze auf und geben Sie dann zwei Tropfen der Lösung in die Mitte eines Rundfilters; desgleichen als Blindprobe zwei Tropfen Heptan.
5. Messen Sie nach dem Verdampfen des Lösungsmittels den Durchmesser des Fettflecks (Fettfleckprobe).
6. Wiederholen Sie den Versuch mit Raps, Weizen und Haselnüssen.

Aufgabe: Notieren Sie die Werte. Welche Samen haben den höchsten Fettanteil?

19.7 Aminosäuren – Bausteine der Proteine

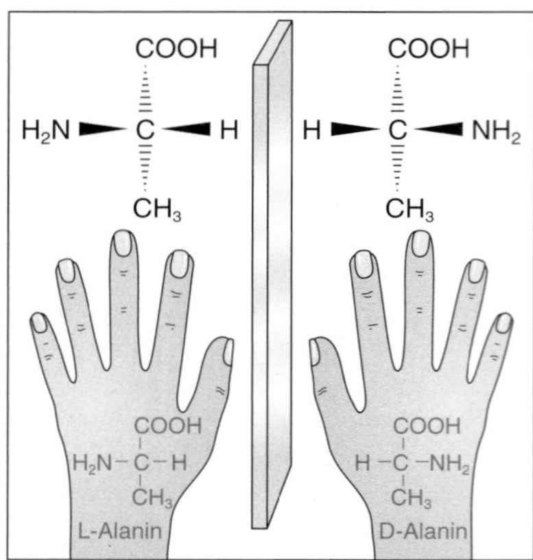

1. Spiegelbild-Isomere bei α-Aminosäuren

Proteine oder Eiweißstoffe sind die vielseitigsten makromolekularen Verbindungen der Zelle: Ob als Enzyme, Hormone und Antikörper oder als Gerüstsubstanzen und Reservestoffe – Proteine spielen immer eine wichtige Rolle. Die besondere biologische Bedeutung dieser Naturstoffe kommt auch in ihrem Namen zum Ausdruck, der auf BERZELIUS zurückgeht (griech. *proteuo:* ich nehme den ersten Platz ein).

Aminosäuren. Erhitzt man Proteine mit Salzsäure, so werden die Makromoleküle hydrolysiert. Man erhält maximal 20 verschiedene Aminosäuren. Die Bezeichnung Aminosäure weist auf zwei funktionelle Gruppen hin, die saure *Carboxyl-Gruppe* (–COOH) und die basische *Amino*-Gruppe ($-NH_2$). Alle in den Proteinen vorkommenden Aminosäuren sind **α-Aminosäuren:** Die Amino-Gruppe sitzt an dem C-Atom, das der Carboxyl-Gruppe benachbart ist, in der so genannten α-Stellung.
Die einfachste Aminosäure ist Glycin (Aminoessigsäure). Die anderen Aminosäuren ergeben sich formal dadurch, dass ein H-Atom am α-C-Atom des Glycins durch eine *Seitenkette* –R ersetzt wird. Dadurch erhalten diese Aminosäuren ein asymmetrisches C*-Atom, denn am C-2-Atom sind nun vier verschiedene Atome oder Atomgruppen gebunden. Mit Ausnahme des Glycins sind daher alle α-Aminosäuren optisch aktiv. In den natürlich vorkommenden Proteinen findet man fast ausschließlich die L-Form.
Aminosäuren werden mit Trivialnamen bezeichnet. Dabei verwendet man die ersten drei Buchstaben als Abkürzung. Beispiele sind *Gly* für Glycin und *Ala* für Alanin (2-Aminopropansäure).

Einteilung der Aminosäuren. Man unterscheidet *polare* Aminosäuren mit polaren Seitenketten im Molekül und *unpolare* Aminosäuren mit unpolaren Seitenketten. Besonders wichtig ist jedoch das Protolyseverhalten in Wasser: **Neutrale Aminosäuren** reagieren in wässeriger Lösung neutral. Enthält die Aminosäure eine zusätzliche Carboxyl-Gruppe in der Seitenkette, so reagiert die Lösung sauer. Man spricht deshalb von **sauren Aminosäuren.** Aminosäuren mit einer zusätzlichen Amino-Gruppe in der Seitenkette sind **basische Aminosäuren.** Ihre Lösungen reagieren alkalisch.

Zwitterionen. Die ungeladene Form einer Aminosäure, wie sie in der allgemeinen Strukturformel dargestellt wird, existiert praktisch nicht. Sowohl in festem Zustand als auch in wässeriger Lösung sind die funktionellen Gruppen der Aminosäuren geladen: Es sind die Ammonium-Gruppe ($-NH_3^+$) und die Carboxylat-Gruppe ($-COO^-$). Aminosäure-Moleküle weisen also gleichzeitig eine negative und eine positive Ladung auf, es sind *Zwitterionen.*
Zwitterionen sind der Grund für die hohen Schmelztemperaturen der kristallinen Aminosäuren. Ähnlich wie die Kationen und Anionen von Salzen bilden die Zwitterionen Ionengitter mit starken elektrostatischen Wechselwirkungen zwischen den Teilchen. So liegt die Schmelztemperatur von Glycin bei 292 °C, während Hydroxyessigsäure bereits bei 80 °C schmilzt.

Säure/Base-Eigenschaften. Das Zwitterion kann als Säure oder als Base reagieren. Aminosäuren sind also *Ampholyte*, die *Puffereigenschaften* besitzen. Bei Erniedrigung des pH-Wertes nimmt die COO^--Gruppe ein Proton auf und das Zwitterion reagiert zum Kation. In alkalischer Lösung gibt die NH_3^+-Gruppe ein Proton ab, das Zwitterion wird zum Anion. Es handelt sich dabei um Protolysegleichgewichte, deren Lage vom pH-Wert abhängt. Bei Glycin überwiegt bei pH-Werten unterhalb von 2,3 die Kationform. Bei pH-Werten oberhalb von 9,7 überwiegt die Anionform.
Den pH-Wert, bei dem die Konzentration des Zwitterions am höchsten ist, bezeichnet man als *isoelektrischen Punkt*, pH(I). Bei diesem pH-Wert ist die Löslichkeit einer Aminosäure in Wasser am geringsten.

A1 a) L(–)-Tryptophan hat eine spezifische Drehung von

$$-30 \frac{\text{grd} \cdot \text{cm}^3}{\text{g} \cdot \text{dm}}$$

Bei einer Lösung der Massenkonzentration 0,1 g · cm^{-3}, die sowohl L(–)-Tryptophan als auch D(+)-Tryptophan enthält, wird in einem Probenrohr von 1 dm Länge ein Drehwinkel von –1,5° gemessen. In welchen Massenkonzentrationen liegen die beiden Isomere vor?
b) L(–)-Tryptophan schmeckt bitter, D(+)-Tryptophan schmeckt aber sehr süß. Was sagt das über die Teilchenstruktur in Geschmacksrezeptoren aus?

A2 2-Amino-4-methylpentansäure gehört zu den essentiellen Aminosäuren.
a) Geben Sie die Strukturformel an.
b) Handelt es sich um eine neutrale, saure oder basische Aminosäure?

A3 a) Weshalb gibt man für manche Aminosäuren zwei oder drei pK_S-Werte an?
b) Formulieren Sie die Säure/Base-Gleichgewichte für Alanin, Glutaminsäure und Lysin.

A4 Warum haben Aminosäure-Lösungen am isoelektrischen Punkt die geringste Wasserlöslichkeit?

Unpolare Aminosäuren	
Glycin (Gly)	pH(I) = 5,97
Alanin (Ala)	pH(I) = 6,02
Valin (Val)*	pH(I) = 5,97
Leucin (Leu)*	pH(I) = 5,98
Isoleucin (Ile)*	pH(I) = 6,02
Prolin (Pro)	pH(I) = 6,3
Phenylalanin (Phe)*	pH (I) = 5,48

Polare Aminosäuren	
Cystein (Cys)	pH(I) = 5,02
Methionin (Met)*	pH(I) = 5,74
Serin (Ser)	pH(I) = 5,68
Threonin (Thr)*	pH(I) = 5,60
Tyrosin (Tyr)	pH(I) = 5,67
Asparagin (Asn)	pH(I) = 5,41
Glutamin (Gln)	pH(I) = 5,70
Tryptophan (Try)*	pH(I) = 5,88

Saure Aminosäuren	
Asparaginsäure (Asp)	pH(I) = 2,8
Glutaminsäure (Glu)	pH(I) = 3,2

Basische Aminosäuren	
Lysin (Lys)*	pH(I) = 9,74
Arginin (Arg)	pH(I) = 10,76
Histidin (His)	pH(I) = 7,59

1. Aminosäuren. Die mit * gekennzeichneten Aminosäuren sind für den Menschen essentiell, müssen also mit der Nahrung aufgenommen werden.

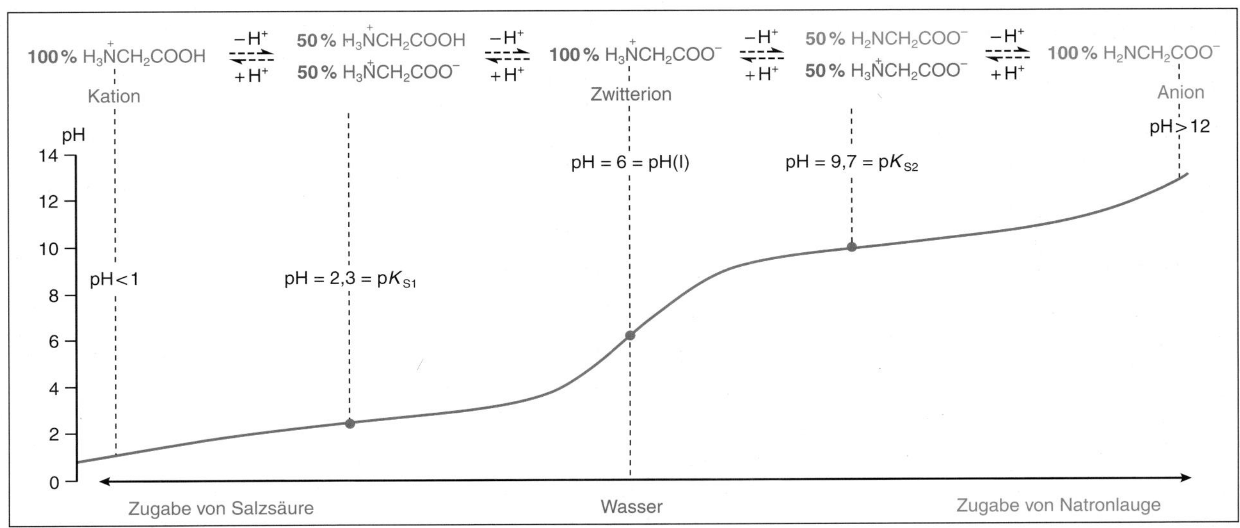

2. Glycin in wässeriger Lösung bei verschiedenen pH-Werten

Aminosäuren und Proteine

Versuch 1: Löslichkeit von Tyrosin

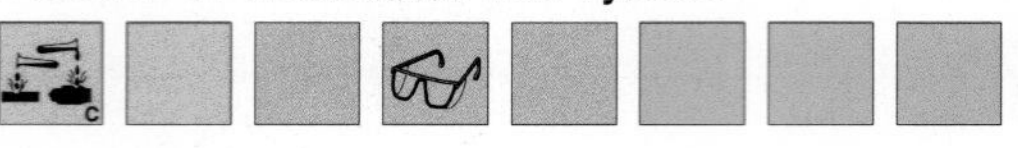

Materialien: Erlenmeyerkolben (50 ml), Tropfpipette; Tyrosin, Natronlauge (1 mol · l^{-1}; C), Salzsäure (1 mol · l^{-1})

Durchführung:

1. Schlämmen Sie eine Spatelspitze Tyrosin in etwas Wasser auf. Geben Sie tropfenweise so lange Natronlauge zu, bis sich das Tyrosin gelöst hat.

2. Geben Sie tropfenweise Salzsäure zu, bis ein Niederschlag entsteht. Setzen Sie die Zugabe von Salzsäure fort.

Aufgabe: Erklären Sie Ihre Beobachtungen.

Versuch 2: Eigenschaften der Proteine

 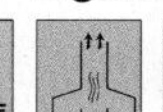    

Materialien: Gasbrenner, Kunststoffspritzen (1 ml, 5 ml), Tropfpipette, Wasserbad, Filtrierpapier, Föhn; Eiklar, Natriumchlorid, Salzsäure (1 mol · l^{-1}), Lösungen von Glycin, Tyrosin, Serin, Eiklar und Pepton, Natronlauge (1 mol · l^{-1}; C), Kupfersulfat-Lösung (verd.), Salpetersäure (konz.; C), Ninhydrin-Sprühreagenz (F)

Durchführung:

a) Denaturierung

1. Verdünnen Sie Eiklar mit etwas Wasser und rühren Sie vorsichtig etwas Natriumchlorid ein, bis eine klare Lösung entsteht.

2. Geben Sie zu 5 ml Eiklarlösung 5 ml Salzsäure.

3. Geben Sie zu 5 ml Eiklarlösung 5 ml Natronlauge.

4. Erhitzen Sie 5 ml Eiklarlösung im Reagenzglas.

b) Biuret-Reaktion. Geben Sie zu je 4 ml der vier Lösungen von Tyrosin, Serin, Pepton und Eiklar 1 ml Natronlauge. Fügen Sie anschließend einige Tropfen Kupfersulfat-Lösung zu.

c) Xanthoprotein-Reaktion. Versetzen Sie je 2 ml der vier Lösungen mit 4 ml Salpetersäure und erhitzen Sie die Gemische einige Minuten im Wasserbad.

d) Ninhydrin-Reaktion. Geben Sie je einen Tropfen Glycin-Lösung und Eiklar nebeneinander auf ein Filtrierpapier. Besprühen Sie mit Ninhydrin-Reagenz und erwärmen Sie das Filtrierpapier mit einem Föhn.

Hinweise zu Versuch 2 und Versuch 3:

Pepton: wasserlösliche Di-, Tri- und Polypeptide, die durch partielle, enzymatische Spaltung von Nahrungsproteinen hergestellt werden.
Gelatine: denaturiertes Kollagen
Glutathion: Tripeptid (Glu-Cys-Gly), das in Zellen vorkommt.
Biuret-Reaktion: Peptid-Gruppen reagieren mit Kupfer(II)-Ionen unter Bildung eines rotvioletten Farbkomplexes.
Ninhydrin-Reaktion: Ninhydrin bildet mit Aminosäuren blauviolette Farbkomplexe.
Xanthoprotein-Reaktion: Aminosäuren und Proteine mit aromatischer Seitenkette geben eine Gelbfärbung.

Versuch 3: Hydrolyse und DC-Trennung

   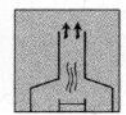    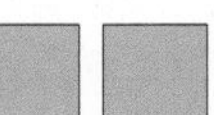

Materialien: 3 Rundkolben (50 ml) mit Schliffstopfen, DC-Celluloseplatten (20 cm × 20 cm), DC-Kammer, Messzylinder (50 ml), Mikropipetten (1 µl), Föhn, Waage; Salzsäure (konz.; C), Fließmittel: Aceton (35 ml; F) + Butan-(1)-ol (35 ml; Xn) + Eisessig (10 ml; C), Pepton, Gelatine, Glutathion, Vergleichslösungen verschiedener Aminosäuren, Ninhydrin-Sprühreagenz (F)

Durchführung:

a) Hydrolyse

1. Füllen Sie etwa 0,2 g Pepton, Gelatine und Glutathion getrennt in je einen Rundkolben. Fügen Sie jeweils 15 ml Salzsäure und 5 ml Wasser hinzu.

2. Stellen Sie die verschiedenen Kolben mit gesichertem Schliff über Nacht bei 100 °C in den Trockenschrank. Am nächsten Tag können die Hydrolysate bearbeitet werden.

b) DC-Trennung

1. Füllen Sie zunächst das Fließmittel in die DC-Kammer.

2. Markieren Sie eine Startlinie auf der Platte, ohne die Schicht zu verletzen. Tragen Sie dann die Hydrolysate und die Vergleichslösungen auf. Achten Sie auf gleiche Abstände.

3. Föhnen Sie die Substanzflecken trocken und stellen Sie die Platte in die DC-Kammer.

4. Entnehmen Sie die DC-Platte, wenn das Fließmittel den oberen Plattenrand fast erreicht hat. Trocknen Sie die DC-Platte im Abzug mit einem Föhn.

5. Besprühen Sie die DC-Platte mit Ninhydrin-Reagenz und legen Sie diese bei 80 °C etwa zehn Minuten in den Trockenschrank.

Aufgabe: Aus welchen Aminosäuren sind die Proteine aufgebaut?

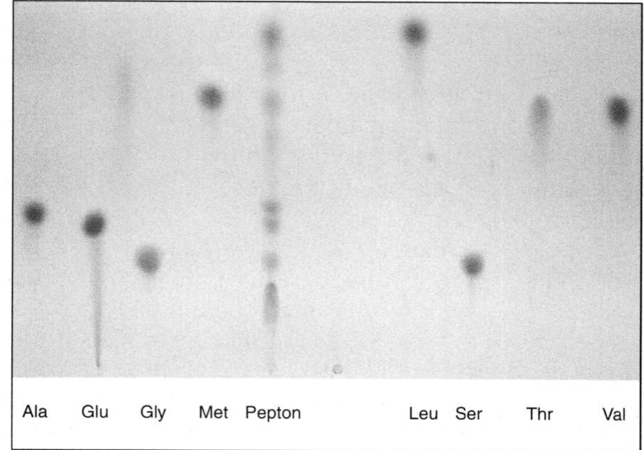

19.8 Die Peptidbindung – von der Aminosäure zum Protein

Proteine sind Makromoleküle, in denen die Aminosäure-Bausteine durch Peptidbindungen miteinander verknüpft sind. Formal entsteht eine **Peptid-Gruppe (–CO–NH–)** durch Kondensation der COOH-Gruppe eines Aminosäure-Moleküls mit der NH_2-Gruppe eines zweiten Moleküls:

$$H_2N{-}CH(R^1){-}COOH + H_2N{-}CH(R^2){-}COOH \rightleftharpoons H_2N{-}CH(R^1){-}CO{-}NH{-}CH(R^2){-}COOH + H_2O$$

Peptidbindung

Sind zwei Aminosäure-Moleküle miteinander durch eine **Peptidbindung** verbunden, so liegt ein *Dipeptid* vor. Die einfachste derartige Verbindung ist Glycyl-glycin (Gly-Gly); sie wurde 1901 von FISCHER und FOURNEAU zum ersten Mal synthetisiert. Nach der Anzahl der Aminosäure-Bausteine unterscheidet man *Oligopeptide* (2 bis 9), *Polypeptide* (10 bis 100) und *Proteine* (über 100).

Peptide sind grundsätzlich aus einem Vielfachen der Struktureinheit **–(CHR–CO–NH)–** aufgebaut. Das Symbol R steht dabei für die verschiedenen Seitenketten der verknüpften Aminosäure-Moleküle. Jedes Peptid weist zwei endständige Bausteine auf: Übereinkunftsgemäß schreibt man in Formeln den Aminosäure-Baustein mit der freien Amino-Gruppe *(N-terminale Aminosäure)* nach links, denjenige mit der freien Carboxyl-Gruppe *(C-terminale Aminosäure)* nach rechts.

Struktur der Peptid-Gruppe. Mit Hilfe der Röntgenstrukturanalyse ist die Bindungslänge in der Peptidbindung bestimmt worden. Dabei zeigte sich, dass die C/N-Bindung hier kürzer ist als in Aminen. Ein weiterer Befund war, dass die Peptid-Gruppe eben gebaut ist. Nach dem Orbital-Modell lassen sich diese Beobachtungen auf eine sp^2-Hybridisierung von drei Atomen der Peptid-Gruppe zurückführen: Die π-Elektronen sind über das Sauerstoff-Atom, das Kohlenstoff-Atom und das Stickstoff-Atom der Peptid-Gruppe delokalisiert. Dadurch werden besonders stabile Bindungsverhältnisse erreicht.

Formelmäßig lässt sich die Peptidbindung mit Hilfe von Grenzformeln darstellen; die tatsächliche Ladungsverteilung liegt zwischen den formulierbaren Elektronenanordnungen. Aus den Grenzformeln ergibt sich, dass die C/N-Bindung Doppelbindungscharakter hat und nicht frei drehbar ist. Die Atome der Peptidbindung und die beiden benachbarten α-C-Atome sind daher in einer Ebene angeordnet, die eine *starre Struktureinheit* bildet. In den Peptiden sind die planaren Peptid-Gruppen über die α-C-Atome der jeweiligen Aminosäure-Bausteine miteinander verbunden. Ähnlich wie bei *cis/trans*-isomeren Alkenen können die beiden α-C-Atome zur C/N-Bindung einer Peptid-Gruppe *cis* oder *trans* angeordnet sein. In natürlichen Proteinen liegt aus sterischen Gründen immer die *trans*-Form vor.

Die Ausbildung ebener Peptid-Gruppen beeinflusst die Struktur von Proteinen. Verformungen des Makromoleküls sind nur an den α-C-Atomen möglich, deren Bindungen tetraedrisch angeordnet und frei drehbar sind. Verglichen mit anderen Makromolekülen wie beispielsweise Polyethen ist die Anzahl der möglichen Konformationen daher bei Proteinen stark eingeschränkt.

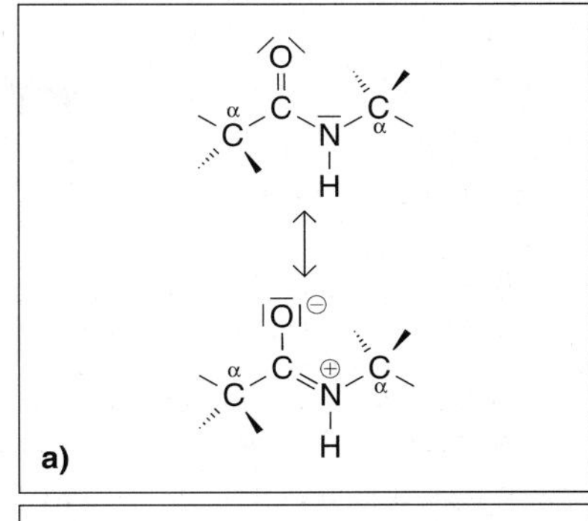

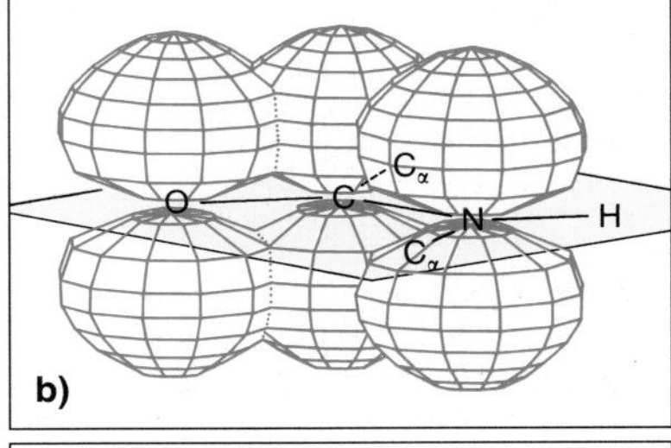

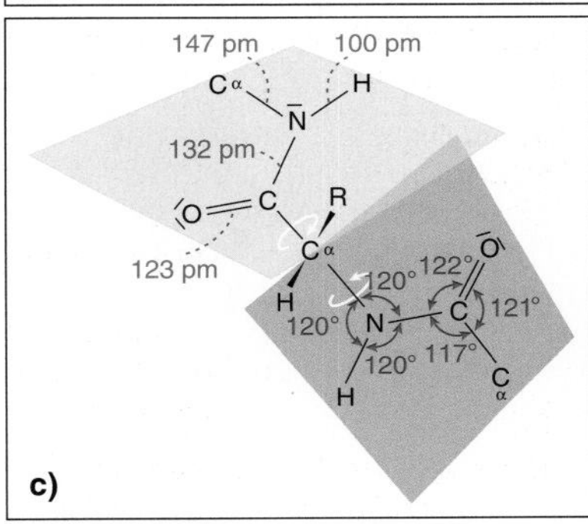

1. Bindungsverhältnisse in der Peptid-Gruppe. a) Grenzformeln, **b)** delokalisiertes π-Elektronensystem, **c)** Geometrie der Peptidbindung.

A1 Erklären Sie, wie aus Glycin und Serin zwei verschiedene Dipeptide gebildet werden können. Geben Sie die Strukturformeln als ungeladene Moleküle und als Zwitterionen an.

A2 Das Insulin-Molekül besteht aus zwei Polypeptidsträngen, die über Disulfidbindungen der Cystin-Reste miteinander verbunden sind. Cystin ist das Dimere von Cystein.
Formulieren Sie die Bildung von Cystin als Redoxreaktion. Setzen Sie als Oxidationsmittel Eisen(III)-Ionen ein.

19.9 Die Struktur der Proteine

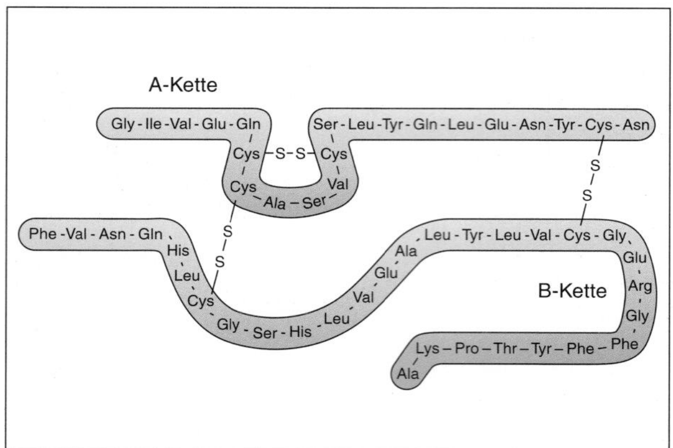

1. Aminosäuresequenz im Rinder-Insulin

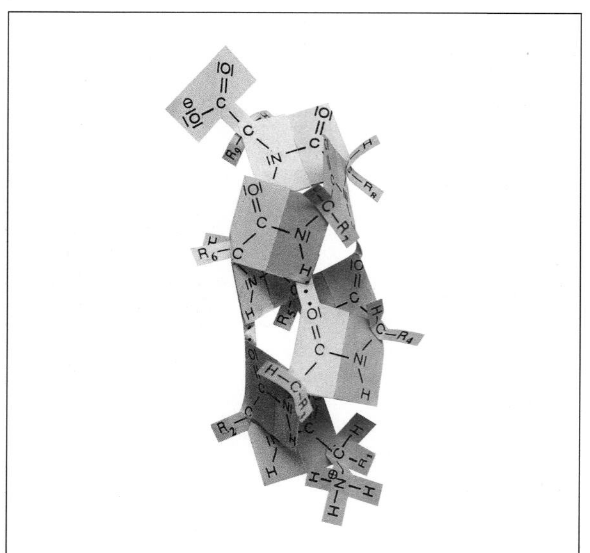

2. Modell einer α-Helix

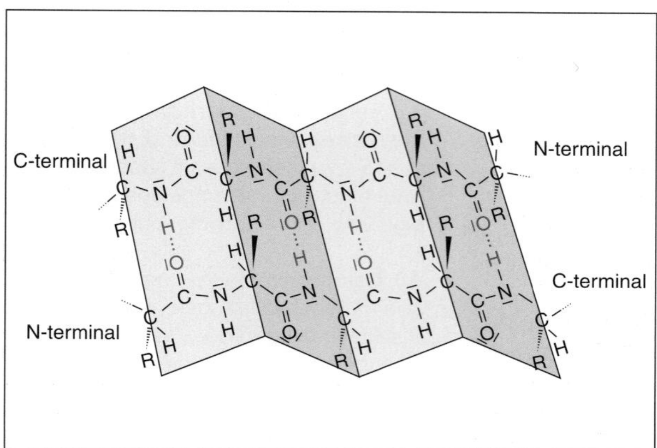

3. Antiparallele Faltblattstruktur des Seidenproteins

Aus drei verschiedenen Aminosäuren lassen sich bereits sechs unterschiedliche Tripeptide kombinieren. Geht man von einem Protein aus, das aus 100 Aminosäure-Resten aufgebaut ist, so sind bei zwanzig verschiedenen Aminosäuren rechnerisch $20^{100} \approx 10^{130}$ Kombinationen möglich. Tatsächlich sind Proteine die Naturstoffe mit der größten chemischen Mannigfaltigkeit.
Die biologische Funktion eines Proteins hängt von seiner besonderen räumlichen Struktur ab. Die Struktur wird als erstes von der Reihenfolge der Aminosäure-Einheiten, der *Primärstruktur* bestimmt. Infolge der Geometrie der Peptidbindungen neigen Peptidketten dazu, regelmäßige Grundstrukturen einzunehmen, die man auch als *Sekundärstrukturen* bezeichnet. Die eigentliche Teilchengestalt eines Protein-Moleküls, die *Tertiärstruktur*, resultiert aus Faltungen der Sekundärstrukturen und aus Wechselwirkungen zwischen den Seitenketten der Aminosäure-Einheiten. In vielen Fällen lagern sich zwei oder mehr Peptidketten zu einer übergeordneten Struktur, der *Quartärstruktur* zusammen.

Primärstruktur. Bei der Strukturaufklärung eines Proteins bestimmt man zuerst die Zusammensetzung: die Art der Aminosäure-Einheiten, ihre Anzahl und die **Aminosäuresequenz,** die Primärstruktur. Die erste Aufklärung einer Primärstruktur war 1951 eine wissenschaftliche Sensation: SANGER bestimmte die Aminosäuresequenz des Peptidhormons Insulin. Inzwischen ist die Sequenzanalyse von Proteinen zur Laborroutine geworden. Man kennt heute die Primärstrukturen von einigen tausend Proteinen.

Sekundärstruktur. Ende der dreißiger Jahre führten die Amerikaner PAULING und COREY Röntgenuntersuchungen an kristallinen Peptiden durch. Dabei stellten sie fest, dass sich bestimmte räumliche Merkmale regelmäßig wiederholen. Aus den Messdaten und mit Hilfe von Molekülmodellen leiteten sie als Grundstruktur die **α-Helix** ab. In ihr ist die Peptidkette schraubenartig gewunden. Die Peptidbindungen bilden die Wände eines „Hohlzylinders", an dem außen die Aminosäure-Seitenketten ansetzen. Die α-Helix wird durch intramolekulare Wasserstoffbrückenbindungen zwischen den Peptid-Gruppen stabilisiert. Dabei tritt jeweils das Sauerstoff-Atom der CO-Gruppe eines Aminosäure-Bausteins mit dem Wasserstoff-Atom der NH_2-Gruppe des überübernächsten Bausteins in Wechselwirkung. Der Abstand der Windungen der α-Helix beträgt 540 pm; auf eine Windung kommen 3,6 Aminosäure-Bausteine. Aminosäure-Reste mit sperrigen Seitenketten stören die helicale Anordnung. Die α-Helix wird dann durch *ungeordnete Bereiche* unterbrochen.
Eine weitere Sekundärstruktur ist das **β-Faltblatt;** es bildet eine zickzackförmig gefaltete Fläche. Dabei treten die Peptidbindungen mehrerer parallel angeordneter Ketten in Wechselwirkung. Es bilden sich intermolekulare Wasserstoffbrückenbindungen.

Tertiärstruktur. Proteine bilden bei gleicher Primärstruktur immer die gleiche charakteristisch gewundene und gefaltete dreidimensionale Struktur aus. Diese Tertiärstruktur wird durch unterschiedliche Bindungsarten stabilisiert: Zwischen polaren Seitenketten der Aminosäure-Einheiten können *Wasserstoffbrückenbindungen* vorliegen. Unpolare und schwach polare Gruppen bilden untereinander *VAN-DER-WAALS-Bindungen* aus. Solche Bindungen bezeichnet man auch als hydrophobe Wechselwirkung. Positiv geladene Ammonium-Gruppen und negativ geladene Carboxylat-Gruppen gehen *Ionenbindungen* ein. Von besonderer Bedeutung für die Tertiärstruktur sind die *Disulfidbrücken* (–S–S–). Dabei handelt es sich um Elektronenpaarbindungen, die sich aus den SH-Gruppen zweier Cystein-Reste durch eine Redoxreaktion bilden.

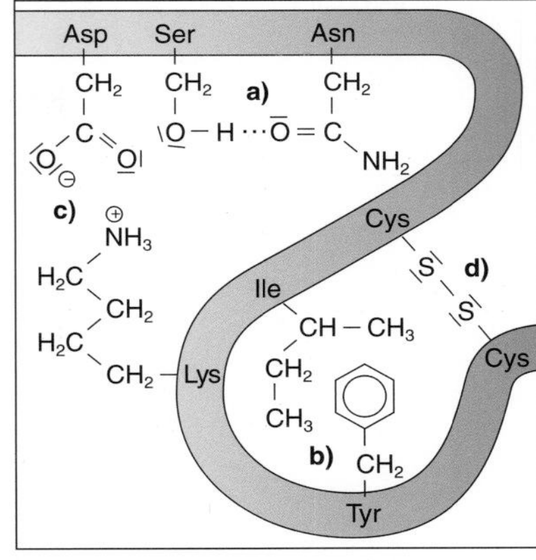

1. Bindungsarten zur Stabilisierung von Tertiärstrukturen.
a) Wasserstoffbrückenbindung,
b) VAN-DER-WAALS-Bindung,
c) Ionenbindung,
d) Disulfidbrücke.

Die Tertiärstruktur wirkt sich auf die Löslichkeit eines Proteins in Wasser aus. Dabei lassen sich die Proteine in zwei Hauptgruppen einteilen: die *globulären Proteine* mit kugelförmiger Gestalt der Moleküle und guter Löslichkeit in Wasser sowie die *Faserproteine,* deren lang gestreckte Moleküle in Wasser unlöslich sind.
Bei **globulären Proteinen** ragen polare und ionische Seitenketten nach außen. Sie gehen mit Wasser-Molekülen Wasserstoffbrückenbindungen ein und sind so für die Löslichkeit in Wasser verantwortlich. Bereiche mit VAN-DER-WAALS-Bindungen liegen dagegen bevorzugt im Innern des globulären Proteins, solche Bereiche sind praktisch frei von Wasser-Molekülen.

Myoglobin, ein Enzym, das im Muskel Sauerstoff überträgt, war das erste Protein, dessen Struktur bis in die letzten atomaren Einzelheiten aufgeklärt werden konnte. Als experimentelle Methode wurde dazu die Röntgenstrukturanalyse eingesetzt. Myoglobin ist aus einer einzigen Polypeptidkette mit 153 Aminosäuren aufgebaut. Die Aminosäure-Einheiten sind überwiegend helical angeordnet. Das Molekül weist acht solcher α-Helix-Abschnitte auf, dazwischen liegen Schleifen. Entscheidend für die Sauerstoff-Übertragung ist eine so genannte *prosthetische Gruppe* (griech. *prosthetikos:* zusätzlich), die an der Oberfläche des Proteins gebunden ist: die *Häm-Gruppe.* Dabei handelt es sich um einen Eisen(II)-Komplex.

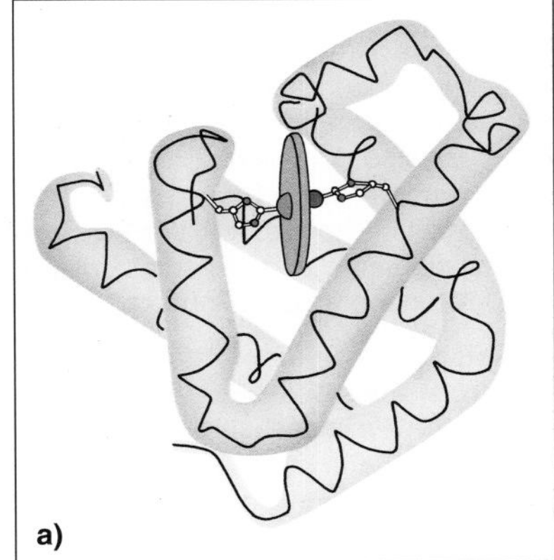

Quartärstruktur. Besteht ein Protein nicht aus einer einzigen Polypeptidkette, sondern aus mehreren Ketten, spricht man von einer Quartärstruktur. Ein Beispiel ist *Hämoglobin,* das im Blut Sauerstoff-Moleküle transportiert. Es besteht aus vier Polypeptidketten: zwei α-Peptidketten aus je 141 Aminosäure-Resten und zwei β-Peptidketten aus je 146 Aminosäure-Resten, die sich zu einer Quartärstruktur zusammengelagert haben. Auch viele andere Proteine bestehen aus mehreren Polypeptidketten.

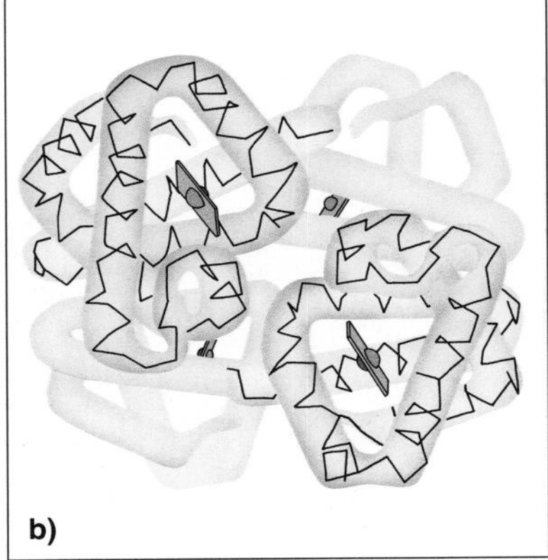

2. Schema der Tertiärstruktur von Myoglobin (a) und Schema der Quartärstruktur des Hämoglobins (b)

Denaturierung. Tertiär- und Quartärstrukturen von Proteinen sind unter physiologischen Bedingungen sehr stabil. Bei den meisten Proteinen führt jedoch das *Erhitzen* auf über 60 °C zu einer irreversiblen Zerstörung der Tertiär- und Quartärstruktur. Dies bezeichnet man als *Denaturierung.* Die biologische Funktionsfähigkeit der Proteine geht dabei verloren. Die Bildung von festem weißen Eiweiß beim Eierkochen ist ein Beispiel einer solchen Denaturierung. Auch Säuren, Basen, Harnstoff, Schwermetall-Ionen und Reduktionsmittel können Proteine reversibel oder irreversibel denaturieren. *Säuren* und *Basen* ändern den pH-Wert der Lösungen und beeinflussen so die Ionenbindungen. *Harnstoff-Moleküle* bilden mit Protein-Molekülen Wasserstoffbrücken und stören dadurch die Wasserstoffbrückenbindungen der Tertiärstruktur. Mit *Schwermetall-Ionen* bilden Proteine Komplexe und verlieren dadurch ihre biologische Aktivität. *Reduktionsmittel* denaturieren Proteine durch Spaltung der Disulfidbindungen.

EXKURS

Faserproteine

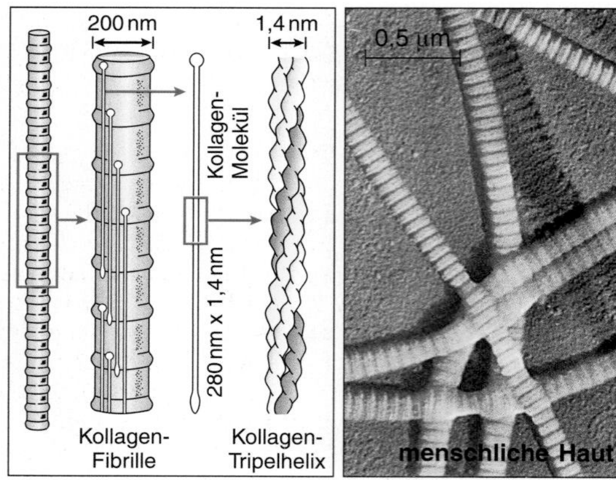

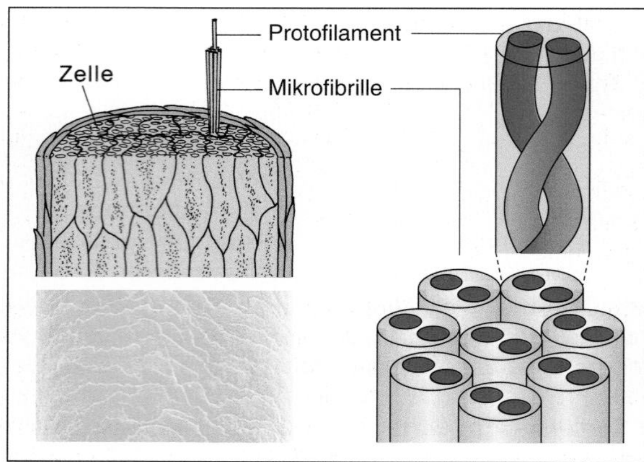

Kollagen. Das häufigste Faserprotein im tierischen Organismus ist das Kollagen. Es kommt in **Haut,** Knochen, Sehnen und anderen Festigungsgeweben vor. Als Sehnenmaterial muss Kollagen bei hoher Reißfestigkeit steif und wenig dehnbar sein.
In Faserproteinen wiederholen sich spezifische Aminosäuresequenzen. Im Kollagen ist die Dreiersequenz **Pro-X-Gly** besonders häufig. Bei der Aminosäure Prolin ist das α–C-Atom Teil einer starren Ringstruktur, sodass hier Drehungen nicht möglich sind. Beim Glycin-Rest dagegen ist die freie Drehbarkeit nicht eingeschränkt. Es ergibt sich eine besondere helicale Sekundärstruktur, bei der drei Aminosäure-Reste auf eine Windung kommen. Drei dieser Strukturen sind kabelartig zu einer **Tripelhelix** umeinander gewunden und bilden ein stäbchenartiges Kollagen-Molekül. Viele dieser Stäbchen wiederum sind zur festen Kollagen-Fibrille quer vernetzt. Kollagen-Fibrillen zeigen im Elektronenmikroskop eine charakteristische Bandstruktur.

Seide. Das **Spinnprotein** der Seidenraupe und der Spinnen ist über weite Strecken aus der Abfolge *Gly-Ser-Gly-Ala-Gly-Ala* aufgebaut. Dabei ragen die Glycin-Reste zur einen Seite und die Alanin- und die Serin-Reste zur anderen Seite der Polypeptidkette. Das Seidenprotein liegt in der **β-Faltblatt-Struktur** vor. Die verschiedenen Faltblätter wiederum liegen so aneinander, dass sich Glycin und Glycin sowie Alanin und Alanin gegenüberstehen. Daher wechselt der Abstand der Schichten regelmäßig.

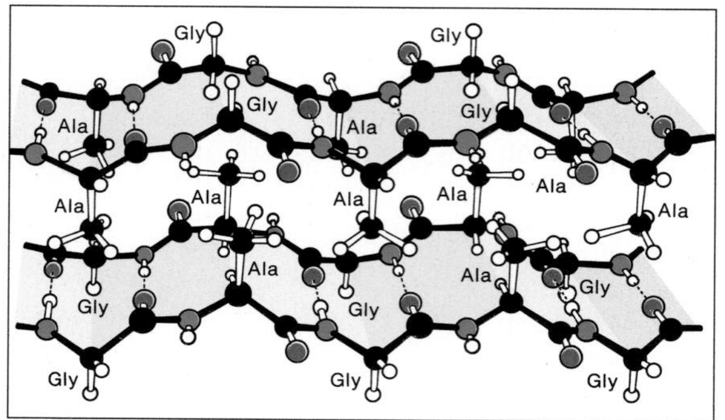

Keratin. Unser **Haar** besteht aus so genanntem *α-Keratin*, das eine α-Helix-Struktur zeigt. Jeweils zwei α-Helices sind zu einer Doppelhelix zusammengelagert und zwei Doppelhelices umwinden sich zu einem Protofilament. Jeweils acht Protofilamente bilden eine *Mikrofibrille*, die im Elektronenmikroskop als Längseinheit der Faserschicht des Haares zu erkennen ist. Im Gegensatz zu Kollagen ist α-Keratin schwefelhaltig. Die einzelnen Helices sind durch Disulfidbrücken quervernetzt. Von der Struktur der *Faserschicht* hängt es ab, ob das Haar glatt oder gekräuselt ist.
Die Faserschicht wird von der schützenden *Schuppenschicht* umgeben, die aus mehreren Lagen sich dachziegelartig überlappender Plättchen besteht. Stehen diese Schuppen ab, sieht das Haar stumpf aus und ist zudem schlecht kämmbar.

Der Friseur als Proteinchemiker. α-Keratin ist elastisch. Bei starker Dehnung werden die Wasserstoffbrückenbindungen zwischen den Windungen der Helices aufgebrochen und die gestreckte β-Faltblatt-Struktur entsteht. Über Disulfidbrücken bleiben die Polypeptidketten aber weiterhin miteinander verknüpft. Sobald die Zugbelastung wegfällt, nimmt das Keratin daher wieder seine ursprüngliche Form an. Der Friseur macht sich die Struktureigenschaften der Haare zunutze. Bei Föhnfrisuren und **Wasserwellen** werden durch das Einwirken von Wasser im Haar Wasserstoffbrückenbindungen gelöst. Das aufgeweichte Haar wird in die gewünschte Form gebracht. Beim Verdampfen des Wassers entstehen neue Wasserstoffbrückenbindungen, die die Form stabilisieren. Bei erneuter Einwirkung von Wasser (Luftfeuchtigkeit, Regen) nimmt das Haar allerdings wieder die ursprüngliche Form ein.
Will der Friseur eine dauerhafte Verformung des Haares erreichen, so müssen die Disulfidbrücken zwischen den Polypeptidketten gespalten werden. Dazu werden bei **Dauerwellen** die Disulfidbrücken mit alkalischen Reduktionsmitteln *(Wellmitteln)* aufgebrochen. Nachdem das Haar in die gewünschte Form gebracht wurde, werden durch Oxidationsmittel *(Fixiermittel)* neue Quervernetzungen erzeugt. Die Fixiermittel enthalten dazu Wasserstoffperoxid (2 %) oder Natriumbromat sowie Citronensäure zur Neutralisation des Wellmittels. Die neuen Disulfidbrücken sind stabil und die Welle hält so lange, bis unbehandeltes Haar nachwächst.

EXKURS

Trennung und Identifizierung von Proteinen

In der biochemischen Forschung und in der medizinischen Diagnostik spielt die Trennung und Identifizierung spezifischer Proteine eine wichtige Rolle. So kann man beispielsweise eine Infektion mit dem *AIDS-Virus (HIV)* am Auftreten entsprechender Antikörper im Blut erkennen. Für den *HIV-Antikörpertest* mit der so genannten *Western-Blot-Technik* benötigt man Virus-Hüllproteine, die aus Virus-Kulturen mit Hilfe der SDS-Polyacryl-Gelelektrophorese gewonnen werden.

Gelelektrophorese. Protein-Moleküle haben aufgrund von sauren oder basischen Aminosäure-Seitenketten in der Regel eine negative oder positive Ladung. Bei der Gelelektrophorese macht man sich diese Eigenschaft zunutze, indem man Proteine bei angelegter Gleichspannung durch ein Gel wandern lässt. Die Wanderungsgeschwindigkeit hängt dabei von der Gesamtladung, von der Größe und von der Gestalt der Moleküle ab.

Als Trägermaterial hat sich ein stark vernetztes Polyacrylamid-Gel bewährt. Das Gel lässt sich durch Polymerisation von Acrylamid herstellen. Je weniger Polyacrylamid das Gel enthält, desto größer ist die Maschenweite des Molekülgerüsts. Kleinere Protein-Moleküle wandern schneller durch dieses Gel als größere. Mit einem Gel, das 30 % Polyacrylamid enthält, lassen sich so Polypeptide mit bis zu 100 Aminosäure-Resten trennen, mit einem 3%igen Gel sogar Proteine, deren Moleküle aus bis zu 10000 Aminosäure-Bausteinen aufgebaut sind.

In der Praxis hat sich eine chemische Behandlung der Proteine vor der Trennung als vorteilhaft erwiesen. Man fügt Natriumdodecylsulfat (engl.: *sodium **d**odecyl-**s**ulfate*, SDS) hinzu. Die Dodecylsulfat-Anionen lagern sich an die hydrophoben Bereiche der Protein-Moleküle an. Diese werden dadurch denaturiert und entfalten sich zu gestreckten Ketten. Außerdem tragen die Protein-Moleküle durch die gebundenen Ionen eine negative Ladung. Sie wandern dann alle bei der Elektrophorese zur Anode. Unter den Bedingungen der SDS-Polyacrylamid-Gelelektrophorese werden die Proteine also vor allem nach der Molekülmasse getrennt. Nach der Trennung werden die Proteine angefärbt und dadurch im Gel als farbige Zonen sichtbar gemacht. Schon 10 ng Protein reichen für den Nachweis aus.

Aus der Lage der farbigen Zone kann auf die Molekülmasse eines unbekannten Proteins geschlossen werden. Oft folgt aber noch ein spezifischer Nachweis zur Identifizierung des Proteins.

Beim *HIV-Antikörpertest* legt man nach der elektrophoretischen Auftrennung der Virus-Proteine eine saugfähige Nitrocellulose-Membran auf das Gel und erhält so einen Abdruck der Proteinbanden *(Blot-Technik)*. Zu dieser Membran gibt man dann das Serum der Testperson. Enthält es Antikörper gegen das AIDS-Virus (HIV), so binden sich diese an bestimmte Hüllproteine des Virus (Antigene) in der Nitrocellulose-Membran. Um diese Antigen/Antikörper-Reaktion sichtbar zu machen, fügt man dann noch ein Antihuman-Immunglobulin zu, das mit dem Enzym Peroxidase gekoppelt ist. Dieses Protein reagiert mit den menschlichen Antikörpern auf der Nitrocellulose-Membran, und die Peroxidase katalysiert eine Farbreaktion. Treten gefärbte Banden auf, enthielt das Testserum HIV-Antikörper. Die untersuchte Person ist HIV-Antikörper-positiv.

Hochleistungs-Flüssigkeits-Chromatografie. Die SDS-Polyacrylamid-Gelelektrophorese ist nur eines von mehreren wichtigen Verfahren zur Trennung von Proteinen. Eine andere moderne Trennmethode ist die HPLC (engl.: ***H**igh-**P**erformance-**L**iquid-**C**hromatography*). Dieses Verfahren zeigt Analogien zur Gas-Chromatografie; die Trennung findet aber im flüssigen Medium statt. Dazu wird das Analysengemisch unter hohem Druck (30 MPa $\hat{=}$ 300 bar) durch eine lange dünne Säule gepresst, die mit körnigem Trägermaterial gefüllt ist. Zur Trennung von Protein-Gemischen verwendet man ein Kieselgel mit einem Porendurchmesser von etwa 30 nm. Die chromatografische Trennung erfolgt nach Molekülgröße. Die getrennten Substanzen treten nach kurzer Zeit in hoher Reinheit nacheinander aus der Säule aus. Dort zeigt ein Detektor jeweils die Ankunft eines Reinstoffes an. Zum Nachweis wird häufig die UV-Absorption gemessen.

Die Hochleistungs-Flüssigkeits-Chromatografie ist ein sehr vielfältig einsetzbares Analyseverfahren, da durch Variation von Fließmittel, Trägermaterial und Druck sehr unterschiedliche Trennbedingungen möglich sind.

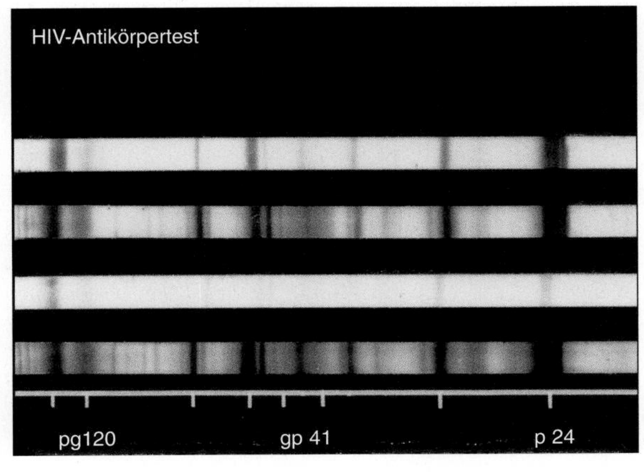

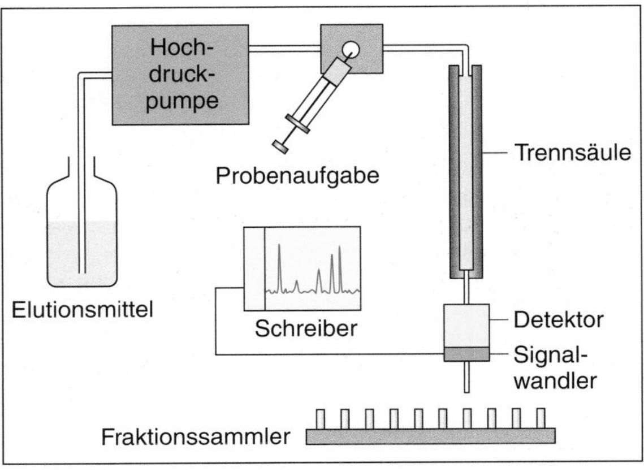

19.10 Aufgaben · Versuche · Probleme

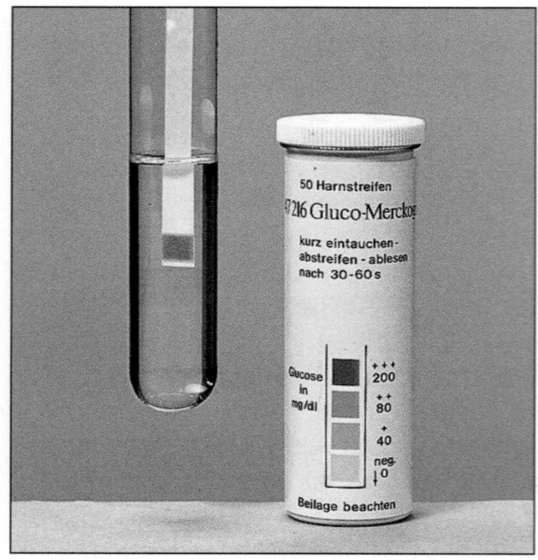

Aufgabe 1: Die Reaktionszone des Glucose-Teststreifens enthält die Enzyme Glucose-Oxidase (GOD) und Peroxidase. GOD katalysiert in Gegenwart von Sauerstoff die Oxidation von Glucose zu Gluconsäure. Dabei bleibt die Ringform erhalten: Aus dem Halbacetal entsteht ein intramolekularer Carbonsäureester (Gluconsäure-Lacton). Das gleichzeitig entstehende Wasserstoffperoxid oxidiert unter Einfluss des zweiten Enzyms eine Farbstoffvorstufe. Geben Sie die Reaktionsgleichung für die Oxidation von Glucose zu Gluconsäure-Lacton an.
Verwenden Sie Strukturformeln.

Aufgabe 2: Wie unterscheiden sich die Änderungen der Drehwerte bei der Hydrolyse von Saccharose,
a) wenn mit verdünnter und
b) wenn mit konzentrierter Salzsäure gearbeitet wird?

Aufgabe 3: In Zuckerfabriken wird in einem Teil der Anlage Kalk gebrannt.
a) Formulieren Sie die Reaktionsgleichung für das Brennen von Kalk.
b) Erläutern Sie, wie in der Zuckerfabrik die Reaktionsprodukte des Kalkbrennens genutzt werden.

Aufgabe 4: **a)** Zeichnen Sie die Strukturformel der Linolensäure.
b) Welche ernährungsphysiologische Bedeutung hat diese Verbindung?

Aufgabe 5: Glutathion ist ein Tripeptid mit der Aminosäuresequenz (Glu-Cys-Gly). Es schützt in lebenden Zellen Verbindungen vor Oxidation. Dabei wird Glutathion selbst oxidiert.
(M (Glutathion) = 307 g · mol^{-1};
M (Oxidationsprodukt) = 612 g · mol^{-1})
a) Geben Sie die Strukturformel des Tripeptids als Zwitterion an, beachten Sie dabei, dass Glutaminsäure im Glutathion eine γ-Peptidbindung ausbildet.
b) Leiten Sie die Strukturformel des Oxidationsproduktes aus den Angaben der molaren Massen ab.
c) Geben Sie die Reaktionsgleichung der Oxidation mit Hilfe der Strukturformeln an. Benennen Sie den neu entstehenden Bindungstyp.

Versuch 1: Chromatografie von Honig
Vorbereitung: Mischen Sie 65 ml Essigsäureethylester (F) mit 24 ml Propan-2-ol (F) und 12 ml Natriumacetat-Lösung (0,02 mol · l^{-1}). Füllen Sie einen Teil dieses Fließmittels in eine DC-Kammer. Lösen Sie 500 mg Honig in 10 ml Propan-2-ol. Stellen Sie Zuckervergleichslösungen her: je 100 mg Zucker auf 10 ml Propan-2-ol. Verwenden Sie als Zucker Glucose, Maltose, Fructose und Saccharose.
Trennung: Tragen Sie Proben der Vergleichslösungen und der Honiglösung auf eine DC-Platte (Kieselgel) auf. Stellen Sie die DC-Platte in das Fließmittel und verschließen Sie die Kammer. Hat die Fließmittelfront den oberen Rand fast erreicht, entnehmen Sie die Platte und trocknen Sie diese im Abzug.
Nachweis: Nach dem Trocknen wird die Platte gleichmäßig mit dem Sprühreagenz besprüht *(Abzug!)* und dann zehn Minuten bei 100 °C im Trockenschrank entwickelt.
Sprühreagenz: 5 ml Anisaldehyd, 5 ml Schwefelsäure (konz.; C), 1 ml Eisessig (C), 80 ml Ethanol (96 %; F)

Versuch 2: Hydrolyse von Cellulose
Schutzbrille. Übergießen Sie einen Wattebausch mit etwa 1 ml Schwefelsäure (konz.; C) und verrühren Sie das Gemisch mit einem Glasstab. Lassen Sie am Gefäßrand vorsichtig 10 ml Wasser zulaufen. Erhitzen Sie das Gemisch zehn Minuten im siedenden Wasserbad. Nach dem Abkühlen neutralisieren Sie vorsichtig mit Natriumhydrogencarbonat. Prüfen Sie die Lösung mit einem Glucose-Teststreifen und durch eine FEHLING-Probe (C).
Aufgaben: ***a)*** Weshalb nennt man diesen Vorgang „Verzuckerung"?
b) Warum muss hier, im Gegensatz zur Hydrolyse von Amylose, mit konzentrierter Schwefelsäure hydrolysiert werden?

Problem 1: 1845 entdeckte SCHÖNBEIN durch Zufall die Nitrierbarkeit der Cellulose.
1851 gelang es CHARDONNET aus nitrierter Cellulose Nitroseide herzustellen. Diese leicht entflammbare Faser konnte später durch die Acetatseide abgelöst werden.
a) Zeigen Sie die Strukturunterschiede der jeweiligen Seiden auf.
b) Warum ist Nitroseide leicht entflammbar?

Problem 2: Muskeln sind aus Proteinen aufgebaut. Sie bewegen sich auf elektrochemische Signale hin. Im Labor wurden synthetische Polypeptid-Stränge dazu gebracht, dass sie sich bei Absenkung des pH-Wertes zusammenzogen und bei Erhöhung wieder ausdehnten. Es konnten auch Peptide entwickelt werden, deren Länge abhängig von der Temperatur stark variiert.
a) Zeigen Sie an einem Modell, wodurch es zu dieser Bewegung kommen kann.
b) Suchen Sie Anwendungsbereiche für solche synthetischen „Muskeln".

Problem 3: Ricinusöl besteht zu über 80 % aus dem Triglycerid der Ricinolsäure (12-Hydroxyölsäure). Mit seinen drei Hydroxy-Gruppen kann es mit Citronensäure zu einem vernetzten Polyester umgesetzt werden.
a) Geben Sie für das Triglycerid und für Citronensäure Strukturformeln an.
b) Formulieren Sie einen Formelausschnitt des beschriebenen Polyesters.

Rizinus

Kohlenhydrate – Fette – Proteine

1. Kohlenhydrate

Kohlenhydrate sind Polyhydroxycarbonylverbindungen mit der Summenformel $C_n(H_2O)_m$. Man unterscheidet in der Kettenform Aldosen und Ketosen, in der Ringform Pyranosen und Furanosen und nach der Anzahl der Kohlenstoff-Atome Triosen, Tetrosen, Pentosen, Hexosen usw.

a) Kettenform und Ringform. In Lösung liegt ein chemisches Gleichgewicht vor:

Ringform (Halbacetal) α-Glucose HAWORTH-Formel ⇌ Kettenform (Aldehyd) FISCHER-Projektion ⇌ Ringform (Halbacetal) β-Glucose

b) Reaktivität und Glykoside. Die halbacetalische OH-Gruppe ist besonders reaktiv. Sie kann glykosidische Bindungen eingehen und wirkt reduzierend.
Disaccharide sind Glykoside aus zwei Monosaccharid-Bausteinen, Trisaccharide bestehen aus drei Monosaccharid-Bausteinen. Polysaccharide enthalten viele Monosaccharid-Bausteine.

Name	Art	reduzierende Wirkung	Verknüpfung
D-Glucose	Monosaccharid	+	
D-Fructose	Monosaccharid	+	
Maltose	Disaccharid	+	α-1,4
Lactose	Disaccharid	+	β-1,4
Saccharose	Disaccharid	–	α-1, β-2
Amylose	Polysaccharid	+	α-1,4
Amylopektin	Polysaccharid	(+)	α-1,4/α-1,6
Glykogen	Polysaccharid	(+)	α-1,4/α-1,6
Cellulose	Polysaccharid	(–)	β-1,4

2. Fette

a) Zusammensetzung. Die natürlichen Fette sind Ester des Glycerins mit Fettsäuren. Die langen Kohlenwasserstoff-Ketten der Fettsäure-Reste bedingen die hydrophoben Eigenschaften der Fette. Meist unterscheiden sich die drei Fettsäure-Reste eines Fett-Moleküls.

b) Konsistenz. Feste Fette enthalten überwiegend gesättigte, langkettige Fettsäuren. Öle haben einen hohen Anteil an ungesättigten Fettsäuren.

3. Proteine

Proteine (Eiweißstoffe) sind makromolekulare Naturstoffe, die aus Aminosäure-Bausteinen aufgebaut sind.

a) Aminosäuren. Strukturformel einer L-Aminosäure:

COOH Carboxyl-Gruppe
Amino-Gruppe H_2N-C-H
R Seitenkette

In Kristallen und in Lösung liegen Aminosäuren als Zwitterionen vor.
In Abhängigkeit vom pH-Wert der Lösung bildet sich die Kationform und die Anionform. Am *isoelektrischen Punkt, pH(I)*, liegt ausschließlich das Zwitterion vor.

Kation $H_3N^+-CH(R)-COOH$ ⇌ ($-H^+$ / $+H^+$) Zwitterion $H_3N^+-CH(R)-COO^-$ ⇌ ($-H^+$ / $+H^+$) Anion $H_2N-CH(R)-COO^-$

b) Peptidbindung. Die Aminosäure-Bausteine in Proteinen sind durch Peptidbindungen miteinander verknüpft, dabei entstehen Peptid-Gruppen. Diese bilden Struktureinheiten, bei denen sechs Atome in einer Ebene liegen:

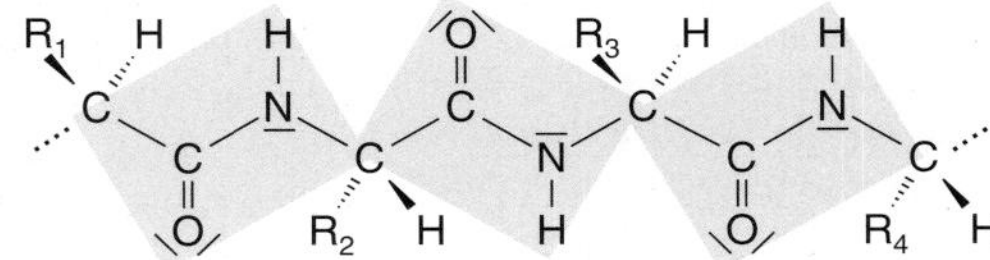

c) Struktur der Proteine. *Primärstruktur:* Reihenfolge der im Protein verknüpften Aminosäure-Reste (Aminosäuresequenz).
Sekundärstruktur: Wasserstoffbrückenbindungen zwischen den Peptidbindungen können stabile Grundstrukturen bewirken, die α-Helix oder die β-Faltblatt-Struktur.
Tertiärstruktur: Wechselwirkungen zwischen den verschiedenen Seitenketten der Sekundärstrukturen und einzelner Aminosäure-Reste bedingen die charakteristische Teilchengestalt des Protein-Moleküls. Dabei treten verschiedene Bindungsarten auf: Wasserstoffbrückenbindungen, VAN-DER-WAALS-Bindungen, Ionenbindungen und Disulfidbindungen.
Quartärstruktur: Übergeordnete Struktur, die sich durch Zusammenlagern von zwei oder mehr Peptidketten bildet. Die Bindungsarten entsprechen denen, die auch die Tertiärstruktur stabilisieren.

d) Biologische Bedeutung. Proteine (Eiweißstoffe) wirken in Organismen als Enzyme, Hormone, Antikörper oder Baustoffe (z. B. Kollagen).

e) Denaturierung. Irreversible oder reversible Konformationsänderungen der Protein-Moleküle, beispielsweise durch Temperaturerhöhung, pH-Wert-Änderung, Schwermetall-Ionen oder Reduktionsmittel.

20 Chemie und Umwelt

Für die griechischen Philosophen im 5. Jahrhundert v. Chr. waren *Feuer, Erde, Wasser* und *Luft* die vier Elemente, aus denen sich alle Dinge dieser Welt formen.

Über 2000 Jahre Entwicklung von Naturphilosophie und Naturwissenschaft hat es gebraucht, von dieser eher mystischen Vorstellung vom Aufbau aller Materie über viele kleine Zwischenschritte zum heute gültigen Periodensystem der 90 natürlichen Elemente zu gelangen.

Elemente der alten Griechen nach EMPEDOKLES (490 v. Chr. – 430 v. Chr.)

Die vier Elemente von damals haben mit den chemischen Elementen von heute nichts mehr gemeinsam. Dennoch sind die vier Elemente der alten Griechen in unserer Zeit aktueller denn je: Es sind die *Überlebenselemente* der Menschheit. Eine ausreichende Versorgung mit Energie, Rohstoffen und Trinkwasser sowie das Problem der Reinhaltung der Luft bestimmen immer stärker die Qualität unseres Lebens. In manchen Ländern dieser Welt bestimmen diese „Elemente" sogar das Überleben des Menschen.

Luftuntersuchungen

Versuch 1: Stickstoffoxide im Abgas einer Kerze

    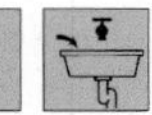

Materialien: Becherglas (600 ml, hoch);
Kerze, SALTZMAN-Reagenz: In 800 ml Wasser werden 5 g Sulfanilsäure (Xi), 0,05 g N-(1-Naphthyl)-ethylendiamindihydrochlorid (Xi) und 50 ml Eisessig (C) vollständig gelöst; anschließend mit Wasser auf 1 l auffüllen. Die Lösung ist in einer braunen Flasche einige Wochen haltbar.

Durchführung:

1. Bedecken Sie den Boden des Becherglases mit SALTZMAN-Reagenz.
2. Stellen Sie die brennende Kerze in das Becherglas.

Aufgabe: Beschreiben Sie die einzelnen Reaktionsschritte des Nachweises.

Versuch 2: Schwefeldioxid im Abgas von Heizöl

Materialien: Waschflasche, Wasserstrahlpumpe, Trichter, Tropfpipette;
Wasserstoffperoxid-Lösung (3 %), Bariumchlorid-Lösung (1 %; Xn), Docht (Watte) mit Heizöl (F) getränkt

Durchführung:

1. Füllen Sie die Waschflasche zu einem Drittel mit Wasserstoffperoxid-Lösung. Schließen Sie die Wasserstrahlpumpe an. Verbinden Sie den zweiten Anschluss mit dem Trichter.
2. Zünden Sie den Docht an und leiten Sie die Abgase durch die Waschflasche.
3. Warten Sie, bis der Docht abgebrannt ist, tropfen Sie dann Bariumchlorid-Lösung in die Waschflasche.

Aufgabe: Formulieren Sie die Reaktionsgleichungen für die Nachweisreaktion.

Versuch 3: Formaldehyd im Zigarettenrauch

Materialien: Reagenzglas mit seitlichem Ansatz, Stopfen mit Glasrohr, Wasserstrahlpumpe, 2 Kunststoffspritzen (1 ml);
Zigarette, Salzsäure (konz.; C), SCHIFFsches Reagenz

Durchführung:

1. Füllen Sie das Reagenzglas zur Hälfte mit Wasser. Verbinden Sie die Zigarette mit dem Glasrohr und schließen Sie die Wasserstrahlpumpe an den Ansatz an.
2. Ziehen Sie den Rauch der Zigarette durch das Wasser im Reagenzglas.
3. Warten Sie, bis die Zigarette abgebrannt ist, geben Sie dann 1 ml SCHIFFsches Reagenz zu der Lösung. Fügen Sie anschließend 1 ml Salzsäure hinzu.

Aufgabe: Informieren Sie sich über den Nachweis von Alkanalen mit SCHIFFschem Reagenz.

Versuch 4: Ozon am Kopiergerät

Materialien: Kaliumiodid/Stärke-Papier, Universalindikator-Papier, Kaliumiodid-Lösung (1 %)

Durchführung:

1. Legen Sie bei Hochbetrieb ein angefeuchtetes Kaliumiodid/Stärke-Papier in die Nähe des Kopiergeräts.
2. Wiederholen Sie den Versuch mit Universalindikator-Papier, das zuvor mit Kaliumiodid-Lösung getränkt wurde.

Aufgabe: Stellen Sie Reaktionsgleichung für die Nachweisreaktion auf. Wie erfolgt der Nachweis der Produkte?

Wirkung von Schwefeldioxid auf Kresse

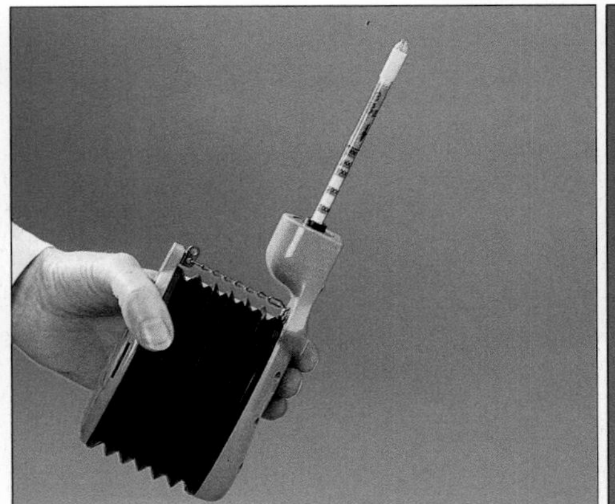

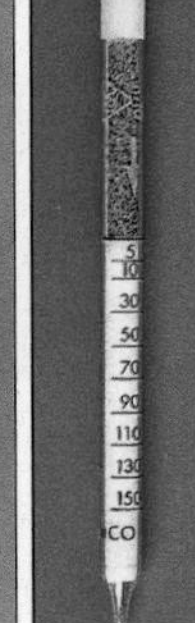

Nachweis von Kohlenstoffmonooxid

20.1 Wie gut ist die Luft in Deutschland?

Sucht man in einem Fachlexikon das Stichwort Luft, so findet man eine trockene Beschreibung mit vielen Zahlenwerten (Auszüge nach RÖMPP):

- Bezeichnung für das die Erde umhüllende Gasgemisch,
- die mittleren physikalischen Daten von Luft sind: $\varrho = 1{,}2928\ \text{g} \cdot \text{l}^{-1}$ (bei 0 °C, 1013 hPa), Siedetemperatur: –194,35 °C.

Ein Kubikmeter *trockener* Luft enthält nach DIN ISO 2533 bei Normbedingungen (0 °C, 1013 hPa) 976 g Stickstoff, 297 g Sauerstoff, 17 g Argon und 0,02 g weitere Edelgase. Daneben sind noch 517 mg Kohlenstoffdioxid enthalten.

Diese Zahlenwerte sagen nichts darüber aus, ob die Luft frisch oder verbraucht, gut oder schlecht ist. Es handelt sich um eine Norm-Atmosphäre.
Natürliche Luft kann dagegen von sehr unterschiedlicher Qualität sein, je nach Jahreszeit, nach Wetter, nach Standort und natürlich auch abhängig vom persönlichen Empfinden. Solche Eindrücke sind aber schwer zu fassen.
Zur quantitativen Erfassung der Luftqualität haben die Umweltbehörden verteilt über ganz Deutschland Messstationen eingerichtet. Die Hauptbestandteile Stickstoff und Sauerstoff werden nicht registriert, da sich ihre Konzentrationen praktisch nicht ändern. Erfasst werden umwelt- und gesundheitsrelevante Spurengase und Staub.

Verkehr. Autoabgase enthalten Kohlenstoffmonooxid (CO), Kohlenwasserstoffe (C_xH_y) und Stickstoffoxide (NO_x). Dabei steht *Kohlenstoffmonooxid* mengenmäßig an erster Stelle. Es bildet sich durch unvollständige Oxidation des Kraftstoffs. Geringe Mengen Kraftstoff verbrennen gar nicht und verbleiben als *Kohlenwasserstoffe* im Abgas. Im Automotor werden Temperaturen über 2000 °C erreicht. Unter diesen Bedingungen reagiert Stickstoff merklich mit Sauerstoff zu *Stickstoffmonooxid* (NO), das in der Luft zu *Stickstoffdioxid* (NO_2) weiterreagiert. Die Immissionswerte liegen in ländlichen Gebieten seit Jahren knapp unter $10\ \mu\text{g} \cdot \text{m}^{-3}$. Im Innenstadtbereich sind sie in den letzten 30 Jahren von $20\ \mu\text{g} \cdot \text{m}^{-3}$ auf bis zu $50\ \mu\text{g} \cdot \text{m}^{-3}$ angestiegen. Die Spitzenbelastungen an verkehrsreichen Kreuzungen liegen über $200\ \mu\text{g} \cdot \text{m}^{-3}$.

Der positive Effekt des geregelten Katalysators wurde bisher durch die stetige Zunahme des Verkehrs wieder zunichte gemacht. Bei schönem Wetter und kräftigem Sonnenschein bildet sich aus dem reaktiven Stoffgemisch von Autoabgasen mit Luft in mehreren Schritten giftiges *Ozon* (O_3).
Die Jahresmittelwerte für Ozon liegen unter $60\ \mu\text{g} \cdot \text{m}^{-3}$. Bei schönem Sommerwetter können jedoch innerhalb kurzer Zeit $180\ \mu\text{g} \cdot \text{m}^{-3}$ überschritten werden. Ab diesem Wert muss die Bevölkerung über mögliche gesundheitliche Auswirkungen unterrichtet werden, ab $240\ \mu\text{g} \cdot \text{m}^{-3}$ können Fahrverbote verhängt werden.

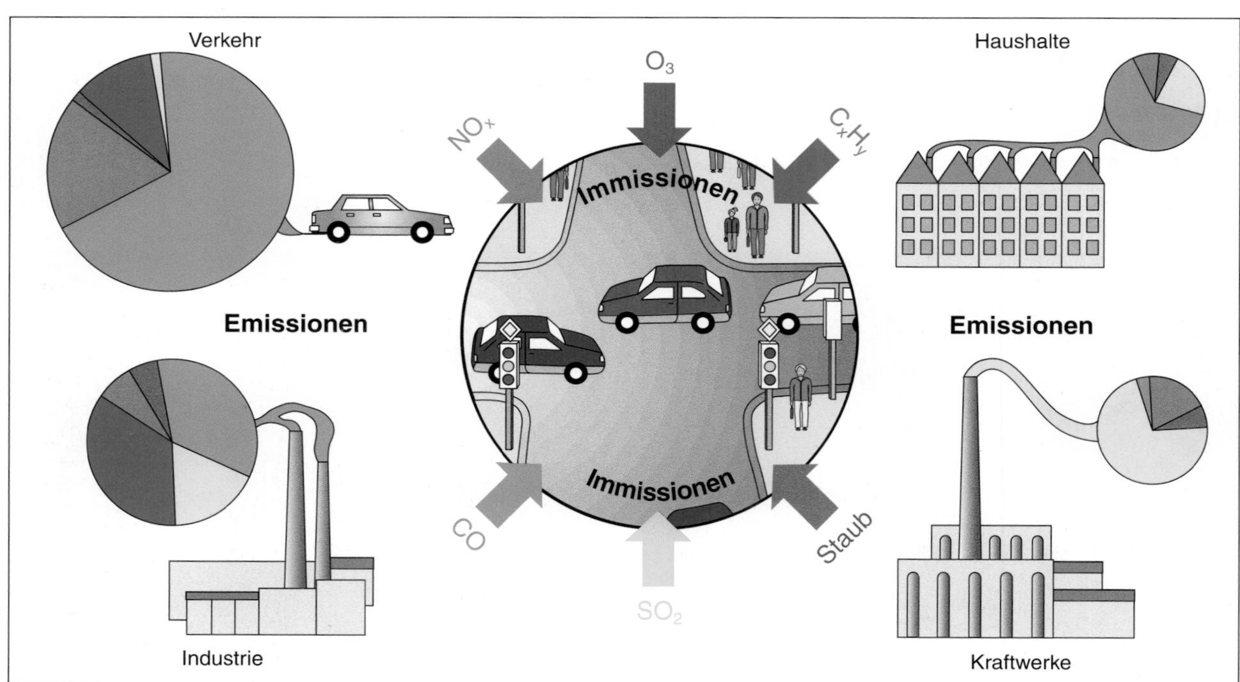

1. Emissionen und Immissionen in Deutschland (1994)

Kraftwerke. Beim Verbrennen schwefelhaltiger Brennstoffe in Kraftwerken bildet sich *Schwefeldioxid* (SO_2). Die Belastung ist in den letzten Jahren deutlich zurückgegangen. Gründe dafür sind die *Rauchgasentschwefelung* sowie der Einsatz der schwefelärmeren Brennstoffe Öl und Gas statt Kohle.
In Gelsenkirchen sank die SO_2-Immission von Werten über 200 $\mu g \cdot m^{-3}$ in den 1960er Jahren auf heute unter 30 $\mu g \cdot m^{-3}$. In Leipzig lagen die SO_2-Konzentrationen in den 1980er Jahren wegen des Einsatzes schwefelhaltiger Braunkohle noch über 300 $\mu g \cdot m^{-3}$, inzwischen liegen sie weit unter 100 $\mu g \cdot m^{-3}$. Im ländlichen Raum misst man heute im Westen Deutschlands Werte unter 5 $\mu g \cdot m^{-3}$ und im Osten unter 20 $\mu g \cdot m^{-3}$. Die Vorwarnstufe der Smogverordnung mit 600 $\mu g \cdot m^{-3}$ wird nur noch in seltenen Fällen erreicht.

Landwirtschaft. Die Intensivierung der Viehhaltung wirkt sich ebenfalls auf die Luftqualität aus: Es fallen große Mengen an Mist und Gülle an, aus denen aufgrund der Hydrolyse des Harnstoffs ständig *Ammoniak* (NH_3) entweicht. Umgerechnet ergibt das im Jahr etwa 7 kg Ammoniak pro Person. Die Verdünnung in der Luft garantiert zwar, dass wir das Gas nicht riechen, es überdüngt aber unsere Wälder.

Zusätzlich produzieren Mikroorganismen in den Rindermägen *Methan* (CH_4), das den Treibhauseffekt verstärkt.

Treibhauseffekt. Die größte Gefahr für das Weltklima geht aber zur Zeit von der Zunahme des Gehalts an *Kohlenstoffdioxid* (CO_2) in der Atmosphäre aus. Das Gas entsteht bei allen Verbrennungen organischer Verbindungen. In Deutschland summiert sich das pro Kopf auf über zehn Tonnen im Jahr. Kohlenstoffdioxid gefährdet zwar nicht unsere Gesundheit, es verstärkt aber den Treibhauseffekt.

Nach Beschlüssen der Bundesregierung sollen die CO_2-Emissionen bis zum Jahre 2005 gegenüber 1990 um mindestens 25 % gesenkt werden.

Gesundheit. Die Konzentrationen der Luftschadstoffe liegen wegen des großen Verdünnungseffekts im μg-Bereich. Trotzdem treten schadstoffbedingte Krankheiten auf. Besonders betroffen sind Kinder sowie alte und kranke Menschen.
Ozon wirkt auf Augen und Atemwege als starkes Reizgas. *Stickstoffoxide* reagieren möglicherweise mit Aminen des Gewebes zu Krebs erzeugenden Nitrosaminen. *Schwefeldioxid* führt bei längerer Einwirkung in hoher Konzentration zu Schäden der Atemwege. Solche Konzentrationen kommen heute nur noch selten vor, sie waren typisch für Smog-Situationen in den 1960er Jahren. *Benzol* reichert sich in Knochen und Fettgewebe an. Es schädigt die Blut bildenden Systeme und kann Krebs auslösen. Benzol darf bis zu 1,9 % im Benzin enthalten sein, *Tendenz:* fallend.

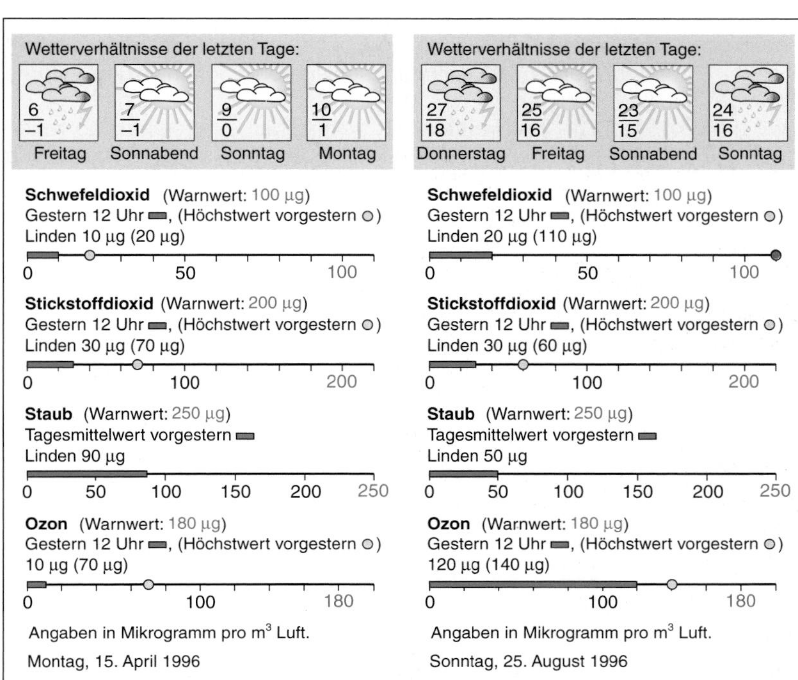

1. Luftqualität in Hannover – ein Tag im April und ein Tag im August

A1 Erklären Sie an einem Beispiel die Begriffe *Emission* und *Immission.*

A2 Nennen Sie vier Verursacher von Luftschadstoffen und geben Sie jeweils an, welche Luftschadstoffe hauptsächlich emittiert werden.

A3 Für Ozon ist in der Abbildung 384.1 keine direkte Quelle angegeben.
a) Wer ist der Hauptverursacher dieses Luftschadstoffs?
b) Beschreiben Sie kurz, wie bodennahes Ozon gebildet wird.

A4 Erstellen Sie eine Tabelle zu den wichtigsten Spurengasen in der Luft, ihren Konzentrationen und ihren Emittenten.

A5 **a)** Warum gibt man bei der Zusammensetzung der Luft den Anteil an Wasserdampf nicht an?
b) Eine Wetterstation zeigt 50 % *Luftfeuchtigkeit* an. Was ist darunter zu verstehen?

20.2 Saurer Regen – Entstehung und Folgen

1. Ein Wald im Allgäu: 1988 und 1995

Luft enthält einen Volumenanteil von 0,036 % Kohlenstoffdioxid. Das Gas löst sich in den Wassertropfen der Wolken. Daher reagiert Regenwasser auch ohne menschliche Einflüsse immer sauer. Von saurem Regen spricht man aber erst, wenn der pH-Wert durch *Schwefeldioxid* und *Stickstoffdioxid* aus menschlichen Quellen noch weiter sinkt.

Schwefeldioxid. Der enorme Energiebedarf der Industrienationen hat einen gewaltigen Verbrauch fossiler Brennstoffe zur Folge. Kohle und Heizöl enthalten Schwefelverbindungen, sodass sich bei ihrer Verbrennung Schwefeldioxid bildet. In Deutschland werden jährlich umgerechnet auf jeden Einzelnen von uns rund 100 kg Schwefeldioxid in die Atmosphäre emittiert, *Tendenz:* fallend.
Mit feuchter Luft bildet sich daraus *schweflige Säure* (H_2SO_3) und durch Oxidation *Schwefelsäure* (H_2SO_4).

$$SO_2\ (aq) + H_2O\ (l) \rightleftharpoons H^+\ (aq) + HSO_3^-\ (aq)$$

$$HSO_3^-\ (aq) + H_2O_2\ (aq) \longrightarrow H^+\ (aq) + SO_4^{2-}\ (aq) + H_2O\ (l)$$

Das Oxidationsmittel *Wasserstoffperoxid* (H_2O_2) ist eines der vielen Zwischenprodukte von Radikalreaktionen in der Atmosphäre, an deren Anfang die Bildung von Hydroxyl-Radikalen ($\cdot OH$) aus O-Atomen und H_2O-Molekülen steht.

Stickstoffdioxid. Bei hohen Verbrennungstemperaturen wird auch Luftstickstoff oxidiert. Allein in Deutschland produzieren Automotoren jährlich rund 20 kg Stickstoffoxide pro Person, *Tendenz:* langsam fallend.
Das primär gebildete Stickstoffmonooxid wird vor allem durch Ozon oxidiert. Stickstoffdioxid-Moleküle reagieren dann mit Hydroxyl-Radikalen weiter zu Salpetersäure-Molekülen, die sich sehr gut in Wasser lösen.

$$\cdot NO\ (g) + O_3\ (g) \longrightarrow \cdot NO_2\ (g) + O_2\ (g)$$

$$\cdot NO_2\ (g) + \cdot OH\ (g) \longrightarrow HNO_3\ (g)$$

Fällt der saure Regen auf Böden in kalkarmen Gebieten, werden die Hydronium-Ionen nicht neutralisiert und die Gewässer versauern. Kleinstlebewesen und Fische sterben bei pH-Werten unter 5. In Skandinavien und Kanada ist dieser Zustand schon in vielen Seen eingetreten. In unseren Regionen machen Säuren in der Atmosphäre durch andere Wirkungen von sich reden: *Waldsterben, Materialschäden, Smog.*

Materialschäden. Die Schwefelsäure im sauren Regen greift den in vielen Natursteinen enthaltenen Kalkstein ($CaCO_3$) an und setzt ihn zu Gips ($CaSO_4 \cdot 2\ H_2O$) um.

$$CaCO_3\ (s) + 2\ H^+\ (aq) + SO_4^{2-}\ (aq) + H_2O\ (l) \longrightarrow CaSO_4 \cdot 2\ H_2O\ (s) + CO_2\ (g)$$

Die Gipskristalle bilden sich vor allem in den Poren und Rissen des Kalksteins, wenn das Wasser bei trockenem Wetter verdunstet. Da Gips aber ein wesentlich größeres Volumen einnimmt als das herausgelöste Calciumcarbonat, führt das weitere Wachsen der Gipskristalle schließlich zum Absprengen der oberen Kalksteinschichten.
Der saure Regen schädigt auch moderne Bauten aus Stahlbeton. Er beschleunigt die elektrochemische Korrosion von Eisen.

Smog. An Tagen mit einer *Inversionswetterlage* liegt eine wärmere Luftschicht wie ein Deckel über der kälteren Bodenschicht. In Städten und Industriegebieten kann dies zum *Smog* führen (engl. *smoke*: Rauch; *fog*: Nebel). Giftige Gase wie Schwefeldioxid, Stickstoffoxide und Kohlenstoffmonooxid sowie Ruß und Staub können nicht entweichen und belasten die Atemluft erheblich. Herz- und Kreislaufbeschwerden, Bronchitis und Asthma nehmen zu.
Für Schwefeldioxid gelten bei *Smogalarm* folgende Grenzwerte: Vorwarnstufe ($0{,}6\ mg \cdot m^{-3}$), 1. Alarmstufe ($1{,}2\ mg \cdot m^{-3}$), 2. Alarmstufe ($1{,}8\ mg \cdot m^{-3}$).

A1 Stellen Sie die Hauptursachen des sauren Regens in einer grafischen Übersicht dar.

A2 Geben Sie die einzelnen Schritte des Weges vom Heizkessel über die Bildung des sauren Regens bis hin zur Schädigung eines Denkmals aus Kalkstein an. Formulieren Sie jeweils Reaktionsgleichungen.

A3 Zeichnen Sie LEWIS-Formeln für SO_2, SO_3, SO_3^{2-} und SO_4^{2-}. Benennen Sie die Teilchen und tragen Sie in die Molekülformeln die Oxidationszahlen ein.

A4 Der saure Regen begünstigt die Oxidation von Kupfer durch Sauerstoff. Das Produkt der Reaktion mit Sauerstoff und Schwefelsäure kennen wir als die grüne *Patina* ($CuSO_4 \cdot 3\ Cu(OH)_2$) von Kupferdächern.
Stellen Sie die Reaktionsgleichung auf und geben Sie den Oxidationsschritt und den Reduktionsschritt an.

EXKURS

Waldsterben – ein komplexes Problem

Schad-stufe	Bezeichnung des Schadens	Nadelverluste oder Blattverluste in %
0	ohne Schadensmerkmale	0 bis 10
1	schwach geschädigt	11 bis 25
2	mittelstark geschädigt	26 bis 60
3	stark geschädigt	über 60
4	abgestorben	–

Einteilung der Baumschäden nach Schadstufen

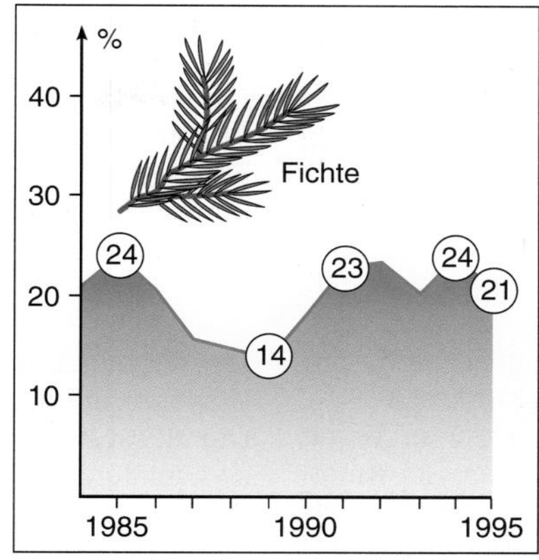

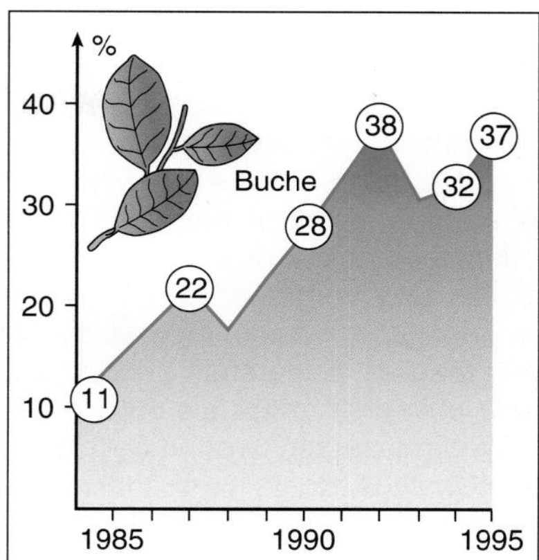

Anteil der deutlich geschädigten Bäume. Angaben in Prozent.

Ursache: Schwefeldioxid
Schwefeldioxid gelangt durch die Spaltöffnungen der Nadeln und Blätter in die Zellflüssigkeit. Da außerdem der Schließmechanismus der Spaltöffnungen gestört ist, trocknen Nadeln und Blätter aus. Diese direkte Schädigung ist allerdings nur bei hohen Konzentrationen gegeben, die heute in der Regel nicht mehr erreicht werden.

Ursache: saurer Regen
Mit Niederschlagswasser bilden *Schwefeldioxid* und *Stickstoffdioxid* den sauren Regen. Der saure Regen greift die Oberfläche von Nadeln und Blättern an. Die Nährstoffe werden ausgewaschen. Schwermetalle und andere Fremdstoffe können dann eindringen und das Gewebe schädigen.

Ursache: saure Böden
Der saure Regen bewirkt eine zunehmende Versauerung der Böden. Nährstoffe wie Calcium-Ionen, Magnesium-Ionen und Kalium-Ionen werden ausgewaschen und stehen nicht mehr zur Verfügung. Sinkt der pH-Wert unter 5, so werden Aluminium-Ionen aus den Tonmineralien im Boden freigesetzt. Feinwurzeln sterben dann ab.

Ursache: Ozon
Ozon ist ein starkes Oxidationsmittel. Es dringt durch die Spaltöffnungen in das Blattinnere ein, zerstört dort Zellmembranen und greift in den Stoffwechsel der Pflanzenzellen ein. An der Bildung von Ozon aus Sauerstoff ist Stickstoffdioxid beteiligt. Hauptquelle für Stickstoffoxide ist der Autoverkehr.

Ursache: Schädlinge
In regelmäßigen Abständen liest man von Borkenkäfer-Epidemien in deutschen Wäldern. Eine immer währende Bedrohung geht von Kleinstlebewesen aus: Pilzen, Bakterien und Viren.

Ursache: Wetter und Klima
Ungünstige Standortbedingungen und extreme Wetterverhältnisse wie Temperatursturz, Früh- oder Spätfrost und Sturm haben sich schon immer negativ auf den Waldbestand ausgewirkt. Aber auch ungünstige klimatische Bedingungen wie lange Frost- oder Trockenperioden verschlechtern den Zustand der Bäume.

Ursache: Stickstoffeintrag
Die Emissionen von Ammoniak aus Gülle und Mist düngen die Bäume aus der Luft. Ein Wald benötigt im Jahr etwa 10 kg Stickstoff pro Hektar, die heutige Belastung liegt schon bei 50 kg und mehr. Die Folge: Die Bäume wachsen schneller, ihnen fehlen aber Mineralstoffe und Wasser.

Aufgabe 1: Erstellen Sie eine grafische Übersicht möglicher Ursachen des Waldsterbens. Ordnen Sie nach *natürlichen* und nach *anthropogenen* (vom Menschen gemachten) Ursachen.

Aufgabe 2: **a)** Der Waldschadensbericht der Bundesregierung spricht von *neuartigen Waldschäden*, Umweltverbände nennen das Phänomen *Waldsterben*. Welcher Position schließen Sie sich an? Begründen Sie Ihre Entscheidung.
b) Was könnte man unter *klassischen Rauchschäden* verstehen?

Aufgabe 3: Zeichnen Sie stark vergrößert einen Blattquerschnitt. Kennzeichnen Sie Epidermis und Spaltöffnungen. Tragen Sie mögliche Schadstoffwirkungen in die Zeichnung ein.

20.3 Besuch im Heizkraftwerk Braunschweig-Mitte

Die Kapazität des Heizkraftwerks Braunschweig-Mitte reicht aus, um 200 000 Menschen in Braunschweig mit elektrischer Energie zu versorgen. Es handelt sich um ein 150-MW-Kraftwerk mit einem Jahresenergieumsatz von 250 GWh (1 GWh = 10^6 kWh). In dem Kohlekraftwerk werden stündlich rund 20 Tonnen Kohle verheizt. Die feinstgemahlene Kohle wird in den Heizkessel eingeblasen und verbrennt dort explosionsartig. Die Verbrennungsgase heizen sich dabei auf 1500 °C auf. Dabei reagiert Sauerstoff auch mit Luftstickstoff, pro Stunde entstehen mehr als 600 kg *Stickstoffoxide*.
In Kohlekraftwerken wird möglichst billige und damit schwefelhaltige Kohle verbrannt. Bei einem Schwefelanteil von 1 % bilden sich so stündlich 400 kg *Schwefeldioxid*. Diese für Gesundheit und Umwelt gefährlichen Gase wurden noch bis in die achtziger Jahre zusammen mit stündlich rund 50 kg *Flugasche* direkt in die Luft geblasen.

Durch die Politik der hohen Schornsteine in den sechziger Jahren wurde das Problem aus den Innenstädten auf das Land verlagert. Erst die *Verordnung über Großfeuerungsanlagen* (1983) brachte einen echten Fortschritt. Ab jetzt durften die Abgase bestimmte Grenzwerte nicht mehr überschreiten, sie mussten also gereinigt werden. Das Heizkraftwerk Braunschweig-Mitte wurde dazu 1984 um eine **Entstaubungsanlage,** 1986 um eine **Entschwefelungsanlage** und 1988 um eine **Entstickungsanlage** erweitert.

Entstaubung. Bei Spannungen über 50 000 V emittieren negativ geladene Elektroden Elektronen in das Abgas. Die Staubteilchen im Abgas laden sich dadurch negativ auf und werden daher von der positiv geladenen *Niederschlagselektrode* angezogen. Die Anlage filtert etwa 75 % des Staubs aus den Rauchgasen. Eine der Entschwefelung nachgeschaltete Schlauchfilteranlage reduziert den Staubgehalt in den Abgasen schließlich von 50 kg auf unter 5 kg pro Stunde.

Entschwefelung. Schwefeldioxid wird mit Kalkmilch aus dem Abgas entfernt. Eine Aufschlämmung von Löschkalk ($Ca(OH)_2$) in Wasser fließt von oben in einen Absorberturm und wird von einem Zerstäuber in feinste Tröpfchen zerteilt. Von unten strömt das Abgas ein. Schwefeldioxid reagiert dabei zu Calciumsulfit.

$$2\,Ca(OH_2)\,(aq) + 2\,SO_2\,(g) \longrightarrow 2\,CaSO_3 \cdot \tfrac{1}{2}\,H_2O\,(s) + H_2O\,(g)$$

Die Abgastemperaturen liegen über 100 °C, sodass das Wasser verdunstet und das Produkt zu Boden rieselt. Der SO_2-Gehalt im Abgas wird durch die **R**auchgas**e**nt-schwefelungs**a**nlage **(REA)** von 400 kg auf unter 40 kg pro Stunde gesenkt. In vielen Anlagen wird das gebildete Calciumsulfit durch Luftsauerstoff zu Calciumsulfat (Gips, $CaSO_4 \cdot 2\,H_2O$) oxidiert. Dieser so genannte *REA-Gips* kann in der Baustoffindustrie und im Straßenbau eingesetzt werden.

Entstickung. Stickstoffoxide werden durch eine selektive katalytische Reduktion entfernt. Dabei wird Stickstoffmonooxid mit Ammoniak zu Stickstoff reduziert. Stickstoffdioxid ist wegen des geringen Sauerstoffgehalts kaum vorhanden.

$$6\,NO\,(g) + 4\,NH_3\,(g) \longrightarrow 5\,N_2\,(g) + 6\,H_2O\,(g)$$

Diese exotherme Redoxreaktion läuft erst bei Temperaturen über 1000 °C mit nennenswerter Geschwindigkeit ab. Man setzt daher Katalysatoren ein und arbeitet bei 350 °C. Die Katalysator-Gitter bestehen aus porösen Silicaten als Trägermaterial und Metalloxiden als katalytisch aktiver Substanz. Der NO-Gehalt sinkt durch diese Behandlung von 600 kg auf 60 kg pro Stunde. Allerdings werden stündlich über 100 kg Ammoniak benötigt.

Ungelöst ist bis jetzt das **Kohlenstoffdioxid-Problem.** Das Hauptprodukt der Verbrennung (etwa 400 Millionen Tonnen in Deutschland pro Jahr) verstärkt den *Treibhauseffekt*.

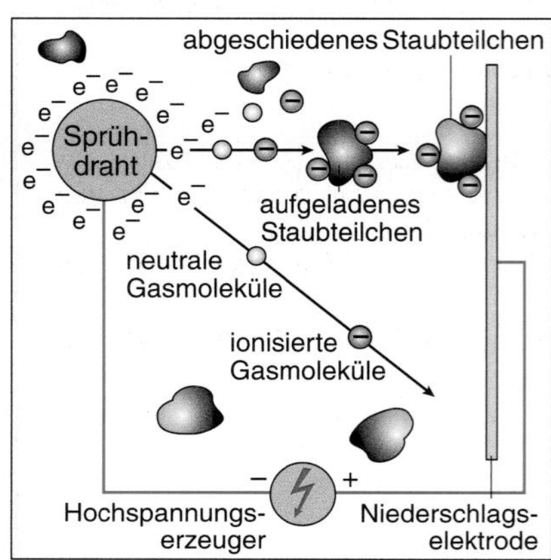

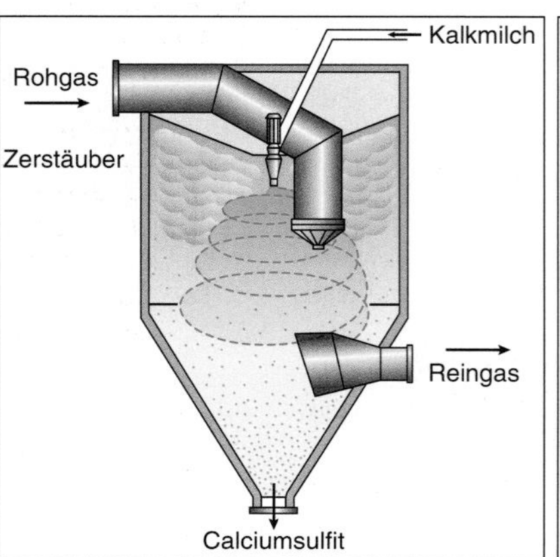

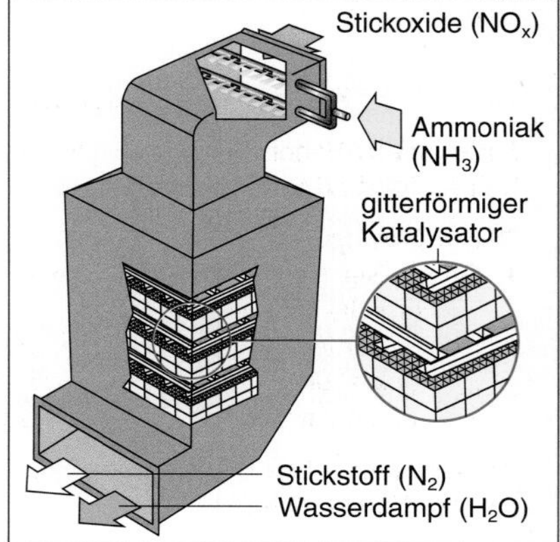

1. Entstaubungsanlage, Entschwefelungsanlage und Entstickungsanlage im Heizkraftwerk Mitte

Chemie und Atmosphäre

Versuch 1: Modellversuch zum Wintersmog

Materialien: Standzylinder (60 cm), 3 Thermometer, Heizplatte, Becherglas (600 ml, weit) mit Eis/Kochsalz-Lösung, Zigarette

Durchführung:

1. Befestigen Sie die drei Thermometer in verschiedenen Höhen an der Innenwand des Standzylinders.
2. Stellen Sie den Standzylinder in die Eis/Kochsalz-Lösung. Legen Sie dann die brennende Zigarette auf den Boden des Standzylinders.
3. Wiederholen Sie den Versuch mit dem Standzylinder auf der leicht erwärmten Heizplatte.

Aufgabe: Erstellen Sie für beide Versuche ein Höhe/Temperatur-Diagramm. Tragen Sie jeweils ein, wo sich der Rauch befindet.

Versuch 2: Modellversuch zum Treibhauseffekt

Materialien: Halogenlampe (250 W), Frischhaltefolie, PET-Getränkeflasche, schwarze und weiße Pappe, Knetmasse, Digitalthermometer, Kristallisierschale;
Kohlenstoffdioxid

Vorbereitungen: Schneiden Sie von der PET-Flasche das obere Drittel ab und stechen Sie ein kleines Loch für den Thermofühler in die Seite. Legen Sie die Pappe auf den Boden des Gefäßes. Richten Sie die Spitze des Thermofühlers 1 cm über der Pappe aus. Dichten Sie das Loch mit Knetmasse ab und verschließen Sie das Gefäß mit der Folie (gasdichter Abschluss).
Hinweis: Die langwellige Wärmestrahlung der Lampe sollte herausgefiltert werden, indem man das Licht durch eine Kristallisierschale mit Wasser fallen lässt.

Durchführung:

1. Legen Sie auf den Boden des Gefäßes die weiße (schwarze) Pappe. Beleuchten Sie das Gefäß von oben mit der Lampe. Notieren Sie zehn Minuten lang jede Minute die Temperatur im Gefäß.
2. Wiederholen Sie den Versuch mit Kohlenstoffdioxid statt mit Luftfüllung.

Aufgabe: Welcher Zusammenhang besteht zwischen Versuch und Treibhauseffekt?

Versuch 3: Kohlenstoffdioxid-Senken

Materialien: Erlenmeyerkolben (250 ml, eng), pH-Meter; Kohlenstoffdioxid

Durchführung:

1. Geben Sie 100 ml Wasser in den Erlenmeyerkolben und messen Sie den pH-Wert.
2. Überschichten Sie das Wasser *vorsichtig* mit Kohlenstoffdioxid und messen Sie zehn Minuten lang jede Minute die Änderung des pH-Wertes.

Aufgabe: Erstellen Sie ein pH/Zeit-Diagramm und deuten Sie den Kurvenverlauf.

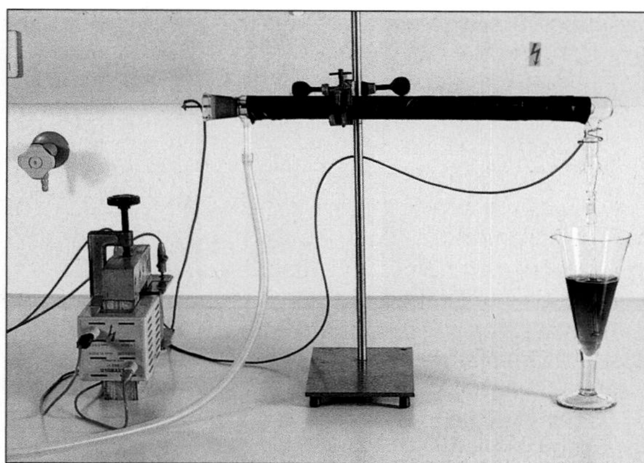

Herstellung von Ozon im Labor

Versuch 4: Ozon als UV-Filter

Materialien: UV-Lampe, DC-Folie mit Fluoreszenzfarbstoff, Ozonisator;
Pentan (F) und Aceton (F) in Polyethylen-Gläschen mit Tropfaufsatz

Durchführung:
Vorsicht! Nicht in die UV-Lampe sehen!

1. Stellen Sie die UV-Lampe in einem abgedunkelten Raum etwa 20 cm vor dem Fluoreszenzschirm auf.
2. Bringen Sie durch Zusammendrücken des Polyethylenfläschchens Lösungsmitteldampf in den Bereich zwischen UV-Lampe und Fluoreszenzschirm.
3. Wiederholen Sie den Versuch mit ozonhaltiger Luft.

Aufgabe: Notieren und deuten Sie die Beobachtungen.

Versuch 5: Ozon als Schadstoff

Materialien: Reibschale mit Pistill, Trichter, Filtrierpapier, Ozonisator;
Sand, frische grüne Blätter, Aceton (F), Sauerstoff

Durchführung:

1. Zerreiben Sie die Blätter mit dem Sand in der Reibschale. Geben Sie etwa 10 ml Aceton dazu und filtrieren Sie die Mischung in zwei Reagenzgläser.
2. Lassen Sie fünf Minuten lang Sauerstoff durch die Lösung perlen.
3. Wiederholen Sie den Versuch mit ozonhaltiger Luft.

20.4 Der Treibhauseffekt – ein interplanetarischer Vergleich

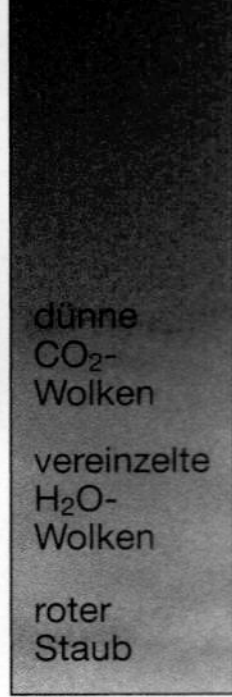

Jahr: 686,7 Erdentage
Masse: 0,11 Erdmassen
Durchmesser: 6786 km
mittl. Temperatur: –50 °C
Mars–Sonne: 207 · 10^6 km

Jahr: 365,26 Tage
Masse: 6 · 10^{24} kg
Durchmesser: 12756 km
mittl. Temperatur: 15 °C
Erde–Sonne: 147 · 10^6 km

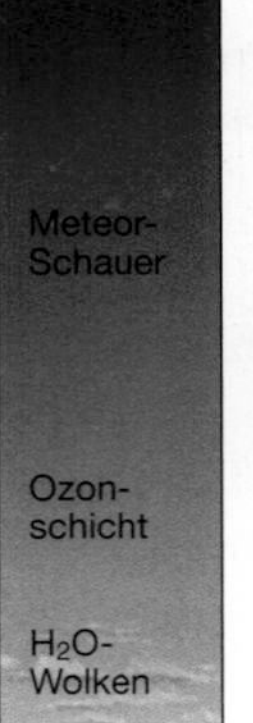

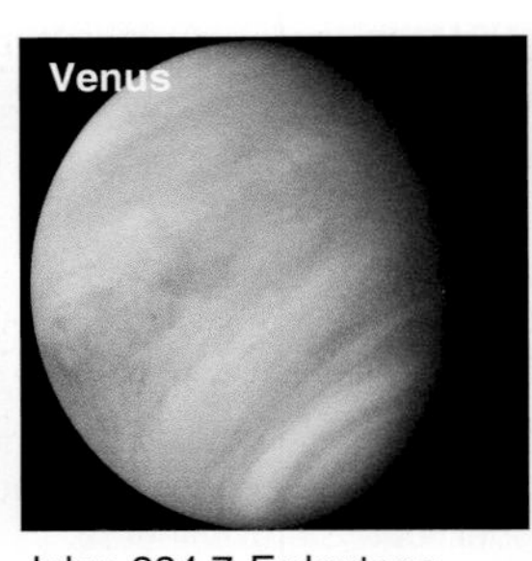

Jahr: 224,7 Erdentage
Masse: 0,81 Erdmassen
Durchmesser: 12103 km
mittl. Temperatur: 450 °C
Venus–Sonne: 107 · 10^6 km

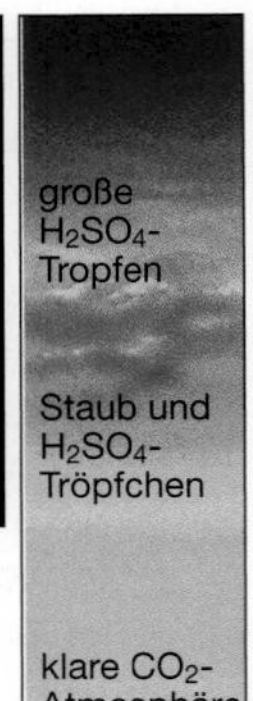

1. Steckbrief: Mars, Erde und Venus

Mars, Erde und *Venus* sind unter sehr ähnlichen Bedingungen entstanden. Das Klima hat sich auf diesen Planeten dann aber sehr unterschiedlich entwickelt. Auf alle drei Planeten fällt Licht der gleichen Sonne, es stellen sich aber sehr unterschiedliche Temperaturen ein.

Abhängig von seiner Temperatur gibt jeder Körper elektromagnetische Strahlung ab: Die Strahlung ist umso längerwellig, je niedriger die Temperatur des Körpers ist. Entsprechend der Oberflächentemperatur der Sonne von 5400 °C liegt das Maximum des Sonnenlichts im sichtbaren Wellenlängenbereich von 400 nm bis 800 nm. Die von den Planeten in den Weltraum zurückgesandte Strahlung liegt dagegen im IR-Bereich (um 10 000 nm).

Mars. Der Planet Mars ist der sonnenfernere Nachbar der Erde. Er hat nur 11 % der Erdmasse. Seine Atmosphäre ist extrem dünn; der Luftdruck liegt bei etwa 1 % unseres Wertes. Beim Blick durch ein Teleskop kann man direkt die vom Eisenoxid-Staub rot gefärbte Oberfläche des Planeten sehen. Die Atmosphäre des Mars besteht vor allem aus Kohlenstoffdioxid (95 %) und Stickstoff (3 %). Sauerstoff ist in der Marsatmosphäre nur in Spuren vorhanden.

Das Sonnenlicht dringt ungefiltert bis zur Oberfläche vor und erwärmt den Planeten. Der Mars strahlt entsprechend seiner Temperatur kontinuierlich Energie im infraroten Bereich um 15 000 nm in den Weltraum ab. Die dünne Atmosphäre kann die Strahlung nur zu einem ganz geringen Teil zurückhalten. Die Einstrahlung von der Sonne und die Abstrahlung vom Mars hat zu einem Gleichgewichtszustand mit Temperaturen um –50 °C geführt. Bei diesen Temperaturen existiert Wasser nur als Eis, und an den Polkappen gefriert sogar das Kohlenstoffdioxid. Auf dem Mars herrscht eine Kältewüste: Leben ist unter diesen Bedingungen nicht möglich.

Venus. Der Planet Venus ist der sonnennähere Nachbar der Erde. Er hat eine ähnliche Masse wie die Erde. Der Luftdruck liegt bei dem 100fachen unseres Wertes. Den direkten Blick auf die Oberfläche verhindert eine dichte Wolkenschicht. Die Atmosphäre der Venus enthält ähnlich wie beim Mars Kohlenstoffdioxid (96 %) und Stickstoff (3,5 %). Trotzdem herrscht auf der Venus eine Hitzehölle. Die Temperaturen liegen über 450 °C. Wasser existiert nur als Gas: Leben ist auch unter diesen Bedingungen nicht möglich.

Kurzwelliges Sonnenlicht durchdringt die dichte Atmosphäre und heizt die Oberfläche des Planeten auf. Umgekehrt strahlt die Venus entsprechend ihrer Temperatur im Wellenlängenbereich um 5000 nm beständig Energie ab. Die dichte Wolkenschicht und die CO_2-haltige Atmosphäre stellen aber für die Strahlung der Venus eine nahezu undurchdringliche Schicht dar. Die CO_2-Moleküle absorbieren Strahlung gerade in diesem Wellenlängenbereich. Es kommt zu einem Wärmestau: Die Venus ist ein lebensfeindliches Treibhaus.

Erde. Die Situation auf der Erde ist mit der auf der Venus vergleichbar. Im Verlauf der Erdgeschichte hat sich aber eine für die Evolution des Lebens günstigere Atmosphäre mit 21 % Sauerstoff und 78 % Stickstoff entwickelt. Nur etwa 0,03 % sind Kohlenstoffdioxid. Auch auf der Erde wirkt die Atmosphäre wie ein gläsernes Treibhaus. Die durchschnittliche Temperatur der Erde beträgt 15 °C.

Aus dem Vergleich von eingestrahlter Sonnenenergie und in den Weltraum abgestrahlter Erdenergie lässt sich abschätzen, dass die Oberflächentemperatur der Erde ohne Atmosphäre mit –18 °C um etwa 33 K niedriger wäre. Ursache für diesen *natürlichen Treibhauseffekt* sind vor allem Wasserdampf (21 K) und Kohlenstoffdioxid (7 K). Diese Gase absorbieren die Rückstrahlung der Erde besonders gut.

Anthropogener Treibhauseffekt. Seit der Industrialisierung greift der Mensch in das natürliche Gleichgewicht der Atmosphäre ein. Mit der Zunahme von Weltbevölkerung und Verbrennungsmaschinen wächst der Energiebedarf der Menschheit und mit ihm nimmt die Produktion von *Kohlenstoffdioxid* zu. Der Gehalt dieses Treibhausgases hat von 0,028 % (280 ppm) um 1800 auf heute 0,036 % (360 ppm) zugenommen, *Tendenz:* weiter steigend.

Der Mensch ist aber noch für weitere klimarelevante Spurengase verantwortlich:

- *Methan* (CH_4) entweicht aus Reisfeldern, Rindermägen und Müllbergen.
- *Lachgas* (N_2O) entsteht durch die Verwendung von Gülle und Mineraldünger.
- *FCKWs* (Fluorchlorkohlenwasserstoffe) stammen aus Treibgasen und Kältemitteln.

Diese Gase gelangen zwar nur in Spuren in die Atmosphäre, ihre Moleküle absorbieren aber sehr gut Strahlung im Bereich unter 10000 nm. Ihr Treibhauspotential ist im Vergleich zum CO_2-Molekül besonders groß: Methan 32fach, Lachgas 150fach, FCKWs mehr als 10000fach. Der dadurch verursachte zusätzliche *anthropogene* (menschengemachte) *Treibhauseffekt* wird zur Zeit mit knapp 1 K abgeschätzt.
Das *Intergovernmental Panel on Climate Change*, ein Expertengremium der Vereinten Nationen, rechnet in den nächsten Jahrzehnten mit einem Anstieg der Oberflächentemperatur der Erde um 3 K.

Folgen. Dieser Temperaturanstieg wird überall auf der Welt *Klimaänderungen* nach sich ziehen, wobei es nicht in allen Regionen wärmer werden muss. Der *Meeresspiegel* wird weltweit ansteigen, da sich Wasser bei den höheren Temperaturen ausdehnt und weil Gletschereis und polares Eis schmelzen. Das Projekt *Klimaänderung und Küste* der Universität Oldenburg geht von einem Anstieg der Nordsee um mindestens 50 cm aus.

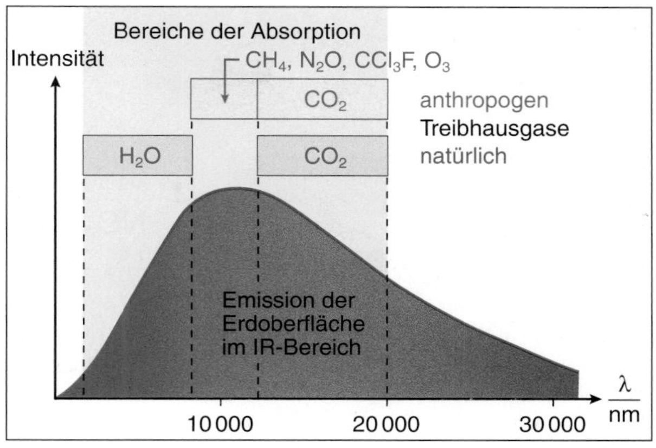

1. Die letzten Fenster im Treibhaus Erde schließen sich

A1 Veranschaulichen Sie, was man unter Treibhauseffekt versteht. Fertigen Sie dazu drei Grafiken an: für die Erde ohne Atmosphäre, für die Erde mit Atmosphäre (ohne und mit Eingriff des Menschen).

A2 Stellen Sie in Tabellen für den natürlichen und den anthropogenen Treibhauseffekt die beteiligten Spurengase, die Quellen und das Treibhauspotential gegenüber.

A3 **a)** Nennen Sie die beiden natürlichen Prozesse zur Bindung von Kohlenstoffdioxid.
b) Geben Sie die Quellen für anthropogenes Kohlenstoffdioxid an.
c) Stört die Brandrodung tropischer Regenwälder das natürliche Gleichgewicht?

A4 Beschreiben Sie die Absorption von längerwelliger Strahlung am Beispiel des Wasser-Moleküls. Wo bleibt die absorbierte Energie und wie wird sie wieder abgegeben? Die Informationen finden Sie im Lehrbuch.

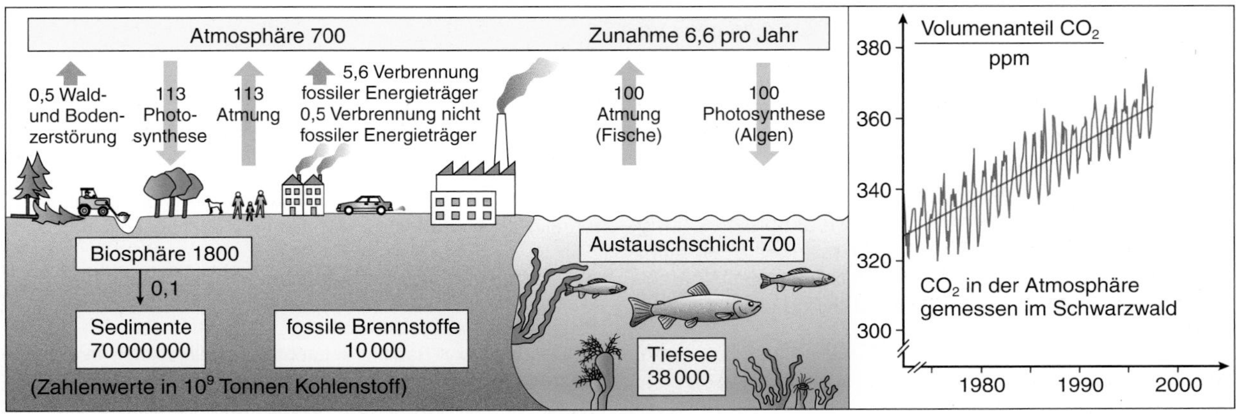

2. Der natürliche Kohlenstoffkreislauf kommt aus dem Takt

20.5 Ozon – Fluch und Segen

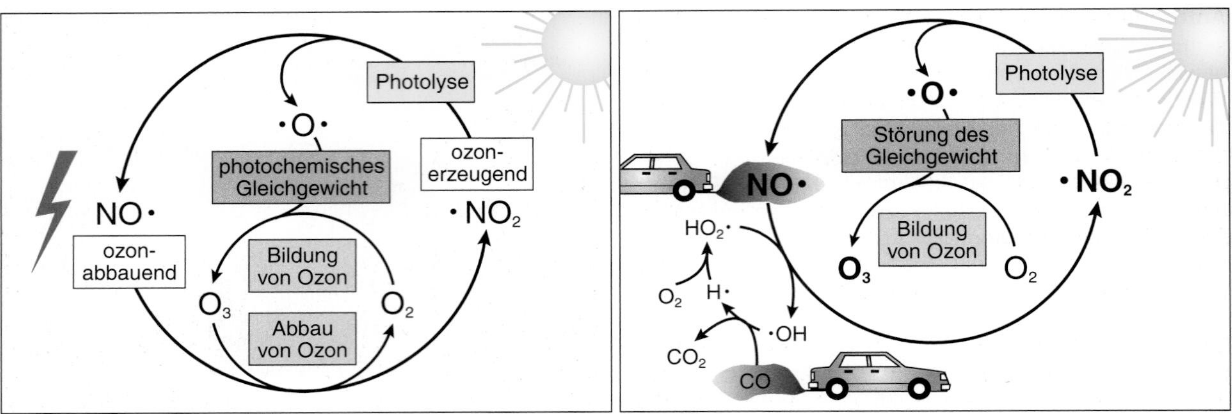

1. Abbau und Bildung von Ozon – ein photochemisches Gleichgewicht

Ozon (O_3) begegnet uns mit zwei Gesichtern. *Stratosphärisches Ozon* in 15 km bis 30 km Höhe schützt uns vor der gefährlichen UV-Strahlung der Sonne. *Bodennahes Ozon* greift dagegen Atemwege und Lunge an.

Bodennahes Ozon. Bildung und Abbau von bodennahem Ozon sind über eine photochemische Reaktion eng miteinander verknüpft: die Zersetzung von Stickstoffdioxid-Molekülen durch Sonnenlicht in Sauerstoff-Atome und Stickstoffmonooxid-Moleküle. Die bei dieser Photolyse gebildeten Sauerstoff-Atome reagieren mit Sauerstoff-Molekülen der Luft zu Ozon-Molekülen. Das Ausmaß der Photolyse hängt von der Intensität der Sonnenstrahlung ab. Stickstoffmonooxid kann mit Ozon reagieren, dabei wird es wieder zu Stickstoffdioxid oxidiert.

Photolyse von NO_2: $\cdot NO_2\ (g) \xrightarrow{\lambda < 420\ nm} \cdot NO\ (g) + \cdot O \cdot\ (g)$

Bildung von Ozon: $\cdot O \cdot\ (g) + O_2\ (g) \longrightarrow O_3\ (g)$

Abbau von Ozon: $\cdot NO\ (g) + O_3\ (g) \longrightarrow \cdot NO_2\ (g) + O_2\ (g)$

Photosmog. Hauptverursacher für die Bildung von Ozon in unserer Atemluft ist der Autoverkehr. Ob eine gesundheitsgefährdende Smogsituation entsteht, hängt von der Verkehrsdichte und der Wetterlage ab. Die einzelnen Bestandteile der Autoabgase greifen an verschiedenen Stellen in das empfindliche Gleichgewicht ein. So gelangt im morgendlichen Berufsverkehr mit den Abgasen zusätzliches *Stickstoffmonooxid* in den Kreislauf. Dieses Gas sollte eigentlich gemäß obiger Reaktionsgleichung Ozon abbauen. Stickstoffmonooxid reagiert aber nicht mit Ozon, sondern wird unter Beteiligung von *Kohlenstoffmonooxid* schneller zu Stickstoffdioxid umgesetzt.

$CO\ (g) + \cdot OH\ (g) \longrightarrow CO_2\ (g) + H\cdot\ (g)$

$H\cdot\ (g) + O_2\ (g) \longrightarrow HO_2\cdot\ (g)$

$HO_2\cdot\ (g) + \cdot NO\ (g) \longrightarrow \cdot NO_2\ (g) + \cdot OH\ (g)$

Der Gehalt an Stickstoffdioxid in der Atmosphäre nimmt also zu. Solange die Sonne scheint, wird dann durch Photolyse von Stickstoffdioxid ständig atomarer Sauerstoff produziert, der sofort zu Ozon reagiert.
Bei intensivem Sonnenschein wird am frühen Nachmittag die Ozon-Konzentration von $180\ \mu g \cdot m^{-3}$ überschritten: Es herrscht **Photosmog.** Die *Sommersmog-Verordnung* schreibt bei diesem Wert die Warnung der Bevölkerung vor.
Die Situation entspannt sich erst wieder gegen Abend, wenn die Sonne schwächer wird und schließlich untergeht. Die Photolyse von Stickstoffdioxid ist dann gestoppt und Stickstoffmonooxid baut das restliche Ozon ab. Stickstoffdioxid wird in Salpetersäure umgewandelt:

$\cdot NO_2\ (g) + \cdot OH\ (g) \longrightarrow HNO_3\ (g)$

Ein Teil des Ozons wird aus der Stadt hinaus aufs Land geweht. Dort gibt es allerdings so gut wie kein Stickstoffmonooxid, um Ozon abzubauen. Die Ozon-Konzentration ist daher am Ende des Tages in den Reinluftgebieten höher als in den Innenstädten. So bekommen auch stadtferne Regionen den städtischen Autoverkehr zu spüren.

A1 Beschreiben Sie mit eigenen Worten die Ozon-Situation bei Sommersmog vormittags, mittags und abends.

A2 Zeichnen Sie LEWIS-Formeln für NO, NO_2, NO_2^- und NO_3^-. Benennen Sie die Teilchen und tragen Sie in die Molekülformeln die Oxidationszahlen ein.

A3 **a)** Das Hydroxyl-Radikal (•OH) wird auch als das *Waschmittel der Atmosphäre* bezeichnet. Geben Sie ein Beispiel mit Reaktionsgleichung.
b) Das Hydroxyl-Radikal entsteht bei der Reaktion eines angeregten Sauerstoff-Atoms mit einem Wasser-Molekül. Wo ist die Quelle für die angeregten Sauerstoff-Atome? Formulieren Sie die Reaktionsgleichungen.

Stratosphärisches Ozon. In Bodennähe sind etwa $5 \cdot 10^{11}$ Ozon-Moleküle in 1 cm^3 Luft enthalten, in der Stratosphäre in 25 km Höhe sind es nur 10-mal mehr. 75 % des gesamten Ozons befinden sich in 15 km bis 30 km Höhe, diesen Bereich der Stratosphäre bezeichnet man als **Ozonschicht.** Die Ozonschicht wirkt als UV-Filter und schützt das Leben auf der Erde vor kurzwelliger UV-Strahlung. Würde man alle Ozon-Moleküle der Atmosphäre auf den normalen Luftdruck (1013 hPa) zusammenpressen, käme dabei eine nur 3 mm dicke Schicht heraus (≙ 300 DOBSON-Einheiten).

Den größten Beitrag zum UV-Schutz liefert die *Bildung von Ozon* in 20 km bis 30 km Höhe. Dabei wird durch die Spaltung von Sauerstoff-Molekülen ein Teil der gefährlichen UV-C-Strahlung (200 nm bis 280 nm) aus dem Sonnenlicht herausgefiltert.

$$O_2\,(g) \xrightarrow{\lambda < 242\text{ nm}} 2\,{\cdot}O{\cdot}\,(g)$$
$${\cdot}O{\cdot}\,(g) + O_2\,(g) \longrightarrow O_3\,(g) \qquad | \cdot 2$$

Gesamtbilanz: $3\,O_2\,(g) \longrightarrow 2\,O_3\,(g)$

Die *Spaltung von Ozon* schützt uns vor UV-B-Strahlung (280 nm bis 320 nm):

$$O_3\,(g) \xrightarrow{\lambda < 310\text{ nm}} O_2\,(g) + {\cdot}O{\cdot}\,(g)$$
$${\cdot}O{\cdot}\,(g) + O_3\,(g) \longrightarrow 2\,O_2\,(g)$$

Gesamtbilanz: $2\,O_3\,(g) \longrightarrow 3\,O_2\,(g)$

Abbau der Ozonschicht. Radikale wie ·NO, ·OH, und ·Cl (allgemein X·) katalysieren den Abbau von Ozon:

$$X{\cdot}\,(g) + O_3\,(g) \longrightarrow XO{\cdot}\,(g) + O_2\,(g)$$
$${\cdot}O{\cdot}\,(g) + XO{\cdot}\,(g) \longrightarrow X{\cdot}\,(g) + O_2\,(g)$$

Gesamtbilanz: $O_3\,(g) + {\cdot}O{\cdot}\,(g) \longrightarrow 2\,O_2\,(g)$

Ein Radikal zerstört über 1000 Ozon-Moleküle, bis die Kettenreaktion abbricht.
Die natürliche Konzentration an Chlor-Radikalen liegt bei 0,6 ppb, durch menschliche Aktivitäten kommen inzwischen 3 ppb dazu. Die hohe Konzentration des katalytisch aktiven Chlor-Radikals verschiebt das labile *O_2/O_3-Gleichgewicht.* Dadurch sinkt der Ozongehalt so stark, dass man von einem **Ozonloch** über der Antarktis spricht.

Die von Menschen produzierten *Fluorchlorkohlenwasserstoffe* (FCKWs) sind die Hauptquelle für Chlor-Radikale. Die Moleküle brauchen für den Aufstieg in Höhen über 20 km rund 20 Jahre. Erst dort wird die stabile C–Cl-Bindung von kurzwelligem UV-Licht gespalten und Cl-Radikale werden frei. Zur Zeit werden die FCKWs abgebaut, die vor etwa 20 Jahren in die Luft gepustet wurden.

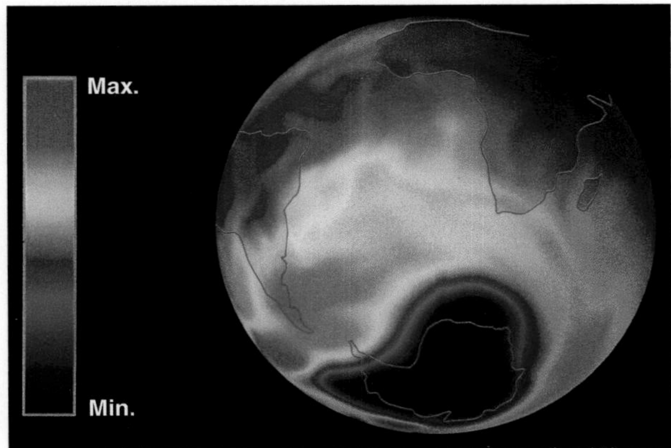

1. Satellitenaufnahme: Ozonloch über der Antarktis

Der Nobelpreis für Chemie ging 1995 an die Chemiker CRUTZEN, MOLINA und ROWLAND. Sie untersuchten seit den siebziger Jahren die *Chemie der Atmosphäre.* Die Amerikaner MOLINA und ROWLAND veröffentlichten bereits 1974 die *FCKW-Ozon-Theorie*, mit der sie die Zerstörung der lebenswichtigen stratosphärischen Ozonschicht durch FCKWs vorhersagten. Der Holländer CRUTZEN klärte schon 1970 die katalytische Funktion von Stickstoffoxiden bei der Zerstörung von Ozon auf. Er leitet seit 1980 das MAX-PLANCK-Institut in Mainz.

MOLINA und ROWLAND kämpfen seit 1974 unermüdlich für den Stopp der FCKW-Produktion. Es dauerte aber noch 13 Jahre, bis die Politik im *Montrealer Protokoll* weltweit Beschränkungen bei der Produktion von FCKWs beschloss. Auf einer *Nachfolgekonferenz in London* 1990 wurden die Beschlüsse noch einmal verschärft. In Deutschland gilt seit 1. 8. 1991 die *FCKW-Halon-Verbotsverordnung:* Seit 1995 dürfen FCKWs nicht mehr verwendet werden.

A1 Beschreiben Sie den Abbau von Ozon durch FCKWs am Beispiel von CF_3Cl. Geben Sie Reaktionsgleichungen an und ordnen Sie die Reaktionen den drei Phasen einer *Radikalkettenreaktion* zu.

A2 Formulieren Sie den Kettenabbruch durch folgende Reaktionen: ·NO + ·O·, ·OH + ·NO_3, ClO· + ·NO_2

A3 Der Ozonpartialdruck in 20 km Höhe beträgt 0,015 Pa. Der Gesamtdruck in dieser Höhe liegt bei $5 \cdot 10^3$ Pa. Berechnen Sie die Volumenkonzentration von Ozon in ppm.

A4 Wenn man den Gehalt an Ozon in der Atmosphäre um 1 % verringert, nimmt die Intensität der UV-B-Strahlung um etwa 2 % zu. Diese Strahlung schädigt auch das Plankton. Plankton bewirkt aber etwa die Hälfte der weltweiten Sauerstoff-Produktion. Beschreiben Sie die Auswirkungen auf den Treibhauseffekt.

20.6 Die Trinkwasserversorgung einer Großstadt

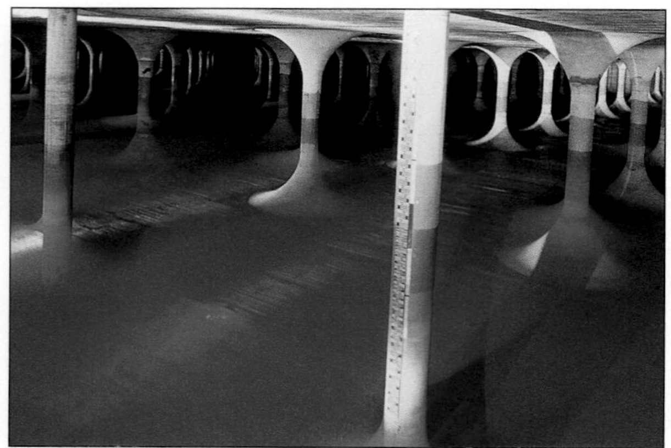

1. Unterirdischer Wasserspeicher einer Großstadt

Ohne Wasser ist kein Leben möglich: Unser Körper benötigt etwa zwei Liter pro Tag. Wir verbrauchen aber knapp 130 Liter, und wir erwarten immer beste Qualität. Es soll kühl, kristallklar, keimfrei, geschmacksneutral und geruchsneutral sein. Bevor Wasser solch strengen Güteanforderungen genügt, hat es schon eine lange Reise mit mehreren Stationen hinter sich. Und das hat seinen Preis: 1 m^3 Trinkwasser kostet etwa 1,5 €, *Tendenz:* steigend. Im Vergleich zu Mineralwasser ist es aber immer noch extrem billig.

Förderung. Im Großraum Hannover sind 750 000 Menschen mit Trinkwasser zu versorgen. Pro Tag werden also etwa 100 Millionen Liter benötigt. Noch einmal knapp 50 Millionen Liter verbrauchen Industrie und Gewerbe.

Dieser enorme Wasserbedarf wird durch drei Wasserwerke gedeckt. 40 km nördlich von Hannover liegen zwei Wasserwerke im Fuhrberger Feld, die zusammen täglich 110000 m^3 *Grundwasser* aus dem Heideboden pumpen. Ein kleineres Wasserwerk im Süden der Stadt mischt pro Tag 30000 m^3 *Oberflächenwasser* aus der 100 km entfernten Granetalsperre im Harz mit 10000 m^3 Grundwasser aus der Leineaue.

Aufbereitung. Das Rohwasser wird im Wasserwerk zu hochwertigem Trinkwasser veredelt. Im Wasserwerk Fuhrberg fließt das Grundwasser über eine Belüftungskaskade in einen Absetzbehälter. Mit der Zufuhr von Sauerstoff werden mehrere Ziele verfolgt:
- Entfernung von Schwefelwasserstoff. So wird Geruch und Geschmack des Wassers verbessert.
- Oxidation von Fe(II)-Ionen und Mn(II)-Ionen. Es bilden sich Flocken, die leicht abfiltriert werden können. Das Wasser wird klar.
- Entfernung von Kohlenstoffdioxid. Je niedriger der Gehalt an Kohlensäure ist, desto geringer ist die Gefahr, dass die Wasserleitungen korrodieren.

Das so behandelte Wasser fließt dann zur Reinigung durch eine 2 m dicke Schicht aus Quarzsand. Der natürliche Filter hält Eisenhydroxid ($Fe(OH)_3$) und Braunstein (MnO_2) zurück. Das Wasser ist jetzt auch keimfrei, auf eine Chlorung kann verzichtet werden.

Transport. Zuletzt wird das Wasser mit 16 bar (1,6 MPa) in das über 2000 km lange Rohrnetz gepresst; am Wasserhahn beträgt der Druck noch etwa 2 bar. Zwischen Wasserwerk und Verbraucher sind allerdings noch vier riesige Wasserspeicher mit einem Fassungsvermögen von 90 Millionen Litern geschaltet. Das entspricht etwa dem Tagesbedarf. Niemand braucht daher Angst zu haben, dass bei Betriebsstörungen im Wasserwerk oder während der Pause einer Fußballübertragung die Wasserversorgung zusammenbricht.

Analyse. Die Qualität des Trinkwassers wird regelmäßig überwacht. Täglich werden an 35 Stellen im Rohrnetz Wasserproben entnommen und untersucht:
- *pH-Wert:* 7,66 bis 7,83
- *Temperatur:* 8,3 °C bis 13,0 °C
- *Sauerstoffgehalt:* 8,7 mg · l^{-1} bis 10,2 mg · l^{-1}
- *Gesamthärte:* 13,1 °d bis 15,3 °d
- *Pestizide* stellen bisher kein Problem dar. Ihr Gehalt liegt unter dem Grenzwert von 0,1 µg · l^{-1}.

Die *Nitrat-Werte* liegen mit weniger als 3,70 mg · l^{-1} weit unter dem Grenzwert der Trinkwasserverordnung von 50 mg · l^{-1}.
Dagegen fallen die *Sulfat-Werte* mit maximal 166 mg · l^{-1} überraschend hoch aus. Der Grenzwert liegt hier bei 240 mg · l^{-1}. Ursache ist eine komplexe Reaktion: Bodenbakterien *denitrifizieren* überschüssiges Nitrat der Landwirtschaft zu Stickstoff:

$$14\ NO_3^-\ (aq) + 5\ FeS_2\ (s) + 4\ H^+\ (aq) \longrightarrow 7\ N_2\ (g) + 10\ SO_4^{2-}\ (aq) + 5\ Fe^{2+}\ (aq) + 2\ H_2O\ (l)$$

A1 Stellen Sie in einer grafischen Übersicht den Weg des Wassers von der Förderung bis zum Verbrauch dar.

A2 Bei einem zu hohen Gehalt an Kohlenstoffdioxid im Trinkwasser korrodieren die Rohre; bei einem zu niedrigen Gehalt fällt Kalk aus. Der gewünschte Gehalt ergibt sich aus dem *Kalk/Kohlensäure-Gleichgewicht.*
a) Stellen Sie die dem Gleichgewicht zugrunde liegende Reaktionsgleichung auf.
b) Begründen Sie die Kalkabscheidung.
c) Welche Gefahr droht bei zu hartem (zu weichem) Wasser?

A3 Erklären Sie die Begriffe Gesamthärte und Carbonathärte.

A4 Stellen Sie für die *Denitrifikation* die Reaktionsgleichungen des Reduktionsschrittes und des Oxidationsschrittes auf.
Hinweis: $\overset{II}{Fe}\overset{-I}{S_2}$

EXKURS

Moderne Abwasserreinigung

Als Verbraucher denken wir bei einer Kläranlage meist an die Beseitigung der groben Verunreinigungen. Das ist aber eher eine Nebensache. Viel wichtiger ist die Entfernung von *Schwebstoffen* und gelösten Stoffen. Mengenmäßig stehen die *Kohlenstoffverbindungen* mit immerhin täglich knapp 100 g pro Person an oberster Stelle der Liste unerwünschter Verbindungen. Eine Kläranlage beseitigt über 95 % der organischen Verunreinigungen. Probleme bereiten heute vor allem *Stickstoffverbindungen* und *Phosphorverbindungen*.

Abbau von Stickstoffverbindungen. Der Gehalt an Stickstoffverbindungen im häuslichen Abwasser setzt sich pro Person und Tag aus etwa 10 g Ammonium-Ionen und 5 g Harnstoff zusammen, das entspricht rund 12 g Stickstoff. Auf dem Weg durch das Kanalnetz wandeln Bakterien Harnstoff in Ammoniak um. In einer Protolysereaktion bilden sich daraus Ammonium-Ionen (NH_4^+-Ionen). In der Kläranlage kommen schließlich mit jedem Liter Abwasser etwa 50 mg NH_4^+-Ionen an. Nach der Klärung darf aber ein Wert von $10\ mg \cdot l^{-1}$ nicht überschritten werden. Eine klassische Kläranlage kann diesen Grenzwert nicht einhalten.

Die Kläranlagen rüsten daher die biologische Reinigungsstufe entsprechend um. Die Belüftung des Belebungsbeckens wird so gesteuert, dass das Abwasser abwechselnd durch aerobe und anaerobe Bereiche fließt. In den *aeroben* Bereichen findet die *Nitrifikation* statt: Bakterien *oxidieren* Ammonium-Ionen über Nitrit-Ionen zu Nitrat-Ionen.

$$2\ NH_4^+(aq) + 3\ O_2(g) + 2\ H_2O(l) \longrightarrow 2\ NO_2^-(aq) + 4\ H_3O^+(aq)$$

$$2\ NO_2^-(aq) + O_2(g) \longrightarrow 2\ NO_3^-(aq)$$

In den *aneroben* Bereichen des Belebungsbeckens läuft die *Denitrifikation* ab: Bakterien reduzieren Nitrat-Ionen über Nitrit-Ionen, Stickstoffmonooxid und Distickstoffoxid zu Stickstoff. *Beispiel:*

$$5\ CH_3OH(aq) + 6\ NO_3^-(aq) \longrightarrow 5\ CO_2(g) + 7\ H_2O(l) + 3\ N_2(g) + 6\ OH^-(aq)$$

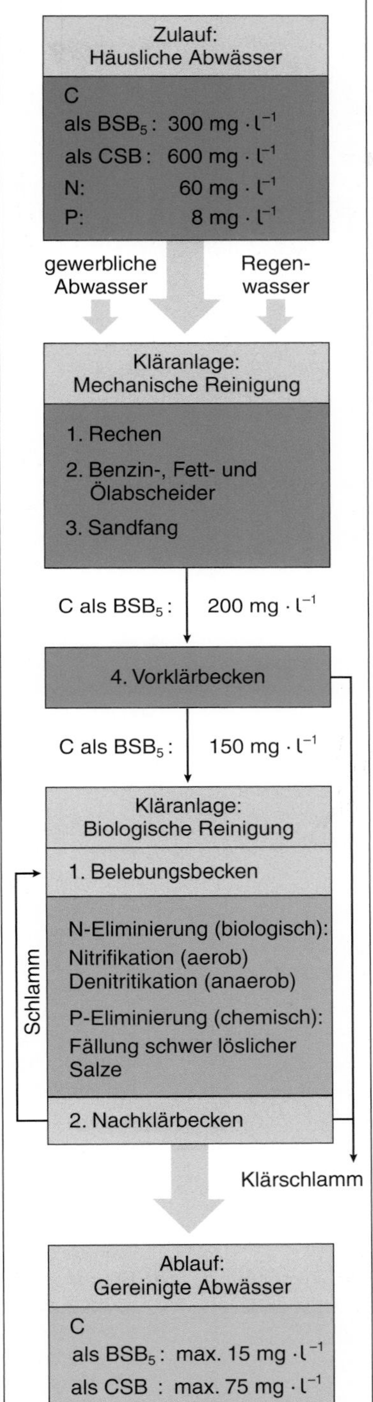

Eliminierung von Phosphat. Heute gibt es kaum noch phosphathaltige Wasch- und Reinigungsmittel. Trotzdem enthalten die häuslichen Abwässer wegen der Fäkalien täglich immer noch rund 6 g Phosphat pro Person. Im Zulauf einer Kläranlage findet man im Durchschnitt pro Liter Abwasser 25 mg Phosphat. Nach der Klärung dürfen aber nicht mehr als 3 mg Phosphat pro Liter enthalten sein. Dieser Grenzwert kann nur durch eine zusätzliche Reinigungsstufe für Phosphat erreicht werden.

Biologische Verfahren zur Verringerung des Phosphatgehalts laufen in allen Kläranlagen ständig ab. Die Bakterien im Belebungsbecken benötigen für ihr Wachstum Phosphat. Mit der bakteriellen Biomasse werden so dem Abwasser etwas mehr als ein Drittel des Phosphats entzogen.
Den vorgeschriebenen Grenzwert kann man zur Zeit aber nur mit chemischen Methoden erreichen – das Phosphat wird ausgefällt. *Beispiel:*

$$4\ Fe^{2+}(aq) + 4\ PO_4^{3-}(aq) + 4\ H^+(aq) + O_2(g) \longrightarrow 4\ FePO_4(s) + 2\ H_2O(l)$$

Dazu wird beispielsweise Grünsalz ($FeSO_4$) dem Belebungsbecken zugesetzt und dort zu Eisen(III) oxidiert. Eisen(III)-Ionen reagieren mit Phosphat-Ionen zu schwer löslichem Eisen(III)-phosphat – wenn der pH-Wert stimmt. Ist die Lösung zu sauer, wandelt sich Phosphat in Hydrogenphosphat um. Ist die Lösung zu alkalisch, fällt Eisenhydroxid statt Eisenphosphat aus. Das pH-Optimum liegt bei 5.

Aufgabe 1: **a)** Nennen Sie die wichtigsten Schadstoffe im Abwasser.
b) Wie gelangen sie in das Wasser?
c) Welche Gefahren gehen von ihnen aus?

Aufgabe 2: Erklären Sie die in der Wasseranalytik verwendeten Abkürzungen BSB_5 und CSB.

Aufgabe 3: Erstellen Sie eine Tabelle mit den einzelnen Stickstoffverbindungen, die an den Nitrifikations- und Denitrifikationsreaktionen beteiligt sind. Geben Sie die Oxidationszahlen an.

Wasseruntersuchungen

	Regenwasser (Koblenz)	Flusswasser (Donau)	Trinkwasser (Hannover)	Mineralwasser	Meerwasser
pH-Wert Leitfähigkeit in $\mu S \cdot cm^{-1}$	4,9 65	7,9 378	7,8 692	5–7	8,0
O_2 in $mg \cdot l^{-1}$ BSB_5 in $mg \cdot l^{-1}$ CSB_5 in $mg \cdot l^{-1}$	 2	10,4 3,9 18	10,2 6,7 mg Kohlenstoff pro l		0,1–6 0,3–2 mg Kohlenstoff pro l
NH_4^+ in $mg \cdot l^{-1}$ NO_3^- in $mg \cdot l^{-1}$ PO_4^{3-} in $mg \cdot l^{-1}$ Cl^- in $mg \cdot l^{-1}$ SO_4^{2-} in $mg \cdot l^{-1}$	– 7 – 4 9	0,32 2,35 0,25 18 27	0,05 3,7 2,7 57 166	< 0,5 5–600 1–1500	 0,005–2 0,001–0,05 19350 2710
Na^+ in $mg \cdot l^{-1}$ Mg^{2+} in $mg \cdot l^{-1}$ Ca^{2+} in $mg \cdot l^{-1}$ HCO_3^- in $mg \cdot l^{-1}$	– 4,3 (Mg, Ca)		33 8,4 101 109	5–1000 5–200 5–500 10–1000	10760 1290 411 142

Beispielmesswerte und Bereichswerte für verschiedene Wässer

Aufgabe 1: **a)** Das Angebot an Mineralwässern wird immer unübersichtlicher. Erstellen Sie für das Angebot eines Herstellers eine Tabelle mit den wichtigsten Inhaltsstoffen.
b) Welche Gemeinsamkeiten und welche Unterschiede bestehen zwischen Trinkwasser und Mineralwasser?

Aufgabe 2: Bei der Bestimmung des CSB-Wertes dienen Dichromat-Ionen im Überschuss als Oxidationsmittel. Der Gehalt an nicht umgesetzten Ionen wird durch Titration mit Eisen(II)-Ionen ermittelt.
a) Ergänzen Sie die Koeffizienten für die Oxidation von Butanol:

$$C_4H_9OH\,(aq) + Cr_2O_7^{2-}\,(aq) + H^+\,(aq) \longrightarrow CO_2\,(g) + Cr^{3+}\,(aq) + H_2O\,(l)$$

b) Formulieren Sie die Reaktionsgleichung für die Reaktion von Dichromat-Ionen mit Eisen(II)-Ionen in saurer Lösung.

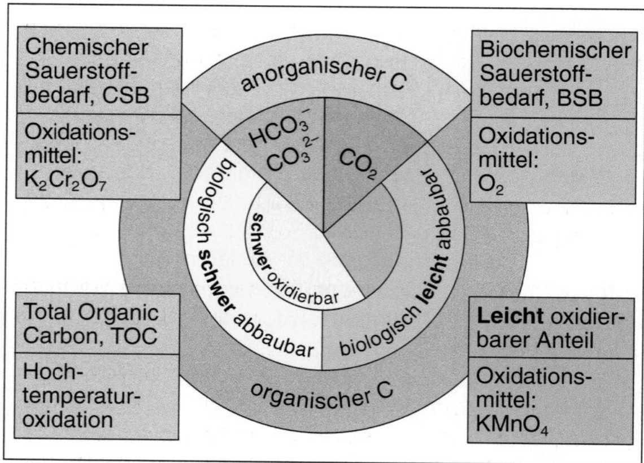

Messgrößen zur Bestimmung des Kohlenstoffgehalts einer Wasserprobe

Versuch 1: **Bestimmung des Kaliumpermanganat-Verbrauchs**

Materialien: Messzylinder (100 ml), Erlenmeyerkolben (300 ml), Uhrglas, Brenner, Dreifuß mit Drahtnetz, Bürette (25 ml), Kunststoffspritzen (20 ml), Magnetrührer; Schwefelsäure (25 %; C), Kaliumpermanganat-Lösung (0,002 mol $\cdot$ l^{-1}), Oxalsäure-Lösung (0,005 mol $\cdot$ l^{-1})

Durchführung:

1. Geben Sie zu 100 ml der filtrierten Wasserprobe 5 ml Schwefelsäure und 15 ml Kaliumpermanganat-Lösung.
2. Erhitzen Sie die Lösung in einem abgedeckten Erlenmeyerkolben 15 Minuten lang zum schwachen Sieden.
3. Geben Sie in die noch heiße Lösung 15 ml Oxalsäure-Lösung.
4. Tropfen Sie in die noch warme Lösung aus der Bürette Kaliumpermanganat-Lösung bis zur bleibenden Rosafärbung. Notieren Sie das verbrauchte Volumen an Kaliumpermanganat-Lösung.

Aufgaben:

a) Die Bestimmung des $KMnO_4$-Verbrauchs einer Wasserprobe beruht auf drei aufeinander folgenden Redoxreaktionen. Geben Sie jeweils die Redoxgleichung an. Stellvertretend für eine organische Verunreinigung soll Ameisensäure (HCOOH) gewählt werden.
b) Bei zwei Schritten wird ein Überschuss an Oxidationsmittel zugesetzt. Begründen Sie das Vorgehen.
c) Stellen Sie die Redoxgleichung für die Reaktion der Verunreinigung (HCOOH) mit Sauerstoff auf. Welches Stoffmengenverhältnis besteht zwischen Kaliumpermanganat und Sauerstoff als Oxidationsmittel?
d) Berechnen Sie aus dem $KMnO_4$-Verbrauch der Wasserprobe den entsprechenden Sauerstoffbedarf in Milligramm Sauerstoff pro Liter.

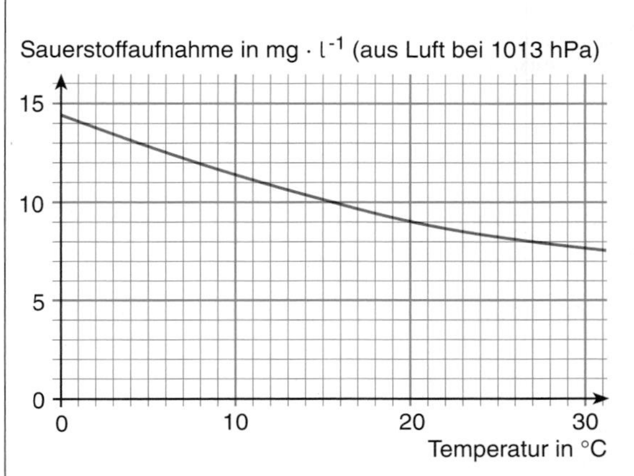

Löslichkeit von Luftsauerstoff in Wasser

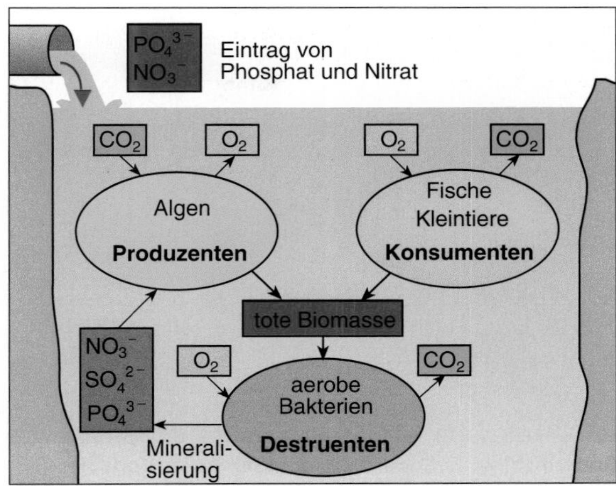

Biologisches Gleichgewicht in einem Gewässer

Versuch 2: **Sauerstoffbestimmung nach WINKLER**

Materialien: Thermometer, Flasche (100 ml) mit *blasenfrei* eingefüllter Wasserprobe, 2 Messpipetten (1 ml), 1 Messpipette (2 ml), Pipettierhilfe, Bürette, Erlenmeyerkolben (250 ml, weit);
Lösung 1: 80 g $MnCl_2 \cdot 4\,H_2O$ (Xn) in 100 ml Wasser,
Lösung 2: 50 g NaOH (C) und 40 g KI in 100 ml Wasser, Phosphorsäure (85 %; C), Stärkelösung (1 %), Natriumthiosulfat-Lösung (0,01 mol · l^{-1})

Durchführung:

1. Messen Sie die Temperatur der Probe.
2. Unterschichten Sie die Probe mit je 0,5 ml der Lösungen 1 und 2. Verschließen Sie dann die Probe *luftfrei*. Schütteln Sie die Flasche und lassen Sie die Probe anschließend zehn Minuten stehen.
3. Geben Sie in den Erlenmeyerkolben zuerst 2 ml der Phosphorsäure und dann die Wasserprobe.
4. Fügen Sie einige Tropfen der Stärkelösung zu, bis eine tiefblaue Farbe auftritt, und filtrieren Sie mit der Natriumthiosulfat-Lösung, bis die Färbung wieder verschwindet.

Hinweis: Bei der Ermittlung des **BSB_5-Wertes** werden zwei Wasserproben durch Einleiten von Luft mit Sauerstoff gesättigt. Die erste Probe untersucht man sofort, die zweite nach fünf Tagen. Die Differenz beider Werte gibt den Sauerstoffverbrauch durch Mikroorganismen an.

Aufgaben:

a) Stellen Sie die Reaktionsgleichungen mit Oxidationszahlen für die wichtigsten Reaktionsschritte auf:
- $Mn(OH)_2$ wird durch Sauerstoff zu MnO(OH) oxidiert.
- MnO(OH) oxidiert I^- in saurer Lösung zu I_2; dabei entsteht Mn^{2+}.
- I_2 wird mit $S_2O_3^{2-}$ titriert; dabei entsteht $S_4O_6^{2-}$.

b) Welche Stoffmenge Thiosulfat-Anionen entspricht einem Mol Sauerstoff?

Versuch 3: **Nachweis von Phosphat-Ionen**

Materialien: Messzylinder (100 ml), 2 Messpipetten (1 ml);
Ammoniummolybdat-Lösung: 1 g $(NH_4)_6Mo_7O_{24} \cdot 4\,H_2O$ wird in 10 ml Wasser gelöst, anschließend werden 30 ml Schwefelsäure (50 %; C) zugegeben.
Zinnchlorid-Lösung: 0,1 g $SnCl_2 \cdot 2\,H_2O$ (Xn) in 8 ml konzentrierter Salzsäure (C)

Durchführung: Geben Sie zu einer Wasserprobe (100 ml) zuerst 1 ml Ammoniummolybdat-Lösung und dann 0,2 ml Zinnchlorid-Lösung.
Hinweis: Bei Anwesenheit von Phosphat-Ionen färbt sich die Lösung blau. Die Intensität der Färbung ist ein Maß für die Konzentration der Phosphat-Ionen in der Wasserprobe.

Aufgabe 3: Beschreiben Sie in drei Zustandsbildern, wie es dazu kommt, dass ein gesunder Teich umkippt.
Bild 1: Produzenten, Konsumenten und Destruenten befinden sich in einem biologischen Gleichgewicht.
Bild 2: Ein Überangebot an Nährstoffen stört den Kreislauf. Es kommt zur Eutrophierung.
Bild 3: Der Kreislauf ist unterbrochen. Der anaerobe Abbau organischen Materials überwiegt; der Teich kippt um.

Aufgabe 4: Bei der Sauerstoffbestimmung nach WINKLER werden für 100 ml einer Wasserprobe 8,7 ml Natriumthiosulfat-Lösung (0,01 mol · l^{-1}) verbraucht.
a) Berechnen Sie den Gehalt an gelöstem Sauerstoff. Geben Sie den Wert in mg · l^{-1} an.
b) Ermitteln Sie das Sauerstoffdefizit (Sättigungswert – Messwert) und die Sauerstoffsättigung in Prozent. Die Wassertemperatur soll dabei 15 °C betragen.

20.7 Boden – Basis der Ernährung

1. Bodenprofile: Braunerde und Bleicherde (Podsol)

A1 Stellen Sie die einzelnen Phasen der Entstehung eines Bodens in einer Übersicht dar. Achten Sie auch auf die organischen Bestandteile.

A2 Eine Bodenprobe (m (Boden) = 74 g; V (Boden) = 56 ml) wird bei 110 °C getrocknet (m (Trockensubstanz) = 57 g, V (Trockensubstanz) = 27 ml).
Anschließend wird die Probe stark erhitzt. Dabei verglüht der Humus (m (Glührückstand) = 54 g).
Stellen Sie die *Massenanteile* an Mineralien, Humus und Wasser und die *Volumenanteile* an Trockensubstanz, Luft und Wasser in Kreisdiagrammen dar.
Hinweis: Das Volumen des Wassers erhält man über seine Masse.

A3 **a)** Huminsäure ist ein Gemisch von Makromolekülen. In den Molekülen gibt es eine sich wiederholende Grundstruktur. Geben Sie den Formelausschnitt an.
b) Warum reagiert dieser Rest sauer?
c) Nennen Sie eine Aminosäure, aus der diese Grundstruktur entstehen könnte. Geben Sie die Strukturformel dieser Aminosäure an.

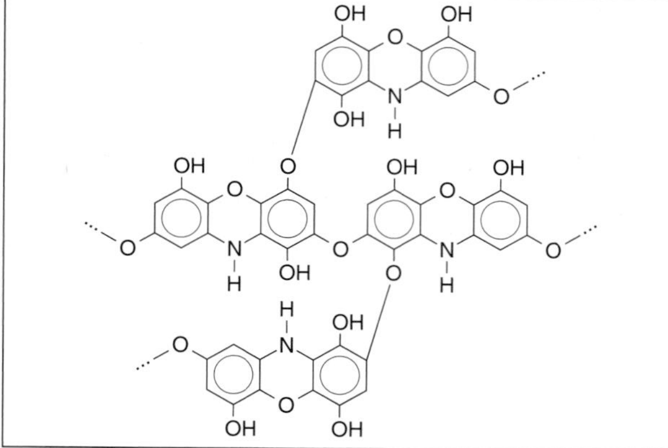

2. Huminsäure (Formelausschnitt)

Böden bestehen aus mineralischen und organischen Stoffen; sie sind mit Wasser und mit Luft durchsetzt. Die Böden sind Lebensraum für Pflanzen und Tiere und damit auch Produktionsstätten für Lebensmittel und Rohstoffe. Aber auch für Siedlungen, Industrieanlagen und für Verkehrswege werden Böden in Anspruch genommen. In Deutschland sind schon 12 % der gesamten Fläche überbaut, *Tendenz:* steigend – täglich verschwindet 1 km^2 Boden.

Bodenbildung. Böden sind unter dem Einfluss von Umweltfaktoren an der Erdoberfläche entstanden. Ausgangsstoffe sind Minerale und Gesteine. Durch Temperaturwechsel und durch die Sprengwirkungen von gefrierendem Wasser und Pflanzenwachstum werden sie in kleinere Teile zerlegt. Man bezeichnet dies als *physikalische Verwitterung.*
Die damit einhergehende Vergrößerung der Oberfläche erleichtert die *chemische Verwitterung.* Dabei bewirken Wasser und Kohlenstoffdioxid Hydrolysen und Lösungsvorgänge. An Oxidationsreaktionen ist der Luftsauerstoff beteiligt. Je nach Intensität und Dauer der Verwitterung entstehen mehr oder weniger stark abgebaute Zerfallsprodukte. Aus diesen Verwitterungsprodukten bilden sich neue Minerale wie Oxide und Hydroxide von Silicium, Aluminium, Eisen und Mangan.

Tonminerale. Von besonderer Bedeutung bei der Mineralneubildung sind Tonminerale. Dabei handelt es sich um *Alumosilicate mit Schichtstruktur:* In den Schichten ist ein Teil der Si^{4+}-Ionen durch Al^{3+}-Ionen ersetzt, sodass die negative Ladung der O^{2-}-Ionen nicht vollständig ausgeglichen ist. Zwischen den Schichten sind daher Kationen eingelagert, die austauschbar sind. Am leichtesten werden die einfach geladenen Kationen der Alkalimetalle ausgetauscht. Dann folgen die Kationen der Erdalkalimetalle. 100 g Tonmineral können bis zu 100 mmol Kationen austauschen. Aluminium-Ionen werden erst in extrem sauren Böden aus den Schichten verdrängt. Dabei wird das Mineral zerstört.

Humus. Organische Ausgangsstoffe für die Bodenbildung sind überwiegend Pflanzenreste. Dieses Material wird durch die Bodenfauna abgebaut. Es entstehen dabei anorganische Endprodukte wie Kohlenstoffdioxid, Wasser und einfache Stickstoff-, Phosphor- und Schwefelverbindungen. Aus dem Lignin der Pflanzen bilden sich die Huminstoffe. Die organische Substanz des Bodens bildet den *Humus.* Er besteht aus Pflanzenresten sowie aus Zwischenprodukten der Verwesung und der Huminifizierung.

Bodenprofil. Braunerde hat das Profil **A_h-B_v-C.** Dabei steht **A** für die obere mineralische Schicht, die mit **h**umifiziertem organischem Material durchsetzt ist. **B** steht für die **v**erbrannte mineralische Schicht mit Tonmineralneubildung. **C** bedeutet Ausgangsgestein.

Bodenuntersuchungen

Versuch 1: Wasser, Luft und Humus im Boden

Materialien: Stechzylinder oder Metallrohr (Inhalt etwa 100 ml), Trockenschrank, Becherglas (250 ml, weit), Waage, Reibschale, Messzylinder (50 ml) mit Stopfen, Bürette (50 ml), Porzellantiegel, Gasbrenner, Dreifuß, Tondreieck;
Bodenprobe, Spiritus (F)

Durchführung:

1. Entnehmen Sie mit dem Stechzylinder eine Bodenprobe. Die Probe darf dabei nicht gepresst werden. Notieren Sie das Volumen: *V* (Boden).

2. Wiegen Sie die Bodenprobe im Becherglas genau ab: *m* (Boden).
Stellen Sie das Becherglas mit der Probe über Nacht bei 110 °C in den Trockenschrank und wiegen Sie erneut: *m* (Trockensubstanz).

3. Pulverisieren Sie die getrocknete Bodenprobe in der Reibschale und wiegen Sie etwa 20 g davon genau in den Messzylinder und lassen Sie aus der mit 50 ml Spiritus gefüllten Bürette 25 ml zufließen. Verschließen Sie den Messzylinder mit dem Stopfen und schütteln Sie so lange, bis keine Luft mehr aus dem Pulver entweicht. Lassen Sie jetzt aus der Bürette so lange Spiritus zufließen, bis die 50-ml-Marke des Messzylinders erreicht ist. Das Restvolumen an Spiritus in der Bürette entspricht dem Volumen (V_1) des trockenen, luftfreien Bodens mit der Masse m_1.

4. Wiegen Sie etwa 5 g der getrockneten und pulverisierten Bodenprobe in den Tiegel genau ein: (m_2).
Verbrennen Sie das organische Material der Probe, indem Sie den Tiegel mit dem Brenner etwa 15 Minuten stark erhitzen, und wiegen Sie dann erneut: (m_3).

Aufgaben:

a) Berechnen Sie die Masse $m(H_2O)$ und das Volumen $V(H_2O)$ des Wassers in der Bodenprobe.

b) Berechnen Sie aus m_1 und V_1 das Volumen des wasser- und luftfreien Bodens in der ursprünglichen Bodenprobe: *V* (Trockensubstanz, luftfrei).

c) Berechnen Sie das Volumen der Luft in der Bodenprobe: *V* (Luft). Das Gesamtvolumen der Bodenprobe setzt sich folgendermaßen zusammen: *V* (Boden) = *V* (Trockensubstanz, luftfrei) + *V* (Luft) + *V* (Wasser).

d) Berechnen Sie aus m_2 und m_3 die Masse des Humus m_4 in der ursprünglichen Bodenprobe: *m* (Humus).

e) Berechnen Sie die *Volumenanteile* und die *Massenanteile* der einzelnen Bestandteile der Bodenprobe. *V* (Boden) und *m* (Boden) entsprechen jeweils 100 %. Die Masse der Luft wird vernachlässigt.

f) Veranschaulichen Sie die Werte in zwei Kreisdiagrammen.

Versuch 2: pH-Wert

   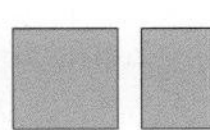 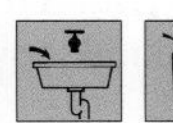

Materialien: Reibschale, Erlenmeyerkolben (100 ml), pH-Meter, Waage, Messzylinder (50 ml);
Calciumchlorid-Lösung (0,01 mol · l^{-1}), Bodenprobe

Durchführung:

1. Lassen Sie die Bodenprobe einen Tag an der Luft trocknen und pulverisieren Sie die Probe anschließend.

2. Wiegen Sie in dem Erlenmeyerkolben 5 g der getrockneten Probe ab und fügen Sie 30 ml Calciumchlorid-Lösung zu. Schütteln Sie einige Minuten gut durch.
Messen Sie nach dem Absetzen der festen Bestandteile den pH-Wert der überstehenden Flüssigkeit.

3. Wiederholen Sie den Versuch; verwenden Sie anstelle der Calciumchlorid-Lösung demineralisiertes Wasser.

Aufgaben:

a) Erklären Sie mit Hilfe des Aufbaus der Tonmineralien die unterschiedlichen pH-Werte.
Beschreiben Sie die Wirkung der Calciumchlorid-Lösung auf den Boden mit einer Reaktionsgleichung.

b) Begründen Sie, warum bei einer Extraktion mit Calciumchlorid-Lösung der pH-Wert kleiner ist als bei einem wässerigen Extrakt.
Welcher Zusammenhang besteht zwischen der Größe der Differenz der beiden pH-Werte und der *Pufferkapazität* eines Bodens?

Aufgabe 1: Beschreiben Sie mit Hilfe der Tabelle, welche Auswirkungen saurer Regen auf Böden hat.

pH-Wert	Puffer	Pufferkapazität
>6,2	Carbonat	1 % $CaCO_3$ puffert 300 kmol H^+
6,2–5,0	Silicat	1 % Silicat puffert 25 kmol H^+
5,0–4,2	Austausch von Alkalimetall- und Erdalkalimetall-Ionen	1 % Ton puffert 7,5 kmol H^+
<4,2	Aluminiumhydroxid	1 % Ton puffert 150 kmol H^+

Bodenpuffer und ihre Kapazität. Der Pufferkapazität liegt folgendes Volumen zugrunde:
Fläche 10000 m^2 · 0,1 m Tiefe.

EXKURS

Das Kreislaufwirtschafts- und Abfallgesetz – ein Weg aus der Müllkrise?

1. Das Ziel
Wandel der Wegwerfwirtschaft zur ökologisch orientierten Kreislaufwirtschaft

2. Die Idee
- Denken vom Abfall her
- Einführung von Verursacherprinzip und Produktverantwortung

3. Die Abfälle
- Ausweitung des Abfallbegriffs auf alle Stoffe, die im Produktionsprozess anfallen
- Unterscheidung von Abfällen zur Verwertung und Abfällen zur Beseitigung
- Rangfolge bei der Abfallbehandlung: stoffliche oder energetische Verwertung → Verbrennung (ohne Energienutzung) → Deponierung
- Aufstellen von Abfallbilanzen und Entwicklung von Entsorgungskonzepten

4. Die Verordnungen
Das Kreislaufwirtschaftsgesetz liefert nur den Rahmen, umgesetzt wird es durch Verordnungen.

Was bringt das Kreislaufwirtschaftsgesetz?

Kreislaufwirtschafts- und Abfallgesetz
Klärschlammverordnung Altölverordnung Verpackungsverordnung Altautoverordnung Elektronikschrott-Verordnung Batterieverordnung ...
Technische Anleitung (TA) • (Sonder-)Abfall • Siedlungsabfall

Rechtsnormen im Abfallbereich

Aufgabe 1: In vielen Städten läuft zur Zeit eine Diskussion über *Müllverbrennung* oder *kalte Rotte*.
a) Informieren Sie sich über beide Verfahren.
b) Welchen Einfluss hat die TA Siedlungsabfall auf die Diskussion?

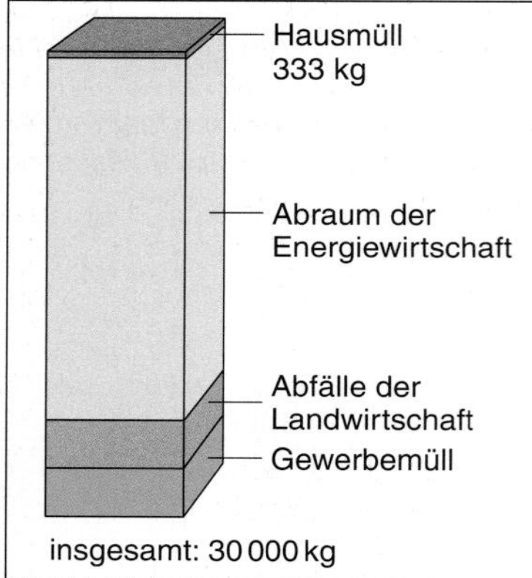

Jährliche Abfallmenge pro Einwohner

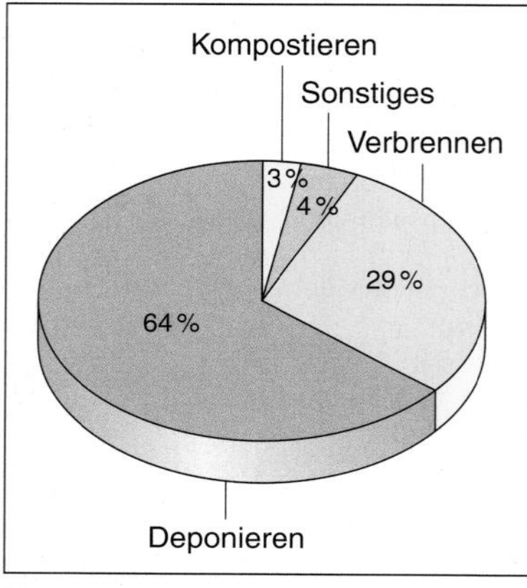

Entsorgungswege des Hausmülls

- Vor der Deponierung muss der Abfall grundsätzlich behandelt werden.
- Es gibt nur drei Deponieformen: Monodeponien für Bauschutt und Erdaushub, die Regeldeponie und Sondermüll-Deponien.
- Der Gehalt an organischem Kohlenstoff muss bei einer Regeldeponie unter 5 % liegen.

Verwaltungsvorschriften der TA Siedlungsabfall

Ersatzteile (Festplatten, Netzteile, Laufwerke) 5 %
Aluminium, Edelstahl 3,4 %
sortierfähiger Kunststoff 0,8 %
nicht recyclingfähiger Rest 16,7 %
Kunststoff- und Glasgemisch 13,1 %
Leiterplatten 3 %
Sonderstoffe (Öle, Fette, Batterien) 0,6 %
Buntmetall 26,1 %
Eisen, Stahl 48 %

Zusammensetzung von Computerschrott

Material- und Energieeinsatz
Film- und Fotopapier: 4,5 cm²
Fotochemie: 0,2 ml
Aluminiumdruckplatten: 0,4 g
Zeitungspapier (inkl. Verpackung): 233 g
Druckfarbe: 2,9 g
Druckchemie: 0,7 ml
Verpackungsmaterial: 0,2 g
Strom: 0,1 kWh
Gas: 0,1 kWh
Wasser: 280 ml

Produkt
40seitige Tageszeitung (208 g)

Reststoffe
Hausmüllähnlicher Gewerbeabfall: 1,4 g
Sonderabfälle: 0,5 g (davon 0,2 g verwertet)
Altpapier: 25 g
Sonstige Verwertung: 0,6 g
CO_2: 90 g
Abwasser: 103 ml

Ökobilanz einer Tageszeitung

Der Grüne Punkt – eine runde Sache?

Mit dem gelben Sack sammeln die Deutschen fleißig die Verpackungen mit dem Grünen Punkt. So entledigen wir uns des volumenmäßig größten Teils des Hausmülls. Doch was steckt dahinter?

Verpackungsverordnung. Den Grünen Punkt auf Verkaufspackungen gibt es seit dem 1. 1. 1993. Zu diesem Zeitpunkt trat die *Verpackungsverordnung* in Kraft. Sie verpflichtet den Handel, die Verpackungen zurückzunehmen und getrennt von der öffentlichen Abfallentsorgung zu beseitigen. Das war die Geburtsstunde eines *zweiten* Abfallentsorgungssystems.
Die **D**uales **S**ystem **D**eutschland GmbH (DSD) ist ein *nichtstaatliches* Unternehmen mit rund 600 Gesellschaftern aus Verpackungsindustrie, Konsumgüterindustrie und Handel. Im Aufsichtsrat sitzen auch Vertreter der Entsorgungsindustrie.
Die DSD finanziert sich über den Grünen Punkt. Das *Lizenzentgelt* für den Grünen Punkt richtet sich nach dem Material, dem Gewicht und dem Stückentgelt. Am billigsten ist mit 7 Cent pro Kilogramm die Aufarbeitung von Glas, am teuersten ist die Verwertung von Kunststoffen: 1,47 € pro Kilogramm.

Quoten. Der Handel bekam von den Umweltministerien der Länder die in der Verpackungsverordnung geforderte *Freistellungserklärung.* Sie befreit den Handel so lange von der Rücknahmepflicht für Verkaufsverpackungen, wie die gesetzlich vorgeschriebenen Sollwerte von 80 % bei der Erfassung und von 64 % bei der Verwertung eingehalten werden. Für die Verwertung von Glas, Weißblech und Aluminium gilt eine höhere Verwertungsquote: 72 %.
In der Neufassung der Verpackungsverordnung für 1998 wurden die Quoten für die Verwertung von Aluminium und Kunststoffen auf 60 % gesenkt. Die tatsächlichen Istwerte müssen jährlich in einem Mengenstromnachweis belegt werden.

Die Verpackungsverordnung legt zusätzlich für Getränkeverpackungen den Vorrang von *Mehrwegverpackungen* vor Einwegverpackungen fest. Die Mehrwegquote soll im Durchschnitt bei mindestens 72 % liegen, für Milchverpackungen gibt es eine Sonderregelung mit nur 17 %. Nach der neuen Verpackungsverordnung haben die Länder das Recht, Pfand auf einzelne Einweggetränke wie Dosenbier zu erheben.

Kunststoffmüll. Die großen Preisdifferenzen beim Lizenzentgelt zeigen deutlich, wo das Hauptproblem liegt: bei der Entsorgung der Kunststoffverpackungen. Sie dürfen nicht auf Deponien und sie dürfen auch nicht *thermisch verwertet*, also nicht einfach verbrannt werden. Die Verpackungsverordnung schreibt die *stoffliche Verwertung*, das **Recycling,** vor. Dieser Begriff hat aber sehr unterschiedliche Bedeutungen: *werkstoffliches* und *rohstoffliches* Recycling sowie *energetische* Verwertung.

Werkstoffliches Recycling setzt *sortenreine* Kunststoffe ohne Zusätze voraus. Nur dann lässt sich der Abfall wieder in den Produktionsprozess zurückführen. Im Normalfall hat man es jedoch mit Verbundwerkstoffen oder Polymerlegierungen zu tun, die im günstigsten Fall zu Produkten minderer Qualität verarbeitet werden können. Man spricht dann von *Down-Cycling.*

Beim *rohstofflichen Recycling* muss zuerst mit großem Aufwand die Polyreaktion rückgängig gemacht werden. Die so erhaltenen Rohstoffe könnten dann immer wieder für die Synthese neuer Kunststoffe verwendet werden. Noch sind allerdings die entsprechenden Produkte der Erdölaufarbeitung viel billiger.

Verbrennen oder Deponieren von Kunststoffmüll ist verboten. Einen Ausweg bietet die Möglichkeit der *energetischen Verwertung.* Beispielsweise kann der Kunststoffabfall als Brennstoff bei der Herstellung von Stahl eingesetzt werden. Er ersetzt dann den Rohstoff Öl.

Der riesige Berg an Kunststoffmüll und die gesetzlich vorgeschriebene hohe Erfassungs- und Verwertungsquote brachten die DSD vorübergehend in arge Bedrängnis. In Deutschland existierten die für die Entsorgung erforderlichen Anlagen überhaupt noch nicht. Der Großteil der Kunststoffverpackungen wanderte daher ins Ausland – bis nach Indien und China. Die Müllverarbeitungsindustrie plant aber, bis zu 600 000 Tonnen Kunststoff pro Jahr im Inland zu recyclen.

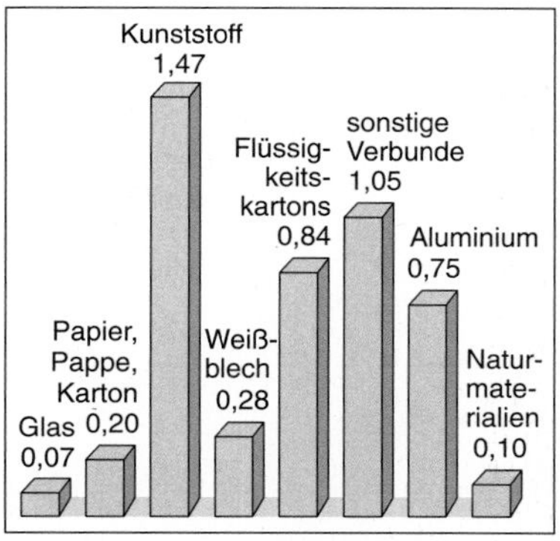

Lizenzentgelt in €/kg (2000)

	Verpackungs-verbrauch	Erfassungs-quoten	Verwertungs-quoten
Glas	3 140 067 t	81,9 %	81,9 %
Papier, Pappe, Karton	1 389 696 t	90,3 %	90,3 %
Kunststoffe	836 544 t	87,4 %	60,2 %
Weißblech	407 136 t	79,2 %	63,6 %
Verbunde	580 512 t	72,6 %	51,1 %
Aluminium	45 312 t	82,6 %	69,8 %
Gesamt	6 399 265 t	83,6 %	76,9 %

Erfassungs- und Verwertungsquoten (1995)

20.8 Endstation Mensch

Der Mensch ist über Atemluft, Trinkwasser und Nahrung untrennbar mit seiner Umwelt verbunden. Über die in ihr enthaltenen Schadstoffe wird oft erst im Zusammenhang mit extremen Situationen gesprochen. Beispiele dafür sind Benzol-Spitzenwerte an einer verkehrsreichen Straße oder bleihaltiges Trinkwasser in Altbauten mit Bleirohren. Wir nehmen die Schadstoffe aber vor allem über die Nahrung auf. Da sich die Schadstoffe in einer Nahrungskette anreichern und der Mensch am Ende vieler solcher **Nahrungsketten** steht, ist gerade dieser Aufnahmeweg für uns besonders problematisch.

Schwermetalle. Ein Beispiel sind quecksilberhaltige Abfälle, die in der Schweiz in den Rhein entsorgt werden. Sie gelangen mit der Fracht des Rheins in die Nordsee. Dort werden *Quecksilberverbindungen* vom Plankton oder direkt von Fischen aufgenommen. Ein im Nordmeer beheimateter Raubfisch zum Beispiel wird diese quecksilberkontaminierten Fische fressen und das Schwermetall anreichern. Wir essen solche Raubfische und können damit auch Quecksilber aufnehmen, das mit dem Abwasser in den Rhein geleitet wurde.
In der Schadstoffhöchstmengenverordnung ist ein Grenzwert von 1 mg pro Kilogramm Fisch festgelegt. Die durchschnittliche Belastung von Süßwasserfischen liegt bei 0,25 $mg \cdot kg^{-1}$. Im Blut von Menschen, die regelmäßig Fisch essen, findet man 0,8 μg Quecksilber pro Liter. Bei Nicht-Fischessern sind es nur 0,2 $\mu g \cdot l^{-1}$. Wir nehmen Quecksilber fast nur mit der Nahrung auf, wöchentlich etwa 0,11 mg. Die Weltgesundheitsorganisation (WHO) gibt als Grenzwert 0,35 mg pro Woche an.

Ähnlich wie beim Quecksilber hat sich auch an der Belastung mit *Cadmium* in den letzten Jahren nichts geändert. Sie liegt bei etwa 200 μg pro Woche (WHO-Grenzwert: 525 μg). Die höchsten Werte findet man bei Innereien. Der Mittelwert liegt für Schweinenieren bei 0,69 $mg \cdot kg^{-1}$. Starke Raucher nehmen pro Zigarette bis zu 0,2 μg Cadmium auf. Sie haben mit 2,4 $\mu g \cdot l^{-1}$ einen 8-mal höheren Gehalt an Cadmium im Blut als Nichtraucher.

Positive Meldungen gibt es zum Thema Blei. Mit der Einführung von bleifreiem Benzin ist der Gehalt von Blei im Blut von 120 $\mu g \cdot l^{-1}$ auf 70 $\mu g \cdot l^{-1}$ gesunken. Die wöchentliche Belastung liegt heute bei 1 mg (WHO-Grenzwert: 3,5 mg). Blei reichert sich besonders gut in Innereien und in Blattgemüse an. Die Mittelwerte betragen 0,63 $mg \cdot kg^{-1}$ in Rindernieren und 0,62 $mg \cdot kg^{-1}$ in Blattgemüse.

Halogenierte Kohlenwasserstoffe. Am Beispiel des Pestizids ***D**ichlor**d**iphenyl**t**richlorethan* (DDT) wurde die Anreicherung in der Nahrungskette über Jahrzehnte hinweg erforscht. Man fand die im Kampf gegen die Malaria weltweit eingesetzte Verbindung schließlich sogar im Fettgewebe antarktischer Pinguine. In Muttermilch wurden in den sechziger Jahren bis zu 5 $mg \cdot kg^{-1}$ gemessen. Produktion und Anwendung von DDT sind bei uns inzwischen verboten. Als Folge sank der Gehalt in menschlichen Fettgeweben von 2 $mg \cdot kg^{-1}$ auf heute unter 0,5 $mg \cdot kg^{-1}$.

Im Zentrum der Schadstoffdiskussion stehen zur Zeit die *Dioxine*. Es handelt sich dabei um eine Klasse von Verbindungen mit gleicher chemischer Grundstruktur. Sie fallen als Verunreinigungen bei vielen chemischen Prozessen an, vor allem beim Verbrennen. Das gefährlichste Dioxin ist 2,3,7,8-**T**etra**c**hlor**d**ibenzo**d**ioxin (TCDD). Es wirkt im Tierversuch kanzerogen. Unter Berücksichtigung der unterschiedlichen Gefährdungspotentiale fasst man die einzelnen Gehalte der Dioxine zu einem Gesamtwert zusammen. Man findet Dioxine inzwischen überall: bis zu 0,35 $pg \cdot m^{-3}$ in Stadtluft, bis zu 30 $ng \cdot kg^{-1}$ in Stadtböden und 1 $ng \cdot kg^{-1}$ in Lebensmitteln tierischer Herkunft. Die wöchentliche Aufnahme liegt bei 0,6 ng.

3,5,3',5'-Tetrachlorbiphenyl

2,3,7,8-Tetrachlordibenzodioxin (TCDD)

1. Halogenierte Kohlenwasserstoffe

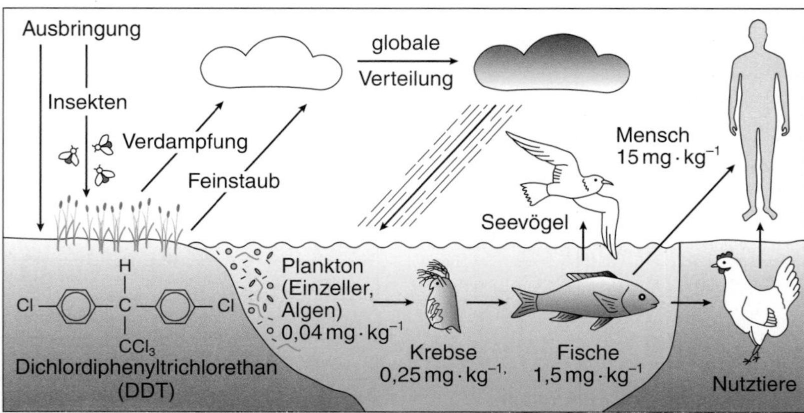

2. DDT in der Nahrungskette

Natürliche Schadstoffe. Lebensmittel können auch mit natürlichen Giftstoffen belastet sein. Einige dieser giftigen Substanzen bilden sich schon während des Wachstums der Pflanzen. Andere können bei falscher Zubereitung entstehen. Es wird deshalb davor gewarnt, Fleisch direkt über dem offenen Feuer zu grillen, denn dabei können sich kanzerogen wirkenden *Benzpyrene* bilden.

Kartoffeln enthalten bis zu 0,01 % des giftigen Alkaloids *Solanin*, Bohnen giftige *Lectin-Proteine*. Beim Kochen werden diese Giftstoffe allerdings zerstört. Rhabarber entwickelt hohe Konzentrationen an *Oxalsäure:* bis zu $20 \ g \cdot kg^{-1}$. Bittere Mandeln, Leinsamen, Bambussprossen und die Kerne verschiedener Obstsorten enthalten Glykoside wie Amygdalin, die *Blausäure* (HCN) abspalten können. Bei Kindern kann bereits der Genuss von wenigen bitteren Mandeln zum Tod führen. Weitere stark wirksame Gifte sind *Myristicin* in der Muskatnuss und *Cumarin* im Waldmeister. Jedes Jahr im Herbst gelangt der grüne Knollenblätterpilz zu trauriger Berühmtheit: Er enthält *Amanitin*, ein cyclisches Peptid, das tödlich giftig ist. *Ibotensäure* ist das Gift des Fliegenpilzes. Wegen der auffälligen Färbung kommt es jedoch nicht so häufig zu Verwechslungen mit essbaren Pilzen.

Bei unsachgemäßer Lagerung können sich auf Lebensmitteln Schimmelpilze bilden, besonders bei erhöhter Temperatur und hoher Luftfeuchtigkeit. Gefährdet sind vor allem Nüsse und Getreideprodukte. Der Schimmelpilz *Aspergillus flavus* produziert sehr starke Zellgifte, die *Aflatoxine*. Konservierungsstoffe verhindern den Pilzbefall und damit auch die Bildung von Aflatoxinen.

Ein sehr starkes Gift ist das *Botulinus-Toxin*. Es wird von Bakterien gebildet. Die Keime sind im Boden und in Gewässern vorhanden. Botulinus-Toxine bilden sich unter Sauerstoffausschluss in Lebensmitteln mit hohem Eiweißgehalt.

1. Gifte aus der Natur

Massenanteil	1 ‰ $1 \ g \cdot kg^{-1}$	1 ppm $1 \ mg \cdot kg^{-1}$	1 ppb $1 \ \mu g \cdot kg^{-1}$	1 ppt $1 \ ng \cdot kg^{-1}$
Spektralphotometrie				
Atomabsorptions-Spektroskopie				
Gas-Chromatografie				
Massenspektroskopie				
HCN in Lebensmitteln				
DDT in Muttermilch				
Aflatoxine im Futter				
Blei im Weizenmehl				
Botulinus-Toxin				

2. Nachweisgrenzen in der Spurenanalytik. Gesetzlich festgelegter Höchstwert (●), gemessener Wert (●), tödliche Dosis (●)

Beispiel Quecksilber: Wie wirkt ein Gift?

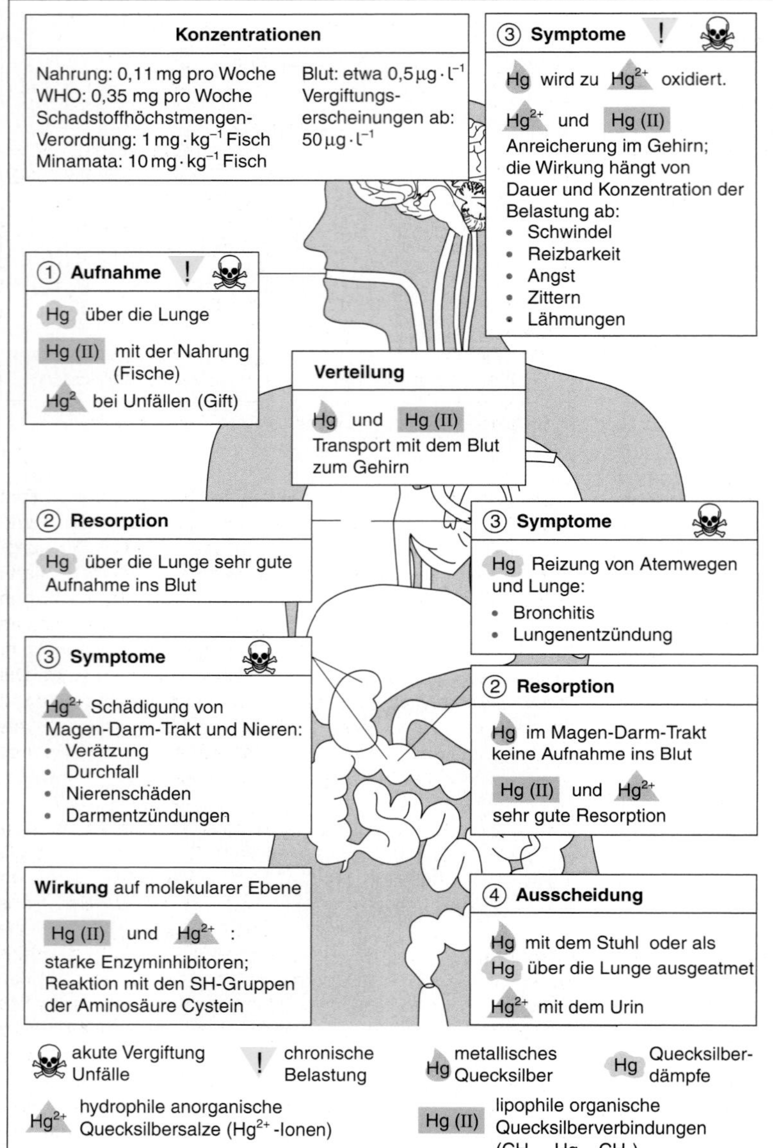

Konzentrationen
Nahrung: 0,11 mg pro Woche
WHO: 0,35 mg pro Woche
Schadstoffhöchstmengen-Verordnung: 1 mg · kg⁻¹ Fisch
Minamata: 10 mg · kg⁻¹ Fisch
Blut: etwa 0,5 µg · l⁻¹
Vergiftungserscheinungen ab: 50 µg · l⁻¹
③ Symptome
Hg wird zu Hg²⁺ oxidiert.
Hg²⁺ und Hg (II)
Anreicherung im Gehirn; die Wirkung hängt von Dauer und Konzentration der Belastung ab:
Schwindel
Reizbarkeit
Angst
Zittern
Lähmungen
① Aufnahme
Hg über die Lunge
Hg (II) mit der Nahrung (Fische)
Hg²⁺ bei Unfällen (Gift)
Verteilung
Hg und Hg (II)
Transport mit dem Blut zum Gehirn
② Resorption
Hg über die Lunge sehr gute Aufnahme ins Blut
③ Symptome
Hg Reizung von Atemwegen und Lunge:
Bronchitis
Lungenentzündung
③ Symptome
Hg²⁺ Schädigung von Magen-Darm-Trakt und Nieren:
Verätzung
Durchfall
Nierenschäden
Darmentzündungen
② Resorption
Hg im Magen-Darm-Trakt keine Aufnahme ins Blut
Hg (II) und Hg²⁺ sehr gute Resorption
Wirkung auf molekularer Ebene
Hg (II) und Hg²⁺ :
starke Enzyminhibitoren;
Reaktion mit den SH-Gruppen der Aminosäure Cystein
④ Ausscheidung
Hg mit dem Stuhl oder als
Hg über die Lunge ausgeatmet
Hg²⁺ mit dem Urin
akute Vergiftung Unfälle
chronische Belastung
Hg metallisches Quecksilber
Hg Quecksilberdämpfe
Hg²⁺ hydrophile anorganische Quecksilbersalze (Hg²⁺-Ionen)
Hg (II) lipophile organische Quecksilberverbindungen (CH₃ – Hg – CH₃)

Die Minamata-Krankheit

In der Umgebung der Minamata-Bucht in Japan erkrankten zwischen 1953 und 1960 Anwohner an einem bis dahin unbekannten Nervenleiden, einige starben daran. Zunächst hielt man die Krankheit für ansteckend, später wurde sie als Quecksilbervergiftung erkannt.

Eine chemische Fabrik hatte Quecksilberverbindungen mit dem Abwasser ins Meer eingeleitet. Meerestiere reicherten die giftigen Stoffe in ihren Körpern an. Mit dem Verzehr der Meerestiere nahmen die an der Minamata-Bucht lebenden Menschen über einen längeren Zeitraum Quecksilberdialkyle wie $Hg(C_2H_5)_2$ auf. Quecksilberdialkyle sind wesentlich toxischer als metallisches Quecksilber oder Quecksilbersalze.

Die Folge der Vergiftung sind Seh- und Hörstörungen sowie Störungen der Bewegungskoordination. Es treten auch emotionale Veränderungen und Psychosen auf.

Bei Menschen, die sich vorwiegend von Fisch ernähren, findet man im Blut bis zu 0,8 $\mu g \cdot l^{-1}$ und im Haar bis zu 55 $mg \cdot kg^{-1}$ Quecksilber. Bei den Minamata-Patienten hat man im Blut über 200 $\mu g \cdot l^{-1}$ und im Haar bis zu 100 $mg \cdot kg^{-1}$ Quecksilber gefunden.

Hannover, Feb. 97 (SV). Mischungen, die hauptsächlich aus Silber und Quecksilber sowie Anteilen von Kupfer und Zinn bestehen, lassen sich gut formen, härten nach kurzer Zeit aus und dichten Zahnlöcher perfekt ab. Doch die preiswerten, kurz **Amalgame** genannten Zahnfüllstoffe setzen Quecksilber frei, das sich im Körper ansammelt. Der Münchner Toxikologie DRASCH fand umso größere Mengen des giftigen Schwermetalls in Organen von Föten und Babys, je mehr Amalgamplomben sich im Mund der Mütter befanden.

Vor einigen Monaten erregte Professor KRAUSS vom Institut für Organische Chemie der Universität Tübingen großes Aufsehen, nachdem er in einer groß angelegten Studie viel mehr Quecksilber als bisher vermutet im Speichel von Personen mit Amalgamfüllungen feststellte.

Die Tübinger Forscher ermittelten bei 18000 Proben eine durchschnittliche Quecksilber-Konzentration von 27 Mikrogramm pro Liter Speichel in Ruhe und von 49 Mikrogramm nach dem Kauen. Bei 44 Prozent der Personen lag die tägliche Belastung über dem Grenzwert der Weltgesundheitsorganisation.

Hannover, April 96 (SV). Professor STRUBELT von der Universität Lübeck äußerte auf einer Versammlung deutscher Toxikologen seinen Standpunkt zum Thema Amalgamfüllungen: „Die durch Untersuchungen der letzten Jahre quantifizierten Freisetzungsraten von Quecksilber aus Amalgam liegen jedoch in einem Bereich, der meist unter der Quecksilberbelastung durch die Nahrung liegt und nur bei einer großen Zahl von Amalgamfüllungen diese erreicht oder gar überschreitet. Für den Quecksilbergehalt des Blutes hat deshalb der Fischkonsum eine erheblich größere Bedeutung als das Vorhandensein von Amalgamfüllungen.

Trotz der wissenschaftlich fundierten Meinung der Fachleute haben sich in den letzten Jahren medizinische und zahnmedizinische Außenseiter Gehör verschaffen können, die die Ansicht vertreten, dass die aus Amalgamfüllungen freigesetzten Quecksilbermengen eine toxische Gefahr darstellen und für eine Vielzahl von Gesundheitsstörungen verantwortlich sind. Inzwischen dürfte es eine nicht zu unterschätzende Zahl von Personen geben, die weniger durch die Inhaltsstoffe von Amalgamen, als vielmehr durch die Angst vor diesen krank geworden sind."

Zeitungsmeldungen zu Amalgamfüllungen

EXKURS

Beispiel Dioxin: Wie entsteht Krebs?

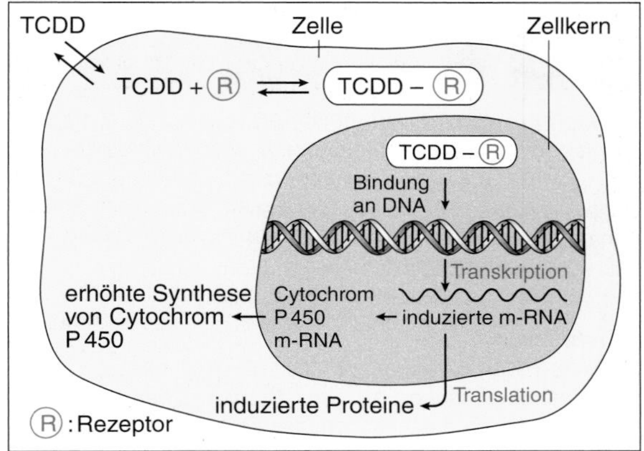

Mechanismus der Wirkung von Dioxinen

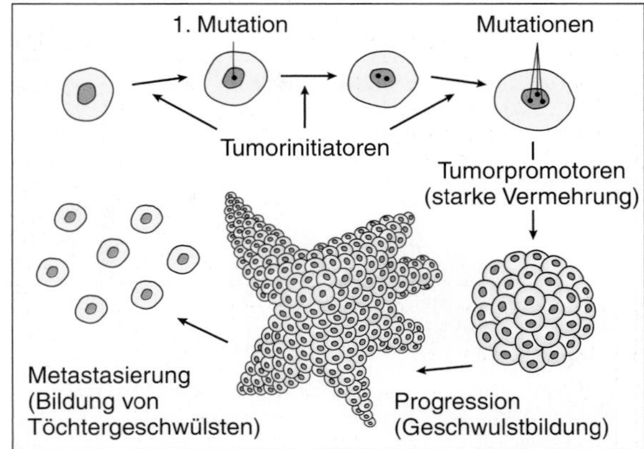

Der lange Weg von der normalen Zelle zum Tumor

Bei den Dioxinen handelt es sich um eine Gruppe von Verbindungen mit gleicher chemischer Grundstruktur, aber sehr unterschiedlichen Wirkungen auf Lebewesen. Unter Berücksichtigung der verschiedenen Gefährdungspotentiale fasst man die Gehalte der einzelnen Dioxine in einer Probe zu einem Gesamtwert zusammen. Bezugsgröße ist die gefährlichste Verbindung, das 2,3,7,8-**T**etra**c**hlor**d**ibenzo**d**ioxin (TCDD). TCDD hat sich im Tierversuch nicht nur als extrem giftig, sondern auch als sehr stark *kanzerogen* herausgestellt.

Wirkung. TCDD-Moleküle sind sehr stabil, sie reichern sich im Fettgewebe an. Es dauert durchschnittlich zehn Jahre, bis die Hälfte des aufgenommenen Dioxins in vom Körper ausscheidbare Verbindungen umgewandelt worden ist.

1 mg = 1000 µg
1 µg = 1000 ng
1 ng = 1000 pg

Wenn TCDD-Moleküle in die Zelle eingedrungen sind, werden sie von Rezeptor-Molekülen gebunden, die auf aromatische Kohlenwasserstoffe spezialisiert sind. Die Dioxin-Rezeptor-Komplexe wandern in den Zellkern und aktivieren dort die Transkription bestimmter Gene der DNA. Die auf diesem Wege verstärkt produzierten Proteine gehören zu dem Enzymkomplex Cytochrom P450. Er besteht aus stark oxidierenden Enzymen, die giftige Schadstoffe wie die Dioxine in ungiftige, wasserlösliche Verbindungen umwandeln. Diese Entgiftungsreaktionen laufen in den Leberzellen ab. Bei plötzlichen, hohen TCDD-Gaben ist das System überlastet, es kommt zu Funktionsstörungen der Leber.
Wie dieser Wirkmechanismus mit der Kanzerogenität von TCDD zusammenhängt, ist ein hochaktuelles Forschungsthema. Man weiß inzwischen, dass freie TCDD-Moleküle die DNA nicht direkt angreifen, dass aber der Dioxin-Rezeptor-Komplex das Zellwachstum beschleunigt. Dadurch kann es indirekt zu bleibenden Schäden in der DNA kommen, die im schlimmsten Fall zu unkontrolliertem Zellwachstum führen können: Dann entwickelt sich ein Krebsgeschwür.

Grenzwerte. Bei der Feststellung von Grenzwerten beginnt der Streit unter den Wissenschaftlern, der bis in die Öffentlichkeit hinein wirkt. Würde TCDD oder der TCDD-Rezeptor-Komplex direkte Schäden an der DNA anrichten, dann wäre TCDD ein extrem gefährlicher *Tumorinitiator.* Schon aus der ersten Mutation im DNA-Strang könnte sich im Laufe von Jahrzehnten ein Krebsgeschwür entwickeln, ohne dass sich der Ursprung jemals nachweisen ließe. Die Festsetzung eines Grenzwertes für einen Tumorinitiator ist daher sehr problematisch. Wirkt TCDD dagegen „nur" als *Tumorpromotor,* wäre unterhalb eines Schwellenwertes keine Wirkung mehr festzustellen.

Je nach Standpunkt ergeben sich so die verschiedensten Grenzwerte für die duldbare tägliche Aufnahme. Die amerikanische *Food and Drug Administration* schlägt auf der Basis des Tumorpromotor-Modells $60\ pg \cdot kg^{-1}$ vor, die *Environmental Protection Agency* empfiehlt auf der Basis des Tumorinitiator-Modells mit $0{,}006\ pg \cdot kg^{-1}$ einen 10000fach niedrigeren Wert. Der Grenzwert des *deutschen Bundesinstituts für gesundheitlichen Verbraucherschutz* lässt sich folgendermaßen aus Tierversuchen herleiten: Ratten zeigten bei einer lebenslangen täglichen TCDD-Dosis von $1\ ng \cdot kg^{-1}$ keinerlei Veränderung; mit einem Sicherheitsfaktor 1000 wegen der kanzerogenen Wirkung des TCDD erhält man so den Grenzwert $1\ pg \cdot kg^{-1}$. Dieser Wert entspricht gerade unserer täglichen Aufnahmemenge – ein Zufall?

In diesem Streit um den Grenzwert kann auch die Wissenschaft kein eindeutiges Urteil fällen. Wir müssen einen eigenen Standpunkt finden. Bei der Einordnung möglicher Gefahren sollte man allerdings den Vergleich mit anderen Krebsursachen nicht scheuen: Falsche Ernährung, Alkohol und Tabak gelten als Ursache für etwa 70 % aller Krebserkrankungen in Deutschland; dagegen liegt der Anteil der Umweltgifte nur bei etwa 3 %. Andererseits bedeutet ein Anteil von 1 % aber schon rund 2000 Krebstote pro Jahr.

Lebensmitteluntersuchungen

Zubereitung von Würsten. Phosphat, Citrat und Lactat werden zugesetzt. Das Eis kühlt die Mischung.

Lebensmitteln werden oft Stoffe zugesetzt, um die Beschaffenheit, das Aussehen oder die Haltbarkeit zu beeinflussen. Zu diesen *Lebensmittelzusatzstoffen* gehören Konservierungsstoffe, Antioxidationsmittel, Emulgatoren, Schmelzsalze und Farbstoffe. Die zugesetzten Mengen sind unterschiedlich groß. Konservierungsstoffe sind in bestimmten Lebensmitteln bis zu 3 g · kg^{-1} enthalten. Der Nachweis von Zusatzstoffen ist daher für Schülerübungen besser geeignet als der Nachweis von *Lebensmittelschadstoffen*, die oft nur in Spuren vorliegen.

Versuch 1: Wirkung von Konservierungsstoffen

      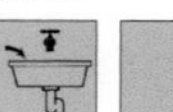

Materialien: Waage, Messzylinder (100 ml), 4 Petrischalen mit Deckel;
Bier, Benzoesäure (Xn), Sorbinsäure, Salicylsäure (Xn)

Durchführung:

1. Lösen Sie 50 mg von jedem Konservierungsstoff in jeweils 50 ml Bier.
2. Füllen Sie die Proben sowie eine Probe unbehandeltes Bier in die vier Petrischalen um. Bewahren Sie die verschlossenen Petrischalen bei Raumtemperatur auf.
3. Kontrollieren Sie eine Woche auf Schimmelpilzbefall.

Aufgabe: Protokollieren Sie die Entwicklung des Schimmels. Welcher Konservierungsstoff wirkt am besten?

Versuch 2: Nachweis von Konservierungsstoffen

Materialien: Chromatografie-Papier, Trennkammer, Messzylinder (25 ml, 100 ml), Becherglas (100 ml), Mikropipetten, Erlenmeyerkolben (100 ml) mit Sprühaufsatz;
Butan-1-ol (Xn), Ethanol (F), schwefelsaure Kaliumpermanganat-Lösung, Ammoniak-Lösung (halbkonz.; C), Sorbinsäure und PHB-Ester (1 % in Ethanol), wässeriger Extrakt aus chemisch konservierten Lebensmitteln

Durchführung:

1. Geben Sie zunächst zu allen Proben einige Tropfen Ammoniak-Lösung. Auf der Startlinie werden nun in Abständen von etwa 3 cm die Proben der Konservierungsstoffe und der Extrakte mit Hilfe der Mikropipetten aufgetragen. Es sollen Flecken mit einem Durchmesser von 2 mm bis 3 mm entstehen.
2. Mischen Sie 100 ml Butan-1-ol mit 20 ml Wasser und 5 ml Ethanol. Geben Sie das Fließmittel in die Trennkammer. Stellen Sie noch ein Becherglas mit Ammoniak-Lösung hinzu und verschließen Sie dann die Kammer mit einem Deckel.
3. Wenn die Flecken getrocknet sind, hängen Sie das Papier ungefähr einen halben Zentimeter tief in das Fließmittel. Die Kammer wird wieder verschlossen.
4. Hat das Fließmittel eine Steighöhe von ungefähr 15 cm erreicht, nehmen Sie das Papier aus der Trennkammer heraus. Markieren Sie die Fließmittelfront und lassen Sie das Papier an der Luft trocknen.
5. Besprühen Sie nun das Chromatogramm mit der schwefelsauren Kaliumpermanganat-Lösung. Anschließend wird im Trockenschrank bei 50 °C getrocknet.

Hinweise: Die Konservierungsstoffe Sorbinsäure und PHB-Ester werden als helle Flecken auf sonst rosa gefärbtem Papier sichtbar.
Benzoesäure, Sorbinsäure und PHB-Ester können auch mit Eisen(III)-chlorid-Lösung nachgewiesen werden. Dazu muss das entwickelte und getrocknete Chromatogramm mit einer Lösung besprüht werden, die Eisen(III)-chlorid (1 %; Xn) und Kaliumhexacyanoferrat(III) (1 %) enthält.

Aufgaben:

a) Ermitteln Sie die R_F-Werte der genannten Konservierungsstoffe.

b) Protokollieren Sie die Farben, die nach dem Besprühen bei den verschiedenen Konservierungsstoffen auftreten.

E-Nr.	Farbstoff	
100	Kurkumin	○
101	Lactoflavin	○
102	Tartrazin	○
110	Gelborange S	●
120	Karminsäure	●

E-Nr.	Farbstoff	
122	Azorubin	●
123	Amaranth	●
124	Cochenillerot	●
127	Erythrosin	●
131	Patentblau V	●

E-Nr.	Farbstoff	
132	Indigotin I	●
140	Chlorophylle	●
151	Brilliantschwarz	●
153	med. Kohle	●
163	Anthocyane	●

E-Nr.	Farbstoff	
160	Carotine	○ ●
161	Xanthophylle	○ ●
162	Beetenrot	●

E-Nummern einiger Lebensmittelfarbstoffe

Versuch 3: Nachweis von Vitamin C in Fruchtsaft und Limonade

Materialien: Bürette, Pipette (25 ml), Pipettierhilfe, Erlenmeyerkolben (100 ml, weit);
2,6-**Di**chlor**p**henol**i**ndo**p**henol-Lösung (0,5 g $\cdot$ l^{-1} DCPIP), Vitamin-C-Lösung (1 g $\cdot$ l^{-1}), Zitronensaft, Hagebuttentee, Limonade

Durchführung:

1. Titrieren Sie 25 ml DCPIP-Lösung mit der Vitamin-C-Lösung bis zur Entfärbung. Auf diese Weise wird ermittelt, wie viel Vitamin C der vorgelegten Menge an DCPIP entspricht.

2. Titrieren Sie anschließend 25 ml DCPIP-Lösung mit Fruchtsaft oder Limonade.

Hinweis: Das blaue DCPIP wird bei diesen Versuchen zu einer farblosen Verbindung reduziert.

Aufgaben:

a) Berechnen Sie den Vitamin-C-Gehalt der untersuchten Proben.

b) Vervollständigen Sie die Reaktionsgleichung. Geben Sie auch die Oxidationszahlen an.

$$\text{Ascorbinsäure (Vitamin C)} + 2\,H_2O \rightleftharpoons \text{Dehydroascorbinsäure} + 2\,H_3O^+ + \square\, e^-$$

Versuch 4: Nachweis von Phosphat in Cola

Materialien: Messzylinder (100 ml), Messpipetten (10 ml, 1 ml), Pipettierhilfe, 2 Bechergläser (250 ml);
Ammoniummolybdat-Lösung (1 g $(NH_4)_6Mo_7O_{24} \cdot 4\,H_2O$ in 10 ml Wasser lösen und 30 ml Schwefelsäure (50 %; C) zugeben), Zinnchlorid-Lösung (0,1 g $SnCl_2 \cdot 2\,H_2O$ (Xn) in 8 ml konz. Salzsäure (C)), Salzsäure (konz.; C), Cola

Durchführung:

1. Verdünnen Sie das Getränk in zwei Schritten 200fach.

2. Fügen Sie zu 100 ml der verdünnten Lösung 1 ml Ammoniummolybdat-Lösung und 0,2 ml Zinnchlorid-Lösung zu.

Hinweise:

a) Je nach Phosphatgehalt ist die Lösung mehr oder weniger intensiv blau gefärbt.

b) Für eine *quantitative Auswertung* mit dem Photometer wird die Extinktion bei 730 nm gegen das verdünnte Getränk ohne Reagenzienzusatz als Blindprobe bestimmt. Für die Eichkurve benötigt man Lösungen aus Kaliumdihydrogenphosphat (0,5 mg $\cdot$ l^{-1} bis 5 mg $\cdot$ l^{-1} Phosphat).

Versuch 5: Isolierung von Lebensmittelfarbstoffen

Materialien: 2 Bechergläser (100 ml), Glasstab, Messzylinder (25 ml), Trichter, Filtrierpapier, Faden aus ungefärbter Schafwolle, Pinzette, Siedesteinchen;
Weinsäure, Ammoniak-Lösung (5 %; Xi), Petrolether (F), gefärbte Bonbons (z. B. Smarties)

Durchführung:

1. Geben Sie sechs gleichfarbige Bonbons in ein Becherglas und fügen Sie 10 ml Wasser hinzu. Rühren Sie so lange mit dem Glasstab, bis der Rückstand keinen Farbstoff mehr enthält.

2. Man filtriert die nicht gelösten Bestandteile ab und löst im farbigen Filtrat eine Spatelspitze Weinsäure auf.

3. Geben Sie ein Siedesteinchen sowie den entfetteten Wollfaden hinzu und erhitzen Sie unter ständigem Rühren so lange, bis der Faden die meiste Farbe aufgenommen hat.

4. Nehmen Sie den Faden mit der Pinzette heraus und spülen Sie ihn mehrfach unter fließendem Wasser aus (dazwischen stark auspressen).

5. Der gereinigte Faden wird in einem Becherglas mit 10 ml Ammoniak-Lösung zum Sieden erhitzt und so lange gerührt, bis der Farbstoff fast völlig in Lösung gegangen ist.

6. Nehmen Sie den Faden mit der Pinzette heraus, geben Sie ein Siedesteinchen hinzu und dampfen Sie die Farbstofflösung auf ein Volumen von 1 ml ein.

Versuch 6: Nachweis von Lebensmittelfarbstoffen

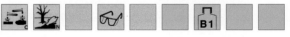

Materialien: Trennkammer, Glaskapillaren, Föhn, DC-Folie (Cellulose);
Lösungen von Lebensmittelfarbstoffen, *Fließmittel:* 4 Teile Natriumacetat-Lösung (25 %) und ein Teil Ammoniak-Lösung (25 %; C, N)

Durchführung:

1. Füllen Sie das Fließmittel 1 cm hoch in die Trennkammer und verschließen Sie das Gefäß.

2. Markieren Sie auf der DC-Folie mit einem Bleistift 1,5 cm vom unteren Rand entfernt die Startlinie. Tragen Sie die Lösungen in 1 cm Abstand mehrfach auf die Startlinie auf. Trocknen Sie jedes Mal mit dem Föhn.

3. Stellen Sie die DC-Folie in die Trennkammer und verschließen Sie die Kammer.

4. Nehmen Sie die DC-Folie nach 20 Minuten aus der Kammer und trocknen Sie die Folie mit dem Föhn.

20.9 Arzneimittel – Wirkung auf den Menschen

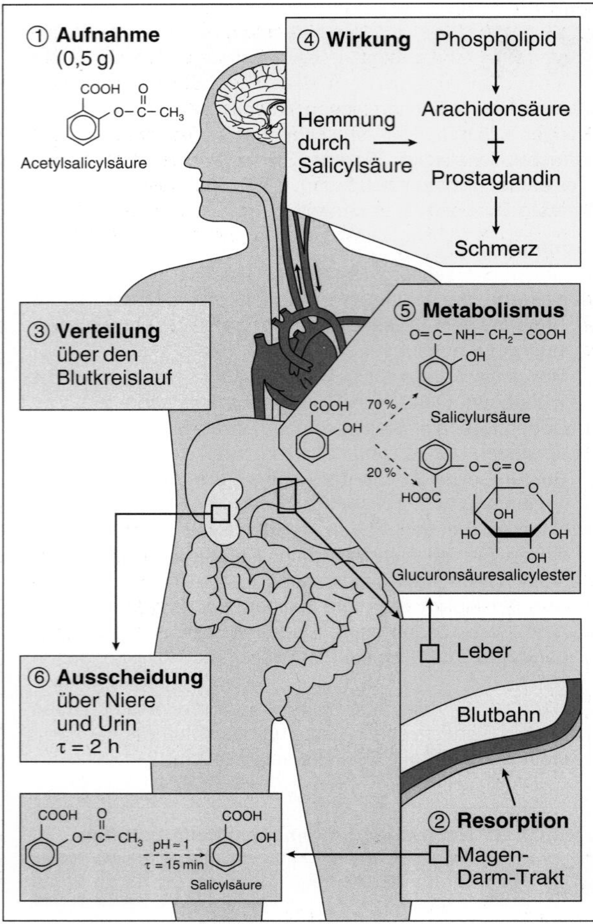

1. Aspirin im menschlichen Körper

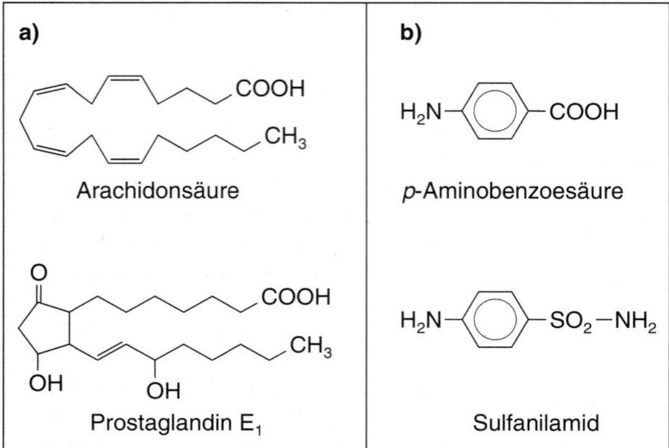

2. Strukturformeln von körpereigenen Stoffen (a); Vergleich der Molekülstrukturen von *p*-Aminobenzoesäure und Sulfanilamid (b)

In Deutschland nimmt jeder Erwachsene in einem Jahr durchschnittlich über tausend Mal ein Medikament ein. Dieser Verbrauch wird allgemein als zu hoch angesehen. Oft ist in diesem Zusammenhang die Rede von Arzneimittelmissbrauch und von Arzneimittelsucht (pharmakologische Abhängigkeit).

Weit verbreitet ist die Selbstmedikation mit Kopfschmerzmitteln und Abführmitteln. Die gesundheitlichen Risiken werden dabei oft unterschätzt. Die in Schmerzmitteln enthaltenen Salicylsäure-Derivate können, insbesondere bei gleichzeitigem Alkoholgenuss, zu Magenblutungen führen. Die regelmäßige Einnahme von Abführmitteln stört vor allem den Elektrolythaushalt. Besser wäre es, Kopfschmerzen und Verdauungsstörungen zu vermeiden, indem man sich ausgewogen und gesund ernährt.

Arzneimittelwirkung. Die therapeutische Wirkung von Arzneimitteln beruht auf dem Einfluss der Wirkstoffe auf den Organismus. Dabei treten die Wechselwirkungen an ganz bestimmten Stellen im Körper ein.

Hat man innere oder äußere Verletzungen, so werden sich mit großer Wahrscheinlichkeit drei Folgen einstellen: Schmerz, Entzündung und Fieber. Diese Phänomene werden durch die verstärkte Synthese von *Prostaglandinen* ausgelöst. Prostaglandine entstehen im Organismus durch Oxidation und Cyclisierung von Arachidonsäure. Sie sensibilisieren die Schmerzrezeptoren und setzen entzündungsfördernde Enzyme frei. Prostaglandine erhöhen außerdem die Durchblutung im Bereich des verletzten Gewebes.

Salicylsäure und deren Derivate hemmen die Synthese von Prostaglandinen. Die eigentliche Wirkung beruht darauf, dass die Carboxyl-Gruppe in der Salicylsäure mit einem unpolaren aromatischen Rest kombiniert ist. Der Wirkstoff kann sich wegen dieser Struktur in der Zellmembran anreichern und dort die Synthese von Prostaglandinen stören. **Acetylsalicylsäure** (Aspirin) und andere Stoffe mit der typischen Struktur aus Carboxyl-Gruppe und hydrophobem Rest haben daher eine schmerzstillende, entzündungshemmende und fiebersenkende Wirkung.

Gegen bakterielle Infektionen werden oft **Sulfonamide** eingesetzt. Sie sind sehr ähnlich gebaut wie *p*-Aminobenzoesäure, ein wichtiges Stoffwechselprodukt der Bakterien. Vermehrung und Ausbreitung von Bakterien werden daher durch Sulfonamide gestört.

Galenik. Der römische Arzt GALEN (131 n. Chr.–201 n. Chr.) beschäftigte sich als erster mit der Entwicklung des Arzneimittels aus dem Wirkstoff. Zuerst muss für den Wirkstoff eine geeignete *Darreichungsform* gefunden werden: zum Beispiel als Salbe für die Haut, als Tablette zum Schlucken oder als Suspension zum Spritzen. In der Regel werden *Hilfsstoffe* zugesetzt: Stärke als Wirkstoffträger, Zucker als Geschmacksstoff, Vitamin C als Antioxidationsmittel.

PRAKTIKUM

Rund ums Aspirin

Versuch 1: Zusammensetzung von Aspirin

   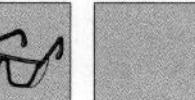  

Materialien: Tropfpipetten, Reibschale mit Pistill, Brenner; Salicylsäure (Xn), Aspirin, Eisen(III)-chlorid-Lösung (0,1 $mol \cdot l^{-1}$), Natronlauge (2 %; C), Salzsäure (verd.), Iod-Lösung (0,1 $mol \cdot l^{-1}$)

Durchführung:

1. Geben Sie zu einer Spatelspitze Salicylsäure einige Tropfen Eisen(III)-chlorid-Lösung.

2. Pulverisieren Sie eine Aspirintablette. Versetzen Sie eine Spatelspitze des Pulvers mit einigen Tropfen Eisen(III)-chlorid-Lösung.

3. Erhitzen Sie eine Spatelspitze pulverförmiges Aspirin einige Minuten mit 1 ml Natronlauge. Lassen Sie das Reaktionsgemisch abkühlen, neutralisieren Sie dann mit Salzsäure und geben Sie zuletzt einige Tropfen Eisen(III)-chlorid-Lösung hinzu.

4. Ein Teil einer Aspirintablette wird mit 5 ml Wasser in einem Reagenzglas erhitzt. Nach dem Abkühlen gibt man wässerige Iod-Lösung hinzu.

Aufgaben:

a) Welcher *Wirkstoff* wird mit der Eisen(III)-chlorid-Lösung nachgewiesen?

b) Welcher *Hilfsstoff* wird mit der Iod-Lösung nachgewiesen?

Versuch 2: Synthese von Acetylsalicylsäure

Materialien: Waage, Tropfpipette, Pipette (5 ml), Erlenmeyerkolben (100 ml), Becherglas (250 ml), Wasserbad, Absaugflasche mit Glasfritte, Wasserstrahlpumpe, Trockenschrank;
Salicylsäure (Xn), Essigsäureanhydrid (C), Schwefelsäure (konz.; C)

Durchführung:

1. Vermischen Sie in dem Erlenmeyerkolben 2 g Salicylsäure mit 5 ml Essigsäureanhydrid, fügen Sie fünf Tropfen Schwefelsäure zu und erhitzen Sie das Gemisch zwei Minuten im siedenden Wasserbad.

2. Hydrolysieren Sie überschüssiges Anhydrid in der heißen Lösung mit einigen Tropfen Wasser. Gießen Sie das Gemisch anschließend in 100 ml Wasser.

3. Saugen Sie den Niederschlag ab und waschen Sie mehrmals mit kaltem Wasser. Trocknen Sie das Produkt über Nacht bei 90 °C.

Aufgaben:

a) Stellen Sie die Reaktionsgleichung für die Synthese auf.

b) Beschreiben Sie den Reaktionsmechanismus.

Versuch 3: Bestimmung des Gehalts an Acetylsalicylsäure

 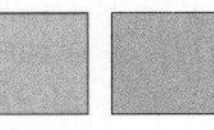   

Materialien: Waage, Becherglas (250 ml), Brenner mit Dreifuß und Drahtnetz, Messkolben (250 ml), Pipette (25 ml), Erlenmeyerkolben (100 ml), Bürette (25 ml); Aspirintablette (etwa 1 g), Natronlauge (1 $mol \cdot l^{-1}$; C), Salzsäure (0,1 $mol \cdot l^{-1}$), Phenolphthalein

Durchführung:

1. Wiegen Sie die Tablette.

2. Erhitzen Sie die Tablette zehn Minuten mit 25 ml Natronlauge.

3. Geben Sie die Lösung in den Messkolben und füllen Sie mit Wasser auf 250 ml auf.

4. Titrieren Sie 25 ml der Lösung mit Salzsäure.

Aufgaben:

a) Stellen Sie die Reaktionsgleichung auf.

b) Beschreiben Sie den Reaktionsmechanismus.

c) Bestimmen Sie den Gehalt an Acetylsalicylsäure in der Tablette.

EXKURS

Ecstasy – das giftige Glück

Die besonderen Wirkungen von Ecstasy, XTC oder 3,4-**M**ethylen**d**ioxy**m**eth**a**mphetamin sind schon seit langem bekannt. Es wurde 1914 in Deutschland als Appetitzügler entwickelt, in den 1970er Jahren von den Hippies als Halluzinogen neu entdeckt und gilt heute als **die** Partydroge.
Ecstasy gehört chemisch zu den Amphetaminen. Die Wirkung beruht auf der mit dem Hormon Adrenalin vergleichbaren Struktur der Moleküle. Adrenalin wird in Stresssituationen vom Nebennierenmark ausgeschüttet und aktiviert den Körper auf vielfältige Weise.

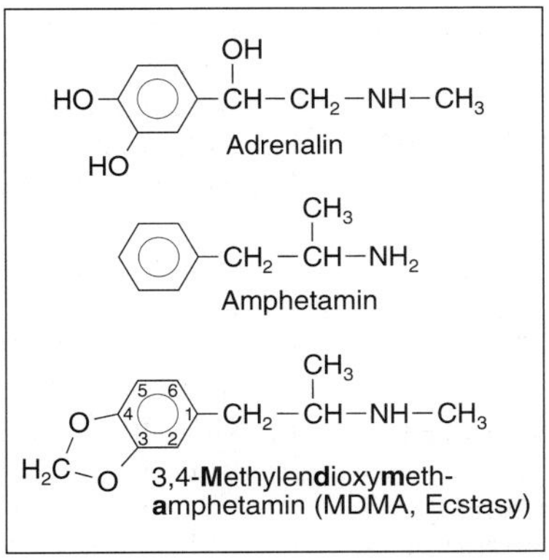

Adrenalin

Amphetamin

3,4-**M**ethylen**d**ioxy**m**eth**a**mphetamin (MDMA, Ecstasy)

Das erste Symptom ist ein Anstieg der Körpertemperatur. Dann kommt der Bewegungsdrang: Ecstasy wirkt stark aufputschend. Nach einer halben Stunde setzen psychische Wirkungen ein: „Ecstasy hilft bei der Angstbewältigung. Alles passt harmonisch zusammen. Es ist nur noch schön.“
Hyperaktivität und Glücksgefühl haben allerdings ihren Preis: Alarmsignale des Körpers werden übersehen, giftige Abbauprodukte verursachen Nervenschäden im Gehirn. Das Suchtpotential ist sehr hoch, es besteht die Gefahr der psychischen Abhängigkeit.

20.10 Aufgaben · Versuche · Probleme

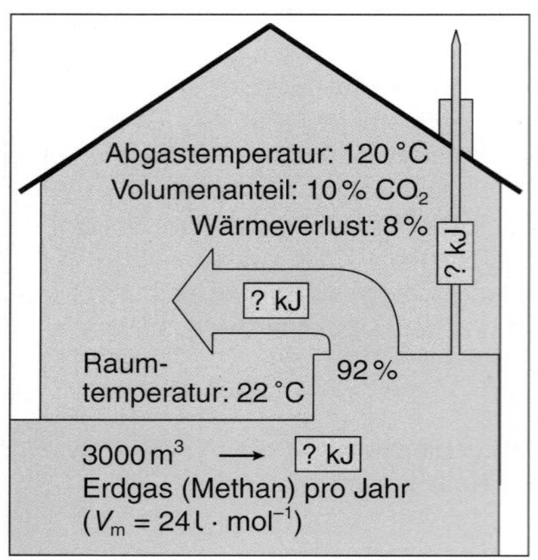

Aufgabe 1: **a)** Berechnen Sie die Wärmemenge, die beim Verbrennen von 3000 m^3 Methan frei wird.
b) Wie viel Kilojoule Wärme gehen in dem angegebenen Beispiel jährlich ungenutzt durch den Schornstein?

Aufgabe 2: In leichtem Heizöl dürfen bis zu 0,2 % Schwefel gebunden sein. Wie viel Schwefeldioxid gibt ein Haushalt bei einem Verbrauch von 5000 kg Heizöl maximal pro Jahr in die Luft ab?

Aufgabe 3: **a)** Berechnen Sie für den Ozon-Grenzwert von 180 $\mu g \cdot m^3$ die Anzahl der Ozon-Moleküle pro cm^3.
b) Vergleichen Sie das Ergebnis mit der Ozon-Konzentration in der Ozonschicht (etwa 10^{12} Teilchen pro cm^3).

Aufgabe 4: **a)** Informieren Sie sich über den CSB-Wert und seine Bestimmung.
b) Bei der CSB-Bestimmung einer 100-ml-Wasserprobe werden zur vollständigen Oxidation der organischen Verunreinigungen 20 ml Kaliumdichromat-Lösung (0,02 mol · l^{-1}) verbraucht. Berechnen Sie den gesamten chemischen Sauerstoffbedarf einer Abwassermenge von 1500 m^3 (1 ml Kaliumdichromat-Lösung ≙ 0,96 mg O_2).

Aufgabe 5: Für ein Feld der Größe eines Hektars wird der Düngemittelbedarf für den geplanten Kartoffelanbau festgestellt. Er entspricht 110 kg N, 20 kg P_2O_5 und 200 kg K_2O. Als Mineraldünger stehen folgende Salze zur Verfügung: KCl, $(NH_4)_2HPO_4$, NH_4NO_3.
Berechnen Sie die Masse und die Zusammensetzung einer geeigneten Düngemittelmischung.

Versuch 1: Nitratgehalt
Untersuchen Sie die wässerigen Extrakte der folgenden Proben mit Nitrat-Teststäbchen:
a) 10 g Boden werden mit 100 ml Wasser gerührt. Anschließend wird filtriert.
b) Kopfsalat, Radieschen oder Karotten werden zerkleinert und mit etwas Wasser vermischt. Danach wird der Brei filtriert.
c) Einige Stückchen Pökelfleisch werden mit etwas Wasser erhitzt. Anschließend wird filtriert.

Versuch 2: Phosphat-Eliminierung
a) Geben Sie zu einer Kaliumhydrogenphosphat-Lösung einige Tropfen Eisen(III)-chlorid-Lösung.
b) Wiederholen Sie den Versuch in stark saurer und stark alkalischer Lösung.
Aufgaben: **a)** Formulieren Sie die Reaktionsgleichung.
b) Deuten Sie die pH-Abhängigkeit der Reaktion.

Versuch 3: Zersetzung von PVC
a) Geben Sie einige PVC-Stückchen in ein Verbrennungsrohr. Verbinden Sie das Rohr mit einer Waschflasche, die mit 40 ml Silbernitrat-Lösung (1 %) gefüllt ist.
Verbrennen Sie die PVC-Stückchen und saugen Sie die Abgase mit einer Wasserstrahlpumpe durch die Waschflasche.
b) Ersetzen Sie in einem zweiten Versuch die Silbernitrat-Lösung durch 40 ml Natronlauge (0,01 %) mit etwas Methylrot.
Aufgaben: **a)** Welche Teilchen werden jeweils nachgewiesen?
b) Welche Verbindung wird beim Verbrennen von PVC (Polyvinylchlorid) freigesetzt?

Versuch 4: Komplexierung von Blei-Ionen
a) Versetzen Sie 1 ml Bleinitrat-Lösung (1 %; T) mit 1 ml Kaliumiodid-Lösung (1 %).
b) Geben Sie zu 1 ml Bleinitrat-Lösung 1 ml Ethylendiamintetraacetat-Lösung (Na_2H_2edta; 0,1 mol · l^{-1}) und fügen Sie dann Kaliumiodid-Lösung zu.
Aufgaben: **a)** Formulieren Sie für die Reaktion mit Kaliumiodid die Reaktionsgleichung.
b) Beschreiben Sie die Wirkung des edta-Salzes.

Anwendung des Quecksilbers. Das Quecksilber ist für die Wissenschaft ganz unentbehrlich. Man würde ohne dasselbe keins der davon nicht absorbierbaren Gase kennen und die ganze Wärmelehre und die Lehre vom Luftdruck würden auf einem sehr niedrigen Standpunkte sich befinden. Nicht minder wichtig ist das Quecksilber für die Technik; dasselbe dient unter Anderem zum Ausziehen der edlen Metalle aus Erzen, zur Feuervergoldung, zum Spiegelbelegen, sowie zu einer grossen Reihe für technische und medizinische Zwecke wichtiger Präparate.

Problem 1: Welche Verwendung für Quecksilber finden Sie in dem angegebenen Text aus einem alten Chemiebuch (1854)?

Problem 2: Bei den Vorschriften zum Schutz der Umwelt gibt es neben den Gesetzen auch Verordnungen und Verwaltungsvorschriften.
a) Welche prinzipiellen Unterschiede bestehen zwischen einem Gesetz, einer Verordnung und einer Verwaltungsvorschrift?
b) Wie bezeichnet man vergleichbare Bestimmungen einer Kommune?

Problem 3: **a)** Welche Probleme entstehen durch zu hohe Phosphat-Konzentrationen in den Gewässern?
b) Welche Quellen der Phosphatbelastung unserer Gewässer kennen Sie?
c) Informieren Sie sich über die Auswirkungen der Phosphathöchstmengenverordnung von 1980.
d) Wie stehen Sie zu dem Vorschlag, Phosphate in Reinigungsmitteln heute wieder zuzulassen?

Problem 4: Nitritpökelsalz enthält 0,5 % bis 0,6 % Natriumnitrit und bis zu 1 % Natriumnitrat. Der Hauptbestandteil ist Kochsalz.
Der Fleischfarbstoff Myoglobin reagiert mit Nitrit-Ionen zu dem stabilen roten Pökelfarbstoff Nitrosomyoglobin.
a) Weshalb wird Nitritpökelsalz verwendet?
b) Welche gesundheitlichen Probleme werden im Zusammenhang mit Nitrit in Lebensmitteln diskutiert?
c) Überprüfen Sie das Wurstangebot Ihres Metzgers auf Sorten mit Nitritpökelsalz.

Chemie und Umwelt

1. Luftbelastung

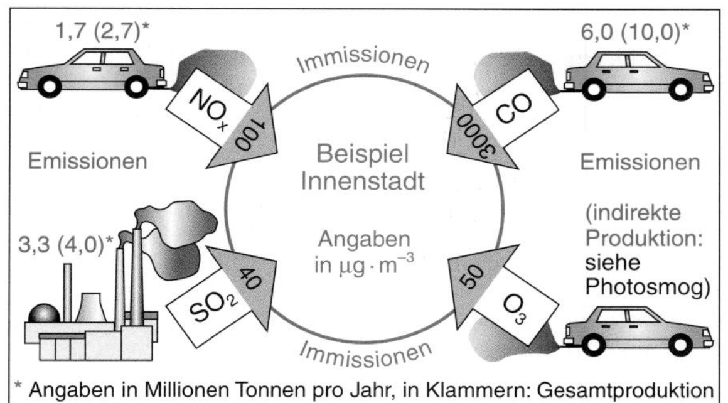

* Angaben in Millionen Tonnen pro Jahr, in Klammern: Gesamtproduktion

2. Treibhauseffekt

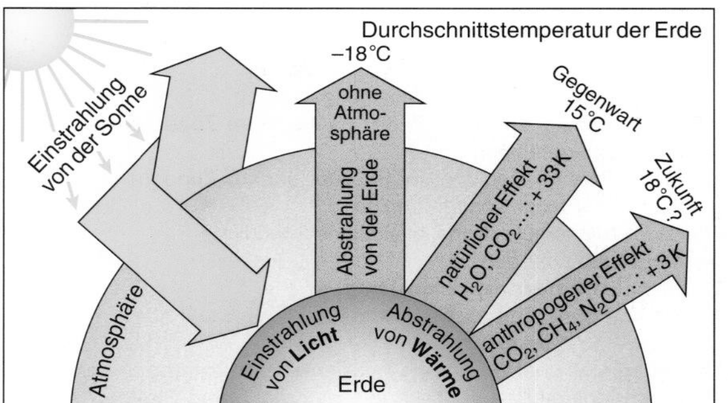

3. Photosmog

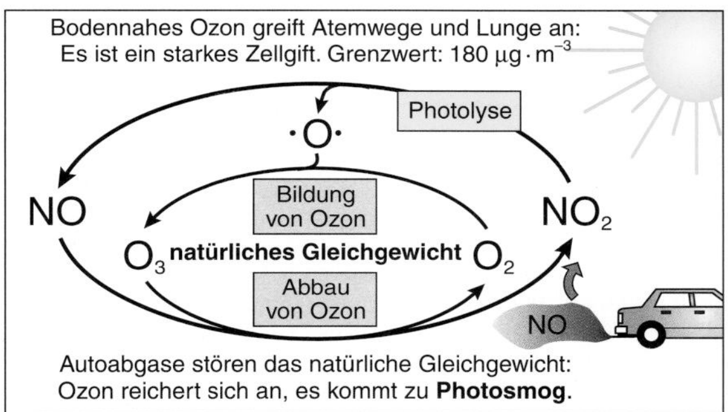

4. Ozonschicht

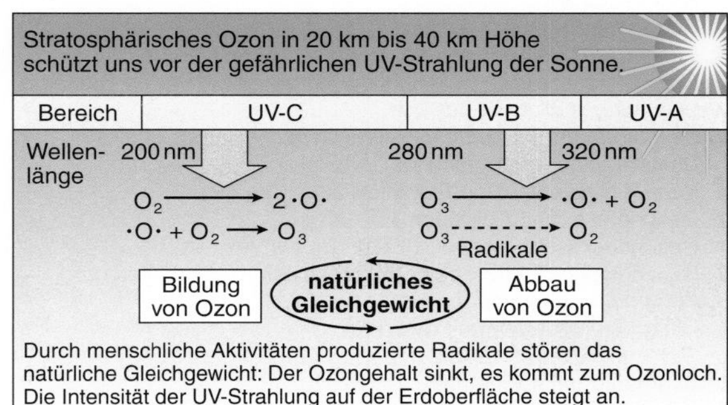

5. Wasserbelastung und ihre Folgen

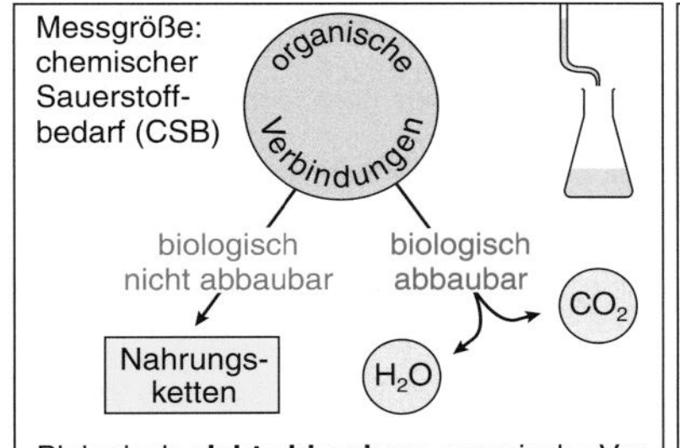

Biologisch **nicht abbaubare** organische Verbindungen reichern sich in der Umwelt an. Im Extremfall kommt es zu **Erkrankungen**.

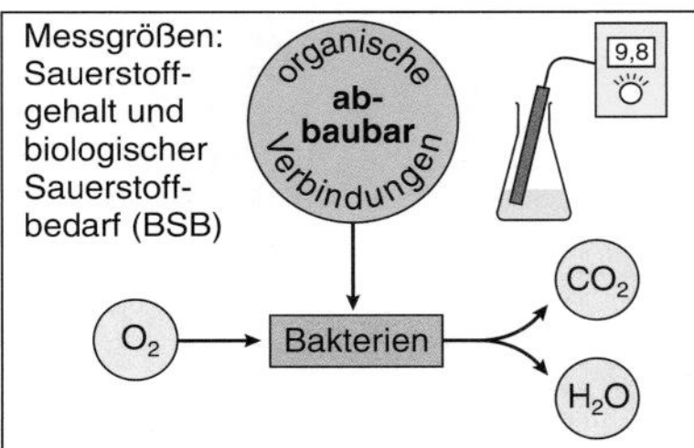

Biologisch **abbaubare** organische Verbindungen setzen indirekt über die Bakterien den Sauerstoffgehalt in Gewässern herab. Im Extremfall kommt es zum **Fischsterben**.

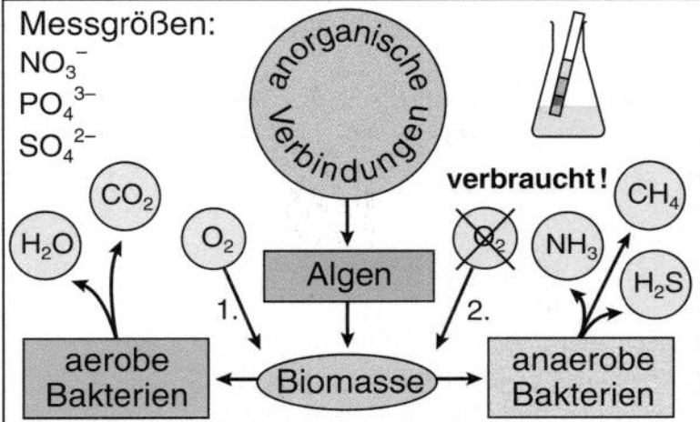

Eutrophierung: Das Gewässer wird überdüngt. Es kommt zur **Algenblüte**. Der Sauerstoffgehalt reicht nicht mehr zum Abbau der Algen-Biomasse. Das Gewässer kippt um.

6. Lebensmittelbelastung

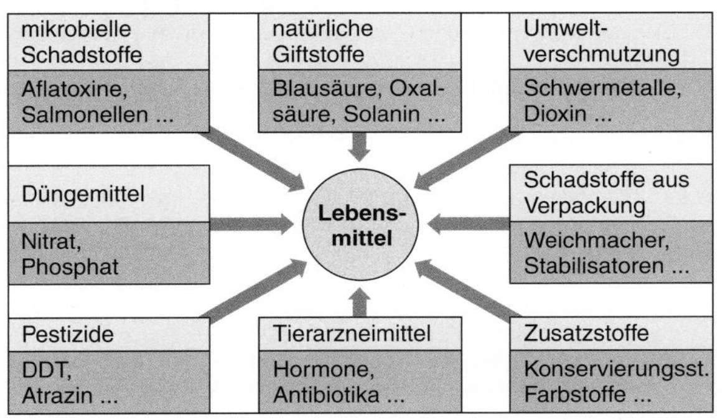

7. Nahrungsketten

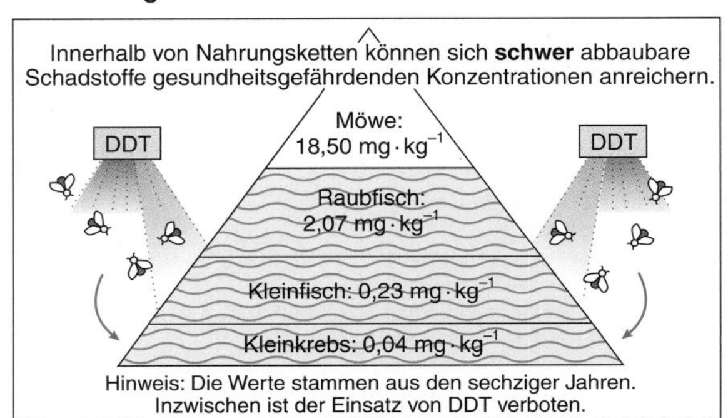

Hinweis: Die Werte stammen aus den sechziger Jahren. Inzwischen ist der Einsatz von DDT verboten.

Gefahrenhinweise und Sicherheitsratschläge für gefährliche Stoffe

Gefahrenhinweise (R-Sätze)

Diese Hinweise geben in einer ausführlicheren Weise als die Gefahrensymbole Auskunft über die Art der Gefahr.

R 1 In trockenem Zustand explosionsgefährlich
R 2 Durch Schlag, Reibung, Feuer oder andere Zündquellen explosionsgefährlich
R 3 Durch Schlag, Reibung, Feuer oder andere Zündquellen besonders explosionsgefährlich
R 4 Bildet hochempfindliche explosionsgefährliche Metallverbindungen
R 5 Beim Erwärmen explosionsfähig
R 6 Mit und ohne Luft explosionsfähig
R 7 Kann Brand verursachen
R 8 Feuergefahr bei Berührung mit brennbaren Stoffen
R 9 Explosionsgefahr bei Mischung mit brennbaren Stoffen
R 10 Entzündlich
R 11 Leichtentzündlich
R 12 Hochentzündlich
R 14 Reagiert heftig mit Wasser
R 15 Reagiert mit Wasser unter Bildung hochentzündlicher Gase
R 16 Explosionsgefährlich in Mischung mit brandfördernden Stoffen
R 17 Selbstentzündlich an der Luft
R 18 Bei Gebrauch Bildung explosionsfähiger/leichtentzündlicher Dampf-Luftgemische möglich
R 19 Kann explosionsfähige Peroxide bilden
R 20 Gesundheitsschädlich beim Einatmen
R 21 Gesundheitsschädlich bei Berührung mit der Haut
R 22 Gesundheitsschädlich beim Verschlucken
R 23 Giftig beim Einatmen
R 24 Giftig bei Berührung mit der Haut
R 25 Giftig beim Verschlucken
R 26 Sehr giftig beim Einatmen
R 27 Sehr giftig bei Berührung mit der Haut
R 28 Sehr giftig beim Verschlucken
R 29 Entwickelt bei Berührung mit Wasser giftige Gase
R 30 Kann bei Gebrauch leicht entzündlich werden
R 31 Entwickelt bei Berührung mit Säure giftige Gase
R 32 Entwickelt bei Berührung mit Säure sehr giftige Gase
R 33 Gefahr kumulativer Wirkungen
R 34 Verursacht Verätzungen
R 35 Verursacht schwere Verätzungen
R 36 Reizt die Augen
R 37 Reizt die Atmungsorgane
R 38 Reizt die Haut
R 39 Ernste Gefahr irreversiblen Schadens
R 40 Irreversibler Schaden möglich
R 41 Gefahr ernster Augenschäden
R 42 Sensibilisierung durch Einatmen möglich
R 43 Sensibilisierung durch Hautkontakt möglich
R 44 Explosionsgefahr bei Erhitzen unter Einschluß
R 45 Kann Krebs erzeugen
R 46 Kann vererbbare Schäden verursachen
R 48 Gefahr ernster Gesundheitsschäden bei längerer Exposition
R 49 Kann Krebs erzeugen beim Einatmen
R 50 Sehr giftig für Wasserorganismen
R 51 Giftig für Wasserorganismen
R 52 Schädlich für Wasserorganismen
R 53 Kann in Gewässern längerfristig schädliche Wirkungen haben
R 54 Giftig für Pflanzen
R 55 Giftig für Tiere
R 56 Giftig für Bodenorganismen
R 57 Giftig für Bienen
R 58 Kann längerfristig schädliche Wirkungen auf die Umwelt haben
R 59 Gefährlich für die Ozonschicht
R 60 Kann die Fortpflanzungsfähigkeit beeinträchtigen
R 61 Kann das Kind im Mutterleib schädigen
R 62 Kann möglicherweise die Fortpflanzungsfähigkeit beeinträchtigen
R 63 Kann das Kind im Mutterleib möglicherweise schädigen
R 64 Kann Säuglinge über die Muttermilch schädigen
R 65 Kann beim Verschlucken zu Lungenschädigungen führen

Sicherheitsratschläge (S-Sätze)

Hier werden Empfehlungen gegeben, wie Gesundheitsgefahren beim Umgang mit gefährlichen Stoffen abgewehrt werden können.

S 1 Unter Verschluß aufbewahren
S 2 Darf nicht in die Hände von Kindern gelangen
S 3 Kühl aufbewahren
S 4 Von Wohnplätzen fernhalten
S 5 Unter ... aufbewahren (geeignete Flüssigkeit v. H. a.)
S 6 Unter ... aufbewahren (inertes Gas v. H. a.)
S 7 Behälter dicht geschlossen halten
S 8 Behälter trocken halten
S 9 Behälter an einem gut gelüfteten Ort aufbewahren
S 12 Behälter nicht gasdicht verschließen
S 13 Von Nahrungsmitteln, Getränken und Futtermitteln fernhalten
S 14 Von ... fernhalten (inkompatible Substanzen v. H. a.)
S 15 Vor Hitze schützen
S 16 Von Zündquellen fernhalten – Nicht rauchen
S 17 Von brennbaren Stoffen fernhalten
S 18 Behälter mit Vorsicht öffnen und handhaben
S 20 Bei der Arbeit nicht essen und trinken
S 21 Bei der Arbeit nicht rauchen
S 22 Staub nicht einatmen
S 23 Gas/Rauch/Dampf/Aerosol nicht einatmen
S 24 Berührung mit der Haut vermeiden
S 25 Berührung mit den Augen vermeiden
S 26 Bei Berührung mit den Augen sofort gründlich mit Wasser abspülen und Arzt konsultieren
S 27 Beschmutzte, getränkte Kleidung sofort ausziehen
S 28 Bei Berührung mit der Haut sofort abwaschen mit viel ... (v. H. a.)
S 29 Nicht in die Kanalisation gelangen lassen
S 30 Niemals Wasser hinzugießen
S 33 Maßnahmen gegen elektrostatische Aufladungen treffen
S 35 Abfälle und Behälter müssen in gesicherter Weise beseitigt werden
S 36 Bei der Arbeit geeignete Schutzkleidung tragen
S 37 Geeignete Schutzhandschuhe tragen
S 38 Bei unzureichender Belüftung Atemschutzgerät anlegen
S 39 Schutzbrille/Gesichtsschutz tragen
S 40 Fußboden und verunreinigte Gegenstände mit ... reinigen (Material v. H. a.)
S 41 Explosions- und Brandgase nicht einatmen
S 42 Beim Räuchern/Versprühen geeignetes Atemschutzgerät anlegen
S 43 Zum Löschen ... (v. H. a.) verwenden (wenn Wasser die Gefahr erhöht, anfügen: „Kein Wasser verwenden")
S 45 Bei Unfall oder Unwohlsein sofort den Arzt hinzuziehen (wenn möglich, dieses Etikett vorzeigen)
S 46 Bei Verschlucken sofort ärztlichen Rat einholen und Verpackung oder Etikett vorzeigen
S 47 Nicht bei Temperaturen über ... °C aufbewahren (v. H. a.)
S 48 Feucht halten mit ... (geeignetes Mittel v. H. a.)
S 49 Nur im Originalbehälter aufbewahren
S 50 Nicht mischen mit ... (v. H. a.)
S 51 Nur in gut gelüfteten Bereichen verwenden
S 52 Nicht großflächig für Wohn- und Aufenthaltsräume zu verwenden
S 53 Exposition vermeiden – vor Gebrauch besondere Anweisungen einholen
S 56 Diesen Stoff und seinen Behälter der Problemabfallentsorgung zuführen
S 57 Zur Vermeidung einer Kontamination der Umwelt geeigneten Behälter verwenden
S 59 Information zur Wiederverwendung/Wiederverwertung beim Hersteller/Lieferanten erfragen
S 60 Dieser Stoff und sein Behälter sind als gefährlicher Abfall zu entsorgen
S 61 Freisetzung in die Umwelt vermeiden. Besondere Anweisungen einholen/Sicherheitsdatenblatt zu Rate ziehen
S 62 Bei Verschlucken kein Erbrechen herbeiführen. Sofort ärztlichen Rat einholen und Verpackung oder dieses Etikett vorzeigen

---

v. H. a. = vom Hersteller anzugeben

Stoffliste

Anmerkungen

1. Angaben zur Kennzeichnung von Stoffen
Für einige der aufgeführten Stoffe liegt keine verbindliche Kennzeichnung vor. Kennzeichnungen der Hersteller sind z. T. nicht einheitlich. In diesen Fällen wird eine tendenziell strenge Kennzeichnung in *eckigen Klammern* angegeben.
Beispiel: Cobalt(II)-chlorid · 6 H_2O: [T]

2. Angaben zur Kennzeichnung von Zubereitungen
Für Stoffe, von denen *stabile wässerige Lösungen* eingesetzt und häufig bereitgehalten werden, ist eine Kennzeichnung der Zubereitung angegeben worden.
Soweit für die betreffenden Substanzen in der Liste der gefährlichen Stoffe nach § 4a GefStoffV vom 15. 04. 1997 keine speziellen Angaben enthalten sind, wurden die Regeln nach Anhang II der GefStoffV angewendet.
Angaben in *runden Klammern* weisen darauf hin, dass dieser Massenanteil in einer wässerigen Lösung nicht erreicht wird.

Substanz	Kennzeichnung	
	Stoff	Zubereitung
Adipinsäure/Hexamethylendiamin-Gemisch		Xi
Aluminiumgries	F	
Ammoniak-Lösung		$w \geq 25$ %: C, N $w \geq 10$ %: C 5 % $\leq w < 10$ %: Xi
Ammoniumchlorid	Xn	$w \geq 25$ %: Xn
Ammoniumnitrat	[O]	
Ammoniumperoxodisulfat	[O, Xn]	($w \geq 25$ %: Xn)
Ammoniumthiocyanat	[Xn]	$w \geq 25$ %: Xn
Bariumchlorid · 2 H_2O	T	$w \geq 25$ %: T 1 % $\leq w < 25$ %: Xn
Bariumhydroxid · 8 H_2O	[T, C]	($w \geq 25$ %: T) 1 % $\leq w < 25$ %: Xn
Benzaldehyd	Xn	
Benzoesäure	[Xn]	($w \geq 25$ %: Xn)
2,2′-Bipyridin	[Xn]	
Blei (Metall)	[T]	
Blei(II)-iodid	T	($w \geq 0{,}5$ %: T)
Blei(II)-nitrat	T	$w \geq 0{,}5$ %: T
Borsäuretriethylester	[Xn]	
Borsäuretrimethylester	[Xn]	
Brom	T+, C	($w \geq 7$ %: T+) 1 % $\leq w < 7$ %: T 0,1 % $\leq w < 1$ %: Xn
Bromwasser, gesättigt ($w(Br_2) = 3{,}4$ %)		T, Xi
1-Brombutan	[F]	
Bromethan	Xn	
2-Bromethanol	[T+]	
Butan-1-ol	Xn	
Butansäure (Buttersäure)	C	
Buten-2-al (Crotonaldehyd)	F, T	
Calciumcarbid	F	
Calciumchlorid · 6 H_2O bzw. wasserfrei	Xi	$w \geq 20$ %: Xi
Calciumhydroxid	[C]	(5 % $\leq w < 10$ %: Xi)

Substanz	Kennzeichnung	
	Stoff	Zubereitung
Calciumoxid	[C]	
2-Chlor-2-methylpropan	[F]	
Chlorwasser, gesättigt ($w(Cl_2) = 0{,}7$ %)		Xn
Chlorwasserstoff-Gas	C, T	
Chrom(III)-chlorid · 6 H_2O	[Xn]	($w \geq 25$ %: Xn)
Chrom(III)-nitrat · 9 H_2O	[O]	
Cobalt(II)-chlorid · 6 H_2O	[T]	$w \geq 25$ %: T 3 % $\leq w < 25$ %: Xn
Cyclohexan	F	
Cyclohexanol	Xn	
Cyclohexen	[F, Xn]	
1,2-Diaminoethan (Ethylendiamin)	C	$w \geq 10$ %: C 1 % $\leq w < 10$ %: Xn
Dibenzoylperoxid	E, Xi	
1,2-Dibromethan	T, N	($w \geq 0{,}1$ %: T)
Diethylether (Ethoxyethan)	F+	
Diethylsulfat	T	
1,2-Dihydroxybenzol (Brenzcatechin)	Xn	
1,3-Dihydroxybenzol (Resorcin)	Xn, N	$w \geq 10$ %: Xn
1,4-Dihydroxybenzol (Hydrochinon)	Xn	
Dioctylphthalat	[Xn]	
Echtgelbsalz GC	[Xn]	
Eisen(III)-chlorid · 6 H_2O	[Xn]	($w \geq 25$ %: Xn)
Eisen(III)-nitrat · 9 H_2O	[O, Xi]	($w \geq 20$ %: Xi)
Ethanal (Acetaldehyd)	F+, Xn	($w \geq 10$ %: Xn)
Ethan-1,2-diol (Ethylenglykol)	Xn	$w \geq 25$ %: Xn
Ethanol	F	
Ethansäure (Essigsäure)	C	$w \geq 25$ %: C 10 % $\leq w < 25$ %: Xi

Substanz	Kennzeichnung	
	Stoff	Zubereitung
Ethansäureanhydrid (Essigsäureanhydrid)	C	
Ethansäurechlorid (Acetylchlorid)	F, C	
Ethansäureethylester (Essigsäureethylester)	F	
Ethen (Ethylen)	F+	
Ethin (Acetylen)	F+	
Ethylendiamintetraacetat (Na_2H_2edta)	[Xn]	($w \geq 25$ %: Xn)
Formaldehyd-Lösung		$w \geq 25$ %: T 1% $\leq w < 25$ %: Xn 0,2 % $\leq w < 1$ %: Xi
Heizöl	F	
Heptan	F	
Hexamethylendiamin	C	
Kaliumchlorat	O, Xn	($w \geq 25$ %: Xn)
Kaliumchromat (w (Chrom-Ionen))	T, N	$w \geq 0,1$ %: T
Kaliumcyanat	Xn	($w \geq 25$ %: Xn)
Kaliumdichromat (w (Chrom-Ionen))	T+, N	$w \geq 7$ %: T+ 0,1 % $\leq w < 7$ %: T
Kaliumhydroxid	C	$w \geq 2$ %: C 0,5 % $\leq w < 2$ %: Xi
Kaliumiodat	[O]	
Kaliumnitrat	[O]	
Kaliumpermanganat	O, Xn	($w \geq 25$ %: Xn)
Kristallviolett	[Xn]	($w \geq 25$ %: Xn)
Kupfernitrat · 3 H_2O	[Xn]	$w \geq 25$ %: Xn
Kupfersulfat · 5 H_2O bzw. wasserfrei	Xn	$w \geq 25$ %: Xn
Lithium	F, C	
Levafix Goldgelb E	[Xi]	
Levegal PT	[Xn]	
Maleinsäureanhydrid	Xn	
Malonsäure	[Xn]	($w \geq 25$ %: Xn)
Mangan(II)-chlorid · 4 H_2O	[Xn]	$w \geq 25$ %: Xn
Mangan(II)-sulfat · H_2O	Xn	$w \geq 10$ %: Xn
Mangandioxid (Braunstein)	Xn	
Methacrylsäure-methylester	F, Xn	
Methanol	T, F	
Methansäureethylester (Ameisensäureethylester)	F	
p-(Methylamino)-phenol	[Xn]	($w \geq 25$ %: Xn)
2-Methylbuten (Isobuten)	F	
2-Methylpropan-2-ol (*tert.*-Butanol)	F, Xn	

Substanz	Kennzeichnung	
	Stoff	Zubereitung
N-(1-Naphthyl)ethylen-diamindihydrochlorid	[Xi]	($w \geq 5$ %: Xi)
Naphthalin	[Xn]	
Naphthol AS-D	[Xi]	
β-Naphthol	Xn	($w \geq 25$ %: Xn)
Natriumborhydrid	[T, F]	
Natriumcarbonat · 10 H_2O bzw. wasserfrei	Xi	$w \geq 20$ %: Xi
Natriumchlorat	O, Xn	$w \geq 25$ %: Xn
Natriumdisulfit	[Xi]	$w \geq 20$ %: Xi
Natriumdithionit	Xn	($w \geq 25$ %: Xn)
Natriumfluorid	T	($w \geq 25$ %: T) 3 % $\leq w < 25$ %: Xn
Natriumhydrogensulfit-Lösung (w($NaHSO_3$) ≈ 39 %)		[Xn]
Natriumhydroxid	C	$w \geq 2$ %: C 0,5 % $\leq w < 2$ %: Xi
Natriumhypochlorit-Lösung (w (aktives Chlor))		$w \geq 10$ %: C 5 % $\leq w < 10$ %: Xi
Natriumiodat	[O]	
Natriumnitrat	[O]	
Natriumnitrit	O, T	$w \geq 5$ %: T 1 % $\leq w < 5$ %: Xn
Natriumperborat	[Xn]	
Natriumsulfit · 7 H_2O bzw. wasserfrei	[Xi]	$w \geq 20$ %: Xi
Nickelnitrat · 6 H_2O	[Xn]	($w \geq 25$ %: Xn)
Nickelsulfat · 7 H_2O	Xn	$w \geq 10$ %: Xn
Ninhydrin-Sprühreagenz (in Propan-2-ol)		[F]
Oxalsäure und ihre Salze	Xn	$w \geq 5$ %: Xn
Pentan	F	
Pentan-1-ol	[Xn]	
Pentansäure	C	
Phenol (Hydroxybenzol)	T	$w \geq 5$ %: T 1 % $\leq w < 5$ %: Xn
Phosphor(V)-oxid	C	
Phosphorsäure	C	$w \geq 25$ %: C 10 % $\leq w < 25$ %: Xi
Pikrinsäure	E, T	
Propanal (Propionaldehyd)	F, Xi	
Propan-2-ol	F	
Propanon (Aceton)	F	
Propansäure (Propionsäure)	C	$w \geq 25$ %: C 10 % $\leq w < 25$ %: Xi
Quecksilber(II)-nitrat	T+	$w \geq 2$ %: T+ 0,5 % $\leq w < 2$ %: T 0,1 % $\leq w < 0,5$ %: Xn
Salicylsäure (*o*-Hydroxybenzoesäure)	[Xn]	$w \geq 25$ %: Xn

Substanz	Kennzeichnung	
	Stoff	Zubereitung
Salpetersäure	O, C	$w \geq 70\,\%$: C, O $5\,\% \leq w < 70\,\%$: C $1\,\% \leq w < 5\,\%$: Xi
Salzsäure	C	$w \geq 25\,\%$: C $10\,\% \leq w < 25\,\%$: Xi
Schwefelsäure	C	$w \geq 15\,\%$: C $5\,\% \leq w < 15\,\%$: Xi
Sebacinsäuredichlorid	[C]	
Silbernitrat	C	$w \geq 10\,\%$: C $5\,\% \leq w < 10\,\%$: Xi
Styrol	Xn	
Sulfanilsäure (4-Amino-benzolsulfonsäure)	Xi	
5-Sulfosalicylsäure (2-Hydroxy-5-sulfo-benzoesäure)	[Xi]	$w \geq 20\,\%$: Xi

Substanz	Kennzeichnung	
	Stoff	Zubereitung
Thioharnstoff	Xn, N	
Toluol	F, Xn	
Türkischrotöl	[Xi]	
1,1,2-Trichlortrifluorethan	[N]	
1,3,5-Trihydroxybenzol (Pyrogallol)	Xn	$w \geq 10\,\%$: Xn
Wasserstoff-Gas	F+	
Wasserstoffperoxid-Lösung		$w \geq 20\,\%$: C $5\,\% \leq w < 20\,\%$: Xi
Zinkchlorid, wasserfrei	C	$w \geq 10\,\%$: C $5\,\% \leq w < 10\,\%$: Xi
Zinksulfat · 7 H_2O	Xi	$w \geq 5\,\%$: Xi
Zinn(II)-chlorid · 2 H_2O	[Xn]	$w \geq 25\,\%$: Xn

Reagenzlösungen

BAEYER-Reagenz: 10 %ige Sodalösung mit einer verdünnten Kaliumpermanganat-Lösung versetzen, bis die Lösung kräftig violett gefärbt ist.

Bariumchlorid-Lösung (Xn): 24,4 g Bariumchlorid ($BaCl_2$ · 2 H_2O) auf 1 Liter auffüllen (0,1 mol · l^{-1}).

Bleiacetat-Lösung (T): 38 g Bleiacetat ($Pb(CH_3COO)_2$ · 3 H_2O) auf 1 Liter auffüllen (0,1 mol · l^{-1}).

Bromwasser (T, Xi): 10 Tropfen Brom in 250 ml destilliertem Wasser lösen.

Chlorwasser (Xn): Destilliertes Wasser durch Einleiten von Chlor sättigen, in brauner Flasche aufbewahren.

FEHLING-Lösung I: 7 g Kupfersulfat ($CuSO_4$ · 5 H_2O) in 100 ml Wasser lösen.
FEHLING-Lösung II (C): 35 g Kaliumnatriumtartrat und 10 g Natriumhydroxid in 100 ml Wasser lösen.

Indikator-Lösungen:
Bromthymolblau: 0,10 g in 100 ml Ethanol (20 %)
Methylrot (F): 0,20 g in 100 ml Ethanol (90 %)
Methylorange: 0,04 g in 100 ml Wasser
Phenolphthalein (F): 0,10 g in 100 ml Ethanol (70 %)

Universalindikator für pH 2–10 (F): 300 mg Dimethylgelb, 200 mg Methylrot, 400 mg Bromthymolblau, 500 mg Thymolblau und 100 mg Phenolphthalein in 500 ml Ethanol (90 %) lösen.

Farbstufen:	pH ≤ 2:	rot	pH 8:	grün
	pH 4:	orange	pH 10:	blau
	pH 6:	gelb		

Iod/Kaliumiodid-Lösung: 2 g Kaliumiodid in wenig Wasser vollständig lösen und 1 g Iod zugeben. Nach dem Lösen auf 300 ml auffüllen und in brauner Flasche aufbewahren.

Iodwasser: Einige Blättchen Iod in destilliertem Wasser kurz aufkochen.

Kalkwasser: 1 g Calciumoxid in 500 ml destilliertem Wasser schütteln und filtrieren (0,02 mol · l^{-1}).

SCHIFF-Reagenz (fuchsinschweflige Säure): 0,25 g Fuchsin in 1 Liter Wasser lösen (Rotfärbung); unter ständigem Rühren schweflige Säure (oder angesäuerte Lösung von $Na_2S_2O_5$) zutropfen, bis Entfärbung eintritt.

SELIWANOFF-Reagenz (Xi): 0,05 g Resorcin in 50 ml Salzsäure (10 %ig) lösen.

Silbernitrat-Lösung: 17 g Silbernitrat mit Wasser auf 1 Liter auffüllen (0,1 mol · l^{-1}).

TOLLENS-Reagenz (ammoniakalische Silbernitrat-Lösung): Silbernitrat-Lösung (0,1 mol · l^{-1}) mit etwa einem Zehntel des Volumens verdünnter Natronlauge versetzen. Anschließend unter Schütteln Ammoniak-Lösung (25 %) zutropfen, bis sich der Silberoxid-Niederschlag gerade wieder löst. Die Reagenz-Lösung wird jeweils wieder frisch zubereitet. Sie darf nicht aufbewahrt werden, da sich Silberazid bilden könnte (Explosionsgefahr).

Thermodynamische Daten

anorganische Verbindungen	Zustand	$\Delta_f H^0_m$ kJ · mol^{-1}	$\Delta_f G^0_m$ kJ · mol^{-1}	S^0_m J · K^{-1} · mol^{-1}
Ag	s	0	0	43
Ag^+	aq	106	77	73
AgCl	s	−127	−110	96
Br_2	g	31	3	245
Br_2	l	0	0	152
C	g	717	671	158
C (Graphit)	s	0	0	6
C (Diamant)	s	2	3	2
CO	g	−111	−137	198
CO_2	g	−393	−394	214
Ca^{2+}	aq	−543	−554	−53
$CaCO_3$	s	−1207	−1129	93
$CaCl_2 \cdot 6\,H_2O$	s	−2607		
CaO	s	−635	−604	40
$CaSO_4$	s	−1434	−1322	107
$CaSO_4 \cdot 2\,H_2O$	s	−2033	−1797	194
Cl_2	g	0	0	223
Cl	g	121	105	165
Cl^-	aq	−167	−131	57
Cu	s	0	0	33
Cu^{2+}	aq	65	66	−100
CuS	s	−53	−54	66
$CuSO_4$	s	−771	−662	109
$CuSO_4 \cdot 5\,H_2O$	s	−2280	−1880	300
H	g	218	203	115
H^+	aq	0	0	0
H_2	g	0	0	131
HF	g	−271	−273	174
HCl	g	−92	−95	187
HCl	aq	−167	−131	56
HBr	g	−36	−53	199
HI	g	26	2	206
H_2O	g	−242	−229	189
H_2O	l	−285	−237	70
H_2O_2	l	−188	−120	109
H_2S	g	−21	−34	206
H_2SO_4	l	−814	−690	157
H_2Se	g	30	16	219
H_2Te	g	100		
I_2	g	62	19	261
I_2	s	0	0	116
K	g	90	61	160
K^+	aq	−251	−282	103
KCl	s	−436	−408	83
Mg	s	0	0	33
Mg^{2+}	aq	−467	−455	−138
$MgCl_2$	s	−642	−592	90
MgO	s	−601	−570	27
$MgSO_4$	s	−1288	−1171	92
$MgSO_4 \cdot 7\,H_2O$	s	−3388	−2872	372
N_2	g	0	0	192
NH_3	g	−46	−16	192
NH_4^+	aq	−132	−79	113
NH_4Cl	s	−314	−203	95
NH_4NO_3	s	−366	−184	151
N_2O	g	82	104	220
NO	g	90	87	211
NO_2	g	33	51	240
NO_3^-	aq	−207	−111	146
Na	g	109	78	154
Na^+	aq	−240	−262	59
NaCl	s	−411	−384	72
NaOH	s	−427	−381	64
Na_2SO_4	s	−1384	−1267	149
$Na_2SO_4 \cdot 10\,H_2O$	s	−4324	−3644	593
O_2	g	0	0	205
O_3	g	143	163	239

anorganische Verbindungen	Zustand	$\Delta_f H^0_m$ kJ · mol^{-1}	$\Delta_f G^0_m$ kJ · mol^{-1}	S^0_m J · K^{-1} · mol^{-1}
OH^-	aq	−230	−157	−11
S	g	279	238	168
S (rhombisch)	s	0	0	32
SO_2	g	−297	−300	248
SO_4^{2-}	aq	−909	−745	20
Se	g	227	187	177
Se	s	0	0	42
Te	g	197	157	183
Te	s	0	0	50
Zn	s	0	0	42
Zn^{2+}	aq	−154	−147	−112
organische Verbindungen				
Methan	g	−75	−51	186
Ethan	g	−85	−33	230
Propan	g	−104	−24	270
Butan	g	−126	−17	310
Pentan	g	−146	−8	349
Pentan	l	−183		
Hexan	l	−199	8	428
Octan	g	−208	16	467
Nonan	g	−229	25	506
Nonan	l	−275		
Ethen	g	52	68	220
Ethin	g	227	209	201
Benzol	g	83	130	269
Benzol	l	49	125	173
Cyclohexen	g	−5	107	311
Cyclohexen	l	−39		
Cyclohexa-1,3-dien	g	108		
Brommethan	g	−38	−28	246
Chlormethan	g	−86	−63	235
Fluormethan	g	−234	−210	223
Iodmethan	g	14	16	254
1,2-Dibromethan	g	−39	−11	330
1,2-Dibromethan	l	−81		
Methanol	g	−201	−163	240
Ethanol	g	−235	−168	283
Methanal (Formaldehyd)	g	−116	−110	219
Ethanal (Acetaldehyd)	g	−166	−133	264
Propanon (Aceton)	g	−218	−153	295
Methansäure (Ameisensäure)	g	−379	−351	249
Ethansäure (Essigsäure)	g	−435	−377	283
Stearinsäure (Octadecansäure)	s	−949		
Harnstoff	s	−333		
Glycin	s	−529	−369	104
Glucose	s	−1260		289

$\Delta_f H^0_m$: molare Standard-Bildungsenthalpie (25 °C)
$\Delta_f G^0_m$: molare freie Standard-Bildungsenthalpie (25 °C)
S^0_m: molare Standard-Entropie (25 °C)

Gleichgewichtskonstanten

pK_s-Werte einiger Säuren bei 25 °C

HA (aq) $\rightleftharpoons$ H$^+$ (aq) + A$^-$ (aq)		pK_s[1]	pK_s[2]
Oxalsäure	$(COOH)_2$	1,1	1,25
Schweflige Säure	$SO_2 + H_2O$	1,8	1,89
Hydrogensulfat-Ion	HSO_4^-	1,8	1,94
Phosphorsäure	H_3PO_4	2,0	2,16
Fluorwasserstoff	HF	3,05	3,17
Salpetrige Säure	HNO_2	3,2	3,29
Ameisensäure	$HCOOH$	3,65	3,77
Essigsäure	CH_3COOH	4,65	4,76
Kohlensäure	$CO_2 + H_2O$	6,3	6,37
Schwefelwasserstoff	H_2S	6,9	7,05
Hydrogensulfit-Ion	HSO_3^-	6,8	7,20
Dihydrogenphosphat-Ion	$H_2PO_4^-$	6,9	7,21
Hypochlorige Säure	$HOCl$	7,4	7,53
Borsäure	H_3BO_3	9,1	9,23
Ammonium-Ion	NH_4^+	9,37	9,25
Cyanwasserstoff	HCN	9,2	9,31
Hydrogencarbonat-Ion	HCO_3^-	10,1	10,32
Wasserstoffperoxid	H_2O_2	11,6	11,75
Hydrogenphosphat-Ion	HPO_4^{2-}	11,7	12,32
Hydrogensulfid-Ion	HS^-	12,6	12,92

[1]) Bei diesen im Lehrbuch durchweg verwendeten Werten handelt es sich um so genannte *mixed constants*: Für die Spezies des Säure/Base-Paars ist die Gleichgewichts*konzentration* berücksichtigt, für das Hydronium-Ion dagegen die *Aktivität*. Gemessene Werte stimmen daher gut mit den berechneten Werten überein.
Die hier angegebenen Werte gelten für eine Gesamt-Ionenstärke von $I = 0{,}1\ mol \cdot l^{-1}$; das entspricht den interionischen Wechselwirkungen in einer Lösung der Konzentration $0{,}1\ mol \cdot l^{-1}$ eines Stoffes mit einfach geladenen Ionen.
Allgemein ist für die Berechnung der **Ionenstärke** die Ionenladung z zu quadrieren:

$$I = \frac{1}{2} \sum_i c_i z_i^2$$

Dabei sind sämtliche Ionenarten in der untersuchten Lösung zu berücksichtigen.

[2]) Diese üblicherweise in Tabellen vorrangig angegebenen Werte sind mit *Aktivitäten* berechnet. Bei Verwendung von Gleichgewichts*konzentrationen* ergeben pH-Berechnungen daher oft merkliche Abweichungen von den gemessenen Werten. Das gilt insbesondere für Pufferlösungen.

Die **pK_B-Werte** der konjugierten Basen A$^-$ ergeben sich aufgrund folgender Beziehung:

$$pK_B = 14 - pK_s$$

Dabei liegt folgendes Gleichgewicht zugrunde:

$$A^-\,(aq) + H_2O\,(l) \rightleftharpoons HA\,(aq) + OH^-\,(aq)$$

$$K_B = \frac{c(HA) \cdot c(OH^-)}{c(A^-)}$$

Sehr starke Säuren: Bei den folgenden Säure/Base-Paaren protolysiert die Säure in verdünnter wässeriger Lösung *vollständig*. Die Base wird in entsprechenden Salzlösungen durch Wasser *nicht* protoniert:

$HClO_4/ClO_4^-$; HI/I^-; HBr/Br^-; HCl/Cl^-; HNO_3/NO_3^-; H_2SO_4/HSO_4^-.

Sehr starke Basen: Bei den folgenden Säure/Base-Paaren wird die Base beim Lösen entsprechender Salze durch Wasser *vollständig* protoniert. Die Säure bildet mit Wasser keine Hydronium-Ionen:

OH^-/O^{2-}; NH_3/NH_2^-; H_2/H^-; $C_2H_5OH/C_2H_5O^-$.

Standardpuffer zur Eichung von pH-Metern*

Puffer	Gehalt / $mol \cdot kg^{-1}$	pH (25 °C)
Kaliumtetraoxalat ($KH_3(C_2O_4)_2 \cdot 2\,H_2O$)	0,05	1,68
Kaliumhydrogentartrat KOOCCH(OH)CH(OH)COOH	(gesättigt)	3,56
Kaliumhydrogenphthalat ($KOOCC_6H_4COOH$)	0,05	4,01
Phosphat (KH_2PO_4/Na_2HPO_4)	0,025/0,025	6,86
Borax ($Na_2B_4O_7 \cdot 10\,H_2O$)	0,01	9,18
Carbonat ($NaHCO_3/Na_2CO_3$)	0,025/0,025	10,02
Calciumhydroxid ($Ca(OH)_2$)	(gesättigt)	12,45

* Nach Untersuchungen des National Institute for Standards and Technology in Washington (NIST-Standardpuffer)

Gleichgewichtskonstanten bei Gasreaktionen

	Gleichgewicht	$\Delta_R H_m^0$ / $kJ \cdot mol^{-1}$	$\Delta_R S_m^0$ / $J \cdot K^{-1} \cdot mol^{-1}$
①	$N_2O_4\,(g) \rightleftharpoons 2\,NO_2\,(g)$	57,0	176
②	$2\,SO_2\,(g) + O_2\,(g) \rightleftharpoons 2\,SO_3\,(g)$	−197	−187
③	$N_2\,(g) + 3\,H_2\,(g) \rightleftharpoons 2\,NH_3\,(g)$	−92,4	−201
④	$N_2\,(g) + O_2\,(g) \rightleftharpoons 2\,NO\,(g)$	180,0	25
⑤	$H_2O\,(g) + C(s) \rightleftharpoons H_2\,(g) + CO\,(g)$	131,3	134

	①	②	③	④	⑤
T / K	K_p / MPa	K_p / MPa^{-1}	K_p / MPa^{-2}	K_p	K_p / hPa
298	$1{,}15 \cdot 10^{-2}$	$4{,}0 \cdot 10^{25}$	$6{,}76 \cdot 10^{7}$	$4{,}0 \cdot 10^{-31}$	$1{,}00 \cdot 10^{-13}$
350	$3{,}89 \cdot 10^{-1}$	–	–	–	–
400	4,79	–	$4{,}07 \cdot 10^{3}$	–	–
500	$1{,}70 \cdot 10^{2}$	$2{,}5 \cdot 10^{11}$	3,55	–	$2{,}52 \cdot 10^{-4}$
600	$1{,}78 \cdot 10^{3}$	–	$1{,}66 \cdot 10^{-1}$	–	–
700	–	$3{,}0 \cdot 10^{5}$	$7{,}76 \cdot 10^{-3}$	$5{,}0 \cdot 10^{-13}$	2,82
1100	–	1,3	$4{,}50 \cdot 10^{-6}$	$4{,}0 \cdot 10^{-8}$	$1{,}70 \cdot 10^{4}$

Eigenschaften organischer Verbindungen

Name	Formel	ϑ_m / °C	ϑ_b / °C
Kohlenwasserstoffe			
Methan	CH_4	−183	−162
Ethan	CH_3CH_3	−183	−89
Propan	$CH_3CH_2CH_3$	−188	−42
Butan	$CH_3(CH_2)_2CH_3$	−138	−1
Pentan	$CH_3(CH_2)_3CH_3$	−130	36
Hexan	$CH_3(CH_2)_4CH_3$	−95	69
Heptan	$CH_3(CH_2)_5CH_3$	−91	98
Octan	$CH_3(CH_2)_6CH_3$	−57	126
Methylpropan	$CH_3CH(CH_3)CH_3$	−160	−12
2-Methylbutan	$CH_3CH(CH_3)CH_2CH_3$	−160	28
2,2-Dimethylpropan	$CH_3C(CH_3)_2CH_3$	−17	10
Cyclopentan	C_5H_{10}	−94	49
Cyclohexan	C_6H_{12}	7	81
Ethen (Ethylen)	$CH_2{=}CH_2$	−169	−104
Ethin (Acetylen)	$CH{\equiv}CH$	−81	−84
Cyclohexen	C_6H_{10}	−103	83
Benzol	C_6H_6	6	80
Methylbenzol	$C_6H_5CH_3$	−95	111
Ethylbenzol	$C_6H_5CH_2CH_3$	−95	136
Halogenkohlenwasserstoffe			
Chlormethan	CH_3Cl	−98	−24
Brommethan	CH_3Br	−94	4
Iodmethan	CH_3I	41	42
Chlorethan	CH_3CH_2Cl	−136	12
1-Chlorpropan	$CH_3CH_2CH_2Cl$	−123	47
2-Chlorpropan	$CH_3CHClCH_3$	−117	36
1-Brombutan	$CH_3(CH_2)_2CH_2Br$	−112	101
2-Brombutan	$CH_3CH_2CHBrCH_3$	−112	91
2-Brom-2-methylpropan	$CH_3CBr(CH_3)CH_3$	−16	73
Chlorbenzol	C_6H_5Cl	−45	132
Brombenzol	C_6H_5Br	−31	156
(Chlormethyl)-benzol	$C_6H_5CH_2Cl$	−39	179
Dichlormethan	CH_2Cl_2	−95	40
Trichlormethan (Chloroform)	$CHCl_3$	−64	62
Tetrachlormethen	CCl_4	−23	77
1,1,1-Trichlorethan	CCl_3CH_3	−30	74
Tetrachlorethen	CCl_2CCl_2	−19	121
1,4-Dibrombenzol	$C_6H_4Br_2$	87	220
Alkohole und Phenole			
Methanol	CH_3OH	−98	65
Ethanol	CH_3CH_2OH	−114	78
Propan-1-ol	$CH_3CH_2CH_2OH$	−126	97
Propan-2-ol	$CH_3CHOHCH_3$	−89	82
Butan-1-ol	$CH_3CH_2CH_2CH_2OH$	−89	118
Butan-2-ol	$CH_3CH_2CHOHCH_3$	−115	100
2-Methylpropan-2-ol (*tert.*-Butanol)	$CH_3COH(CH_3)CH_3$	26	83
Cyclohexanol	$C_6H_{11}OH$	25	161
Ethan-1,2-diol (Ethylenglykol)	CH_2OHCH_2OH	−16	198
Propan-1,2,3-triol (Glycerin)	$CH_2OHCHOHCH_2OH$	18	291
Hydroxybenzol (Phenol)	C_6H_5OH	41	182
1,2-Dihydroxybenzol (Brenzcatechin)	$C_6H_4(OH)_2$	105	245
1,3-Dihydroxybenzol (Resorcin)	$C_6H_4(OH)_2$	110	277
1,4-Dihydroxybenzol (Hydrochinon)	$C_6H_4(OH)_2$	172	285

Name	Formel	ϑ_m / °C	ϑ_b / °C
Ether			
Methoxymethan (Dimethylether)	CH_3OCH_3	−139	−23
Ethoxyethan (Diethylether)	$CH_3CH_2OCH_2CH_3$	−116	35
Methoxybenzol (Anisol)	$C_6H_5OCH_3$	−38	155
Phenoxybenzol	$C_6H_5OC_6H_5$	27	258
Ethylenoxid	C_2H_4O	−111	14
Tetrahydrofuran	C_4H_8O	−65	67
1,4-Dioxan	$C_4H_8O_2$	12	101
Stickstoffverbindungen			
Methylamin	CH_3NH_2	−94	−6
Dimethylamin	$(CH_3)_2NH$	−92	7
Trimethylamin	$(CH_3)_3N$	−117	3
1,6-Diaminohexan	$NH_2(CH_2)_6NH_2$	41	205
Pyridin	C_5H_5N	−67	129
Aminobenzol (Anilin)	$C_6H_5NH_2$	−14	209
Nitromethan	CH_3NO_2	−29	101
Nitrobenzol	$C_6H_5NO_2$	6	211
Aldehyde und Ketone			
Methanal (Formaldehyd)	$HCHO$	−117	−19
Ethanal (Acetaldehyd)	CH_3CHO	−123	20
Butanal	$CH_3(CH_2)_2CHO$	−99	76
Benzaldehyd	C_6H_5CHO	−26	178
Propanon (Aceton)	CH_3COCH_3	−95	56
Butanon	$CH_3CH_2COCH_3$	−86	80
Cyclohexanon	$C_6H_{10}O$	−16	156
Methylphenylketon	$CH_3COC_6H_5$	−23	139
Carbonsäuren			
Methansäure (Ameisensäure)	$HCOOH$	8	101
Ethansäure (Essigsäure)	CH_3COOH	17	118
Propansäure (Propionsäure)	CH_3CH_2COOH	−21	141
Butansäure (Buttersäure)	$CH_3(CH_2)_2COOH$	−5	163
Benzoesäure	C_6H_5COOH	122	249
Ethandisäure (Oxalsäure)	$HOOCCOOH$		s157
cis-Butendisäure (Maleinsäure)	$HOOCCH{=}CHCOOH$	140	
trans-Butendisäure (Fumarsäure)	$HOOCCH{=}CHCOOH$	300	
Hexandisäure (Adipinsäure)	$HOOC(CH_2)_4COOH$	153	
Benzol-1,2-disäure (Phthalsäure)	$HOOCC_6H_4COOH$	210	
Benzol-1,4-disäure (Terephthalsäure)	$HOOCC_6H_4COOH$		s300
Säurederivate			
Methansäuremethylester	$HCOOCH_3$	−99	32
Methansäureethylester	$HCOOCH_2CH_3$	−81	55
Ethansäuremethylester	CH_3COOCH_3	−98	57
Ethansäureethylester	$CH_3COOCH_2CH_3$	−84	77
Ethansäurepropylester	$CH_3COO(CH_2)_2CH_3$	−95	101
Benzoesäuremethylester	$C_6H_5COOCH_3$	−12	200
Benzoesäureethylester	$C_6H_5COOC_2H_5$	−35	213
Ethansäurechlorid (Acetylchlorid)	CH_3COCl	112	51
Ethansäureanhydrid (Acetanhydrid)	$(CH_3CO)_2O$	73	136
Ethannitril (Acetonitril)	$CH_3C{\equiv}N$	46	82
Harnstoff	$OC(NH_2)_2$	132	

ϑ_m: Schmelztemperatur
ϑ_b: Siedetemperatur (s: Sublimation)

Glossar

α-Aminosäuren: Grundbausteine der Eiweißstoffe. An ein Kohlenstoff-Atom sind eine Amino-Gruppe, eine Carboxyl-Gruppe, ein organischer Rest sowie ein Wasserstoff-Atom gebunden.

Absorptionsspektrum: Grafische Darstellung der Energieaufnahme eines Stoffes in Form von elektromagnetischer Strahlung in Abhängigkeit von der Wellenlänge bzw. Frequenz der Strahlung.

Acetal: Produkt der zweistufigen Reaktion von Aldehyden mit Alkoholen:

```
H   OR'
 \ /
  C
 / \
R   OR''
```

→ Ketal

Acidität: Säurewirkung eines Stoffes. → Säurekonstante

Additionsreaktion: Anlagerung von Atomen, Molekülen oder Ionen an ein ungesättigtes Molekül.

Akkumulation: Anreicherung von Stoffen (z. B. von Pestiziden in einer Nahrungskette).

Akkumulator: Batterie, die nach der Entladung durch Anlegen einer Spannung wieder aufgeladen werden kann. Die beim Entladen abgelaufenen Reaktionen werden dabei umgekehrt.

Aktivierungsenergie: Mindestenergie, die Teilchen haben müssen, um miteinander zu reagieren. Typische Werte für Aktivierungsenergien liegen zwischen 50 und 100 $kJ \cdot mol^{-1}$.

Aldehyde: Organische Verbindungen mit einer CHO-Gruppe.

Alkane: Gesättigte kettenförmige Kohlenwasserstoffe. Allgemeine Formel: C_nH_{2n+2}.

Alkene: Ungesättigte Kohlenwasserstoffe mit (mindestens) einer C=C-Zweifachbindung. Allgemeine Formel: C_nH_{2n}.

Alkine: Ungesättigte Kohlenwasserstoffe mit (mindestens) einer C≡C-Dreifachbindung. Allgemeine Formel: C_nH_{2n-2}.

Alkohole: Organische Verbindungen mit einer OH-Gruppe.

Amide: Carbonsäure-Derivate mit einer $CO-NH_2$-Gruppe.

Ampholyte: Moleküle oder Ionen, die als Säure und als Base reagieren können.

anthropogen: Durch den Menschen verursacht.

aromatisches System: Ringförmige Moleküle, die nach der HÜCKEL-Regel 4n + 2 delokalisierte π-Elektronen besitzen.

Atmungskette: In den Mitochondrien der Zelle ablaufender Energiegewinnungsprozess, bei dem gebundener Wasserstoff katalytisch mit Sauerstoff zu Wasser reagiert.

Atombindung: → Elektronenpaarbindung

Atommasseneinheit: Masseneinheit, in der die Masse von Kernbausteinen, Atomen und Molekülen angegeben wird. $1\,u = \frac{1}{12}\,m\,(^{12}_{6}C) = 1{,}66 \cdot 10^{-24}\,g$.

Atommodelle: Sie veranschaulichen den Aufbau und bestimmte Eigenschaften von Atomen, sind aber kein Abbild der Wirklichkeit. → BOHRsches Atommodell, Orbital-Modell, RUTHERFORDsches Atommodell

Autokatalyse: Reaktion, bei der ein Reaktionsprodukt einen katalytischen Effekt auf eben die Reaktion ausübt. Die Reaktionsgeschwindigkeit nimmt im Verlauf der Umsetzung zu.

Autoprotolyse: Protonenübergang zwischen gleichartigen Molekülen (z. B. bei Wasser-Molekülen).

AVOGADROsches Gesetz: Gleiche Volumina beliebiger Gase enthalten bei gleicher Temperatur und gleichem Druck gleich viele Teilchen.

azeotropes Gemisch: Mischung von zwei Flüssigkeiten, die sich durch Destillation nicht weiter trennen lässt. *Beispiel:* 95,6 % Ethanol/4,4 % Wasser.

Azofarbstoffe: Farbstoffe mit einer Diazo-Gruppe (–N=N–) als zentralem Strukturelement.

Basen: Teilchen, die nach BRÖNSTED Protonen anlagern können.

Basenkonstante: Gleichgewichtskonstante für die Reaktion einer Base B mit Wasser:

$$B\,(aq) + H_2O\,(l) \rightleftharpoons HB^+\,(aq) + OH^-\,(aq)$$

$$K_B = \frac{c\,(HB^+) \cdot c\,(OH^-)}{c\,(B)}$$

Der pK_B-Wert ist der negative dekadische Logarithmus des K_B-Werts.

Batterie: Galvanische Zelle zur elektrochemischen Stromerzeugung.

Bildungsenthalpie: Die molare Standardbildungsenthalpie $\Delta_f H^0_m$ ist die molare Reaktionsenthalpie für die Bildung eines Mols einer Verbindung aus den Elementen bei Standardbedingungen.

Bindungsenergie: Energie, die zur Spaltung einer Elektronenpaarbindung nötig ist; wird meist als molare Bindungsenthalpie in $kJ \cdot mol^{-1}$ angegeben.

Biuret-Reaktion: Farbreaktion zum Nachweis von Eiweißstoffen. In alkalischer Lösung bilden sich rotviolette Cu(II)-Komplexe.

Bleichmittel: Zusätze in Waschmitteln wie Perborate oder Peroxide. Aufgrund ihrer Oxidationswirkung bleichen sie farbige Flecke und wirken gegen die Vergrauung von Textilien.

BOHRsches Atommodell: Die Elektronen in der Atomhülle bewegen sich auf genau festgelegten Bahnen um den Kern. Durch Energiezufuhr können Elektronen auf ein höheres Energieniveau angehoben werden; beim Zurückfallen der Elektronen auf das niedrigere Energieniveau wird Licht mit bestimmter Wellenlänge abgestrahlt.

BOUDOUARD-Gleichgewicht: Gleichgewicht zwischen Kohlenstoffmonooxid, Kohlenstoff und Kohlenstoffdioxid, wie es sich z. B. beim Hochofenprozess einstellt.

Carbanion: Bei organischen Reaktionen auftretende, kurzlebige ionische Zwischenstufe mit einer negativen Ladung an einem Kohlenstoff-Atom.

Carbenium-Ion: Bei organischen Reaktionen auftretende, kurzlebige ionische Zwischenstufe mit einer positiven Ladung an einem Kohlenstoff-Atom.

Carbonsäuren: Organische Säuren mit einer COOH-Gruppe.

Carbonyl-Gruppe: Funktionelle Gruppe der Aldehyde und Ketone:

```
R\
  C=O
R'/
```

Sie entsteht z. B. durch Oxidation eines Alkohols.

Carboxyl-Gruppe: Funktionelle Gruppe der Carbonsäuren (COOH-Gruppe). Sie entsteht z. B. durch Oxidation einer Aldehydgruppe.

Chelate: Komplexe, bei denen ein Ligand über mehrere Atome an das Zentralion gebunden ist.

Chemolumineszenz: Lichtemission, die von energetisch angeregten Teilchen bei einer chemischen Reaktion ausgeht.

Chromatografie: Trennverfahren, bei dem ein Gemisch mittels einer mobilen Phase (Gas, Flüssigkeit) über eine stationäre Phase (Papier, beschichtete Platte, Säule) geführt wird.

***cis/trans*-Isomerie:** Eine C=C-Zweifachbindung blockiert die freie Drehbarkeit um die Bindungsachse. Zwei Reste können daher auf der gleichen Seite (*cis*-Stellung) oder auf verschiedenen Seiten der Zweifachbindung liegen (*trans*-Stellung).

Citronensäurecyclus: Zentraler Prozess im Stoffwechsel, bei dem Brenztraubensäure in Kohlenstoffdioxid und Wasserstoff zerlegt wird. Dies ist die Voraussetzung für den Energiegewinnungsvorgang der Atmungskette.

Copolymere: Makromoleküle, die aus zwei oder mehreren verschiedenen Monomeren synthetisiert werden.

Cracken: Zerlegung von längeren Kohlenwasserstoffketten in kürzere. Dies kann katalytisch oder thermisch erfolgen.

cyclische Verbindungen: Stoffe, die aus ringförmigen Molekülen bestehen. *Beispiel:* Cycloalkane C_nH_{2n}.

Delokalisierung: π-Bindungssystem, bei dem sich die π-Elektronen über mehr als zwei Atome verteilen. Die Elektronenverteilung kann nur mit Hilfe von mehreren Grenzformeln beschrieben werden. → Mesomerie
Beispiele: π-Bindungen im Benzol und im Carboxylat-Anion

Denaturierung: Irreversible Veränderung der Raumstruktur von Eiweißstoffen durch Erhitzen, starke pH-Änderung oder Schwermetall-Ionen. Enzyme verlieren dadurch ihre katalytische Wirksamkeit.

Destillieren: Trennen eines Flüssigkeitsgemischs durch Verdampfen und anschließendes Kondensieren.

Diazotierung: Reaktion von primären aromatischen Aminen mit Nitrit-Ionen bei der Herstellung von Azofarbstoffen.

Diffusion: Selbstständige Vermischung von Gasen oder Flüssigkeiten aufgrund von Teilchenbewegungen.

Disproportionierung: Redoxreaktion, bei der eine Atomart in mittlerer Oxidationsstufe gleichzeitig in eine höhere *und* eine niedrigere Oxidationsstufe übergeht. *Beispiel:*

$$\overset{\pm 0}{Cl_2}\,(aq) + 2\,OH^-\,(aq) \longrightarrow H_2O\,(l) + \overset{-I}{Cl^-}\,(aq) + O\overset{+I}{Cl^-}\,(aq)$$

Dissoziation: Spaltung von Molekülen in Atome oder Atomgruppen, speziell auch die Bildung von Ionen in wässerigen Lösungen von Säuren oder Basen.

DNA: Desoxyribonucleinsäure (DNS), Erbsubstanz der höheren Lebewesen.

Duroplaste: Kunststoffe aus netzartig aufgebauten Makromolekülen.
Beispiel: Phenoplaste

Edelgaskonfiguration: Eine den Edelgasen entsprechende Anzahl von Außenelektronen (2 bzw. 8 Außenelektronen), insbesondere bei Ionen.

Elastomere: Kautschukähnliche Kunststoffe aus wenig vernetzten Makromolekülen.

Elektrodenpotential U_H: Maß für das Redox-Verhalten eines Redoxpaars. Angegeben werden Polarität und Spannung einer galvanischen Zelle mit der Standard-Wasserstoff-Halbzelle als Bezugselektrode. → Spannungsreihe

Elektrolyse: Abscheidung von Stoffen aus Lösungen oder Schmelzen mit Hilfe von Gleichstrom. Anionen geben an der Anode (positiv geladene Elektrode) Elektronen ab, Kationen nehmen an der Kathode (negativ geladene Elektrode) Elektronen auf.

Elektronegativität (EN): Maß für die Fähigkeit eines Atoms, in einem Molekül die Bindungselektronen anzuziehen. Bei großem EN-Unterschied bilden sich Ionenverbindungen.

Elektronen: Nahezu masselose Träger negativer Ladung der Atomhülle. Ein ungeladenes Atom enthält gleich viele Protonen und Elektronen. Elektronen werden bei manchen Kernreaktionen als β-Strahlung freigesetzt.

Elektronengas: → metallische Bindung

Elektronenkonfiguration: Verteilung der Elektronen auf die Orbitale eines Atoms.

Elektronenpaarbindung: Verknüpfung von Atomen durch gemeinsame Elektronenpaare. Der räumliche Bau von Molekülen kann durch das Elektronenpaarabstoßungs-Modell beschrieben werden. → Oktettregel

Elektrophile: Teilchen, die sich an Stellen hoher Elektronendichte anlagern, z. B. Kationen oder positiv polarisierte Atome funktioneller Gruppen.

Elektrophorese: Trennverfahren, bei dem Ionen im elektrischen Feld wandern; wird in der Biochemie zur Trennung von Proteinen oder Nucleinsäuren verwendet.

Elementaranalyse: Durch eine *qualitative* Elemantaranalyse werden die am Aufbau einer Verbindung beteiligten Elemente ermittelt. Eine *quantitative* Elementaranalyse ergibt das Verhältnis der Atomanzahlen und damit die Verhältnisformel.

Elementarreaktion: Reaktion, bei der sich die Produkte in einem Schritt aus den Edukten bilden.

Elementarteilchen: Bauelemente, aus denen sich Atome zusammensetzen: Protonen, Elektronen und Neutronen.

Eliminierungsreaktion: Abspaltung von Atomen oder Atomgruppen aus einem Molekül unter Bildung einer C/C-Mehrfachbindung.

Emission: Von Anlagen oder Produkten an die Umwelt abgegebene Luftverunreinigungen, Geräusche, Strahlen, Wärme oder Erschütterungen. *Beispiele:* Autoabgase, Abwärme von Kühltürmen

Emissionsspektrum: Darstellung der elektromagnetischen Strahlung, die Atome oder Moleküle bei Anregung aussenden, in Abhängigkeit von der Wellenlänge bzw. Frequenz der Strahlung.

Emulgatoren: Tensid-Moleküle, die einen hydrophilen und einen hydrophoben Teil besitzen. Sie halten Emulsionen stabil.

Emulsion: Heterogenes Gemisch einer polaren und einer unpolaren Flüssigkeit (z. B. Milch, Fetttröpfchen in Wasser)

Enantiomere: Spiegelbild-isomere Moleküle (z. B. D- und L-Milchsäure).

endotherme Reaktion: Reaktion mit positiver Reaktionsenthalpie. Die Reaktion verbraucht Wärme ($\Delta H > 0$).

Energieprinzip und Entropieprinzip: In natürlichen Systemen stellt sich ein Zustand ein, der möglichst energiearm und möglichst ungeordnet ist.

Enthalpie: Energieinhalt eines Systems; Zeichen: *H*. Messbar sind nur Enthalpieänderungen (ΔH). Sie entsprechen der bei konstantem Druck gemessenen Wärmeaufnahme ($\Delta H > 0$) oder Wärmeabgabe des Systems ($\Delta H < 0$).

Entropie: Maß für die Unordnung eines Systems bzw. die Wahrscheinlichkeit eines Zustandes. Zeichen: S

Enzyme: Komplexe Eiweißverbindungen, die als Biokatalysatoren jeweils eine bestimmte Reaktion im Stoffwechsel beschleunigen (Wirkungsspezifität). Aufgrund der Raumstruktur im Bereich des aktiven Zentrums kann durch ein Enzym nur eine Art von Substratmolekülen umgesetzt werden (Schlüssel-Schloss-Prinzip; Substratspezifität).

Ester: Reaktionsprodukte von Alkoholen mit organischen oder anorganischen Säuren: $R-O-\underset{\underset{O}{\|}}{C}-R'$

Ether: Organische Verbindungen mit der allgemeinen Molekülformel $R-O-R'$.

exotherme Reaktion: Reaktion mit negativer Reaktionsenthalpie. Bei der Reaktion wird Wärme freigesetzt ($\Delta H < 0$).

Extraktion: Gewinnung von Substanzen aus einem Gemisch durch Herauslösen oder durch Ausschütteln mit einem zweiten Lösungsmittel.

Faltblattstruktur: Raumstruktur (Sekundärstruktur) von Polypeptiden, die einer Ziehharmonika ähnelt.

FEHLING-Reaktion: Redox-Reaktion mit alkalischer Kupfer(II)-tartrat-Lösung. Mit Aldehyden und anderen Reduktionsmitteln bildet sich rotes Kupfer(I)-oxid.

Fette (Lipide): Ester aus Glycerin und gesättigten oder ungesättigten Carbonsäuren (Fettsäuren).

FISCHER-Projektion: Darstellung von Molekülen mit Asymmetriezentren in der Ebene. Aus der FISCHER-Projektion leiten sich D- und L-Formen von Spiegelbild-Isomeren ab. *Beispiel:* Bei der D-Milchsäure steht die OH-Gruppe am asymmetrischen C-Atom in der FISCHER-Projektion rechts; L-Form: die OH-Gruppe steht links.

Folgereaktion: Reaktion, bei der die primär gebildeten Teilchen zu stabileren Produkten weiterreagieren.

freie Enthalpie ΔG: Maß für die effektiv nutzbare bzw. nötige Energie bei einer chemischen Reaktion.
→ GIBBS-HELMHOLTZ-Gleichung

FRIEDEL-CRAFTS-Reaktion: Bildung von alkylierten aromatischen Kohlenwasserstoffen aus Aromaten und Halogenalkanen durch elektrophile Substitution in Gegenwart von Aluminiumchlorid.

funktionelle Gruppe: Molekülteil, der das Reaktionsverhalten organischer Verbindungen bestimmt.

galvanische Zelle: Kombination von zwei Halbzellen mit elektrolytisch leitender Verbindung, z. B. in Batterien. Die zwischen den beiden Halbzellen messbare Spannung wird oft als elektromotorische Kraft (EMK) bezeichnet.

Galvanisieren: Überziehen von Gegenständen mit einem Metall durch Elektrolyse.

GEIGER-MÜLLER-Zählrohr: Messgerät zur Bestimmung ionisierender Strahlen.

GIBBS-HELMHOLTZ-Gleichung: Mathematische Verknüpfung der Energieänderungen und der Entropieänderungen einer chemischen Reaktion: $\Delta G = \Delta H - T\Delta S \rightarrow$ freie Enthalpie

Gleichgewichtsreaktion: Chemische Reaktion, bei der sich nach ausreichender Zeit ein dynamischer Gleichgewichtszustand einstellt: Hinreaktion und Rückreaktion laufen mit gleicher Geschwindigkeit ab.

Gravimetrie: Verfahren der quantitativen Analyse, bei dem eine Komponente einer Probelösung in einen schwerlöslichen Stoff überführt wird, dessen Menge durch Wägung bestimmt wird. *Beispiel:* Bestimmung des Cl^--Gehalts einer Lösung durch Fällung als Silberchlorid.

GRIGNARD-Reaktion: Addition von magnesiumorganischen Verbindungen (GRIGNARD-Verbindungen) an Aldehyde oder Ketone.

Halbacetal: Meist unbeständiges Produkt der Reaktion von Aldehyden mit Alkoholen:

```
H     OR'
 \   /
   C
 /   \
R     OH
```

Halbketal: Meist unbeständiges Produkt der Reaktion von Ketonen mit Alkoholen:

```
R'    OR"
 \   /
   C
 /   \
R     OH
```

Halbwertszeit τ: Zeit, in der eine bestimmte Menge eines Stoffes zur Hälfte zerfallen ist, insbesondere bei radioaktiven Stoffen.

Halbzelle: Ein Redoxpaar einer galvanischen Zelle, z. B. Zn^{2+} (aq)/Zn (s). Falls kein Metall beteiligt ist, benötigt man für Messungen eine Ableitelektrode, z. B. (Pt) H^+ (aq)/H_2 (g).

Halogenalkane: Organische Moleküle, die nur aus Kohlenstoff-, Wasserstoff- und Halogen-Atomen aufgebaut sind. Sie werden als Lösungsmittel, Kältemittel, Treibgase, Insektizide und als Ausgangsstoff für Kunststoffe verwendet.

α-Helix: Raumstruktur (Sekundärstruktur) von Polypeptiden, die einer Spirale ähnelt.

HESSscher Satz: Der Energieumsatz einer chemischen Reaktion ist unabhängig vom Reaktionsweg. Bei einer mehrstufigen Reaktion stimmt die Summe der einzelnen Reaktionsenthalpien mit der Gesamtenthalpie der Reaktion überein.

Heterocyclen: Cyclische Kohlenstoffverbindungen, die im Ring mindestens ein Nichtkohlenstoff-Atom (N-, O-, S-Atom) besitzen.

Heterolyse: Spaltung eines Moleküls unter Bildung ionischer Bruchstücke: Beide Elektronen des Bindungselektronenpaars verbleiben im gebildeten Anion.

Homolyse: Spaltung eines Moleküls, wobei eine Elektronenpaarbindung in der Mitte durchtrennt wird. Es entstehen Radikale R•.

HUNDsche Regel: Energetisch gleichwertige Orbitale werden zunächst jeweils mit einem Elektron besetzt.

Hybridisierung: Mischung verschiedener Orbitale eines Atoms bei der Bildung von Elektronenpaarbindungen zu anderen Atomen. Die verschiedenen Bindungsverhältnisse des C-Atoms in Kohlenstoffverbindungen lassen sich mit Hilfe von sp^3-, sp^2- oder sp-Hybridorbitalen beschreiben.

Hydratation: Lösungsvorgang in Wasser, bei dem sich Wasser-Moleküle um Ionen oder um polare Moleküle lagern.

Hydrierung: Addition von H_2-Molekülen an C/C-Mehrfachbindungen.

Hydrolyse: Spaltung einer polaren Elektronenpaarbindung durch Reaktion mit Wasser:
$A-B + H-OH \longrightarrow AH + BOH$

Beispiel: hydrolytische Spaltung von Proteinen in die einzelnen Aminosäuren

Hydronium-Ion: Das in verdünnten wässerigen Lösungen vollständig hydratisierte Wasserstoff-Ion: H^+ (aq) bzw. H_3O^+ (aq). Charakteristisches Ion in sauren Lösungen.

hydrophil: Wasser liebend. Hydrophile Stoffe sind wasserlöslich.

hydrophob: Wasser abstoßend. Hydrophobe Stoffe haben fettähnliche Eigenschaften.

Hydroxid-Ion: OH^--Ion. Charakteristisches Ion in alkalischen Lösungen. Es bildet sich beim Lösen von Hydroxiden und bei der Umsetzung einer BRÖNSTED-Base mit Wasser.

−I-Effekt (negativer Induktionseffekt): Die Elektronendichte in einem Molekülteil wird durch die elektronenziehende Wirkung der funktionellen Gruppe erniedrigt.

+I-Effekt (positiver Induktionseffekt): Die Elektronendichte in einem Molekülteil wird durch die elektronenschiebende Wirkung der funktionellen Gruppe erhöht.

Immission: Einwirkung von Luftverunreinigungen, Geräuschen, Strahlen, Wärme oder Erschütterungen auf die Umwelt.

Indikatoren: Säure/Base-Indikatoren sind Stoffe, die in einem bestimmten pH-Bereich einen Farbumschlag zeigen. Ursache: Die Indikatorsäure HIn hat eine andere Farbe als die konjugierte Base In^-. Bei Redox-Indikatoren beruht der Farbwechsel auf einer Redox-Reaktion, bei Metall-Indikatoren auf der Bildung oder Zerlegung eines Komplexes.

Insektizide: Insektenvernichtungsmittel

Ionen: Geladene Atome, Atomgruppen oder Moleküle. Anionen sind negativ, Kationen sind positiv geladen.

Ionenbindung: Bindung zwischen positiv und negativ geladenen Ionen in einem Ionengitter (Salz). Die geometrische Anordnung wird vor allem durch das Radienverhältnis bestimmt.

Ionisierungsenergie: Energie, die aufgewendet werden muss, um ein Elektron aus einem Atom zu entfernen.

IR-Spektroskopie: Verfahren zur Strukturaufklärung von Molekülen aufgrund charakteristischer Absorptionen im Infrarot-Bereich.

isoelektrischer Punkt: pH-Wert (pH (I)) einer Lösung, bei dem eine Aminosäure als Zwitterion vorliegt.

Isomere: Moleküle mit gleicher Summenformel, aber unterschiedlicher Struktur. → Konstitutions-Isomere, → Stereo-Isomere

Isotope: Atome des gleichen Elements (gleiche Protonenzahl), die sich in der Neutronenzahl und damit in der Atommasse unterscheiden.

Kalorimeter: Isolierte Apparatur zur Bestimmung von Wärmemengen, insbesondere von Reaktionsenthalpien.

kanzerogen: Krebs erzeugend.

Katalysator: Stoff, der die Geschwindigkeit chemischer Reaktionen erhöht. Er liegt nach der Reaktion wieder im ursprünglichen Zustand vor.

Katalyse: Mit Hilfe eines Katalysators wird der Ablauf einer Reaktion beschleunigt. Die Reaktion läuft über einen anderen Reaktionsweg mit niedrigerer Aktivierungsenergie ab.

Kernfusion: Verschmelzen von Atomkernen. *Beispiel:* Wasserstoffbombe

Kernspaltung: Spaltung von schweren Atomkernen durch Beschuss mit Neutronen, z. B. Spaltung von U-235-Kernen im Kernreaktor.

Ketal: Produkt der zweistufigen Reaktion von Ketonen mit Alkoholen:

```
R'    OR'''
  \  /
   C
  /  \
R     OR''
```

→ Acetal

Ketone: Organische Carbonyl-Verbindungen mit der Summenformel R−CO−R′.

Kettenreaktion: Reaktionsschritte im Verlauf einer Reaktion, die wieder zur Bildung von reaktiven Teilchen (z. B. Radikalen) führen. Die Gesamtreaktion verläuft daher relativ schnell (oft explosionsartig).

Kohlenhydrate: Naturstoffe mit der Summenformel $C_n(H_2O)_m$. Monosaccharide und Disaccharide sind niedermolekulare Kohlenhydrate (Zucker). Polysaccharide wie Cellulose oder Stärke sind makromolekulare Kohlenhydrate.

Komplex: Teilchen aus Zentralion und Molekülen oder Anionen als Liganden. *Beispiele:* $[AlCl_4]^-$, $[Fe(H_2O)_6]^{3+}$, $[Fe(CN)_6]^{4-}$

Komplexbildner: Substanzen, die mit bestimmten Metall-Ionen stabile Komplexe bilden. *Beispiel:* edta (Ethylendiamintetraessigsäure)

Kondensation: Verknüpfung zweier funktioneller Gruppen unter Abspaltung eines kleinen, meist anorganischen Moleküls (z. B. Wasser).

Konformations-Isomere: Unterschiedliche Raumstrukturen eines Moleküls, die durch Drehen um Einfachbindungen entstehen.

konjugierte Zweifachbindungen: Alternierende Abfolge von C−C-Einfachbindungen und C=C-Zweifachbindungen in einem Molekül.

Konstitutions-Isomere: Verbindungen mit gleicher Molekülformel, die sich in der Reihenfolge der Verknüpfung ihrer Atome unterscheiden: Stellungs-, Funktions-, Protonen- und Valenz-Isomere.

Koordinationszahl: Anzahl von Liganden um ein Zentralion in einem Komplex.

koordinative Bindung: Sonderfall der Elektronenpaarbindung. Das Bindungselektronenpaar wird von *einem* Atom zur Verfügung gestellt.

kovalente Bindung: → Elektronenpaarbindung

kumulierte Bindungen: Direkt aufeinander folgende Zweifachbindungen, z. B. −C=C=C−.

Laugen: Stark alkalische Lösungen, insbesondere Lösungen der Alkali-Hydroxide.

Legierung: Homogenes Gemisch aus verschiedenen Metallen.

LEWIS-Base: Teilchen mit einem freien Elektronenpaar, z. B. NH_3.

LEWIS-Säure: Teilchen mit einer Elektronenpaarlücke, z. B. $AlCl_3$.

Ligandenaustauschreaktion: An einem Komplex werden Liganden durch andere ersetzt. Oft sind solche Reaktionen mit Farbänderungen verbunden.

Löslichkeitsprodukt: Gleichgewichtskonstante für das Löslichkeitsgleichgewicht schwer löslicher Salze: Das nach den Regeln des Massenwirkungsgesetzes gebildete Produkt aus den Stoffmengenkonzentrationen der Ionen des Salzes ist in gesättigten Lösungen konstant.

Makromoleküle: Verbindungen, die aus einer großen Zahl gleicher, verketteter oder vernetzter Molekülgruppen bestehen. Die Einführung des Begriffs erfolgte durch STAUDINGER.

MAK-Wert: Abkürzung für Maximale Arbeitsplatz-Konzentration. Grenzwert für gesundheitsgefährdende Stoffe am Arbeitsplatz.

Maßanalyse: Verfahren der quantitativen Analyse, bei dem die Konzentration einer Teilchenart in einer Probelösung durch Titration bestimmt wird. Neben der Maßlösung mit genau bekannter Konzentration des Reaktionspartners benötigt man einen geeigneten Indikator. *Beispiel:* Titration von Essigsäure-Lösung mit Natronlauge-Maßlösung und Phenolphthalein als Indikator.

Massendefekt: Bei Kernreaktionen auftretende Massenabnahme, bei der Masse in Energie umgewandelt wird. Berechnung der Energie nach der von EINSTEIN eingeführten Gleichung $E = \Delta m \cdot c^2$.

Massenkunststoffe: Polystyrol, Polyethen, Polyvinylchlorid. Sie bilden den Hauptanteil der Kunststoffproduktion.

Massenspektroskopie: Analyseverfahren, bei dem ionisierte Teilchen beschleunigt und je nach Masse und Ladung verschieden abgelenkt werden. Das Verfahren dient z. B. zur Analyse der Isotopenverteilung einzelner Elemente und zur Strukturaufklärung organischer Stoffe.

Massenwirkungsgesetz: Mathematische Beschreibung der Konzentrationsverhältnisse, die sich für Edukte und Produkte einer chemischen Reaktion im Gleichgewichtszustand ergeben:
$a\,A + b\,B \rightleftharpoons d\,D + e\,E$
Für die Gleichgewichtskonstante K gilt:

$$K = \frac{c^d(D) \cdot c^e(E)}{c^a(A) \cdot c^b(B)}$$

Mesomerie: Modell, nach dem die Elektronenverteilung in einem Molekül durch mehrere *hypothetische* LEWIS-Formeln (Grenzformeln) beschrieben wird.

Mesomerieenergie: Energiedifferenz zwischen dem tatsächlichen Molekül und der durch Grenzformeln beschriebenen *hypothetischen* Verbindung.

metallische Bindung: In Metallen liegen Metall-Kationen vor. Die Außenelektronen sind als Elektronengas im Metallgitter frei beweglich. Das Modell erklärt die gute elektrische Leitfähigkeit, die hohe Wärmeleitfähigkeit, den Glanz und die gute Verformbarkeit der Metalle.

Mol: Einheit der Stoffmenge. Ein Mol entspricht $6{,}022 \cdot 10^{23}$ Teilchen bzw. Formeleinheiten eines Stoffs.

molare Masse: Quotient aus Masse und Stoffmenge eines reinen Stoffes. Zeichen: M, Einheit: $g \cdot mol^{-1}$.

molares Volumen: Quotient aus Volumen und Stoffmenge eines Stoffes. Zeichen: V_m; Einheit: $l \cdot mol^{-1}$. Unter Normbedingungen (0 °C, 1013 hPa) nimmt 1 Mol eines Gases ein Volumen von 22,4 l ein.

Molekülformel: Formel, die Art und Anzahl der Atome eines Moleküls angibt (Summenformel).

Molekülorbital: Aufenthaltsbereich eines Elektronenpaares in einem Molekül.

Monomere: Ausgangsstoffe für die Synthese von Makromolekülen. Die Monomermoleküle besitzen reaktive Gruppen, die eine Reaktion zu Polymeren ermöglichen.

mutagen: Erbgut schädigend.

Mutarotation: Änderung des Drehwinkels einer optisch aktiven Lösung durch Gleichgewichtseinstellung zwischen den optischen Isomeren (z. B. beim Lösen bestimmter Zucker).

NERNSTsche Gleichung: Beschreibt den Zusammenhang zwischen Elektrolytkonzentration und Elektrodenpotential in einer Halbzelle.
Beispiel: Für Metall-Halbzellen gilt:
$U_H(Me^{z+}(c)/Me)$
$= U_H^0(Me^{z+}/Me) + \frac{0{,}059}{z}\,V \lg c(Me^{z+})$

Neutralisation: Umsetzung äquimolarer Mengen an Säure und Base.

Neutralisationsenthalpie: Energie, die bei einem Neutralisationsvorgang freigesetzt wird.

Neutronen: Elektrisch neutrale Kernbausteine. Sie besitzen eine ähnliche Masse wie Protonen.

NMR-Spektroskopie: Verfahren zur Strukturaufklärung von Molekülen. Wasserstoff-Atome geben je nach Lage in einem Molekül verschiedene Signale in einem Magnetfeld.

Normalpotential: Ältere Bezeichnung für das Standard-Elektrodenpotential. → Elektrodenpotential, → Spannungsreihe

Nucleophile: Teilchen, die an positiven Ladungszentren angreifen: Anionen oder Teilchen mit freien Elektronenpaaren.

Octanzahl: Maß für die Klopffestigkeit von Benzin. Super-Benzin mit einer Octanzahl von 95 hat die gleiche Klopffestigkeit wie ein Testgemisch aus 95 % Isooctan mit 5 % n-Heptan.

Oktettregel: Für ein Atom in einem Molekül oder in einem mehratomigen Ion ist die Summe der Bindungselektronen und freien Elektronen meist acht.

optische Aktivitität: Drehung der Schwingungsebene von polarisiertem Licht z. B. durch optische Isomere.

optische Isomere: Teilchen, die sich wie Bild und Spiegelbild verhalten; vor allem bei Molekülen mit asymmetrischem C-Atom.

Orbital-Modell: Vereinfachte Wiedergabe der quantenmechanischen Theorie: Die einzelnen Elektronen in Atomen, Molekülen oder Kristallen haben zahlenmäßig genau festgelegte Energien. Entsprechend der HEISENBERGschen Unschärferelation lassen sich für einen bestimmten Ort aber nur Aufenthaltswahrscheinlichkeiten angeben. → Molekülorbital

OSTWALDsches Verdünnungsgesetz: Mit zunehmender Verdünnung der wässerigen Lösung einer schwachen Säure oder Base nimmt der Protolysegrad zu.

oszillierende Reaktion: Reaktion, die mehrfach zwischen zwei Zuständen hin- und herpendelt.

Oxidation: Früher die Umsetzung eines Stoffes mit Sauerstoff. Heute versteht man darunter die Abgabe von Elektronen bzw. die Erhöhung der Oxidationszahl.

Oxidationsmittel: Verbindung, die Elektronen von anderen Stoffen aufnimmt.

Oxidationszahl: Fiktive Ladung eines Atoms in einer Verbindung. Für die Ermittlung werden die Bindungselektronen jeweils den elektronegativeren Atomen zugeordnet.

Passivierung: Bildung einer schwer angreifbaren Deckschicht auf Metallen. *Beispiel:* Oxidschicht bei Aluminium

PAULI-Prinzip: In einem Atom gibt es keine zwei Elektronen, die den gleichen Zustand besitzen, d. h. sie unterscheiden sich in Energiegehalt, Aufenthaltsraum oder Elektronenspin.

Periodensystem: Anordnung der Elemente nach Merkmalen des Atombaus. Chemisch ähnliche Elemente mit der gleichen Anzahl an Außenelektronen stehen als *Gruppe* untereinander. Die nebeneinander stehenden Elemente mit der gleichen Anzahl an Elektronenschalen bilden jeweils eine *Periode.*

persistente Stoffe: In der Umwelt bzw. in Nahrungsketten schwer abbaubare Substanzen (z. B. Insektizide).

Pestizide: Pflanzenschutzmittel zur Bekämpfung tierischer und pflanzlicher Organismen.

Photometer: Gerät zur Messung der Intensität von Licht nach Durchstrahlen einer Probe. Die gemessene Extinktion ist der Konzentration der Stoffe proportional. Die Messung erfolgt bei der Wellenlänge maximaler Lichtabsorption.

Photooxidantien: Oxidierend wirkende Substanzen, die in der Atmosphäre unter Sonneneinstrahlung aus Stickstoffoxiden und Kohlenwasserstoffen entstehen; vor allem Ozon, Peroxyacetylnitrat (PAN) und Salpetersäure.

Photosynthese: Bildung von Kohlenhydraten aus Kohlenstoffdioxid und Wasser in grünen Pflanzen. Unter Beteiligung von Chlorophyll wird dabei Sonnenlicht als Energiequelle genutzt.

pH-Wert: Negativer dekadischer Logarithmus der Konzentration der Hydronium-Ionen einer wässerigen Lösung.

Pigmente: Schwer lösliche Farbmittel. Sie werden in bindemittelhaltigen Flüssigkeiten suspendiert.
Beispiel: Titanweiß (TiO_2)

Plasma: Zustand der Materie bei extrem hohen Temperaturen: Neben freien Elektronen liegen positiv geladene Atomrümpfe oder auch Atomkerne vor.

polare Elektronenpaarbindung: Bindung zwischen Atomen unterschiedlicher Elektronegativität.

Polarimeter: Messgerät zur Bestimmung des Drehwinkels von Lösungen optisch aktiver Substanzen.

Polyaddition: Synthese von Makromolekülen, die auf der Addition an ungesättigte Moleküle beruht.

Polykondensation: Synthese von Makromolekülen durch Reaktion zwischen funktionellen Gruppen der Monomere unter Abspaltung kleiner Moleküle.

Polymerisation: Synthese von Makromolekülen durch Verknüpfung niedermolekularer ungesättigter oder ringförmiger Monomere.

Polymerlegierung: Mischung von zwei oder mehreren hochpolymeren Stoffen, die unter Einsatz von Druck und Hitze „compoundiert" werden.

Prinzip von LE CHATELIER: Bei geänderten äußeren Bedingungen weicht eine Gleichgewichtsreaktion so aus, dass der äußere Zwang vermindert wird.

Proteine (Eiweißstoffe): Makromolekulare Naturstoffe, in denen zahlreiche Aminosäure-Moleküle (unter Abspaltung von Wasser) zu Polypeptidketten verknüpft sind.

Protolyse: Reaktion, bei der ein Protonenübergang stattfindet (Säure/Base-Reaktion).

Protonen: Bausteine des Atomkerns mit einer Masse von etwa 1 u und einer positiven Elementarladung. Ihre Anzahl bestimmt die Ordnungszahl eines Atoms.

Puffer: Lösungen, die bei Zusatz von Säuren oder Laugen den pH-Wert weitgehend konstant halten.

Pyrolyse: Hitzespaltung eines Stoffes. Sie spielt eine wichtige Rolle beim Recycling nicht sortierter Kunststoffe.

Racemat: Gemisch aus links- und rechtsdrehender Form spiegelbild-isomerer Moleküle gleicher Konzentration. Die Lösung eines Racemats ist optisch inaktiv.

Radikale: Atome oder Moleküle mit einem ungepaarten Elektron. Diese sehr reaktionsfähigen Teilchen dienen z. B. als Starter für radikalische Substitutionen, Additionen oder Polymerisationen.

Radioaktivität: Zerfall instabiler Atomkerne unter Aussendung von Strahlung. α-Strahlung besteht aus He^{2+}-Kernen, β-Strahlung aus energiereichen freien Elektronen. γ-Strahlung tritt zusammen mit α- oder β-Strahlung auf, sie ist sehr energiereiche elektromagnetische Strahlung.

Radiocarbon-Methode (C-14-Methode): Methode zur Altersbestimmung. Grundlage: Lebewesen nehmen ^{14}C-Atome auf, die mit einer Halbwertzeit von 5730 Jahren zerfallen.

Reaktionsenthalpie: Die molare Reaktionsenthalpie $\Delta_R H^0_m$ ist die bei einer chemischen Reaktion unter konstantem Druck pro Formelumsatz abgegebene ($\Delta H < 0$) bzw. aufgenommene ($\Delta H > 0$) Wärme.

Reaktionsgeschwindigkeit: Pro Zeiteinheit umgesetzte Stoffmenge von Edukten (Konzentrationsänderung pro Zeiteinheit). Die Reaktionsgeschwindigkeit ist abhängig von den Konzentrationen, der Temperatur, dem Zerteilungsgrad der Stoffe sowie vom Wirken eines Katalysators.

Reaktionskinetik: Ein Teilbereich der physikalischen Chemie. Untersucht werden zeitlicher Verlauf (Reaktionsgeschwindigkeit) und Reaktionsmechanismen chemischer Reaktionen.

Reaktionsmechanismus: Modellhafte Darstellung einer Reaktion in verschiedenen Teilschritten.

Reaktionstyp: Reaktionen gleicher Kategorie. *Beispiele:* Substitution, Addition, Eliminierung, Säure/Base-Reaktion

Recycling: Wiederverwendung gebrauchter Materialien; trotz hoher Kosten heute vielfach angewandt, um natürliche Ressourcen zu schonen.

Redoxreaktion: Gleichzeitige Oxidation und Reduktion bei einer chemischen Umsetzung (Elektronenübertragungsreaktion).

Reduktion: Früher die Abgabe von Sauerstoff. Heute versteht man darunter die Aufnahme von Elektronen bzw. die Erniedrigung der Oxidationszahl.

Reduktionsmittel: Verbindung, die Elektronen an andere Stoffe abgibt.

RGT-Regel: Erhöht man die Tempertur um 10 K, so steigt die Reaktionsgeschwindigkeit auf das Doppelte bis Vierfache.

RNA: Ribonucleinsäure (RNS). Verschiedene Formen der RNA setzen die Erbinformation der DNA bei der Proteinbiosynthese in Eiweißstoffe um.

RUTHERFORDsches Atommodell: Ein Atom besteht aus einem positiv geladenen Atomkern, der fast die gesamte Masse des Atoms enthält, und einer negativ geladenen Atomhülle, in der sich die Elektronen bewegen.

Säurekonstante: Gleichgewichtskonstante für die Reaktion einer Säure HA mit Wasser:

$$HA\,(aq) + H_2O\,(l) \rightleftharpoons H_3O^+\,(aq) + A^-\,(aq)$$

$$K_S = \frac{c\,(H_3O^+) \cdot c\,(A^-)}{c\,(HA)}$$

Der pK_S-Wert ist der negative dekadische Logarithmus des K_S-Werts.

Säuren: Nach BRÖNSTED sind Säuren Protonendonatoren. Eine wässerige Lösung einer Säure enthält Hydronium-Ionen im Überschuss.

Sedimentieren: Gewinnen eines Feststoffs aus einer Suspension durch Absetzenlassen am Gefäßboden.

Seifen: Natrium- oder Kaliumsalze der Fettsäuren.

Silberspiegel-Probe: Ammoniakalische Silbernitrat-Lösung (TOLLENS-Reagenz) wird durch Aldehyde und andere Reduktionsmittel zu elementarem Silber reduziert.

Silicone: Siliciumorganische Polymere.

Smog: Anreicherung von Schadstoffen in der Luft; hervorgerufen durch eine Inversionswetterlage. Wortkombination aus *engl.* „smoke" (Rauch) und „fog" (Nebel).

Spannungsreihe: Tabellarische Zusammenstellung der Elektrodenpotentiale für Redoxpaare im Standardzustand: $c = 1\ \text{mol} \cdot l^{-1}$, $p = 1013\ \text{hPa}$, $\vartheta = 25\ °\text{C}$. Üblich ist eine Anordnung nach steigenden Werten.

Spektroskop: Gerät zur Auftrennung des sichtbaren Lichts in die Spektralfarben. Dient in der Analytik zum Nachweis von bestimmten Alkali- und Erdalkalimetallen.

Spiegelbild-Isomere: → optische Isomere

Spin: Eigendrehimpuls eines Elektrons.

Stöchiometrie: Quantitative Beschreibung von Stoffen und Reaktionen durch Formeln und Reaktionsgleichungen.

Stereo-Isomere: Strukturgleiche Moleküle mit unterschiedlicher Anordnung ihrer Atome im dreidimensionalen Raum. Man unterscheidet geometrische, optische und Konformations-Isomere.

stereospezifische Reaktion: Chemische Reaktion, bei der nur eines der möglichen Stereo-Isomere als Produkt entsteht.

Sublimation: Direkter Übergang eines Feststoffes in den gasförmigen Zustand.

Substitutionsreaktion: An einem Molekül wird ein Atom oder eine Atomgruppe durch ein anderes Atom oder durch eine andere Atomgruppe ersetzt. Der Angriff kann dabei nucleophil, radikalisch oder elektrophil erfolgen.

Substituenten 1. Ordnung: Funktionelle Gruppen, die am aromatischen System einen Zweitsubstituenten in die *ortho*- oder *para*-Stellung steuern.
Beispiele: OH-Gruppe, NH_2-Gruppe

Substituenten 2. Ordnung: Funktionelle Gruppen, die am aromatischen System einen elektrophilen Angriff erschweren und Zweitsubstituenten in die *meta*-Stellung dirigieren.
Beispiele: NO_2-Gruppe, COOH-Gruppe

Substratspezifität: → Enzyme

Summenformel: → Molekülformel

Suspension: Aufschlämmung eines Feststoffs in einer Flüssigkeit.

Synproportionierung: Redoxreaktion, bei der eine Atomart in unterschiedlichen Oxidationsstufen ein Produkt mit einer mittleren Oxidationsstufe bildet.
Beispiel:

$$O\overset{+I}{Cl}{}^-\,(aq) + \overset{-I}{Cl}{}^-\,(aq) + 2\,H^+\,(aq) \longrightarrow \overset{\pm 0}{Cl}_2\,(aq) + H_2O\,(l)$$

Tenside: Grenzflächenaktive Substanzen, die aufgrund ihrer Struktur als Wasch- und Reinigungsmittel verwendet werden. Es gibt Aniontenside (z. B. Seifen), Kationtenside, nichtionische und zwitterionische Tenside.

Thermoplaste: Kunststoffe, die aus nicht oder wenig verzweigten linearen Makromolekülen aufgebaut sind. Sie sind schmelzbar und können deshalb in der Hitze verarbeitet werden.

Titration: Maßanalytisches Verfahren zur Konzentrationsbestimmung mittels einer Maßlösung und einer Bürette.
→ Maßanalyse

Toxizität: Giftigkeit eines Stoffes.

Treibhauseffekt (anthropogener): Weltweite Temperaturerhöhung, verursacht durch die Zunahme von Kohlenstoffdioxid und anderen Gasen in der Atmosphäre.

Triphenylmethanfarbstoffe: Um ein Carbenium-Ion sind drei Benzolringe angeordnet. Die Farbwirkung entsteht durch Ausbildung chinoider Strukturen.

Umlagerung: Änderung der Konstitution eines Moleküls während einer Reaktion.

VAN-DER-WAALS-Bindung: Schwache Anziehung, die zwischen allen Teilchen wirkt, besonders zwischen Teilchen mit großer Polarisierbarkeit und/oder mit stark polaren Bindungen.

Verbundwerkstoffe: Kombination einer Kunststoffgrundsubstanz (Matrix) mit einem darin eingebetteten Verstärkungsmaterial (z. B. Glasfaser).

Veresterung: Reaktion von Säuren mit Alkoholen. Es bildet sich eine Esterbindung aus. → Ester

Verhältnisformel: Formel, die das Zahlenverhältnis der Atome in einer Verbindung wiedergibt, insbesondere für gitterartig aufgebaute Verbindungen angewandt. *Beispiele:* CaF_2, SiO_2, Al_2O_3

Verseifung: Hydrolyse von Estermolekülen, die durch Alkalien oder Säuren eingeleitet wird.

Wasserhärte: Maß für den Gehalt an Erdalkali-Ionen (Ca^{2+}, Mg^{2+}) im Trinkwasser. Angabe in $\text{mmol} \cdot l^{-1}$ oder in Deutschen Härtegraden °d ($1\ \text{mmol} \cdot l^{-1} = 5{,}6$ °d).

Wasserstoffbrückenbindung: Starke zwischenmolekulare Bindung zwischen polaren Molekülen, die einerseits polar gebundene H-Atome und andererseits Atome mit freien Elektronenpaaren (O-, N-, F-Atome) besitzen.

Weichmacher: Additive in Kunststoffen. Sie machen ursprünglich spröde Kunststoffe elastisch.

Weißtöner: Inhaltsstoffe von Waschmitteln, die durch Fluoreszenz zusätzliches Leuchten auf weißen Geweben erzeugen und dadurch den Weißeindruck erhöhen.

WILSONsche Nebelkammer: Gerät zur Sichtbarmachung ionisierender Strahlen. Die Strahlen hinterlassen in einer wasserdampfübersättigten Kammer Kondensstreifen.

Wirkungsspezifität: → Enzyme

Xanthoprotein-Reaktion: Farbreaktion zum Nachweis von Aminosäuren und Proteinen mit aromatischem Rest.

Zerfallsreihe: Abfolge bestimmter Atomkerne, die beim Zerfall eines instabilen Atoms nacheinander auftreten.

ZIEGLER-Katalysatoren: Metallorganische Verbindungen (z. B. Aluminiumtriethyl), die zur Polymerisation von Alkenen genutzt werden.

Zwitterion: Molekül, das gleichzeitig eine positive und eine negative Ladung aufweist. *Beispiel:* Aminosäuren

Stichwortverzeichnis

D

E

F

G

H

T

U

V

W

X

Z

Periodensystem der Elemente

79 Au kub. dicht.

- Ordnungszahl: 79
- Kristallstruktur: kub. dicht. (krz: kubisch raumzentriert; r: rhomboedrisch)
- Nukleonenzahl der häufigsten Isotope: 197
- Häufigkeit in %: 100
- Atomradius in pm: 144
- Ionenradius in pm (Ladung) (nach Shannon, Prewitt (1969)): 137(1+)
- kovalenter Radius in pm: 134
- Elektronegativität (PAULING): 2,4
- 1. Ionisierungsenergie in MJ · mol^{-1}: 0,896
- 2. Ionisierungsenergie in MJ · mol^{-1}: 1,98
- **Elektronenkonfiguration**: [Xe] $6s^1 4f^{14} 5d^{10}$

Daten nach: Aylward, Findlay: Datensammlung Chemie in SI-Einheiten, 1981, Verlag Chemie, Weinheim

Periode Schale	Hauptgruppen I	Hauptgruppen II	Nebengruppen (Übergangsmetalle) III	IV	V	VI	VII	VIII	VIII	VIII	I	II	Hauptgruppen III	IV	V	VI	VII	VIII
1 K	**1 H** hex. dicht. 1 2 99,98 0,02 — 2,1 208(1−) 1,318 37 — $1s^1$																	**2 He** hex. dicht. 3 4 0,0001 100 150 — — 2,379 — 5,257 $1s^2$
2 L	**3 Li** krz 6 7 7,4 92,6 152 1,0 74(1+) 0,526 134 7,305 [He] $2s^1$	**4 Be** hex. dicht. 9 100 112 1,5 35(2+) 0,906 90 1,763 [He] $2s^2$											**5 B** hex. dicht. 10 11 19,6 80,4 98 2,0 23(3+) 0,807 79 2,433 [He] $2s^2 2p^1$	**6 C** Diamant 12 13 14 98,9 1,1 Spuren 91 2,5 16(4+) 1,093 71 2,359 [He] $2s^2 2p^2$	**7 N** hex. dicht. 14 15 99,6 0,4 — 3,0 16(3+) 1,407 73 2,862 [He] $2s^2 2p^3$	**8 O** hex. dicht. 16 17 18 99,8 0,04 0,2 — 3,5 140(2−) 1,320 74 3,395 [He] $2s^2 2p^4$	**9 F** 19 100 — 4,0 131(1−) 1,687 71 3,381 [He] $2s^2 2p^5$	**10 Ne** kub. dicht. 20 21 22 90,9 0,3 8,8 160 — — 2,087 — 3,959 [He] $2s^2 2p^6$
3 M	**11 Na** krz 23 100 186 0,9 102(1+) 0,502 154 4,569 [Ne] $3s^1$	**12 Mg** hex. dicht. 24 25 26 78,7 10,1 11,2 160 1,2 72(2+) 0,744 136 1,457 [Ne] $3s^2$											**13 Al** kub. dicht. 27 100 143 1,5 53(3+) 0,584 118 1,823 [Ne] $3s^2 3p^1$	**14 Si** Diamant 28 29 30 92,2 4,7 3,1 132 1,8 40(4+) 0,793 118 1,583 [Ne] $3s^2 3p^2$	**15 P** kub. 31 100 128 2,1 44(3+) 1,018 110 1,909 [Ne] $3s^2 3p^3$	**16 S** rhomb. 32 33 34 95,0 0,8 4,2 127 2,5 184(2−) 1,006 102 2,257 [Ne] $3s^2 3p^4$	**17 Cl** tetragonal 35 37 75,5 24,5 — 3,0 181(1−) 1,257 99 2,303 [Ne] $3s^2 3p^5$	**18 Ar** kub. dicht. 36 38 40 0,3 0,1 99,6 190 — — 1,527 — 2,672 [Ne] $3s^2 3p^6$
4 N	**19 K** krz 39 40 41 93,1 0,01 6,9 227 0,8 138(1+) 0,425 196 3,058 [Ar] $4s^1$	**20 Ca** kub. dicht. 40 42 44 97,0 0,6 2,1 197 1,0 99(2+) 0,596 174 1,152 [Ar] $4s^2$	**21 Sc** kub. dicht. 45 100 161 1,3 75(3+) 0,637 144 1,241 [Ar] $4s^2 3d^1$	**22 Ti** hex. dicht. 46 47 48 7,9 7,3 74,0 145 1,5 61(4+) 0,664 132 1,316 [Ar] $4s^2 3d^2$	**23 V** krz 50 51 0,2 99,8 131 1,6 54(5+) 0,656 122 1,420 [Ar] $4s^2 3d^3$	**24 Cr** krz 50 52 53 4,3 83,8 9,5 125 1,6 63(3+) 0,659 118 1,598 [Ar] $4s^1 3d^5$	**25 Mn** kub. dicht. 55 100 137 1,5 83(2+) 0,724 117 1,515 [Ar] $4s^2 3d^5$	**26 Fe** krz 54 56 57 5,8 91,7 2,2 124 1,8 64(3+) 0,766 117 1,567 [Ar] $4s^2 3d^6$	**27 Co** hex. dicht. 59 100 125 1,8 65(2+) 0,764 116 1,652 [Ar] $4s^2 3d^7$	**28 Ni** kub. dicht. 58 60 62 67,9 26,2 3,6 125 1,8 69(2+) 0,743 115 1,759 [Ar] $4s^2 3d^8$	**29 Cu** kub. dicht. 63 65 69,1 30,9 128 1,9 72(2+) 0,752 117 1,964 [Ar] $4s^1 3d^{10}$	**30 Zn** hex. dicht. 64 66 68 48,9 27,8 18,6 133 1,6 74(2+) 0,913 125 1,740 [Ar] $4s^2 3d^{10}$	**31 Ga** 69 71 60,4 39,6 122 1,6 62(3+) 0,585 126 1,985 [Ar]$4s^2 3d^{10} 4p^1$	**32 Ge** Diamant 70 72 74 20,5 27,4 36,5 123 1,8 53(4+) 0,768 121 1,544 [Ar]$4s^2 3d^{10} 4p^2$	**33 As** r 75 100 125 2,0 58(3+) 0,953 122 1,804 [Ar]$4s^2 3d^{10} 4p^3$	**34 Se** hexagonal 78 80 82 23,5 49,8 9,2 116 2,4 198(2−) 0,947 116 2,051 [Ar]$4s^2 3d^{10} 4p^4$	**35 Br** orthorhomb. 79 81 50,5 49,5 — 2,8 195(1−) 1,146 114 2,11 [Ar]$4s^2 3d^{10} 4p^5$	**36 Kr** kub. dicht. 82 84 86 11,6 56,9 17,4 200 — — 1,357 — 2,374 [Ar]$4s^2 3d^{10} 4p^6$
5 O	**37 Rb** krz 85 87 72,2 27,8 248 0,8 149(1+) 0,409 216 2,638 [Kr] $5s^1$	**38 Sr** kub. dicht. 86 87 88 9,9 7,0 82,5 215 1,0 112(2+) 0,556 191 1,071 [Kr] $5s^2$	**39 Y** hex. dicht. 89 100 178 1,3 92(3+) 0,622 162 1,187 [Kr] $5s^2 4d^1$	**40 Zr** hex. dicht. 90 92 94 51,5 17,1 17,4 159 1,4 72(4+) 0,666 145 1,273 [Kr] $5s^2 4d^2$	**41 Nb** krz 93 100 143 1,6 64(5+) 0,670 134 1,388 [Kr] $5s^1 4d^4$	**42 Mo** krz 92 96 98 15,9 16,5 23,8 136 1,8 60(6+) 0,691 130 1,564 [Kr] $5s^1 4d^5$	**43 Tc** hex. dicht. — — 135 1,9 — 0,708 127 1,478 [Kr] $5s^1 4d^6$	**44 Ru** hex. dicht. 101 102 104 17,1 31,6 18,6 133 2,2 62(4+) 0,717 125 1,623 [Kr] $5s^1 4d^7$	**45 Rh** kub. dicht. 103 100 134 2,2 68(3+) 0,726 125 1,751 [Kr] $5s^1 4d^8$	**46 Pd** kub. dicht. 105 106 108 22,2 27,3 26,7 138 2,2 86(2+) 0,811 128 1,881 [Kr] $4d^{10}$	**47 Ag** kub. dicht. 107 109 51,4 48,6 144 1,9 115(1+) 0,737 134 2,080 [Kr] $5s^1 4d^{10}$	**48 Cd** hex. dicht. 111 112 114 12,7 24,1 28,8 149 1,7 95(2+) 0,874 148 1,638 [Kr] $5s^2 4d^{10}$	**49 In** kub. dicht. 113 115 4,3 95,7 136 1,7 81(3+) 0,565 144 1,827 [Kr]$5s^2 4d^{10} 5p^1$	**50 Sn** tetragonal 116 118 120 14,3 24,0 32,8 151 1,8 71(4+) 0,715 141 1,418 [Kr]$5s^2 4d^{10} 5p^2$	**51 Sb** r 121 123 57,2 42,8 145 1,9 76(3+) 0,840 140 1,601 [Kr]$5s^2 4d^{10} 5p^3$	**52 Te** 127 128 130 18,7 31,8 34,5 143 2,1 221(2−) 0,876 136 1,80 [Kr]$5s^2 4d^{10} 5p^4$	**53 I** orthorhomb. 127 100 — 2,5 216(1−) 1,015 133 1,852 [Kr]$5s^2 4d^{10} 5p^5$	**54 Xe** kub. dicht. 129 131 132 26,4 21,2 26,9 220 — — 1,177 — 2,053 [Kr]$5s^2 4d^{10} 5p^6$
6 P	**55 Cs** krz 133 100 265 0,7 170(1+) 0,382 235 2,43 [Xe] $6s^1$	**56 Ba** krz 136 137 138 7,8 11,3 71,7 217 0,9 136(2+) 0,509 198 0,972 [Xe] $6s^2$	**57–71** La-Lu	**72 Hf** hex. dicht. 177 178 180 18,5 27,1 35,2 156 1,3 71(4+) 0,68 144 1,44 [Xe]$6s^2 4f^{14} 5d^2$	**73 Ta** krz 180 181 0,01 99,99 143 1,5 64(5+) 0,767 134 — [Xe]$6s^2 4f^{14} 5d^3$	**74 W** krz 182 184 186 26,4 30,7 28,4 137 1,57 65(4+) 0,776 130 — [Xe]$6s^2 4f^{14} 5d^4$	**75 Re** hex. dicht. 185 187 37,1 62,9 137 1,9 63(4+) 0,766 128 — [Xe]$6s^2 4f^{14} 5d^5$	**76 Os** hex. dicht. 189 190 192 16,1 26,4 41,0 134 2,2 63(4+) 0,85 126 — [Xe]$6s^2 4f^{14} 5d^6$	**77 Ir** kub. dicht. 191 193 37,3 62,7 136 2,2 63(4+) 0,88 127 — [Xe]$6s^2 4f^{14} 5d^7$	**78 Pt** kub. dicht. 194 195 196 32,9 33,8 25,3 139 2,2 80(2+) 0,87 130 1,797 [Xe]$6s^1 4f^{14} 5d^9$	**79 Au** kub. dicht. 197 100 144 2,4 137(1+) 0,896 134 1,98 [Xe]$6s^1 4f^{14} 5d^{10}$	**80 Hg** r 199 200 202 16,8 23,1 29,8 150 1,9 102(2+) 1,013 149 1,816 [Xe]$6s^2 4f^{14} 5d^{10}$	**81 Tl** hex. dicht. 203 205 29,5 70,5 170 1,8 150(1+) 0,596 148 1,977 [Xe]$6s^2 4f^{14} 5d^{10} 6p^1$	**82 Pb** kub. dicht. 206 207 208 23,6 22,6 52,3 175 1,8 118(2+) 0,722 147 1,457 [Xe]$6s^2 4f^{14} 5d^{10} 6p^2$	**83 Bi** r 209 100 155 1,9 102(3+) 0,710 146 1,616 [Xe]$6s^2 4f^{14} 5d^{10} 6p^3$	**84 Po** — — 167 2,0 67(6+) 0,818 146 — [Xe]$6s^2 4f^{14} 5d^{10} 6p^4$	**85 At** — — — 2,2 — — 145 — [Xe]$6s^2 4f^{14} 5d^{10} 6p^5$	**86 Rn** kub. dicht. — — — — — 1,043 — — [Xe]$6s^2 4f^{14} 5d^{10} 6p^6$
7 Q	**87 Fr** krz — — — 0,7 180(1+) — — — [Rn] $7s^1$	**88 Ra** kub. dicht. — — — 0,9 143(2+) 0,516 — 0,985 [Rn] $7s^2$	**89–103** Ac-Lr	**104 Rf** — — — — — — — — [Rn]$7s^2 5f^{14} 6d^2$	**105 Db** — — — — — — — — [Rn]$7s^2 5f^{14} 6d^3$	**106 Sg** — — — — — — — — [Rn]$7s^2 5f^{14} 6d^4$	**107 Bh** — — — — — — — — —	**108 Hs** — — — — — — — — —	**109 Mt** — — — — — — — — —	**110** — — — — — — — — —	**111** — — — — — — — — —	**112** — — — — — — — — —						

Lanthaniden	**57 La** hex. dicht. 138 139 0,1 99,9 187 1,1 114(3+) 0,544 169 1,073 [Xe] $6s^2 5d^1$	**58 Ce** kub. dicht. 136 140 142 0,2 88,5 11,2 183 1,1 101(3+) 0,534 165 1,053 [Xe] $6s^2 4f^2$	**59 Pr** hex. dicht. — — 132 1,1 100(3+) 0,529 165 1,024 [Xe] $6s^2 4f^3$	**60 Nd** hex. dicht. 142 144 146 27,1 23,9 17,2 181 1,2 98(3+) 0,536 164 1,040 [Xe] $6s^2 4f^4$	**61 Pm** — — 135 — 96(3+) 0,542 163 1,056 [Xe] $6s^2 4f^5$	**62 Sm** r 147 152 154 15,0 26,7 22,7 179 1,2 96(3+) 0,549 162 1,074 [Xe] $6s^2 4f^6$	**63 Eu** krz 151 153 47,8 52,2 199 — 117(2+) 0,553 185 1,092 [Xe] $6s^2 4f^7$	**64 Gd** hex. dicht. 156 158 160 20,5 24,9 21,9 179 1,1 94(3+) 0,598 161 1,17 [Xe]$6s^2 4f^7 5d^1$	**65 Tb** hex. dicht. 159 100 176 1,2 93(3+) 0,570 159 1,118 [Xe] $6s^2 4f^9$	**66 Dy** hex. dicht. 162 163 164 25,2 25,0 28,2 175 1,2 92(3+) 0,587 159 1,132 [Xe] $6s^2 4f^{10}$	**67 Ho** hex. dicht. 165 100 174 1,2 91(3+) 0,586 158 1,145 [Xe] $6s^2 4f^{11}$	**68 Er** hex. dicht. 166 167 168 33,4 22,9 27,1 173 1,2 89(3+) 0,595 157 1,157 [Xe] $6s^2 4f^{12}$	**69 Tm** hex. dicht. 169 100 177 1,2 87(3+) 0,601 156 1,169 [Xe] $6s^2 4f^{13}$	**70 Yb** kub. dicht. 172 173 174 21,8 16,1 31,9 194 1,1 86(3+) 0,610 174 1,180 [Xe] $6s^2 4f^{14}$	**71 Lu** hex. dicht. 175 176 97,4 2,6 172 1,2 86(3+) 0,570 156 1,35 [Xe]$6s^2 4f^{14} 5d^1$
Actiniden	**89 Ac** — — 188 1,1 118(3+) 0,67 — 1,17 [Rn] $7s^2 6d^1$	**90 Th** kub. dicht. 232 100 180 1,3 100(4+) 0,675 165 1,12 [Rn] $7s^2 6d^2$	**91 Pa** — — 161 1,5 113(3+) — — — [Rn]$7s^2 5f^2 6d^1$	**92 U** hex. dicht. 234 235 238 0,01 0,7 99,3 139 1,7 73(6+) 0,59 142 — [Rn]$7s^2 5f^3 6d^1$	**93 Np** — — 130 1,3 95(4+) — — — [Rn]$7s^2 5f^4 6d^1$	**94 Pu** — — 151 1,3 80(4+) 0,57 — — [Rn] $7s^2 5f^6$	**95 Am** — — 182 1,3 100(3+) 0,59 — — [Rn] $7s^2 5f^7$	**96 Cm** — — — — 98(3+) — — — [Rn]$7s^2 5f^7 6d^1$	**97 Bk** — — — — — — — — [Rn] $7s^2 5f^9$	**98 Cf** — — — — — — — — [Rn] $7s^2 5f^{10}$	**99 Es** — — — — — — — — [Rn] $7s^2 5f^{11}$	**100 Fm** — — — — — — — — [Rn] $7s^2 5f^{12}$	**101 Md** — — — — — — — — [Rn] $7s^2 5f^{13}$	**102 No** — — — — — — — — [Rn] $7s^2 5f^{14}$	**103 Lr** — — — — — — — — [Rn]$7s^2 5f^{14} 6d^1$